SPA

KB238251

PREFACE
이 책의
머리말

2027 SPA 형법 전면개정판을 출간하면서

2년 만에 출간한 이번 전면개정판은 다음을 반영하였습니다.

1. 형법 일부개정
친족상도례(제328조와 제365조 전면개정〈2025.12.31.〉), 사기(컴퓨터 등 사용사기, 준사기)죄〈법정형 개정 2025.12.31.〉, 공중협박죄(제116조의 2)와 공공장소 흉기소지죄(제116조의 3) 신설〈2025.4.8.〉

2. 기출문제
2026년 기출문제(변호사시험, 경찰승진)와 2025년 기출문제[변호사시험, 경대편입, 경찰승진, 경위공채, 형사법능력평가(수사경과), 경력채용, 순경 1차·2차, 해양경찰(경위공채, 경사·경위승진, 경장채용, 순경 1차·2차), 법원직(9급 서기보), 9급 검찰·마약수사·철도경찰, 7급 검찰]까지

3. 대법원판례
최근 판례(2026.1.1.대법원 판례공보 및 미간행)까지

다음과 같은 사안에 중점을 두었습니다.

첫째, 본문
개별 법조문의 단순한 암기가 아니라 도표 등으로 정리하였으며, 이론 문제는 이해하기 쉬운 사례를 들어 총론에서 완벽하게 대비할 수 있도록 하였고, 판례는 최근 출제경향에 맞추어 수정·교체·추가·삭제하였다.

둘째, 확인학습(OX문제)
최근 7개년[2020년~2026년(변호사시험, 경찰승진)] 기출문제를 중심으로 출제비중이 높은 것 위주로 교체·추가·삭제하였다.

셋째, 객관식문제(기출문제)
최근 7개년[2020년~2026년(변호사시험, 경찰승진)] 기출문제를 전부 비교·분석하여 교체·추가·삭제하였다.

넷째, 중요도와 시간 절약 및 정답 찾기
본문(법조문, 이론, 판례)에서 사안마다 키워드와 기출표기를 색처리하여 중요도를 파악하기 쉽고 반복학습시 시간을 줄이도록 하였으며, 출제시 틀리게 표현된 것들을 "(~×)"로 정리해 두었다.

다섯째, 반복학습
본문 ⇨ 확인학습(OX문제) ⇨ 기출문제의 3단계 방식으로 공부하여, 1회독시 3회독 이상의 반복학습 효과를 노렸다.

SPA 형법으로 단권화하여 반복학습 하신다면 본 교재 한 권만으로도 어느 시험에서나 고득점으로 합격·승진하는 데 아무런 지장이 없을 것입니다.
애독자 여러분께 진심으로 감사드리며, 절실한 마음으로 초지일관하시어 우수한 성적으로 합격·승진하시길 간절히 기원합니다.

2026. 3.
공편저자 조충환·양건

형법총론 I

Part 01 서 론

Part 02 범죄론

형법총론 Ⅱ

서 론

01 형법의 기본개념

제1절 형법의 의의

(1) 형법의 개념

형법이란 어떤 행위가 범죄이고 이에 대한 법적 효과로서 어떠한 형벌 내지 보안처분(예 치료감호, 보호관찰)을 과할 것인가를 규정하는 법규범의 총체를 말한다.

(2) 형법의 범위

① **협의의 형법**(형식적 의미의 형법)
  ㉠ '형법'이라는 이름이 붙여진 형법전(1953. 9. 18. 공포)만을 말한다.
  ㉡ 형법전은 총칙과 각칙으로 되어 있으며, 형법총칙은 다른 법령에 정한 죄에 적용되지만, 그 법령에 특별한 규정이 있는 때에는 예외로 한다(제8조). 19. 순경 1차, 20. 해경승진, 21. 경찰승진

② **광의의 형법**(실질적 의미의 형법)
  ㉠ 범죄와 형벌을 규정한 모든 법규범을 말한다.
  ㉡ 여기에는 협의의 형법을 비롯하여 특별형법(예 폭력행위 등 처벌에 관한 법률, 특정범죄가중처벌 등에 관한 법률, 성폭력범죄의 처벌 등에 관한 특례법 등) 및 각종 법률의 형사처벌규정을 포함한다.

제2절 형법의 성격

형법은 법 가운데 하나이며, 규범의 일종이다. 그렇다면 형법은 법체계상 어떤 지위에 있으며, 규범으로서의 형법은 어떠한 성격을 갖는가.

(1) 형법의 법체계상의 지위

① **공법** : 개인 대 개인 사이의 관계를 규율하는 사법과 달리, 형법은 국가와 범죄자 사이의 관계를 규정하는 공법이다. 24. 해경수사
② **실체법** : 형법은 범죄와 형벌의 실체를 규정한 실체법으로서 절차를 규정한 절차법인 형사소송법과 구별된다.
③ **사법법** : 형법은 재판에 적용되는 법이라는 의미에서 사법법이다. 24. 해경수사

④ **형사법** : 사법법을 민사법(**예** 민법, 민사소송법, 상법 등)과 형사법으로 구분할 때 형법(실체법)·형사소송법(절차법)·형의 집행 및 수용자의 처우에 관한 법률(집행법)은 형사법에 속한다.

(2) 형법의 규범적 성격

① **가설적 규범** : 형법은 일정한 범죄행위를 조건으로('…한 자는') 이에 대한 법적 효과로서 일정한 형벌을 과할 것('…에 처한다.')을 규정한 가설적 규범이다〔**예** 사람을 살해한 자는 사형, 무기 또는 5년 이상의 징역에 처한다(제250조)〕.

② **평가규범과 의사결정규범** : 형법은 일정한 행위를 범죄로 하고 형벌을 부과함으로써 그러한 범죄행위가 무가치하고 위법하다는 평가를 하는 평가규범이며, 일반 국민에게 무가치하고 위법한 행위를 결의해서는 안 된다는 의무를 부과하여 의사결정에 있어서의 기준을 제시하는 의사결정규범이다. 24. 해경수사

③ **행위규범과 재판규범** : 형법은 일반 국민에게 일정한 행위를 금지하거나 일정한 행위를 명령함으로써 행위의 준칙을 제시하는 행위규범이며, 법관을 수명자로 하여 법관에게 형벌권 행사의 한계를 설정함으로써 사법(司法)작용을 규제하는 재판규범이기도 하다. 23. 순경 1차

제3절   형법의 기능

사회통제의 한 수단으로서의 형법의 기능을 어떻게 파악할 것인가는 관점에 따라 다양하게 표현되지만 일반적으로 다음과 같이 구분한다.

(1) 보호적 기능

형법은 형벌이라는 수단을 통하여 주로 '법익을 보호하는 기능'을 하며, '법익'이란 법률을 통해 보호할 가치 있는 이익을 의미한다. 23. 순경 1차, 24. 해경수사 또한 형법은 사회 공동체의 일원으로서 개인이 실천해야 할 행위의 가치를 보호하는 기능도 갖는다.

Q 형법의 보충성의 원칙(형법의 최소화)
형법은 형벌이라는 강력한 제재에 의하여 법익을 보호하므로 다른 수단에 의하여 보호하기 어려운 경우에 최후의 수단으로서 보충적으로 적용되어야 한다는 원칙을 말한다.

(2) 보장적 기능

형법은 국가형벌권의 발동한계를 명확히 하여 국가형벌권의 자의적인 행사로부터 국민의 자유와 권리를 보장하는 기능을 가지며, 형법의 보장적 기능은 일반 국민은 물론 범죄인에게도 미친다. 따라서 형법의 보장적 기능은 자유민주주의 사회에서 가장 강조되는 기능이자 죄형법정주의의 근본원리가 된다. 24. 해경수사

Q 보호적 기능과 보장적 기능의 조화

형법은 보호적 기능과 보장적 기능을 모두 가지며, 어느 한 기능을 강조하면 다른 한 기능이 그만큼 소홀하게 되는 반비례(비례 ×)관계에 있다(∵ 보장적 기능을 강조하면 개별형법 규정을 행위자에게 유리하게 해석하고, 보호적 기능을 강조하면 행위자에게 불리한 해석을 하게 되므로). 23. 순경 1차 따라서 보호적 기능과 보장적 기능은 균형과 조화가 필요하다.

(3) 규제적 기능(진압적 기능, 규범적 기능)

형법은 행위규범 내지 재판규범으로서 일반 국민과 사법관계자들을 규제하는 기능을 갖는다.

(4) 사회보전적 기능(사회보호적 기능)

형법은 형벌수단을 통하여 범죄행위를 방지함으로써 범죄로부터 사회 공동 질서를 유지·보호하는 기능을 갖는다. 이는 전체주의 국가에서 강조되는 기능이다.

형법이론

형법이론이란 범죄와 형벌의 본질에 관한 법철학적 이론을 말하며, 범죄이론과 형벌이론으로 구성된다. 형법이론은 형법해석과 적용 및 입법정책의 지도원리로서 작용하므로 형법연구의 출발점이자 도달점이 된다.

이러한 형법이론은 형법학파의 논쟁으로 나타나며, 형법상의 많은 문제에 대한 견해의 대립은 상당수가 형법이론의 차이에서 유래한다.

1 범죄이론(범죄의 본질)

(1) 객관주의 : 고전학파(구파)

① **의의** : 객관주의는 형법적 평가의 중심은 외부적인 행위와 현실적으로 발생한 결과에 두고 책임과 형벌을 결정해야 한다는 견해이다(범죄주의, 사실주의, 행위주의).

② **배경** : 객관주의는 인간의 자유의사(의사비결정론)를 전제로 하는 자유주의·개인주의·계몽주의에서 출발하였다.

③ **공헌** : 형사책임의 기초를 외부적인 범죄사실에 둠으로써 국가형벌권의 행사를 제한하여 개인의 자유와 권리를 보장하는 데 기여하였다.

④ **학파** : 객관주의 범죄이론은 응보형주의 및 일반예방주의의 형벌이론과 결합하여 고전학파(구파)의 형법이론을 형성하였다.

(2) 주관주의 : 근대학파(신파)

① **의의** : 주관주의는 외부적 행위와 현실적으로 발생한 결과가 아니라, 이를 발생시킨 행위자의 반사회적 성격에 두고 책임과 형벌을 결정해야 한다는 견해이다(범인주의, 성격주의, 행위자주의).

② **배경** : 인간의 자유의사를 부정하는 의사결정론을 전제로 하는 실증주의에서 출발하였다.

③ **공헌** : 범죄를 주관적인 측면에서 파악하므로 형벌의 개별화를 통한 범죄인의 개선·교화 및 재사회화를 촉진하여 범죄를 예방하자는 취지이다.

④ **학파** : 주관주의 범죄이론은 목적형주의(특별예방주의)의 형벌이론과 결합하여 근대학파(신파)의 형법이론을 형성하였다.

2 형법학파의 대립

고전학파(구파)와 근대학파(신파)의 대립을 요약·정리하면 다음과 같다.

구 분	구파(고전학파)	신파(근대학파)
시 기	18세기 후반~19세기(시민혁명)	19세기 후반~현대
배 경	개인주의·자유주의·합리주의·계몽주의·법치주의	범죄의 격증, 소년범·누범·상습범 증가, 자연과학사상, 실증주의
인간관	**의사자유론**(의사비결정론) : 인간은 자기의 행동을 완전히 규율할 수 있는 자유인이므로 범죄인도 일반인과 동일한 자유의사를 가진다.	**의사결정론** : 범죄란 자유의사의 선택으로 되는 것이 아니라 개인적 소질과 사회적 환경에 의하여 결정된다.
범죄론	**객관주의**(침해결과 중시) : 범죄의 외부에 나타난 행위와 결과를 중시한다.	**주관주의**(침해적 인격 중시) : 행위자(범죄인)의 반사회적 성격을 중시한다.
① **기수와 미수의 구별**	기수와 미수를 구별한다(미수는 예외적으로 처벌 ⇨ 필요적 감경).	기수와 미수를 구별할 필요가 없다(미수범도 기수범과 동일하게 처벌).
② **불능범과 불능미수의 구별**	**객관설, 구체적 위험설** : 객관적으로 위험성이 없는 때에 불가벌인 불능범이다.	**주관설, 추상적 위험설** : 주관적 위험성까지 없어야 불능범이다.
③ **공동정범의 본질**	범죄공동설	행위공동설
④ **공범의 종속성 유무**	공범종속성설	공범독립성설
⑤ **책임론, 책임능력**	• 도의적 책임론(행위 책임) • 범죄능력을 의미한다고 본다(한정책임능력자 인정).	• 사회적 책임론(행위자 책임) • 형벌능력을 의미한다고 본다(한정책임능력자 부인).
⑥ **죄수론**	행위표준설, 구성요건표준설, 법익표준설	의사표준설
형벌론	• 응보형주의 • 일반예방주의(범죄인의 처벌로 일반인에 대한 범죄예방효과)	• 목적형·교육형주의 • 특별예방주의(범죄인에 대한 위하와 범죄인의 재사회화를 통하여 범죄인이 다시 죄를 범하는 것을 방지)
형벌과 보안처분	이원론	일원론
공 헌	국가형벌권의 행사를 제한하여 개인의 자유보장	형벌의 개별화를 통하여 범죄인의 재사회화 촉진
비 판	형사정책적인 형벌의 목적을 제시하지 못하고 사회방위에 무력하다.	국가형벌권의 자의적인 확대로 인권보장이 소홀히 될 수 있다.
결 론	양자의 장점을 결합하고 대립을 극복하여 종합적으로 판단해야 한다.	

01 범죄의 본질에 관한 甲과 乙의 이론에 대한 설명 중 옳은 것은 모두 몇 개인가? 22. 순경 2차

> 甲 : 형법적 평가의 중심은 외부적인 행위와 현실적으로 발생한 결과에 두고 책임과 형벌을 결정
> 해야 한다.
> 乙 : 그렇지 않다. 외부적 행위와 현실적으로 발생한 결과가 아니라, 이를 발생시킨 행위자의 반
> 사회적 성격에 두고 책임과 형벌을 결정해야 한다.

> ㉠ 甲은 미수범의 처벌근거를 구성요건적 결과 실현에 근접한 위험에 있다고 주장하고, 乙은 행
> 위자의 법적대적(法敵對的) 의사에 있다고 주장한다.
> ㉡ 甲은 공동정범의 본질을 행위 속에 표현된 의식적인 공동작용이라고 주장하고, 乙은 공동정범
> 이 각자 최소한 하나의 객관적 구성요건 실현에 스스로 참여한 것이라고 주장한다.
> ㉢ 甲은 책임의 근거를 행위자의 반사회적 성격에 기인해 행위자가 사회방위처분을 받아야 하는
> 지위가 책임이라 주장하고, 乙은 행위자가 적법행위를 할 수 있었음에도 불구하고 위법행위를
> 했기 때문에 가해지는 도의적 비난이라 주장한다.
> ㉣ 甲은 공범의 종속성에 대해 타인으로 하여금 죄를 범하게 하려는 의사 자체가 외부로 표명되
> 는 이상 정범의 실행행위와 상관없이 독자적으로 가벌성이 인정된다고 주장하고, 乙은 정범의
> 실행행위가 있어야 그 정범의 실행행위에 종속해서만 공범이 성립할 수 있다고 주장한다.

① 1개 ② 2개 ③ 3개 ④ 4개

해설 甲 : 객관주의 범죄이론, 乙 : 주관주의 범죄이론

㉠ ○ : 甲은 미수범의 처벌근거를 구성요건적 결과 실현에 근접한 위험에 있다고 주장하고(객관설), 乙은 행위자의 법적대적(法敵對的) 의사에 있다고 주장한다(주관설).

㉡ × : 범죄의 정형성을 중시하는 甲의 입장에서는 수인이 공동하여 특정한 범죄를 행하는 것이 공동정범이라고 보아 공동으로 행하는 대상을 1개의 특정한 범죄로 이해한다(공동정범의 본질 : 범죄공동설). 따라서 甲은 공동정범이 각자 최소한 하나의 객관적 구성요건 실현에 스스로 참여한 것이라고 주장한다. 반면에 범죄를 반사회적 성격의 징표로 파악하는 乙의 입장에서는 수인이 행위를 공동으로 하여 각자 자기의 범죄를 실현하는 것이 공동정범이라고 보아 공동으로 행하는 대상을 특정한 범죄가 아니라 행위 그 자체라고 이해한다(공동정범의 본질 : 행위공동설). 따라서 乙은 공동정범의 본질을 행위 속에 표현된 의식적인 공동작용이라고 주장한다.

㉢ × : 반대로 서술됨. 乙은 책임의 근거를 행위자의 반사회적 성격에 기인해 행위자가 사회방위처분을 받아야 하는 지위가 책임이라 주장하고(사회적 책임론), 甲은 행위자가 적법행위를 할 수 있었음에도 불구하고 위법행위를 했기 때문에 가해지는 도의적 비난이라 주장한다(도의적 책임론).

㉣ × : 반대로 서술됨. 乙은 공범의 종속성에 대해 타인으로 하여금 죄를 범하게 하려는 의사 자체가 외부로 표명되는 이상 정범의 실행행위와 상관없이 독자적으로 가벌성이 인정된다고 주장하고(공범독립성설), 甲은 정범의 실행행위가 있어야 그 정범의 실행행위에 종속해서만 공범이 성립할 수 있다고 주장한다(공범종속성설).

Answer 01. ①

1 죄형법정주의의 의의

① 죄형법정주의는 국가형벌권의 자의적인 행사로부터 개인의 자유와 권리를 보호하기 위하여 범죄와 형벌을 법률로 정할 것을 요구한다(대판 2018.7.24, 2018도3443). 18. 9급 철도경찰, 24. 해경승진

② **죄형법정주의의 본질적 기능** : 국가형벌권의 확장과 자의적 행사로부터 국민의 자유와 권리를 보장하기 위한 형법의 최고원리이다.

2 죄형법정주의의 파생원칙(내용)

(1) 법률주의(성문법주의, 관습형법금지의 원칙)

① 성문법률주의란 범죄와 형벌은 성문의 법률로 규정되어야 한다는 원칙을 말하며, 여기서의 법률은 형식적 의미의 법률을 의미한다(대판 2003.11.14, 2003도3600). 18. 9급 철도경찰, 19. 경찰간부, 24. 경대편입, 25. 해경 1차

따라서 관습법은 형법의 해석에 보충적인 수단으로 작용할 수 있으나 관습법에 의하여 형법 규정의 적용을 확대하거나 형을 가중하는 것은 허용될 수 없다. 16. 사시, 24. 경위공채

② **위임입법의 필요성과 허용요건**(포괄적 위임입법금지의 원칙) : 위임명령은 법률이나 상위명령에서 구체적으로 범위를 정한 개별적인 위임이 있을 때에 가능하다. 구체적인 위임의 범위는 위임명령에 규정될 내용 및 범위의 기본사항이 구체적으로 규정되어 있어서 누구라도 당해 법률이나 상위명령으로부터 위임명령에 규정될 내용의 대강을 예측할 수 있어야 한다(대판 2018.6.28, 2017도13426). 21. 9급 검찰 · 마약수사 · 철도경찰, 25. 해경 1차

> • 특히 ㉠ 긴급한 필요가 있거나 미리 법률로써 자세히 정할 수 없는 부득이한 사정이 있는 경우에 한하여 ㉡ 수권법률(위임법률)이 구성요건의 점에서는 처벌대상인 행위가 어떠한 것인지 이를 예측할 수 있을 정도로 구체적으로 정하고, ㉢ 형벌의 점에서는 형벌의 종류 및 그 상한과 폭을 명확히 규정하는 것을 전제로 위임입법이 허용된다(대판 2002.11.26, 2002도2998). 21. 9급 검찰 · 마약수사 · 철도경찰, 23. 해경승진 · 순경 1차 · 2차, 24. 경찰간부 · 경대편입
>
> • 법률에서 위임받은 사항을 전혀 규정하지 않고 재위임하는 것은 백지재위임금지의 법리에 반할 뿐 아니라 수권법의 내용 변경을 초래하는 것이므로 허용되지 아니하나, 위임받은 사항에 관하여 대강을 정하고 그중의 특정사항을 범위를 정하여 하위법령에 다시 위임하는 경우에는 재위임이 허용된다(대판 2013.3.28, 2012도16383). 24. 경력채용

관련판례

● **위임입법의 한계나 죄형법정주의에 위반된다고 본 경우**

> 법률의 시행령은 모법인 법률의 위임 없이 법률이 규정한 개인의 권리·의무에 관한 내용을 변경·보충하거나 법률에서 규정하지 아니한 새로운 내용을 규정할 수 없고, 특히 법률의 시행령이 형사처벌에 관한 사항을 규정하면서 법률의 명시적인 위임 범위를 벗어나 처벌의 대상을 확장하는 것은 죄형법정주의의 원칙에도 어긋나는 것이므로, 그러한 시행령은 위임입법의 한계를 벗어난 것으로서 무효이다(대판 2017.2.16, 2015도16014 전원합의체). 20. 9급 검찰·마약수사·7급 검찰, 23. 해경승진, 24. 경찰승진·경위공채, 25. 변호사시험·순경 2차·9급 철도경찰

1. 의료법 제41조가 "환자의 진료 등에 필요한 당직의료인을 두어야 한다."라고 규정하고 있을 뿐인데도 시행령에 당직의료인의 수와 자격 등 배치기준을 규정하고 이를 위반하면 의료법 제90조에 의한 처벌의 대상이 되도록 한 것은 위임입법의 한계를 벗어난 것으로서 무효이다(대판 2017.2.16, 2015도16014 전원합의체). 19. 순경 2차, 20. 경찰간부, 21. 7급 검찰, 22. 해경간부

2. 구 전기통신사업법 제53조 제2항에서 "제1항의 규정에 의한 공공의 안녕질서 또는 미풍양속을 해하는 것으로 인정되는 통신의 대상 등은 대통령령으로 정한다."라고 규정한 것은 포괄위임입법금지원칙에 위배된다(헌재결 2002.6.27, 99헌마480). 16. 7급 검찰·철도경찰, 23. 9급 철도경찰

3. 구 근로기준법에서 임금퇴직금 청산기일의 연장 합의의 한도에 관하여 아무런 제한을 두고 있지 아니함에도 불구하고, 같은 법 시행령에서 기일연장을 3월 이내로 제한한 것은 죄형법정주의의 원칙에 위배된다(대판 1998.10.15, 98도1759 전원합의체 ∵ ~ 죄형법정주의의 원칙에 위배되고 위임입법의 한계를 벗어난 것으로서 무효이다). 23. 순경 1차

4. 지방자치법 제22조, 행정규제기본법 제4조 제3항에 따르면 지방자치단체가 조례를 제정할 때 내용이 주민의 권리 제한 또는 의무 부과에 관한 사항이나 벌칙인 경우에는 법률의 위임이 있어야 한다. 법률의 위임 없이 주민의 권리를 제한하거나 의무를 부과하는 사항을 정한 조례는 효력이 없다(대판 2017.12.5, 2016추5162). 23. 9급 철도경찰

5. 구성요건의 실질적 내용을 직접 규정하지 아니하고 모두 단체협약에 위임하는 것은 죄형법정주의의 기본적 요청인 '법률'주의에 위배되고, 그 구성요건은 지나치게 애매하고 광범위하여 죄형법정주의의 명확성의 원칙에 위배된다(헌재결 1998.3.26, 96헌가20). 24. 경찰승진

6. 화물자동차 운수사업법이 운송사업자 허가 취소 또는 운행 정지사유의 하나로 "중대한 교통사고 또는 빈번한 교통사고로 많은 사상자를 발생하게 한 경우"를 들면서 동법의 위임에 따라 그 시행령이 '1건의 교통사고로 인하여 2인 이하가 중상을 입은 때'도 '중대한 교통사고로 인하여 많은 사상자를 발생하게 한 때'에 포함시켜 규정한 것은 위임범위를 벗어난 것으로서 무효이다(대판 2012.12.20, 2011두30878 전원합의체).

● **위임입법의 한계나 죄형법정주의에 위반되지 않는다고 본 경우**

1. 공공기관의 운영에 관한 법률 제53조가 공기업의 임직원으로서 공무원이 아닌 사람은 형법 제129조의 적용에 있어서는 이를 공무원으로 본다고 규정하고 있을 뿐 구체적인 공기업의 지정에 관하여는 그 하위규범인 기획재정부장관의 고시에 의하도록 규정하였더라도 죄형법정주의에 위배되지 아니한다(대판 2013.6.13, 2013도1685). 17. 7급 검찰, 19. 경찰승진, 24. 순경 1차

2. 구 국가공무원복무규정 제27조 제2항 제4호(명목 여하를 불문하고 금전 또는 물질로 특정 정당 또는 정치 단체를 지지 또는 반대하는 것)는 명확성의 원칙에 위배되었거나 모법인 국가공무원법 제65조 제4항의 위임범위를 벗어났다고 할 수 없다(대판 2014.5.16, 2012도12867). 16. 경찰간부

3. 식품위생법 제11조 제2항이 과대광고 등의 범위 및 기타 필요한 사항을 보건복지부령에 위임하고 있는 것(대판 2002.11.26, 2002도2998) 14. 순경 1차, 19. 경찰간부, 25. 해경 1차

4. 유해화학물질관리법 제35조 제1항에서 금지하는 환각물질을 구체적으로 명확하게 규정하지 아니하고, 다만 그 성질에 관하여 '흥분·환각 또는 마취의 작용을 일으키는 유해화학물질로서 대통령령이 정하는 물질'로 그 한계를 설정하여 놓고, 같은 법 시행령 제22조에서 이를 구체적으로 규정하게 한 것(대판 2000.10.27, 2000도4187) 18. 경찰승진, 21. 해경간부

5. 결혼중개업법 제10조의 2 제4항에 의하여 대통령령에 규정하도록 위임된 '국제결혼중개업자의 이용자와 상대방의 신상정보의 제공 시기'를 동법 시행령 제3조의 2 제3항이 '이용자와 상대방의 만남 이전'으로 규정한 것은 위임입법의 한계를 벗어났다고 볼 수 없다(대판 2019.7.25, 2018도7989). 21. 경력채용, 23. 9급 철도경찰

6. 게임산업진흥에 관한 법률 제28조 제3호에서 게임물 관련 사업자에 대하여 '경품 등의 제공을 통한 사행성 조장'을 원칙적으로 금지하면서 제공이 허용되는 경품의 종류·지급기준·제공방법 등에 관한 구체적인 내용을 하위법령에 위임한 것은 경품의 환전이나 재매입 등의 우려가 없는 등 사행성을 제거할 수 있는 방법이 될 것이라는 예측이 가능하므로 죄형법정주의 내지 포괄위임금지의 원칙에 위배되지 아니한다(헌재결 2020.12.23, 2017헌바463). 21. 순경 2차

7. 구 '어선법 시행규칙'에서 어선검사증서에 기재할 사항을 구체적으로 규정하면서 기재할 사항에 총톤수를 포함시킨 것은 법의 위임에 따른 것으로서 위임입법의 한계를 벗어났다고 보기 어렵다(대판 2018.6.28, 2017도13426). 21. 해경간부·해경 1차, 25. 해경경장

8. 특정범죄가중처벌 등에 관한 법률 제4조 제1항의 위임을 받은 특정범죄가중처벌 등에 관한 법률 시행령 제2조 제48호가 농업협동조합중앙회(수산업협동조합중앙회)를 정부관리기업체의 하나로 규정한 것이 위임입법의 한계를 벗어난 것으로 위헌·위법이라고 할 수 없다(대판 2008.4.11, 2007도8373 : 대판 2007.4.27, 2007도1038). 14. 순경 2차, 25. 해경경장

9. 일반적으로 법률의 위임에 의하여 효력을 갖는 법규명령의 경우 구법에 위임의 근거가 없어 무효였더라도 사후에 법 개정으로 위임의 근거가 부여되면 그때부터는 유효한 법규명령이 된다(대판 2012.7.5, 2010다72076). 14. 순경 2차, 24. 경찰승진, 25. 해경 1차·경대편입

10. 청소년보호법 제10조 제1항은 청소년유해매체물의 결정기준을 규정하고 청소년보호위원회에 위임하여 청소년유해매체물을 결정하도록 한 경우(헌재결 2000.6.29, 99헌가16)

⑵ **소급효금지의 원칙**(행위시법주의의 원칙)

형벌법규는 그 시행 이후에 이루어진 행위에 대해서만 적용되고, 시행 이전의 행위에까지 소급하여 적용될 수 없다는 원칙을 말한다. 즉, 사후입법으로 새로운 구성요건을 제정하거나 이미 존재하는 구성요건에 새로운 행위를 추가하는 것은 모두 행위자에게 불리한 경우이므로 소급효금지원칙이 적용된다. 24. 경대편입 이 원칙은 국민의 형법규범에 대한 예측가능성과 신뢰를 보호하자는 취지이다.

① 그러나 소급효도 행위자에게 유리한 경우에는 죄형법정주의 정신(인권보장)에 비추어 허용된다〔범죄 후 법률이 변경되어 그 행위가 범죄를 구성하지 아니하게 되거나 형이 구법보다 가벼워진 경우에는 신법에 따른다(제1조 제2항)〕. 21. 경찰승진

관련판례

1. 헌법재판소의 위헌법률심판에 따라 위헌으로 결정된 법률 또는 법률의 조항은 그 결정이 있는 날부터 효력을 상실하는 것이 원칙이다(헌법재판소법 제47조 제2항). 다만 예외적으로 형벌에 관한 법률 또는 법률의 조항에 대한 위헌결정은 소급효가 인정되고(헌법재판소법 제47조 제3항), 25. 순경 2차 위헌결정의 예외적 소급효가 인정되는 '형벌에 관한 법률 또는 법률의 조항'은 형사처벌의 직접적인 근거가 되는 실체법을 의미한다. 그러나 형벌에 관한 법률 또는 법률의 조항이더라도 처벌되지 않는 사유를 규정한 것이라면 위헌결정의 소급효를 인정할 경우 오히려 그 조항에 따라 형사처벌을 받지 않았던 사람들에게 형사상의 불이익이 미치게 되므로, 이러한 법률조항에 대한 위헌결정에는 헌법재판소법 제47조 제3항에 따른 소급효가 인정되지 아니하고, 위 법률조항은 같은 법 제47조 제2항에 따라 위헌결정이 있는 날부터 효력을 상실한다(대판 2025.3.13, 2024도19846).

2. 헌법재판소의 위헌결정으로 인하여 형벌에 관한 법률조항이 소급하여 그 효력을 상실한 경우에는 당해 조항을 적용하여 기소한 피고사건은 범죄로 되지 아니하는 때에 해당되므로 무죄가 된다(대판 1999.12.24, 99도3003 ∴ 면소판결 ×, 무죄판결 ○). 13. 경찰승진, 18. 순경 2차·3차

   ▶ **유사판례**

   ① 헌법재판소가 형벌에 관한 법률조항에 대해 헌법불합치결정을 선고하면서 개정시한을 정하여 입법 개선을 촉구하였는데도 위 시한까지 법률 개정이 이루어지지 않은 경우, 위 법률조항은 소급하여 효력을 상실하므로 이를 적용하여 공소가 제기된 위 피고사건에 대하여 무죄(면소 ×)를 선고하여야 한다(대판 2011.6.23, 2008도7562 전원합의체 ∴ 헌법불합치결정은 형벌에 관한 법률조항에 대한 위헌결정이다). 18. 법원직, 20. 경찰승진·7급 검찰, 25. 9급 철도경찰

   ② 입법자가 헌법재판소의 헌법불합치결정에 따라 구법 조항을 개정하면서 부칙에 '개정 조항'의 소급적용에 관한 경과조치를 두고 있지 않더라도, 위 헌법불합치결정의 소급효가 미친다고 해야 하므로, 구법 조항을 그대로 적용할 수는 없고, 위헌성이 제거된 개정된 조항을 적용하여야 한다(대판 2021.5.27, 2018도13458).

   ③ 종전판례는 친족관계는 원칙적으로 범행 당시에 존재해야 하나, 혼인 외의 출생자에 대한 부(父)의 인지가 범행 후에 이루어진 경우라도 그 소급효(민법 제860조)에 따라 친족상도례규정(제328조 제1항)이 적용된다(대판 1997.1.24, 96도1731)고 보았으나, 형법 제328조 제1항은 형벌조각사유로서 형의 면제를 규정한 것이기 때문에 헌법불합치결정(헌재결 2024.6.27, 2020헌마468)의 소급효를 인정할 경우 오히려 그 조항에 따라 형의 면제가 되었던 사람들에게 형사상의 불이익이 미치게 된다. 따라서 위 조항은 헌법 불합치결정이 있는 날(2024. 6. 27)부터 효력을 상실한다고 보아야 한다(대판 2025.3.13, 2024도19846). 25. 법원직

3. 운전면허취소처분을 받은 후 자동차를 운전한 경우 위 면허취소처분이 행정쟁송절차에 의하여 취소되었다면 그 운전행위는 무면허운전이 아니다(대판 1999.2.5, 98도4239). 25. 해경 2차 자동차 운전면허가 취소된 사람이 그 처분의 원인이 된 교통사고 또는 법규위반에 대하여 혐의 없음 등으로 불기소처분을 받거나 무죄의 확정판결을 받은 경우 무죄판결이 확정된 경우에는 그 취소처분이 취

소되지 않았더라도 도로교통법에 규정된 무면허운전의 죄로 처벌할 수는 없다(대판 2021.9.16, 2015
도12632).

4. 재심이 개시된 사건에서 형벌에 관한 법령이 재심판결 당시 폐지되었다 하더라도 그 '폐지'가 당초부
터 헌법에 위배되어 효력이 없는 법령에 대한 것이었다면 같은 형사소송법 제325조 전단이 규정하
는 '범죄로 되지 아니한 때'의 무죄사유에 해당하는 것이지, 같은 법 제326조 제4호의 면소사유에
해당한다고 할 수 없다(대판 2010.12.16, 2010도5986 전원합의체). 25. 해경 2차

5. 형벌불소급원칙에서 의미하는 '처벌'은 형법에 규정되어 있는 형식적 의미의 형벌 유형뿐만 아니라,
범죄행위에 따른 제재의 내용이나 신체의 자유를 박탈하거나 이에 준하는 정도로 신체의 자유를
제한하는 경우에도 형벌불소급원칙이 적용된다(헌재결 2017.10.26, 2015헌바239). 25. 해경 2차

② 소급효금지의 원칙

관련판례

● **소급효금지원칙에 위배되지 않아 죄형법정주의에 반하지 않는다고 본 경우**

1. 행위 당시의 판례에 의하면 처벌대상이 되지 않는 것으로 해석되었던 행위를 판례의 변경에 따라
확인된 내용의 형법조항에 근거하여 처벌하는 것은 소급효금지원칙에 반하지 않는다(대판 1999.9.17,
97도3349). 20. 법원직, 22. 해경간부, 23. 경찰승진, 24. 경찰간부 · 경위공채 · 7급 검찰

▶ **비교판례** : 허위로 신고한 사실이 무고행위 당시 형사처분의 대상이 될 수 있었던 경우에는 무고죄
는 기수에 이르고, 이후 그러한 사실이 형사범죄가 되지 않는 것으로 판례가 변경되었더라도 특별
한 사정이 없는 한 이미 성립한 무고죄에는 영향을 미치지 않는다(대판 2017.5.30, 2015도15398).
18. 경찰간부, 19. 수사경과, 21. 변호사시험, 22. 순경 1차

2. 대법원 양형위원회가 설정한 '양형기준'이 발효하기 전에 공소가 제기된 범죄에 대하여 위 '양형기준'
을 참고하여 형을 양정한 경우, 소급적용금지의 원칙을 위반한 것은 아니다(대판 2009.12.10, 2009도
11448 ∵ 양형기준은 법적 구속력을 가지지 아니하고 법관의 양형에 있어서 그 존중이 요구되는 것일
뿐이다). 18. 경찰간부, 20. 경찰승진, 25. 순경 1차 · 경대편입

3. 진행 중인 공소시효를 연장하는 법률이나 이미 공소시효가 완성된 범죄에 대해 소급하여 공소시효
를 정지한 법률을 제정한 경우(대판 1997.4.17, 96도3376 전원합의체) 15. 9급 철도경찰, 19. 순경 2차

   Q 헌재결 1999.7.22, 97헌바76, 대판 1997.4.17, 96도3376 전원합의체
   · 진정소급입법〔새로운 입법으로 이미 종료된 사실관계 또는 법률관계에 작용케 하는 소급입법( 이미
   공소시효가 완성되었거나 고소기간이 도과한 후에 공소시효기간이나 고소기간을 사후적으로 연장하거나
   정지한 입법)〕 ⇨ 허용 ×(원칙), 허용 ○(예외 : 기존의 법을 변경해야 할 공익적 필요는 심히 중대한 반면에
   그 법적 지위에 대한 개인적 신뢰를 보호해야 할 필요가 상대적으로 적어 개인의 신뢰이익을 관철하는
   것이 객관적으로 정당화될 수 없는 경우) 21. 경찰승진, 22. 경찰간부, 24. 7급 검찰
   · 부진정소급입법〔현재 진행 중인 사실관계 또는 법률관계에 작용케 하는 소급입법(예 진행 중인 공소시
   효를 연장하는 입법)〕 ⇨ 허용 ○(원칙) 24. 경위공채

   ▶ **유사판례**
   ① 개정 형사소송법 시행 당시 공소시효가 완성되지 아니한 범죄에 대한 공소시효가 위 법률이 개정
   되면서 신설된 제253조 제3항에 의하여 피고인이 외국에 있는 기간 동안 정지된 경우, 공소제기시
   에 공소시효의 기간은 경과되지 아니하였다(대판 2015.6.24, 2015도5916). 18. 경찰승진

② 피고인에게 **불리한** 내용의 공소시효 배제조항을 신설(공소시효가 피고인에게 불리하게 변경되는 경우)하면서 신법을 적용하도록 하는 **경과규정을 두지 아니한 경우에는 피고인에게 유리한 종전 규정을 적용하여야 하고 공소시효 배제조항을 소급하여 적용할 수 없다**(대판 2015.5.28, 2015도 1362).

4. **보호관찰은 형벌이 아니라 보안처분의 성격을 갖는 것으로서** 그에 관하여 반드시 행위 이전에 규정되어 있어야 하는 것은 아니며, 재판시의 규정에 의하여 보호관찰을 받을 것을 명할 수 있다(대판 1997.6.13, 97도703). 21. 변호사시험, 22. 9급 검찰 · 마약수사 · 7급 검찰, 23. 경찰간부 · 해경 3차, 24. 해경승진 · 순경 2차, 26. 경찰승진

▶ **유사판례**

① 아동 · 청소년의 성보호에 관한 법률에 정한 **공개명령제도**가 시행되기 이전에 범한 범죄에도 공개명령제도를 적용하도록 동법률이 개정된 경우(대판 2011.3.24, 2010도14393 ∵ 일종의 보안처분으로서 형벌에 관한 소급입법금지의 원칙이 그대로 적용 ×). 21. 해경 2차, 22. 7급 검찰 · 경찰간부, 24. 순경 1차

② 위치추적 전자장치의 **부착명령(전자감시제도)**은 일종의 **보안처분**으로 형벌과 구별되어 본질을 달리하는 것이므로 특정 범죄자에 대한 위치추적 전자장치 부착 등에 관한 법률을 개정하여 부착명령 기간을 연장하도록 규정하는 것은 죄형법정주의 원칙(소급입법금지의 원칙)에 반하지 않는다(대판 2010.12.23, 2010도11996). 20. 법원행시, 21. 경찰승진, 22. 경찰간부, 24. 7급 검찰

③ **디엔에이감식시료 채취**와 같은 처벌적인 효과가 없는 **비형벌적 보안처분은 소급효금지원칙이 적용되지 않는다**(헌재결 2014.8.28, 2013헌마215 ∵ 디엔에이신원확인정보의 이용 및 보호에 관한 법률이 시행 당시 **디엔에이감식시료 채취 대상 범죄**로 이미 징역이나 금고 이상의 실형을 선고받아 그 형이 확정되어 수용 중인 사람에게도 적용될 수 있도록 한 위 법률 부칙 제2조 제1항은 소급입법금지원칙에 위배되는 것은 아니다). 21. 변호사시험, 25. 경위공채 · 해경 2차

5. 형법 제1조 제2항은 "범죄 후 법률의 변경에 의하여 그 행위가 범죄를 구성하지 아니하거나 형이 구법보다 경한 때에는 신법에 의한다."고 규정하고 있으나 형이 구법보다 경한 때에 신법에 **경과규정**을 두어 신법의 적용을 배제하는 것도 허용된다(대판 1999.4.13, 99초76). 16. 경찰승진, 20. 법원행시, 21. 변호사시험

▶ **유사판례** : 형을 종전보다 가볍게 하는 내용으로 형벌법규를 개정하면서 그 **부칙**으로 개정 전의 범죄에 대하여는 종전의 형벌법규를 추급하여 적용하도록 규정하더라도 형법불소급 원칙이나 신법우선주의 원칙에 반한다고 할 수는 없다(대판 1999.7.9, 99도1695). 22. 9급 검찰 · 마약수사, 23. 경찰간부, 24. 해경승진

6. 절차법인 **형사소송법**에 대하여는 소급효금지의 원칙이 적용되지 아니한다(대판 2003.11.27, 2003도4327 ∵ 신법 시행 후의 소송절차에 대하여는 신법 적용됨). 16. 경찰승진, 20. 해경승진

7. '**도로교통법 제44조 제1항을 2회 이상 위반한**' 것에 (형의 실효 등에 관한 법률에 따라 형이 실효되었거나 사면법에 따라 형 선고의 효력이 상실된) 구 도로교통법 제44조 제1항을 위반한 **음주운전 전과**까지 포함되는 것으로 해석하는 것이 형벌불소급의 원칙이나 일사부재리의 원칙 또는 비례의 원칙에 위배된다고 할 수 없다(대판 2012.11.29, 2012도10269). 18. 경찰간부

▶ **유사판례** : 음주운전죄를 처벌하는 A규정이 존재하는데 이후 법을 개정하여 음주운전위반 2회 이상인 자에 대하여 처벌하는 B규정을 신설한 경우, B규정 신설 이전에 범한 음주운전위반 전과

     를 포함시켜서 B규정을 적용하는 것은 형벌불소급의 원칙에 반하지 않는다(대판 2020.8.20, 2020 도7154). 21. 해경 2차·순경 2차, 25. 경위공채

8. 범죄의 성립과 처벌은 행위시의 법률에 의한다고 할 때의 '행위시'는 범죄행위의 종료시를 의미하는 것으로서, 포괄일죄로 되는 개개의 범죄행위가 법 개정의 전후에 걸쳐서 행하여진 경우에는 범죄실행 종료시의 법이라고 할 수 있는 신법을 적용하여 포괄일죄로 처단하여야 한다(대판 2009.4.9, 2009 도321). 18. 순경 3차, 23. 경찰승진, 24. 7급 검찰

● **소급효금지원칙에 위배되는 경우**

1. 가정폭력범죄의 처벌 등에 관한 특례법상 사회봉사명령을 부과하면서, 행위시법상 사회봉사명령 부과시간의 상한인 100시간을 초과하여 상한을 200시간으로 올린 신법을 적용한 것은 위법하다(대결 2008.7.24, 2008어4 ∵ 본법의 사회봉사명령은 형벌 그 자체가 아니라 보안처분의 성격을 가지는 것이 사실이나, 이는 형사처벌 대신 부과되는 것으로서 실질적으로는 신체적 자유를 제한하게 되므로, 이에 대하여는 원칙적으로 형벌불소급의 원칙에 따라 행위시법을 적용함이 상당하다). 21. 변호사시험, 22. 경찰간부, 23. 순경 2차, 24. 9급 검찰·마약수사·철도경찰·해경경위·7급 검찰, 26. 경찰승진

2. 게임산업진흥에 관한 법 시행령 제18조의 3의 시행일 이전에 위 시행령 조항 각 호에 규정된 게임머니를 환전, 환전 알선, 재매입한 영업행위를 처벌하는 것은 형벌법규의 소급효금지원칙에 위배된다 (대판 2009.4.23, 2008도11017). 12. 순경 1차, 18. 경찰간부

3. 죄가 되지 않던 행위를 구성요건의 신설로 포괄일죄의 처벌대상으로 삼는 경우, 신설된 포괄일죄에 해당하는 행위가 그 법의 시행 이전과 이후에 걸쳐서 이루어졌다고 하더라도 시행 이전의 행위에 대하여는 신설된 법규를 적용하여 처벌할 수 없다(대판 2022.12.29, 2022도10660). 22. 법원행시, 25. 순경 1차

    ▶ **유사판례** : 구성요건이 신설된 상습강제추행죄가 시행되기 이전의 범행은 상습강제추행죄로는 처벌할 수 없고 행위시법에 기초하여 강제추행죄로 처벌할 수 있을 뿐이며, 이 경우 그 소추요건도 상습강제추행죄에 관한 것이 아니라 강제추행죄에 관한 것이 구비되어야 한다(대판 2016.1.28, 2015 도15669). 18. 경찰간부, 21. 해경 2차, 23. 변호사시험, 24. 경찰승진

4. 노역장유치기간의 하한을 정한 형법 제70조 제2항을 시행일 이후 최초로 공소제기되는 경우부터 적용하도록 한 형법 부칙(2014. 5. 14.) 제2조 제1항이 헌법상 형벌불소급원칙에 위반된다(대판 2018. 2.13, 2017도17809 ∵ 노역장유치는 그 실질이 신체의 자유를 박탈하는 것으로서 징역형과 유사한 형벌적 성격을 가지므로 형벌불소급원칙의 적용대상이 된다). 20. 경찰간부, 21. 변호사시험, 22. 7급 검찰, 24. 해경경위, 25. 경대편입, 26. 경찰승진

5. 헌법 제13조 제1항 전단과 형법 제1조 제1항에서 정한 형벌법규의 소급효 금지 원칙에 비추어 보아, 법무사 등록증 대여를 처벌하는 법무사법 제72조 제1항에 더하여 2017. 12. 12. 동법 제72조 제2항의 몰수 추징 조항이 뒤늦게 신설되었다면, 개정된 법무사법이 시행된 이후의 행위로 취득한 금품 그 밖의 이익만이 개정된 법무사법 제72조 제2항에 따른 몰수나 추징의 대상이 된다고 보아야 하므로, 2014. 1.경부터 2018. 4. 9.경까지 법무사 등록증 대여 금지를 위반하여 취득한 이익 전부를 추징하면 형벌법규의 소급효 금지 원칙에 반한다(대판 2020.10.15, 2020도7307). 24. 순경 2차

(3) 유추해석금지의 원칙

> • 형벌법규의 해석은 엄격하여야 하고, 명문의 형벌법규의 의미를 피고인에게 불리한 방향으로 지나치게 확장해석하거나 유추해석하는 것은 죄형법정주의의 원칙에 어긋나는 것으로서 허용되지 아니하나, 형벌법규의 해석에서도 법률문언의 통상적인 의미를 벗어나지 않는 한 그 법률의 입법취지와 목적, 입법연혁 등을 고려한 목적론적 해석이 배제되는 것은 아니다(대판 2018.7.24, 2018도3443). 20. 법원직·법원행시, 21. 9급 검찰·마약수사·철도경찰·해경 1차, 24. 경위공채, 25. 순경 2차
> • 형벌법규의 해석은 엄격하여야 하고, 문언의 가능한 의미를 벗어나 피고인에게 불리한 방향으로 해석하는 것은 죄형법정주의의 내용인 확장해석금지에 따라 허용되지 않는다. 따라서 형벌조항 중 범죄의 구성요건에 해당하는 문언의 의미를 합리적 이유 없이 고려하지 않고 해석함으로써 형벌의 적용 범위가 확장되는 것을 경계해야 한다(대판 2024.2.29, 2020도9256).

① 이 원칙은 모든 형벌법규의 구성요건과 가벌성에 관한 규정에 준용되며(대판 1997.3.20, 96도1167 전원합의체), 12. 9급 검찰·철도경찰 그 형벌법규의 적용대상이 행정법규가 규정한 사항을 내용으로 하고 있는 경우에 그 행정법규의 규정을 해석하는 데에도 마찬가지로 적용된다(대판 2007.6.29, 2006도4582). 18. 9급 철도경찰, 22. 순경 2차, 24. 해경승진, 25. 경대편입

② 그러나 피고인에게 유리한 유추해석은 허용된다. 따라서 위법성 및 책임조각사유나 소추조건 또는 처벌조각사유(형면제 사유) 등과 같이 피고인에게 유리한 사유를 제한적으로(좁게) 유추적용하는 것은 이 원칙에 위반된다〔대판 1997.3.20, 96도1167 전원합의체 ∵ 행위자의 가벌성의 범위가 확대(축소 ×)되어 행위자에게 불리하게 됨〕. 20. 법원직, 22. 경찰승진·순경 2차, 23. 해경승진, 24. 해경간부·경대편입, 25. 변호사시험·경위공채·순경 1차

> ▶ **유사판례** : 처벌규정의 소극적 구성요건을 문언의 가능한 의미를 벗어나 지나치게 좁게 해석하게 되면 피고인에 대한 가벌성의 범위를 넓히게 되어 죄형법정주의의 파생원칙인 유추해석금지원칙에 어긋날 우려가 있으므로 법률문언의 통상적인 의미를 벗어나지 않는 범위 내에서 합리적으로 해석할 필요가 있다(대판 2018.10.25, 2018도7041). 23. 경찰승진

③ 형벌법규의 해석에 있어서 유추해석이나 확장해석도 피고인에게 유리한 경우에는 가능한 것이나, 문리를 넘어서는 이러한 해석은 그렇게 해석하지 아니하면 그 결과가 현저히 형평과 정의에 반하거나 심각한 불합리가 초래되는 경우에 한하여야 할 것이고, 그렇지 아니하는 한 입법자가 그 나름대로의 근거와 합리성을 가지고 입법한 경우에는 입법자의 재량을 존중하여야 하는 것이다(대판 2004.11.11, 2004도4049). 22. 순경 2차

④ 형벌법규의 해석에 있어서도 법률체계적 연관성에 따라 그 문언의 논리적 의미를 분명히 밝히는 체계적·논리적 해석방법은 허용된다〔대판 2007.6.14, 2007도2162 : 그러나 문언 자체가 비교적 명확한 개념으로 구성되어 있다면 원칙적으로 이러한 해석방법은 활용할 필요가 없거나 제한될 수밖에 없다(대판 2017.12.21, 2015도8335 전원합의체)〕. 21. 해경간부·해경승진, 23. 경력채용, 25. 순경 1차

관련판례

● **유추해석금지의 원칙에 위반되어 죄형법정주의에 반한다고 본 경우**

1. 공직선거 및 선거부정방지법의 '자수'를 범행발각 전에 자수한 경우로 한정하여 해석한 경우(대판 1997.3.20, 96도1167 전원합의체 ∵ 자수에는 지명수배된 후의 자진출두도 포함되는 것으로 단순한 목적론적 축소해석에 그치는 것이 아니라, 형면제사유에 대한 제한적 유추를 통하여 처벌범위를 실정법 이상으로 확대하는 것은 유추해석금지의 원칙에 반한다.) 18. 순경 1차, 19. 법원행시, 21. 경력채용, 22. 순경 2차, 26. 경찰승진

2. 군형법 제64조 제1항의 상관면전모욕죄의 구성요건에 전화를 통하여 통화한 경우를 포함시키는 경우 (대판 2002.12.2, 2002도2539) 15. 순경 2차, 18. 경찰승진, 22. 경찰간부

3. 청소년의 성보호에 관한 법률 제16조에 규정된 반의사불벌죄에서 피해자인 청소년에게 의사능력이 있음에도 그 처벌을 희망하지 않는다는 의사표시 또는 처벌희망 의사표시의 철회에 명문의 근거 없이 법정대리인의 동의가 필요하다고 보는 것(대판 2009.11.19, 2009도6058 전원합의체 ∵ 처벌을 희망하지 않는다는 의사표시 또는 처벌희망 의사표시의 철회는 이른바 소극적 소송조건에 해당하고, 이러한 소송조건에는 죄형법정주의의 파생원칙인 유추해석금지의 원칙이 적용된다.) 18. 9급 검찰 · 마약수사, 22. 변호사시험, 23. 법원행시, 24. 경력채용

4. 형법 제225조의 공문서변조나 위조죄의 주체인 공무원 또는 공무소에는 형법 기타 특별법에 의해 공무원으로 의제되는 경우뿐만 아니라 계약 등에 의하여 공무와 관련되는 업무를 일부대행하는 경우도 포함된다고 해석한 경우(대판 1996.3.26, 95도3073 **예** 지방세의 수납업무를 관장하는 시중은행의 직원이나 은행이 작성 · 교부한 세금수납영수증 ⇨ 공문서 × ∵ 공무원 또는 공무소가 아님) 12. 경찰승진, 13. 법원행시

   ▶ **유사판례**

   ① 선박안전기술공단이 해양수산부장관을 대행하여 이사장 명의로 발급하는 선박검사증서는 공무원 또는 공무소가 작성하는 문서라고 볼 수 없으므로 공문서위조죄나 허위공문서작성죄에서의 공문서에 해당하지 아니한다(대판 2016.1.14, 2015도9133 ∵ 공단 임직원 ⇨ 공문서의 작성 주체인 '공무원' ×). 20. 해경 1차

   ② 한국환경공단법 등이 한국환경공단 임직원을 형법 제129조 내지 제132조(수뢰죄)의 적용에 있어 공무원으로 본다고 규정한다고 하여 그들 또는 그들이 직무를 행하는 한국환경공단을 형법 제227조의 2(공전자기록 위작 · 변작죄)에 정한 공무원 또는 공무소에 해당한다고 보는 것은 형벌법규를 피고인에게 불리하게 확장해석하거나 유추해석하는 것이어서 죄형법정주의 원칙에 반한다. 이는 한국환경공단 또는 그 임직원이 환경부장관으로부터 위탁받은 업무와 관련하여 직무상 작성한 문서를 공문서로 볼 수 없는 것과 마찬가지이다(대판 2020.3.12, 2016도19170). 21. 법원행시 · 7급 검찰, 22. 경찰승진, 23. 해경승진, 24. 해경간부, 25. 경력채용 · 9급 철도경찰

5. 형법 제229조, 제228조 제1항의 "공정증서원본"에 공정증서의 정본을 포함시키는 경우(대판 2002. 3.26, 2001도6503) 16. 사시, 24. 해경간부

6. 외국인(대한민국 국적을 상실한 사람)이 외국(독일)에 거주하다가 반국가단체의 지배하에 있는 지역 (북한)으로 들어간 행위는 국가보안법 제6조 제1항 · 제2항의 '탈출'에 해당한다고 해석하는 경우(대판 2008.4.17, 2004도4899 전원합의체 ∵ 대한민국 국적을 상실하기 전의 방문행위는 국가보안법 제6조

제2항의 탈출에 해당하지만 대한민국 국적을 상실한 후의 방문행위는 국가보안법 제6조 제2항의 탈출 개념에 해당하지 않는다.) 15. 변호사시험·법원행시

7. "지방세에 관한 범칙행위에 대하여는 조세범처벌법령을 준용한다."고 규정하고 있는 지방세법 제84조 제1항의 '조세범처벌법령'에 특정범죄가중처벌 등에 관한 법률도 포함된다고 해석하는 것(대판 2008.3.27, 2007도7561) 17. 경찰간부, 21. 해경 1차, 25. 해경경사

8. 초병이 하자 있는 의사에 의하여 총기를 편취당한 경우에도 군용물분실죄(군형법 제74조)의 '분실'에 해당한다고 해석한 경우(대판 1999.7.9, 98도1719 ∵ 군용물분실죄는 과실범에 적용되는 것으로, 행위자가 자신의 의사에 의한 재산적 처분행위를 함으로써 군용물의 소지를 상실한 경우에도 동 규정을 적용하는 것은 유추해석금지원칙에 반한다.) 16. 사시

9. 타인에 의해 이미 생성된 주민등록번호를 단순히 사용한 것을 허위의 주민등록번호를 생성하여 자기 또는 다른 사람의 재물이나 재산상의 이익을 위해 사용한 것으로 보는 경우(대판 2004.2.27, 2003도 6535) 17. 경찰간부, 21. 해경승진

10. 신체 이상 등의 사유로 인하여 호흡조사에 의한 측정에 응할 수 없는 운전자가 혈액채취에 의한 측정을 거부하거나 이를 불가능하게 하였다고 하더라도 이를 들어 음주측정에 불응한 것으로 해석한 경우(대판 2010.7.15, 2010도2935) 18. 경력채용, 25. 해경경위

11. 친고죄에 관한 고소의 주관적 불가분원칙을 규정하고 있는 형사소송법 제233조가 공정거래위원회의 고발에도 유추적용된다고 해석한다면 이는 공정거래위원회의 고발이 없는 행위자에 대해서까지 형사 처벌의 범위를 확장하는 것으로 유추해석한 경우에 해당하여 죄형법정주의에 반한다(대판 2010.9.30, 2008도4762). 17. 경찰간부, 19. 법원행시

12. 공직선거법 제250조 제1항 허위사실공표죄에서 '경력 등'이란 후보자의 '경력·학력·학위·상벌'을 말하는데(같은 법 제64조 제5항), '어떤 단체가 특정 후보자를 지지·추천하는지 여부'를 '경력'에 포함된다고 해석하는 것(대판 2011.3.10, 2010도16942) 21. 법원행시·순경 2차

13. 형법 제155조 제1항은 '타인의 형사사건 또는 징계사건에 관한 증거를 인멸, 은닉, 위조 또는 변조하거나 위조 또는 변조한 증거를 사용한 자'를 처벌하고 있는데, '증거 자체에는 아무런 허위가 없으나 그 증거가 허위 주장과 결합하여 허위 사실을 증명하게 되는 경우(돈을 송금하였다가 되돌려 받는 방법으로 송금자료를 만들어 피해 변제의 증거로 제출한 경우)'를 '증거위조'에 포함된다고 해석하는 것(대판 2021.1.28, 2020도2642) 21. 법원행시

14. 예비·음모를 처벌한다고 규정하고 있으나 그 형에 관하여 따로 규정하고 있지 않은 이상 본범이나 미수범에 준하여 처벌한다고 해석함은 죄형법정주의 원칙에 반한다(즉, 처벌할 수 없다. 대판 1977.6. 28, 77도251). 14. 변호사시험, 15. 9급 검찰·마약수사, 17. 철도경찰

15. 의료기관의 개설자격이 있는 의료인이 다른 의료인 또는 의료기관을 개설할 자격이 있는 자의 명의를 빌려 의료기관을 개설한 경우를 의료법 제30조 제2항 본문의 "의료기관을 개설할 자격이 없는 자가 의료기관을 개설하는 경우"에 포함시키는 경우(대판 2014.9.25, 2014도7217)

▶ **비교판례** : 약사법 제5조 제3항에서 면허증의 대여를 금지한 취지는 약사 자격이 없는 자가 타인의 면허증을 빌려 영업을 하게 되는 경우 국민의 건강에 위험이 초래된다는 데에 있다 할 것이므로, 약사 자격이 있는 자에게 빌려주는 행위까지 금지되는 것으로 보는 것 ⇨ 유추해석 ×(대판 2003.6.24, 2002도6829) 10. 사시, 20. 경찰간부

16. 구 아동복지법상 금지되는 '아동에게 음행을 시키는' 행위는 행위자가 아동으로 하여금 제3자를 상대 방으로 하여 음행을 하게 하는 행위를 가리키는 것일 뿐 행위자 자신이 직접 그 아동의 음행의 상대방 이 되는 것까지를 포함하는 의미로 보는 경우(대판 2000.4.25, 2000도223) 21. 법원행시

17. 성폭력범죄의 처벌 등에 관한 법률 제8조 장애인에 대한 간음·추행죄에서 '신체장애'에 정신박약 등으로 인한 정신장애도 포함된다고 해석한 경우(대판 1998.4.10, 97도3392) 20. 법원행시

18. 형법 제207조 제3항의 외국에서 통용하는 지폐에 강제통용력을 가지지 아니하나 일반인의 관점에서 통용할 것이라고 오인할 가능성이 있는 지폐까지 포함시켜 해석한 경우(대판 2004.5.14, 2003도3487) 12. 9급 검찰, 23. 순경 2차

19. 구 음반·비디오물 및 게임물에 관한 법률이 금지하는 '문화관광부장관이 정하여 고시하는 방법에 의하지 아니하고 경품을 제공하는 행위'에 게임제공업자가 제공된 경품을 재매입하는 행위가 해당한 다고 보는 경우(대판 2007.6.28, 2007도873) 16. 9급 철도경찰

• **유추해석금지의 원칙에 반하지 않아 죄형법정주의에 반하지 않는다고 본 경우**

1. 정보통신망에 의하여 처리·보관 또는 전송되는 타인의 정보를 훼손하거나 타인의 비밀을 침해· 도용 또는 누설하는 행위를 금지·처벌하는 규정인 정보통신망 이용촉진 및 정보보호 등에 관한 법률 제49조 및 제62조 제6호의 '타인'에는 생존하는 개인뿐만 아니라 이미 사망한 자도 포함된다 고 해석하는 경우(대판 2007.6.14, 2007도2162) 14. 경찰간부, 15. 순경 3차, 19. 9급 철도경찰

2. 자신의 뇌물수수 혐의에 대한 결백을 주장하기 위하여 제3자로부터 사건 관련자들이 주고받은 이메일 출력물을 교부받아 징계위원회에 제출하는 행위는 '정보통신망에 의하여 처리·보관 또는 전송되는 타인의 비밀'인 이메일의 내용을 '누설하는 행위'에 해당한다고 해석한 경우(대판 2008.4.24, 2006도 8644) 14. 순경 1차, 15. 경찰간부·순경 2차

3. 미성년자의제강간·강제추행죄를 규정한 형법 제305조에 규정한 형법 제297조와 제298조의 "예에 의한다."는 의미에 미성년자의제강간·강제추행죄의 처벌에 있어 그 법정형뿐만 아니라 미수범에 관하여도 강간죄와 강제추행죄의 예에 따른다는 취지로 해석하는 경우(대판 2007.3.15, 2006도9453) 11. 사시·경찰승진, 15. 경찰간부, 24. 법원행시

4. 견인료납부를 요구하는 교통관리직원을 승용차 앞범퍼 부분으로 들이받아 폭행한 행위를 폭력행위 등 처벌에 관한 법률 제3조 제1항의 '위험한 물건을 휴대한' 행위로 처벌하는 것(대판 1997.5.30, 97도 597 ∵ 폭력행위 등 처벌에 관한 법률 제3조 제1항에 있어 위험한 물건을 '휴대하여'라는 말은 소지뿐 만 아니라 널리 이용한다는 뜻도 포함하고 있다.) 14. 경찰간부, 15. 순경 1차

5. 형법 제170조 제2항의 '자기의 소유에 속하는 제166조 또는 제167조에 기재한 물건'을 자기의 소유에 속하는 제166조에 기재한 물건 또는 자기나 타인의 소유에 속하는 제167조에 기재한 물건이라고 해석한 경우(대판 1994.12.20, 94모32 전원합의체) 16. 사시, 22. 경찰간부

6. 권한 없는 자에 의한 명령입력행위를 컴퓨터 등 사용사기죄의 구성요건인 '부정한 명령을 입력하는 행위'에 포함된다고 해석하는 경우(대판 2003.1.10, 2002도2363) 16. 9급 철도경찰

7. 복사한 문서의 사본은 문서위조 및 동 행사죄의 객체인 문서에 해당한다고 해석하는 것(대판 1989. 9.12, 87도506 전원합의체) 15. 경찰간부

8. 자동차를 움직이게 할 의도 없이 다른 목적을 위하여 자동차의 시동을 걸었으나 실수 등으로 인하여 자동차가 움직이게 된 경우에는 '자동차의 운전'에 해당하지 않는다고 해석하는 것(대판 2004.4.23,

2004도1109 **예** 술에 취한 피고인이 자동차 안에서 잠을 자다가 추위를 느껴 히터를 가동시키기 위하여 시동을 걸어 자동차가 움직이게 된 경우 ⇨ 자동차의 운전에 해당 × ∵ '운전'이란 고의의 운전행위만을 의미함) 14. 경찰간부, 25. 해경 2차

9. 특정경제범죄 가중처벌 등에 관한 법률 제9조 제1항에 정해진 "저축을 하는 자"에 사법상 법률효과가 귀속되는 '저축의 주체'가 아니라고 하더라도, '저축과 관련된 행위를 한 자'도 포함된다고 해석하는 것(대판 2006.3.9, 2003도6733) 11. 경찰승진, 12. 순경 3차

10. 총포·도검·화약류 등 단속법 시행령 제23조 제2항(쏘아 올리는 꽃불류의 사용은 화약류관리보안책임자의 책임하에 하여야 한다)에서의 '사용'에는 쏘아 올리는 꽃불류의 설치행위도 포함되는 것으로 해석하는 것(대판 2010.5.13, 2009도13332) 12. 순경 2차

● **최신 기출판례 총정리**

1. 형법 제55조 제1항은 형벌의 종류에 따라 법률상 감경의 방법을 규정하고 있는데, 유기징역형에 대한 법률상 감경을 하면서 형법 제55조 제1항 제3호에서 정한 것과 같이 장기와 단기를 모두 2분의 1로 감경하는 것이 아닌 장기 또는 단기 중 어느 하나만을 2분의 1로 감경하는 방식이나 2분의 1보다 넓은 범위의 감경을 하는 방식은 죄형법정주의 원칙에 반한다(대판 2021.1.21, 2018도5475 전원합의체). 21. 법원행시·경력채용·순경 2차, 23. 경찰간부, 24. 9급 검찰·마약수사·철도경찰

2. 유형위조만을 처벌하는 사문서위조와 달리 제232조의 2(사전자기록위작·변작)에서 정한 '위작'에 무형위조(권한 있는 사람이 그 권한을 남용하여 허위의 정보를 입력)도 포함하는 것으로 보더라도 피고인에게 불리한 유추해석 또는 확장해석을 한 것이라고 볼 수 없다(대판 2020.8.27, 2019도11294 전원합의체). 21. 7급 검찰, 22. 경찰간부·경찰승진, 23. 해경승진, 24. 해경간부, 25. 9급 철도경찰

3. 법원의 재판 또는 국회의 심의를 방해 또는 위협할 목적으로 법정이나 국회회의장 또는 그 부근에서 모욕 또는 소동한 자를 처벌하는 형법 제138조(법원소동죄)에서의 '법원의 재판'에 '헌법재판소의 심판'을 포함시키는 해석이 피고인에게 불리한 확장해석이나 유추해석에 해당하지 않는다(대판 2021. 8.26, 2020도12017). 22. 7급 검찰, 23. 경찰간부·해경승진·법원행시, 25. 경력채용, 26. 경찰승진

4. 원인불명으로 재산상 이익인 가상자산을 이체받은 자가 가상자산을 사용·처분한 경우 이를 형사처벌하는 명문의 규정이 없는 현재의 상황에서 착오송금시 횡령죄 성립을 긍정한 판례를 유추하여 신의칙을 근거로 피고인을 배임죄로 처벌하는 것은 죄형법정주의에 반한다(대판 2021.12.16, 2020도9789 **예** 피고인이 알 수 없는 경위로 甲의 특정 거래소 가상지갑에 들어 있던 비트코인을 자신의 계정으로 이체받은 후 이를 자신의 다른 계정으로 이체한 경우 ⇨ 배임죄 × ∵ 비트코인이 법률상 원인관계 없이 甲으로부터 피고인 명의의 전자지갑으로 이체되었더라도 피고인이 신임관계에 기초하여 甲의 사무를 맡아 처리하는 것으로 볼 수 없는 이상 甲에 대한 관계에서 '타인의 사무를 처리하는 자'에 해당하지 않는다). 22. 순경 1차, 23. 경찰승진·해경승진·법원행시, 24. 경위공채

5. 허위사실을 뒷받침하는 데 사용되었다는 이유만으로 내용과 작성명의에 아무런 허위가 없는 증거를 증거위조에 해당한다고 보는 것은 법률 문언이 가진 통상적인 의미를 넘어 부당하게 처벌 범위를 확대하는 것이어서 죄형법정주의의 원칙상 허용되지 아니한다(대판 2021.1.28, 2020도2642 ∵ 증거위조죄에서 '위조'란 문서에 관한 죄의 위조 개념과는 달리 새로운 증거의 창조를 의미한다). 22. 순경 1차·7급 검찰, 23. 법원행시

6. 비트코인은 경제적인 가치를 디지털로 표상하여 전자적으로 이전, 저장과 거래가 가능하도록 한 가상 자산의 일종으로 사기죄의 객체인 재산상 이익에 해당한다(대판 2021.11.11, 2021도9855). 22. 순경 1차 · 법원행시, 23. 경력채용, 24. 경찰승진 · 해경승진

7. 동성인 군인 사이의 항문성교나 그 밖에 이와 유사한 행위(키스나 구강성교)가 사적 공간에서 자발적 의사 합치에 따라 이루어지는 등 군이라는 공동사회의 건전한 생활과 군기를 직접적 · 구체적으로 침해한 것으로 보기 어려운 경우, 군형법 제92조의 6에서 처벌대상으로 규정한 '항문성교나 그 밖의 추행'에 해당하지 않는다(대판 2022.4.21, 2019도3047 전원합의체). 22. 순경 2차, 23. 경력채용, 24. 법원행시

8. 도로교통법 제43조 '운전면허를 받지 아니하고'라는 법률문언의 의미에 '(원동기장치자전거) 운전면허를 받았으나 그 후 운전면허의 효력이 정지된 경우'가 포함된다고 해석할 수 없다(대판 2011.8.25, 2011도7725). 17. 경찰승진 · 변호사시험, 20. 순경 2차, 21. 법원행시, 25. 경대편입

9. 도로교통법에서 정한 도로가 아닌 곳에서 운전면허 없이 운전한 경우에는 무면허운전에 해당하지 않는다. 도로에서 운전하지 않았는데도 무면허운전으로 처벌하는 것은 유추해석금지원칙에 반한다. 따라서 일반교통경찰권이 미치는 공공성이 있는 장소가 아니라 특정인이나 그와 관련된 용건이 있는 사람만 사용할 수 있고 자체적으로 관리되는 곳이라면 무면허운전으로 처벌할 수 없다(대판 2017.12. 28, 2017도17762 예 자동차운전면허를 받지 않고 아파트 단지 안에 있는 지하주차장 약 50m 구간에서 승용차를 운전한 경우 ⇨ 무면허운전죄 ×). 18. 7급 검찰, 19. 순경 2차, 20. 법원행시, 22. 9급 검찰 · 마약수사, 25. 경찰승진 · 해경경장

10. 음주운전과 관련한 도로교통법 위반죄의 범죄수사를 위하여 미성년자인 피의자의 혈액채취가 필요한 경우에도 피의자에게 의사능력이 있다면 피의자 본인만이 혈액채취에 관한 유효한 동의를 할 수 있고, 피의자에게 의사능력이 없는 경우에도 명문의 규정이 없는 이상 법정대리인이 피의자를 대리하여 동의할 수는 없다(대판 2014.11.13, 2013도1228). 17. 법원직, 18. 변호사시험

11. 자동차관리법 제80조 제7호의 2에서 처벌의 대상으로 정한 '자동차 이력 및 판매자정보를 허위로 제공한 자'의 '허위 제공'에는 '단순 누락'이 포함될 수 없다(대판 2017.11.14, 2017도13421). 18. 법원행시, 20. 순경 2차, 26. 경찰승진

12. 교통사고처리 특례법 제3조 제2항 단서 제7호에서 말하는 '도로교통법 제43조를 위반'한 행위는 도로교통법 위반(무면허운전)죄와 마찬가지로 유효한 운전면허가 없음을 알면서도 자동차를 운전하는 경우만을 의미한다고 보아야 한다(대판 2023.6.29, 2021도17733). 24. 순경 2차

13. 항공보안법 제42조(항공기 항로 변경죄)의 '항로'에 항공기가 지상에서 이동하는 경로도 포함된다고 해석하는 것은 죄형법정주의에 반한다(대판 2017.12.21, 2015도8335 전원합의체). 18. 순경 1차 · 9급 철도경찰, 20. 경찰간부 · 해경승진

14. '약국 개설자가 아니면 의약품을 판매하거나 판매 목적으로 취득할 수 없다.'고 규정한 구 약사법 제44조 제1항의 '판매'에 무상으로 의약품을 양도하는 '수여'를 포함시키는 해석은 죄형법정주의에 위배되지 아니한다(대판 2011.10.13, 2011도6287). 18. 순경 1차, 19. 경찰승진, 21. 법원행시 · 해경간부

15. '블로그', '미니홈페이지', '카페' 등의 이름으로 개설된 사적 인터넷 게시공간의 운영자가 게시공간에 게시된 타인의 글을 삭제할 권한이 있는데도 이를 삭제하지 아니한 경우를 국가보안법 제7조 제5항의 '소지' 행위로 보는 것은 유추해석금지원칙에 반한다(대판 2012.1.27, 2010도8336). 16. 7급 · 9급 철도경찰 · 7급 검찰, 17. 변호사시험, 25. 경찰승진

16. 구 특정 범죄자에 대한 위치추적 전자장치 부착 등에 관한 법률 제5조 제1항 제3호에서 부착명령청구 요건으로 정한 '성폭력범죄를 2회 이상 범하여(유죄의 확정판결을 받은 경우를 포함한다.)'에 '소년법에 의한 보호처분을 받은 전력'이 포함된다고 보는 것은 유추해석금지원칙에 반한다(대판 2012.3.22, 2011도15057 전원합의체 ∵ 소년법에 의한 보호처분 ⇨ 유죄의 확정판결 ×). 15. 법원직, 16. 순경 2차, 17. 변호사시험, 22. 경찰간부, 23. 법원행시

17. 성폭력범죄의 처벌 등에 관한 특례법 제13조의 통신매체 이용음란죄에서 통신매체를 이용하지 아니한 채 '직접' 상대방에게 물건 등을 도달하게 하는 행위까지 포함하여 위 규정으로 처벌할 수 있다고 보는 것은 유추해석금지의 원칙에 위반된다(대판 2016.3.10, 2015도17847 **예** 甲이 약 20일 동안 6회에 걸쳐 피해자 A의 성적 수치심 등을 일으키는 내용의 편지를 작성하여 옆집에 사는 A의 주거지 출입문에 끼워 넣어 A에게 전달한 행위는 성폭력범죄의 처벌 등에 관한 특례법상 통신매체이용음란죄에 해당하지 않는다). 18. 9급 검찰 · 마약수사, 20. 해경승진 · 순경 2차, 21. 해경 1차, 25. 경찰승진 · 9급 철도경찰

18. 성폭력범죄의 처벌 등에 관한 특례법 제13조 제1항(카메라 등 이용촬영죄)의 처벌대상은 '다른 사람의 신체 그 자체'를 카메라 등 기계장치를 이용해서 '직접' 촬영하는 경우에 한정되므로 다른 사람의 신체 이미지가 담긴 영상은 위 규정의 "다른 사람의 신체"에 포함된다고 볼 수 없다(대판 2013.6.27, 2013도4279 **예** 인터넷 화상채팅을 통하여 실시간으로 전송받은 피해자의 나체가 나오는 컴퓨터 모니터 채팅 화면을 촬영한 것은 성폭력특별법상 '다른 사람의 신체'를 촬영한 행위에 해당하지 아니한다). 18. 경력채용 21. 법원행시 · 해경 2차, 25. 해경경사

19. 특수폭행치상죄의 경우 형법 제258조의 2의 특수상해죄의 신설에도 불구하고 종전과 같이 형법 제257조 제1항의 상해죄의 예(제258조의 2 제1항의 특수상해죄의 예 ×)에 의하여 처벌하는 것으로 해석하여야 한다(대판 2018.7.24, 2018도3443). 19. 9급 철도경찰, 21. 해경간부, 22. 변호사시험 · 순경 1차, 24. 법원행시

20. '주간에' 사람의 주거 등에 침입하여 '야간에' 타인의 재물을 절취한 경우에는 야간주거침입절도죄(형법 제330조)로 처벌할 수 없다(대판 2011.4.14, 2011도300). 17. 경찰간부 · 순경 2차, 19. 변호사시험 · 법원직 · 9급 철도경찰

21. 의사가 환자와 대면하지 아니하고 전화나 화상 등을 이용하여 환자의 용태를 스스로 듣고 판단하여 처방전 등을 발급한 행위를 구 의료법상 '직접 진찰한 의사'가 아닌 자가 처방전 등을 발급한 경우에 해당한다고 해석하는 것은 죄형법정주의에 위배된다(대판 2013.4.11, 2010도1388 ∵ 여기서 '직접'이란 '스스로'를 의미하므로 전화 통화 등을 이용하여 비대면으로 이루어진 경우에도 의사가 스스로 진찰을 하였다면 직접 진찰을 한 것으로 볼 수 있음). 18. 경력채용, 21. 법원행시, 25. 경찰승진

22. 치과의사가 보톡스 시술법을 이용하여 환자의 눈가와 미간의 주름 치료를 한 경우, 치과의사에게 면허된 것 이외의 의료행위라고 볼 수 없고 시술이 미용 목적이라 하여 달리 볼 것은 아니다(대판 2016.7.21, 2013도850 전원합의체). 21. 해경승진

23. 약사 등이 아닌 사람이 이미 개설된 약국의 시설과 인력을 인수하고 그 운영을 지배 · 관리하는 등 종전 개설자의 약국 개설 · 운영행위와 단절되는 새로운 개설 · 운영행위를 한 것으로 볼 수 있는 경우에도 약사법에서 금지하는 약사 등이 아닌 사람의 약국 개설행위에 해당한다(대판 2021.7.29, 2021도6092). 22. 법원행시

24. 한의사가 진단용 의료기기를 사용하는 것이 한의사의 '면허된 것 이외의 의료행위'에 해당하는지에 관한 새로운 판단 기준에 따르면, 한의사가 초음파 진단기기를 사용하여 환자의 신체 내부를 촬영

하여 화면에 나타난 모습을 보고 이를 한의학적 진단의 보조수단으로 사용하는 것은 한의사의 '면허된 것 이외의 의료행위'에 해당하지 않는다(대판 2022.12.22, 2016도21314 전원합의체 ∴ 의료법위반죄 ×). 23. 경력채용

25. 사망의 진단은 의사 등이 환자의 사망 당시 또는 사후에라도 현장에 입회해서 직접 환자를 대면하여 수행해야 하는 의료행위이고, 간호사는 의사 등의 개별적 지도·감독이 있더라도 사망의 진단을 할 수 없다(대판 2022.12.29, 2017도10007). 23. 경력채용

26. 의료법인 명의로 개설된 의료기관의 개설자격 위반 여부를 판단할 때, 비의료인의 주도적 자금 출연 내지 주도적 관여 사정만을 근거로 비의료인이 실질적으로 의료기관을 개설·운영하였다고 판단할 경우, 허용되는 행위와 허용되지 않는 행위의 구별이 불명확해져 죄형법정주의 원칙에 반할 수 있다(대판 2023.7.17, 2017도1807 전원합의체). 24. 9급 검찰·마약수사·철도경찰

27. 2011. 1. 1. 이전에 아동·청소년 대상 성폭력범죄를 범하고 아직 유죄판결이 확정되지 아니한 자에 대하여는 판결과 동시에 고지명령을 선고할 수 있는 근거를 따로 두고 있지 아니하므로, 2011. 1. 1. 이후 '아동·청소년 대상 성폭력범죄를 저지른 자'에 대하여만 판결과 동시에 고지명령을 선고할 수 있다고 보아야 한다(대판 2014.2.13, 2013도14349). 16. 경찰간부, 17. 경찰승진, 25. 경력채용

28. 국내 특정 지역의 수삼과 다른 지역의 수삼으로 만든 홍삼을 주원료로 하여 특정 지역에서 제조한 홍삼 절편의 제품명이나 제조·판매자명에 특정 지역의 명칭을 사용한 행위를 '원산지를 혼동하게 할 우려가 있는 표시를 하는 행위'라고 해석하는 것은 죄형법정주의에 위배된다(대판 2015.4.9, 2014도14191). 15. 순경 3차, 17. 경찰승진

29. 게임산업진흥에 관한 법률 제32조 제1항 제7호에 정한 '환전'에는 '게임결과물을 수령하고 돈을 교부하는 행위'뿐만 아니라 '게임결과물을 교부하고 돈을 수령하는 행위'도 포함되는 것으로 해석함이 상당하고, 이를 지나친 확장해석이나 유추해석이라고 할 수 없다(대판 2012.12.13, 2012도11505). 19. 경력채용, 23. 순경 1차

30. 상품권을 할인 매입하면서 그 대금으로 금전을 교부하는 것은 대부업 등의 등록 및 금융이용자 보호에 관한 법률의 규율 대상이 되는 '금전의 대부'에 해당하지 않는다(대판 2019.9.26, 2018도7682). 21. 법원행시, 25. 해경경위

31. '기업구매전용카드'를 이용하여 물품의 판매 등 방법으로 자금을 융통한 경우에 여신전문금융업법상 '신용카드'의 이용에 해당하지 아니한다(대판 2013.7.25, 2011도14687 ∵ '기업구매전용카드'는 동법의 '신용카드'에 해당 ×). 19. 경찰간부, 25. 해경경사

32. 외국환거래법 제30조가 규정하는 몰수·추징의 대상은 범인이 해당 행위로 인하여 취득한 외국환 기타 지급수단 등을 뜻하고, 이는 범인이 외국환거래법에서 규제하는 행위로 인하여 취득한 외국환 등이 있을 때 이를 몰수하거나 추징한다는 취지로서, 여기서 취득이란 해당 범죄행위로 인하여 결과적으로 이를 취득한 때를 말한다고 제한적으로 해석함이 타당하다(대판 2017.5.31, 2013도8389). 17. 순경 2차, 25. 해경경위

33. 인터넷 신문 또는 인터넷 언론사를 운영하는 자는 공직선거법 제97조 제2항, 제3항에서 정한 방송·신문·통신·잡지 기타 간행물을 경영·관리하거나 편집·취재·집필·보도하는 자에 해당한다(대판 2021.4.8, 2021도1177). 22. 법원행시, 25. 해경경사

34. 자동차관리법상 승인이 필요한 '자동차의 튜닝'은 '자동차의 안전운행에 필요한 성능과 기준이 설정되어 있는 자동차의 구조·장치가 일부 변경되거나 자동차에 부착물을 추가함으로써 그러한 자동

차 구조·장치의 일부 변경에 이르게 된 경우'를 의미한다(대판 2021.6.24, 2019도110). 22. 법원행시, 25. 해경경위

35. 어린이집 대표자를 변경하였음에도 변경인가를 받지 않은 채 어린이집을 운영한 행위에 대해 설치 인가를 받지 않고 사실상 어린이집의 형태로 운영하는 행위 등을 처벌하는 규정인 영유아 보육법 제54조 제4항 제1호를 적용하거나 유추적용할 수 없다(대판 2022.12.1, 2021도6860). 24. 순경 1차

36. 군형법 제64조 제3항 상관명예훼손죄에 대해 형법 제310조(위법성의 조각)와 같은 규정을 별도로 두지 않았다고 하더라도 법규범의 체계, 입법 의도와 목적 등에 비추어 정당하다고 평가되는 한도 내에서 그와 유사한 사안에 관한 법규범을 적용할 수 있다고 할 것이므로 형법 제310조는 군형법 제64조 제3항의 행위에 대해 유추적용된다고 보아야 한다(대판 2024.4.16, 2023도13333). 24. 순경 2차, 26. 경찰승진

37. 형사소송법 제33조 제1항 제1호가 정한 필요적 국선변호인 선정사유인 '피고인이 구속된 때'란 피고인이 해당 형사사건에서 구속되어 재판을 받고 있는 경우에 한정된다고 볼 수 없고, 피고인이 별건으로 구속영장이 발부되어 집행되거나 다른 형사사건에서 유죄판결이 확정되어 그 판결의 집행으로 구금 상태에 있는 경우 또한 포괄하고 있다고 보아야 한다(대판 2024.5.23, 2021도6357 전원합의체). 25. 변호사시험

38. 명예훼손죄의 공연성에 관해 확립된 법리로 정착된 이른바 전파가능성 이론은 정보통신망 이용촉진 및 정보보호 등에 관한 법률 상 정보통신망을 이용한 명예훼손뿐만 아니라 공직선거법상 후보자비방 죄 등의 공연성 판단에도 동일하게 적용된다(대판 2020.11.19, 2020도5813 전원합의체). 22. 법원행시, 24. 순경 2차, 25. 변호사시험

39. 자신이 운영하는 인터넷 사이트 카페에 개인정보가 담겨 있는 '특정한 목적으로 결성된 단체의 명단'을 업로드하여 제3자로 하여금 다운로드 받아 볼 수 있게 한 행위는, 타인의 비밀을 침해·도용 또는 누설한 경우에 해당한다고 볼 수 없다(대판 2012.12.13, 2010도10576). 25. 해경경위공채

40. 국가공무원법 제66조 제1항은 모든 공무원에 대하여 그 집단행위를 금지하고 있으나, 그 위반행위에 대한 형사 처벌조항인 국가공무원법 제84조는 경력직공무원에 대하여만 적용되고 특수경력직공무원에 대하여는 적용하지 않는다(대판 2006.10.26, 2005도4331). 25. 해경경위공채

41. 출입국 관리사무소로부터 근무처의 변경 또는 추가허가를 받지 아니한 외국인의 고용을 알선한 자만 출입국관리법 제94조 제6호의 2, 제21조 제2항에 따라 처벌되고, 외국인을 고용한 자를 위 조항으로 처벌할 수 없다(대판 2007.9.7, 2006도6292). 25. 해경경위공채

42. 자동차 엔진을 시동시키고 음주운전을 하려 하였으나, 자동차의 고장 또는 결함 등의 원인으로 객관적으로 발진할 수 없었던 상태에 있었던 경우라면, 이 행위는 음주운전에 해당하지 않는다(대판 2021. 1.14, 2017도10815). 25. 해경 2차

43. 도로교통법 제148조의 2 제1항 제1호는 행위주체를 단순히 2회 이상 음주운전 금지규정을 위반한 사람으로 정하고 있고, 이러한 음주운전 금지규정 위반으로 형을 선고받거나 유죄의 확정판결을 받은 경우 등으로 한정하고 있지 않다(대판 2018.11.15, 2018도11378). 25. 해경 2차

44. 외국인이 불법으로 입국한 이상, 비록 국제운전면허증을 발급받아 소지하고 있고 국내에 입국한 날부터 1년 이내에 자동차를 운전하였더라도, 도로교통법 제96조 제1항이 예외적으로 허용하는 국제운전면허증에 의한 운전이라고 하기 어려워 무면허운전에 해당한다(대판 2017.10.31, 2017도9230). 25. 해경 2차

45. ① 의사인 피고인이 전화 통화만으로 환자에게 전문의약품을 처방한 처방전을 작성하여 교부한 경우, 피고인이 위 전화 통화 이전에 환자를 대면하여 진찰한 적이 단 한 번도 없고, 전화 통화 당시 환자의 특성 등에 대해 알고 있지도 않았다면, 위와 같은 피고인의 행위는 신뢰할만한 환자의 상태를 토대로 한 것이라고 볼 수 없으므로 결과적으로 피고인이 환자에 대하여 진찰을 하였다고 할 수 없다(대판 2020.5.14, 2014도9607 ∴ '직접 진찰한 의사'가 아닌 자가 처방전을 발급한 경우에 해당함). 21. 법원행시

② 의료인이 전화 등을 통해 원격지에 있는 환자에게 행하는 의료행위는 특별한 사정이 없는 한 의료법 제33조 제1항에 위반되는 행위로 봄이 타당하다(대판 2020.11.5, 2015도13830 예 피고인이 환자의 요청이 있다 하여 전화로 환자를 진료한 것은 의료법 제33조 제1항을 위반한 행위라고 본 사안임). 21. 법원행시

③ 의사 등이 구 의료법 제17조 제1항에 따라 직접 진찰하여야 할 환자를 진찰하지 않은 채 그 환자를 대상자로 표시하여 진단서·증명서 또는 처방전을 작성·교부하였다면 구 의료법 제17조 제1항을 위반한 것으로 보아야 하고, 이는 환자가 실제 존재하지 않는 허무인인 경우에도 마찬가지이다(대판 2021.2.4, 2020도13899). 21. 법원행시

46. 구 농수산물의 원산지 표시에 관한 법률 제6조 제1항 제1호에서 정한 '원산지를 혼동하게 할 우려가 있는 표시를 하는 행위'에 원산지 표시란에는 국내산으로 바르게 표시한 후 국내 유명 특산물의 생산 지역명을 표시한 포장재를 사용한 행위가 포함된다(대판 2014.1.29, 2013도14586). 20. 해경 1차

47. 대통령기록물 관리에 관한 법률 제30조 제2항 제1호, 제14조에 의해 유출이 금지되는 대통령기록물에 원본 문서나 전자파일 이외에 그 사본이나 추가 출력물까지 포함된다고 해석하는 것은 죄형법정주의 원칙에 반한다(대판 2021.1.14, 2016도7104). 25. 경력채용

48. 일반음식점 영업자인 피고인이 주로 술과 안주를 판매함으로써 구 식품위생법상 준수사항을 위반하였다는 내용으로 기소된 사안에서 위 준수사항 중 '주류만을 판매하는 행위'에 안주류와 함께 주로 주류를 판매하는 행위도 포함된다고 해석하는 것은 죄형법정주의에 위배된다(대판 2012.6.28, 2011도15097). 15. 순경 2차

49. '전기통신의 감청'은 '감청'의 개념 규정에 비추어 전기통신이 이루어지고 있는 상황에서 실시간으로 전기통신의 내용을 지득·채록하는 경우와 통신의 송·수신을 직접적으로 방해하는 경우를 의미하는 것이지, 이미 수신이 완료된 전기통신에 관하여 남아 있는 기록이나 내용을 열어보는 등의 행위는 포함하지 않는다(대판 2016.10.13, 2016도8137). 17. 법원직

50. 형사소송법(제253조 제2항)은 공범 사이의 처벌에 형평을 기하기 위하여 공범 중 1인에 대한 공소의 제기로 다른 공범자에 대하여도 공소시효가 정지되도록 규정하고 있는데, 여기에서 말하는 '공범'에는 뇌물공여죄와 뇌물수수죄 사이와 같은 대향범 관계에 있는 자는 포함되지 않는다(대판 2015.2.12, 2012도4842). 16. 변호사시험

51. 동물보호법 시행규칙 제36조 제2호에 규정한 '소비자'는 반려동물을 구매하여 가정에서 반려 목적으로 기르는 사람을 의미하며, 여기서의 '소비자'에 반려동물을 구매하여 다른 사람에게 판매하는 영업을 하는 자도 포함된다고 보는 것은 유추해석에 해당되어 죄형법정주의에 반한다(대판 2016.11.24, 2015도18765). 21. 해경승진

52. 고농도 니코틴 용액에 프로필렌글리콜(Propylene Glycol)과 식물성 글리세린(Vegetable Glycerin)과 같은 희석액, 소비자의 기호에 맞는 향료를 일정한 비율로 첨가하여 전자장치를 이용해 흡입할 수

있는 니코틴 용액을 만든 것을 담배의 제조행위라고 보는 것은 죄형법정주의 원칙에 위반되지 않는다 (대판 2018.9.28, 2018도9828). 21. 경력채용

53. 식품 판매자가 식품을 판매하면서 특정 구매자에게 그 식품이 질병의 치료에 효능이 있다고 설명하고 상담한 행위는 구 식품위생법 제13조 제1항에서 금지하는 '식품에 관하여 의약품과 혼동할 우려가 있는 광고'에 해당한다고 볼 수 없다(대판 2014.4.30, 2013도15002). 15. 순경 2차

54. 수산물품질관리법령에 따라 '생산제품의 종류'란에 수산물원형동결(오징어)이라고 기재된 수산물 가공업(냉동·냉장업) 등록증을 받은 자가 수산물처리동결(오징어) 제품을 가공한 행위를 수산물 가공업(냉동·냉장업)의 등록 없이 해당 영업을 한 경우로 볼 수 없다(대판 2015.1.29, 2014도8448). 20. 해경 1차, 24. 해경승진

55. 수산물의 표시·광고에서 '생물'은 포획 후 냉동하지 않은 채 살아 있거나 그에 준할 정도로 신선한 상태로 유통되는 수산물을 표현하는 용어로 '냉동'과 구별되는 개념으로 사용되고 있으므로, 냉동수산 물 또는 냉동 후 해동한 수산물에 '생물'이라고 표시·광고하는 것은 수산물의 품질에 관하여 사실과 다른 표시·광고를 한 것으로 보아야 한다(대판 2017.4.7, 2016도19084). 20. 해경 1차

56. 가축분뇨의 배출시설을 설치한 자가 설치 당시에 신고대상자가 아니었다면 그 후 법령의 개정에 따라 그 시설이 신고대상에 해당하게 되었더라도, 신고대상자인 '배출시설을 설치하고자 하는 자'에 해당한다고 볼 수 없다(대판 2011.7.14, 2011도2471). 15. 순경 1차

57. 국내에서 출생한 소가 출생지 외의 지역에서 사육되다가 도축된 경우 해당 소가 어느 정도의 기간 동안 사육되면 비로소 사육지 등을 원산지로 표시할 수 있는지에 관하여 관계 법령에 아무런 규정이 없다면 특정 지역(횡성군)에서 단기간이라도 일정 기간(2개월) 사육된 소의 경우 쇠고기에 해당 시· 도명이나 시·군·구명을 원산지로 표시하여 판매하였다고 하더라도 이를 곧바로 위와 같은 원산지 표시 규정 위반행위에 해당한다고 단정할 수는 없다(대판 2012.10.25, 2012도3575). 13. 법원행시

58. 피고인 乙회사의 대표인 피고인 甲이 피고인 乙회사가 운영하는 식당과 별도의 장소에 일정한 시설을 갖추어 식품을 만든 다음 피고인 乙회사가 각지에서 직영하는 음식점들에 배송하는 방법으로 일괄 공급함으로써 그 음식점들을 거쳐서 최종소비자가 취식할 수 있게 한 행위는 무등록 식품제조·가공 업을 한 것에 해당한다(대판 2021.7.15, 2020도13815). 22. 법원행시

59. 올림픽대로에 "10t 이상 화물차량 통행제한"이라고 표시한 알림판은 그 내용만으로 건설기계(덤프트 럭)에 대한 통행제한 내용이 충분히 공고되었다고 볼 수 있다(대판 2021.10.28, 2021도9629). 22. 법원행시

60. 게임물의 내용 구현과 밀접한 관련이 있는 게임물의 운영방식을 등급분류신청서나 그에 첨부된 게임 물내용설명서에 기재된 내용과 다르게 변경하여 이용에 제공하는 행위가 게임산업진흥에 관한 법률 제32조 제1항 제2호에서 정한 '등급을 받은 내용과 다른 내용의 게임물을 이용에 제공하는 행위'에 해당한다(대판 2021.7.21, 2021도4785). 22. 법원행시

61. 피해아동의 부모가 피해아동의 가방에 녹음기를 넣어 수업시간 중 교실에서 아동학대범죄 처벌법 위반으로 기소된 피고인(피해아동의 담임교사)이 한 발언을 녹음한 녹음파일, 녹취록 등은 통신비밀 보호법 제14조 제1항을 위반하여 공개되지 아니한 타인 간의 대화를 녹음한 것이므로 통신비밀보호 법 제14조 제2항 및 제4조에 따라 증거능력이 부정된다(대판 2024.1.11, 2020도1538 ▶ 대화내용이 공적인 성격을 가지고 있거나 발언자가 공적 인물이라고 하더라도 동법이 규정하는 공개되지 아니한 타인 간의 대화로 볼 수 있다). 25. 변호사시험

62. 통신비밀보호법 제3조 제1항은 누구든지 이 법과 형사소송법 또는 군사법원법의 규정에 의하지 아니하고는 우편물의 검열·전기통신의 감청 또는 공개되지 않은 타인 간의 대화를 녹음 또는 청취하지 못한다고 규정하고 있고, 같은 법 제16조 제1항은 이를 위반하는 행위를 처벌하도록 규정하고 있다. 여기서 '청취'는 타인 간의 대화가 이루어지고 있는 상황에서 실시간으로 그 대화의 내용을 엿듣는 행위를 의미하고, 대화가 이미 종료된 상태에서 그 대화의 녹음물을 재생하여 듣는 행위(대화가 녹음된 파일을 청취한 행위)는 '청취'에 포함되지 않는다(대판 2024.2.29, 2023도8603). 25. 변호사시험

● 기타 판례 총정리

1. 운전자가 경찰공무원의 1차 측정에만 불응하였을 뿐 곧이어 이어진 2차 측정에 응한 경우와 같이 측정거부가 일시적인 것에 불과한 경우까지 측정불응행위가 있었다고 보아 음주측정불응죄가 성립한다고 볼 것은 아니다(대판 2015.12.24, 2013도8481).

2. 의료인의 비밀누설 금지의무를 규정한 구 의료법 제19조에서 정한 '다른 사람'에 생존하는 개인 이외에 이미 사망한 사람도 포함된다(대판 2018.5.11, 2018도2844).

3. 정보통신망 이용촉진 및 정보보호 등에 관한 법률에서는 정보통신망을 통하여 공포심이나 불안감을 유발하는 부호·문언·음향·화상 또는 영상을 반복적으로 상대방에게 도달하게 하는 행위를 처벌하고 있다. 여기서 '도달하게 한다'는 것은 '상대방이 공포심이나 불안감을 유발하는 문언 등을 직접 접하는 경우뿐만 아니라 상대방이 객관적으로 이를 인식할 수 있는 상태에 두는 것'을 의미한다. 따라서 상대방이 별다른 제한 없이 문자메시지를 바로 접할 수 있는 상태에 이르렀다면, 구성요건을 충족한다고 보아야 하고, 상대방이 실제로 문자메시지를 확인하였는지 여부와는 상관없다(대판 2018. 11.15, 2018도14610 예 비록 피해자의 수신차단으로 위 문자메시지들이 피해자 휴대전화의 스팸 보관함에 저장되어 있었다고 하더라도, 피해자가 위 문자메시지들을 바로 확인하여 인식할 수 있는 상태에 있었으므로, 피해자에게 '도달'하게 한 경우에 해당한다).

4. 피고인에 대한 음주감지기 시험 결과 음주 반응이 나타났으므로, 피고인이 그 이후 음주측정기에 의한 측정을 위하여 예정되어 있는 경찰관의 일련의 요구(음주측정기가 있는 인근 지구대로 임의동행 요구)에 불응한다면 음주측정 거부에 해당한다고 볼 여지가 있다(대판 2018.12.13, 2017도12949).

5. 특정범죄가중법 제5조의 10(운행 중인 자동차의 운전자를 폭행·협박하거나 이로 인하여 상해 또는 사망에 이르게 한 경우를 가중처벌)의 '자동차'는 도로교통법상의 자동차를 의미하고 도로교통법상 원동기장치자전거는 '자동차'에 포함되지 않는다(대판 2022.4.28, 2022도1013).

6. 사업주가 사업장에서 안전조치가 취해지지 않은 상태에서의 작업이 이루어지고 있고 향후 그러한 작업이 계속될 것이라는 사정을 미필적으로 인식하고서도 이를 그대로 방치하고, 이로 인하여 사업장에서 안전조치가 취해지지 않은 채로 작업이 이루어졌다면, 사업주가 그러한 작업을 개별적·구체적으로 지시하지 않았더라도 산업안전보건법위반죄가 성립한다(대판 2022.7.14, 2020도9188).

7. 대화에 원래부터 참여하지 않는 제3자가 일반 공중이 알 수 있도록 공개되지 않은 타인 간의 발언을 녹음하거나 전자장치 또는 기계적 수단을 이용하여 청취하는 것은 특별한 사정이 없는 한 통신비밀보호법 제3조 제1항(공개되지 않은 타인 간의 대화를 녹음 또는 청취하지 못하도록 한 것)에 위반된다(대판 2022.8.31, 2020도1007).

8. 피고인이 학원의 설립·운영 및 과외교습에 관한 법률 제6조 제1항에 따른 등록을 하지 않은 채 학원에 해당하는 독서실인 스터디카페를 운영한 경우, 위 스터디카페는 학원의 설립·운영 및 과외

교습에 관한 법률 제2조 제1호가 규정한 '30일 이상 학습장소로 제공되는 시설'에 해당한다고 보기 어렵다(대판 2023.2.2, 2021도16198 ∴ 학원의 설립·운영 및 과외교습에 관한 법률위반죄 ×).

9. 고소·고발장에 다른 정보주체의 개인정보를 첨부하여 경찰서에 제출한 것은 그 정보주체의 동의도 받지 아니하고 관련 법령에 정한 절차를 거치지 아니한 이상 부당한 목적하에 이루어진 개인정보의 '누설'에 해당한다(대판 2022.11.10, 2018도1966 ∵ 고소·고발에 수반하여 이를 알지 못하는 수사기관에 개인정보를 알려주었다고 하더라도, 그러한 행위를 개인정보 보호법에 따른 개인정보 '누설'에서 제외할 수는 없다).

10. 공직자 등의 재직 중 금품 등을 받거나 제공하기로 약속하고 퇴직 후 그 수수가 이루어지는 경우에는 금품 등 약속으로 인한 청탁금지법 위반죄가 성립할 뿐 금품 등 수수 로 인한 청탁금지법 위반죄는 성립하지 않는다(대판 2023.4.27, 2022도15459).

11. 가정폭력범죄의 처벌 등에 관한 특례법에 따른 피해자보호명령을 받은 甲이 이를 이행하지 않아 같은 법 제63조 제1항 제2호의 보호처분 등의 불이행죄로 기소된 이후에 피해자보호명령의 전제가 된 가정폭력행위에 대하여 무죄판결을 선고받아 확정된 사안에서, 甲이 가정폭력행위자로 인정되어 피해자보호명령을 받고 이를 이행하지 않은 이상, 가정폭력범죄의 처벌 등에 관한 특례법 제63조 제1항 제2호의 보호처분 등의 불이행죄가 성립한다(대판 2023.6.1, 2020도5233).

12. 반의사불벌죄에서 성년후견인은 명문의 규정이 없는 한 의사무능력자인 피해자를 대리하여 피고인 또는 피의자에 대하여 처벌을 희망하지 않는다는 의사를 결정하거나 처벌을 희망하는 의사표시를 철회하는 행위를 할 수 없다. 이는 성년후견인의 법정대리권 범위에 통상적인 소송행위가 포함되어 있거나 성년후견개시심판에서 정하는 바에 따라 성년후견인이 소송행위를 할 때 가정법원의 허가를 얻었더라도 마찬가지이다(대판 2023.7.17, 2021도11126 전원합의체).

13. 아동·청소년이용음란물 파일을 구입하여 시청할 수 있는 상태 또는 접근할 수 있는 상태만으로 곧바로 이를 소지로 보는 것은 소지에 대한 문언 해석의 한계를 넘어서는 것이어서 허용될 수 없으므로, 피고인이 자신이 지배하지 않는 서버 등에 저장된 아동·청소년이용음란물에 접근하여 다운로드받을 수 있는 인터넷 주소 등을 제공받은 것에 그친다면 특별한 사정이 없는 한 아동·청소년이용음란물을 '소지'한 것으로 평가하기는 어렵다(대판 2023.6.29, 2022도6278).

14. 아동·청소년 등이 일상적인 생활을 하면서 신체를 노출한 것일 뿐 적극적인 성적 행위를 한 것이 아니더라도 이를 몰래 촬영하는 방식 등으로 성적 대상화하였다면 이와 같은 행위를 표현한 영상 등은 아동·청소년이용음란물에 해당한다(대판 2023.11.16, 2021도4265).

15. 시간당 알코올분해량에 관하여 알려져 있는 신빙성 있는 통계자료 중 피고인에게 가장 유리한 것을 대입하여 위드마크 공식을 적용하여 운전시의 혈중알코올농도를 계산하는 것은 피고인에게 실질적인 불이익을 줄 우려가 없으므로 그 계산결과는 유죄의 인정자료로 사용할 수 있다고 하여야 한다(대판 2023.12.28, 2020도6417).

16. 진로변경을 금지하는 안전표지인 백색실선은 교통사고처리 특례법 제3조 제2항 단서 제1호에서 정하고 있는 '통행금지를 내용으로 하는 안전표지'에 해당하지 않으므로, 이를 침범하여 교통사고를 일으킨 운전자에 대하여는 교통사고처리법 제3조 제2항 본문의 반의사불벌죄 규정 및 제4조 제1항의 종합보험 가입특례 규정이 적용된다고 보아야 한다(대판 2024.6.20, 2022도12175 전원합의체).

17. 존재하지 않는 서류 등에 대한 공개의무를 인정하는 것은 '공개'의 의미를 피고인에게 불리한 방향으로 지나치게 확장해석하거나 유추해석하는 것에 해당하여 허용될 수 없다. 결국 구 주택법 제12조 제1항 각호에 규정된 서류나 관련 자료가 작성되어 존재한 바 없다면 구 주택법 제12조 제1항 위반죄(서류 등에 대한 공개의무위반죄)는 성립할 여지가 없다(대판 2024.9.12, 2021도14712).

18. 마약류관리법 제40조의 2 제2항에 따른 수강명령 또는 이수명령 대상인 '마약류사범'은 마약류를 스스로 투약, 흡연 또는 섭취함으로써 마약류에 직접 노출된 사람만을 의미한다고 보아야 한다. 따라서 직접 마약류를 투약, 흡연 또는 섭취하지 않은 자라면 설령 마약류관리법 위반죄에 관한 공범으로 처벌을 받더라도 여기서의 마약류사범에는 해당하지 않는다(대판 2024.9.12, 2024도5033).

19. 피고인이 게스트하우스를 운영하면서 게스트하우스 서비스제공업 등을 하는 甲주식회사의 등록상표를 피고인의 게스트하우스 인터넷 홈페이지에 게시하여 게스트하우스 영업활동을 한 경우, 등록상표권의 침해행위에 해당한다(대판 2024.11.14, 2023도11044).

20. 구 부정청탁 및 금품 등 수수의 금지에 관한 법률 제5조 제1항의 입법 취지 및 위 조항에서 열거한 부정청탁을 받은 공직자 등이 그에 따라 직무를 수행하는 경우, 대가를 불문하고 구 부정청탁 및 금품 등 수수의 금지에 관한 법률 위반죄가 성립한다(대판 2024.11.20, 2020도15212).

21. 개개의 사건에 대하여 재판사무를 담당하는 수소법원은 '개인정보처리자'에서 제외된다. 따라서 수소법원이 그 재판권에 기하여 법에서 정해진 방식에 따라 행하는 공권적 통지행위로서 여러 소송서류 등을 송달하는 경우, '개인정보처리자'로서 개인정보를 제공한 것으로 볼 수 없다(대판 2024.12.12, 2021도12868).

22. 의사가 '고도의 지식과 기술을 요하여 반드시 의사만이 할 수 있는 의료행위' 자체가 아닌 의료행위의 과정에서 수반되는 '진료의 보조' 행위를 간호사에게 지시하거나 위임할 수 있다(대판 2024.12.12, 2023도10286).

23. 임직원, 파견근로자, 시간제근로자 등 개인정보처리자의 지휘·감독을 받아 개인정보를 처리하는 자인 개인정보취급자(개인정보 보호법 제28조)가 개인정보처리자의 업무 수행을 위하여 개인정보를 이전받는 경우 위와 같은 개인정보취급자는 '개인정보처리자로부터 개인정보를 제공받은 자'에 해당하지 않는다(대판 2025.2.13, 2020도14713 예 피고인이 대학수학능력시험 고사장 감독업무를 수행하면서 수험생의 개인정보가 포함된 응시원서를 제공받아 이를 각 수험생의 수험표와 대조하는 과정에서 알게 된 甲의 연락처를 이용하여 카카오톡 친구로 추가한 후 甲에게 카카오톡으로 "사실 ○○씨가 맘에 들어서요." 등의 메시지를 발송한 경우 ⇨ 구 개인정보 보호법 위반죄 ×).

24. 시장정비사업조합의 임원에 대하여는 구 전통시장법 제4조 제1항에 따라 도시정비법 제134조〔조합 임원은 형법 제129조부터 제132조까지의 규정(뇌물죄)을 적용할 때에는 공무원으로 본다〕가 준용된다고 보는 것이 타당하고, 구 전통시장법 제4조 제1항이 명확성의 원칙에 위배되는 조항이라거나 위 조항에 따라 도시정비법 제134조를 준용하는 것이 죄형법정주의에 반하는 확장해석이나 유추해석이라고 볼 수 없다(대판 2025.4.24, 2024도16766).

⑷ **명확성의 원칙**(절대적 부정기형 금지의 원칙)

① 명확성의 원칙은 법치국가원리의 한 표현으로서 기본권을 제한하는 법규범의 내용은 명확하여야 한다는 헌법상의 원칙이며, 그 근거는 법규범의 의미내용이 불확실하면 법적 안정성과 예측가능성을 확보할 수 없고, 법집행 당국의 자의적인 법해석과 집행을 가능하게 할 것이기 때문이다. 그러나 법규범의 문언은 어느 정도 가치개념을 포함한 일반적·규범적 개념을 사용하지 않을 수 없는 것이기 때문에 명확성의 원칙이란 기본적으로 최대한이 아닌 최소한의 명확성을 요구하는 것으로서, 그 문언이 법관의 보충적인 가치판단을 통해서 그 의미내용을 확인할 수 있고, 그러한 보충적 해석이 해석자의 개인적인 취향에 따라 좌우될 가능성이 없다면 명확성의 원칙에 반한다고 할 수 없다(대판 2008.10.23, 2008초기264). 20. 9급 검찰·마약수사·철도경찰, 22. 순경 1차, 23. 경찰승진

② 명확성 원칙은 모든 법률에 동일한 정도로 요구되는 것은 아니고 개개의 법률이나 법조항의 성격에 따라 요구되는 정도에 차이가 있을 수 있다(대판 2018.4.24, 2018초기306). 24. 해경경위

③ 처벌법규의 구성요건이 명확하여야 한다고 하여 모든 구성요건을 단순한 서술적 개념으로 규정하여야 하는 것은 아니고, 25. 변호사시험 다소 광범위하여 법관의 보충적인 해석을 필요로 하는 개념을 사용하였다고 하더라도 통상의 해석방법에 의하여 건전한 상식과 통상적인 법감정을 가진 사람이면 당해 처벌법규의 보호법익과 금지된 행위 및 처벌의 종류와 정도를 알 수 있도록 규정하였다면 헌법이 요구하는 처벌법규의 명확성에 배치되는 것이 아니다(대판 2006.5.11, 2006도920). 22. 9급 검찰·마약수사·철도경찰, 23. 경찰간부·해경승진·경찰승진·해경 3차

④ 특히 형벌과 관련하여 절대적 부정기형(예 구 부정선거관련자처벌법 제5조 제4항 "동법 제5조 제1항의 예비·음모는 이를 처벌한다."는 규정 : 대판 1977.6.28, 77도251)은 금지되나 상대적 부정기형(예 '…한 자는 단기 1년, 장기 3년에 처한다.')은 일반적으로 허용되고 있다.
우리 형법은 부정기형 자체를 채택하고 있지 않으나, 소년법은 상대적 부정기형을 채택하고 있다(소년법 제60조). 다만, 장기는 10년, 단기는 5년을 초과하지 못한다. 12. 7급 검찰

⑤ 처벌법규의 입법목적이나 그 전체적 내용, 구조 등을 살펴 보아 사물의 변별능력을 제대로 갖춘 일반인의 이해와 판단으로서 그의 구성요건 요소에 해당하는 행위유형을 정형화하거나 한정할 합리적 해석기준을 찾을 수 있다면 죄형법정주의가 요구하는 형벌법규의 명확성의 원칙에 반하는 것이 아니다(대판 2003.4.11, 2003도451). 19. 법원행시, 24. 경찰간부·경대편입

⑥ 건전한 상식과 통상적 법감정을 가진 사람으로 하여금 자신의 행위를 결정해 나가기에 충분한 기준이 될 정도의 의미와 내용을 가지고 있다고 볼 수 없는 형벌법규는 죄형법정주의의 명확성원칙에 위배되어 위헌이 될 수 있으므로, 불명확한 규정을 헌법에 맞게 해석하기 위해서는 이 점을 염두에 두어야 한다. 그리고 형벌법규의 해석은 엄격하여야 하고, 문언의 가능한 의미를 벗어나 피고인에게 불리한 방향으로 해석하는 것은 죄형법정주의의 내용인 확장해석금지에 따라 허용되지 않는다(대판 2022.11.17, 2022도7290).

관련판례

● **명확성의 원칙에 반하지 않아 죄형법정주의에 반하지 않는다고 본 경우**

1. 폭력행위 등 처벌에 관한 법률 제4조 제1항에서 규정하고 있는 범죄단체 구성원으로서의 '활동'의 개념(대판 2008.5.29, 2008도1857) 17. 순경 1차, 19. 경력채용, 21. 순경 2차

2. 형법 제125조(폭행·가혹행위)의 구성요건 중 '그 직무를 행함에 당하여'라 함을 '경찰 등이 그 직무를 행하는 기회'라는 뜻으로 해석한다면, 이런 해석은 다소 포괄적이라도 그 내용이 불명확하여 처벌범위를 자의적으로 확장시킨다고 볼 여지가 없어 죄형법정주의의 명확성 원칙에 위반되지 않는다(헌재결 2015.3.26, 2013헌바140). 16. 순경 2차, 21. 7급 검찰

3. 국가공무원법 제66조(집단행위의 금지) 제1항에서 '공무 외의 일을 위한 집단행위'로 포괄적이고 광범위하게 규정하고 있다 하더라도 명확성의 원칙과 과잉금지의 원칙에 반한다고 볼 수 없다(대판 2017.4.13, 2014두8469). 17. 7급 검찰

4. 형법상 내란선동죄에서 '선동'은 죄형법정주의 원칙(명확성의 원칙)에 반하지 않는다(대판 2015.1.22, 2014도10978 전원합의체). 21. 9급 검찰

5. 형법 제243조 음화반포죄의 구성요건에 '음란'이라는 규범적 구성요건요소를 사용한 경우(대판 1995. 6.16, 94도2413) 20. 법원직, 22. 경력채용

6. 건설공사의 수주 및 시공과 관련하여 발주자, 수급인, 하수급인 또는 이해관계인이 부정한 청탁에 의한 금품을 수수하는 것을 금지하고 형사처벌하는 건설산업기본법 제38조의 2의 '이해관계인' 규정 (대판 2009.9.24, 2007도6185) 12. 경찰간부, 22. 경력채용

7. 청소년보호법 제26조의 2 제8호 '풍기를 문란하게 하는 영업행위를 하거나 그를 목적으로 장소를 제공하는 행위'라는 조항(대판 2003.12.26, 2003도5980) 12. 순경 3차, 19. 순경 2차

8. 구 도시 및 주거환경정비법 제69조 제1항 제6호에서 정한 "관리처분계획의 수립"에 경미한 사항이 아닌 관리처분계획의 주요 부분을 실질적으로 변경하는 것이 포함된다고 해석하는 것은 죄형법정주의 내지 형벌법규 명확성의 원칙을 위반하였다고 보기 어렵다(대판 2019.9.25, 2016도1306). 21. 법원행시·해경간부, 25. 해경경장

9. 구 정보통신망 이용촉진 및 정보보호 등에 관한 법률 제65조 제1항 제3호에서 규정하는 "불안감"이란 개념(대판 2008.12.24, 2008도9581) 15. 경찰간부, 22. 경력채용, 23. 순경 1차

10. 형법 제349조(부당이득)에서 정하는 '현저하게 부당한 이익'이 법률조항이 지니는 약간의 불명확성은 법관의 통상적인 해석 작용에 의하여 충분히 보완될 수 있고 건전한 상식과 통상적인 법감정을 가진 일반인이라면 금지되는 행위가 무엇인지를 예측할 수 있으므로 이 사건 법률조항은 죄형법정주의에서 요구되는 명확성의 원칙에 위배되지 아니한다(헌재결 2006.7.27, 2005헌바19). 23. 순경 2차

11. 형법 뇌물죄의 적용에 있어서 지방공사·공단의 임직원을 공무원으로 본다는 규정(지방공기업법 제83조 : 대판 2001.1.19, 99도5753) 10. 사시

12. "교육감 선거에 관하여 이 법에 정한 것을 제외하고는 그 성질에 반하지 않는 범위 안에서 공직선거법의 시·도지사선거에 관한 규정을 준용한다."고 정한 지방교육자치에 관한 법률 제22조 제3항(대판 2009.10.29, 2009도5945) 13. 순경 2차

13. 향토예비군설치법 제15조 제9항 후문이 '소집통지서를 수령할 의무가 있는 자'의 범위를 별도로 정하지 않은 경우(헌재결 2003.3.27, 2002헌바35) 12. 순경 2차

14. 형사소송법 제307조(사실의 인정은 증거에 의하여야 한다), 제308조(증거의 증명력은 법관의 자유판 단에 의한다)에 규정된 '증거' 또는 '자유심증'이라는 용어(대판 2006.5.26, 2006초기92) 12. 순경 2차

15. 정비사업 시행에 관한 서류와 관련자료에 대한 열람·등사 요청에 즉시 응할 의무를 규정하고 이를 위반하는 행위를 처벌하는 구 도시 및 주거환경정비법 제86조 제6호, 제81조 제1항(대판 2012.2.23, 2010도8981) 13. 순경 2차

16. 구 식품위생법에 의한 보건복지부장관의 고시 규정 중 '일반인들의 전래적인 식생활이나 통념상 식용으로 하지 아니한 것', '식품원료로서 안정성 및 건전성이 입증되지 아니한 것'의 개념(대판 2000. 10.27, 2000도1007)

17. 앞지르기 금지장소로서 규정된 도로교통법 제20조의 2 제2호의 "도로의 구부러진 곳"이라는 표현(헌 재결 2000.2.24, 99헌가4)

● 명확성의 원칙에 반하여 죄형법정주의에 어긋난다고 본 경우

1. 미성년자보호법 제2조의 2의 불량만화에 대한 정의 중 '잔인성을 조장할 우려가 있거나 범죄의 충동을 일으키게 할 수 있는' 규정 및 구 아동복지법상의 '아동의 덕성을 심히 해할 우려가 있는 도서 등의 제작행위'를 처벌하는 규정(헌재결 2002.2.28, 99헌가8) 09. 경찰승진, 16. 순경 2차

2. '공익'을 해할 목적으로 전기통신설비에 의하여 공연히 허위의 통신을 한 자를 형사처벌하는 전기통 신기본법 제47조 제1항은 죄형법정주의의 명확성원칙에 위반된다(헌재결 2010.12.28, 2008헌바157). 15. 경찰간부

   ▶ **유사판례** : '공공의 안녕질서 또는 미풍양속을 해하는'이라는 전기통신사업법 제53조 제1항의 불온 통신의 개념(헌재결 2002.6.27, 99헌마480) 07. 사시

3. "약국을 관리하는 약사 또는 한약사는 보건복지부령으로 정하는 약국관리에 필요한 사항을 준수하여야 한다."는 약사법 제19조 제4항(헌재결 2000.7.20, 99헌가15 ∵ 형벌법규를 하위법령에 위임할 때 처벌법규의 기본사항에 관하여 구체적 기준이나 범위를 정함이 없이 포괄적으로 하위법령에 위임하였다면 명확성의 원칙에 위배되어 죄형법정주의에 반한다.) 17. 9급 검찰·마약수사·철도경찰, 24. 해경경장

4. 외국환관리규정의 '도박 기타 범죄 등 선량한 풍속 및 사회질서에 반하는 행위'라는 요건(대판 1998. 6.18, 97도2231 전원합의체) 12. 경찰승진, 22. 경력채용

5. '여러 사람의 눈에 뜨이는 곳에서 공공연하게 알몸을 지나치게 내놓거나 가려야 할 곳을 내놓아 다른 사람에게 부끄러운 느낌이나 불쾌감을 준 사람'을 처벌하는 구 경범죄처벌법 제3조 제1항 제33호 는 죄형법정주의의 명확성원칙에 위배된다(헌재결 2016.11.24, 2016헌가3). 24. 순경 1차

---

(5) 적정성의 원칙

죄형법정주의에 의하여 형법의 (인권)보장적 기능을 다하기 위해서는 법률의 형식적 의미로 그칠 것이 아니라 정당한 국가의 이상형에 일치하는 적정한 내용이어야 한다는 것으로 실질적 의미의 죄형법정주의원칙이다. 24. 경대편입

확인학습(다툼이 있는 경우 판례에 의함)

www.pmg.co.kr

1 범죄와 형벌은 국회가 제정한 법률에 의해 정해져야 하나, 위임입법이 불가피한 경우 구성요건의 점에서는 처벌대상인 행위가 어떠한 것인지를 예측할 수 있을 정도로 구체적으로 정하고, 형벌의 점에서는 형벌의 종류 및 그 상한과 폭을 명확히 규정하는 것을 전제로 위임입법이 허용된다. (   )
21. 9급 검찰 · 마약수사 · 철도경찰, 23. 해경승진 · 순경 1차 · 2차, 24. 경찰간부 · 경대편입

2 법률의 시행령이 형사처벌에 관한 사항을 규정하면서 법률의 명시적인 위임 범위를 벗어나 처벌의 대상을 확장하는 것은 죄형법정주의의 원칙에 어긋나므로, 그러한 시행령은 위임입법의 한계를 벗어난 것으로서 무효이다. (   )
20. 7급 검찰, 23. 해경승진, 24. 경찰승진 · 경위공채, 25. 변호사시험 · 순경 2차 · 9급 철도경찰

3 의료법 제41조는 "각종 병원에는 응급환자와 입원환자의 진료 등에 필요한 당직의료인을 두어야 한다."라고 규정하고 있을 뿐인데도 시행령에 당직의료인의 수와 자격 등 배치기준을 규정하고 이를 위반하면 의료법 제90조에 의한 처벌의 대상이 되도록 한 것은 위임입법의 한계를 벗어난 것으로 죄형법정주의에 반한다. (   )
18. 경력채용, 19. 순경 2차, 20. 경찰간부, 21. 7급 검찰, 22. 해경간부

4 헌법재판소의 위헌법률심판에 따라 위헌으로 결정된 법률조항은 그 결정이 있는 날부터 효력을 상실하는 것이 원칙이므로 형벌에 관한 법률조항의 위헌결정은 예외적으로도 소급효가 인정되지 않는다. (   )
25. 순경 2차

5 헌법재판소가 형벌조항에 대해 헌법불합치결정을 선고하면서 개정시한을 정하여 입법개선을 촉구하였는데도 위 시한까지 법률 개정이 이루어지지 않은 경우 공소가 제기된 피고사건에 대하여 형사소송법 제326조 제4호에 따라 면소를 선고하여야 한다. (   )
18. 법원직, 20. 경찰승진 · 7급 검찰

6 행위 당시의 판례에 의하면 처벌대상이 되지 아니하는 것으로 해석되었던 행위를 판례의 변경에 따라 확인된 내용의 형법 조항에 근거하여 처벌하는 것은 형벌불소급의 원칙에 반하지 않는다. (   )
20. 법원직, 22. 해경간부, 23. 경찰승진, 24. 경찰간부 · 경위공채 · 7급 검찰

7 허위로 신고한 사실이 무고행위 당시 형사처분의 대상이 될 수 있었던 경우에는 무고죄는 기수에 이르고, 이후 그러한 사실이 형사범죄가 되지 않는 것으로 판례가 변경되었더라도 특별한 사정이 없는 한 이미 성립한 무고죄에는 영향을 미치지 않는다. (   )
17. 법원행시 · 순경 2차, 18. 경찰간부, 19. 수사경과, 21. 변호사시험, 22. 순경 1차

8 대법원 양형위원회가 설정한 '양형기준'이 발효하기 전에 공소가 제기된 범죄에 대하여 위 '양형기준'을 참고하여 형을 양정하더라도 소급적용금지의 원칙을 위반한 것은 아니다. (   )
17. 9급 검찰, 18. 경찰간부, 20. 경찰승진, 25. 순경 1차 · 경대편입

Answer ▸ 1. ○   2. ○   3. ○   4. ×   5. ×   6. ○   7. ○   8. ○

9 공소시효가 이미 완성된 경우, 그 공소시효를 연장하는 법률은 진정소급입법으로서 예외없이 소급효금지의 원칙이 적용된다. ( )
19. 순경 2차, 21. 경찰승진, 22. 경찰간부, 24. 7급 검찰

10 형의 집행을 유예하는 경우 명할 수 있는 보호관찰도 형사제재이므로 행위 이전에 규정되어 있지 않으면 재판시의 규정에 의하여 보호관찰을 받을 것을 명할 수 없다. ( )
21. 변호사시험, 22. 9급 검찰 · 마약수사 · 7급 검찰, 23. 경찰간부 · 해경 3차, 24. 해경승진 · 순경 2차, 26. 경찰승진

11 특정 범죄자에 대한 위치추적 전자장치 부착 등에 관한 법률에 의한 전자감시제도는 보안처분이지만, 실질적으로 행동의 자유를 지극히 제한하므로 형벌에 관한 소급입법금지원칙이 적용된다. ( )
20. 법원행시, 21. 경찰승진, 22. 경찰간부, 24. 7급 검찰

12 공개명령 제도가 시행된 2010. 1. 1. 이전에 범한 범죄에도 공개명령 제도를 적용하도록 아동 · 청소년의 성보호에 관한 법률이 2010. 7. 23. 개정되었다면 소급입법금지의 원칙에 반한다. ( )
21. 해경 2차, 22. 경찰간부 · 7급 검찰

13 가정폭력범죄행위에 대하여 부과되는 사회봉사명령은 보안처분의 성격을 가지므로 이에 대하여는 형벌불소급의 원칙이 적용되지 않는다. ( )
21. 변호사시험, 23. 순경 2차 · 해경 3차, 24. 9급 검찰 · 마약수사 · 철도경찰 · 7급 검찰, 26. 경찰승진

14 가정폭력범죄의 처벌 등에 관한 특례법상 사회봉사명령을 부과하면서, 행위시법상 사회봉사명령 부과시간의 상한인 100시간을 초과하여 상한을 200시간으로 올린 신법을 적용한 것은 위법하다. ( )
16. 사시 · 법원직, 17. 순경 1차 · 2차, 22. 경찰간부

15 도로교통법 제148조의 2 제1항에서 정한 '제44조 제1항 또는 제2항을 2회 이상 위반한 사람'에 개정된 도로교통법이 시행된 2019. 6. 25. 이전에 구 도로교통법 제44조 제1항 또는 제2항을 위반한 전과가 포함된다고 해석하는 것은 형벌불소급의 원칙에 반하지 아니한다. ( )
18. 경찰간부, 21. 해경 2차 · 순경 2차, 25. 경위공채

16 죄가 되지 않던 행위를 구성요건의 신설로 포괄일죄의 처벌대상으로 삼는 경우, 신설된 포괄일죄에 해당하는 행위가 그 법의 시행 이전과 이후에 걸쳐서 이루어졌다면 시행 이전의 행위에 대하여도 신설된 법규를 적용하여 처벌할 수 있다. ( )
18. 경찰간부, 20. 7급 검찰, 23. 변호사시험, 24. 경찰승진, 25. 순경 1차

17 노역장유치는 그 실질이 신체의 자유를 박탈하는 것으로서 징역형과 유사한 형벌적 성격을 가지므로 형벌불소급원칙의 적용대상이 된다. ( )
20. 경찰간부, 21. 변호사시험, 22. 7급 검찰, 24. 해경경위, 25. 경대편입, 26. 경찰승진

18 형벌법규는 문언에 따라 엄격하게 해석 적용하여야 하고 피고인에게 불리하게 확장해석하거나 유추해석할 수 없으나, 문언의 통상적인 의미를 벗어나지 않는 한 그 법률의 입법취지와 목적, 입법의 연혁 등을 고려한 목적론적 해석이 배제되는 것은 아니다. ( )
20. 법원직, 21. 9급 검찰 · 마약수사 · 해경 1차, 24. 경위공채, 25. 순경 1차

Answer ▸ 9. × 10. × 11. × 12. × 13. × 14. ○ 15. ○ 16. × 17. ○ 18. ○

19 구성요건에 대한 확장적 유추해석은 금지되지만 위법성 및 책임의 조각사유나 소추조건 또는 처벌조각사유인 형면제 사유를 제한적으로(좁게) 해석하는 것은 유추해석금지원칙에 반하지 아니 한다. (   )　　20. 법원행시, 22. 경찰승진 · 순경 2차, 23. 해경승진, 24. 해경간부, 25. 변호사시험 · 순경 1차 · 경위공채

20 공직선거법 제262조의 '자수'를 범행 발각 전에 자수한 경우로 한정하여 해석한 경우 및 초병이 하자 있는 의사에 의하여 총기를 편취당한 경우도 군용물분실죄(군형법 제74조)의 '분실'에 해당 한다고 해석한 경우 모두 죄형법정주의에 어긋난다. (   )
　　18. 순경 1차, 19. 법원행시, 21. 경력채용, 22. 순경 2차, 26. 경찰승진

21 군형법 제64조 제1항의 상관면전모욕죄의 구성요건의 해석에 있어 '전화통화'를 면전에서의 대 화라고 해석하여 처벌하는 것은 유추해석에 해당되어 죄형법정주의에 반한다. (   )
　　15. 순경 2차, 18. 경찰승진, 19. 9급 철도경찰, 22. 경찰간부

22 구 청소년의 성보호에 관한 법률 제16조에 규정된 반의사불벌죄에서 피해자인 청소년에게 의사능 력이 있음에도 그 처벌을 희망하지 않는다는 의사표시 또는 처벌희망 의사표시의 철회에 명문의 근거 없이 법정대리인의 동의가 필요하다고 보는 것은 죄형법정주의 내지 유추해석금지의 원칙에 위배된다. (   )　　18. 9급 검찰 · 마약수사, 22. 변호사시험, 23. 법원행시, 24. 경력채용

23 법률에 특별한 규정이 없음에도 형법 제227조의 2(공전자기록위작 · 변작)의 행위주체에 공무원, 공무소와 계약 등에 의하여 공무와 관련되는 업무를 일부 대행하는 경우까지 포함된다고 해석하 는 것은 죄형법정주의 원칙에 반하지 않는다. (   )
　　21. 7급 검찰, 22. 경찰승진, 24. 해경간부, 25. 9급 철도경찰 · 경력채용

24 '약국 개설자가 아니면 의약품을 판매하거나 판매 목적으로 취득할 수 없다.'고 규정한 구 약사법 제44조 제1항의 '판매'에 무상으로 의약품을 양도하는 '수여'도 포함된다고 해석하는 것은 죄형법 정주의에 위배된다. (   )　　17. 변호사시험, 18. 순경 1차 · 법원행시, 19. 경찰승진, 21. 해경간부

25 강간상해죄를 1회 범한 것 외에 과거에 성폭력범죄로 소년보호처분을 받은 사실이 있는 경우는 특정범죄자에 대한 위치추적전자장치부착 등에 관한 법률 제5조 제1항 제3호에서 정한 성폭력 범죄를 2회 이상 범한 경우에 해당한다. (   )
　　16. 순경 2차, 17. 경찰승진 · 변호사시험, 22. 경찰간부, 23. 법원행시

26 '블로그', '미니홈페이지', '카페' 등의 이름으로 개설된 인터넷 게시공간의 운영자가 게시된 타인 의 글을 삭제할 권한이 있는데도 이를 삭제하지 아니한 경우를 국가보안법 제7조 제5항의 '소지' 행위로 보는 것은 유추해석금지원칙에 반한다. (   )
　　16. 7급 · 9급 철도경찰 · 7급 검찰, 17. 변호사시험, 25. 경찰승진

27 도로교통법 제43조 '운전면허를 받지 아니하고'라는 법률문언의 의미에 '운전면허를 받았으나 그 후 운전면허의 효력이 정지된 경우'가 포함된다고 해석할 수 없다. (   )
　　16. 사시, 17. 경찰승진 · 변호사시험, 20. 순경 2차, 21. 법원행시, 25. 경대편입

Answer ▶ 　19. ✕　20. ○　21. ○　22. ○　23. ✕　24. ✕　25. ✕　26. ○　27. ○

28 도로교통법상 도로가 아닌 곳에서 운전면허 없이 운전한 행위를 무면허운전으로 처벌하는 것은 유추해석금지원칙에 반하지 않는다. (   ) 19. 순경 2차, 20. 법원행시, 22. 9급 검찰·마약수사, 25. 경찰승진

29 항공보안법 제42조(항공기 항로 변경죄)의 '항로'에 항공기가 지상에서 이동하는 경로도 포함된다고 해석하는 것은 죄형법정주의에 반한다. (   ) 18. 순경 1차·9급 철도경찰, 20. 경찰간부·해경승진

30 성폭력범죄의 처벌 등에 관한 특례법 제13조는 성적 수치심을 일으킬 수 있는 내용의 말, 글, 물건 등을 통신매체를 이용하여 상대방에게 전달하는 행위를 처벌하고자 함이 명백하므로, 성적 수치심 등을 일으키는 내용의 편지를 피고인이 직접 상대방 주거지 출입문에 끼워 넣음으로써 상대방에게 전달한 행위는 본 규정을 통해 처벌할 수 있다. (   )
18. 9급 검찰·마약수사, 20. 해경승진·순경 2차, 21. 해경 1차, 25. 경찰승진·9급 철도경찰

31 피해자의 나체가 나오는 컴퓨터 모니터 채팅 화면을 촬영한 것은 성폭력특별법상 '다른 사람의 신체'를 촬영한 행위에 해당하지 아니한다. (   ) 15. 순경 1차, 21. 해경 2차, 25. 해경경사

32 특수폭행치상죄의 경우 형법 제258조의 2의 특수상해죄의 신설에도 불구하고 종전과 같이 형법 제257조 제1항의 상해죄의 예에 의하여 처벌하는 것으로 해석하여야 한다. (   )
19. 9급 철도경찰, 21. 해경간부, 22. 변호사시험·순경 1차, 24. 법원행시

33 '주간에' 사람의 주거 등에 침입하여 '야간에' 타인의 재물을 절취한 경우에는 야간주거침입절도죄(형법 제330조)로 처벌할 수 없다. (   ) 17. 경찰간부·순경 2차, 19. 변호사시험·법원직·9급 철도경찰

34 의사가 환자와 대면하지 아니하고 전화나 화상 등을 이용하여 환자의 용태를 스스로 듣고 판단하여 처방전 등을 발급한 행위는 구 의료법상 '직접 진찰한 의사'가 아닌 자가 처방전 등을 발급한 경우에 해당한다. (   ) 16. 순경 2차, 18. 경력채용, 21. 법원행시, 25. 경찰승진

35 임의적 감경사유의 존재가 인정되고 법관이 그에 따라 징역형에 대해 법률상 감경을 하는 경우에는 법정형의 하한만 2분의 1로 감경한다. (   )
21. 경력채용·순경 2차, 23. 경찰간부, 24. 9급 검찰·마약수사

36 형법 제231조(사문서 위조·변조)의 경우 유형위조만을 처벌하므로 형법 제232조의 2(사전자기록 위작·변작)에서의 '위작'은 유형위조만을 의미하는 것으로 해석하여야 하며, 이에 무형위조도 포함한다고 해석하는 것은 문언의 의미를 확장하여 처벌범위를 지나치게 넓히는 것으로 죄형법정주의에 반한다. (   ) 21. 7급 검찰, 22. 경찰간부, 23. 해경승진, 24. 해경간부, 25. 9급 철도경찰, 26. 경찰승진

37 법정소동죄 등을 규정한 형법 제138조에서의 '법원의 재판'에 '헌법재판소의 심판'을 포함시켜 해석하는 것은 유추해석금지의 원칙에 반한다. (   )
22. 7급 검찰, 23. 경찰간부·해경승진·법원행시, 25. 경력채용, 26. 경찰승진

38 알 수 없는 경위로 가상자산을 이체받은 자가 가상자산을 사용처분한 경우 이를 형사처벌하는 명문의 규정이 없다고 하더라도 착오송금시 횡령죄 성립을 긍정한 판례를 유추하여 신의칙을 근거로 배임죄로 처벌하는 것은 죄형법정주의에 반하지 않는다. (   )
22. 순경 1차, 23. 경찰승진·해경승진·법원행시, 24. 경위공채

Answer 28. ✕ 29. ○ 30. ✕ 31. ○ 32. ○ 33. ○ 34. ✕ 35. ✕ 36. ✕ 37. ✕ 38. ✕

39 비트코인은 경제적인 가치를 디지털로 표상하여 전자적으로 이전, 저장과 거래가 가능하도록 한 가상자산의 일종으로 사기죄의 객체인 재산상 이익에 해당한다. (　)
22. 법원행시·순경 1차, 22. 경력채용, 23. 경찰승진·해경승진

40 2011. 1. 1. 이전에 아동·청소년 대상 성폭력범죄를 범하고 아직 유죄판결이 확정되지 아니한 자에 대하여는 판결과 동시에 고지명령을 선고할 수 있는 근거를 따로 두고 있지 아니하므로, 2011. 1. 1. 이후 '아동·청소년 대상 성폭력범죄를 저지른 자'에 대하여만 판결과 동시에 고지명령을 선고할 수 있다. (　)
16. 경찰간부, 17. 경찰승진, 25. 경력채용

41 형사소송법 제33조(국선변호인)에 규정된 법원이 직권으로 변호인을 선정하여야 할 사유 중 하나인 '피고인이 구속된 때'의 의미에 피고인이 해당 형사사건이 아닌 별개의 사건, 즉 별건으로 구속되어 있거나 다른 형사사건에서 유죄로 확정되어 수형 중인 경우도 포함된다고 보는 것은 문언해석의 한계를 벗어나지 않는다. (　)
25. 변호사시험

42 법규범의 문언은 어느 정도 가치개념을 포함한 일반적, 규범적 개념을 사용하지 않을 수 없는 것이기 때문에 기본적으로 최소한이 아닌 최대한의 명확성을 요구한다. (　)
20. 9급 검찰·마약수사·철도경찰, 22. 순경 1차, 25. 경찰승진

43 처벌법규의 구성요건이 다소 광범위하여 법관의 보충적인 해석을 필요로 하는 개념을 사용하였다고 하더라도 통상의 해석방법에 의하여 건전한 상식과 통상적인 법감정을 가진 사람이면 당해 처벌법규의 보호법익과 금지된 행위 및 처벌의 종류와 정도를 알 수 있도록 규정하였다면 명확성 원칙에 반하지 않는다. (　)
22. 9급 검찰·마약수사·철도경찰, 23. 경찰간부·경찰승진·해경승진·해경 3차

44 폭력행위 등 처벌에 관한 법률 제4조 제1항에서 규정하고 있는 범죄단체 구성원으로서의 '활동'의 개념은 추상적이고 포괄적이므로 명확성의 원칙에 반한다. (　)
17. 순경 1차, 19. 경력채용, 21. 순경 2차

45 형법 제125조의 구성요건 중 '그 직무를 행함에 당하여'라 함을 '경찰 등이 그 직무를 행하는 기회'라는 뜻으로 해석한다면, 이런 해석은 다소 포괄적이며 불명확하여 처벌범위를 자의적으로 확장시킨다고 볼 여지가 있어 죄형법정주의의 명확성 원칙에 위반된다. (　)
16. 순경 2차, 21. 7급 검찰

Answer ▶ 39. ○　40. ○　41. ○　42. ✕　43. ○　44. ✕　45. ✕

01 위임입법에 관한 설명으로 가장 적절하지 않은 것은?(다툼이 있는 경우 판례에 의함)   24. 경찰승진

① 형사처벌에 관련된 모든 법규를 예외 없이 형식적 의미의 법률에 의하여 규정한다는 것은 사실상 불가능할 뿐만 아니라 실제에 적합하지도 않으므로 구성요건의 실질적 내용을 단체협약에 모두 위임하는 것도 허용된다.

② 법률의 시행령은 모법인 법률의 위임 없이 법률이 규정한 개인의 권리 의무에 관한 내용을 변경 보충하거나 법률에서 규정하지 아니한 새로운 내용을 규정할 수 없고, 특히 법률의 시행령이 형사처벌에 관한 사항을 규정하면서 법률의 명시적인 위임 범위를 벗어나 처벌의 대상을 확장하는 것은 위임입법의 한계를 벗어난 것으로서 무효이다.

③ 일반적으로 법률의 위임에 의하여 효력을 갖는 법규명령의 경우, 구법에 위임의 근거가 없어 무효였더라도 사후에 법개정으로 위임의 근거가 부여되면 그때부터는 유효한 법규명령이 된다.

④ 처벌법규의 구성요건 부분에 관한 기본사항에서 보다 구체적인 기준이나 범위를 정함이 없이 또는 그 대강이 확정되지 않은 상태에서 그 내용인 규범의 실질을 모두 하위법령에 포괄적으로 위임하는 것은 죄형법정주의 원칙에 반한다.

> **해설** ① × : 구성요건의 실질적 내용을 직접 규정하지 아니하고 모두 단체협약에 위임하는 것은 죄형법정주의의 기본적 요청인 '법률'주의에 위배되고, 그 구성요건은 지나치게 애매하고 광범위하여 죄형법정주의의 명확성의 원칙에 위배된다(헌재결 1998.3.26, 96헌가20).
> ② 대판 2017.2.16, 2015도16014 전원합의체
> ③ 대판 2012.7.5, 2010다72076
> ④ 헌재결 2000.7.20, 99헌가15

02 다음 중 죄형법정주의에 대한 설명으로 가장 옳은 것은?(다툼이 있는 경우 판례에 의함)   25. 해경 1차

① 성문법률주의란 범죄와 형벌은 성문의 법률로 규정되어야 한다는 원칙을 말하며, 여기서의 법률은 실질적 의미의 법률을 의미한다.

② 위임명령에 규정될 내용 및 범위의 기본사항은 구체적이고 분명하게 규정되어 있어야 하므로, 법률이나 상위명령으로부터 위임명령에 규정될 내용의 대강만을 예측할 수 있는 경우에는 죄형법정주의에 반한다.

③ 구 식품위생법 제11조 제2항이 과대광고 등의 범위 및 기타 필요한 사항을 보건복지부령에 위임하고 있는 것은 과대광고 등으로 인한 형사처벌에 관한 내용을 법률이 아닌 시행령에 규정하고 있다고 판단되므로 위임입법의 한계를 벗어난 것으로 죄형법정주의에 반한다.

④ 일반적으로 법률의 위임에 의하여 효력을 갖는 법규명령의 경우 구법에 위임의 근거가 없어 무효였더라도 사후에 법 개정으로 위임의 근거가 부여되면 그때부터는 유효한 법규명령이 된다.

[해설] ① × : ~ (2줄) 법률은 형식적(실질적 ×) 의미의 법률을 의미한다(대판 2003.11.14, 2003도3600).
② × : 위임명령에 규정될 내용 및 범위의 기본사항이 구체적으로 규정되어 있어서 누구라도 당해 법률이나 상위명령으로부터 위임명령에 규정될 내용의 대강을 예측할 수 있어야 한다(대판 2018.6.28, 2017도13426). 따라서 ②의 경우에는 죄형법정주의 원칙에 반하지 않는다.
③ × : ~ (3줄) 판단되므로 위임입법의 한계나 죄형법정주의에 위반된 것이라고 볼 수 없다(대판 2002.11.26, 2002도2998).
④ ○ : 대판 2012.7.5, 2010다72076

03 다음은 보안처분과 소급효에 대한 설명이다. 옳은 것은 모두 몇 개인가?(다툼이 있는 경우 판례에 의함)
22. 경찰간부

> ㉠ 보호관찰은 형벌이 아니라 보안처분의 성격을 갖는 것으로서, 과거의 불법에 대한 책임에 기초하고 있는 제재가 아니라 장래의 위험성으로부터 행위자를 보호하고 사회를 방위하기 위한 합목적적인 조치이므로, 그에 관하여 반드시 행위 이전에 규정되어 있어야 하는 것은 아니며, 재판시의 규정에 의하여 보호관찰을 받을 것을 명할 수 있다.
>
> ㉡ 아동·청소년의 성보호에 관한 법률에 정한 공개명령 제도는 범죄행위를 한 자에 대한 응보 등을 목적으로 그 책임을 추궁하는 사후적 처분인 형벌과 구별되어 그 본질을 달리하는 것으로서, 공개명령 제도가 시행되기 이전에 범한 범죄에도 공개명령 제도를 적용하도록 아동·청소년의 성보호에 관한 법률이 개정되었다고 하더라도 그것이 소급입법금지의 원칙에 반한다고 볼 수 없다.
>
> ㉢ 가정폭력처벌법이 정한 보호처분 중의 하나인 사회봉사명령은 형벌 그 자체가 아니라 보안처분의 성격을 가지는 것이 사실이나, 한편으로 이는 가정폭력범죄행위에 대하여 형사처벌 대신 부과되는 것으로서, 가정폭력범죄를 범한 자에게 의무적 노동을 부과하고 여가시간을 박탈하여 실질적으로는 신체적 자유를 제한하게 되므로, 행위시법상 상한인 100시간을 초과하여 상한을 200시간으로 올린 신법을 적용하는 것은 형벌불소급의 원칙에 반한다.
>
> ㉣ 특정 범죄자에 대한 위치추적 전자장치 부착 등에 관한 법률에 의한 전자감시제도는, 범죄행위를 한 자에 대한 응보를 주된 목적으로 그 책임을 추궁하는 사후적 처분인 형벌과 구별되어 그 본질을 달리하는 것으로서, 위 법률이 개정되어 부착명령기간을 연장하도록 규정하고 있더라도 그것이 소급입법금지의 원칙에 반한다고 볼 수 없다.

① 1개　　　　　② 2개　　　　　③ 3개　　　　　④ 4개

[해설] ㉠ ○ : 대판 1997.6.13, 97도703
㉡ ○ : 대판 2011.3.24, 2010도14393
㉢ ○ : 대결 2008.7.24, 2008어4
㉣ ○ : 대판 2010.12.23, 2010도11996

Answer　03. ④

04 **다음 설명 중 옳은 것은?**(다툼이 있는 경우 판례에 의함) 21. 변호사시험

① 가정폭력범죄의 처벌 등에 관한 특례법에서 규정하고 있는 사회봉사명령은 보안처분이므로 이 명령에 형벌불소급의 원칙이 적용되지 않는다.

② 종전보다 가벼운 형으로 형벌법규를 개정하면서, 개정된 법 시행 전의 범죄에 대해서 종전의 형벌법규를 적용하도록 그 부칙에 규정하는 것은 형벌불소급의 원칙에 반한다.

③ 행위시에 없던 보호관찰규정이 재판시에 신설되어 이를 근거로 보호관찰을 명할 경우, 형벌불소급의 원칙 또는 죄형법정주의에 위배된다.

④ 1억원 이상의 벌금형을 선고하는 경우 노역장유치기간의 하한을 중하게 정한 개정 형법 제70조 제2항을 시행일 이후 최초로 공소제기되는 경우부터 적용하도록 한 개정 형법 부칙 제2조 제1항은 형벌불소급의 원칙에 위반된다.

⑤ 디엔에이신원확인정보의 이용 및 보호에 관한 법률이 시행 당시 디엔에이감식시료 채취 대상 범죄로 이미 징역이나 금고 이상의 실형을 선고받아 그 형이 확정되어 수용 중인 사람에게도 적용될 수 있도록 한 위 법률 부칙 제2조 제1항은 소급입법금지원칙에 위배된다.

> **해설** ① × : 가정폭력범죄의 처벌 등에 관한 특례법이 정한 사회봉사명령은 형사처벌 대신 부과되는 것으로서 가정폭력범죄를 범한 자에게 의무적 노동을 부과하고 여가시간을 박탈하여 실질적으로 신체적 자유를 제한하게 되므로, 이에 대해서는 형벌불소급원칙이 적용된다(대결 2008.7.24, 2008어4).
> ② × : ~ 원칙에 반한다고 할 수는 없다(대판 1999.7.9, 99도1695).
> ③ × : ~ 위배되지 않는다(대판 1997.6.13, 97도703).
> ④ ○ : 대판 2018.2.13, 2017도17809
> ⑤ × : ~ 위배되는 것은 아니다(헌재결 2014.8.28, 2013헌마215).

05 **다음 중 소급효금지 원칙에 대한 설명으로 가장 옳은 것은?**(다툼이 있으면 판례에 의함) 25. 해경 2차

① 특정범죄 가중처벌 등에 관한 법률 위반(도주차량)으로 운전면허취소처분을 받은 자가 자동차를 운전한 경우, 그 후 피의사실에 대하여 무혐의 처분을 받고 이를 근거로 행정청이 운전면허 취소처분을 철회하였다 할지라도, 운전면허취소 상태에서의 운전행위는 무면허운전에 해당한다.

② 재심이 개시된 사건에서 형벌에 관한 법령이 재심판결 당시 폐지되었다 하더라도 그 폐지가 당초부터 헌법에 위배되어 효력이 없는 법령이었다면, 형사소송법 제326조 제4호에서 정한 면소사유에 해당한다고 할 수 있다.

③ 형벌불소급원칙에서 의미하는 '처벌'은 형법에 규정되어 있는 형식적 의미의 형벌 유형뿐만 아니라, 범죄행위에 따른 제재의 내용이나 신체의 자유를 박탈하거나 이에 준하는 정도로 신체의 자유를 제한하는 경우에도 형벌불소급원칙이 적용된다.

④ 디엔에이신원확인정보의 수집·이용은 수형인 등에게 심리적 압박으로 인한 범죄예방효과를 가진다는 점에서 보안처분의 성격을 지니지만, 소급입법금지원칙이 적용된다.

해설 ① × : 운전면허취소처분을 받은 후 자동차를 운전한 경우 위 면허취소처분이 행정쟁송절차에 의하여 취소되었다면 그 운전행위는 무면허운전이 아니다(대판 1999.2.5, 98도4239 ∵ 위 운전면허취소처분은 그 처분시에 소급하여 효력을 잃게 됨).
② × : 재심이 개시된 사건에서 형벌에 관한 법령이 재심판결 당시 폐지되었다 하더라도 그 '폐지'가 당초부터 헌법에 위배되어 효력이 없는 법령에 대한 것이었다면 같은 법 제325조 전단이 규정하는 '범죄로 되지 아니한 때'의 무죄사유에 해당하는 것이지, 같은 법 제326조 제4호의 면소사유에 해당한다고 할 수 없다(대판 2010.12.16, 2010도5986 전원합의체).
③ ○ : 헌재결 2017.10.26, 2015헌바239
④ × : ～ (2줄) 보안처분의 성격을 가지는 것으로, 소급입법금지원칙이 적용되지 않는다(대판 2009.4.9, 2009도321).

06 다음 설명 중 옳은 것을 모두 고른 것은?(다툼이 있는 경우 판례에 의함) 26. 경찰승진

> ㉠ 보호관찰은 형벌이 아니라 보안처분의 성격을 갖는 것으로서, 과거의 불법에 대한 책임에 기초하고 있는 제재가 아니라 장래의 위험성으로부터 행위자를 보호하고 사회를 방위하기 위한 합목적적인 조치이므로, 그에 관하여 반드시 행위 이전에 규정되어 있어야 하는 것은 아니며, 재판시의 규정에 의하여 보호관찰을 받을 것을 명할 수 있다.
> ㉡ 노역장유치는 그 실질이 신체의 자유를 박탈하는 것으로서 징역형과 유사한 형벌적 성격을 가지고 있으므로 형벌불소급원칙의 적용 대상이 된다.
> ㉢ 가정폭력범죄의 처벌 등에 관한 특례법이 정한 보호처분 중의 하나인 사회봉사명령은 가정폭력범죄를 범한 자에 대하여 환경의 조정과 성행의 교정을 목적으로 하는 것으로서 형벌 그 자체가 아니라 보안처분의 성격을 가지는 것이므로 형벌불소급원칙이 적용되지 않는다.
> ㉣ 범죄의 성립과 처벌에 관하여 규정한 형벌법규 자체 또는 그로부터 수권 내지 위임을 받은 법령의 변경에 따라 범죄를 구성하지 아니하게 되거나 형이 가벼워진 경우에는, 종전 법령이 범죄로 정하여 처벌한 것이 부당하였다거나 과형이 과중하였다는 반성적 고려에 따라 변경된 것인지 여부를 따지지 않고 원칙적으로 형법 제1조 제2항과 형사소송법 제326조 제4호가 적용된다.

① ㉠, ㉡, ㉢, ㉣   ② ㉠, ㉡, ㉣
③ ㉠, ㉢   ④ ㉡, ㉢

해설 ㉠ ○ : 대판 1997.6.13, 97도703
㉡ ○ : 대판 2018.2.13, 2017도17809
㉢ × : ～ (3줄) 보안처분의 성격을 가지는 것이 사실이나, 이는 형사처벌 대신 부과되는 것으로서 가정폭력범죄를 범한 자에게 의무적 노동을 부과하고 여가시간을 박탈하여 실질적으로 신체적 자유를 제한하게 되므로, 이에 대해서는 형벌불소급원칙이 적용된다(대결 2008.7.24, 2008어4).
㉣ ○ : 대판 2022.12.22, 2020도16420 전원합의체

Answer 06. ②

07 **죄형법정주의에 대한 설명으로 옳은 것은?**(다툼이 있는 경우 판례에 의함) 21. 경찰간부

① 국가보안법 제7조 제5항에서 규정하고 있는 '소지'에 블로그 등의 운영자가 그 사적(私的) 인터넷 게시공간에 게시된 타인의 글을 삭제할 권한이 있는데도 이를 삭제하지 아니하고 그대로 둔 경우를 포함하여 위 규정으로 처벌할 수 있다고 보는 것은 죄형법정주의 원칙 위반이라 할 수 없다.

② 외국환거래법 제30조가 규정하는 몰수·추징의 대상은 범인이 해당 행위로 인하여 취득한 외국환 기타 지급수단 등을 뜻하고, 여기서 취득이란 해당 범죄행위로 인하여 결과적으로 이를 취득한 때를 말한다고 제한적으로 해석할 필요는 없다.

③ 공공기관의 운영에 관한 법률 제53조가 공공기관의 임직원으로서 공무원이 아닌 사람은 형법 제129조의 적용에서는 이를 공무원으로 본다고 규정하고, 동법 제4조 제1항에서 구체적인 공공기관은 기획재정부장관의 고시에 의하도록 한 것은 죄형법정주의에 위반되지 않는다.

④ 성폭력범죄의 처벌 등에 관한 특례법 제13조는 '성적 수치심이나 혐오감을 일으키는 말, 음향, 글, 그림, 영상 또는 물건을 상대방에게 도달'하게 하는 경우를 처벌하고 있는바, 상대방에게 성적 수치심을 일으키는 그림 등이 담겨 있는 웹페이지의 인터넷 링크를 보내는 행위가 이에 해당된다고 해석하는 것은 죄형법정주의 원칙에 위반된다.

해설 ① × : ~ 할 수 있다(대판 2012.1.27, 2010도8336). ② × : ~ 제한적으로 해석함이 타당하다(대판 2017.5.31, 2013도8389). ③ ○ : 대판 2013.6.13, 2013도1685
④ × : ~ 해석하는 것은 죄형법정주의 원칙에 위반되지 않는다〔대판 2017.6.8, 2016도21389 ∵ 상대방에게 성적 수치심을 일으키는 그림 등이 담겨 있는 웹페이지 등에 대한 인터넷 링크(internet link)를 보내는 행위를 통해 그와 같은 그림 등이 상대방에 의하여 인식될 수 있는 상태에 놓이고, 이에 따라 상대방이 이러한 링크를 이용하여 별다른 제한 없이 성적 수치심을 일으키는 그림 등에 바로 접할 수 있는 상태가 실제로 조성되었다면, 성적 수치심을 일으키는 그림 등을 상대방에게 도달하게 한다는 구성요건을 충족한다〕.

08 **유추해석금지의 원칙에 대한 설명으로 가장 적절한 것은?**(다툼이 있는 경우 판례에 의함) 22. 경찰승진, 23. 해경승진

① 형법 제232조의 2(사전자기록위작·변작)에서 정한 '위작'에 권한 있는 사람이 그 권한을 남용하여 허위의 정보를 입력함으로써 전자기록을 생성하는 행위까지도 포함하여 해석하는 것은 유추해석금지의 원칙에 반한다.

② 법정소동죄 등을 규정한 형법 제138조에서의 '법원의 재판'에 '헌법재판소의 심판'을 포함시켜 해석하는 것은 유추해석금지의 원칙에 반한다.

③ 유추해석금지의 원칙은 모든 형벌법규의 구성요건과 가벌성에 관한 규정에 준용되나, 위법성 및 책임의 조각사유나 소추조건 또는 처벌조각사유인 형면제사유에 관하여 그 범위를 제한적으로 적용하여 가벌성의 범위가 확대되더라도 유추해석금지의 원칙에 반하지 아니한다.

④ 법률에 특별한 규정이 없음에도 형법 제227조의 2(공전자기록위작·변작)의 행위주체에 공무원, 공무소와 계약 등에 의하여 공무와 관련되는 업무를 일부 대행하는 경우까지 포함된다고 해석하는 것은 죄형법정주의 원칙에 반한다.

Answer **07.** ③ **08.** ④

해설 ① × : ~ 유추해석금지의 원칙에 반하지 않는다(대판 2020.8.27, 2019도11294 전원합의체).
② × : ~ 유추해석금지의 원칙에 반하지 않는다(대판 2021.8.26, 2020도12017).
③ × : ~ 범위가 확대되면 유추해석금지의 원칙에 반한다(대판 1997.3.20, 96도1167 전원합의체).
④ ○ : 대판 2020.3.12, 2016도19170

09 유추해석(적용) 금지의 원칙에 관한 설명 중 가장 적절하지 않은 것은?(다툼이 있는 경우 판례에 의함)

22. 순경 2차

① 위법성조각사유처럼 피고인에게 유리한 규정의 범위를 제한적으로 유추적용하게 되면 행위
자의 가벌성의 범위가 확대되므로 이는 가능한 문언의 의미를 넘어 범죄구성요건을 유추적
용하는 것과 같은 결과가 초래되어 허용될 수 없다.
② 형벌법규의 적용대상이 행정법규가 규정한 사항을 내용으로 하는 경우, 그 행정법규를 해석
함에 있어서는 유추해석 금지의 원칙이 적용되지 아니한다.
③ 유추해석은 피고인에게 유리한 경우에는 가능한 것이나, 문리를 넘어서는 이러한 해석은 그렇
게 해석하지 아니하면 그 결과가 현저히 형평과 정의에 반하거나 심각한 불합리가 초래되는
경우에 한하여 가능하다.
④ 공직선거법 제262조의 '자수'를 통상 관용적으로 사용되는 용례에서 갖는 개념 외에 '범행 발각
전'이라는 또 다른 개념을 추가하는 것은 형 면제 사유에 대한 제한적 유추를 통해 처벌범위를
실정법 이상으로 확대하게 되어 유추해석 금지의 원칙에 반한다.

해설 ① 대판 1997.3.20, 96도1167 전원합의체
② × : ~ 원칙이 적용된다(대판 2021.11.25, 2021도10981).
③ 대판 2004.11.11, 2004도4049(형벌법규의 해석에 있어서 유추해석이나 확장해석도 피고인에게 유리한
경우에는 가능한 것이나, 문리를 넘어서는 이러한 해석은 그렇게 해석하지 아니하면 그 결과가 현저히 형평
과 정의에 반하거나 심각한 불합리가 초래되는 경우에 한하여야 할 것이고, 그렇지 아니하는 한 입법자가
그 나름대로의 근거와 합리성을 가지고 입법한 경우에는 입법자의 재량을 존중하여야 하는 것이다.)
④ 대판 1997.3.20, 96도1167 전원합의체

10 죄형법정주의에 관한 설명 중 옳지 않은 것은 모두 몇 개인가?(다툼이 있는 경우 판례에 의함)

23. 법원행시

㉠ 원인불명으로 재산상 이익인 가상자산을 이체받은 자가 가상자산을 사용·처분한 경우 이를
형사처벌하는 명문의 규정이 없는 현재의 상황에서 착오송금시 횡령죄 성립을 긍정한 판례를
유추하여 신의칙을 근거로 피고인을 배임죄로 처벌하는 것은 죄형법정주의에 반한다.
㉡ 증거 자체에는 아무런 허위가 없으나 그 증거가 허위주장과 결합하여 허위 사실을 증명하게
되는 경우가 있고, 이러한 행위는 국가의 형벌권 행사에 중대한 지장을 초래할 수 있는 행위로
서 비난받아 마땅하다는 점은 부인하기 어려우므로, 위와 같은 행위를 처벌하는 구성요건을
신설하는 것 외에 형법 제155조 제1항이 규정한 '증거위조'의 의미를 확장해석하는 방법으로
그 목적을 달성하는 것도 죄형법정주의 원칙상 허용되지 아니한다고 볼 수 없다.

Answer   **09.** ②   **10.** ②

PART 01

ⓒ 법정소동죄 등을 규정한 형법 제138조에서의 '법원의 재판'에 '헌법재판소의 심판'을 포함시키는 해석은 피고인에게 불리한 확장해석이나 유추해석에 해당하지 않는다.

ⓔ 반의사불벌죄에 있어서 피해자에게 의사능력이 있음에도 불구하고 그 처벌을 희망하지 않는다는 의사표시 또는 처벌희망 의사표시의 철회에 법정대리인의 동의가 있어야 한다고 해석하는 것은 죄형법정주의의 유추해석금지 원칙에 반한다.

ⓜ 구 특정 범죄자에 대한 위치추적 전자장치 부착 등에 관한 법률 제5조 제1항 제3호는 '성폭력범죄를 2회 이상 범하여(유죄의 확정판결을 받은 경우를 포함한다) 그 습벽이 인정된 때'라고 규정하고 있는데, 피부착명령 청구자가 2회 이상 성폭력범죄를 범하였는지를 판단할 때 위 법률의 목적과 위 규정의 취지에 비추어 소년보호처분을 받은 전력이 이에 해당한다고 보더라도 확장해석이나 유추해석에 해당하지 아니한다.

① 1개　　　　　② 2개　　　　　③ 3개
④ 4개　　　　　⑤ 5개

해설　ⓐ ○ : 대판 2021.12.16, 2020도9789
ⓑ × : ～ (3줄) 부인하기 어렵다. 그러나 위와 같은 행위를 처벌하는 구성요건을 신설하는 것 외에 형법 제155조 제1항이 규정한 '증거위조'의 의미를 확장해석하는 방법으로 그 목적을 달성하는 것은 죄형법정주의 원칙상 허용되지 아니한다(대판 2021.1.28, 2020도2642).
ⓒ ○ : 대판 2021.8.26, 2020도12017
ⓔ ○ : 대판 2009.11.19, 2009도6058 전원합의체
ⓜ × : ～ (4줄) 전력이 포함된다고 보는 것은 유추해석금지원칙에 반한다(대판 2012.3.22, 2011도15057 전원합의체).

11 **죄형법정주의에 관한 설명으로 옳은 것을 모두 고른 것은?**(다툼이 있는 경우 판례에 의함)

25. 경찰승진

ⓐ '블로그', '미니 홈페이지', '카페' 등 사적(私的) 인터넷 게시 공간의 운영자가 게시공간에 게시된 타인의 글을 삭제할 권한이 있는데도 삭제하지 아니하고 그대로 둔 경우를 국가보안법 제7조 제5항의 '소지'행위로 보는 것은 죄형법정주의에 위배되지 않는다.

ⓑ 의사가 환자와 대면하지 아니하고 전화나 화상 등을 이용하여 환자의 용태를 스스로 듣고 판단하여 처방전 등을 발급한 행위를 구 의료법(2009. 1. 30. 법률 제9386호로 개정되기 전의 것) 제17조 제1항의 '진찰한 의사'가 아닌 자가 처방전 등을 발급한 경우에 해당한다고 해석하는 것은 죄형법정주의에 위배된다.

ⓒ 甲이 약 20일 동안 6회에 걸쳐 피해자 A의 성적 수치심 등을 일으키는 내용의 편지를 작성하여 옆집에 사는 A의 주거지 출입문에 끼워 넣어 A에게 전달한 행위는 성폭력범죄의 처벌 등에 관한 특례법상 통신매체이용음란죄에 해당하지 않는다.

ⓔ 도로가 아닌 곳에서 운전면허 없이 운전한 행위를 도로교통법상 무면허운전으로 처벌하는 것은 유추해석금지의 원칙에 반하지 않는다.

① ⓐ, ⓑ　　　　② ⓐ, ⓔ　　　　③ ⓑ, ⓒ　　　　④ ⓒ, ⓔ

해설 ㉠ × : ~ 보는 것은 유추해석금지원칙에 반한다(대판 2012.1.27, 2010도8336).
㉡ ○ : 대판 2013.4.11, 2010도1388
㉢ ○ : 대판 2016.3.10, 2015도17847
㉣ × : ~ 유추해석금지의 원칙에 반한다(대판 2017.12.28, 2017도17762).

12 죄형법정주의에 대한 설명으로 가장 옳지 않은 것은?(다툼이 있으면 판례에 의함)　　25. 해경경사

① "지방세에 관한 범칙행위에 대하여는 조세범처벌법령을 준용한다."는 지방세법 제84조 제1항의 조세범처벌법령에 특정범죄 가중처벌 등에 관한 법률도 포함된다는 해석은 죄형법정주의에 반하여 허용되지 않는다.

② 다른 사람의 신체 이미지가 담긴 영상도 성폭력범죄의 처벌 등에 관한 특례법 제14조 제1항의 '다른 사람의 신체'에 포함된다고 해석하는 것은 법률문언의 통상적인 의미를 벗어나는 것이므로 죄형법정주의 원칙상 허용될 수 없다.

③ 인터넷 신문 또는 인터넷 언론사를 운영하는 자는 공직선거법 제97조 제2항, 제3항에서 정한 방송·신문·통신·잡지 기타 간행물을 경영·관리하거나 편집·취재·집필·보도하는 자에 해당한다.

④ '기업구매전용카드'를 이용하여 물품의 판매 등 방법으로 자금을 융통한 경우에 여신전문금융업법상 '신용카드'의 이용에 해당한다.

해설 ① 대판 2008.3.27, 2007도7561
② 대판 2013.6.27, 2013도4279
③ 대판 2021.4.8, 2021도1177
④ × : '기업구매전용카드'를 이용하여 물품의 판매 등 방법으로 자금을 융통한 경우에 여신전문금융업법상 '신용카드'의 이용에 해당하지 아니한다(대판 2013.7.25, 2011도14687 ∵ '기업구매전용카드'는 동법의 '신용카드'에 해당 ×).

13 유추해석금지 원칙에 대한 다음 판례 중 가장 옳은 것은?　　25. 해경경위공채

① 자신이 운영하는 인터넷 사이트 카페에 개인정보가 담겨 있는 '특정한 목적으로 결성된 단체의 명단'을 업로드하여 제3자로 하여금 다운로드 받아 볼 수 있게 한 행위는, 타인의 비밀을 침해·누설하였다고 볼 수 있다.

② 국가공무원법 제66조 제1항은 모든 공무원에 대하여 그 집단행위를 금지하고 있으므로, 그 위반행위에 대한 형사 처벌조항인 국가공무원법 제84조 또한 경력직공무원뿐만 아니라 특수경력직공무원 모두에 적용된다.

③ 출입국 관리사무소로부터 근무처의 변경 또는 추가허가를 받지 아니한 외국인의 고용을 알선한 자와 외국인을 고용한 자는, 출입국관리법 제94조 제6호의 2, 제21조 제2항에 따라 처벌된다.

Answer　12. ④　13. ④

④ "정당한 이유 없이 이 법에 규정된 범죄에 공용될 우려가 있는 흉기나 그 밖의 위험한 물건을 휴대하거나 제공 또는 알선한 사람"을 처벌하는 폭력행위 등 처벌에 관한 법률 제7조(우범자)는, 형법의 특별법 규정으로 형법상의 폭력범죄까지 포함된다고 해석하는 것은 허용될 수 없다.

해설 ① × : ~ (2줄) 타인의 비밀을 침해·도용 또는 누설한 경우에 해당한다고 볼 수 없다(대판 2012.12.13, 2010도10576).
② × : ~ (1줄) 그 집단행위를 금지하고 있으나, 그 위반행위에 대한 형사 처벌조항인 국가공무원법 제84조는 경력직공무원에 대하여만 적용되고 특수경력직공무원에 대하여는 적용하지 않는다(대판 2006.10.26, 2005도4331).
③ × : ~ (1줄) 고용을 알선한 자만 출입국관리법 제94조 제6호의 2, 제21조 제2항에 따라 처벌되고, 외국인을 고용한 자를 위 조항으로 처벌할 수 없다(대판 2007.9.7, 2006도6292).
④ ○ : 대판 2018.1.24, 2017도15914(∵ 폭처법 제7조에서 말하는 '이 법에 규정된 범죄'는 '폭처법에 규정된 범죄'만을 말한다.)

14 도로교통법상 유추해석금지 원칙에 대한 다음 판례 중 가장 옳은 것은? 　　25. 해경 2차

① 연습운전면허를 받은 사람이 운전을 함에 있어 주행연습 외의 목적으로 운전하여서는 아니 된다는 준수사항을 지키지 않고 기타 다른 목적으로 운전한 경우, 그 운전을 무면허운전으로 보아 처벌할 수 없다.
② 적법한 입국심사절차를 거치지 아니하고 불법으로 입국한 경우라 하더라도 국제운전면허증을 소지하고 있는 경우, 도로교통법 제96조 제1항이 예외적으로 허용하는 국제운전면허증에 의한 운전을 한 경우에 해당한다.
③ 자동차 엔진을 시동시키고 음주운전을 하려 하였으나, 자동차의 고장 또는 결함 등의 원인으로 객관적으로 발진할 수 없었던 상태에 있었던 경우라 할지라도, 이 행위는 음주운전에 해당한다.
④ 도로교통법 제148조의 2 제1항 제1호 중 '제44조 제1항을 2회 이상 위반한 사람'은 그에 대한 형의 선고나 유죄의 확정판결 등이 있는 경우만을 의미한다.

해설 ① ○ : 대판 2001.4.10, 2000도5040
② × : 외국인이 불법으로 입국한 이상, 비록 국제운전면허증을 발급받아 소지하고 있고 국내에 입국한 날부터 1년 이내에 자동차를 운전하였더라도, 도로교통법 제96조 제1항이 예외적으로 허용하는 국제운전면허증에 의한 운전이라고 하기 어려워 무면허운전에 해당한다(대판 2017.10.31, 2017도9230).
③ × : 자동차 엔진을 시동시키고 음주운전을 하려 하였으나, 자동차의 고장 또는 결함 등의 원인으로 객관적으로 발진할 수 없었던 상태에 있었던 경우라면, 이 행위는 음주운전에 해당하지 않는다(대판 2021.1.14, 2017도10815).
④ × : 도로교통법 제148조의 2 제1항 제1호는 행위주체를 단순히 2회 이상 음주운전 금지규정을 위반한 사람으로 정하고 있고, 이러한 음주운전 금지규정 위반으로 형을 선고받거나 유죄의 확정판결을 받은 경우 등으로 한정하고 있지 않다(대판 2018.11.15, 2018도11378).

15 유추해석금지의 원칙에 관한 설명으로 가장 적절하지 않은 것은?(다툼이 있는 경우 판례에 의함)

26. 경찰승진

① 구 공직선거법 제262조의 "자수"를 '범행발각 전에 자수한 경우'로 한정하는 풀이는 "자수"라는 단어가 통상 관용적으로 사용되는 용례에서 갖는 개념 외에 '범행발각 전'이라는 또다른 개념을 추가하는 것으로서 결국은 '언어의 가능한 의미'를 넘어선 것이라 할 것이므로, 형면제 사유에 대한 제한적 유추를 통하여 처벌범위를 실정법 이상으로 확대한 것으로서 죄형법정주의의 파생원칙인 유추해석금지의 원칙에 위반된다.

② 자동차관리법 제80조 제7호의 2에서는 벌칙의 적용대상을 단순히 '제58조 제3항을 위반한 자' 또는 '제58조 제3항에 따른 게재의무를 위반한 자'로 규정하지 아니하고, 보다 구체적·한정적으로 '자동차 이력 및 판매자정보를 허위로 제공한 자'만을 처벌하는 것으로 규정하고 있음은 그 문언상 명백하므로, 자동차관리법 제80조 제7호의 2의 '허위 제공'의 의미를 '단순 누락'의 경우도 포함하는 것으로 해석하는 것은 형벌법규의 의미를 피고인에게 불리한 방향으로 지나치게 확장하거나 유추하여 해석하는 것으로 죄형법정주의 원칙에 어긋나서 허용되지 않는다.

③ 법정소동죄 등을 규정한 형법 제138조에서의 '법원의 재판'에 '헌법재판소의 심판'을 포함시키는 해석은 피고인에게 불리한 확장해석이나 유추해석으로서 죄형법정주의 위반이다.

④ 군형법은 제64조 제3항에서 '공연히 사실을 적시하여 상관의 명예를 훼손한 경우'에 대해 형법 제307조 제1항의 사실적시에 의한 명예훼손죄보다 형을 높여 처벌하도록 하면서 이에 대해 형법 제310조와 같이 공공의 이익에 관한 때에는 처벌하지 아니한다는 규정을 별도로 두지 않았으나, 형법 제307조 제1항의 행위에 대한 위법성조각사유를 규정한 형법 제310조는 군형법 제64조 제3항의 행위에 대해 유추적용된다고 보아야 한다.

> 해설 ① 대판 1997.3.20, 96도1167 전원합의체
> ② 대판 2017.11.14, 2017도13421
> ③ × : ~ 유추해석에 해당하지 않는다(대판 2021.8.26, 2020도12017).
> ④ 대판 2024.4.16, 2023도13333

16 죄형법정주의에 대한 설명으로 옳지 않은 것은 모두 몇 개인가?(다툼이 있는 경우 판례에 의함)

20. 경찰간부

> ㉠ 항공보안법 제42조(항공기 항로 변경죄)의 '항로'에 항공기가 지상에서 이동하는 경로도 포함된다고 해석하는 것은 죄형법정주의에 반한다.
> ㉡ 보호관찰은 형벌이 아니라 보안처분의 성격을 갖는 것으로서, 과거의 불법에 대한 책임에 기초하고 있는 제재가 아니라 장래의 위험성으로부터 행위자를 보호하고 사회를 방위하기 위한 합목적적인 조치이므로, 소급효금지원칙이 적용되지 아니한다.
> ㉢ 형벌법규에 대한 체계적·논리적 해석방법은 그 규정의 본질적 내용에 가장 접근한 해석을 위한 것으로서 죄형법정주의의 원칙에 부합한다.

 Answer   15. ③   16. ①

㉣ 약사법 제5조 제3항에서 면허증의 대여를 금지한 취지는 약사자격이 없는 자가 타인의 면허증을 빌려 영업을 하게 될 경우 국민의 건강에 위험이 초래된다는 데 있다 할 것이므로, 약사자격이 있는 자에게 빌려주는 행위까지 금지되는 것으로 보는 것은 유추해석에 해당한다.

㉤ 의료법 제41조는 "각종 병원에는 응급환자와 입원환자의 진료 등에 필요한 당직의료인을 두어야 한다."라고 규정하고 있을 뿐인데도 시행령에 당직의료인의 수와 자격 등 배치기준을 규정하고 이를 위반하면 의료법 제90조에 의한 처벌의 대상이 되도록 한 것은 위임입법의 한계를 벗어난 것으로 죄형법정주의에 반한다.

㉥ 노역장유치는 그 실질이 신체의 자유를 박탈하는 것으로서 징역형과 유사한 형벌적 성격을 가지므로 형벌불소급원칙의 적용대상이 된다.

① 1개 ② 2개 ③ 3개 ④ 4개

해설 ㉠ ○ : 대판 2017.12.21, 2015도8335 전원합의체
㉡ ○ : 대판 1997.6.13, 97도703
㉢ ○ : 대판 2017.12.21, 2015도8335 전원합의체
㉣ × : 유추해석 ×(대판 2003.6.24, 2002도6829)
㉤ ○ : 대판 2017.2.16, 2015도16014 전원합의체
㉥ ○ : 대판 2018.2.13, 2017도17809

17 죄형법정주의에 관한 설명으로 옳지 않은 것을 모두 고른 것은?(다툼이 있는 경우 판례에 의함)

22. 순경 1차

㉠ 법규범의 문언은 어느 정도 가치개념을 포함한 일반적, 규범적 개념을 사용하지 않을 수 없는 것이기 때문에 기본적으로 최소한이 아닌 최대한의 명확성을 요구한다.

㉡ 유추해석금지의 원칙은 형벌법규의 구성요건과 가벌성에 관한 규정에 준용되므로 형벌법규의 적용대상이 행정법규가 규정한 사항을 내용으로 하고 있는 경우에 그 행정법규의 규정을 해석하는 데에도 마찬가지로 적용된다.

㉢ 대법원 양형위원회가 설정한 '양형기준'이 발효하기 전에 공소가 제기된 범죄에 대하여 위 '양형기준'을 참고하여 형을 양정한 경우, 소급효금지의 원칙에 위반된다.

㉣ 알 수 없는 경위로 가상자산을 이체받은 자가 가상자산을 사용처분한 경우 이를 형사처벌하는 명문의 규정이 없다고 하더라도 착오송금시 횡령죄 성립을 긍정한 판례를 유추하여 신의칙을 근거로 배임죄로 처벌하는 것은 죄형법정주의에 반하지 않는다.

㉤ 형법 제258조의 2 특수상해죄의 신설로 형법 제262조 제261조의 특수폭행치상죄에 대하여 그 문언상 특수상해죄의 예에 의하여 처벌하는 것이 가능하게 되었다는 이유만으로 형법 제258조의 2 제1항의 예에 따라 처벌할 수 있다고 하는 것은 죄형법정주의에 반한다.

① ㉠, ㉡, ㉢ ② ㉠, ㉢, ㉣ ③ ㉠, ㉢, ㉤ ④ ㉡, ㉣, ㉤

해설 ㉠ × : ~ 최대한이 아닌 최소한의 명확성을 요구한다(대판 2008.10.23, 2008초기264).
㉡ ○ : 대판 2007.6.29, 2006도4582

㉣ × : ~ 원칙을 위반한 것은 아니다(대판 2009.12.10, 2009도11448).
㉤ × : ~ (2줄) 명문의 규정이 없는 현재의 상황에서 착오송금시 횡령죄 성립을 긍정한 판례를 유추하여 신의칙을 근거로 배임죄로 처벌하는 것은 죄형법정주의에 반한다(대판 2021.12. 16, 2020도9789 ∵ 가상자산 권리자의 착오나 가상자산 운영 시스템의 오류 등으로 법률상 원인관계 없이 다른 사람의 가상자산 전자지갑에 가상자산이 이체된 경우, 가상자산을 이체받은 자는 가상자산의 권리자 등에 대한 부당이득반환의무를 부담하게 될 수 있다. 그러나 이는 당사자 사이의 민사상 채무에 지나지 않고 이러한 사정만으로 가상자산을 이체받은 사람이 신임관계에 기초하여 가상자산을 보존하거나 관리하는 지위에 있다고 볼 수 없다. ∴ 배임죄의 주체인 '타인의 사무를 처리하는 자 ×).
㉥ ○ : 대판 2018.7.24, 2018도3443

18 죄형법정주의에 대한 설명으로 옳지 않은 것은?(다툼이 있는 경우 판례에 의함)

24. 9급 검찰 · 마약수사 · 철도경찰

① 의료법인 명의로 개설된 의료기관의 개설자격 위반 여부를 판단할 때, 비의료인의 주도적 자금 출연 내지 주도적 관여 사정만을 근거로 비의료인이 실질적으로 의료기관을 개설 · 운영하였다고 판단하였다면, 이는 허용되는 행위와 허용되지 않는 행위를 구별할 수 있는 기준에 따라 판단한 것으로서 죄형법정주의 원칙에 반하지 않는다.

② 범죄의 성립과 처벌에 관하여 규정한 형벌법규 자체 또는 그로부터 수권 내지 위임을 받은 법령의 변경에 따라 범죄를 구성하지 아니하게 되거나 형이 가벼워진 경우에는, 종전 법령이 범죄로 정하여 처벌한 것이 부당하였다거나 과형이 과중하였다는 반성적 고려에 따라 변경된 것인지 여부를 따지지 않고 원칙적으로 형법 제1조 제2항이 적용된다.

③ 가정폭력범죄의 처벌 등에 관한 특례법이 정한 보호처분 중 하나인 사회봉사명령은 가정폭력범죄행위에 대하여 형사처벌 대신 부과되는 것으로서, 가정폭력범죄를 범한 자에게 의무적 노동을 부과하고 여가시간을 박탈하여 실질적으로는 신체적 자유를 제한하게 되므로, 이에 대하여는 원칙적으로 형벌불소급의 원칙에 따라 행위시법을 적용함이 상당하다.

④ 유기징역형에 대한 법률상 감경을 하면서 형법 제55조 제1항 제3호에서 정한 것과 같이 장기와 단기를 모두 2분의 1로 감경하는 것이 아닌 장기 또는 단기 중 어느 하나만을 2분의 1로 감경하는 방식이나 2분의 1보다 넓은 범위의 감경을 하는 방식 등은 죄형법정주의 원칙상 허용될 수 없다.

해설 ① × : ~ (3줄) 판단하였다면, 이는 허용되는 행위와 허용되지 않는 행위의 구별이 불명확해져 죄형법정주의 원칙에 반할 수 있다(대판 2023.7.17, 2017도1807 전원합의체).
② 대판 2022.12.22, 2020도16420 전원합의체
③ 대결 2008.7.24, 2008어4
④ 대판 2021.1.21, 2018도5475 전원합의체

Answer 18. ①

19 죄형법정주의에 관한 설명으로 가장 적절하지 않은 것은?(다툼이 있는 경우 판례에 의함) 24. 순경 1차

① '여러 사람의 눈에 뜨이는 곳에서 공공연하게 알몸을 지나치게 내놓거나 가려야 할 곳을 내놓아 다른 사람에게 부끄러운 느낌이나 불쾌감을 준 사람'을 처벌하는 구 경범죄처벌법 제3조 제1항 제33호는 죄형법정주의에 위배된다.

② 아동·청소년의 성보호에 관한 법률상 공개명령제도에 대해서는 소급입법금지의 원칙이 적용되지 않는다.

③ 어린이집 대표자를 변경하였음에도 변경인가를 받지 않은 채 어린이집을 운영한 행위에 대해 설치인가를 받지 않고 사실상 어린이집의 형태로 운영하는 행위 등을 처벌하는 규정인 영유아보육법 제54조 제4항 제1호를 적용하는 것은 죄형법정주의에 위배된다.

④ 구 공공기관의 운영에 관한 법률 제53조가 공기업의 임직원으로서 공무원이 아닌 사람을 형법 제129조의 적용에서는 공무원으로 본다고 규정하면서도, 구체적인 공기업 지정과 관련하여 하위규범인 기획재정부장관의 고시에 의하도록 규정한 것은 죄형법정주의에 위배된다.

[해설] ① ○ : ~ (3줄) 제33호는 죄형법정주의의 명확성원칙에 위배된다(헌재결 2016.11.24, 2016헌가3).
② ○ : 대판 2011.3.24, 2010도14393
③ ○ : ~ (3줄) 제4항 제1호를 적용하거나 유추적용할 수 없다(대판 2022.12.1, 2021도6860).
④ × : ~ (3줄) 죄형법정주의에 위배되지 아니한다(대판 2013.6.13, 2013도1685).

20 죄형법정주의에 관한 설명으로 가장 적절하지 않은 것은?(다툼이 있는 경우 판례에 의함) 24. 경력채용

① 반의사불벌죄에 있어서 처벌을 희망하지 않는다는 의사표시 또는 처벌희망 의사표시의 철회는 이른바 소극적 소송조건에 해당하고, 소송조건에는 유추해석금지의 원칙이 적용된다.

② 원인불명으로 재산상 이익인 가상자산을 이체받은 자가 가상 자산을 사용 처분한 경우 이를 형사처벌하는 명문의 규정이 없다면, 착오송금시 횡령죄 성립을 긍정한 판례를 유추하여 신의칙을 근거로 피고인을 배임죄로 처벌하는 것은 죄형법정주의에 반한다.

③ 법률에서 위임받은 사항을 전혀 규정하지 않고 재위임하는 것뿐만 아니라 위임받은 사항에 관하여 대강을 정하고 그중의 특정사항을 범위를 정하여 하위법령에 다시 위임하는 경우도 위임명령의 제정 형식에 관한 수권법의 내용을 변경하는 것이 되므로 허용되지 않는다.

④ 행위 당시의 판례에 의하면 처벌대상이 되지 아니하는 것으로 해석되었던 행위를 판례의 변경에 따라 확인된 내용의 형법 조항에 근거하여 처벌한다고 하여 그것이 소급효금지의 원칙에 반한다고 할 수는 없다.

[해설] ① 대판 2009.11.19, 2009도6058 전원합의체
② 대판 2021.12.16, 2020도9789
③ × : ~ (1줄) 재위임하는 것은 백지재위임금지의 법리에 반할 뿐 아니라 수권법의 내용 변경을 초래하는 것이므로 허용되지 아니하나, 위임받은 사항에 관하여 대강을 정하고 그중의 특정사항을 범위를 정하여 하위법령에 다시 위임하는 경우에는 재위임이 허용된다(대판 2013.3.28, 2012도16383).
④ 대판 1999.9.17, 97도3349

21 죄형법정주의에 관한 설명으로 가장 적절하지 않은 것은?(다툼이 있는 경우 판례에 의함) 24. 순경 2차

① 형법 제62조의 2 제1항에 따라 형의 집행유예시 부과할 수 있는 보호관찰은 형벌이 아니라 보안처분의 성격을 갖는 것으로서 재판시의 규정에 의하여 보호관찰을 받을 것을 명할 수 있다고 해석하는 것은 형벌불소급의 원칙에 반하지 않는다.

② 도로교통법 제43조(무면허운전 등의 금지)를 위반하여 운전면허를 받지 아니하고 자동차를 운전하는 행위를 대상으로 하는 교통사고처리 특례법 제3조 제2항 단서 제7호를 운전면허 취소사실을 알지 못하고 자동차를 운전하는 경우도 포함하는 것으로 해석하는 것은 유추해석금지의 원칙에 반하지 않는다.

③ 가정폭력범죄의 처벌 등에 관한 특례법이 정한 보호처분 중 하나인 사회봉사명령은 보안처분의 성격을 가지나, 이는 가정폭력 범죄행위에 대하여 형사처벌 대신 부과되는 것으로서 원칙적으로 형벌불소급의 원칙에 따라 행위시법을 적용함이 상당하다.

④ 군형법 제64조 제3항 상관명예훼손죄에 대해 형법 제310조(위법성의 조각)와 같은 규정을 별도로 두지 않았다고 하더라도 법규범의 체계, 입법 의도와 목적 등에 비추어 정당하다고 평가되는 한도 내에서 그와 유사한 사안에 관한 법규범을 적용할 수 있다고 할 것이므로 형법 제310조는 군형법 제64조 제3항의 행위에 대해 유추적용된다고 보아야 한다.

해설 ① 대판 1997.6.13, 97도703

② × : ~ (4줄) 유추해석금지의 원칙에 반한다〔대판 2023.6.29, 2021도17733 ∵ 도로교통법 위반(무면허운전)죄는 도로교통법 제43조를 위반하여 운전면허를 받지 아니하고 자동차를 운전하는 경우에 성립하는 범죄로, 유효한 운전면허가 없음을 알면서도 자동차를 운전하는 경우에만 성립하는 고의범이다. 교통사고처리 특례법 제3조 제2항 단서 제7호에서 말하는 '도로교통법 제43조를 위반'한 행위는 도로교통법 위반(무면허운전)죄와 마찬가지로 유효한 운전면허가 없음을 알면서도 자동차를 운전하는 경우만을 의미한다고 보아야 한다. ∴ 운전면허 취소사실을 알지 못하고 운전 ⇨ 무면허운전죄의 고의 × ⇨ 무면허운전죄 ×〕.

③ 대판 2008.7.24, 2008어4

④ 대판 2024.4.16, 2023도13333

22 죄형법정주의에 관한 설명으로 가장 적절한 것은?(다툼이 있는 경우 판례에 의함) 25. 순경 1차

① 대법원 양형위원회가 설정한 '양형기준'이 발효하기 전에 공소가 제기된 범죄에 대하여 위 '양형기준'을 참고하여 형을 양정하더라도 피고인에게 불리한 법률을 소급하여 적용한 것으로 볼 수는 없다.

② 형벌법규는 문언에 따라 엄격하게 해석·적용하여야 하므로, 형벌법규의 해석에 있어서 가능한 문언의 의미 내에서 당해 규정의 입법 취지와 목적 등을 고려한 법률체계적 연관성에 따라 그 문언의 논리적 의미를 분명히 밝히는 체계적·논리적 해석방법은 유추해석에 해당하여 허용되지 않는다.

③ 소추조건에 관한 규정을 유추적용하여 행위자의 가벌성의 범위가 확대되었다고 하더라도, 이는 범죄의 성립요건에 관한 내용이 아니므로 유추해석금지의 원칙에 위반된다고 할 수 없다.

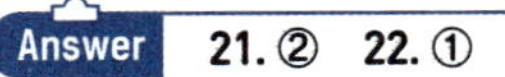

④ 죄가 되지 않던 행위를 구성요건의 신설로 포괄일죄의 처벌대상으로 삼는 경우, 신설된 포괄일죄에 해당하는 행위가 그 법의 시행 이전과 이후에 걸쳐서 이루어졌다면 시행 이전의 행위에 대하여도 신설된 법규를 적용하여 처벌할 수 있다.

해설 ① ○ : 대판 2009.12.10, 2009도11448

② × : ~ (1줄) 엄격하게 해석·적용하여야 하고 피고인에게 불리한 방향으로 지나치게 확장해석하거나 유추해석하여서는 아니되나, 형벌법규의 해석에 있어서 가능한 문언의 의미 내에서 당해 규정의 입법 취지와 목적 등을 고려한 법률체계적 연관성에 따라 그 문언의 논리적 의미를 분명히 밝히는 체계적·논리적 해석방법은 허용된다(대판 2007.6.14, 2007도2162).

③ × : 법규정 문언의 가능한 의미를 벗어나 형벌법규를 해석하는 것은 유추해석으로서 죄형법정주의에 위반된다. 유추해석금지의 원칙은 모든 형벌법규의 구성요건과 가벌성에 관한 규정에 준용되므로, 위법성 및 책임의 조각사유나 소추조건 또는 처벌조각사유인 형면제 사유에 관하여 범위를 제한적으로 유추적용하면 행위자의 가벌성의 범위가 확대되어 행위자에게 불리하고, 이는 가능한 문언의 의미를 넘어 범죄구성요건을 유추적용하는 것과 같은 결과를 초래하므로 죄형법정주의의 파생원칙인 유추해석금지의 원칙을 위반하여 허용될 수 없다(대판 2023.6.29, 2021도17733).

④ × : ~ (2줄) 이루어졌다고 하더라도 시행 이전의 행위에 대하여는 신설된 법규를 적용하여 처벌할 수 없다(대판 2022.12.29, 2022도10660).

23 죄형법정주의에 관한 설명으로 가장 적절하지 않은 것은?(다툼이 있는 경우 판례에 의함) 25. 순경 2차

① 헌법재판소의 위헌법률심판에 따라 위헌으로 결정된 법률조항은 그 결정이 있는 날부터 효력을 상실하는 것이 원칙이므로 형벌에 관한 법률조항의 위헌결정은 예외적으로도 소급효가 인정되지 않는다.

② 형벌법규는 문언에 따라 엄격하게 해석 적용하여야 하고 피고인에게 불리하게 확장해석하거나 유추해석할 수 없으나, 문언의 통상적인 의미를 벗어나지 않는 한 그 법률의 입법취지와 목적, 입법의 연혁 등을 고려한 목적론적 해석이 배제되는 것은 아니다.

③ 법규범이 명확한지 여부는 그 법규범이 수범자에게 법규의 의미내용을 알 수 있도록 공정한 고지를 하여 예측가능성을 주고 있는지 여부 및 그 법규범이 법을 해석 집행하는 기관에게 충분한 의미 내용을 규율하여 자의적인 법해석이나 법집행이 배제되는지 여부에 따라 판단할 수 있다.

④ 법률의 시행령이 형사처벌에 관한 사항을 규정하면서 법률의 명시적인 위임 범위를 벗어나 처벌의 대상을 확장하는 것은 죄형법정주의의 원칙에 어긋나므로, 그러한 시행령은 위임입법의 한계를 벗어난 것으로서 무효이다.

해설 ① × : 헌법재판소의 위헌법률심판에 따라 위헌으로 결정된 법률 또는 법률의 조항은 그 결정이 있는 날부터 효력을 상실하는 것이 원칙이다(헌법재판소법 제47조 제2항). 다만 예외적으로 형벌에 관한 법률 또는 법률의 조항에 대한 위헌결정은 소급효가 인정되고(헌법재판소법 제47조 제3항), 위헌결정의 예외적 소급효가 인정되는 '형벌에 관한 법률 또는 법률의 조항'은 형사처벌의 직접적인 근거가 되는 실체법을 의미한다. 그러나 형벌에 관한 법률 또는 법률의 조항이더라도 처벌되지 않는 사유를 규정한 것이라면 위헌결정의 소급효를 인정할 경우 오히려 그 조항에 따라 형사처벌을 받지 않았던 사람들에게 형사상의 불이익이 미치게

되므로, 위 법률조항은 같은 법 제47조 제2항에 따라 위헌결정이 있는 날부터 효력을 상실한다(대판 2025.
3.13, 2024도19846).
② 대판 2018.7.24, 2018도3443
③ 대판 2014.1.29, 2013도12939
④ 대판 2017.2.16, 2015도16014 전원합의체

24 **죄형법정주의에 관한 설명 중 옳은 것은?**(다툼이 있는 경우 판례에 의함) 25. 변호사시험

① 법률의 시행령이 형사처벌에 관한 사항을 명확히 규정하고 있다면 법률의 명시적인 위임범
위를 벗어나 처벌의 대상을 확장하더라도 죄형법정주의에 어긋나는 것은 아니다.
② 처벌법규의 구성요건이 서술적 개념으로 규정되어 있지 않다면 이는 죄형법정주의에서 파생
되는 명확성의 원칙에 어긋난다.
③ 형사소송법 제33조(국선변호인)에 규정된 법원이 직권으로 변호인을 선정하여야 할 사유 중
하나인 '피고인이 구속된 때'의 의미에 피고인이 해당 형사사건이 아닌 별개의 사건, 즉 별건
으로 구속되어 있거나 다른 형사사건에서 유죄로 확정되어 수형 중인 경우도 포함된다고 보
는 것은 문언해석의 한계를 벗어나지 않는다.
④ 형면제 사유에 관하여 범위를 제한적으로 유추적용하는 것은 죄형법정주의에 어긋나지 않는다.
⑤ 정보통신망을 이용한 명예훼손죄는 사실적시 행위를 공공연하게 할 것을 요구하므로 특정
개인이나 소수에게 말하여 그로 인해 불특정 또는 다수인에게 전파가능성이 있다는 이유로
공연성을 인정하는 것은 죄형법정주의에서 금지하는 유추해석에 해당한다.

해설 ① × : 법률의 시행령이 형사처벌에 관한 사항을 규정하면서 법률의 명시적인 위임 범위를 벗어나
처벌의 대상을 확장하는 것은 죄형법정주의의 원칙에도 어긋나는 것이므로, 그러한 시행령은 위임입법의
한계를 벗어난 것으로서 무효이다(대판 2017.2.16, 2015도16014 전원합의체).
② × : 처벌법규의 구성요건이 명확하여야 한다고 하여 모든 구성요건을 단순한 서술적 개념으로 규정하여
야 하는 것은 아니고, 다소 광범위하여 법관의 보충적인 해석을 필요로 하는 개념을 사용하였다고 하더라도
통상의 해석방법에 의하여 건전한 상식과 통상적인 법감정을 가진 사람이면 당해 처벌법규의 보호법익과
금지된 행위 및 처벌의 종류와 정도를 알 수 있도록 규정하였다면 헌법이 요구하는 처벌법규의 명확성에
배치되는 것이 아니다(대판 2006.5.11, 2006도920).
③ ○ : 대판 2024.5.23, 2021도6357 전원합의체
④ × : 위법성 및 책임의 조각사유나 소추조건, 또는 처벌조각사유인 형면제 사유에 관하여 그 범위를 제한
적으로 유추적용하게 되면 행위자의 가벌성의 범위는 확대되어 행위자에게 불리하게 되므로 유추해석금지
의 원칙에 반한다(대판 1997.3.20, 96도1167 전원합의체).
⑤ × : 정보통신망을 이용한 명예훼손 행위에 대하여, 특정 소수에게 전달한 경우에도 그로부터 불특정 또는
다수인에 대한 전파가능성 여부를 가려 개인의 사회적 평가가 침해될 일반적 위험성이 발생하였는지를 검토
하는 것이 실질적인 공연성 판단에 부합되고, 공연성의 범위를 제한하는 구체적인 기준이 될 수 있다. 다만,
이러한 공연성의 의미는 형법과 정보통신망법 등의 특별법에서 동일하게 적용되어야 한다(대판 2020.11.19,
2020도5813 전원합의체 ▶ ⑤는 반대의견임).

Answer 24. ③

형법의 적용범위

형법의 적용범위란 우리 형법의 효력이 미치는 시간적·장소적·인적 범위를 말한다.

제1절 시간적 적용범위

① 의 의

형법은 그 시행시부터 폐지 또는 실효될 때까지 효력을 갖고, 이 기간 내에 발생한 범죄에 대하여 적용된다. 그러나 행위시와 재판시 사이에 형벌법규의 변경이 있는 경우에 어느 시점의 법을 적용할 것인가가 문제된다.

② 원칙 : 행위시법주의(구법주의, 소급효금지의 원칙)

> **제1조 제1항** 범죄의 성립과 처벌은 행위시의 법률에 따른다.

① 행위시에 범죄가 아닌 것을 사후입법에 의하여 범죄로 하거나, 그 형을 가중하는 경우에는 재판시법(신법)을 적용할 수 없다(소급효금지의 원칙).
② '행위시'라 함은 범죄행위의 종료시〔▶ 주의 : 결과발생시(기수시) ×, 범죄행위의 실행의 착수시 ×〕를 의미한다〔대판 1994.5.10, 94도563 ∴ 구법 시행시 행위가 종료하였으나 결과는 신법 시행시에 발생한 경우에는 구법(신법 ×)이 적용됨〕. 20. 경찰승진, 23. 변호사시험·법원직

③ 행위시법주의의 예외(소급효인정) : 재판시법주의(신법주의)

행위자(피고인)에게 유리한 경우에는 예외적으로 소급효를 인정하여 재판시법(신법)을 적용하는 것이 가능하다.

(1) 제1조 제2항

> **제1조 제2항** 범죄 후 법률이 변경되어 그 행위가 범죄를 구성하지 아니하게 되거나 형이 구법보다 가벼워진 경우에는 신법에 따른다. 11. 법원행시, 21. 해경승진

① '범죄 후'란 범죄행위 종료 후를 의미하며 결과발생까지 의미하는 것은 아니다.

② '법률의 변경'은 총체적 법률상태의 변경, 즉 전체로서의 법률(실질적 의미의 형법)의 변경을 의미하므로 명령도 포함된다. 또한 형법에 영향을 미칠 수 있는 다른 법률을 포함한다. 16. 변호사시험, 21. 해경 1차 ·

③ 행위시와 재판시 사이에 여러 차례 법령이 개정되어 형이 변경된 경우, (당사자의 주장이 없더라도) 그 전부를 비교하여 가장 형이 가벼운 법을 적용해야 한다(대판 1968.12.17, 68도1324). 16. 변호사시험, 18. 법원직, 19. 순경 2차, 21. 해경승진, 23. 경찰간부, 24. 경찰승진

④ 범죄 후 법률의 변경이 있더라도 형이 중하게 변경되는 경우나 형의 변경이 없는 경우에는 형법 제1조 제1항에 따라 행위시법을 적용하여야 할 것이다(대판 2020.11.12, 2016도8627). 17. 9급 철도경찰, 21. 해경승진, 23. 변호사시험 · 9급 검찰 · 마약수사 · 철도경찰

관련판례

1. 포괄일죄(계속범 : 감금죄)로 되는 개개의 범죄행위가 법 개정의 전후에 걸쳐서 행하여진 경우에는 신·구법의 법정형에 대한 경중을 비교할 필요도 없이 범죄실행종료시법인 신법을 적용하여 포괄일죄로 처단하여야 한다(대판 2009.4.9, 2009도321). 18. 순경 3차, 19. 9급 검찰, 20. 9급 철도경찰 · 해경승진 · 해경 3차, 21. 해경 2차, 22. 법원행시, 23. 경찰승진, 24. 해경경위, 25. 법원직

▶ **비교판례**

① 포괄일죄에 관한 기존 처벌법규에 대하여 그 표현이나 형량과 관련한 개정을 하는 경우가 아니라 애초에 죄가 되지 않던 행위를 구성요건의 신설로 포괄일죄의 처벌대상으로 삼는 경우에는 신설된 포괄일죄 처벌법규가 시행되기 이전의 행위에 대하여는 신설된 법규를 적용하여 처벌할 수 없고(형법 제1조 제1항), 이는 신설된 처벌법규가 상습범을 처벌하는 구성요건인 경우에도 마찬가지이다(대판 2022.12.29, 2022도10660). 18. 9급 철도경찰, 20. 7급 검찰, 22. 법원행시 · 순경 1차

예 1. 구성요건이 신설된 상습강제추행죄가 시행되기 이전의 범행은 상습강제추행죄로는 처벌할 수 없고 행위시법에 기초하여 강제추행죄로 처벌할 수 있을 뿐이며, 이 경우 그 소추요건도 상습강제추행죄에 관한 것이 아니라 강제추행죄에 관한 것이 구비되어야 한다(대판 2016. 1.28, 2015도15669). 18. 경찰간부, 21. 해경 2차, 22. 법원행시, 23. 변호사시험, 24. 경찰승진

2. 개정규정이 시행되기 전인 아동 · 청소년성착취물 제작으로 인한 청소년성보호법 위반 부분에 대하여는 개정규정을 적용하여 청소년성보호법 위반(상습성착취물제작 · 배포 등)죄로 처벌할 수 없고, 행위시법에 기초하여 청소년성보호법 위반(성착취물제작 · 배포 등)죄로 처벌할 수 있을 뿐이다(대판 2022.12.29, 2022도10660).

3. 스토킹처벌법 시행 전의 행위는 신설된 법규인 스토킹처벌법 위반죄로 처벌할 수 없고, 시행 후의 스토킹행위만이 스토킹처벌법의 처벌대상이 될 수 있을 뿐이다(대판 2023.5.18, 2023도3549).

② 일반적으로 계속범의 경우 실행행위가 종료되는 시점에서의 법률이 적용되어야 할 것이나, 법률이 개정되면서 그 부칙에서 '개정된 법 시행 전의 행위에 대한 벌칙의 적용에 있어서는 종전의 규정에 의한다'는 경과규정을 두고 있는 경우 개정된 법이 시행되기 전의 행위에 대해서는 개정

전의 법을, 그 이후의 행위에 대해서는 개정된 법을 각각 적용하여야 한다(대판 2001.9.25, 2001도3990). 22. 법원행시, 25. 경력채용

2. 포괄일죄인 뇌물수수범행이 특정범죄가중처벌 등에 관한 법률(이하 '특가법') 신설 규정의 시행 전후에 걸쳐 행하여진 경우 특가법 제2조 제2항에 규정된 벌금형 산정 기준이 되는 수뢰액은 위 규정이 신설된 이후에 수수한 금액으로 한정된다(대판 2011.6.10, 2011도4260). 19. 경찰간부, 25. 경대편입

3. 비의료인이 주도적인 입장에서 한 일련의 의료기관 개설행위는 특별한 사정이 없는 한 포괄하여 일죄에 해당하고, 여기서의 개설행위가 개설신고를 마친 때에 종료된다고 볼 수는 없으며 비의료인이 위와 같은 주도적인 처리 관계에서 이탈하였을 때 비로소 종료된다고 보아야 한다(대판 2018.11.29, 2018도10779).

---

⑤ 형의 경중의 비교는 원칙적으로 법정형을 표준으로 할 것이고 처단형에 의할 것이 아니며, 법정형의 경중을 비교함에 있어서 법정형 중 병과형 또는 선택형이 있을 때에는 이 중 가장 중한 형을 기준으로 하여 다른 형과 경중을 정하는 것이 원칙이다(대판 1992.11.13, 92도2194). 19. 9급 검찰, 21. 해경승진, 22. 경찰승진 · 순경 1차, 23. 9급 검찰 · 마약수사 · 철도경찰

⑥ 범죄 후 법률의 변경에 의하여 그 행위가 범죄를 구성하지 아니하게 된 때(법령개폐로 형이 폐지된 때)에는 수소법원은 면소판결(무죄판결 ×)을 선고하여야 한다(형사소송법 제326조 제4호). 11. 법원행시

Q **주의**: 헌법재판소의 위헌결정으로 인하여 형벌에 관한 법률 또는 법률조항이 소급하여 그 효력을 상실한 경우에는 당해 법조를 적용하여 기소한 피고사건에 대해서는 면소판결이 아닌 무죄판결(∵ 범죄로 되지 아니한 때에 해당 : 형소법 제325조)을 선고하여야 한다(대판 1999.12.24, 99도3003). 18. 순경 2차 · 3차, 20. 해경승진 · 7급 검찰, 23. 변호사시험, 24. 해경경위

관련판례

1. 형을 종전보다 가볍게 형벌법규를 개정하면서 그 부칙으로 개정된 법의 시행 전의 범죄에 대하여 종전의 형벌법규를 적용하도록 규정한다 하여 헌법상의 형벌불소급의 원칙이나 신법우선주의에 반한다고 할 수 없다(대판 1999.7.9, 99도1695). 23. 변호사시험 · 경찰승진 · 법원행시

2. 형법 제1조 제2항은 "범죄 후 법률의 변경에 의하여 그 행위가 범죄를 구성하지 아니하거나 형이 구법보다 경한 때에는 신법에 의한다."고 규정하고 있으나 형이 구법보다 경한 때에 신법에 경과규정을 두어 신법의 적용을 배제하는 것도 허용된다(대판 1999.4.13, 99초76). 15. 변호사시험, 16. 경찰승진, 20. 9급 철도경찰, 25. 경위공채

▶ **유사판례** : 개정 법률의 부칙 등에서 '개정 법률의 시행 전의 행위에 대한 벌칙의 적용에 있어서는 종전의 규정에 의한다'는 내용의 경과규정을 두고 있는 때에는, 구법 당시의 행위에 대하여 구법을 적용하여야 하므로, 법률의 개정으로 범죄를 구성하지 않게 되거나 형이 폐지되었다고 할 수 없어 면소사유에 해당하지 않는다(대판 2018.2.8, 2016도16757).

▶ **비교판례** : 피해자의 의사에 상관없이 처벌할 수 있었던 근로기준법위반죄가 반의사불벌죄로 개정되었으나 부칙에는 그 적용과 관련한 경과규정이 없다면, 개정 전의 행위에 대해서는 개정법률이 피고인에게 더 유리할 것이므로, 형법 제1조 제2항에 의하여 개정법률이 적용되어야 한다(대판 2002.3.15, 2002도158). 19. 9급 검찰 · 마약수사

3. 범죄 후 법률의 개정에 의하여 법정형이 가벼워진 경우에는 형법 제1조 제2항에 의하여 당해 범죄사실에 적용될 가벼운 법정형〔신법(구법 ×)의 법정형〕이 공소시효기간의 기준이 된다(대판 2008.12.11, 2008도4376). 15. 변호사시험, 20. 9급 철도경찰, 21. 해경승진, 22. 경찰승진, 25. 경력채용

4. 행위시 형법을 적용하면 집행유예 결격사유에 해당하지 아니하지만 현행 형법을 적용할 경우 집행유예 결격사유에 해당한다면, 이 경우 피고인에게 유리한 행위시 형법을 적용하여야 한다(대판 2008. 3.27, 2007도7874). 19. 7급 검찰

5. 검사가 재판시법인 신법의 적용을 구하였더라도 그 범행에 대한 형의 경중의 차이가 없으면 공소장변경절차를 거치지 않고도 행위시법인 구법을 적용할 수 있다(대판 2002.4.12, 2000도3350). 11. 경찰승진, 22. 순경 1차

6. 범죄행위시와 재판시 사이에 여러 차례 법령이 개정되어 형의 변경이 있는 경우에는 이 점에 관한 당사자의 주장이 없더라도 형법 제1조 제2항에 의하여 직권으로 그 전부의 법령을 비교하여 그중 가장 형이 가벼운 법령을 적용하여야 하므로, 단순 강간행위에 상해·치상죄를 범한 후 동죄에 대해서는 특정강력범죄의 처벌에 관한 특례법(특강법)이 적용되지 않는 것으로 개정되었다가 다시 적용되는 것으로 개정된 경우 가장 형이 가벼운 법령(적용되지 않는 특강법)이 적용되므로 '특정강력범죄'에 해당하지 않는다(대판 2012.9.13, 2012도7760). 18. 경찰간부

7. '1개의 죄가 본법 시행 전후에 걸쳐서 행하여진 때에는 본법 시행 전에 범한 것으로 간주한다.'고 규정한 형법 부칙 제4조 제1항은 신·구 형법 사이의 관계가 아닌 다른 법률 사이의 관계에서는 적용되거나 유추적용되지 않는다(대판 1992.12.8, 92도407). 19. 법원행시, 20. 9급 철도경찰

8. 행위시 양벌규정에는 법인에 대한 면책규정이 없었으나 법률 개정으로 면책규정이 추가된 경우, 법원은 형법 제1조 제2항에 따라 피고인에게 개정된 양벌규정을 적용해야 한다(대판 2012.5.9, 2011도11264). 23. 9급 검찰·마약수사·철도경찰

---

(2) 제1조 제3항

> **제1조 제3항** 재판이 확정된 후 법률이 변경되어 그 행위가 범죄를 구성하지 아니하게 된 경우(형이 구법보다 가벼워진 경우 ×)에는 형의 집행을 면제한다. 16. 법원행시, 18. 7급 검찰, 19. 순경 1차, 20. 해경승진, 24. 순경 1차, 25. 법원직

🔔 재판확정 후 법률변경으로 형이 경하게 된 경우 ⇨ 우리 형법상 고려되어 있지 않다. 22. 9급 철도경찰

4 형법의 시간적 효력과 한시법의 추급효

(1) 한시법이 실효·폐지된 후에도 유효기간 중의 범죄를 처벌할 수 있느냐가 형법 제1조 제2항과 관련하여 문제되는데 이것이 바로 한시법의 추급효 인정 여부의 문제이다.

물론 한시법 자체에 추급효를 인정하는 명문규정(예 '본법은 폐지 후에도 유효기간 중의 위반행위를 처벌한다.')을 둔 경우(예 독일형법 제2조 제4항)에는 추급효의 문제는 발생하지 않고, 이러한 명문규정이 없는 경우(우리나라 형법)에 추급효를 인정할 것인가에 대해 견해가 대립한다.

추급효 부정설 (다수설)	추급효를 인정하는 명문규정이 없는 한, 형법 제1조 제2항에 따라 처벌하지 않는 것이 죄형법정주의 원칙에 합치된다는 견해이다.
추급효 긍정설 (소수설)	유효기간 중의 범죄행위는 비난할 가치가 있으며, 만약 이를 처벌할 수 없다면 유효기간 말기에 이르면 위반행위가 속출하여 법의 실효성을 유지할 수 없기 때문에 명문규정이 없더라도 추급효를 인정해야 한다는 견해이다. 이 견해에 의하면 한시법의 경우 제1조 제2항(재판시법주의)이 아니라 제1조 제1항(행위시법주의)이 적용된다고 본다.
동기설 (종전 판례)	형법 제1조 제2항(신법적용)과 형사소송법 제326조 제4호(범죄 후의 법령개폐로 형이 폐지되었을 때 ⇨ 면소판결)의 규정은 형벌법규 제정의 이유가 된 법률이념의 변경에 따라 종래의 처벌(종전 법령에 범죄로 정하여 처벌한 것) 자체가 부당하였다거나 또는 과형이 과중하였다는 반성적 고려에서 법령을 변경하였을 경우에만 적용하여야 할 것이고[추급효 부정, 신법(재판시법) 적용], 이와 같은 법률이념의 변경에 의한 것이 아닌 다른 사정의 변천에 따라 그때 그때의 특수한 필요에 대처하기 위한 정책적 조치에 따라 법령을 변경하는 경우에는 적용할 수 없다[추급효 긍정, 구법(행위시법) 적용, 처벌 ○].

(2) 백지형법

백지형법이란 일정한 형벌만을 규정하고(상위규범), 그 형벌의 전제가 되는 구성요건의 전부 또는 일부의 내용을 다른 법률·명령·고시에 의하여 보충해야(보충규범) 할 공백을 가진 형벌법규를 말한다. 이런 경우 보충규범도 상위규범과 합하여 전체로서 형벌법규를 이루므로 보충규범의 변경도 형법 제1조 제2항의 '법률의 변경'에 해당한다(다수설·판례).

관련판례

> **대판 2022.12.22, 2020도16420 전원합의체**
> ① 범죄행위 당시 적용되는 형벌법규 자체 또는 그로부터 수권 내지 위임을 받은 법령이 범죄행위 이후 변경되어, 범죄행위 이후에는 범죄를 구성하지 아니하게 되거나 형이 가벼워진 경우에는, 개정 법령의 취지가 '종전 법령이 범죄로 정하여 처벌한 것이 부당하였다거나 과형이 과중하였다는 반성적 고려에 따라 변경된 것인지 여부'를 따지지 않고 원칙적으로 형법 제1조 제2항(신법 적용)과 형사소송법 제326조 제4호(범죄 후의 법령개폐로 형이 폐지되었을 때 ⇨ 면소판결)가 적용되므로, 피고인에게 유리하게 변경된 신법(재판시법)에 따라야 한다. 23. 9급 검찰·마약수사·철도경찰·경력채용·순경 2차, 24. 해경경장, 25. 경위공채·법원직, 26. 경찰승진
> ② 이와 달리 형법 제1조 제2항과 형사소송법 제326조 제4호(범죄행위 이후 피고인에게 유리한 법령 변경이 있는 경우 유리한 신법을 적용하도록 한 규정)는 법령 변경의 동기가 종래의 처벌 자체가 부당하였다거나 과형이 과중하였다는 반성적 고려에서 변경하였을 경우인 때에만 적용(이른바 동기설)된다고 한 종래의 대법원 판례를 모두 변경한다. 23. 법원행시
> ③ 형법 제1조 제2항과 형사소송법 제326조 제4호에서 말하는 법령의 변경은 해당 형벌법규에 따른 범죄의 성립 및 처벌과 직접 관련된 것이어야 하고, 이는 결국 해당 형벌법규의 가벌성에 관한 형사법적 관점의 변화를 전제로 한 법령의 변경을 의미한다. 23. 법원행시·순경 2차

1. 형법 제1조 제2항과 형사소송법 제326조 제4호는 입법자가 법령의 변경 이후에도 종전 법령 위반행위에 대한 형사처벌을 유지한다는 내용의 경과규정을 따로 두지 않는 한 그대로 적용되어야 한다〔신법(재판시법) 적용, 추급효 부정〕. 25. 순경 1차

2. "형벌법규가 법규명령(대통령령, 총리령, 부령)이 아닌 고시 등 규정(행정규칙, 행정명령, 조례 등)에 구성요건의 일부를 수권 내지 위임한 경우"에도 이러한 고시 등 규정이 위임입법의 한계를 벗어나지 않는 한 형벌법규와 결합하여 법령을 보충하는 기능을 하는 것이므로, 그 변경에 따라 범죄를 구성하지 아니하게 되거나 형이 가벼워졌다면 마찬가지로 형법 제1조 제2항과 형사소송법 제326조 제4호가 적용된다〔신법(재판시법) 적용, 추급효 부정〕. 23. 경력채용·순경 2차, 24. 해경경장

3. 그러나 법령이 개정 내지 폐지된 경우가 아니라, "스스로 유효기간을 구체적인 일자나 기간으로 특정하여 효력의 상실을 예정하고 있던 법령이 그 유효기간을 경과함으로써 더 이상 효력을 갖지 않게 된 경우"도 형법 제1조 제2항과 형사소송법 제326조 제4호에서 말하는 법령의 변경에 해당한다고 볼 수 없어 형법 제1조 제2항과 형사소송법 제326조 제4호가 적용되지 않는다〔구법(행위시법) 적용, 추급효 긍정, 처벌 ○〕. 23. 법원행시·경력채용·순경 2차, 24. 순경 1차·해경경위, 25. 경위공채·9급 철도경찰·해경경위공채

4. 한편 해당 형벌법규 자체 또는 그로부터 수권 내지 위임을 받은 법령이 아닌 "다른 법령이 변경"된 경우 형법 제1조 제2항과 형사소송법 제326조 제4호를 적용하려면, 해당 형벌법규에 따른 범죄의 성립 및 처벌과 직접적으로 관련된 형사법적 관점의 변화를 주된 근거로 하는 법령의 변경에 해당하여야 하므로, 이와 관련이 없는 법령의 변경으로 인하여 해당 형벌법규의 가벌성에 영향을 미치게 되는 경우에는 형법 제1조 제2항과 형사소송법 제326조 제4호가 적용되지 않는다〔구법(행위시법) 적용, 추급효 긍정, 처벌 ○〕. 23. 법원행시, 24. 해경경장, 25. 경위공채·순경 1차

예 1. 법무사인 피고인이 개인파산·회생사건 관련 법률사무를 위임받아 취급하여 변호사법 제109조 제1호 위반으로 기소되었는데, 범행 이후 개정된 법무사법 제2조 제1항 제6호에 의하여 '개인의 파산사건 및 개인회생사건 신청의 대리'가 법무사의 업무로 추가된 경우, 위 법무사법 개정은 범죄사실의 해당 형벌법규 자체인 변호사법 제109조 제1호 또는 그로부터 수권내지 위임을 받은 법령이 아닌 별개의 다른 법령의 개정에 불과하고, 변호사법 제109조 제1호 위반죄의 성립 요건과 구조를 살펴보더라도 법무사법 제2조의 규정이 보충규범으로서 기능하고 있다고 보기 어려운 점 등을 종합하면, 위 법무사법 개정은 형사법적 관점의 변화를 주된 근거로 하는 법령의 변경에 해당하지 않는다(대판 2023.2.23, 2022도4610 ∴ 형법 제1조 제2항이 적용 × ⇨ 변호사법위반죄 ○). 23. 경력채용, 24. 순경 2차

2. 구 특정범죄가중법 제5조의 11 제1항에서의 '원동기장치자전거'에는 전동킥보드와 같은 개인형 이동장치도 포함된다고 판단되고, 비록 개정 도로교통법이 전동킥보드와 같은 개인형 이동장치에 관한 규정을 신설하면서 이를 "자동차 등"이 아닌 "자전거 등"으로 분류하였다고 하여 이를 형법 제1조 제2항의 '범죄 후 법률이 변경되어 그 행위가 범죄를 구성하지 아니하게 된 경우'라고 볼 수는 없다〔대판 2023.6.29, 2022도13430 ∴ 개정 도로교통법 시행 전의 '전동 킥보드의 운전자'는 여전히 특정범죄가중법 위반(위험운전치상)죄의 주체에 해당한다〕. 24. 9급 철도경찰

제2절   장소적 적용범위

1 의 의

어떤 장소에서 발생한 범죄에 대하여 형법이 적용되는가의 문제를 형법의 장소적 적용범위라고 한다.

2 우리 형법의 태도

현행 형법은 속지주의를 원칙(제2조, 제4조)으로 하고, 속인주의(제3조)와 보호주의(제5조, 제6조) 및 세계주의(제296조의 2)를 가미하고 있다.

(1) 속지주의의 원칙

> **제2조 【국내범】** 본법은 대한민국 영역 내에서 죄를 범한 내국인과 외국인에게 적용된다.

① 대한민국 영역은 영토·영해·영공을 포함하며, 북한도 당연히 포함된다(예 캐나다 국적을 가진 피고인이 북한의 지령을 받고 국내에 잠입하여 활동하던 중 그 목적수행을 위하여 서울 김포공항에서 대한항공편으로 중국 북경으로 출국한 후 중국 북경에서 북한 평양으로 들어간 행위는 형법 제2조, 제4조에 의하여 대한민국의 형벌법규가 적용된다 : 대판 1997.11.20, 97도2021 전원합의체). 19. 법원행시, 21. 변호사시험, 22. 해경간부·해경 2차, 24. 해경승진

② '죄를 범한'이란 범죄의 행위와 결과 중 어느 것이라도 대한민국 영역 안에서 발생하면 족하다. 즉, 범행행위지와 결과발생지를 모두 포함한다(예 우리나라에서 기망을 하고 일본에서 재물의 교부를 받거나 그 반대의 경우 모두 우리 형법이 적용된다). 16. 9급 검찰·마약수사·철도경찰

관련판례 1

1. 영국인이 한국 내에서 한국인과 공모만 하고 홍콩에서 중국인으로부터 히로뽕을 매수한 경우 그 영국인에게 마약류관리에 관한 법률이 적용된다(대판 1998.11.27, 98도2734 ∵ 공모공동정범의 경우 공모지도 범죄지로 보아 속지주의에 따라 우리 형법이 적용됨). 20. 법원행시·해경 3차, 22. 해경간부, 23. 해경승진, 24. 경찰승진·9급 철도경찰·해경순경, 25. 해경경위

2. 외국인이 대한민국 공무원에게 알선한다는 명목으로 금품을 수수하는 행위가 대한민국 영역 내에서 이루어진 이상, 비록 금품수수의 명목이 된 알선행위를 하는 장소가 대한민국 영역 외라 하더라도 대한민국 영역 내에서 죄를 범한 것이라고 하여야 할 것이므로, 변호사법 위반죄가 성립한다(대판 2000.4.21, 99도3403). 20. 경찰승진, 21. 9급 검찰·철도경찰·순경 1차, 22. 해경간부, 25. 법원직·7급 검찰

3. 군형법 제60조의 6 제1호는 군인 등이 군사기지 및 군사시설 보호법 제2조 제1호에서 정한 군사기지에서 군인 등을 폭행한 경우에 폭행죄를 반의사불벌죄로 규정한 형법 제260조 제3항을 적용하지 않도록 정하고 있다. 따라서 군인 등이 대한민국의 국군이 군사작전을 수행하기 위한 근거지에서 군인 등을 폭행했다면 그곳이 대한민국의 영토 내인지, 외국군의 군사기지인지 등과 관계없이 군형법 제60조의 6 제1호에 따라 형법 제260조 제3항이 적용되지 않는다(대판 2023.6.15, 2020도927). 24. 법원행시

4. 유사수신 약정체결 및 출자금 수수행위가 대한민국 영역 내에서 이루어진 이상, 비록 인터넷 홈페이지를 개설한 장소나 출자금을 최종적으로 수령한 장소가 대한민국 영역 외라 하더라도 성명 국적 불상의 회사 운영자들에게 형법 제2조(국내범), 제8조(총칙의 적용)에 따라 대한민국의 형벌법규인 유사수신행위법이 적용된다(대판 2020.7.9, 2018도5519). 24. 순경 2차

③ **기국주의**(旗國主義) : 국외를 운항 중인 자국의 선박이나 항공기 내에서 발생한 범죄에 대하여 자국형법을 적용한다는 원칙으로 속지주의의 하나이다. 21. 9급 검찰·철도경찰

> **제4조 【국외에 있는 내국선박 등에서 외국인이 범한 죄】** 본법은 대한민국 영역 외에 있는 대한민국의 선박 또는 항공기 내에서 죄를 범한 외국인에게 적용한다. 22. 해경간부·해경 2차, 24. 변호사시험·해경승진

(2) 속인주의

> **제3조 【내국인의 국외범】** 본법은 대한민국 영역 외에서 죄를 범한 내국인에게 적용한다.

🔔 속인주의에 의하여 속지주의를 보충하며, '내국인'은 대한민국 국적을 가진 자로서 범행 당시 대한민국 국민임을 요한다.

관련판례

1. 필리핀국에서 카지노의 외국인출입이 허용되어 있더라도, 형법 제3조에 따라 피고인에게 우리나라 형법이 당연히 적용된다(대판 2001.9.25, 99도3337). 20. 법원행시, 23. 경찰승진, 24. 경력채용·9급 철도경찰
2. 도박죄를 처벌하지 않는 외국 카지노에서의 도박이라는 사정만으로 그 위법성이 조각된다고 할 수 없으므로 … 미국의 네바다주에 있는 미라지 호텔 카지노에서 도박하였다는 공소사실에 대하여 유죄를 인정한 것도 정당하다(대판 2004.4.23, 2002도2518 ∵ 형법 제3조에 따라). 21. 변호사시험·9급 검찰·마약수사·철도경찰, 22. 해경간부·해경 2차, 24. 해경승진, 25. 순경 1차
3. 한국인이 한국 내에 있는 미국 문화원에서 방화죄를 범한 경우, 미국 문화원이 국제협정이나 관행에 의하여 치외법권 지역이고 미국 본토의 연장으로 본다고 하더라도 대한민국의 형법이 적용된다(대판 2000.4.21, 99도3403). 19. 경찰간부·경력채용, 20. 해경 3차
4. 의료인이 아닌 내국인이 '대한민국 영역 외에서' 의료행위를 한 경우 의료법상 무면허 의료행위로 처벌할 수 없다(대판 2020.4.29, 2019도19130 ∵ 의료법은 대한민국 영역 내에서 이루어지는 의료행위를 규율하기 위한 것이므로 대한민국 영역 외에서 이루어진 의료행위의 경우 의료법위반의 구성요건 해당성이 없다. 例 의료인 면허를 받지 아니한 내국인이 대한민국 영역 외(베트남)에서 실리프팅 시술 등 의료행위를 한 경우 ⇨ 의료법위반죄 ×). 21. 7급 검찰, 22. 해경간부, 23. 법원직
5. 대한민국 국적의 甲이 일본에서 안마시술업소를 운영하면서 안마사 자격 인정을 받지 아니한 종업원들을 고용하여 안마를 하게 한 경우 그 종업원들의 안마행위가 의료법 제88조 제4호, 제82조 제1항의 구성요건에 해당한다고 볼 수 없으므로 이들을 고용한 甲도 양벌규정에 따라 처벌할 수 없다(대판 2018.2.8, 2014도10051 ∵ 대한민국 영역 외에서 안마업을 하려는 사람에게까지 시·도지사의 자격 인정을 받아야 할 의무가 없음). 24. 법원행시

(3) **보호주의**

형법은 대한민국 또는 대한민국 국민의 법익을 보호하기 위하여 광범위하게 보호주의를 채택하여 속지주의를 보충하고 있다.

제5조 【외국인의 국외범】 본법은 대한민국 영역 외에서 다음에 기재한 죄를 범한 외국인에게 적용한다.
18. 순경 2차, 24. 법원행시 · 해경순경, 25. 해경경위 · 해경 2차

1. 내란의 죄
2. 외환의 죄
3. 국기에 관한 죄(※ 국교에 관한 죄 : 외국에 대한 사전죄, 중립명령위반죄, 외교상 기밀누설죄 ⇨ 적용 ×) 14. 법원직
4. 통화에 관한 죄
5. 유가증권, 우표와 인지에 관한 죄
6. 문서에 관한 죄 중 제225조 내지 제230조(※ 공문서 ○, 사문서 ×)
7. 인장에 관한 죄 중 제238조(※ 공인 ○, 사인 ×)

제6조 【대한민국과 대한민국 국민에 대한 국외범】 본법은 대한민국 영역 외에서 대한민국 또는 대한민국 국민에 대하여 전조에 기재한 이외의 죄를 범한 외국인에게 적용한다. 단, 행위지의 법률에 의하여 범죄를 구성하지 아니하거나 소추 또는 형의 집행을 면제할 경우에는 예외로 한다.

관련판례

1. 외국인이 한국으로 입국하기 위하여 중국 북경시에 소재한 대한민국 영사관 내에서 여권발급신청서를 위조한 경우 외국인의 국외범으로서 재판권이 없다(대판 2006.9.22, 2006도5010 ∵ 위 영사관 내부는 여전히 중국의 영토에 속할 뿐 대한민국의 영토로서 그 영역에 해당 ×, 사문서위조죄는 제6조의 대한민국 또는 대한민국 국민에 대하여 범한 죄에 해당 ×). 21. 법원행시, 22. 해경간부, 23. 경찰승진, 24. 변호사시험 · 9급 철도경찰 · 경력채용, 25. 7급 검찰

2. 중국인이 중국에서 대한민국 국적 주식회사의 인장을 위조한 경우 외국인의 국외범으로서 재판권이 없다〔대판 2002.11.26, 2002도4929 ∵ 사인위조죄(제239조 제1항)는 제5조의 처벌규정에 해당 ×, 제6조의 대한민국 또는 대한민국 국민에 대하여 범한 죄에 해당 ×〕18. 법원직, 23. 해경승진, 24. 법원행시, 25. 해경경위

3. 형법 제5조, 제6조의 각 규정에 의하면, 외국인이 외국에서 죄를 범한 경우에는 형법 제5조 제1호 내지 제7호에 열거된 죄를 범한 때와 형법 제5조 제1호 내지 제7호에 열거된 죄 이외에 대한민국 또는 대한민국 국민에 대하여 죄를 범한 때에만 대한민국 형법이 적용되어 우리나라에 재판권이 있게 되고, 여기서 '대한민국 또는 대한민국 국민에 대하여 죄를 범한 때'란 대한민국 또는 대한민국 국민의 법익이 직접적으로 침해되는 결과를 야기하는 죄를 범한 경우를 의미한다(대판 2011.8.25, 2011도6507). 20. 법원행시, 21. 변호사시험, 22. 해경간부, 25. 9급 철도경찰 · 법원직 · 7급 검찰

4. ① 캐나다 시민권자인 피고인이 캐나다에서 위조사문서를 행사한 경우 위조사문서행사죄는 형법 제5조 제1호 내지 제7호에 열거된 죄에 해당하지 않고, 위조사문서행사를 형법 제6조의 대한민국 또는 대한민국 국민의 법익을 직접적으로 침해하는 행위라고 볼 수도 없으므로 피고인의 행위에 대하여는 우리나라에 재판권이 없다. 14. 경찰간부 · 순경 1차, 23. 법원직

②캐나다 시민권자인 피고인이 캐나다에 거주하는 대한민국 국민을 기망하여 투자금 명목의 돈을 편취한 경우 행위지인 캐나다 법률에 의하여 범죄를 구성하고 그에 대한 소추나 형의 집행이 면제되지 않는 경우에 한하여 우리 형법을 적용하여야 한다(대판 2011.8.25, 2011도6507). 17. 법원행시, 24. 순경 1차

③내국 법인의 대표자인 외국인이 내국 법인이 외국에 설립한 특수목적법인에 위탁해 둔 자금을 정해진 목적과 용도 외에 임의로 사용한 데 따른 횡령죄의 피해자는 당해 금전을 위탁한 내국 법인이다. 따라서 그 행위가 외국에서 이루어진 경우에도 행위지의 법률에 의하여 범죄를 구성하지 아니하거나 소추 또는 형의 집행을 면제할 경우가 아니라면 그 외국인에 대해서도 우리 형법이 적용되어(형법 제6조), 우리 법원에 재판권이 있다(대판 2017.3.22, 2016도17465). 20. 7급 검찰, 21. 순경 1차, 22. 해경간부, 24. 법원행시, 25. 경력채용

5. 대한민국의 국민인 甲이 뉴질랜드의 시민권을 취득하면 우리나라의 국적을 상실하게 되므로, 甲이 뉴질랜드에서 한국인 乙에게 사기죄를 범한 경우 형법 제6조 본문에 의하여 우리 형법이 적용된다(대판 2008.7.24, 2008도4085). 19. 순경 2차

6. 독일인이 독일 내에서 북한의 지령을 받아 베를린 주재 북한이익대표부를 방문하여 북한공작원을 만남으로 인하여 국가보안법 위반행위를 한 경우, 이는 외국인의 국외범에 해당하고 형법 제5조와 제6조에서 정한 요건에도 해당하지 않으므로, 관련 국가보안법 조항을 적용하여 처벌할 수 없다(대판 2008.4.17, 2004도4899 전원합의체 ▶ 베를린 주재 북한이익대표부는 대한민국의 영토 ×). 11. 사시, 16. 9급 검찰 · 마약수사 · 철도경찰

(4) 세계주의

> **제296조의 2 【세계주의】** 제287조부터 제292조까지 및 제294조는 대한민국 영역 밖에서 죄를 범한 외국인에게도 적용한다. 23. 경찰간부 · 해경승진, 24. 순경 2차 · 해경순경, 25. 해경 2차

외국인이 외국에서 형법상 약취 · 유인죄나 인신매매죄(제287조부터 제292조) 또는 그 미수범(제294조)을 범한 경우에는 우리나라 형법이 적용되지만, 단순히 같은 죄의 예비 · 음모(제296조)를 한 데 불과한 경우에는 우리나라 형법이 적용되지 않는다. 17. 법원행시 · 경찰승진, 18. 경찰간부 · 9급 검찰 · 마약수사 · 철도경찰, 24. 변호사시험, 25. 경력채용 · 7급 검찰

관련판례

외국인에 의한 국외에서의 민간항공기 납치사건에 대하여 우리나라 항공기운항안전법은 외국인의 국외범까지도 적용대상이 된다(중국민간항공기 납치사건 : 대판 1984.5.22, 84도39). 12. 사시

(5) 외국에서 집행된 형의 산입

> **제7조** 죄를 지어 외국에서 형의 전부 또는 일부가 집행된 사람에 대해서는 그 집행된 형의 전부 또는 일부를 선고하는 형에 산입한다. 18. 7급 검찰 · 순경 3차, 19. 순경 2차, 20. 해경 3차, 21. 경찰승진, 24. 변호사시험 · 해경승진 · 순경 1차

🔔 형법 제7조(범죄에 의하여 외국에서 형의 전부 또는 일부의 집행을 받은 자에 대하여는 형을 감경 또는 면제할 수 있다.)는 이중처벌금지원칙에 위배되지 않으나 과잉금지원칙에 위배되어 신체의 자유를 침해하므로 헌법에 합치되지 아니하나(합헌결정 ×, 헌법불합치결정 ○), 2016년 12월 31일을 시한으로 입법자가 개정할 때까지 계속 적용된다(헌재결 2015.5.28, 2013헌바129). 16. 법원행시, 18. 경찰간부

① 헌법재판소의 결정 취지에 따라 종래 임의적 감면에서 외국에서 집행된 형의 전부 또는 일부를 우리나라에서 선고하는 형에 반드시 산입하도록 개정하였다. 18. 경찰승진, 21. 변호사시험

② 외국에서 형의 집행을 받은 자에 대하여 형을 선고한 것을 위법하다고 할 수 없다(대판 1988. 1.19, 87도2287). 13. 사시, 18. 변호사시험

> **관련판례**
>
> '외국에서 형의 전부 또는 일부가 집행된 사람'이란 '외국 법원의 유죄판결에 의하여 자유형이나 벌금형 등 형의 전부 또는 일부가 실제로 집행된 사람'을 말한다고 해석하여야 하므로, 형사사건으로 외국 법원에 기소되었다가 무죄판결을 받은 사람이 그가 무죄판결을 받기까지 상당 기간 미결구금된 경우, 그 미결구금 기간은 형법 제7조에 의한 산입의 대상이 될 수 없다〔대판 2017.8.24, 2017도5977 전원합의체
> **예** 한국인 甲이 외국에서 미결구금 되었다가 무죄판결을 받은 경우 그 미결구금일수는 국내에서 동일한 행위로 인하여 선고받은 형에 산입하여야 한다(×)〕. 20. 순경 2차 · 7급 검찰, 22. 경찰간부, 23. 해경승진 · 법원직, 24. 경찰승진 · 경력채용, 25. 순경 1차 · 해경경위 · 해경 2차

③ 국내에 밀수입하여 관세포탈을 기도하다가 외국에서 적발되어 압수된 물품이 그 후 몰수되지 않고 피고인의 소유 또는 점유로 환원되었으나 몰수할 수 없게 되었다면 관세법 제198조에 의해 그 가액을 추징해야 할 것이나, 동 물품이 외국에서 몰수되어 그 소유가 박탈됨으로써 몰수할 수 없게 된 경우에는 추징할 수 없다(대판 1979.4.10, 78도831). 04. 행시, 08. 사시

제3절   인적 적용범위

형법의 인적 적용범위란 형법이 어떤 사람에게 적용되는가의 문제를 말하며 형법의 인적 효력이라고도 한다. 형법은 시간적 · 장소적 효력이 미치는 범위에서 모든 사람에게 적용되는 것이 원칙이다.

> **관련판례**
>
> '통상적으로 대한민국에 거주하는 자'인 미군 군속은 주한미군지위협정의 적용대상이 되지 않는바, 한반도의 평시상태에서 대한민국이 미군 군속에 대하여 바로 형사재판권을 행사할 수 있다(대판 2006.5.11, 2005도798). 16. 9급 검찰 · 마약수사 · 철도경찰, 24. 순경 2차

기출지문

확인학습(다툼이 있는 경우 판례에 의함)

www.pmg.co.kr

1 '범죄의 성립과 처벌은 행위시의 법률에 의한다(형법 제1조 제1항)'고 할 때의 '행위시'라 함은 범죄행위의 종료시를 의미한다. (　　)
20. 경찰승진, 23. 변호사시험 · 법원직

2 행위시와 재판시 사이에 수차의 법령개폐로 인하여 형의 변경이 있는 때에는 가장 최근의 신법을 적용해야 한다. (　　)
18. 법원직, 19. 순경 2차, 21. 해경승진, 23. 경찰간부, 24. 경찰승진

3 범죄 후 법률이 개정되었으나 개정 전후를 통하여 형의 경중에 차이가 없는 경우에는 신법 우선의 원칙에 따라 법원은 개정 후 법률을 적용하여야 한다. (　　)
17. 9급 철도경찰, 21. 해경승진, 23. 변호사시험 · 9급 검찰 · 마약수사 · 철도경찰

4 포괄일죄로 되는 개개의 범죄행위가 법 개정의 전후에 걸쳐서 행하여진 경우에는 신 · 구법의 법정형에 대한 경중을 비교하여 경한 법정형이 적용된다. (　　)
20. 9급 철도경찰 · 해경 3차, 21. 해경 2차, 23. 경찰승진, 24. 해경경위, 25. 법원직

5 포괄일죄에 관한 기존 처벌법규에 대하여 그 표현이나 형량과 관련한 개정을 하는 경우가 아니라 애초에 죄가 되지 아니하던 행위를 구성요건의 신설로 포괄일죄의 처벌대상으로 삼는 경우에는 신설된 포괄일죄 처벌법규가 시행되기 이전의 행위에 대하여는 신설된 법규를 적용하여 처벌할 수 없다. (　　)
18. 9급 철도경찰, 20. 7급 검찰, 21. 해경 2차, 22. 법원행시 · 순경 1차

6 구성요건이 신설된 상습강제추행죄가 시행되기 이전의 범행은 상습강제추행죄로는 처벌할 수 없고 행위시법에 기초하여 강제추행죄로 처벌할 수 있을 뿐이며, 이 경우 그 소추요건도 상습강제추행죄에 관한 것이 아니라 강제추행죄에 관한 것이 구비되어야 한다. (　　)
18. 경찰간부, 21. 해경 2차, 23. 변호사시험, 24. 경찰승진

7 형의 경중의 비교는 원칙적으로 법정형을 표준으로 할 것이고 처단형에 의할 것이 아니며, 법정형의 경중을 비교함에 있어서 법정형 중 병과형 또는 선택형이 있을 때에는 이 중 가장 중한 형을 기준으로 하여 다른 형과 경중을 정하는 것이 원칙이다. (　　)
19. 법원직, 21. 해경승진, 22. 경찰승진 · 순경 1차, 23. 9급 검찰 · 마약수사 · 철도경찰

8 형을 종전보다 가볍게 형벌법규를 개정하면서 그 부칙으로 개정된 법의 시행 전의 범죄에 대하여 종전의 형벌법규를 적용하도록 규정한다 하여 헌법상의 형벌불소급의 원칙이나 신법우선주의에 반한다고 할 수 없다. (　　)
15. 사시, 23. 변호사시험 · 경찰승진 · 법원행시

9 형법 제1조 제2항은 "범죄 후 법률의 변경에 의하여 그 행위가 범죄를 구성하지 아니하거나 형이 구법보다 경한 때에는 신법에 의한다."고 규정하고 있으므로 형이 구법보다 경한 때에 신법에 경과규정을 두어 신법의 적용을 배제하는 것은 위 조항을 잠탈하는 것이 되어 허용될 수 없다. (　　)
15. 변호사시험, 16. 경찰승진, 20. 9급 철도경찰, 25. 경위공채

Answer → 1. ○　2. ×　3. ×　4. ×　5. ○　6. ○　7. ○　8. ○　9. ×

10 범죄 후 법률의 개정에 의하여 법정형이 가벼워진 경우라도 당해 범죄사실에 적용될 가벼운 신법이 아닌 무거운 구법의 법정형이 공소시효기간의 기준이 된다. (   )
15. 변호사시험, 20. 9급 철도경찰, 22. 경찰승진, 25. 경력채용

11 재판확정 후 법률의 변경에 의하여 그 행위가 범죄를 구성하지 아니하는 때에는 면소판결을 한다. (   )
16. 법원행시, 18. 7급 검찰, 20. 해경승진, 24. 순경 1차, 25. 법원직

12 범죄 후 형벌법규의 위임을 받은 법령의 변경에 따라 범죄를 구성하지 아니하게 된 경우, 종전 법령이 범죄로 정하여 처벌한 것이 부당하였다는 반성적 고려에 따라 변경된 경우에 한하여 형법 제1조 제2항이 적용된다. (   )
23. 순경 2차, 25. 경위공채 · 법원직, 26. 경찰승진

13 법령이 개정 내지 폐지된 경우가 아니라, 스스로 유효기간을 구체적인 일자나 기간으로 특정하여 효력의 상실을 예정하고 있던 법령이 그 유효기간을 경과함으로써 더 이상 효력을 갖지 않게 된 경우도 형법 제1조 제2항에서 말하는 법령의 변경에 해당한다. (   )
23. 법원행시 · 경력채용 · 순경 2차, 24. 순경 1차 · 해경간부, 25. 경위공채 · 9급 철도경찰 · 해경경위공채

14 형벌법규 자체 또는 그로부터 수권 내지 위임을 받은 법령이 아닌 다른 법령이 변경된 경우 형법 제1조 제2항을 적용하려면, 해당 형벌법규에 따른 범죄의 성립 및 처벌과 직접적으로 관련된 형사법적 관점의 변화를 주된 근거로 하는 법령의 변경에 해당하여야 한다. (   )
23. 법원행시, 24. 해경경장, 25. 경위공채 · 순경 1차

15 형벌법규가 대통령령, 총리령, 부령과 같은 법규명령이 아닌 고시 등 행정규칙 · 행정명령, 조례 등에 구성요건의 일부를 수권 내지 위임한 경우에도 이러한 고시 등 규정이 위임입법의 한계를 벗어나지 않는 한 형벌법규와 결합하여 법령을 보충하는 기능을 하는 것이므로, 그 변경에 따라 범죄를 구성하지 아니하게 되거나 형이 가벼워졌다면 형법 제1조 제2항이 적용된다. (   )
23. 경력채용 · 순경 2차, 24. 해경경장

16 법무사인 甲이 개인파산 회생사건 관련 법률사무를 위임받아 취급하여 비변호사의 법률사무취급을 금지하는 변호사법 제109조 제1호 위반으로 기소되었는데 범행 이후에 개정된 법무사법 제2조 제1항 제6호에 의하여 '개인의 파산사건 및 개인회생사건 신청의 대리'가 법무사의 업무로 추가되었다면, 위 법무사법 개정은 형사법적 관점의 변화를 주된 근거로 하는 법령의 변경에 해당하므로 형법 제1조 제2항이 적용된다. (   )
23. 경력채용, 24. 순경 2차

17 영국인이 한국 내에서 한국인과 공모만 하고 홍콩에서 중국인으로부터 히로뽕을 매수한 경우 그 영국인에게 대한민국의 마약류관리에 관한 법률이 적용되지 않는다. (   )
20. 법원행시 · 해경 3차, 22. 해경간부, 23. 해경승진, 24. 경찰승진 · 9급 철도경찰, 25. 해경경위

18 대한민국 공무원에게 알선한다는 명목으로 금품을 수수하는 행위가 대한민국 영역 내에서 이루어졌지만 금품수수의 명목이 된 알선행위를 한 장소가 대한민국 영역 외인 경우에는 대한민국의 형벌법규가 적용되지 않는다. (   )
20. 경찰승진, 21. 순경 1차 · 9급 검찰 · 철도경찰, 22. 해경간부, 25. 법원직 · 7급 검찰

Answer ▸ **10.** × **11.** × **12.** × **13.** × **14.** ○ **15.** ○ **16.** × **17.** × **18.** ×

19 중국 국적자라고 하더라도 중국에서 대한민국 국적 주식회사의 인장을 위조한 경우에는 그에 대하여 우리나라에게 재판권이 있다. (　) 18. 법원직 · 9급 검찰 · 철도경찰, 24. 법원행시, 25. 해경경위

20 도박죄를 처벌하지 않는 외국 카지노에서 도박을 한 한국인에 대하여도 대한민국 형법이 적용되고, 한편 그와 같이 도박죄를 처벌하지 않는 국가에서 도박을 하였다는 사정만으로 위법성이 조각된다고 볼 수도 없다. (　) 21. 변호사시험 · 9급 검찰 · 마약수사 · 철도경찰, 24. 해경승진, 25. 순경 1차

21 의료법은 '의료인이 아니면 누구든지 의료행위를 할 수 없다.'라고 규정하고 그 위반자를 처벌하도록 규정하고 있으므로, 보건복지부장관의 의사, 치과의사, 한의사, 조산사, 간호사에 관한 면허를 받지 아니한 내국인이 대한민국 영역 외에서 의료행위를 하는 경우에도 당연히 의료법위반죄로 처벌된다. (　) 21. 7급 검찰, 22. 해경간부, 23. 법원직

22 외국인이 한국으로 입국하기 위하여 중국 북경시에 소재한 대한민국 영사관 내에서 그 곳에 비치된 여권발급신청서를 위조한 경우 대한민국에 재판관할권이 있다. (　) 21. 9급 검찰 · 마약수사 · 철도경찰, 22. 해경간부, 23. 경찰승진, 24. 변호사시험, 25. 7급 검찰

23 형법 제6조 본문에서 정한 '대한민국 또는 대한민국 국민에 대하여 죄를 범한 때'란 대한민국 또는 대한민국 국민의 법익이 직접적으로 침해되는 결과를 야기하는 죄를 범한 경우를 의미한다. (　) 20. 법원행시, 21. 변호사시험, 22. 해경간부, 25. 9급 철도경찰 · 7급 검찰

24 내국 법인의 대표자인 외국인이 내국 법인이 외국에 설립한 특수목적법인에 위탁해 둔 자금을 정해진 목적과 용도 외에 임의로 사용하여 횡령한 경우, 그 행위가 외국에서 이루어졌다고 하더라도 행위지의 법률에 의하여 범죄를 구성하지 아니하거나 소추 또는 형의 집행을 면제할 경우가 아니라면 그 외국인에 대해서도 우리나라 형법이 적용된다. (　) 20. 법원행시 · 7급 검찰, 21. 순경 1차, 22. 해경간부, 25. 경력채용

25 외국인이 외국에서 형법상 약취 · 유인죄나 인신매매죄 또는 그 미수범과 예비 · 음모죄를 범한 경우에는 우리나라 형법이 적용된다. (　) 18. 경찰간부 · 9급 검찰 · 마약수사 · 순경 2차, 24. 변호사시험, 25. 경력채용 · 7급 검찰

26 범죄에 의하여 외국에서 형의 전부 또는 일부의 집행을 받은 자에 대하여는 형을 감경 또는 면제할 수 있다. (　) 18. 7급 검찰, 19. 순경 2차, 21. 경찰승진, 24. 변호사시험 · 순경 1차

27 형법 제7조의 문언상 외국에서 유죄판결에 의하여 형의 전부 또는 일부가 집행된 사람이 아니라 단순히 미결구금되었다가 무죄판결을 받은 사람에 대하여 위 법조를 직접 적용할 수 없지만, 유추적용을 통하여 그 미결구금일수의 전부 또는 일부를 국내에서 선고하는 형에 산입하여야 한다. (　) 20. 순경 2차 · 7급 검찰, 22. 경찰간부, 23. 해경승진 · 법원직, 24. 경찰승진, 25. 순경 1차 · 해경 2차

Answer ▸ **19.** ✕　**20.** ○　**21.** ✕　**22.** ✕　**23.** ○　**24.** ○　**25.** ✕　**26.** ✕　**27.** ✕

01 형법의 시간적 적용범위에 관한 설명 중 옳은 것은?(다툼이 있는 경우 판례에 의함)　23. 변호사시험

① 형법 제1조 제1항 "범죄의 성립과 처벌은 행위시의 법률에 따른다."라고 할 때의 '행위시'라 함은 범죄행위 종료시를 의미하므로 구법 시행시 행위가 종료하였으나 결과는 신법 시행시에 발생한 경우에는 신법이 적용된다.

② 상습강제추행죄가 시행되기 이전에 범해진 강제추행행위는 습벽에 의한 것이라도 상습강제추행죄로 처벌할 수 없고 강제추행죄로 처벌할 수 있을 뿐이다.

③ 범죄 후 법률의 변경이 있더라도 형이 중하게 변경되는 경우나 형의 변경이 없는 경우에는 행위시법을 적용하여서는 안 된다.

④ 헌법재판소가 형벌법규에 대해 위헌결정을 한 경우, 당해 법조를 적용하여 기소한 피고 사건은 범죄 후의 법령개폐로 형이 폐지되었을 때에 해당하므로 면소의 선고를 하여야 한다.

⑤ 형을 종전보다 가볍게 형벌법규를 개정하면서 그 부칙으로 개정된 법의 시행 전의 범죄에 대하여 종전의 형벌법규를 적용하도록 개정하는 경우 신법우선주의에 반한다.

> 해설 ① × : ~ 경우에는 구법(신법 ×)이 적용된다(대판 1994.5.10, 94도563).
> ② ○ : 대판 2016.1.28, 2015도15669
> ③ × : ~ 행위시법을 적용하여야 한다(대판 2020.11.12, 2016도8627).
> ④ × : ~ (1줄) 피고 사건은 범죄로 되지 아니한 때에 해당하므로 무죄의 선고를 하여야 한다(대판 1999.12.24, 99도3003).
> ⑤ × : ~ 경우 신법우선주의에 반한다고 할 수 없다(대판 1999.7.9, 99도1695).

02 형법의 시간적 적용범위에 관한 설명으로 가장 적절한 것은?(다툼이 있는 경우 판례에 의함)

22. 순경 1차

① 구법에 규정된 형이 '3년 이하의 징역'이고 신법에 규정된 형이 '5년 이하의 징역 또는 1천만원 이하의 벌금'이라면 벌금형이 병과되었다는 점에서 형이 경하게 변경된 것이므로 형법 제1조 제2항에 따라 신법을 적용하여야 한다.

② 법률이념의 변경에 의한 것이 아니라 다른 사정의 변천에 따라 그때 그때의 특수한 필요에 대처하기 위하여 법령이 개폐된 경우라 하더라도 형법 제1조 제2항이 적용된다.

③ 법원이 인정하는 범죄사실이 공소사실과 차이가 없이 동일한 경우에는 비록 검사가 재판시법인 신법의 적용을 구하였더라도 그 범행에 대한 형의 경중의 차이가 없으면 공소장변경절차를 거치지 않아도 구법을 적용할 수 있다.

Answer　**01.** ②　**02.** ②③

④ 포괄일죄에 관한 기존 처벌법규에 대하여 그 표현이나 형량과 관련한 개정을 하는 경우가 아니라 애초에 죄가 되지 아니하던 행위를 구성요건의 신설로 포괄일죄의 처벌대상으로 삼는 경우에는 신설된 포괄일죄 처벌법규가 시행되기 이전의 행위에 대하여도 신설된 법규를 적용하여 처벌할 수 있다.

해설 ① × : ~ (2줄) 벌금'이라면, 구법의 형이 더 경하므로 구법을 적용하여야 한다(대판 1992.11.13, 92도2194 ∵ 형의 경중의 비교는 원칙적으로 법정형을 표준으로 할 것이고 처단형에 의할 것이 아니며, 법정형의 경중을 비교함에 있어서 법정형 중 병과형 또는 선택형이 있을 때에는 이 중 가장 중한 형을 기준으로 하여 다른 형과 경중을 정하는 것이 원칙이다).
② ○ : 대판 2022.12.22, 2020도16420 전원합의체
③ ○ : 대판 2002.4.12, 2000도3350
④ × : ~ 처벌할 수 없다(대판 2016.1.28, 2015도15669).

03 형법 제1조 제2항에 대한 설명으로 옳지 않은 것은?(다툼이 있는 경우 판례에 의함)
23. 9급 검찰 · 마약수사 · 철도경찰

① 범죄 후 법률의 변경이 있더라도 형의 변경이 없는 경우에는 형법 제1조 제1항에 따라 행위시법을 적용해야 한다.
② 형의 경중의 비교는 원칙적으로 법정형을 표준으로 하고, 처단형이나 선고형에 의할 것은 아니다.
③ 범죄 후 형벌법규의 위임을 받은 법령의 변경에 따라 범죄를 구성하지 아니하게 된 경우, 종전 법령이 범죄로 정하여 처벌한 것이 부당하였다는 반성적 고려에 따라 변경된 경우에 한하여 형법 제1조 제2항이 적용된다.
④ 행위시 양벌규정에는 법인에 대한 면책규정이 없었으나 법률 개정으로 면책규정이 추가된 경우, 법원은 형법 제1조 제2항에 따라 피고인에게 개정된 양벌규정을 적용해야 한다.

해설 ① 대판 2020.11.12, 2016도8627(범죄 후 법률의 변경이 있더라도 형이 중하게 변경되는 경우나 형의 변경이 없는 경우에는 형법 제1조 제1항에 따라 행위시법을 적용해야 한다.)
② 대판 1992.11.13, 92도2194
③ × : 범죄행위 당시 적용되는 형벌법규 자체 또는 그로부터 수권 내지 위임을 받은 법령이 범죄행위 이후 변경되어, 범죄행위 이후에는 범죄를 구성하지 아니하게 되거나 형이 가벼워진 경우에는, 개정 법령의 취지가 '종전 법령이 범죄로 정하여 처벌한 것이 부당하였다거나 과형이 과중하였다는 반성적 고려에 따라 변경된 것인지 여부'를 따지지 않고 원칙적으로 형법 제1조 제2항(신법 적용)과 형사소송법 제326조 제4호(범죄 후의 법령개폐로 형이 폐지되었을 때 ⇨ 면소판결)가 적용되므로, 피고인에게 유리하게 변경된 신법(재판시법)에 따라야 한다(대판 2022.12.22, 2020도16420 전원합의체).
④ 대판 2012.5.9, 2011도11264

Answer 03. ③

04 형법의 시간적 적용범위에 관한 설명으로 가장 적절하지 않은 것은?(다툼이 있는 경우 판례에 의함)

23. 순경 2차, 23. 경력채용

① 범죄의 성립과 처벌에 관하여 규정한 형벌법규 자체 또는 그로부터 수권 내지 위임을 받은 법령의 변경에 따라 범죄를 구성하지 아니하게 되거나 형이 가벼워진 경우에는 종전 법령이 범죄로 정하여 처벌한 것이 부당하였다거나 과형이 과중하였다는 반성적 고려에 따라 변경된 것인지 여부를 따지지 않고 원칙적으로 형법 제1조 제2항이 적용된다.

② 형벌법규가 대통령령, 총리령, 부령과 같은 법규명령이 아닌 고시 등 행정규칙·행정명령, 조례 등에 구성요건의 일부를 수권 내지 위임한 경우에도 이러한 고시 등 규정이 위임입법의 한계를 벗어나지 않는 한 형벌법규와 결합하여 법령을 보충하는 기능을 하는 것이므로, 그 변경에 따라 범죄를 구성하지 아니하게 되거나 형이 가벼워졌다면 형법 제1조 제2항이 적용된다.

③ 형벌법규 자체 또는 그로부터 수권 내지 위임을 받은 법령이 아닌 다른 법령이 변경된 경우 형법 제1조 제2항을 적용하려면, 해당 형벌법규에 따른 범죄의 성립 및 처벌과 직접적으로 관련된 형사법적 관점의 변화를 주된 근거로 하는 법령의 변경에 해당하여야 한다.

④ 법령이 개정 내지 폐지된 경우가 아니라, 스스로 유효기간을 구체적인 일자나 기간으로 특정하여 효력의 상실을 예정하고 있던 법령이 그 유효기간을 경과함으로써 더 이상 효력을 갖지 않게 된 경우도 형법 제1조 제2항에서 말하는 법령의 변경에 해당한다.

⑤ 법무사인 甲이 개인파산 회생사건 관련 법률사무를 위임받아 취급하여 비변호사의 법률사무 취급을 금지하는 변호사법 제109조 제1호 위반으로 기소되었는데 범행 이후에 개정된 법무사법 제2조 제1항 제6호에 의하여 '개인의 파산사건 및 개인회생사건 신청의 대리'가 법무사의 업무로 추가되었다면, 위 법무사법 개정은 형사법적 관점의 변화를 주된 근거로 하는 법령의 변경에 해당하므로 형법 제1조 제2항이 적용된다.

> **해설** ① 대판 2022.12.22, 2020도16420 전원합의체
> ② 대판 2022.12.22, 2020도16420 전원합의체 ③ 대판 2022.12.22, 2020도16420 전원합의체
> ④ × : ~ (3줄) 경우도 형법 제1조 제2항에서 말하는 법령의 변경에 해당한다고 볼 수 없어 형법 제1조 제2항이 적용되지 않는다(대판 2022.12.22, 2020도16420 전원합의체).
> ⑤ × : ~ (4줄) 법무사의 업무로 추가된 경우, 위 법무사법 개정은 형사법적 관점의 변화를 주된 근거로 하는 법령의 변경에 해당하지 않아 형법 제1조 제2항이 적용되지 않는다(대판 2023.2.23, 2022도4610).

05 형법의 시간적 적용범위에 대한 설명 중 가장 옳은 것은?(다툼이 있으면 판례에 의함)

25. 해경경위공채

① 甲이 乙을 아사시켜 살해하기 위하여 乙을 감금하고 있던 중, 살인죄의 법정형을 무겁게 하는 법 개정이 행해져서 시행된 경우에, 살인의 결과가 발생하면 구법이 적용된다.

② 행위시법인 구 변호사법 제54조에 규정된 형은 '3년 이하의 징역'이고, 재판시법인 현행 변호사법 제78조에 규정된 형은 '5년 이하의 징역 또는 1천만원 이하의 벌금'으로서, 신법이 구법보다 형이 더 중하므로 행위시법인 구법을 적용하여야 한다.

③ 200만원의 관세포탈행위로 개정 전 특정범죄 가중처벌 등에 관한 법률 제6조 제2항 제2호 위반으로 재판을 받던 중, 법률이 개정되어 포탈세액의 하한이 개정 전의 '금 100만원 이상'에서 '금 500만원 이상'으로 인상되면, 피고인의 관세포탈행위는 이제 위 개정 전의 특정범죄 가중처벌 등에 관한 법률 제6조 제2항 제2호에 의하여 처단할 수 없다.

④ 법령이 개정 내지 폐지된 경우가 아니라, 스스로 유효기간을 구체적인 일자나 기간으로 특정하여 효력의 상실을 예정하고 있던 법령이, 그 유효기간을 경과함으로써 더 이상 효력을 갖지 않게 된 경우도, 형법 제1조 제2항과 형사소송법 제326조 제4호에서 말하는 법령의 변경에 해당한다고 볼 수 있다.

> 해설 ① × : 실행행위가 신·구법에 걸쳐 행하여진 경우에는 신법 시행시에 종료되므로 나중에 살인의 결과가 발생하더라도 신법(구법 ×)이 적용된다(∵ 제1조 제1항의 '행위시'란 범죄행위의 종료시를 의미한다 ; 대판 1994.5.10, 94도563).
> ② ○ : 대판 1983.11.8, 83도2499(∵ 형의 경중의 비교는 원칙적으로 법정형을 표준으로 할 것이고 처단형에 의할 것이 아니며, 법정형의 경중을 비교함에 있어서 법정형 중 병과형 또는 선택형이 있을 때에는 이 중 가장 중한 형을 기준으로 하여 다른 형과 경중을 정하는 것이 원칙이다.)
> ③ ○ : 대판 1983.9.13, 80도902(∵ 범죄 후 법률이 변경되어 그 행위가 범죄를 구성 × ⇨ 신법 적용 ○)
> ④ × : ~ (4줄) 해당한다고 볼 수 없다(대판 2022.12.22, 2020도16420 전원합의체).

06 형법의 적용범위에 관한 설명 중 옳은 것은?(다툼이 있는 경우 판례에 의함) 21. 변호사시험, 22. 해경간부

① 북한에서 행하여진 범죄에 대해서는 대한민국 형법이 적용되지 않는다.

② 도박죄를 처벌하지 않는 외국 카지노에서 대한민국 국민이 도박을 한 경우, 대한민국 형법이 적용되지 않는다.

③ 형법 제6조 본문에서 정한 '대한민국 또는 대한민국 국민에 대하여 죄를 범한 때'란 대한민국 또는 대한민국 국민의 법익이 직접적으로 침해되는 결과를 야기하는 죄를 범한 경우를 의미한다.

④ 우리 형법은 외국에서 형의 전부 또는 일부의 집행을 받은 자에 대하여 임의적으로 형의 산입 여부를 정할 수 있도록 하고 있다.

⑤ 중국인이 중국에 소재하고 있는 대한민국 영사관 내에서 여권발급신청서 1장을 위조하여 제출한 경우, 대한민국 형법이 적용된다.

> 해설 ① × : ~ 적용된다(대판 1997.11.20, 97도2021 전원합의체).
> ② × : ~ 적용된다(대판 2004.4.23, 2002도2518).
> ③ ○ : 대판 2011.8.25, 2011도6507
> ④ × : ~ 대하여 필요적(임의적 ×)으로 형의 전부 또는 일부를 산입하도록 하고 있다(제7조).
> ⑤ × : 속지주의(제2조) 적용 ×, 보호주의(제5조 제5호, 제6조) 적용 ×(대판 2006.9.22, 2006도5010)

Answer 06. ③

07 형법의 장소적 적용범위에 관한 설명 중 옳은 것을 모두 고른 것은?(다툼이 있는 경우 판례에 의함)

24. 변호사시험

> ㉠ 영국인이 미국 영해에서 운항 중인 대한민국 국적의 선박에서 미국인을 살해한 경우에는 우리나라 형법이 적용된다.
> ㉡ 일본인이 행사할 목적으로 중국에서 미화 100달러 지폐를 위조한 경우에는 우리나라 형법이 적용된다.
> ㉢ 우리나라 형법상 약취·유인 및 인신매매의 죄는 그 예비·음모를 제외하고 우리나라 영역 밖에서 죄를 범한 외국인에게도 적용된다.
> ㉣ 중국인이 우리나라로 입국하기 위하여 중국에 소재한 우리나라 영사관에서 그곳에 비치된 여권발급신청서를 위조한 경우 보호주의에 의하여 우리나라 형법이 적용된다.
> ㉤ 범죄에 의하여 외국에서 형의 전부 또는 일부의 집행을 받은 자에 대하여는 그 형을 감경 또는 면제할 수 있다.

① ㉠, ㉡, ㉢   ② ㉠, ㉡, ㉣   ③ ㉠, ㉢, ㉤

④ ㉡, ㉣, ㉤   ⑤ ㉢, ㉣, ㉤

해설 ㉠ ○ : 국외에 있는 내국선박에서 외국인이 범한 죄(기국주의 : 제4조)

㉡ ○ : 외국인의 국외범(보호주의 : 제5조 제4호)

㉢ ○ : 세계주의(제296조의 2)

㉣ × : ~ 우리나라 형법이 적용되지 않는다(대판 2006.9.22, 2006도5010).

㉤ × : 죄를 지어 외국에서 형의 전부 또는 일부가 집행된 사람에 대해서는 그 집행된 형의 전부 또는 일부를 선고하는 형에 산입한다(제7조).

08 형법의 적용범위에 대한 설명으로 옳지 않은 것은?(다툼이 있는 경우 판례에 의함)　　　25. 7급 검찰

① 형법 제6조의 '대한민국 또는 대한민국 국민에 대하여 죄를 범한 때'라 함은 대한민국 또는 대한민국 국민의 법익이 직접적으로 침해되는 결과를 야기하는 죄를 범한 경우를 의미한다.

② 외국인이 외국에 소재한 대한민국 영사관 내에서 사문서인 여권발급신청서를 위조한 경우, 형법이 적용되지 않는다.

③ 외국인이 대한민국 공무원에게 알선한다는 명목으로 금품을 수수하는 행위가 대한민국 영역 내에서 이루어진 경우, 금품수수의 명목이 된 알선행위를 하는 장소가 대한민국 영역 외라 하더라도 형법 제2조에 의하여 대한민국의 형벌법규가 적용된다.

④ 형법은 공해상을 항해하는 외국 국적의 선박에서 외국인을 대상으로 인신매매예비죄를 범한 외국인에게도 적용된다.

해설 ① 대판 2011.8.25, 2011도6507 ② 대판 2006.9.22, 2006도5010 ③ 대판 2000.4.21, 99도3403

④ × : 외국인이 외국에서 형법상 약취·유인죄나 인신매매죄(제287조부터 제292조) 또는 그 미수범(제294조)을 범한 경우에는 우리나라 형법이 적용되지만, 단순히 같은 죄의 예비·음모(제296조)를 한 데 불과한 경우에는 우리나라 형법이 적용되지 않는다.

09 다음 〈보기〉 중 형법의 장소적 적용범위에 대한 설명으로 옳은 것은 모두 몇 개인가?(다툼이 있는 경우 판례에 의함) 25. 해경 2차

> ㉠ 독일인이 행사할 목적으로 미국에서 일본화폐인 엔화를 위조한 경우에 대한민국형법을 적용하여 처벌할 수 있다.
> ㉡ 대한민국영역 외에서 형법 제289조 제1항의 구성요건인 사람을 매매한 행위를 한 외국인에 대해서는 우리나라 형법이 적용되지 않는다.
> ㉢ 외국인 甲은 노동력 착취를 위해 자신의 나라에서 외국인 乙을 약취 · 유인하였다. 그 후 甲이 사업차 한국으로 들어와 머물던 중 이 사실이 발각된 경우 우리나라 형법이 적용된다.
> ㉣ 피고인이 태국에서 사기죄를 범하였다가 무죄 취지의 재판을 받고 석방된 후 국내에서 다시 기소되어 제1심에서 징역 3년을 선고받은 경우, 피고인이 태국에서 미결상태로 구금된 1년여의 기간에 대하여는 형에 산입한다.

① 1개 ② 2개 ③ 3개 ④ 4개

[해설] ㉠ ○ : 제5조(외국인의 국외범) 제4호(통화에 관한 죄)
㉡ × : ~ (2줄) 우리나라 형법이 적용된다.(제296조의 2 : 세계주의).
㉢ ○ : 제296조의 2(세계주의) 적용 ○
㉣ × : 형사사건으로 외국 법원에 기소되었다가 무죄판결을 받은 사람이 그가 무죄판결을 받기까지 상당기간 미결구금된 경우, 그 미결구금 기간은 형법 제7조에 의한 산입의 대상이 될 수 없다(대판 2017.8.24, 2017도5977 전원합의체).

10 형법의 적용범위에 대한 설명으로 옳지 않은 것은?(다툼이 있는 경우 판례에 의함) 23. 경찰간부
① 형법은 범인의 국적과 범죄지 여하를 불문하고 우리나라 형벌법규를 적용하는 세계주의에 관한 조항을 두고 있다.
② 백지형법의 보충규범인 고시가 변경된 경우 변경의 동기를 따져 '애당초 잘못된 것이었다'는 법이념상의 반성적 고려에 의한 것이 아닌 한, 그 고시가 변경되기 이전에 범하여진 위반행위에 대한 가벌성이 소멸되는 것은 아니다.
③ 범죄행위시와 재판시 사이에 여러 차례 법령이 개정되어 형의 변경이 있는 경우에는 형법 제1조 제2항에 의하여 신법을 적용한다.
④ 외국에서 집행된 형은 그것이 형의 전부집행이든 형의 일부집행이든 우리나라 법원이 선고하는 형에 반드시 산입하여야 한다.

[해설] ① 제296조의 2〔세계주의〕
② × : 백지형법의 보충규범인 고시가 변경된 경우 형벌법규와 결합하여 법령을 보충하는 기능을 하는 것이므로 그 변경에 따라 범죄를 구성하지 아니하게 되거나 형이 가벼워졌다면 마찬가지로 형법 제1조 제2항과 형사소송법 제326조 제4호가 적용된다(대판 2022.12.22, 2020도16420 전원합의체 ∴ 가벌성이 소멸된다).
③ × : 범죄행위시와 재판시 사이에 여러 차례 법령이 개정되어 형이 변경된 경우, (당사자의 주장이 없더라도) 그 전부를 비교하여 가장 형이 가벼운 법을 적용해야 한다(대판 1968.12.17, 68도1324). ④ 제7조

Answer 09. ② 10. ②③

11 **형법의 적용범위에 관한 설명 중 가장 옳은 것은?**(다툼이 있는 경우 판례에 의함) 　　23. 법원직

① 범죄의 성립과 처벌은 행위시의 법률에 의한다고 할 때의 '행위시'라 함은 '범죄행위의 실행의 착수시'를 의미한다.

② 의료법은 '의료인이 아니면 누구든지 의료행위를 할 수 없다.'라고 규정하고 그 위반자를 처벌하도록 규정하고 있으므로, 보건복지부장관의 의사, 치과의사, 한의사, 조산사, 간호사에 관한 면허를 받지 아니한 내국인이 대한민국 영역 외에서 의료행위를 하는 경우에도 당연히 의료법위반죄로 처벌된다.

③ 캐나다 시민권자가 캐나다에서 위조사문서를 행사하였다고 하더라도 형법 제234조의 위조사문서행사죄는 형법 제5조 제1호 내지 제7호에 열거된 죄에 해당하지 않고, 위조사문서행사를 형법 제6조의 대한민국 또는 대한민국 국민의 법익을 직접적으로 침해하는 행위라고 볼 수도 없으므로 대한민국 법원에 재판권이 없다.

④ 외국에서 무죄판결을 받기 전까지 미결구금되어 있었던 경우, 형법 제7조를 유추적용하여 그 미결구금일수의 전부 또는 일부를 선고하는 형에 산입하여야 한다.

해설　① × : ~ '범죄행위의 종료시'를 의미한다(대판 1994.5.10, 94도563).
② × : 의료법위반죄 ×(대판 2020.4.29, 2019도19130 ∵ 의료법은 대한민국 영역 내에서 이루어지는 의료행위를 규율하기 위한 것이므로 대한민국 영역 외에서 이루어진 의료행위의 경우 의료법위반의 구성요건해당성이 없다.) ③ ○ : 대판 2017.3.22, 2016도17465
④ × : ~ 선고하는 형에 산입하여서는 안 된다(대판 2017.8.24, 2017도5977 전원합의체).

12 **형법의 적용범위에 관한 설명으로 가장 적절하지 않은 것은?**(다툼이 있는 경우 판례에 의함)
　　24. 경찰승진

① 범죄행위시와 재판시 사이에 여러 차례 법령이 개정되어 형의 변경이 있는 경우에는 이 점에 관한 당사자의 주장이 없더라도 형법 제1조 제2항에 의하여 직권으로 그 전부의 법령을 비교하여 그중 가장 형이 가벼운 법령을 적용하여야 한다.

② 형법 제2조의 범죄지라 함은 범죄구성사실의 전부 또는 일부가 대한민국의 영역 내에서 범하여지면 된다고 볼 것이므로 공모공동정범의 경우 공모가 국내에서 이루어졌다면, 형법 제2조의 범죄지에 공모지도 포함된 것으로 보아야 한다.

③ 구성요건이 신설된 상습강제추행죄가 시행되기 이전의 범행은 상습강제추행죄로는 처벌할 수 없고 행위시법에 기초하여 강제추행죄로 처벌할 수 있을 뿐이며, 이 경우 그 소추요건도 상습강제추행죄에 관한 것이 아니라 강제추행죄에 관한 것이 구비되어야 한다.

④ 형사사건으로 외국 법원에 기소되었다가 무죄판결을 받은 사람이 무죄판결을 받기까지 상당 기간 미결구금된 경우, 형법 제7조의 '외국에서 형의 전부 또는 일부가 집행된 사람'에 해당한다고 볼 수 있으므로, 그 미결구금 기간은 형법 제7조에 의한 산입의 대상이 될 수 있다.

해설　① 대판 1968.12.17, 68도1324 ② 대판 1998.11.27, 98도2734 ③ 대판 2016.1.28, 2015도15669
④ × : ~ (3줄) 볼 수 없으므로, 그 미결구금 기간은 형법 제7조에 의한 산입의 대상이 될 수 없다(대판 2017.8.24, 2017도5977 전원합의체).

13 다음 설명 중 옳지 않은 것은 모두 몇 개인가?(다툼이 있는 경우 판례에 의함) 24. 법원행시

> ㉠ 대한민국 국적의 甲이 일본에서 안마시술업소를 운영하면서 안마사 자격 인정을 받지 아니한
> 종업원들을 고용하여 안마를 하게 한 경우 그 종업원들의 안마행위가 의료법 제88조 제4호,
> 제82조 제1항의 구성요건에 해당한다고 볼 수 없으므로 이들을 고용한 甲도 양벌규정에 따라
> 처벌할 수 없다.
> ㉡ 필리핀에서 카지노의 외국인 출입이 허용되어 있으므로, 필리핀에서 도박을 한 대한민국 국적
> 의 乙에게 대한민국 형법이 당연히 적용된다고 볼 수는 없다.
> ㉢ 중국 국적자가 중국에서 대한민국 국적 주식회사의 인장을 위조한 경우 형법 제5조(외국인의
> 국외범)의 규정에 따라 사인위조죄로 처벌된다.
> ㉣ 내국 법인의 대표자인 외국인이 외국에서 내국 법인이 그 외국에 설립한 특수목적법인에 위
> 탁해 둔 자금을 정해진 목적과 용도 외에 임의로 사용한 경우, 그 행위가 행위지의 법률에
> 의하여 범죄를 구성하지 아니하거나 소추 또는 형의 집행을 면제할 경우가 아니라면 그 외국
> 인에 대하여도 대한민국 법원에 재판권이 있다.
> ㉤ 형법 제5조에서 외국인의 국외범으로 규정한 죄는 내란의 죄, 외환의 죄, 국기에 관한 죄, 통화
> 에 관한 죄, 유가증권, 우표와 인지에 관한 죄, 문서에 관한 죄 중 제225조 내지 제230조, 인장
> 에 관한 죄 중 제238조뿐이다.

① 없 음   ② 1개   ③ 2개   ④ 3개   ⑤ 4개

해설 ㉠ ○ : 대판 2018.2.8, 2014도10051(∵ 대한민국 영역 외에서 안마업을 하려는 사람에게까지 시·도
지사의 자격인정을 받아야 할 의무가 없음)
㉡ × : ~ 출입이 허용되어 있더라도, 필리핀에서 도박을 한 대한민국 국적의 乙에게 대한민국 형법이 당연
히 적용된다(대판 2001.9.25, 99도3337).
㉢ × : 중국인이 중국에서 대한민국 국적 주식회사의 인장을 위조한 경우 외국인의 국외범으로서 재판권
이 없다[대판 2002.11.26, 2002도4929 ∵ 사인위조죄(제239조 제1항)는 제5조의 처벌규정에 해당 ×, 제6
조의 대한민국 또는 대한민국 국민에 대하여 범한 죄에 해당 ×]
㉣ ○ : 대판 2017.3.22, 2016도17465 ㉤ ○ : 제5조

14 형법의 적용범위에 관한 설명으로 가장 적절하지 않은 것은?(다툼이 있는 경우 판례에 의함)
24. 순경 2차

① 법무사 등록증 대여를 처벌하는 법무사법 제72조 제1항에 더하여 2017. 12. 12. 동법 제72조
제2항의 몰수·추징 조항이 뒤늦게 신설되었다면, 2014. 1.경부터 2018. 4. 9.경까지 법무사
등록증 대여 금지를 위반하여 취득한 이익 전부를 추징하더라도 형벌법규의 소급효금지원칙에
반하지 않는다.
② 유사수신 약정체결 및 출자금 수수행위가 대한민국 영역 내에서 이루어진 이상, 비록 인터넷
홈페이지를 개설한 장소나 출자금을 최종적으로 수령한 장소가 대한민국 영역 외라 하더라
도 성명 국적 불상의 회사 운영자들에게 형법 제2조(국내범), 제8조(총칙의 적용)에 따라 대
한민국의 형벌법규인 유사수신행위법이 적용된다.

Answer **13.** ③ **14.** ①

③ 미합중국 군대의 군속 중 통상적으로 대한민국에 거주하고 있는 자는 SOFA 협정이 적용되는 군속의 개념에서 배제되므로, 10년 넘게 대한민국에 머물면서 한국인 아내와 결혼하여 가정을 마련하고 직장 생활을 하는 등 생활근거지를 대한민국에 두고 있었던 미합중국 국적의 甲이 저지른 범죄에 대해 대한민국의 형사재판권을 행사할 수 있다.

④ 대한민국 영역 밖에서 형법 제287조의 미성년자 약취·유인죄를 범한 외국인에게도 대한민국 형법이 적용된다.

해설 ① × : 헌법 제13조 제1항 전단과 형법 제1조 제1항에서 정한 형벌법규의 소급효금지원칙에 비추어 보아, 법무사 등록증 대여를 처벌하는 법무사법 제72조 제1항에 더하여 2017. 12. 12. 동법 제72조 제2항의 몰수·추징 조항이 뒤늦게 신설되었다면, 개정된 법무사법이 시행된 이후의 행위로 취득한 금품 그 밖의 이익만이 개정된 법무사법 제72조 제2항에 따른 몰수나 추징의 대상이 된다고 보아야 하므로, 2014. 1.경부터 2018. 4. 9.경까지 법무사 등록증 대여 금지를 위반하여 취득한 이익 전부를 추징하면 형벌법규의 소급효금지원칙에 반한다(대판 2020.10.15, 2020도7307).

② 대판 2020.7.9, 2018도5519

③ 대판 2006.5.11, 2005도798

④ 제196조의 2

15 다음 사례에 대한 설명으로 옳지 않은 것은?(다툼이 있는 경우 판례에 의함) 24. 경위공채

> 한국인 유학생 甲은 일본 지하철에서 일본인 여성의 치마 속 신체를 휴대전화로 몰래 촬영하여 보관하고 있던 중 성폭력 범죄의 처벌 등에 관한 특례법이 개정되었다. 개정된 법률은 구법보다 법정형이 가벼워진 대신 신상정보 공개명령과 공소시효를 10년으로 연장하는 특례조항이 신설되었고, 부칙에서는 법시행 전 행위에 대해서도 신법을 적용하도록 하였다.

① 甲에 대해서는 형법 제3조에 의하여 우리 형법이 적용된다.

② 법정형과 관련하여 구법이 반성적 고려에 따라 법정형이 변경되었다면 甲에게는 개정 후 법정형이 적용되지만, 반성적 고려에 따라 변경된 것이 아니라면 개정 전 법정형이 적용된다.

③ 甲의 범죄행위에 대한 공소시효가 완료되지 않은 상태에서 신법이 시행된 경우 甲에게 신법을 적용하더라도 죄형법정주의에 위반되지 않는다.

④ 신상정보 공개명령제도는 일종의 보안처분이기 때문에 甲에게 개정된 법률을 소급적용하더라도 소급효금지의 원칙에 반하지 않는다.

해설 ① 옳다〔∵ 甲은 대한민국 영역 외(일본)에서 죄를 범한 내국인임〕.

② × : ~ 고려에 따라 법정형이 변경된 것인지 여부를 따지지 않고 원칙적으로 형법 제1조 제2항이 적용되므로, 甲에게 유리하게 변경된 신법(개정 전 법정형 ×)이 적용된다(대판 2022.12.22, 2020도16420 전원합의체).

③ 대판 1997.4.17, 96도3376 전원합의체

④ 대판 2011.3.24, 2010도14393

 **15.** ②

16 형법의 적용범위에 대한 설명으로 옳은 것은?(다툼이 있는 경우 판례에 의함) 25. 9급 철도경찰

① 형벌의 근거가 되는 법률조항이 헌법불합치결정 이후 개선입법 시한 만료로 효력이 상실되었다면, 이는 '범죄 후 법령 개폐로 형이 폐지되었을 때'에 해당하여 법원은 형사소송법 제326조 제4호에 의하여 면소판결을 하여야 한다.

② 스스로 유효기간을 구체적인 일자나 기간으로 특정하여 효력의 상실을 예정하고 있던 법령이 그 유효기간을 경과함으로써 더 이상 효력을 갖지 않게 된 경우는 형법 제1조 제2항에서 말하는 '법령의 변경'에 해당하지 아니한다.

③ 외국에서 미결구금되었다가 무죄판결을 받은 피고인에 대하여 다시 같은 행위로 국내에서 형을 선고할 경우에는 형법 제7조에 따라 그 미결구금일수의 전부 또는 일부를 형에 산입하여야 한다.

④ 형법 제6조에서 '대한민국 또는 대한민국 국민에 대한 죄'라 함은 대한민국 또는 대한민국 국민의 법익이 간접적으로 침해되는 결과를 야기하는 죄를 범한 경우도 포함한다.

> 해설 ① × : ~ (2줄) 이는 '범죄로 되지 아니한 때'에 해당하여 법원은 형사소송법 제325조 전단에 따라 무죄를 선고하여야 한다(대판 2011.6.23, 2008도7562 전원합의체 ∵ 헌법불합치결정은 형벌에 관한 법률조항에 대한 위헌결정이다). ② ○ : 대판 2022.12.22, 2020도16420 전원합의체
> ③ × : ~ (2줄) 전부 또는 일부를 선고하는 형에 산입하여서는 안 된다(대판 2017.8.24, 2017도5977 전원합의체). ④ × : ~ (2줄) 법익이 직접적으로(간접적으로 ×) 침해되는 결과를 야기하는 죄를 범한 경우를 의미한다(대판 2011.8.25, 2011도6507).

17 형법의 적용범위에 관한 설명으로 가장 적절하지 않은 것은?(다툼이 있는 경우 판례에 의함)

25. 순경 1차

① 범죄 후 법률이 변경되어 그 행위가 범죄를 구성하지 않게 된 경우, 입법자가 법률의 변경 이후에도 종전 법률 위반행위에 대한 형사처벌을 유지한다는 내용의 경과규정을 따로 두더라도 형법 제1조 제2항이 적용된다.

② 우리나라 사람이 외국에서 도박을 한 경우, 형법 제3조는 형법의 적용 범위에 관한 속인주의를 규정하고 있으므로 도박죄를 처벌하지 않는 외국 카지노에서의 도박이라는 사정만으로 그 위법성이 조각된다고 할 수 없다.

③ 형법 제7조의 '외국에서 형의 전부 또는 일부가 집행된 사람'에는 '외국 법원의 유죄판결에 의하여 벌금형의 전부 또는 일부가 실제로 집행된 사람'이 포함된다.

④ 해당 형벌법규 자체 또는 그로부터 수권 내지 위임을 받은 법령이 아닌 다른 법령이 변경되어 형법 제1조 제2항의 적용여부가 문제된 경우, 해당 형벌법규에 따른 범죄 성립의 요건과 구조, 형벌법규와 변경된 법령과의 관계, 법령 변경의 내용·경위·보호목적·입법 취지 등을 종합적으로 고려하여, 법령의 변경이 해당 형벌법규에 따른 범죄의 성립 및 처벌과 직접적으로 관련된 형사법적 관점의 변화를 주된 근거로 한다고 해석할 수 있을 때 형법 제1조 제2항을 적용할 수 있다.

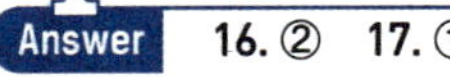

해설 ① × : ~ (2줄) 경과규정을 따로 두지 않는 한 형법 제1조 제2항이 적용된다(대판 2022.12.22, 2020도16420 전원합의체).
② 대판 2004.4.23, 2002도2518
③ 대판 2017.8.24, 2017도5977 전원합의체
④ 대판 2022.12.22, 2020도16420 전원합의체

18 형법의 적용범위에 관한 설명으로 가장 적절하지 않은 것은?(다툼이 있는 경우 판례에 의함)

25. 경력채용

① 일반적으로 계속범의 경우 실행행위가 종료되는 시점에서의 법률이 적용되어야 할 것이나, 법률이 개정되면서 그 부칙에서 '개정된 법 시행 전의 행위에 대한 벌칙의 적용에 있어서는 종전의 규정에 의한다.'는 경과규정을 두고 있는 경우, 개정된 법이 시행되기 전의 행위에 대해서는 개정 전의 법을, 그 이후의 행위에 대해서는 개정된 법을 각각 적용하여야 한다.
② 외국인 甲이 외국에서 외국인 A를 대상으로 '영리 목적 약취·유인죄'를 범할 목적으로 예비·음모한 경우 대한민국형법을 적용할 수 있다.
③ 범죄 후 법률의 개정에 의하여 법정형이 가벼워진 경우에는 형법 제1조 제2항에 의하여 당해 범죄사실에 적용될 가벼운 법정형(신법의 법정형)이 공소시효기간의 기준이 된다.
④ 내국법인의 대표자인 외국인 甲이 내국법인이 외국에 설립한 특수목적법인에 위탁해 둔 자금을 정해진 목적과 용도 외에 임의로 사용한 경우, 그 행위가 외국에서 이루어졌다 하더라도 '행위지의 법률에 의하여 범죄를 구성하지 아니하거나 소추 또는 형의 집행을 면제할 경우'가 아니라면 甲에 대하여 대한민국 형법이 적용되어, 우리 법원에 재판권이 있다.

해설 ① 대판 2001.9.25, 2001도3990
② × : 외국인이 외국에서 형법상 약취·유인죄나 인신매매죄(제287조부터 제292조) 또는 그 미수범(제294조)을 범한 경우에는 우리나라 형법이 적용되지만, 단순히 같은 죄의 예비·음모(제296조)를 한 데 불과한 경우에는 우리나라 형법이 적용되지 않는다.
③ 대판 2008.12.11, 2008도4376
④ 대판 2017.3.22, 2016도17465

Answer 18. ②

조충환·양건

형법총론

범죄론

범죄의 기본개념

www.pmg.co.kr

단원 advice 본장에서는 친고죄와 반의사불벌죄에 해당하는 범죄, 범죄의 종류 중 목적범, 특히 법인의 범죄능력과 형사책임에 관해서 출제되고 있으므로 정확한 이해와 암기를 요한다.

제1절 범죄의 의의와 종류

1 범죄의 성립요건 · 처벌조건 · 소추조건

범죄성립 여부는 다음과 같은 단계를 거쳐 파악해야 한다.

① 행위 ⇨ ② 구성요건해당 ⇨ ③ 위법성 ⇨ ④ 책임성 ⇨ ⑤ 처벌조건 ⇨ ⑥ 소추조건

└─────── 범죄의 성립요건 ───────┘

해설 ① 범죄는 먼저 형법적으로 의미 있는 인간의 행위여야 한다.
  예 수면 중의 동작 ⇨ 행위 ×

② 그러한 행위가 형벌법규에 규정된 구성요건에 해당하여야 한다.
  예 친구에게서 빌려온 컴퓨터를 과실로 손괴한 경우 ⇨ 우리 형법상 손괴죄의 과실범처벌규정이 없으므로 구성요건에 해당하지 않아 무죄이다.

③ 구성요건에 해당하는 행위이나 위법성조각사유에 해당하면 위법성이 조각되어 범죄가 되지 않는다.
  예 강도가 칼로 위협하자 주먹으로 때려 상해를 입힌 경우 ⇨ 상해죄의 구성요건에 해당하나 정당방위로 위법성이 조각되므로 무죄이다.

④ 구성요건에 해당하고 위법하나 책임이 없게 되면 역시 범죄가 성립되지 않는다.
  예 13세 소년이 절도한 경우 ⇨ 구성요건(절도죄)에 해당하고 위법성도 있으나 형사미성년자로 책임이 없게 되어 범죄가 성립되지 않으므로 무죄이다.

⑤ 구성요건에 해당하고 위법하며 책임성까지 있어 범죄는 성립되었으나 형벌을 과하기 위해서는 처벌조건이 필요하다.
  예 17세의 고등학생이 부의 시계를 훔친 경우 ⇨ ①②③④가 충족되어 범죄(절도죄)는 성립하나 친족상도례에 해당되어 처벌조건을 결하므로 형을 면제한다.

⑥ 범죄가 성립되고 처벌조건까지 있으나 검사가 공소를 제기하기 위해서는 소추조건이 필요하다.
  예 모욕죄를 범한 경우 ⇨ 모욕죄가 성립하고 처벌조건까지 구비하였으나 모욕죄는 친고죄이므로 피해자의 고소가 있어야 검사가 공소를 제기할 수 있다.

🔑 Key Point

①②③④ 중 어느 하나가 없어야 범죄가 성립되지 않으며, ⑤⑥은 범죄의 성립과는 무관하다.

(1) **범죄의 성립요건**(범죄성립의 3요소)

형법상의 범죄는 구성요건에 해당하고 위법·유책한 행위를 말한다. 따라서 어떤 행위가 형법상의 범죄로 되기 위해서는 구성요건해당성, 위법성, 책임성(유책성)의 범죄성립 3요소를 갖추어야 한다.

(2) **범죄의 처벌조건**(가벌성, 가벌조건)

① **의의** : 처벌조건이란 성립된 범죄에 대하여 국가형벌권의 발생을 위하여 필요한 조건을 말한다. 대부분의 범죄는 성립요건을 갖추면 곧바로 형벌권이 발동될 수 있으나 어떤 범죄는 범죄성립 후 형벌권이 발동되기 위해서는 특별한 처벌조건이 필요한 경우가 있다. 이에는 객관적 처벌조건과 인적 처벌조각사유가 있다.

② **종 류**

　㉠ **객관적 처벌조건** : 성립한 범죄에 대한 형벌권의 발생을 좌우하는 외부적·객관적 사유를 말한다〔예 사전수뢰죄에 있어서 '공무원 또는 중재인이 된 사실'(형법 제129조 제2항)〕.

　㉡ **인적 처벌조각사유** : 이미 성립한 범죄에 대하여 행위자의 특수한 신분관계로 형벌권이 발생하지 않는 경우를 말한다〔예 친족상도례에 있어서 친족의 신분(형법 제328조 제1항)〕.

(3) **범죄의 소추조건**

범죄가 성립하고 형벌권이 발생한 경우라도 그 범죄에 대해서 형사소송법상 소추를 하기 위하여 필요한 조건(소송조건)을 말한다. 여기에는 친고죄와 반의사불벌죄가 있다.

친고죄란 피해자 기타 고소권자의 고소가 있어야 공소제기가 가능한 범죄를 말하고, 반의사불벌죄란 피해자의 의사에 관계없이 공소를 제기할 수 있으나, 피해자의 명시한 의사에 반하여 공소를 제기할 수 없는 범죄를 말한다.

우리 형법의 친고죄 규정과 반의사불벌죄

19. 법원직·경찰간부, 20. 해경 3차, 23. 해경승진·해경 2차, 24. 해경수사

구 분	해당범죄
친고죄	사자명예훼손죄·모욕죄(제312조 제1항), 비밀침해죄·업무상 비밀누설죄(제318조) ▶ 주의 : 형법상 4가지 범죄만 친고죄임. ▶ 절도죄 등을 지은 사람이 피해자의 친족인 경우 ⇨ 친고죄 ○(제328조 제1항)
반의사 불벌죄	폭행·존속폭행죄(제260조 제3항), 협박·존속협박죄(제283조 제3항), 명예훼손죄·출판물 등에 의한 명예훼손죄(제312조 제2항), 과실치상죄(제266조 제2항), 외국국기·국장모독죄(제110조), 외국원수·외국사절에 대한 폭행·협박·모욕죄(제110조)
주의할 점	• 사자명예훼손죄 ⇨ 친고죄, 명예훼손죄 ⇨ 반의사불벌죄 • 상해죄는 친고죄도 반의사불벌죄도 아니나, 과실치상죄는 반의사불벌죄이다. • 특수폭행, 특수협박, 상습폭행, 상습협박, 학대·존속학대, 과실치사죄, 업무상 과실·중과실치사상죄, 업무방해죄, 신용훼손죄 ⇨ 반의사불벌죄가 아니다. ▶ 주의 : 현행법상 성범죄는 친고죄도 반의사불벌죄도 아님. 17. 법원행시

(4) 범죄성립요건과 처벌조건의 구별실익 21. 9급 철도경찰

① 객관적 구성요건요소는 고의의 인식대상이나, 처벌조건에 대한 인식은 고의의 내용이 아니므로 이에 대한 착오는 범죄의 성립에 영향을 미치지 아니한다.

② 처벌조건이 결여되어 벌할 수 없는 경우에도 정당방위가 가능하다.

③ 처벌조건이 결여된 자의 행위에 협의의 공범(교사범 또는 종범) 성립이 가능하다.

④ 범죄성립요건을 결하면 무죄판결을 하나, 처벌조건이 결여된 경우에는 형면제 판결을 해야 한다.

2 범죄의 종류

(1) 결과범(실질범)과 거동범(형식범) : 구성요건상 결과발생의 필요성 여부에 따른 구별 25. 해경 2차

① **결과범** : 구성요건이 일정한 결과의 발생을 필요로 하는 범죄를 말한다.

　예 살인죄(사망), 상해죄(상해), 강도죄(재물이나 재산상의 이익의 취득) 등 대부분의 범죄와 과실범 및 결과적 가중범(상해치사죄, 강간치상죄 등)

② **형식범** : 구성요건의 내용이 결과의 발생을 필요로 하지 않고 법에 규정된 행위를 함으로써 바로 범죄가 성립되는 범죄를 말한다. 18. 경찰승진

　예 무고죄, 위증죄, 모욕죄, 명예훼손죄, 폭행죄, 주거침입죄 등

③ **양자의 구별의 실익**

　㉠ 인과관계(행위와 결과 사이의 논리적 관계)가 결과범에서는 필요하나 형식범에서는 필요치 않다.

　㉡ 미수의 성립이 형식범에는 있을 수 없다(▶ 주거침입죄는 형식범이나 미수의 처벌규정이 있음).

(2) 침해범과 위험범 : 보호법익의 침해 정도에 따른 구별

① **침해범** : 보호법익의 현실적 침해가 있어야 기수가 되는 범죄를 말한다.

　예 살인죄, 상해죄, 강도죄 등 대부분의 결과범

② **위험범(위태범)** : 보호법익에 대한 위험상태의 야기만으로 기수가 되는 범죄를 말한다. 위험범에는 위험이 현실적으로 발생할 것을 요하는 구체적 위험범과 추상적(일반적) 위험만으로 기수가 되는 추상적 위험범이 있다. 18. 경찰간부, 21. 해경간부 · 해경승진, 22. 순경 1차, 25. 경찰승진

구 분	구체적 위험범	추상적 위험범
위험의 정도	위험이 현실적으로 발생할 것을 요함	추상적(일반적) 위험으로 족함
위험의 발생	구성요건요소 ○('… 위험을 발생시킨 자 …')	구성요건요소 ×
고의의 내용	고의의 인식대상 ○(위험의 인식을 요함)	고의의 인식대상 ×(위험의 인식을 요하지 않음)

범죄의 예	자기소유일반건조물방화죄, 일반물건방화죄, 앞의 2개의 죄에 대한 실화죄, 자기소유일반건조물일수죄, 과실일수죄, 폭발성물건파열죄, 가스·전기 등 방류죄, 가스·전기 등 공급방해죄, '중'자 범죄(생명에 대한 위험발생 : 중상해죄·중유기죄·중권리행사방해죄, 생명·신체에 대한 위험발생 : 중손괴죄) ▶ **주의** : 중체포·감금죄(가혹한 행위) ⇨ 위험범 ×	현주건조물방화죄, 공용건조물방화죄, 타인소유일반건조물방화죄, 앞의 3개의 죄에 대한 실화죄, 현주건조물·공용건조물일수죄, 교통방해죄, 유가증권위조죄, 유기죄, 낙태죄, 문서위조죄, 통화위조죄, 명예훼손죄, 업무방해죄, 비밀침해죄, 강제집행면탈죄, 위증죄, 무고죄 등

관련판례 

1. 일반교통방해죄는 이른바 추상적 위험범으로서 교통이 불가능하거나 또는 현저히 곤란한 상태가 발생하면 바로 기수가 되고 교통방해의 결과가 현실적으로 발생하여야 하는 것은 아니다(대판 2018.5.11, 2017도9146). 19. 9급 철도경찰·7급 검찰, 21. 9급 검찰, 23. 해경승진·경찰승진, 24. 경찰간부

2. 강제집행면탈죄는 이른바 위태범(위험범)으로서 강제집행을 당할 구체적인 위험이 있는 상태에서 재산을 은닉, 손괴, 허위양도 또는 허위의 채무를 부담하면 바로 성립하는 것이고, 반드시 채권자를 해하는 결과가 야기되거나 이로 인하여 행위자가 어떤 이득을 취하여야 범죄가 성립하는 것은 아니다(대판 2008.5.8, 2008도198). 13. 경찰승진, 16. 법원직, 19. 경찰간부

3. 공무집행방해죄는 추상적 위험범(구체적 위험범 ×)으로서 공무원에 대하여 폭행·협박을 하면 기수에 이르며, 구체적으로 직무집행의 방해라는 결과발생을 요하지도 아니한다(대판 2018.3.29, 2017도21537). 18. 순경 2차, 19. 변호사시험, 20. 해경 3차, 23. 해경승진, 25. 경찰승진

4. 협박죄는 사람의 의사결정의 자유를 보호법익으로 하는 위험범으로서, 상대방이 고지된 해악의 의미를 인식한 이상 현실적으로 공포심을 일으켰는지 여부와 관계없이 협박죄의 기수가 된다(대판 2007.9.28, 2007도606 전원합의체). 14. 경찰간부, 15. 경찰승진, 17. 순경 2차, 18. 순경 1차, 20. 변호사시험·해경 3차

5. 배임죄의 '손해를 가한 때'란 그 문언상 '손해를 현실적으로 발생하게 한 때'만을 의미하는 것이 아니라 실해발생의 위험이 있는 경우도 이에 해당하므로 위험범(침해범 ×)으로 보아야 한다(대판 2000.4.11, 99도334). 20. 경찰승진, 21. 9급 검찰

6. 범인도피죄는 위험범으로서 현실적으로 형사사법의 작용을 방해하는 결과를 초래할 것을 요하지 아니하나, 도피하게 하는 행위는 은닉행위에 비견될 정도로 수사기관의 발견·체포를 곤란하게 하는 행위, 즉 직접 범인을 도피시키는 행위 또는 도피를 직접적으로 용이하게 하는 행위에 한정된다(대판 2013.1.10, 2012도13999). 20. 변호사시험, 21. 해경간부

7. 추상적 위험범으로서 명예훼손죄는 개인의 명예에 대한 사회적 평가를 진위에 관계없이 보호함을 목적으로 하고, 적시된 사실이 특정인의 사회적 평가를 침해할 가능성이 있을 정도로 구체성을 띠어야 하나, 위와 같이 침해할 위험이 발생한 것으로 족하고 침해의 결과를 요구하지 않는다(대판 2020.11.19, 2020도5813 전원합의체). 23. 경찰승진, 24. 경찰간부

8. 형법 제158조의 장례식방해죄는 장례식을 방해함으로써 성립하는 죄로 추상적(구체적 ×) 위험범에 해당한다(대판 2008.2.1, 2007도5296). 24. 경찰간부

9. 형법 제230조의 공문서부정행사죄는 공무원 또는 공무소의 문서 또는 도화를 부정 행사함으로써 성립하는 죄로 추상적 위험범에 해당한다(대판 2022.9.29, 2021도14514). 24. 경찰간부, 25. 경찰승진

10. 스토킹범죄는 위험범이라고 볼 수 있으므로, 스토킹행위가 객관적·일반적으로 볼 때 이를 인식한 상대방으로 하여금 불안감 또는 공포심을 일으키기에 충분한 정도라고 평가될 수 있다면 현실적으로 상대방이 불안감 내지 공포심을 갖게 되었는지 여부와 관계없이 '스토킹행위'에 해당하고, 나아가 그와 같은 일련의 스토킹행위가 지속되거나 반복되면 '스토킹범죄'가 성립한다(대판 2023.9.27, 2023도6411).

11. 컴퓨터 등 업무방해죄는 위험범이므로 정보처리에 장애를 발생하게 하여 업무방해의 결과를 초래할 위험성이 있는 경우 범죄가 성립하고, 반드시 업무방해의 결과가 발생할 것을 요하지 않는다(대판 2009.4.9, 2008도11978). 22. 경찰승진, 24. 경찰간부·변호사시험·해경수사

(3) **즉시범, 계속범, 상태범** : 범죄행위의 시간적 계속성을 기준으로 구별

① **즉시범** : 결과의 발생과 동시에 곧 범죄가 기수에 이르고 종료되는 범죄로서 살인죄, 상해죄 등의 대부분의 범죄가 여기에 해당된다.

② **계속범** : 구성요건적 행위가 다소의 시간적 계속을 요하므로 법익침해가 계속되는 동안은 범죄사실은 계속되고 종료되지 않는 범죄를 말한다. 계속범은 기수와 범죄행위의 종료시가 일치하지 않으므로 기수시가 아니라 범죄 종료 이후부터 공소시효가 시작된다. 21. 경찰승진, 23. 순경 1차 일반적으로 계속범의 경우 실행행위가 종료되는 시점에서의 법률이 적용되어야 할 것이나, 법률이 개정되면서 그 부칙에서 '개정된 법 시행 전의 행위에 대한 벌칙의 적용에 있어서는 종전의 규정에 의한다'는 경과규정을 두고 있는 경우 개정된 법이 시행되기 전의 행위에 대해서는 개정 전의 법을, 그 이후의 행위에 대해서는 개정된 법을 각각 적용하여야 한다(대판 2001.9.25, 2001도3990). 21. 경찰승진, 22. 법원행시 계속범은 기수 이후에도 범익침해상태가 지속되므로 그에 대한 공범성립 및 정당방위 인정이 가능하다. 21. 해경간부, 23. 순경 1차

③ **상태범** : 구성요건적 행위에 의해 법익침해가 발생함으로써 범죄가 기수로 되고 종료되지만(즉, 기수시기와 종료시기가 일치함) 그 위법상태가 범죄 종료 후에도 계속되는 범죄로서(즉, 범죄행위의 종료시와 위법상태의 종료시는 일치하지 않음), 이러한 범죄 완성 후의 위법상태는 새로운 법익침해가 없는 한 별도의 죄를 구성하지 않는 불가벌적 사후행위가 된다. 18. 경찰승진, 23. 순경 1차

관련판례

1. 학대죄는 자기의 보호 또는 감독을 받는 사람에게 육체적으로 고통을 주거나 정신적으로 차별대우를 하는 행위가 있음과 동시에 범죄가 완성되는 상태범 또는 즉시범(계속범 ×)이다(대판 1986.7.8, 84도2922). 18. 경찰간부, 19. 경찰승진, 20. 변호사시험, 24. 해경수사

2. 체포죄는 계속범으로서 체포행위에 확실히 사람의 신체의 자유를 구속한다고 인정할 수 있을 정도의 시간적 계속을 요한다(대판 2018.2.28, 2017도21249). 18. 법원행시, 19. 순경 1차·9급 철도경찰·7급 검찰, 23. 경찰승진, 24. 해경승진

3. 일반교통방해죄에서 교통방해행위는 계속범의 성질을 가지는 것이어서 교통방해를 유발한 집회에서 다른 참가자들에 의해 이미 교통의 흐름이 차단된 상태였다고 하더라도 교통방해를 유발한 다른 참가자들과 암묵적·순차적으로 공모하여 교통방해의 위법상태를 지속시켰다고 평가할 수 있다면 일반교통방해죄가 성립한다(대판 2018.5.11, 2017도9146). 19. 변호사시험·순경 1차, 20. 해경 3차, 21. 경찰승진·해경승진, 25. 9급 검찰·마약수사·철도경찰

4. 폭력행위 등 처벌에 관한 법률 제4조 소정의 단체 등의 조직죄는 같은 법에 규정된 범죄를 목적으로 한 단체 또는 집단을 구성하거나 가입함으로써 즉시 성립하고 그와 동시에 완성되는 즉시범이라 할 것이다(대판 1997.10.10, 97도1829). 19. 7급 검찰, 20. 9급 검찰·철도경찰, 22. 해경간부, 24. 해경승진

5. 직무유기죄는 작위의무를 수행하지 아니하는 위법한 부작위상태가 계속되는 한 가벌적 위법상태는 계속 존재하고 있다고 할 것이므로 즉시범이라고 할 수 없다(대판 1997.8.29, 97도675 ∴ 계속범 ○). 20. 변호사시험, 21. 해경간부, 24. 해경승진, 25. 9급 검찰·마약수사·철도경찰

6. 내란죄는 국토참절 또는 국헌문란의 목적으로 다수인이 한 지방의 평온을 해할 정도의 폭행·협박행위를 하였을 때 기수가 되는 상태범이다(대판 1997.4.17, 96도3376 전원합의체). 19. 변호사시험, 20. 9급 검찰·마약수사·철도경찰·해경 3차, 24. 해경승진

7. 범인도피죄는 범인을 도피하게 함으로써 기수에 이르지만, 범인도피행위가 계속되는 동안에는 범죄행위도 계속되고 행위가 끝날 때 비로소 범죄행위가 종료된다(대판 2012.8.30, 2012도6027 ∴ 즉시범 ×, 계속범 ○) 20. 변호사시험, 21. 7급 검찰, 23. 해경승진, 25. 9급 검찰·마약수사·철도경찰

8. 도주죄는 즉시범(계속범 ×)으로서 범인이 간수자의 실력적 지배를 이탈한 상태에 이르렀을 때에 기수가 되어 도주행위가 종료하고, 도주죄의 범인이 도주행위를 하여 기수에 이른 이후에 범인의 도피를 도와주는 행위는 범인도피죄에 해당할 수 있을 뿐 도주원조죄에는 해당하지 아니한다(대판 1991.10.11, 91도1656). 19. 순경 2차, 20. 법원행시·변호사시험·경찰간부, 26. 경찰승진

9. 군형법 제79조에 규정된 무단이탈죄는 즉시범(계속범 ×)으로서 허가 없이 근무장소 또는 지정장소를 일시 이탈함과 동시에 완성되고 그 후의 사정인 이탈 기간의 장단 등은 무단이탈죄의 성립에 아무런 영향이 없다(대판 1983.11.8, 83도2450). 20. 9급 검찰·마약수사·철도경찰, 26. 경찰승진

10. 구 국가공무원법 제84조, 제65조 제1항에서 규정하는 공무원이 정당 그 밖의 정치단체에 가입한 죄는 공무원이 정당 등에 가입함으로써 즉시 성립하고 그와 동시에 완성되는 즉시범이므로 그 범죄성립과 동시에 공소시효가 진행한다(대판 2014.5.16, 2013도929). 23. 경찰승진

11. 아동·청소년의 성보호에 관한 법률 제11조 제5항에서 정한 소지란 아동·청소년성착취물을 자기가 지배할 수 있는 상태에 두고 지배관계를 지속시키는 행위를 말하므로, 청소년성보호법 위반(성착취물소지)죄는 아동·청소년성착취물임을 알면서 소지를 개시한 때부터 지배관계가 종료한 때까지 하나의 죄로 평가되는 이른바 계속범이다. 원칙적으로 계속범에 대해서는 실행행위가 종료되는 시점의 법률이 적용된다(대판 2023.3.16, 2022도15319). 25. 9급 검찰·마약수사·철도경찰, 26. 경찰승진

12. 서적·신문 등 기존의 매체에 명예훼손적 내용의 글을 게시하는 경우에 그 게시행위로써 명예훼손의 범행은 종료하는 것이며, 그 서적이나 신문을 회수하지 않는 동안 범행이 계속된다고 보지는 않는다. 마찬가지로 정보통신망을 이용한 명예훼손의 경우, 범죄종료시기는 게재행위의 종료시점이지 원래의 게시물이 삭제되어 정보의 송수신이 불가능해지는 시점이 아니다(대판 2007.10.25, 2006도346). 21. 변호사시험, 22. 순경 1차, 24. 경찰간부, 26. 경찰승진

13. 국외여행허가의무 위반으로 인한 병역법 위반죄는 국외여행의 허가를 받은 병역의무자가 기간만료 15일 전까지 기간연장허가를 받지 않고 정당한 사유 없이 허가된 기간 내에 귀국하지 않은 때에 성립함과 동시에 완성되는 이른바 즉시범으로서, 그 이후에 귀국하지 않은 상태가 계속되고 있더라도 위 규정이 정한 범행을 계속하고 있다고 볼 수 없다. 따라서 위 범죄의 공소시효는 범행종료일인 국외여행허가기간 만료일부터 진행한다(대판 2022.12.1, 2019도5925).

(4) 일반범, 신분범, 자수범 : 정범이 될 수 있는 행위자의 범위에 따른 분류

① **일반범** : 누구나 행위자(정범)가 될 수 있는 범죄를 말한다.

> 예 구성요건에 단순히 '…한 자'라고 규정되어 있는 모든 범죄

② **신분범** : 행위자의 일정한 신분이 구성요건요소로 되어 있는 범죄를 말한다.

구 분	진정신분범	부진정신분범
의 의	일정한 신분 있는 자에 의해서만 성립하는 범죄를 말한다. 여기에서는 신분이 없으면 범죄가 성립하지 않는다(범죄구성적 신분).	일정한 신분이 형의 가중 또는 감경사유로 되는 범죄를 말한다. 여기에서는 신분이 없으면 보통의 범죄가 성립한다(형벌가감적 신분). 18. 경찰승진
범죄의 예	• 수뢰죄(공무원 또는 중재인) • 위증죄(법률에 의하여 선서한 증인) • 횡령죄(타인의 재물을 보관하는 자) • 배임죄(타인의 사무를 처리하는 자) • 유기죄(보호할 법률상·계약상 의무 있는 자) • **기타** : 직무유기죄, 허위진단서작성죄, 업무상 비밀누설죄, 도주죄	• 존속에 대한 범죄(존속살해, 존속상해, 존속폭행, 존속유기) • 업무상 범죄(업무상 횡령죄, 업무상 배임죄, 업무상 낙태죄, 업무상 과실치사죄) • 상습도박죄
주의할 점	• 업무상 비밀누설죄 ⇨ 부진정신분범 ×, 진정신분범 ○, 비밀침해죄 ⇨ 신분범 × • 허위공문서작성죄 ⇨ 신분범 ○, 공문서위조죄 ⇨ 신분범 × 20. 경찰승진 • 도박죄 ⇨ 신분범 ×, 상습도박죄 ⇨ 부진정신분범 ○ • 수뢰죄 ⇨ 신분범 ○, 뇌물공여죄(증뢰죄) ⇨ 신분범 × • 위증죄 ⇨ 신분범 ○, 무고죄 ⇨ 신분범 ×	

③ **자수범** : 행위자 자신이 직접 실행하여야만 범할 수 있는 범죄로, 타인을 이용하는 간접정범이나 공동정범의 형태로는 범할 수 없는 범죄를 말한다. 그러나 교사범, 종범의 성립은 가능하다.

> 관련판례

강제추행죄는 사람의 성적 자유 내지 성적 자기결정의 자유를 보호하기 위한 죄로서 정범 자신이 직접 범죄를 실행하여야 성립하는 자수범이라고 볼 수 없으므로, 처벌되지 아니하는 타인을 도구로 삼아 피해자를 강제로 추행하는 간접정범의 형태로도 범할 수 있다. 여기서 강제추행에 관한 간접정범의 의사를 실현하는 도구로서의 타인에는 피해자도 포함될 수 있으므로, 피해자를 도구로 삼아 피해자의

신체를 이용하여 추행행위를 한 경우에도 강제추행죄의 간접정범에 해당할 수 있다(대판 2018.2.8, 2016도17733). 20. 경찰간부, 21. 순경 1차, 24. 경위공채·경력채용, 25. 경찰승진

(5) 목적범

주관적 구성요건요소로서 고의 이외에 일정한 목적을 필요로 하는 범죄를 말한다. 주의할 점은 목적범에 있어서 현실적인 목적 달성 여부는 범죄의 성립에 아무런 영향이 없다.

17. 경찰간부, 21. 해경승진, 24. 법원행시

구 분	진정목적범	부진정목적범
의 의	목적의 존재가 범죄의 성립요건이 되는 범죄를 진정목적범이라 한다. 목적이 없으면 범죄가 성립하지 않는다.	목적이 없어도 범죄는 성립하나, 목적이 있으면 형이 가중·감경되는 범죄를 부진정목적범이라 한다.
범죄의 예	• 내란죄(국토참절 또는 국헌문란의 목적) • 통화·유가증권위조죄(행사의 목적) • 무고죄(타인의 형사처분 또는 징계처분을 받게 할 목적) • 준강도죄(절도가 재물탈환에 항거하거나 체포를 면탈하거나 죄적을 인멸할 목적) • 음행매개죄·영리약취유인죄(영리의 목적) • 예비·음모죄('…의 죄를 범할 목적') • 기타 : 범죄단체조직죄, 강제집행면탈죄, 도박장소 등 개설죄, 허위공문서작성죄, 문서위조죄, 자격모용에 의한 유가증권(공문서·사문서)작성죄, 다중불해산죄, 직무·사직강요죄, 준점유강취죄, 국기·국장모독죄, 법정·국회회의장모욕죄, 소인말소죄	• 내란목적 살인죄 • 모해위증죄 • 모해증거인멸죄 • 아편판매목적소지죄 • 출판물 등에 의한 명예훼손죄(진정목적범 ×) ▶ **주의** : 목적범(진정·부진정목적범) ┌ ○ : 모해위증죄, 모해증거인멸죄, 출판물 등에 의한 명예훼손죄 └ × : 위증죄, 증거인멸죄, 명예훼손죄 ┌ ○ : 허위공문서작성죄(행사의 목적), 부동산강제집행면탈죄, 다중불해산죄, 통화유사물제조죄 └ × : 허위진단서작성죄, 부동산강제집행효용침해죄, 선거방해죄, 소요죄, 도박죄, 공무집행방해죄, 공정증서원본부실기재죄, 위조통화취득 후 지정행사죄

제2절 행위론

1 행위론의 의의

범죄는 구성요건에 해당하는 위법하고 책임 있는 행위이므로 범죄가 되기 위해서는 형법상 가치 있는 인간의 행위가 무엇인가에 대한 판단이 선행되어야 한다. 이를 행위론이라 하며 구성요건해당성 이전에 살펴보아야 하기 때문에 범죄론의 출발점이 된다.

2 인과적 행위론

(1) 행위의 정의

행위란 인간의 어떤 의사에 의한 신체의 활동이라고 하는 견해이다(행위＝유의성＋거동성). 이 견해에 따르면 행위자의 의사의 내용(예 고의, 과실 등)은 행위론에서 문제되지 않고 오직 책임의 단계에서 구별될 뿐이라고 한다(심리적 책임론).

(2) 비 판

① 거동성(신체의 활동)을 요건으로 하기 때문에 부작위의 설명이 곤란하다.

② 의사의 내용을 행위개념에서 제외시킴으로써 미수의 개념규정이 곤란하다.

> 예 사람을 칼로 찔렀으나 상처만 입힌 경우에 의사의 내용(고의, 과실)을 책임의 단계에서 문제 삼으므로 구성요건단계에서 살인미수인가 상해인가를 판단할 수 없다.

③ 행위의 범위를 지나치게 확대시킬 우려가 있고 사회적 관계에서 지니는 행위의 의미와 중요성을 간과하였다.

3 목적적 행위론

(1) 행위의 정의

독일의 벨첼(Welzel)이 주장한 것으로 행위란 목적에 의하여 지배·조정된 인간의 의식적·목적적 활동이라고 한다(행위＝목적성＋거동성). 여기서의 목적성은 행위자의 실현의사, 즉 고의를 의미하므로 고의는 책임요소가 아니라 주관적 구성요건요소(주관적 불법요소)로 파악하여 고의와 과실을 일반적·주관적 구성요건요소로 보았다(이를 형법학에서 코페르니쿠스적 발견이라 함).

(2) 비 판

① 목적적 행위론자들은 과실행위도 구성요건적으로 목적적이라 설명하지만 과실행위는 행위의 목적성이 있다고 할 수 없으므로 과실의 개념규정이 곤란하다는 점에서 가장 비판받고 있다.

② 또한 부작위는 기대되는 행위를 하지 않는 것에 불과하므로 목적적 행위라고 할 수 없어 부작위의 행위성 인정이 역시 곤란하다.

4 사회적 행위론

(1) 행위의 정의

사회적 행위론은 행위의 본질을 존재론이 아닌 사회적 중요성에서 찾으려는 규범적 행위론으로 행위란 사회적으로 중요한(의미 있는) 인간의 행태라고 한다. 사회적 행위론은 고의·과실, 작위·부작위, 미수 등의 모든 행위를 무리 없이 설명할 수 있어서 오늘날 다수설이다.

(2) 비 판

① 견해가 다양하여 이론적 통일이 이루어져 있지 않다.
② 사회성(사회적 의미)이란 매우 포괄적인 개념이어서 행위론의 한계기능을 다하지 못한다.

5 인격적 행위론

행위란 인격의 발현을 의미한다는 견해이다.

🔔 1. 과실행위의 설명에 가장 적합한 행위개념 ⇨ 인과적 행위개념
2. 고의·작위범의 행위설명에 가장 적합한 행위개념 ⇨ 목적적 행위개념
3. 부작위범의 행위설명에 가장 적합한 행위개념 ⇨ 사회적 행위개념

6 행위개념과 범죄체계론

(1) 고전적 범죄체계(인과적 행위론)

① 객관적 요소는 불법(구성요건해당성과 위법성)에 속하고 주관적 요소는 책임에 속한다.
② 고의(범죄사실의 인식 + 위법성인식), 과실 ⇨ 책임요소(심리적 책임론)

(2) 목적적 범죄체계(목적적 행위론)

① 모든 주관적 불법요소(고의, 과실, 목적 등)를 구성요건요소로 파악한다.
② 고의(범죄사실의 인식), 과실 ⇨ 주관적 구성요건요소
   위법성 인식, 비난가능성 ⇨ 책임요소(순수한 규범적 책임론)

(3) 합일태적 범죄체계(사회적 행위론)

① 고의·과실의 이중적 지위를 인정한다.
② 행위방향 설정으로서의 고의 ⇨ 주관적 구성요건요소(구성요건적 고의, 불법고의)
   심정적 반가치로서의 고의(책임고의), 위법성인식, 비난가능성 ⇨ 책임요소(신복합적 책임론)

제3절　법인의 범죄능력과 양벌규정

(1) 의 의

범죄의 주체란 누가 범죄를 범할 수 있는가의 문제로 형법상 범죄(행위)의 주체는 원칙적으로 자연인에 한한다. 그렇다면 법인은 범죄행위의 주체가 될 수 있느냐의 여부가 다투어지고 있다.

(2) 법인의 범죄능력

① 법인이 범죄의 주체가 될 수 있는 능력(범죄능력)이 있는가의 문제가 법인의 범죄능력의 문제이다. 이에 대해 범죄의 주체를 윤리적 인격자로 파악하는 대륙법계는 이를 부정하지만 법인 단속의 사회적 필요성을 중시한 영미법계는 이를 긍정하고 있다. 그러나 법인의 범죄능력문제는 사법상의 법인의 본질론(대륙법계 : 실제설, 영미법계 : 법인의제설)과 논리필연관계가 없다. 07. 법원행시, 10. 9급 검찰

② **부정설**(다수설 · 판례) : 법인을 처벌하는 양벌규정이 있는 경우라도 법인의 범죄능력을 인정할 수 없다(대판 1984.10.10, 82도2595 전원합의체). 21. 법원행시

> **관련판례** ①
>
> 1. 배임죄에 있어서 타인의 사무를 처리할 의무의 주체가 법인이 되는 경우라도 법인은 다만 사법상의 의무주체가 될 뿐 법인은 범죄능력이 없는 것이며, 법인이 처리할 의무를 지는 타인의 사무에 관하여 법인이 배임죄의 주체가 될 수 없고 자연인인 대표기관이 배임죄의 주체(타인의 사무를 처리하는 자)가 된다(대판 1994.2.8, 93도1483). 18. 철도경찰, 22. 법원행시, 25. 경찰승진 · 7급 검찰
> 2. 법인격 없는 사단과 같은 단체는 법인과 마찬가지로 사법상의 권리의무의 주체가 될 수 있을 뿐 법률에 명문의 규정이 없는 한 그 범죄능력이 없고, 그 단체의 업무는 단체를 대표하는 자연인인 대표기관의 의사결정에 따른 대표행위에 의하여 실현될 수밖에 없다(대판 1997.1.24, 96도524). 18. 9급 철도경찰 · 순경 3차, 19. 9급 검찰 · 마약수사, 22. 순경 2차, 23. 경찰승진

③ **긍정설** : 법인의 범죄능력을 긍정하는 견해

④ **절충설**(부분적 긍정설, 이분설) : 형사범에 대해서는 법인의 범죄능력을 부정하고, 행정범에 대해서는 법인의 범죄능력을 긍정하는 견해 15. 순경 1차

(3) 법인의 처벌

① **법인의 형벌능력**

　㉠ **법인의 범죄능력 긍정설** : 당연히 형벌능력도 긍정하게 되어 법인의 형사책임을 인정하게 된다.

　㉡ **법인의 범죄능력 부정설** : 이 설에 의하면 형벌능력을 부정하는 것이 논리적이나 다수설은 범죄능력은 부정하지만 형벌능력은 긍정한다(법인을 처벌하는 양벌규정이 법인의 범죄능력을 인정하는 것은 아님). 22. 해경간부 · 해경 2차

② 법인을 처벌하는 경우에 있어서 입법형식

양벌규정 : 실제의 위법행위자(종업원)와 그를 선임·감독한 자(법인, 사용자)의 양자를 처벌하는 경우로 대부분의 입법은 여기에 해당한다(▶ **주의** : 양벌규정은 형법전에는 존재하지 않으며 주로 행정형법에 규정되어 있다. 13. 9급 검찰·마약수사·철도경찰).

관련판례

1. 법인격 없는 사단에 대하여 양벌규정의 적용에 관하여 아무런 명문의 규정을 두고 있지 아니한 경우 이를 처벌하는 것은 죄형법정주의에 반한다(대판 1997.1.24, 96도524). 15. 순경 1차, 20. 해경승진, 22. 경찰승진·해경간부·해경 2차

2. 합병으로 인하여 소멸한 법인이 그 종업원 등의 위법행위에 대해 양벌규정에 따라 부담하던 형사책임은 그 성질상 이전을 허용하지 않는 것으로서 합병으로 인하여 존속하는 법인에 승계되지 않는다(대판 2007.8.23, 2005도4471). 18. 순경 3차, 19. 9급 검찰·마약수사, 22. 9급 철도경찰, 23. 해경승진, 24. 7급 검찰, 25. 경찰승진·해경경장

3. 법인에게 자수감경에 관한 형법 제52조 제1항의 규정을 적용하기 위하여는 법인의 이사 기타 대표자가 수사책임이 있는 관서에 자수한 경우에 한하고, 그 위반행위를 한 직원 또는 사용인이 자수한 것만으로는 위 규정에 의하여 형을 감경할 수 없다(대판 1995.7.25, 95도391). 16. 사시·순경 2차, 20. 7급 검찰, 23. 해경승진, 24. 경대편입

4. 법인이 아닌 약국을 실질적으로 경영하는 약사가 고용한 종업원의 위반행위에 대한 양벌규정상의 형사책임은 명의상의 개설약사가 아니라 실질적으로 경영하는 약사에게 있다〔대판 2000.10.27, 2000도3570 ∵ '법인의 대표자나 법인 또는 개인의 대리인, 사용인, 그 밖의 종업원이 그 법인 또는 개인의 업무에 관하여' 위반행위를 한 경우의 양벌규정과 관련하여, '법인 또는 개인'은 단지 형식상의 사업주가 아니라 자기의 계산으로 사업을 경영하는 실질적인 사업주를 말한다(대판 2010.7.8, 2009도6968)〕. 17. 경찰승진, 20. 해경승진, 21. 법원행시, 24. 경대편입

▶ **유사판례**

① 양벌규정의 '법인의 대표자'는 그 명칭 여하를 불문하고 당해 법인을 실질적으로 경영하면서 사실상 대표하고 있는 자를 포함한다(대판 2013.7.11, 2011도15056). 21. 변호사시험, 24. 해경간부, 25. 해경경장

② 법률의 벌칙규정의 적용대상자가 일정한 '업무주'로 한정되어 있는 경우, 업무주가 아니면서 그 업무를 실제로 집행하는 자가 그 벌칙규정의 위반행위를 하였다면, 그 집행하는 자는 그 벌칙규정을 적용대상으로 하고 있는 '양벌규정'에 의해 처벌될 수 있다(대판 1999.7.15, 95도2870 전원합의체). 21. 변호사시험, 22. 법원행시, 23. 7급 검찰

5. 기관위임사무의 경우에는 지방자치단체를 국가기관의 일부로 볼 수 있는 것이지만(∵ 지방자치단체는 양벌규정에 의한 처벌대상 × 예 지방자치단체 소속 공무원이 지정항만순찰 등 기관위임사무의 수행을 위해 관할 관청의 승인 없이 개조한 승합차를 운행함으로써 구 자동차관리법을 위반한 경우 해당 지방자치단체는 구 자동차관리법 제83조의 양벌규정에 따른 처벌대상이 되지 않는다 : 대판 2009.6.11, 2008도6530), 지방자치단체가 그 고유의 자치사무를 처리하는 경우 지방자치단체는 국가기관의 일부가 아니라 국가기관과는 별도의 독립한 공법인으로서 양벌규정에 의한 처벌대상이 되는 법인에 해당된다(대판 2005.11.10, 2004도2657 예 지방자치단체 소속 공무원이 압축트럭 청소차를 운전하여 고속도로를 운행하던 중 제한 축중을 초과 적재운행함으로써 도로관리청의 차량운

행 제한을 위반한 경우, 해당 지방자치단체는 구 도로법 제86조의 양벌규정에 따른 처벌대상이 된다).
20. 해경승진, 22. 법원행시 · 9급 철도경찰 · 해경간부 · 해경 2차, 25. 경찰승진 · 7급 검찰 · 해경경위 · 해경경장

6. 지입차주가 고용한 운전자가 과적운행으로 구 도로법을 위반한 경우, 지입차주는 구 도로법 제100조 제1항에서 정한 '대리인 · 사용인 기타의 종업원'의 지위에 있을 뿐이고 지입차량의 소유자이자 대외적인 경영 주체는 지입회사이므로, 지입회사가 구 도로법상 사용자로서의 형사책임을 부담한다(대판 2009.9.24, 2009도5302). 20. 경찰승진, 21. 법원행시, 23. 해경승진, 24. 7급 검찰

7. 종업원의 위법행위의 동기가 종업원 기타 제3자의 이익을 위한 것에 불과하고 영업주의 영업에 이로운 행위가 아니라 하여도 영업주는 그 감독 해태에 대한 책임을 면할 수 없다(대판 1987.11.10, 87도1213). 21. 법원행시, 25. 해경 2차

8. 친고죄의 경우에 있어서도 행위자의 범죄에 대한 고소가 있으면 족하고, 나아가 양벌규정에 의하여 처벌받는 자(법인)에 대하여 별도의 고소를 요한다고 할 수는 없다(대판 1996.3.12, 94도2423). 20. 9급 검찰 · 철도경찰 · 7급 검찰, 23. 해경승진

   ▶ **비교판례** : 조세범처벌법에 따른 고발의 구비 여부는 양벌규정에 의하여 처벌받는 자연인인 행위자와 법인에 대하여 개별적으로 논하여야 한다(대판 2004.9.24, 2004도4066). 21. 법원행시

9. 피고인의 종업원이 이 사건 무허가 유흥주점 영업을 할 당시 피고인이 교통사고로 입원하고 있었다는 사유만으로 식품위생법 제79조의 양벌규정에 따른 식품영업주로서의 감독태만에 대한 책임을 면할 수는 없다(대판 2007.11.29, 2007도7920). 09. 9급 검찰

10. 법인격 없는 사단에 고용된 사람이 위반행위를 하였더라도 법인격 없는 사단의 구성원 개개인이 구 건축법 제112조의 양벌규정에서 정한 '개인'의 지위에 있다 하여 그를 처벌할 수는 없다(대판 2017.12.28, 2017도13982).

11. 공직선거법 제47조의 2 제1항에 의하여 정당이 특정인을 후보자로 추천하는 일과 관련하여 금품이나 그 밖의 재산상의 이익을 제공받은 경우에는 자연인인 기관이 그 업무를 수행하는 것이므로, 같은 법 제47조의 2 제1항 위반죄의 주체는 정당인 경우 업무를 수행하는 정당의 기관인 자연인을 의미한다. 이는 이미 성립한 정당이 아닌 창당준비위원회의 경우에도 마찬가지이다(대판 2018.2.8, 2017도17838).

③ 양벌규정에 의한 법인 처벌의 근거

관련판례

1. ① 양벌규정에 의해서 법인 또는 개인(영업주)을 처벌하는 경우 그 처벌은 직접 법률을 위반한 행위자(종업원)에 대한 처벌에 종속하는 것이 아니라 독립하여 행위자에 대한 선임감독상의 과실로 인하여 처벌되는 것이므로, 행위자에 대한 처벌이 법인 또는 개인에 대한 처벌의 전제조건이 될 필요는 없다(대판 2006.2.24, 2005도7673). 18. 경력채용 · 순경 3차, 23. 경찰승진, 24. 7급 검찰 · 경대편입

   ② 양벌규정에 따라 사용자인 법인 또는 개인을 처벌하기 위해서는 형벌의 자기책임 원칙에 비추어 위반행위가 발생한 그 업무와 관련하여 사용자인 법인 또는 개인이 상당한 주의 또는 감독의무를 게을리한 과실이 있어야 한다(대판 2021.9.30, 2019도3595). 22. 순경 2차, 24. 7급 검찰, 25. 경찰승진

   ③ 양벌규정 중 법인 대표자의 법규위반행위에 대한 법인의 책임은 법인 자신의 법규위반행위로 평가될 수 있는 행위에 대한 법인의 직접책임이므로, 대표자의 고의에 의한 위반행위에 대하여는 법인 자신의 고의에 의한 책임을, 대표자의 과실에 의한 위반행위에 대하여는 법인 자신의 과실에 의한

책임을 져야 한다. 이처럼 양벌규정 중 법인의 대표자 관련 부분은 대표자의 책임을 요건으로 하여 법인을 처벌하는 것이지 그 대표자의 처벌까지 전제조건이 되는 것은 아니므로, 법인의 대표이사가 선행사건 확정판결로 면소판결을 선고받았더라도 해당법인을 양벌규정으로 처벌할 수 있다(대판 2022.11.17, 2021도701). 21. 변호사시험, 24. 경찰승진·경대편입, 25. 7급 검찰·해경 2차

2. 헌법재판소는 법인이 종업원 등의 위반행위와 관련해 선임·감독상의 주의의무를 다해 아무런 잘못이 없는 경우까지도 법인에게 형벌을 부과할 수밖에 없게 규정된, 의료법 제91조 제1항, 구 건설산업기본법 제98조 제2항, 구 도로법 제86조, 의료기사 등에 관한 법률 제32조, 청소년보호법 제54조, 사행행위 등 규제 및 처벌특례법 제31조에 대해서 책임주의에 반하여 헌법에 위반된다는 결정을 하였다(헌재결 2009.7.30, 2008헌가16 등). 15. 경찰간부, 21. 변호사시험

   ▶ **유사판례** : 형벌의 자기책임원칙에 비추어 보면, 종업원의 위반행위가 발생한 그 업무와 관련하여 법인이 상당한 주의 또는 관리감독 의무를 게을리한 때에 한하여 양벌규정을 적용한다(대판 2010.9.9, 2008도7834). 18. 경력채용, 19. 경찰승진, 20. 해경승진, 25. 해경 2차

3. 법인 설립 이전의 자연인의 행위를 이유로 양벌규정을 적용하여 법인을 처벌할 수는 없다(대판 2018. 8.1, 2015도10388 ∵ 법인설립 이전의 행위에 대해 법인에게 선임감독상의 과실 ×). 20. 경찰간부·7급 검찰, 22. 법원행시·9급 검찰·마약수사·철도경찰·경찰승진, 23. 해경승진, 24. 해경간부, 25. 해경경위

4. 회사 대표자의 위반행위에 대하여 징역형의 형량을 정상참작 감경하고 병과하는 벌금형에 대하여 선고유예를 한 이상 양벌규정에 따라 그 회사를 처단함에 있어서도 같은 조치를 취하여야 하는 것은 아니다(대판 1995.12.12, 95도1893). 21. 변호사시험, 23. 해경승진, 24. 해경간부·경찰승진, 25. 해경경위

5. 법인에 대한 양벌규정에 면책규정이 신설된 것은 범죄 후 법률의 변경에 의하여 그 행위가 범죄를 구성하지 않거나 형이 구법보다 경한 경우에 해당한다(대판 2011.3.24, 2009도7230). 18. 7급 검찰, 22. 9급 철도경찰

6. 미성년자보호법상 양벌규정에 의한 영업주의 처벌은 금지위반 행위자인 종업원의 처벌에 종속되는 것이 아니라 독립하여 그 자신의 종업원에 대한 선임감독상의 과실로 인하여 처벌되는 것이다(대판 1987.11.10, 87도1213 ∵ 종업원이 구성요건상의 자격이 없어 처벌받지 않는 경우와 무관함). 09. 경찰승진, 19. 법원행시

7. 영업주의 과실을 별도로 규정하지 않은 양벌규정을 합헌적 법률해석을 통해 선임감독상의 과실 있는 영업주만을 처벌하는 규정으로 보더라도, 영업주를 종업원과 동일한 법정형으로 처벌하는 것은 책임주의에 반한다(헌재결 2007.11.29, 2005헌가10). 15. 경찰간부

8. 형벌의 자기책임원칙에 비추어 볼 때 산업기술의 유출방지 및 보호에 관한 법률 제38조의 양벌규정은 법인이 사용인 등에 의하여 위반행위가 발생한 그 업무와 관련하여 상당한 주의 또는 관리감독 의무를 게을리한 때에 한하여 적용된다(대판 2018.7.12, 2015도464). 25. 해경경위

9. 1인회사의 경우도 자본시장과 금융투자업에 관한 법률에 따른 양벌규정에 기한 책임을 부담한다(대판 2018.4.12, 2013도6962 ∵ 회사와 주주는 별개의 인격체임). 21. 법원행시, 24. 해경간부·경찰승진, 25. 해경경장

10. 회사가 해산 및 청산등기 전에 재산형에 해당하는 사건으로 소추당한 후 청산종결의 등기가 경료되었다고 하여도 그 피고사건이 종결되기까지는 회사의 청산사무는 종료되지 아니하고 형사소송법상 당사자 능력도 존속한다고 할 것이다(대판 1982.3.23, 81도1450). 21. 법원행시

11. 건설산업기본법 제98조 제2항의 양벌규정은 같은 법 제96조 제5호 등 벌칙규정의 적용대상인 건설공사 시공자가 아니면서 그러한 업무를 실제로 집행하는 자가 있을 때 해당 업무를 실제로 집행한 자에 대한 처벌의 근거 규정이 된다(대판 2017.12.5, 2017도11564). 21. 법원행시

12. 구 저작권법 제140조 본문에서는 저작재산권 침해로 인한 같은 법 제136조 제1항의 죄를 친고죄로 규정하면서, 같은 법 제140조 단서 제1호에서 영리를 위하여 상습적으로 위와 같은 범행을 한 경우에는 고소가 없어도 공소를 제기할 수 있다고 규정하고 있는데, 동법 제141조의 양벌규정을 적용할 때에는 행위자인 법인의 대표자나 법인 또는 개인의 대리인·사용인 그 밖의 종업원의 위와 같은 습벽 유무에 따라 친고죄 해당 여부를 판단하여야 한다(대판 2011.9.8, 2010도14475). 21. 법원행시

13. 개인정보 보호법은 양벌규정에 의하여 처벌되는 개인정보처리자로는 같은 법 제74조 제2항에서 '법인 또는 개인'만을 규정하고 있을 뿐이고, 법인격 없는 공공기관에 대하여도 위 양벌규정을 적용할 것인지 여부에 대하여는 명문의 규정을 두고 있지 않으므로, 죄형법정주의의 원칙상 '법인격 없는 공공기관'을 위 양벌규정에 의하여 처벌할 수 없고, 그 경우 행위자(해당 업무를 실제로 담당하는 소속공무원) 역시 위 양벌규정으로 처벌할 수 없다(대판 2021.10.28, 2020도1942). 22. 법원행시·순경 2차

14. 양벌규정에서 법인처벌의 요건으로 규정된 '법인의 업무에 관하여' 행한 것으로 보기 위해서는 객관적으로 법인의 업무를 위하여 하는 것으로 인정할 수 있는 행위가 있어야 하고, 주관적으로는 피용자 등이 법인의 업무를 위하여 한다는 의사를 가지고 행위하여야 한다(대판 2006.6.15, 2004도1639). 23. 7급 검찰

15. 양벌규정에 의하여 법인이 처벌받는 경우라도 법인의 사용인들이 범죄행위를 공모한 후 일방법인의 사용인이 그 실행행위에 직접 가담하지 아니하고 다른 공모자인 타법인의 사용인만이 분담실행한 경우에도 그 법인은 공동정범의 죄책을 면할 수 없다(대판 1983.3.22, 81도2545). 22. 순경 2차, 24. 경찰 승진·경대편입

16. A병원의 간호사들은 근무한 간호사나 간호내용을 간호기록부에 거짓으로 기재하였는데, 이 병원의 설립·운영자 피고인은 간호사들에게 간호기록부 작성방법에 관한 교육을 하지 않았고, 대체근무 간호사를 확보하지 아니하여 휴가 등의 경우 대체근무 간호사를 구하기 어려웠다면, 피고인의 잘못이 간호사들의 간호기록부 거짓 작성의 원인이 되었을 뿐만 아니라 위반행위가 발생한 그 업무와 관련하여 피고인이 상당한 주의 또는 감독 의무를 게을리한 경우에 해당하므로, 피고인에 대하여 양벌규정이 적용되어 의료법 위반죄가 인정된다(대판 2023.12.14, 2023도8341).

17. 양벌규정에 따라 처벌되는 행위자와 행위자 아닌 법인 또는 개인 간의 관계는, 행위자가 저지른 법규위반행위가 사업주의 법규위반행위와 사실관계가 동일하거나 적어도 중요 부분을 공유한다는 점에서 내용상 불가분적 관련성을 지닌다. 양벌규정에 따라 처벌받는 법인에 대하여 대한민국 형벌규정이 적용되어 대한민국 법원에 재판권이 있는지 여부를 판단할 때에는 이러한 점을 고려하여야 한다(대판 2025.8.14, 2022도8664 **예** 피해회사는 대한민국 법인이고, 피고인 회사는 외국법인으로 서로 경쟁업체인데, 피해회사에서 근무하다가 피고인 회사에 입사한 종업원들이 피고인 회사의 업무에 관하여 피해회사의 영업비밀을 누설·취득하거나 산업기술을 유출·공개·외국사용하였다는 구 부정경쟁방지 및 영업비밀보호에 관한 법률 및 구 산업기술의 유출방지 및 보호에 관한 법률 위반행위와 관련하여 피고인 회사가 양벌규정에 따라 기소되어 그 재판권이 문제된 경우, 피고인 회사에 대하여 대한민국의 재판권이 있다).

1 법인이 처리할 의무를 지는 타인의 사무에 관하여는 법인이 배임죄의 주체가 될 수 없고 그 법인을 대표하여 사무를 처리하는 자연인인 대표기관이 배임죄의 주체가 된다. (　)

18. 9급 철도경찰, 22. 법원행시, 25. 경찰승진 · 7급 검찰

2 법인격 없는 사단과 같은 단체는 법인과 마찬가지로 사법상의 권리의무의 주체가 될 수 있음은 별론으로 하고, 법률에 명문의 규정이 없더라도 범죄능력이 인정된다. (　)

18. 9급 철도경찰 · 순경 3차, 19. 9급 검찰 · 마약수사, 22. 순경 2차, 23. 경찰승진

3 법인이 설립되기 이전에 자연인이 한 행위에 대하여는 특별한 근거규정이 없는 한 양벌규정을 적용하여 법인을 처벌할 수 없다. (　)

20. 경찰간부 · 7급 검찰, 22. 경찰승진 · 9급 검찰 · 마약수사 · 철도경찰, 24. 경찰간부, 25. 해경경위

4 양벌규정이 있는 경우에는 당해 양벌규정에 법인격 없는 사단이나 재단이 명시되어 있지 않더라도 그 법인격 없는 사단이나 재단에 양벌규정을 적용할 수 있다. (　)

15. 순경 1차, 19 · 22. 경찰승진, 22. 해경간부 · 해경 2차

5 합병으로 인하여 소멸한 법인이 그 종업원 등의 위법행위에 대해 양벌규정에 따라 부담하던 형사책임은 합병으로 인하여 존속하는 법인에 승계된다. (　)

18. 9급 철도경찰 · 순경 3차, 19. 9급 검찰 · 마약수사, 23. 해경승진, 25. 경찰승진

6 법인의 직원 또는 사용인이 위반행위를 하여 양벌규정에 의하여 법인이 처벌받을 경우, 그 위반행위를 한 직원 또는 사용인이 자수하였다면 자수감경에 관한 형법 제52조 제1항의 규정을 법인에게 적용하여 형을 감경할 수 있다. (　)　16. 사시 · 순경 2차, 20. 7급 검찰, 23. 해경승진, 24. 경대편입

7 지방자치단체라도 국가로부터 위임받은 기관위임사무가 아니라 그 고유의 자치사무를 처리하는 경우에는 국가기관의 일부가 아니라 국가기관과는 별도로 독립한 공법인으로서 양벌규정에 의한 처벌대상이 되는 법인에 해당한다. (　)

20. 해경승진, 22. 9급 철도경찰 · 해경간부, 25. 경찰승진 · 7급 검찰 · 해경경위

8 양벌규정에 의해서 법인 또는 개인을 처벌하는 경우 그 처벌은 직접 법률을 위반한 행위자에 대한 처벌에 종속하며, 행위자에 대한 선임감독상의 과실로 인하여 처벌되는 것이므로, 행위자에 대한 처벌이 법인 또는 개인에 대한 처벌의 전제조건이 된다. (　)

18. 순경 3차, 23. 경찰승진 · 해경승진, 24. 7급 검찰 · 경대편입

9 행위자에 대하여 부과되는 형량을 작량감경하는 경우 양벌규정에 의하여 법인을 처벌함에 있어서도 이와 동일한 조치를 취하여야 한다. (　)

18. 7급 검찰, 21. 변호사시험, 23. 해경승진, 24. 해경간부 · 경찰승진, 25. 해경경위

Answer ▸ 1. ○　2. ×　3. ○　4. ×　5. ×　6. ×　7. ○　8. ×　9. ×

01 계속범에 대한 설명으로 가장 적절한 것은?(다툼이 있는 경우 판례에 의함)　21. 경찰승진

① 형법 제276조 제1항의 체포죄는 일시적으로 신체의 자유를 박탈하는 것으로서 계속범이 아니다.

② 계속범에 있어 공소시효의 기산점은 범행의 종료시점이 아니라 기수시점이다.

③ 일반적으로 계속범의 경우 실행행위가 종료되는 시점에서의 법률이 적용되어야 할 것이나, 법률이 개정되면서 그 부칙에서 '개정된 법 시행 전의 행위에 대한 벌칙의 적용에 있어서는 종전의 규정에 의한다'는 경과규정을 두고 있는 경우 개정된 법이 시행되기 전의 행위에 대해서는 개정 전의 법을, 그 이후의 행위에 대해서는 개정된 법을 각각 적용하여야 한다.

④ 형법 제185조의 일반교통방해죄에 있어 교통방해행위는 계속범이 아닌 즉시범의 성질을 가진다.

> 해설　① × : 체포죄는 계속범으로서 체포행위에 확실히 사람의 신체의 자유를 구속한다고 인정할 수 있을 정도의 시간적 계속을 요한다(대판 2018.2.28, 2017도21249).
> ② × : ~ 기산점은 기수시점이 아니라 범행의 종료시점이다.
> ③ ○ : 대판 2001.9.25, 2001도3990
> ④ × : 일반교통방해죄에서 교통방해행위는 계속범의 성질을 가지는 것이어서 교통방해의 상태가 계속되는 한 위법상태는 계속 존재한다(대판 2018.5.11, 2017도9146).

02 (가)와 (나)에 관한 다음 설명 중 옳고 그름의 표시(○, ×)가 바르게 된 것은?(다툼이 있는 경우 판례에 의함)　23. 순경 1차

> (가) 구성요건적 실행행위에 의해 법익의 침해가 발생하여 범죄가 기수에 이르고 범죄행위도 종료되지만 법익침해 상태는 기수 이후에도 존속되는 범죄
> (나) 범죄가 기수에 이른 후에도 범죄행위와 법익침해 상태가 범행 종료시까지 계속되는 범죄

> ㉠ (가)의 경우 기수 이후 법익침해 상태가 계속되는 시점에도 공범성립이 가능하다.
> ㉡ (나)의 공소시효는 기수시부터가 아니라 범죄종료시로부터 진행하므로 범죄가 종료한 때로부터 공소시효가 진행된다.
> ㉢ (가)와 (나)의 경우 정당방위는 기수시까지 가능하다.
> ㉣ (가)는 범죄의 기수시기와 종료시기가 일치하지만, (나)는 범죄의 기수시기와 종료시기가 일치하지 않고 분리된다.

① ㉠(○), ㉡(×), ㉢(○), ㉣(○)　　② ㉠(○), ㉡(×), ㉢(○), ㉣(×)

③ ㉠(×), ㉡(○), ㉢(×), ㉣(○)　　④ ㉠(×), ㉡(○), ㉢(×), ㉣(×)

Answer　01. ③　02. ③

해설 (가)는 상태범, (나)는 계속범임.

㉠ × : (가)(상태범 **예** 횡령죄, 배임죄, 공갈죄)의 경우 기수 이후에는 공범성립이 불가능하나(대판 4286형상 20 ; 2003도4382 ; 96도1959), (나)(계속범 **예** 범인도피죄)의 경우에는 기수 이후 범죄종료시까지 공범성립이 가능하다(대판 2012도6027).

㉡ ○ : 옳다.

㉢ × : (가)(상태범)의 경우 기수시까지 정당방위가 가능하고, (나)(계속범)의 경우 종료시까지 정당방위가 가능하다.

㉣ ○ : 옳다.

03 (가)와 (나)에 대한 다음 〈보기〉의 설명 중 옳은 것은 모두 몇 개인가?(다툼이 있으면 판례에 의함)

25. 해경경위공채

> (가) 구성요건적 실행행위에 의해 범죄가 기수에 이르고, 기수와 함께 범죄행위가 종료되는 범죄
>
> (나) 구성요건적 행위가 위법상태의 야기뿐만 아니라, 범죄가 기수에 이른 후에도 범죄행위와 위법상태가 모두 계속되는 범죄

> ㉠ (가)에 해당하는 범죄로는 살인죄, 상해죄, 강도죄, 절도죄, 군무이탈죄, 도주죄, 일반교통방해죄 등이 있다.
>
> ㉡ (나)에 해당하는 범죄로는 체포·감금죄, 약취·유인죄, 직무유기죄, 범인도피죄, 범죄단체조직죄 등이 있다.
>
> ㉢ (가)와 (나)의 공소시효는 기수와 함께 즉시 진행된다.
>
> ㉣ (가)의 경우 기수에 이른 경우 공범이 성립할 수 없으나, (나)의 경우는 공범이 성립할 수 있다.
>
> ㉤ (가)의 경우 정당방위는 기수시까지 가능하나, (나)의 경우 정당방위는 법익침해 종료시까지 가능하다.

① 2개 ② 3개 ③ 4개 ④ 5개

해설 (가)는 즉시범, (나)는 계속범을 말한다.

㉠ × : 살인죄, 상해죄, 강도죄, 절도죄, 도주죄(대판 1991.10.11, 91도1656), 군무이탈죄(대판 1991.10.11, 91도1656) ⇨ 즉시범 ○, 일반교통방해죄 ⇨ 계속범 ○(대판 2018.5.11, 2017도9146)

㉡ × : 체포·감금죄(대판 2018.2.28, 2017도21249), 약취·유인죄, 직무유기죄(대판 1997.8.29, 97도675), 범인도피죄(대판 2012.8.30, 2012도6027) ⇨ 계속범 ○, 범죄단체조직죄 ⇨ 즉시범 ○(대판 1997.10.10, 97도1829)

㉢ × : 즉시범 공소시효 기산점 ⇨ 기수시, 계속범 공소시효 기산점 ⇨ 범죄 종료시

㉣ ○ : 즉시범의 공범의 성립은 기수시까지 가능하지만, 계속범의 공범의 성립은 범죄 종료시까지 가능하다.

㉤ ○ : 즉시범의 정당방위 가능시기는 기수시까지 가능하지만, 계속범의 정당방위 가능시기는 범죄 종료시까지 가능하다.

Answer 03. ①

04 위험범에 관한 설명으로 옳지 않은 것을 모두 고른 것은?(다툼이 있는 경우 판례에 의함) 24. 경찰간부

> ㉠ 형법 제230조의 공문서부정행사죄는 공무원 또는 공무소의 문서 또는 도화를 부정 행사함으로써 성립하는 죄로 추상적 위험범에 해당한다.
>
> ㉡ 형법 제185조의 일반교통방해죄는 육로, 수로 또는 교량을 손괴 또는 불통하게 하거나 기타 방법으로 교통을 방해함으로써 성립하는 죄로 구체적 위험범에 해당한다.
>
> ㉢ 형법 제158조의 장례식방해죄는 장례식을 방해함으로써 성립하는 죄로 구체적 위험범에 해당한다.
>
> ㉣ 형법 제307조의 명예훼손죄는 공연히 사실 또는 허위의 사실을 적시하여 사람의 명예를 훼손함으로써 성립하는 죄로 추상적 위험범에 해당한다.

① ㉠, ㉡　　　　② ㉠, ㉣　　　　③ ㉡, ㉢　　　　④ ㉢, ㉣

해설　㉠ ○ : 대판 2022.9.29, 2021도14514
㉡ × : ~ 성립하는 죄로 추상적(구체적 ×) 위험범에 해당한다(대판 2018.5.11, 2017도9146).
㉢ × : ~ 성립하는 죄로 추상적(구체적 ×) 위험범에 해당한다(대판 2008.2.1, 2007도5296).
㉣ ○ : 대판 2020.11.19, 2020도5813 전원합의체

05 범죄의 종류에 관한 설명으로 가장 적절한 것은?(다툼이 있는 경우 다수설에 의함)　　　25. 순경 2차

① 신분범 중 진정신분범이란 신분자만 범죄 주체가 될 수 있는 범죄를 말하며, 횡령죄, 유기죄, 수뢰죄, 존속살해죄 등이 있다.

② 경향범이란 범죄성립에 고의 이외에 행위자의 일정한 내심의 경향이 필요한 범죄를 말하며, 경향범인 강제추행죄의 성립을 위해서는 고의 이외에 성욕을 자극, 흥분, 만족시키려는 주관적 동기나 목적이 필요하다.

③ 결과범과 거동범은 범죄성립에 있어서 구성요건적 결과발생 여부를 기준으로 구분되므로 결과범은 행위와 결과 사이에 인과관계가 요구되나 거동범은 범죄행위 외에 결과발생을 요하지 않으므로 인과관계는 문제되지 않는다.

④ 구체적 위험범은 법익침해의 위험이 일반적으로 존재함으로써 범죄의 성립을 인정하는 경우이고, 추상적 위험범은 법익침해의 현실적 위험이 발생할 것을 요건으로 하여 범죄의 성립을 인정하는 경우이다.

해설　① × : 횡령죄, 유기죄, 수뢰죄 ⇨ 진정신분범, 존속살해죄 ⇨ 부진정신분범
② × : 강제추행죄는 경향범이 아니므로 강제추행죄의 성립에 필요한 주관적 구성요건요소는 고의만으로 충분하고, 성욕을 자극·흥분·만족시키려는 주관적 동기나 목적까지 있어야 하는 것은 아니다(대판 2013.9.26, 2013도5856).
③ ○ : 옳다.
④ × : 추상적 위험범은 법익침해의 현실적 위험이 일반적으로 존재함으로써 범죄의 성립을 인정하는 경우이고, 구체적 위험범은 법익침해의 현실적 위험이 발생할 것을 요건으로 하여 범죄의 성립을 인정하는 경우이다.

Answer　04. ③　05. ③

06 범죄의 종류에 대한 설명 중 가장 적절한 것은?(다툼이 있는 경우 판례에 의함)　　20. 경찰승진

① 협박죄는 사람의 의사결정의 자유를 침해하는 침해범으로서 해악의 고지가 상대방에게 도달하여 상대방이 그 의미를 인식하고 나아가 현실적으로 공포심을 일으켰을 때에 비로소 기수가 된다.

② 배임죄의 '손해를 가한 때'란 그 문언상 '손해를 현실적으로 발생하게 한 때'만을 의미하고 실해발생의 위험은 이에 해당하지 않으므로 침해범으로 보아야 한다.

③ 일반교통방해죄는 추상적 위험범으로서 교통이 불가능하거나 또는 현저히 곤란한 상태가 발생하면 바로 기수가 되고 교통방해의 결과가 현실적으로 발생하여야 하는 것은 아니다.

④ 일정한 신분을 가진 자만이 행위주체가 되는 신분범으로 허위공문서작성죄, 공문서위조죄 등이 있다.

[해설] ① × : ~ 위험범(침해범 ×)으로서 ~ 의미를 인식한 이상, 상대방이 현실적으로 공포심을 일으켰는지 여부와 관계없이 기수가 된다(대판 2007.9.28, 2007도606 전원합의체).
② × : ~ 때'만을 의미하는 것이 아니라 실해발생의 위험이 있는 경우도 이에 해당하므로 위험범(침해범 ×)으로 보아야 한다(대판 2000.4.11, 99도334).
③ ○ : 대판 2018.5.11, 2017도9146
④ × : 허위공문서작성죄 ⇨ 진정신분범 ○, 공문서위조죄 ⇨ 진정신분범 ×

07 범죄유형에 대한 설명으로 옳지 않은 것은?(다툼이 있는 경우 판례에 의함)

20. 9급 검찰 · 마약수사 · 철도경찰

① 내란죄는 다수인이 한 지방의 평온을 해할 정도의 폭동을 하였을 때 이미 그 구성요건이 완전히 충족된다고 할 것이어서 상태범으로 봄이 상당하다.

② 폭력행위 등 처벌에 관한 법률 제4조 소정의 '단체 등의 조직'죄는 같은 법에 규정된 범죄를 목적으로 한 단체 또는 집단을 구성함으로써 즉시 성립하고 그와 동시에 완성되는 즉시범이지 계속범이 아니다.

③ 직무유기죄는 직무를 수행하지 아니하는 위법한 부작위상태가 계속되는 한 가벌적 위법상태가 계속 존재한다고 할 것이므로 즉시범이라고 할 수 없다.

④ 군형법 제79조에 규정된 무단이탈죄는 허가 없이 근무장소 또는 지정장소를 일시 이탈한 기간 동안 행위가 지속된다는 점에서 계속범에 해당한다.

[해설] ① 대판 1997.4.17, 96도3376 전원합의체
② 대판 1997.10.10, 97도1829
③ 대판 1997.8.29, 97도675
④ × : 군형법 제79조에 규정된 무단이탈죄는 즉시범(계속범 ×)으로서 허가 없이 근무장소 또는 지정장소를 일시 이탈함과 동시에 완성되고 그 후의 사정인 이탈 기간의 장단 등은 무단이탈죄의 성립에 아무런 영향이 없다(대판 1983.11.8, 83도2450).

Answer　06. ③　07. ④

08 범죄의 종류에 관한 설명 중 옳지 않은 것은?(다툼이 있는 경우 판례에 의함)　　20. 변호사시험

① 직무유기죄는 작위의무를 수행하지 아니함으로써 구성요건에 해당하는 사실이 있고 그 후에도 계속하여 그 작위의무를 수행하지 아니하는 위법한 부작위상태가 계속되는 한 가벌적 위법상태는 계속 존재한다고 할 것이므로 즉시범이라고 할 수 없다.

② 협박죄는 사람의 의사결정의 자유를 보호법익으로 하는 위험범이고, 해악의 고지가 상대방에게 도달은 하였으나 상대방이 이를 지각하지 못하였거나 고지된 해악의 의미를 인식하지 못한 경우에도 협박죄는 기수에 이르렀다고 해야 한다.

③ 학대죄는 자기의 보호 또는 감독을 받는 사람에게 육체적으로 고통을 주거나 정신적으로 차별대우를 하는 행위가 있음과 동시에 범죄가 완성되는 상태범 또는 즉시범이다.

④ 도주죄는 즉시범으로서 범인이 간수자의 실력적 지배를 이탈한 상태에 이르렀을 때에 기수가 되어 도주행위가 종료하고, 도주죄의 범인이 도주행위를 하여 기수에 이른 이후에 범인의 도피를 도와주는 행위는 범인도피죄에 해당할 수 있을 뿐 도주원조죄에는 해당하지 아니한다.

⑤ 범인도피죄는 위험범으로서 현실적으로 형사사법의 작용을 방해하는 결과를 초래할 것을 요하지 아니하나, 도피하게 하는 행위는 은닉행위에 비견될 정도로 수사기관의 발견·체포를 곤란하게 하는 행위, 즉 직접 범인을 도피시키는 행위 또는 도피를 직접적으로 용이하게 하는 행위에 한정된다.

> 해설 ① 대판 1997.8.29, 97도675
> ② × : ~ (3줄) 못한 경우라면 협박죄는 ~ 이르렀다고 할 수 없다(대판 2007.9.28, 2007도606 전원합의체 ∴ 협박죄의 미수범 ○).
> ③ 대판 1986.7.8, 84도2922
> ④ 대판 1991.10.11, 91도1656
> ⑤ 대판 2013.1.10, 2012도13999

09 범죄의 종류에 대한 설명 중 가장 적절한 것은?(다툼이 있는 경우 판례에 의함)　　23. 경찰승진

① 명예훼손죄의 구성요건이 결과발생을 요구하는 침해범의 형태로 규정되어 있기 때문에 적시된 사실로 인하여 특정인의 사회적 평가를 침해할 위험만으로는 부족하고 침해의 결과발생이 필요하다.

② 일반교통방해죄는 구체적 위험범이므로 교통방해의 결과가 현실적으로 발생하여야 하며, 교통방해행위로 인하여 교통이 현저히 곤란한 상태가 발생하면 미수가 된다.

③ 구 국가공무원법 제84조, 제65조 제1항에서 규정하는 공무원이 정당 그 밖의 정치단체에 가입한 죄는 공무원이 정당 등에 가입함으로써 즉시 성립하고 그와 동시에 완성되는 즉시범이므로 그 범죄성립과 동시에 공소시효가 진행한다.

④ 체포죄는 즉시범으로서 반드시 체포의 행위에 확실히 사람의 신체의 자유를 구속한다고 인정할 수 있을 정도의 시간적 계속성이 있을 필요는 없다.

> Answer　**08.** ②　**09.** ③

해설 ① × : 명예훼손죄는 추상적 위험범으로서 적시된 사실로 인하여 특정인의 사회적 평가를 침해할 위험이 발생한 것으로 족하고, 침해의 결과발생을 요구하지 아니한다(대판 2020.11.19, 2020도5813 전원합의체).
② × : 일반교통방해죄는 추상적 위험범으로서 교통이 불가능하거나 또는 현저히 곤란한 상태가 발생하면 바로 기수가 되고 교통방해의 결과가 현실적으로 발생하여야 하는 것은 아니다(대판 2018.5.11, 2017도9146).
③ ○ : 대판 2014.5.16, 2013도929
④ × : 체포죄는 계속범으로서 체포행위에 확실히 사람의 신체의 자유를 구속한다고 인정할 수 있을 정도의 시간적 계속을 요한다(대판 2018.2.28, 2017도21249).

10 범죄의 종류에 관한 설명으로 가장 적절하지 않은 것은?(다툼이 있는 경우 판례에 의함) 25. 경찰승진

① 공문서부정행사죄는 공문서의 사용에 대한 공공의 신용을 보호법익으로 하는 범죄로서 추상적 위험범이다.

② 중손괴죄는 구체적 위험범으로서 법익침해의 구체적 위험이 발생한 경우 구성요건이 충족되는 범죄이다.

③ 강제추행죄는 정범 자신이 직접 범죄를 실행하여야 하는 자수범이므로, 처벌되지 아니하는 타인을 도구로 삼아 피해자를 강제로 추행하는 간접정범의 형태로 범할 수 없다.

④ 공무집행방해죄는 추상적 위험범으로서 구체적으로 직무집행의 방해라는 결과발생을 요하지 아니한다.

해설 ① 대판 2022.9.29, 2021도14514
② 옳다(중손괴죄 : 생명·신체에 대한 위험발생).
③ × : ~ (1줄) 하는 자수범이라고 볼 수 없으므로, 처벌되지 아니하는 타인을 도구로 삼아 피해자를 강제로 추행하는 간접정범의 형태로 범할 수 있다(대판 2018.2.8, 2016도17733).
④ 대판 2018.3.29, 2017도21537

11 다음 설명 중 가장 적절하지 않은 것은?(다툼이 있는 경우 판례에 의함) 26. 경찰승진

① 도주죄는 즉시범으로서 범인이 간수자의 실력적 지배를 이탈한 상태에 이르렀을 때에 기수가 되어 도주행위가 종료하는 것이고, 도주원조죄는 도주죄에 있어서의 범인의 도주행위를 야기시키거나 이를 용이하게 하는 등 그와 공범관계에 있는 행위를 독립한 구성요건으로 하는 범죄이므로, 도주죄의 범인이 도주행위를 하여 기수에 이르른 이후에 범인의 도피를 도와주는 행위는 범인도피죄에 해당할 수 있을 뿐 도주원조죄에는 해당하지 아니한다.

② 정보통신망을 이용한 명예훼손의 경우 게시행위의 종료만으로 범죄행위가 종료하는 것이 아니고 원래 게시물이 삭제되어 정보의 송수신이 불가능해지는 시점을 범죄의 종료시기로 보아서 이때부터 공소시효를 기산하여야 한다.

③ 군형법 제79조에 규정된 무단이탈죄는 이른바 즉시범으로서 허가없이 근무장소 또는 지정장소를 일시이탈함과 동시에 완성되고 그 후의 사정인 이탈기간의 장단 등은 무단이탈죄의 성립에 아무런 영향이 없다.

Answer **10.** ③ **11.** ②

④ 아동·청소년의 성보호에 관한 법률 제11조 제5항에서 정한 소지란 아동·청소년성착취물을 자기가 지배할 수 있는 상태에 두고 지배관계를 지속시키는 행위를 말하므로, 아동·청소년의 성보호에 관한 법률 위반(성착취물소지 등)죄는 아동·청소년성착취물의 소지를 개시한 때부터 지배관계가 종료한 때까지 하나의 죄로 평가되는 이른바 계속범이므로, 원칙적으로 실행행위가 종료되는 시점의 법률이 적용된다.

[해설] ① 대판 1991.10.11, 91도1656
② × : 정보통신망을 이용한 명예훼손의 경우에는 게시행위의 종료만으로 범죄행위가 종료하는 것이지 원래 게시물이 삭제되어 정보의 송수신이 불가능해지는 시점을 범죄의 종료시기로 볼 것은 아니다(대판 2007. 10.25, 2006도346).
③ 대판 1983.11.8, 83도2450 ④ 대판 2023.3.16, 2022도15319

12 양벌규정 또는 법인의 범죄능력에 관한 다음 설명 중 옳지 않은 것은 모두 몇 개인가?(다툼이 있는 경우 판례에 의함)   15. 법원행시

> ㉠ 법인은 사법상의 권리의무의 주체가 될 수 있을 뿐 법률에 명문의 규정이 없는 한 범죄능력은 없고, 그 법인의 업무는 법인을 대표하는 자연인인 대표기관의 의사결정에 따른 대표행위에 의하여 실현될 수밖에 없다.
> ㉡ 재물을 보관하는 주체가 법인이 되는 경우라도 범죄 능력이 없는 법인은 횡령죄의 주체가 될 수 없고 그 법인을 대표하여 사무를 처리하는 자연인인 대표기관이 타인의 재물을 보관하는 횡령죄의 주체가 된다고 보아야 한다.
> ㉢ 양벌규정에 면책규정이 신설된 것은 범죄 후 법률의 변경에 의하여 그 행위가 범죄를 구성하지 않거나 형이 구법보다 경한 경우에 해당한다.
> ㉣ 법인 대표자의 위반행위에 대하여 징역형의 형량을 작량감경하고 병과하는 벌금형에 대하여 선고유예를 한 경우 양벌규정에 따라 그 법인을 처단함에 있어서도 같은 조치를 취하여야 한다.
> ㉤ 법인의 직원이 위반행위를 하여 양벌규정에 의하여 법인이 처벌받는 경우, 그 위반행위를 한 직원이 자수하면 자수감경에 관한 형법 제52조 제1항의 규정에 의하여 법인의 형을 감경할 수 있다.
> ㉥ 지방자치단체 소속 공무원이 지정항만순찰 등 기관위임사무의 수행을 위해 관할 관청의 승인 없이 개조한 승합차를 운행함으로써 구 자동차관리법을 위반한 경우 해당 지방자치단체는 구 자동차관리법 제83조의 양벌규정에 따른 처벌대상이 되지 않는다.

① 1개   ② 2개   ③ 3개   ④ 4개   ⑤ 없 음

[해설] ㉠ ○ : 대판 1997.1.24, 96도524
㉡ ○ : 타당하다(대판 1994.2.8, 93도1483 참고). ㉢ ○ : 대판 2011.3.24, 2009도7230
㉣ × : 양벌규정에 의해 자연인과 법인이 함께 처벌받을 경우 자연인에 대해서는 작량감경을 하고 법인에 대해서는 작량감경을 하지 않아도 무방하다(대판 1995.12.12, 95도1893).
㉤ × : ~ 감경할 수 없다(대판 1995.7.25, 95도391).
㉥ ○ : 대판 2009.6.11, 2008도6530

Answer 12. ②

13 법인의 처벌에 대한 설명으로 가장 적절한 것은?(다툼이 있는 경우 판례에 의함)　22. 경찰승진

① 지방자치단체 소속 공무원이 압축트럭 청소차를 운전하여 고속도로를 운행하던 중 제한 축중을 초과 적재운행함으로써 도로관리청의 차량운행 제한을 위반한 경우, 해당 지방자치단체는 구 도로법 제86조의 양벌규정에 따른 처벌대상이 아니다.

② 특별한 근거규정이 없는 한 법인설립 이전의 자연인의 행위를 이유로 양벌규정을 적용하여 법인을 처벌할 수는 없다.

③ 양벌규정에 법인격 없는 사단이나 재단이 명시되어 있지 않더라도 그 양벌규정을 근거로 법인격 없는 사단이나 재단을 처벌할 수 있다.

④ 합병으로 인하여 소멸한 법인이 그 종업원 등의 위법행위에 대해 양벌규정에 따라 부담하던 형사책임은 합병으로 인하여 존속하는 법인에 승계된다.

해설　① × : ~ 처벌대상이 된다(2005.11.10, 2004도2657 ∵ 지방자치단체가 그 고유의 자치사무를 처리하는 경우 지방자치단체는 국가기관의 일부가 아니라 국가기관과는 별도의 독립한 공법인으로서 양벌규정에 의한 처벌대상이 되는 법인에 해당된다).
② ○ : 대판 2018.8.1, 2015도10388(∵ 법인설립 이전의 행위에 대해 법인에게 선임감독상의 과실 ×)
③ × : ~ 처벌할 수 없다(대판 1997.1.24, 96도524).
④ × : ~ 승계되지 않는다(대판 2007.8.23, 2005도4471).

14 법인의 처벌 등에 관한 설명 중 옳지 않은 것은 모두 몇 개인가?(다툼이 있는 경우 판례에 의함)
21. 법원행시

㉠ 법인을 처벌하는 양벌규정이 있는 경우에 예외적으로 법인에게도 범죄능력을 인정할 수 있다.
㉡ 지방자치단체 소속 공무원이 기관위임사무를 수행하는 중 위반행위를 한 경우, 지방자치단체도 양벌규정에 따른 처벌대상이 된다.
㉢ 회사가 해산 및 청산등기 전에 재산형에 해당하는 사건으로 기소되었으나, 그 후 청산종결의 등기가 경료되었다면, 위 회사는 형사소송법상 당사자 능력을 상실하게 된다.
㉣ 1인회사의 경우도 자본시장과 금융투자업에 관한 법률에 따른 양벌규정에 기한 책임을 부담한다.
㉤ 조세범처벌법에 따른 고발의 구비 여부는 양벌규정에 의하여 처벌받는 자연인인 행위자와 법인에 대하여 개별적으로 논하여야 한다.
㉥ 법인은 업무방해죄의 가해자와 피해자가 될 수 있다.

① 없 음　　　② 1개　　　③ 2개　　　④ 3개　　　⑤ 4개

해설　㉠ × : 대판 1984.10.10, 82도2595 전원합의체(∵ 법인의 범죄능력을 부정한다.)
㉡ × : ~ 처벌대상이 되지 않는다(대판 2005.11.10, 2004도2657).
㉢ × : 회사가 해산 및 청산등기 전에 재산형에 해당하는 사건으로 소추당한 후 청산종결의 등기가 경료되었다고 하여도 그 피고사건이 종결되기까지는 회사의 청산사무는 종료되지 아니하고 형사소송법상 당사자 능력도 존속한다고 할 것이다(대판 1982.3.23, 81도1450).

Answer　13. ②　14. ⑤

ⓔ ○ : 대판 2018.4.12, 2013도6962(∵ 회사와 주주는 별개의 인격체임)

ⓜ ○ : 대판 2004.9.24, 2004도4066

ⓗ × : 법인은 범죄능력이 없어 업무방해죄의 주체(가해자)가 될 수 없으나(대판 1984.10.10, 82도2595 전원합의체), 업무방해죄의 객체인 '사람의 업무'에서 사람(타인)이라 함은 자연인 이외에 법인·법인격 없는 단체도 포함되므로(대판 1999.1.15, 98도663) 법인은 업무방해죄의 피해자가 될 수 있다.

15 법인의 형사책임에 관한 설명 중 가장 적절하지 않은 것은?(다툼이 있는 경우 판례에 의함)

22. 순경 2차

① 법인격 없는 사단과 같은 단체는 법인과 마찬가지로 사법상의 권리의무의 주체가 될 수 있음은 별론으로 하더라도 법률에 명문의 규정이 없는 한 그 범죄능력은 없다.

② 양벌규정에 의해 법인이 처벌되는 경우, 공모한 수인의 사용인 가운데 A, B법인의 사용인은 직접 실행행위에 가담하지 않고 C법인의 사용인만 실행행위를 분담한 경우에도 A, B법인은 C법인과 공동정범이 될 수 있다.

③ 양벌규정에 따라 사용자인 법인 또는 개인을 처벌하기 위해서는 형벌의 자기책임 원칙에 비추어 위반행위가 발생한 그 업무와 관련하여 사용자인 법인 또는 개인이 상당한 주의 또는 감독의무를 게을리한 과실이 있어야 한다.

④ 판례는 양벌규정의 적용대상자를 업무주가 아니면서 당해 업무를 실제 집행하는 자에게까지 확장하고 있어, 법인격 없는 공공기관도 개인정보보호법상 양벌규정에 의해 처벌될 수 있고, 해당 업무를 실제로 담당하는 소속 공무원도 양벌규정에 의해 처벌받을 수 있다.

> 해설 ① 대판 1997.1.24, 96도524
> ② 대판 1983.3.22, 81도2545
> ③ 대판 2021.9.30, 2019도3595
> ④ × : 개인정보 보호법은 제2조 제5호, 제6호에서 공공기관 중 법인격이 없는 '중앙행정기관 및 그 소속 기관' 등을 개인정보처리자 중 하나로 규정하고 있으면서도, 양벌규정에 의하여 처벌되는 개인정보처리자로는 같은 법 제74조 제2항에서 '법인 또는 개인'만을 규정하고 있을 뿐이고, 법인격 없는 공공기관에 대하여도 위 양벌규정을 적용할 것인지 여부에 대하여는 명문의 규정을 두고 있지 않으므로, 죄형법정주의의 원칙상 '법인격 없는 공공기관'을 위 양벌규정에 의하여 처벌할 수 없고, 그 경우 행위자 역시 위 양벌규정으로 처벌할 수 없다(대판 2021.10.28, 2020도1942).

16 행위의 주체에 관한 설명으로 가장 적절한 것은?(다툼이 있는 경우 판례에 의함)　　24. 경찰승진

① 주식회사의 주식이 사실상 1인의 주주에 귀속하는 1인회사의 경우에는 회사와 주주를 동일한 인격체라고 볼 수 있으므로 1인회사는 양벌규정에 따른 책임을 부담하지 않는다.

② 양벌규정에 의하여 법인이 처벌받는 경우라도 법인의 사용인들이 범죄행위를 공모한 후 일방법인의 사용인이 그 실행행위에 직접 가담하지 아니하고 다른 공모자인 타법인의 사용인만이 분담실행한 경우라면 그 법인은 공동정범의 죄책을 면한다.

③ 양벌규정 중 법인의 대표자 관련 부분은 대표자의 책임을 요건으로 하여 법인을 처벌하는 것이지 그 대표자의 처벌까지 전제조건이 되는 것은 아니므로 법인의 대표이사가 선행사건 확정판결로 면소판결을 선고받았더라도 해당법인을 양벌규정으로 처벌할 수 있다.

④ 회사 대표자의 위반행위에 대하여 징역형의 형량을 정상참작 감경하고 병과하는 벌금형에 대하여 선고유예를 한 이상 양벌규정에 따라 그 회사를 처단함에 있어서도 같은 조치를 취하여야 한다.

[해설] ① × : ~ (2줄) 볼 수 없으므로 1인회사는 양벌규정에 따른 책임을 부담한다(대판 2018.4.12, 2013도6962).
② × : ~ (3줄) 분담실행한 경우에도 그 법인은 공동정범의 죄책을 면할 수 없다(대판 1983.3.22, 81도2545).
③ ○ : 대판 2022.11.17, 2021도701
④ × : ~ 같은 조치를 취하여야 하는 것은 아니다(대판 1995.12.12, 95도1893).

17 법인의 범죄능력과 양벌규정에 관한 설명으로 가장 적절한 것은?(다툼이 있는 경우 판례에 의함)

25. 순경 1차

① 형법 제8조 본문은 "본법 총칙은 타법령에 정한 죄에 적용한다."고 규정하고 있으므로, 형법에 법인에 대한 별도의 처벌규정이 없는 한, 개별 법령의 양벌규정을 근거로 법인을 처벌할 수는 없다.

② 지방자치단체 소속 공무원이 지방자치단체 고유의 자치사무를 수행하던 중 범죄를 저지르고 해당 범죄에 대하여 그 행위자를 벌하는 외에 법인을 처벌하는 양벌규정이 있는 경우, 지방자치단체는 양벌규정의 적용대상이 되는 법인에 해당한다.

③ 회사합병이 있는 경우 피합병회사의 권리·의무는 사법상의 관계나 공법상의 관계를 불문하고 모두 합병으로 인하여 존속하는 회사에 승계되는 것이 원칙이므로, 합병으로 인하여 소멸한 법인이 그 종업원 등의 위법행위에 대해 양벌규정에 따라 부담하던 형사책임은 합병으로 인하여 존속하는 법인에 승계된다.

④ 배임죄에 있어서 타인의 사무를 처리할 의무의 주체가 법인이 되는 경우, 법인은 배임죄의 주체가 될 수 있다.

[해설] ① × : 현행 형법에 법인에 대한 별도의 처벌규정이 없으나, 개별 법령상 양벌규정을 근거로 법인을 처벌하고 있다.
② ○ : 대판 2005.11.10, 2004도2657
③ × : ~ (2줄) 승계되는 것이 원칙이지만, 합병으로 인하여 소멸한 법인이 그 종업원 등의 위법행위에 대해 양벌규정에 따라 부담하던 형사책임은 그 성질상 이전을 허용하지 않는 것으로서 합병으로 인하여 존속하는 법인에 승계되지 않는다(대판 2007.8.23, 2005도4471).
④ × : 배임죄에 있어서 타인의 사무를 처리할 의무의 주체가 법인이 되는 경우라도 법인은 다만 사법상의 의무주체가 될 뿐 법인은 범죄능력이 없는 것이며, 법인이 처리할 의무를 지는 타인의 사무에 관하여 법인이 배임죄의 주체가 될 수 없고 자연인인 대표기관이 배임죄의 주체(타인의 사무를 처리하는 자)가 된다(대판 1994.2.8, 93도1483).

Answer **17.** ②

18 법인의 범죄능력과 양벌규정에 대한 설명으로 옳은 것만을 모두 고르면?(다툼이 있는 경우 판례에 의함)

25. 7급 검찰

> ㉠ 배임죄의 주체는 자연인만이 될 수 있고, 법인은 타인의 사무를 처리할 사법상의 의무주체가 되는 경우에 한하여 예외적으로 배임죄의 주체가 될 수 있을 뿐이다.
> ㉡ 지방자치단체가 그 고유의 자치사무를 처리하는 경우, 지방자치단체는 국가기관의 일부가 아니라 국가기관과는 별도의 독립한 공법인으로서 양벌규정에 의한 처벌대상이 되는 법인에 해당한다.
> ㉢ 양벌규정과 관련하여 법인 대표자의 법규위반행위에 대한 법인의 책임은 법인 자신의 법규위반행위로 평가될 수 있는 행위에 대한 법인의 직접책임이다.
> ㉣ 법인의 대표자의 고의에 의한 위반행위에 대하여는 법인 자신의 고의에 의한 책임을, 대표자의 과실에 의한 위반행위에 대하여는 법인 자신의 과실에 의한 책임을 져야 하며, 이때 법인을 양벌규정으로 처벌하기 위해서는 그 대표자의 처벌이 전제조건이 된다.

① ㉠, ㉡　　　　② ㉠, ㉣　　　　③ ㉡, ㉢　　　　④ ㉢, ㉣

해설 ㉠ ✕ : 배임죄에 있어서 타인의 사무를 처리할 의무의 주체가 법인이 되는 경우라도 법인은, 다만 사법상의 의무주체가 될 뿐 법인은 범죄능력이 없는 것이며, 법인이 처리할 의무를 지는 타인의 사무에 관하여 법인이 배임죄의 주체가 될 수 없고 자연인인 대표기관이 배임죄의 주체(타인의 사무를 처리하는 자)가 된다(대판 1994.2.8, 93도1483).
㉡ ○ : 대판 2005.11.10, 2004도2657
㉢ ○ : 대판 2022.11.17, 2021도701
㉣ ✕ : ~ (2줄) 책임을 져야 한다. 이처럼 양벌규정 중 법인의 대표자 관련 부분은 대표자의 책임을 요건으로 하여 법인을 처벌하는 것이지 그 대표자의 처벌까지 전제조건이 되는 것은 아니므로, 법인의 대표이사가 선행사건 확정판결로 면소판결을 선고받았더라도 해당법인을 양벌규정으로 처벌할 수 있다(대판 2022.11.17, 2021도701).

Answer 18. ③

단원
advice

본장은 총론에서 출제비중이 가장 높으며 골고루 출제되고 있다. 특히, 부작위범은 정확한 이해를 요하며, 판례에 의한 인과관계와 고의의 인정 여부, 과실범과 결과적 가중범의 판례 관련부분은 매우 중요하다.

제1절 구성요건이론

(1) 의 의

① **구성요건** : 구성요건이란 형법상 금지 또는 요구되는 행위가 무엇인가를 추상적 · 일반적으로 기술해 놓은 것을 말한다. 즉, 위법행위 가운데 특히 범죄로 하여 처벌할 필요가 있는 것을 추상적으로 유형화해 놓은 것이 구성요건이다.

② **구성요건해당성** : 구성요건해당성이란 구체적인 개개의 행위가 구성요건에 합치(해당)하는 것을 말한다.

㉠ 구성요건 그 자체는 범죄성립요건이 아니며 구성요건해당성이 범죄성립요건의 하나이다.

㉡ 미수 · 기수 모두 구성요건에 해당하므로 구성요건에 해당한다고 해서 모든 범죄가 기수로 되는 것은 아니다.

③ **구성요건의 충족** : 구성요건의 충족이란 어떤 행위가 구성요건에 포함된 모든 요소를 충족하는 것을 말하며, 구성요건을 충족하면 곧 기수가 된다. 즉, 기수가 되기 위한 요건이 구성요건의 충족이다.

(2) 구성요건과 위법성과의 관계

① 구성요건은 위법행위를 유형화해 놓은 것이므로 구성요건은 위법성의 징표가 되어 구성요건에 해당하는 행위는 일단 위법행위로 추정되며, 위법성조각사유가 없게 되면 추정되었던 위법성이 확정적으로 위법한 것으로 간주된다는 점에서 위법성은 적극적으로 파악할 것이 아니라 소극적으로 파악된다.

② **소극적 구성요건표지(요소)이론** 13. 9급 검찰 · 마약수사 · 철도경찰, 16. 경찰간부, 19. 순경 1차

㉠ 위법성조각사유를 소극적 구성요건요소로 보아 위법성조각사유가 존재하면 위법성이 조각되는 것이 아니라 애초부터 구성요건에도 해당하지 않는다고 하는 견해이다. 이에 따르면 구성요건과 위법성조각사유는 불법구성요건을 확정하는 동일한 기능을 가지나 전자는 불법을 적극적으로, 후자는 소극적으로 확정하는 차이만 있을 뿐이다. 즉, 구성요건(불법구성요건)에 해당하는 것은 단지 위법성을 징표하여 불법행위에 대한 잠정적 반가치판단을 의미하는 것이 아니라 불법행위에 대한 단정적(종국적) 반가치판단을 의미한다. 따라서 구성요건은 위법성의 인식근거가 아니라 위법성의 존재근거가 된다.

ⓒ 이 견해는 구성요건해당성과 위법성을 총체적 불법구성요건(불법을 근거지우는 적극적 구성요건요소＋불법을 배제하는 소극적 구성요건요소)으로 보아 2단계 범죄체계(총체적 불법구성요건＋책임)를 따른다.

ⓒ 이 이론은 위법성조각사유의 전제사실에 관한 착오(例 오상방위)의 경우 고의가 부정되고, 사실의 착오(구성요건적 착오)로서 과실범으로 처벌된다는 이론적 장점이 있다.

ⓔ 그러나 이 이론은 구성요건의 독자적 기능(경고·지시기능)을 무시하여 처음부터 구성요건에 해당하지 않는 행위(例 파리를 죽이는 행위)와 구성요건에 해당하나 위법성조각사유가 존재하여 구성요건해당성이 조각되는 행위(例 정당방위로 사람을 살해) 사이의 가치 차이를 무시했다는 비판을 받는다.

(3) 구성요건의 요소

① **객관적 구성요건요소**(객관적 불법요소) : 행위의 외부적 현상을 기술한 것으로, 행위자의 주관적 요소(고의, 목적 등)와 독립하여 외부적으로 그 존재를 인식할 수 있는 것을 말한다.

　例 행위의 주체, 행위의 객체, 행위의 결과, 행위의 태양 및 수단, 인과관계, 행위상황 등

② **주관적 구성요건요소**(주관적 불법요소) : 행위자의 내심적·주관적 상황에 속하는 구성요건요소를 말한다. 이에는 어떤 것들이 포함되느냐는 범죄체계론과 관련하여 다음과 같이 발달해왔다.

ⓐ **고전적 범죄체계** : 인과적 행위론자들이 주장하는 것으로 모든 객관적인 요소는 불법에, 모든 주관적인 요소는 책임에 속한다고 보아 고의·과실을 책임요소로 보고 주관적 구성요건요소를 인정하지 않았다.

ⓑ **신고전적 범죄체계** : 규범적·주관적 구성요건요소를 인정하여 고의·과실은 책임요소이나, 목적범의 목적, 경향범의 경향, 표현범의 표현, 재물죄에 있어서 불법영득의사는 주관적 구성요건요소로 보았다.

ⓒ **목적적 범죄체계** : 목적적 행위론자들은 고의·과실을 책임요소가 아닌 주관적 구성요건요소로 보아 주관적 구성요건요소에는 고의·과실, 목적범의 목적, 경향범의 경향, 표현범의 표현, 불법영득의사가 있다고 보았다.

ⓔ **신고전적 범죄체계와 목적적 범죄체계의 합일형태**(통설) : 사회적 행위론자들은 고의·과실의 이중기능을 인정하여 주관적 구성요건요소로서의 고의·과실과 책임요소로서의 고의·과실을 인정하였다. 오늘날 통설인 이 견해에 따르면 주관적 구성요건요소는 다음과 같이 분류한다. 17. 9급 검찰·철도경찰, 25. 해경경위

일반적인 주관적 불법요소 (구성요건요소)	고의와 과실을 일반적인 주관적 불법요소로 본다.
특수한(초과) 주관적 불법요소 (구성요건요소)	고의를 초과하는 주관적 구성요건요소로서 목적범의 목적, 불법영득의사를 든다.

(4) 결과반가치(결과불법)와 행위반가치(행위불법) 26. 변호사시험

① **의의** : 결과반가치란 결과에 대한 부정적 가치판단을 의미하며 행위반가치란 행위에 대한 부정적 가치판단을 의미한다.

② **결과반가치론과 행위반가치론**

　㉠ **결과반가치론**

　　ⓐ 범죄의 객관적 측면은 구성요건해당성과 위법성의 요소에 속하고, 주관적 측면은 책임요소에 해당한다는 고전적 범죄개념에 의하면 불법의 본질은 법익침해 또는 위험이라는 결과반가치에 있다고 한다.

　　ⓑ 결과반가치론은 불법이란 객관적 평가규범에 위반하는 것을 의미하며, 의사결정규범은 책임에 관련되는 것으로 본다.

　㉡ **행위반가치론**

　　ⓐ 인적 불법론 : 불법의 핵심이 행위반가치에 있다고 주장한 것이 Welzel의 인적 불법론이다. 즉, 불법은 행위자와 내용적으로 분리된 결과야기에 의하여 구성되는 것이 아니라 행위자 관련적인 행위불법이라고 한다. 따라서 인적 불법론에 의하면 행위반가치가 불법의 제1차적 구성요소가 되고 결과반가치는 부차적 요소가 된다.

　　ⓑ 일원적 · 주관적 · 인적 불법론 : 불법과 구성요건해당성을 오직 행위반가치만으로 설명하여 결과반가치는 구성요건요소가 아니라 객관적 처벌조건에 불과하다고 주장하는 극단적인 행위반가치론을 일원적 · 주관적 · 인적 불법론이라고 한다.

　㉢ **이원적 · 인적 불법론**(다수설) : 불법은 결과반가치로서의 법익의 침해 또는 위험(위태화)과 행위의 측면을 포섭하는 행위반가치를 고려하여 판단해야 하므로 결과반가치와 행위반가치를 동일한 서열에서 병존하는 불법요소로 이해하는 이원적 · 인적 불법론이 우리나라의 다수설이다.

③ **결과반가치와 행위반가치의 내용**

　㉠ **결과반가치의 내용** : 법익보호의 관점에서 법익침해(현실적으로 발생한 법익의 손상 : 결과범의 결과와 위험범의 위험상태)와 법익위태화(보호법익에 대한 침해발생의 가능한 상태 : 미수)를 결과반가치의 내용으로 보는 것이 다수설이다.

　㉡ **행위반가치의 내용** : 행위반가치는 행위자의 행위에 대한 부정적 가치판단이므로 행위반가치의 내용으로 주관적 행위요소(예 고의, 주의의무위반으로서의 과실), 주관적 행위자적 요소(예 목적, 경향, 표현 등 특별한 주관적 불법요소), 객관적 행위요소(예 실행행위의 종류 · 방법, 범행수단, 행위의 태양 등), 객관적 행위자적 요소(예 신분범의 신분, 부진정부작위범의 보증인 등)가 있다.

④ **결과반가치론과 행위반가치론의 차이점**

구 분	결과반가치	행위반가치
의 의	결과에 대한 부정적 가치판단	행위에 대한 부정적 가치판단
역 사	고전적 범죄개념	Welzel(목적적 행위론자)의 인적 불법론
형법의 목적·기능	법익보호	사회윤리적 행위가치보호
형법의 성격	평가규범성 강조	의사결정규범성 강조
불법의 본질 (위법성의 실체)	법익침해와 그 위험(위태화)	행위의 반사회성(사회상당성의 이탈)
고의·과실	책임요소	주관적 불법(위법)요소
과실범의 불법	법익침해에 차이가 없으므로 불법의 경중에서 고의범과 차이가 없음	행위측면에서 고의범과 차이가 있으므로 불법의 경중에서 고의범과 차이가 있음
위법성조각사유의 일반원리	• 법익형량설 • 우월적 이익설	• 사회상당성설 • 목적설
실행의 착수시기	객관설	주관설
불능범과 불능미수	객관설	주관설

01 구성요건과 관련된 다음 설명 중 가장 옳은 것은?(다툼이 있는 경우 판례에 의함) 16. 경찰간부

① 중체포감금죄의 구성요건은 사람을 체포 또는 감금하여 생명 또는 신체에 대한 위험을 발생시킨 경우에 인정된다.

② 규범적 구성요건요소에 관한 착오는 구성요건적 착오(사실의 착오)로서만 해석되어야 하기 때문에 그에 대해서는 금지착오(법률의 착오)가 된다고 볼 여지가 없다.

③ 아들이 몰래 아버지 지갑에서 10만원을 훔쳐 가면 절도죄의 객관적 구성요건이 부정되어 그 아들은 처벌되지 않는다.

④ 소극적 구성요건표지이론에 의하면 구성요건과 위법성조각사유는 불법구성요건을 확정하는 동일한 기능을 가지지만, 전자는 불법을 적극적으로, 후자는 소극적으로 확정하는 차이가 있다.

해설 ① × : 중체포감금죄(제277조) ⇨ 생명·신체에 대한 위험발생 ×(위험범 ×), 가혹행위 ○
② × : 기술적 구성요건요소에 관한 착오 ⇨ 구성요건적 착오, 규범적 구성요건요소에 관한 착오 ⇨ 구성요건적 착오 또는 금지(법률)의 착오
③ × : 절도죄의 객관적 구성요건(타인(아버지)의 재물)이 부정되는 것이 아니라 처벌조건이 결여되어(인적 처벌조각사유 : 친족상도례) 처벌되지 않는다.
④ ○ : 타당하다.

02 주관적 불법요소에 대한 설명으로 옳지 않은 것은?(다툼이 있는 경우 판례에 의함)

17. 9급 검찰·마약수사·철도경찰

① 고의는 일반적 주관적 불법요소로서 인적 행위불법의 핵심적 요소에 해당한다.

② 목적범에서 '목적'은 범죄성립을 위하여 고의 외에 요구되는 초과 주관적 위법요소이다.

③ 사문서위조죄는 행위자가 '행사할 목적'으로 사문서를 위조할 것을 규정하고 있으므로 여기서의 목적은 일반적 주관적 불법요소에 해당한다.

④ 불법영득의사는 과실범에서는 있을 수 없고 고의범에서만 있을 수 있는 특수한 주관적 불법요소(초과 주관적 구성요건요소)에 해당한다.

해설 • **일반적 주관적 불법요소**(구성요건요소) : 고의, 과실
• **초과(특수한) 주관적 불법요소**(구성요건요소) : 목적범의 '목적', 불법영득의사
∴ ③ 일반적 주관적 불법요소 ×, 초과 주관적 불법요소 ○

Answer 01. ④ 02. ③

03 행위불법과 결과불법에 관한 설명 중 옳지 않은 것은?　　　26. 변호사시험

① 형법에서 살인미수를 과실치사보다 특별히 무겁게 처벌하도록 한 것은 결과불법 측면보다 행위불법 측면을 중시한 예가 된다.

② 신뢰의 원칙에 따라 업무상 과실범의 성립을 제한하려는 입장에서는 결과불법 측면보다 행위불법 측면이 중시된다.

③ 형법에서 범인을 숨겨 주는 행위를 처벌하는 것과 달리 범인 자신이 스스로 숨는 행위를 처벌하지 않도록 한 것은 행위불법 측면보다 결과불법 측면을 중시한 것이다.

④ 양벌규정에 따른 처벌을 위해 사업자의 관리감독의무 위배를 요구하는 과실책임설에서는 이를 묻지 않는 무과실책임설에 비할 때 결과불법 측면보다 행위불법 측면이 중시된다.

⑤ 오로지 결과불법만을 중시하는 견해는 중지미수를 장애미수보다 가볍게 처벌하도록 한 규정의 근거를 설명하기 어렵다.

> **해설**　① ○ : 살인미수(행위불법 : 고의, 결과불법 : 미수)를 과실치사〔행위불법 : 과실, 결과불법 : 기수(사망)〕보다 특별히 무겁게 처벌하도록 한 것은 결과불법〔미수＜기수(사망)〕 측면보다 행위불법〔고의＞과실〕 측면을 중시한 예가 된다.
> ② ○ : 신뢰의 원칙은 다른 참여자의 적절한 행위를 신뢰하는 것이 타당한 때에는 법익침해(결과발생)가 발생한 경우에도 업무상 과실범의 성립을 제한하려는 이론으로 결과불법(법익침해) 측면보다 행위불법(주의의무위반) 측면이 중시된다.
> ③ × : 범인은닉죄의 주체는 '범인 이외의 자'이므로 범인 자신이 스스로 숨는 행위를 처벌하지 않도록 한 것은 결과불법(범인은닉) 측면보다 행위불법(객관적 행위자요소) 측면을 중시한 것이다.
> ④ ○ : 사업자의 행위자에 대한 선임감독상의 과실 때문에 처벌된다는 과실책임설에서는 자기(사업자)의 행위와 관계없이 타인(행위자)의 행위로 인하여 발생한 법익침해에 대해서 처벌된다는 무과실책임설에 비할 때 결과불법 측면보다 행위불법 측면이 중시된다.
> ⑤ ○ : 결과불법 측면에서는 장애미수와 중지미수에 차이가 없고, 행위불법 측면에서 중지미수(자의성 ○)를 장애미수(자의성 ×)보다 가볍게 처벌하도록 한 것이다.

Answer　03. ③

제2절　부작위범

> **제18조【부작위범】** 위험의 발생을 방지할 의무가 있거나 자기의 행위로 인하여 위험발생의 원인을 야기한 자가 그 위험발생을 방지하지 아니한 때에는 그 발생된 결과에 의하여 처벌한다. 21. 해경승진, 22. 법원행시, 24. 9급 검찰·마약수사·철도경찰

1　의 의

(1) 형법상의 작위와 부작위

작 위	해서는 안 될 행위(금지된 거동)를 적극적으로 하는 경우를 말한다. 예 산모가 유아를 목졸라 죽인 경우 ⇨ 작위에 의한 살인죄
부작위	단순히 아무런 행위도 하지 않는 무위(無爲)가 아니라 기대되거나 요구되는 행위를 소극적으로 하지 않는 경우를 말한다. 예 산모가 고의로 유아에게 젖을 주지 않아 유아가 사망한 경우 ⇨ 부작위에 의한 살인죄

형법 제18조에서 말하는 부작위는 법적 기대라는 규범적 가치판단 요소에 의하여 사회적 중요성을 가지는 사람의 행태가 되어 법적 의미에서 작위와 함께 행위의 기본 형태를 이루게 된다(대판 2015.11.12, 2015도6809 전원합의체). 21. 7급 검찰, 22. 경찰간부·9급 검찰·마약수사·철도경찰

관련판례

1. 전담의사(전문의 : 甲)와 주치의(레지던트 : 丁)가 치료를 중단할 경우 사망하게 된다는 사실을 알고서도 회복가능성이 있는 환자(丙)를 이러한 사정을 잘 알고 있는 그의 처(乙)의 요구에 따라 퇴원을 지시하고, 퇴원 후에 丁의 지시를 받은 인턴이 호흡보조장치를 제거하자 丙이 사망한 경우 ⇨ 乙 : 부작위에 의한 살인죄, 甲과 丁 : 살인죄의 공동정범 ×(기능적 행위지배 ×), 살인죄의 작위(부작위 ×)에 의한 방조범(대판 2004.6.24, 2002도995 ∵ 어떠한 범죄가 적극적 작위 또는 소극적 부작위에 의하여도 실현될 수 있는 경우에, 행위자가 자신의 신체적 활동이나 물리적·화학적 작용을 통하여 적극적으로 타인의 법익 상황을 악화시킴으로써 결국 그 타인의 법익을 침해하기에 이르렀다면 이는 작위(부작위 ×)에 의한 범죄로 봄이 원칙이다.) 21. 순경 1차, 22. 해경간부, 24. 경찰간부·해경승진·7급 검찰, 25. 9급 철도경찰, 26. 변호사시험

2. 경찰관이 검사로부터 범인을 검거하라는 지시를 받고서도 적절한 조치를 취하지 아니하고 오히려 범인에게 전화로 도피하라고 권유하여 그를 도피케 하였다면 작위범인 범인도피죄만이 성립하고 부작위범인 직무유기죄는 따로 성립하지 아니한다(대판 1996.5.10, 96도51). 18. 경찰승진, 21. 7급 검찰, 23. 해경 3차, 24. 해경간부

   ▶ **유사판례** : 경찰공무원이 지명수배 중인 범인을 발견하고도 직무상 의무에 따른 적절한 조치를 취하지 아니하고 오히려 범인을 도피하게 하는 행위를 하였다면, 그 직무위배의 위법상태는 범인도피행위 속에 포함되어 있다고 보아야 할 것이므로, 이와 같은 경우에는 작위범인 범인도피

죄만이 성립하고 부작위범인 직무유기죄는 따로 성립하지 아니한다(대판 2017.3.15, 2015도1456).
18. 경찰승진, 24. 순경 2차, 25. 9급 검찰·마약수사·철도경찰

3. 공무원이 어떠한 위법사실을 발견하고도 직무상 의무에 따른 적절한 조치를 취하지 아니하고 위법사실을 적극적으로 은폐할 목적으로 허위공문서를 작성·행사한 경우에는 작위범인 허위공문서작성죄와 허위작성공문서행사죄만이 성립하고 부작위범인 직무유기죄는 따로 성립하지 아니한다(대판 1993.12.24, 92도3334). 16. 법원직·경찰승진, 24. 해경순경

▶ **비교판례** : 그러나 공무원이 직무를 유기한 후 다른 목적을 위하여 허위공문서를 작성·행사한 경우 ⇨ 직무유기죄와 허위공문서작성 및 동행사죄의 실체적 경합(대판 1993.12.24, 92도3334 : 농지일시전용허가를 내주기 위해 현장출장복명서와 심사의견서를 허위로 작성하여 제출한 경우)
19. 경찰간부, 24. 경찰승진·7급 검찰

4. 경찰서 형사과장인 甲이 압수물을 범죄 혐의의 입증에 사용하도록 하는 등의 적절한 조치를 취하지 아니하고 피압수자에게 돌려준 경우, 甲에게는 작위범인 증거인멸죄만이 성립하고 부작위범인 직무유기죄는 따로 성립하지 아니한다(대판 2006.10.19, 2005도3909 전원합의체) 18. 변호사시험, 23. 9급 철도경찰, 24. 해경간부

5. 하나의 행위가 부작위범인 직무유기죄와 작위범인 허위공문서작성·행사죄의 구성요건을 동시에 충족하는 경우, 공소제기권자는 재량에 의하여 작위범인 허위공문서작성·행사죄로 공소를 제기하지 않고 부작위범인 직무유기죄로만 공소를 제기할 수 있다(대판 2008.2.14, 2005도4202). 21. 해경간부, 22. 변호사시험, 23. 경찰간부, 24. 경찰승진

6. '소극적인 근로제공 중단', 즉 '단순 파업'이라고 하더라도 파업은 그 자체로 부작위가 아니라 작위적 행위로 보아야 한다(대판 2011.3.17, 2007도482 전원합의체). 19. 순경 1차, 23. 해경승진

(2) 작위범과 부작위범

형법규범에는 금지규범과 요구(명령)규범이 있다. 이때 금지규범을 작위로 위반하는 것이 작위범이고 요구규범을 부작위로 위반하는 것이 부작위범이다.

작위범	규범적으로 금지되어 있는 것을 함으로써 성립하는 범죄(금지규범의 위반) 예 살인하지 말라 ─위반→ 살인죄
부작위범	규범적으로 요구(명령)되는 것을 하지 않음으로써 성립하는 범죄(명령·요구규범의 위반) 예 해산하십시오 ─위반→ 다중불해산죄

② 부작위범의 종류

🔔 진정부작위범과 부진정부작위범의 구별에 관한 학설 중 실질설(형식설 ×)은 거동범에 대하여는 부진정부작위범이 성립할 여지가 없다고 보는 반면에, 형식설(실질설 ×)은 결과범은 물론 거동범에 대하여도 부진정부작위범이 성립할 수 있다고 본다. 17. 경찰승진, 20. 해경 1차

(1) 진정부작위범(부작위에 의한 부작위범) 12. 경찰승진·경찰간부

형법규정의 형식상 부작위로 범할 것을 내용으로 하는 범죄를 말한다. 24. 경대편입 즉, 구성요건에 작위의무가 명시되어 있다. 형법 각칙의 아래와 같은 5가지 범죄가 이에 해당한다.

예 다중불해산죄(제116조 "… 해산명령을 받고 해산하지 아니한 자 …"), 퇴거불응죄(제319조 제2항 "… 퇴거요구를 받고 응하지 아니한 자 …"), 집합명령위반죄(제145조 제2항), 전시군수계약불이행죄(제103조 제1항), 전시공수계약불이행죄(제117조 제1항) 20. 해경 3차, 22. 9급 검찰·마약수사·철도경찰·순경 1차, 25. 해경경사

🔔 1. 일정한 기간 내에 잘못된 상태를 바로잡으라는 행정청의 지시를 이행하지 않았다는 것을 구성요건으로 하는 범죄는 이른바 진정부작위범으로서 그 의무이행기간의 경과에 의하여 범행이 기수에 이른다(대판 1994.4.26, 93도1731 ∴ 2개월 내에 행정청의 지시를 이행하지 않은 행위와 그 7개월 후 다시 같은 내용의 지시를 받고 이를 이행하지 않은 부작위는 서로 양립이 가능한 전혀 별개의 범죄이다). 22. 순경 1차, 23. 변호사시험·경찰승진·7급 검찰, 24. 해경간부, 25. 경대편입

2. 신고의무 위반으로 인한 공중위생관리법 위반죄는 구성요건이 부작위에 의하여서만 실현될 수 있는 진정부작위범에 해당한다(대판 2008.3.27, 2008도89). 20. 경찰간부, 25. 해경경사, 26. 변호사시험

3. 게임산업진흥에 관한 법률 제45조 제2호 위반죄는 청소년게임제공업 등을 영위하고자 하는 자가 등록의무를 이행하지 아니하였다는 것만으로 구성요건이 실현되는 것은 아니고, 나아가 영업을 하였다는 요건까지 충족되어야 비로소 구성요건이 실현되는 것이므로 이를 진정부작위범으로 볼 것은 아니다(대판 2011.11.10, 2010도11631).

4. 甲이 휴대폰 녹음기능을 작동시킨 상태로 A에게 전화를 걸어 약 8분간의 전화통화를 마친 후 바로 전화를 끊지 않고 A가 먼저 전화 끊기를 기다리던 중 B의 목소리가 들려오자, A가 실수로 통화종료 버튼을 누르지 아니한 상태를 이용하여 A와 B가 나누는 대화를 몰래 청취 녹음하였다면 甲의 행위는 작위(부작위 ×)에 의한 통신비밀보호법위반죄에 해당한다(대판 2016.5.12, 2013도15616 ∴ 통화연결상태에 있는 휴대폰을 이용하여 이 사건 대화를 청취·녹음하는 행위는 소극적 부작위에 의해 실현된 작위범임). 24. 순경 2차

(2) 부진정부작위범(부작위에 의한 작위범)

① 이른바 부진정부작위범은 작위를 내용으로 하는 범죄를 부작위에 의하여 실현하는 경우를 말한다(대판 2017.12.22, 2017도13211). 24. 9급 검찰·마약수사·철도경찰·경대편입 따라서 대부분의 작위범이 부작위에 의하여 행하여질 수 있다.

② 직무유기죄는 이른바 부진정부작위범(진정부작위범 ×)으로서 직무유기는 구체적으로 그 직무를 수행하여야 할 작위의무가 있는데도 불구하고 이러한 직무를 버린다는 인식하에 그 작위의무를 수행하지 아니하면 성립하는 것이다(대판 1983.3.22, 82도3065). 16. 수사경과, 24. 법원행시

3 부작위범의 성립요건

(1) 일반적 행위(작위) **가능성**(일반적 행위능력) : 진정·부진정부작위범에 공통됨.
객관적(일반적)으로 행위가능성이 없다면 부작위의 행위성은 부정된다.

(2) 진정·부진정부작위범에 공통된 구성요건

① **구성요건적 상황이 존재할 것** : 먼저 부작위범이 성립하기 위해서는 작위의무를 이행하여야 할 구체적인 상황이 존재해야 한다.

② **개별적 행위가능성** : 법은 행위자에게 불가능을 요구할 수는 없으므로 구체적인 행위자가 명령(요구)된 행위를 할 수 있는 가능성이 있어야만 부작위범이 성립된다. 21. 변호사시험, 24. 해경승진

③ **요구된 행위의 부작위** : 요구(명령)규범에 의하여 요구되는 행위를 하지 않아야 부작위범이 성립된다.

> **관련판례**
>
> 1. 특정한 행위를 하지 아니하는 부작위가 형법적으로 부작위로서의 의미를 가지기 위해서는, 보호법익의 주체에게 해당 구성요건적 결과발생의 위험이 있는 상황에서 행위자가 구성요건 실현을 회피하기 위하여 요구되는 행위를 현실적·물리적으로 행할 수 있었음에도 하지 아니하였다고 평가될 수 있어야 한다(대판 2015.11.12, 2015도6809 전원합의체 ∴ 작위의무가 법적으로 인정되는 부진정부작위범이라 하더라도 작위의무를 이행하는 것이 사실상 불가능한 상황이었다면, 부작위범이 성립할 수 없다). 23. 경찰간부, 24. 경위공채·경력채용·경대편입, 25. 9급 검찰·마약수사·철도경찰
>
> 2. 업무상 배임죄는 타인과의 신뢰관계에서 일정한 임무에 따라 사무를 처리할 법적 의무가 있는 자가 그 상황에서 당연히 할 것이 법적으로 요구되는 행위를 하지 않는 부작위에 의해서도 성립할 수 있다. 24. 법원행시 그러한 부작위를 실행의 착수로 볼 수 있기 위해서는 작위의무가 이행되지 않으면 사무처리의 임무를 부여한 사람이 재산권을 행사할 수 없으리라고 객관적으로 예견되는 등으로 구성요건적 결과발생의 위험이 구체화한 상황에서 부작위가 이루어져야 한다. 그리고 행위자는 부작위 당시 자신에게 주어진 임무를 위반한다는 점과 그 부작위로 인해 손해가 발생할 위험이 있다는 점을 인식하였어야 한다(대판 2021.5.27, 2020도15529). 22. 법원행시·경찰승진, 24. 경찰간부, 25. 순경 1차, 26. 변호사시험

(3) 부진정부작위범에 특유한 구성요건

① **부작위의 동가치성** 〔형법에 명문규정 ×, 형사처벌을 축소(확장 ×)하는 기능〕 19. 순경 2차, 22. 순경 1차, 23. 해경승진, 25. 해경경위공채

> **관련판례**
>
> 1. 부진정부작위범의 경우에는 ① 보호법익의 주체가 법익에 대한 침해 위협에 대처할 보호능력이 없고(있는지 여부가 아니라 ×), ② 부작위행위자에게 침해 위협으로부터 법익을 보호해 주어야 할 법적 작위의무가 있을 뿐 아니라, ③ 부작위행위자가 그러한 보호적 지위에서 법익침해를 일으키는 사태를 지배하고 있어 작위의무의 이행으로 결과발생을 쉽게 방지할 수 있어야 부작위로 인한 법익침해가 작위에 의한 법익침해와 동등한 형법적 가치가 있는 것으로서 범죄의 실행 행위로 평가될 수 있다(대판 2015.11.12, 2015도6809 전원합의체). 21. 해경간부, 23. 해경승진, 24. 법원행시·7급 검찰·경위공채·경력채용, 25. 변호사시험·순경 1차
>
> 2. 업무방해죄와 같이 작위를 내용으로 하는 범죄를 부작위에 의하여 범하는 부진정부작위범이 성립하기 위해서는 부작위를 실행행위로서의 작위와 동일시할 수 있어야 한다(대판 2017.12.22, 2017도13211 📘 피고인이 甲이 공사대금을 주지 않는다는 이유로 위 토지에 쌓아 둔 건축자재를 치우지 않고 공사현장을 막는 방법으로 위력으로써 甲의 창고 신축 공사 업무를 방해한 경우 ⇨ 위력에 의한 업무방해죄 × ∴ 甲의 추가 공사 업무를 방해하는 업무방해죄의 실행행위로서 甲의 업무에 대하여

하는 적극적인 방해행위와 동등한 형법적 가치를 가진다고 볼 수 없다). 23. 변호사시험, 24. 법원행시·순경 2차, 25. 9급 검찰·마약수사·철도경찰·해경경장

3. 항해 중이던 선박의 1등 항해사, 2등 항해사는 배가 침몰하고 있는 상황에서 피해자인 승객 등이 안내방송을 믿고 대피하지 않은 채 선내에 대기하고 있음에도 아무런 구조조치를 취하지 않고 퇴선함으로써, 배에 남아있던 피해자들을 익사하게 한 경우 이러한 피고인들의 부작위는 작위에 의한 살인의 실행행위와 동일하게 평가하기 어렵고, 부작위에 의한 살인의 고의를 인정하기 어렵다(대판 2015.11.12, 2015도6809 전원합의체). 22. 경력채용, 23. 해경 3차, 24. 해경간부, 25. 해경경장

② **보증인지위와 작위의무** : 결과발생을 방지해야 할 법적인 의무를 작위의무 또는 보증인의무라고 하며 그러한 의무 있는 자의 지위를 보증인지위라고 한다(진정신분범 ○). 20. 해경 1차

　㉠ **보증인지위와 작위의무**(보증인의무)**의 관계** : 양자를 위법성요소로 이해하는 견해(위법성요소설 : 이 견해에 의하면 구성요건의 징표기능을 부정하게 되어 범죄론체계의 일관성이 없고, 부진정부작위범의 구성요건해당성의 범위가 부당하게 확대될 우려가 있다.17. 경찰승진, 20. 해경 1차)와 구성요건요소로 보는 견해(구성요건요소설)가 있으나 보증인지위는 구성요건요소로, 작위의무는 위법성의 요소로 보는 견해(이분설)가 통설이다.

　　Q 이분설 : 보증인지위에 대한 착오 ⇨ 구성요건적 착오, 보증인의무에 대한 착오 ⇨ 금지(위법성·법률)착오 ⇨ 정당한 이유 ○(제16조) ⇨ 고의범의 책임조각 ⇨ 무죄 20. 해경 1차, 21. 해경간부, 23. 해경승진, 24. 경위공채, 25. 변호사시험·해경경위공채

　㉡ **작위의무의 발생근거** : 형법 제18조에서는 위험발생방지의무와 선행행위로 인한 작위의무만을 규정하고 있을 뿐이어서 기타 구체적 근거는 학설에 맡겨져 있다.

　　ⓐ 형식설(법원설) : 작위의무의 발생근거(**예** 법령, 계약, 조리, 선행행위 등)에 중점을 두어 형식적으로 작위의무를 인정하는 견해이다(대판 1996.9.6, 95도2551).

관련판례

1. 여기서 작위의무는 법적인 의무이어야 하므로 단순한 도덕상 또는 종교상의 의무는 포함되지 않으나 법적인 의무인 한 성문법·불문법, 공법·사법을 불문하므로 법령, 법률행위, 선행행위로 인한 경우는 물론이고 기타 신의칙이나 사회상규 혹은 조리상 작위의무가 기대되는 경우에도 법적인 작위의무는 있다(대판 1996.9.6, 95도2551). 20. 경찰간부, 21. 법원직, 23. 7급 검찰, 24. 해경승진·경위공채, 25. 순경 1차·9급 검찰·마약수사·철도경찰·해경경사·경대편입, 26. 변호사시험·경찰승진

　cf) 유기죄의 주체 ⇨ 법률상 또는 계약상 보호의무 있는 자에 한한다(대판 1977.1.11, 76도3419). ∴ 부작위에 의한 작위의무의 발생근거는 유기죄의 보호의무의 발생근거보다 그 범위가 더 넓다. 20. 해경 1차, 21. 7급 검찰, 22. 순경 1차

2. 교통사고의 결과가 피해자의 구호 및 교통질서의 회복을 위한 조치가 필요한 상황인 이상 도로교통법 제54조 제1항·제2항이 규정한 교통사고 발생시의 구호조치의무 및 신고의무는 교통사고를 발생시킨 당해 차량의 운전자에게 그 사고 발생에 있어서 고의·과실 혹은 유책·위법의 유무에 관계없이 부과된 의무이다(대판 2002.5.24, 2000도1731). 19. 변호사시험, 21. 9급 검찰·철도경찰, 23. 7급 검찰, 24. 경찰승진, 25. 순경 1차

ⓑ 실질설(기능설) : 작위의무를 그때 그때의 상황에 따라 보호의무와 안전의무라는 실질적 관점에서 판단할 것을 주장하는 견해로 작위의무의 내용과 한계를 명백히 할 수 있는 형법상의 기준을 제시할 수 있다고 한다. 12. 사시 · 순경 2차

관련판례

• 법령에 의한 작위의무

입찰업무 담당 공무원이 입찰보증금이 횡령되는 사실을 알고도 이를 묵인하여 새로운 횡령범행이 계속된 경우 ⇨ 부작위에 의한 업무상 횡령죄의 종범(정범 ×)(대판 1996.9.6, 95도2551) 13. 법원행시 · 법원직, 22. 경력채용

• 선행행위에 의한 작위의무

1. 모텔 방에 투숙하여 담배를 피운 후 재떨이에 담배를 끄면서 담뱃불이 완전히 꺼졌는지 여부를 확인하지 않은 채 불이 붙기 쉬운 휴지를 재떨이에 버리고 잠에 들어 담뱃불이 휴지와 침대시트에 옮겨붙어 화재가 발생한 경우, 중대한 과실 있는 선행행위로 인하여 화재를 소화할 법률상 의무가 인정되나, 19. 법원행시 모텔 주인이나 다른 투숙객들에게 알리지 않아 다른 사람들을 사망케 한 경우 화재를 용이하게 소화할 수 있었다고 보기 어려우므로, 부작위에 의한 현주건조물방화치사상죄가 성립하는 것은 아니다(대판 2010.1.14, 2009도12109). 19. 7급 검찰, 21. 해경간부, 22. 경력채용, 23. 해경승진

2. 민법상 부부간의 부양의무에 근거한 법률상 보호의무인 작위의무는 법률상 부부는 아니지만 사실혼 관계에 있는 경우에도 인정될 여지가 있다(대판 2008.2.14, 2007도3952). 19. 변호사시험, 20. 경찰간부

3. 조카(10세)를 살해할 의사로 익사의 위험이 있는 저수지로 데려가 조카가 저수지에 빠지자 이를 방치하여 조카가 사망한 경우 ⇨ 부작위에 의한 살인죄(대판 1992.2.11, 91도2951) 13. 법원행시, 26. 경찰승진

4. 미성년자를 감금한 후 단지 그 상태를 유지하였을 뿐인데도 피감금자가 사망한 경우에는 감금치사죄에 해당하나, 그 감금상태가 계속된 어느 시점에서 살해의 범의가 생겨 위험발생을 방지함이 없이 그대로 방치하여 사망하게 한 경우 ⇨ 부작위에 의한 살인죄(대판 1982.11.23, 82도2024) 11. 사시, 14. 변호사시험

• 계약상 · 조리상의 작위의무

1. 법무사가 아닌 사람이 법무사로 소개되거나 호칭되는 데에도 자신이 법무사가 아니라는 사실을 밝히지 않은 채 법무사 행세를 계속하면서 근저당권설정계약서를 작성한 경우, 부작위에 의한 법무사법 제3조 제2항 위반죄를 인정할 수 있다(대판 2008.2.28, 2007도9354). 13. 법원직, 25. 경대편입

2. 할부금융회사에 대한 할부금채무만 남아 있을 뿐 그 외에 저당권이 설정되어 있거나 가압류집행이 되어 있는 등의 사정이 없는 중고자동차를 매도하면서 할부금 채무의 존재를 매수인에게 고지하지 아니한 경우 그와 같은 부작위는 사기죄의 기망행위에 해당하지 않는다(대판 1998.4.14, 98도231). 16. 9급 철도경찰, 18. 변호사시험

3. 압류된 골프장시설을 보관하는 회사의 대표이사가 위 압류시설의 사용 및 봉인의 훼손을 방지할 수 있는 적절한 조치 없이 골프장을 개장하게 하여 봉인이 훼손되게 한 경우, 부작위에 의한 공무상 표시무효죄에 해당한다(대판 2005.7.22, 2005도3034). 19. 7급 검찰, 20. 해경 3차, 22. 순경 2차

4. 백화점의 상품관리를 담당하는 직원이 가짜 상표가 새겨진 상품을 판매하는 점주의 행위를 계속 방치한 경우 ⇨ 부작위에 의한 상표법 위반 방조죄(대판 1997.3.14, 96도1639) 26. 경찰승진

● 신의칙상의 고지의무 ──부작위──▶ 사기죄 ○

부작위에 의한 기망은 법률상 고지의무 있는 자가 일정한 사실에 관하여 상대방이 착오에 빠져 있음을 알면서도 이를 고지하지 아니하는 것을 말하는 것으로서, 일반 거래의 경험칙상 상대방이 그 사실을 알았다면 당해 법률행위를 하지 않았을 것이 명백한 경우에는 신의칙에 비추어 그 사실을 고지할 법률상 의무가 인정된다(대판 2004.5.27, 2003도4531). 19. 경찰승진·9급 철도경찰, 21. 9급·7급 검찰, 23. 변호사시험·해경 3차, 24. 해경간부·해경승진

1. 매도인이 토지에 관해 도시계획이 입안되어 있어 협의매수나 수용될 것이라는 사정을 알면서 매수인에게 고지하지 않은 경우 ⇨ 부작위에 의한 사기죄(대판 1993.7.13, 93도14) 16. 순경 1차·9급 검찰·마약수사, 18. 변호사시험

2. 부동산 매수인이 매도인에게 매매잔금을 지급함에 있어 착오에 빠져 지급액을 초과하여 교부하는 경우 매도인이 교부받기 전이나 교부받던 중에 그 사실을 알면서 그대로 수령한 경우에는 사기죄, 잔금을 교부받은 후에야 비로소 그 사실을 알게 되었을 경우에는 점유이탈물횡령죄(대판 2004.5.27, 2003도4531) 16. 순경 1차, 19. 법원행시, 24. 경위공채·경력채용

3. 의사가 특정 시술로 아들을 낳을 수 있을 것이라는 착오에 빠진 피해자에게 그 시술의 효과·원리에 관해 사실대로 고지하지 않고 가장하여 일련의 시술·처방을 행한 경우 ⇨ 부작위에 의한 사기죄(대판 2000.1.28, 99도2884) 18. 경력채용, 20. 경찰승진, 21. 순경 2차

4. 임대인이 임대차계약을 체결하면서 임차인에게 임대목적물이 경매진행 중인 사실을 알리지 아니한 경우, 임차인이 등기부를 확인 또는 열람하는 것이 가능하더라도 사기죄가 성립한다(대판 1998.12.8, 98도3263). 21. 변호사시험·순경 2차, 23. 해경승진

5. 출판사 경영자가 출고현황표를 조작하는 방법으로 실제 출판부수를 속여 작가에게 인세의 일부만을 지급한 사안에서, 작가가 나머지 인세에 대한 청구권의 존재 자체를 알지 못하는 착오에 빠져 이를 행사하지 아니한 것이 사기죄에 있어 부작위에 의한 처분행위에 해당한다(대판 2007.7.12, 2005도9221). 15. 경찰승진, 16. 순경 1차, 17. 경찰간부

6. 부동산 이중매매에서 매도인이 제1매수인으로부터 중도금까지 받은 상태에서 제2매수인으로부터 계약금과 중도금을 받을 때까지 제2매수인에게 이런 사정을 고지하지 않은 것만으로는 부작위에 의한 기망을 인정할 수 없다(대판 1991.12.24, 91도2698 ∵ 제2의 매매계약의 효력이나 제2매수인의 권리실현에 장애가 되지 않으므로 제2매수인을 기망한 것이 아님). 15. 사시, 17. 법원행시

7. 특정 질병을 앓고 있는 사람이 보험회사가 정한 약관에 그 질병에 대한 고지의무를 규정하고 있음을 알면서도 이를 고지하지 아니한 채 그 사실을 모르는 보험회사와 그 질병을 담보하는 보험계약을 체결한 다음 바로 그 질병의 발병을 사유로 하여 보험금을 청구하여 수령한 경우 ⇨ 사기죄(대판 2007.4.12, 2007도967) 10. 법원행시·9급 검찰, 18. 변호사시험

8. 주식매도인이 거래대상 목적물이 증자 전의 주식이 아니라 증자 후의 주식이라는 점을 고지하지 않았다면 부작위에 의한 사기죄가 성립한다(대판 2006.10.27, 2004도6503). 18. 경찰간부

9. 매매목적물의 소유권 귀속에 관하여 소송이 계속 중인 사실을 고지하지 아니하고 그 부동산을 매도하여 대금을 수령한 경우 ⇨ 부작위에 의한 사기죄(대판 1986.9.9, 86도956) 13. 경찰승진

10. 국가연구개발사업의 연구책임자 甲이 처음부터 소속 학생연구원들에게 학생연구비를 개별 지급할 의사 없이 공동관리 계좌를 관리하면서 사실상 그 처분권을 가질 의도하에 이를 숨기고 산학협력단

에 연구비를 신청하여 지급받은 경우, 甲의 행위는 산학협력단에 대한 관계에 있어서 기망에 의한 편취행위에 해당한다(대판 2021.9.9, 2021도8468). 22. 순경 2차, 25. 경찰승진

11. **상법상 고지의무 위반은** 보험사고가 이미 발생하였음에도 이를 묵비한 채 보험계약을 체결하거나 보험사고 발생의 개연성이 농후함을 인식하면서도 보험계약을 체결하는 경우 또는 보험사고를 임의로 조작하려는 의도를 가지고 보험계약을 체결하는 경우와 같이 '보험사고의 우연성'이라는 보험의 본질을 해할 정도에 이르러야 비로소 보험금 편취를 위한 고의의 기망행위에 해당한다(대판 2017.4.16, 2017도1405 **예** 보험계약 체결 당시 이미 발생한 교통사고 등으로 생긴 '요추, 경추, 사지' 부분의 질환과 관련하여 입·통원치료를 받고 있었을 뿐 아니라 그러한 기왕증으로 인해 유사한 상해나 질병으로 보통의 경우보다 입원치료를 더 받게 될 개연성이 농후하다는 사정을 인식하고 있었음에도 자신의 과거 병력과 치료이력을 모두 묵비한 채 보험계약을 체결하였다면 부작위에 의한 기망에 해당한다). 20. 법원행시, 23. 해경승진·9급 철도경찰, 24. 순경 2차

12. **중고자동차 매매시 매도인이 할부금융회사·보증보험에 대한** 할부금 채무의 존재를 매수인에게 고지하지 않고 매도한 경우 ⇨ 사기죄 ×(대판 1998.4.14, 98도231 ∵ 할부금 채무가 매수인에게 당연히 승계 × ⇨ 부작위에 의한 기망 ×) 21. 수사경과, 22. 해경 2차, 24. 변호사시험, 25. 경대편입

13. **아파트 전매인이 전매할 때** 아파트 분양회사의 대표이사가 그 분양업무와 관련된 형사사건으로 유죄판결을 받은 바 있다고 하여도, 그 내용이 매수인의 위 아파트 소유권취득에 영향을 미치는 사법상 효력에 관계있는 것이 아니라면 매수인에게 고지할 의무가 없다(대판 1983.9.13, 83도823). 25. 경찰승진

---

③ 부진정부작위범의 고의는 반드시 구성요건적 결과발생에 대한 목적이나 계획적인 범행 의도가 있어야 하는 것은 아니고 법익침해의 결과발생을 방지할 법적 작위의무를 가지고 있는 자가 그 의무를 이행함으로써 그 결과발생을 쉽게 방지할 수 있었음을 예견하고도 결과의 발생을 용인하고 이를 방관한 채 그 의무를 이행하지 아니한다는 인식을 하면 족하며, 이러한 작위의무자의 예견 또는 인식 등은 확정적인 것은 물론 불확정적인 것이더라도 미필적 고의로 인정될 수 있다(대판 2015.11.12, 2015도6809 전원합의체). 18. 순경 1차, 19. 법원행시, 21. 9급 검찰·철도경찰, 24. 변호사시험·7급 검찰

4 부작위범의 처벌

① **진정부작위범** : 형법 각칙에 각 죄별로 법정형이 규정되어 있다.
② **부진정부작위범** : 형법에 직접 규정되어 있지 않고 작위범과 동일한 법정형으로 처벌된다.
🔍 **주의** : 우리 형법은 부진정부작위범에 임의적 감경 규정을 두고 있지 않다. 18. 9급 검찰·철도경찰, 20. 경찰승진

5 관련문제

(1) 부작위범의 인과관계

① **진정부작위범** : 형식범(거동범)이므로 구성요건상의 일정한 부작위가 있으면 바로 기수가 되므로 인과관계가 문제되지 않는다.

② **부진정부작위범** : 부진정부작위범의 경우 작위의무를 이행하였다면 결과가 발생하지 않았을 것이라는 관계가 인정될 경우 작위를 하지 않은 부작위와 발생된 결과 사이에 인과관계가 인정된다(대판 2015.11.12, 2015도6809 전원합의체). 18. 7급 검찰, 21. 9급 검찰·철도경찰, 23. 경찰간부, 24. 경위공채·경력채용, 25. 변호사시험

(2) 부작위범의 미수

진정부작위범은 일정한 부작위가 있으면 바로 기수가 되는 형식범으로 미수는 불가능하나, 형법상 진정부작위범 중 퇴거불응죄(제322조)와 집합명령위반죄(제149조)는 미수처벌규정이 있다(없다 ×). 19. 경찰승진·순경 2차, 20. 해경승진, 23. 경찰간부, 25. 해경경위공채

(3) 과실에 의한 부작위범(망각범)

진정부작위범은 형식범으로 과실범처벌규정이 없으나 부진정부작위범은 고의에 의해서는 물론 과실에 의해서도 성립될 수 있다. 22. 순경 1차, 24. 경대편입, 25. 변호사시험

(4) 부작위범과 공범

① 부작위범에 대한 공범

㉠ 부작위범에 대한 교사, 방조는 가능하다. 이때 공범에게는 보증인의 지위가 없어도 공범이 성립한다. 19. 변호사시험, 20. 해경 1차, 24. 경찰승진·경대편입, 25. 해경경위공채

㉡ 부작위범 사이의 공동정범은 다수의 부작위범에게 공통된 의무가 부여되어 있고 그 의무를 공통으로 이행할 수 있을 때에만 성립한다(대판 2008.3.27, 2008도89). 20. 경찰간부, 21. 9급 검찰·철도경찰·해경승진, 24. 해경간부, 25. 순경 1차·2차, 26. 변호사시험·경찰승진

② 부작위에 의한 공범 : 부작위에 의한 교사는 불가능하나(∵ 교사는 적극적으로 범죄결의 없는 자에게 범죄결의를 일으켜야 하기 때문) 방조범이 보증인지위를 가지는 한 부작위에 의한 방조는 가능하다. 21. 해경승진, 22. 해경 2차, 23. 경찰승진, 24. 해경간부·경찰간부, 25. 순경 1차·해경경사

③ 부작위범을 도구로 이용한 간접정범도 가능하다(예 보증인을 기망·강제하여 의무이행을 불가능하게 한 경우). 19. 변호사시험, 22. 해경 2차

관련판례

1. 공중위생관리법상 공중위생영업의 신고의무가 '공중위생영업을 하고자 하는 자'에게 부여되어 있을 경우 영업자의 직원이나 보조자를 미신고로 인한 공중위생관리법위반죄의 공동정범으로 처벌할 수 없다(대판 2008.3.27, 2008도89). 19. 법원행시, 21. 해경간부, 22. 경력채용

▶ **유사판례**

① 정신질환자의 입원 등에 필요한 보호의무자 확인서류 등 수수 의무 위반으로 인한 구 정신보건법위반죄는 구성요건이 부작위에 의해서만 실현될 수 있는 진정부작위범에 해당한다. 보호의무자 확인서류 등의 수수 의무는 '정신의료기관 등의 장'에게만 부여되어 있고, 정신의료기관 등의 장이 아니라 그곳에 근무하고 있을 뿐인 정신건강의학과 전문의는 보호의무자 확인서류 등의 수수 의무를 부담하지 않으므로 공동정범으로 처벌할 수 없다(대판 2021.5.7, 2018도12973).

② 주권상장법인의 주식 등 대량보유·변동·변경 보고의무 위반으로 인한 자본시장법 위반죄는 구성요건이 부작위에 의해서만 실현될 수 있는 진정부작위범에 해당한다. 진정부작위범인 주식 등 대량보유·변동·변경 보고의무 위반으로 인한 자본시장법 위반죄의 공동정범은 그 의무가 수인에게 공통으로 부여되어 있는데도 수인이 공모하여 전원이 그 의무를 이행하지 않았을 때 성립할 수 있다(대판 2022.1.13, 2021도11110).

2.

- 형법상 방조행위는 정범의 실행을 용이하게 하는 직접·간접의 모든 행위를 가리키는 것으로서 작위에 의한 경우뿐만 아니라 부작위에 의하여도 성립되는 것이다(대판 2006.4.28, 2003도4128). 18. 9급 검찰·철도경찰, 22. 법원행시·경찰승진·순경 1차, 23. 7급 검찰, 24. 경력채용
- 타인의 범죄행위를 인식하면서도 그것을 방지해야 할 직무상의 의무가 있는 자가 방지조치를 취하지 아니하여 타인의 실행행위를 용이하게 하는 경우에는 부작위에 의한 방조범(종범)이 성립된다(대판 1996.9.6, 95도2551). 20. 해경 1차, 21. 순경 1차, 23. 변호사시험, 24. 법원행시

① 은행지점장이 정범인 부하직원들의 범행을 인식하면서도 그들의 은행에 대한 배임행위를 방치한 경우 ⇨ 부작위에 의한 업무상 배임죄의 방조범(공동정범 ×)(대판 1984.11.27, 84도1906) 16. 경찰승진, 21. 9급 검찰·마약수사·철도경찰

② 인터넷 포털 사이트 내 오락채널 총괄팀장과 위 오락채널 내 만화사업의 운영 직원들이 콘텐츠제공업체들의 음란만화 게재를 알면서도 방치한 경우 ⇨ 부작위에 의한 구 전기통신기본법 제48조의 2 위반죄의 방조범 ○(∵ 인터넷 포털 사이트 내 오락채널 총괄팀장 甲과 동 오락채널 내 만화사업의 운영 직원 乙에게 만화콘텐츠를 관리·감독할 권한과 능력이 있었고, 음란만화가 지속적으로 게재되는 사실을 알고 있었다면 甲과 乙은 콘텐츠제공업체들이 게재하는 음란만화의 삭제를 요구할 조리상의 의무가 있다.), 공동정범 ×(대판 2006.4.28, 2003도4128) 16. 9급 검찰·마약수사, 25. 경찰승진

③ 입찰업무 담당 공무원이 입찰보증금이 횡령되는 사실을 알고도 이를 묵인하여 새로운 횡령범행이 계속된 경우 ⇨ 부작위에 의한 업무상 횡령죄의 종범(정범 ×)(대판 1996.9.6, 95도2551) 13. 법원직

1 어떠한 범죄가 적극적 작위 또는 소극적 부작위에 의하여도 실현될 수 있는 경우에, 행위자가 자신의 신체적 활동이나 물리적 · 화학적 작용을 통하여 적극적으로 타인의 법익 상황을 악화시킴으로써 결국 그 타인의 법익을 침해하기에 이르렀다면, 이는 부작위에 의한 범죄로 봄이 원칙이다. ( )
18. 9급 검찰 · 마약수사, 21. 순경 1차, 23. 9급 철도경찰, 24. 경찰간부, 26. 변호사시험

2 경찰서 형사과장이 오락실을 단속하여 증거물로 압수한 변조한 오락기기판을 범죄 혐의 입증에 사용하도록 조치를 취하지 않고 오락실 업주에게 돌려준 경우 증거인멸죄와 직무유기죄의 상상적 경합이 된다. ( )
16. 경찰승진, 18. 변호사시험, 23. 9급 철도경찰, 24. 해경간부

3 하나의 행위가 부작위범인 직무유기죄와 작위범인 허위공문서작성 · 행사죄의 구성요건을 동시에 충족하는 경우, 공소제기권자는 재량에 의하여 작위범인 허위공문서작성 · 행사죄로 공소를 제기하지 않고 부작위범인 직무유기죄로만 공소를 제기할 수 있다. ( )
21. 해경간부, 22. 변호사시험, 23. 경찰간부, 24. 경찰승진

4 甲이 A와 토지 지상에 창고를 신축하는 데 필요한 형틀공사계약을 체결한 후 그 공사를 완료하였는데 A가 공사대금을 주지 않자 이를 받기 위해 토지에 쌓아 둔 건축자재를 치우지 않은 경우, 甲은 업무방해죄로 처벌된다. ( )
19. 9급 철도경찰, 21. 법원행시 · 순경 2차, 23. 변호사시험

5 보증인지위와 보증인의무의 체계적 지위를 구별하는 이분설에 따를 때 보증인지위와 보증인의무에 대한 착오는 구성요건적 착오에 해당한다. ( )
21. 해경간부, 23. 해경승진, 24. 경위공채, 25. 변호사시험

6 형법상 부작위범이 인정되기 위한 작위의무는 법적인 의무이어야 하므로 사회상규 또는 조리상 작위의무가 기대되는 경우는 이에 포함되지 않는다. ( )
20. 경찰간부, 21. 9급 검찰, 23. 경찰승진 · 7급 검찰, 24. 변호사시험 · 해경승진, 25. 순경 1차 · 경대편입

7 일정한 기간 내에 잘못된 상태를 바로잡으라는 행정청의 지시를 이행하지 않았다는 것을 구성요건으로 하는 범죄는 이른바 진정부작위범으로서 그 의무이행 기간의 경과에 의하여 범행이 기수에 이른다. ( )
22. 순경 1차, 23. 변호사시험 · 경찰승진 · 7급 검찰, 24. 해경간부, 25. 경대편입

8 도로교통법상의 구호조치의무와 신고의무는 교통사고를 발생시킨 당해차량의 운전자에게 그 사고발생에 있어서의 고의 · 과실 혹은 유책 · 위법한 경우에 부과된 경우이므로 사고에 있어서 귀책사유가 없는 경우에는 구호조치 및 신고의무가 없다. ( )
19. 변호사시험, 21. 9급 검찰 · 철도경찰, 23. 7급 검찰, 24. 경찰승진, 25. 순경 1차

9 특정한 행위를 하지 아니하는 부작위가 형법적으로 부작위로서의 의미를 가지기 위해서는 보호법익의 주체에게 해당 구성요건적 결과발생의 위험이 있는 상황에서 행위자가 구성요건의 실현을 회피하기 위하여 요구되는 행위를 현실적 · 물리적으로 행할 수 있었음에도 하지 아니하였다고 평가될 수 있어야 한다. ( )
23. 경찰간부, 24. 경위공채 · 경력채용 · 경대편입, 25. 9급 검찰 · 마약수사 · 철도경찰

Answer → 1. ✕ 2. ✕ 3. ○ 4. ✕ 5. ✕ 6. ✕ 7. ○ 8. ✕ 9. ○

10 타인과의 신뢰관계에서 일정한 임무에 따라 사무를 처리할 법적 의무가 있는 자가 그 상황에서 당연히 할 것이 법적으로 요구되는 행위를 하지 않은 경우, 업무상 배임의 실행의 착수를 인정하기 위해서는 그러한 부작위 자체가 존재하는 것으로 족하고 구성요건적 결과 발생의 위험이 구체화한 상황에서의 부작위가 있을 것까지는 요하지 않는다. (   )
22. 법원행시 · 경찰승진, 24. 변호사시험 · 경찰간부, 25. 순경 1차

11 부진정부작위범의 성립은 보호법익의 주체에게 법익침해 위협에 대처할 보호능력이 있는지 여부가 아니라, 부작위행위자가 그러한 보호적 지위에서 법익침해를 일으키는 사태를 지배하고 있어 작위의무의 이행으로 결과발생을 쉽게 방지할 수 있는지 여부에 따라 판단하여야 한다. (   )
23. 해경승진, 24. 경위공채 · 경력채용 · 7급 검찰, 25. 변호사시험 · 순경 1차

12 매수인이 매도인에게 매매잔금을 지급함에 있어 착오에 빠져 지급해야 할 금액을 초과하는 돈을 교부하는 경우, 매도인이 매매잔금을 받은 후 비로소 그 사실을 알게 되었음에도 불구하고 그 사실을 매수인에게 알리고 초과금액을 되돌려 주지 않은 경우에는 부작위에 의한 사기죄가 성립한다. (   )
16. 순경 1차, 19. 법원행시, 24. 경위공채 · 경력채용

13 부진정부작위범의 고의는 반드시 구성요건적 결과발생에 대한 목적이나 계획적인 범행 의도가 있어야 하고, 법익침해의 결과발생을 방지할 법적 작위의무를 가지고 있는 사람이 의무를 이행함으로써 결과발생을 쉽게 방지할 수 있었음을 예견하고도 결과발생을 용인하고 이를 방관한 채 의무를 이행하지 아니한다는 인식만으로 부족하다. (   )
18. 순경 1차, 19. 법원행시, 21. 9급 검찰 · 철도경찰, 24. 변호사시험 · 7급 검찰

14 진정부작위범의 미수는 불가능하나 형법상 예외적으로 처벌규정이 있으며, 부진정부작위범의 경우는 미수가 인정된다. (   )
19. 경찰승진 · 순경 2차, 20. 해경승진, 23. 경찰간부, 25. 해경경위공채

15 과실에 의한 부진정부작위범의 성립은 불가능하지만 부작위범에 대한 과실에 의한 교사와 방조는 가능하다. (   )
16. 7급 검찰 · 철도경찰, 23. 순경 1차, 24. 경대편입, 25. 변호사시험

16 부작위범 사이의 공동정범은 다수의 부작위범에게 공통된 의무가 부여되어 있고 그 의무를 공통으로 이행할 수 있을 때에만 성립한다. (   )
20. 경찰간부, 21. 9급 검찰 · 철도경찰, 24. 해경간부, 25. 순경 2차, 26. 변호사시험 · 경찰승진

17 부작위범에 대해서도 작위에 의한 교사 · 방조가 가능하다. 이때 교사 · 방조는 작위에 의한 것이므로 공범은 보증인적 지위에 있을 필요가 없다. (   )
19. 변호사시험, 24. 경찰승진 · 경대편입

18 부작위에 의한 교사는 가능하지만 부작위에 의한 방조는 불가능하다. (   )
20. 해경 1차, 21. 해경승진, 23. 경찰승진, 24. 경찰간부, 25. 순경 1차 · 해경경사

19 방조행위는 정범의 실행을 용이하게 하는 직접, 간접의 모든 행위를 가리키는 것으로서 작위에 의한 경우뿐만 아니라 부작위에 의하여도 가능하다. (   )
22. 경찰승진 · 순경 1차, 23. 7급 검찰

Answer ◦ **10.** × **11.** × **12.** × **13.** × **14.** ○ **15.** × **16.** ○ **17.** ○ **18.** × **19.** ○

01 부작위범에 대한 설명으로 옳은 것은?(다툼이 있는 경우 판례에 의함) 16. 7급 검찰 · 철도경찰

① 보증인의무와 보증인지위를 구별하는 이원설에 따르면, 보증인의무에 대한 착오는 구성요건적 착오가 되고 보증인지위에 대한 착오는 금지착오가 된다.

② 도로교통법 제54조와 같이 법령상 특별한 의무가 주어진 경우에는 위법하지 않은 선행행위로부터도 작위의무가 발생한다.

③ 작위의무는 법률에 근거를 둔 법적인 의무이어야 하므로 신의성실의 원칙이나 사회상규 혹은 조리상 작위의무가 기대되는 경우는 포함되지 않는다.

④ 과실에 의한 부진정부작위범의 성립은 불가능하지만 부작위범에 대한 과실에 의한 교사와 방조는 가능하다.

해설 ① × : 보증인지위에 관한 착오 ⇨ 구성요건적 착오, 보증인의무에 관한 착오 ⇨ 금지착오
② ○ : 대판 2002.5.24, 2000도1731
③ × : 작위의무는 법령, 법률행위, 선행행위로 인한 경우는 물론, 기타 신의성실의 원칙이나 사회상규 또는 조리상 작위의무가 기대되는 경우에도 인정된다(대판 1996.9.6, 95도2551).
④ × : 과실에 의한 부진정부작위범의 성립은 가능, 부작위범에 대한 과실에 의한 교사와 방조는 불가능

02 다음 중 부작위범에 대한 설명으로 옳은 것은 모두 몇 개인가?(다툼이 있는 경우 판례에 의함)
20. 해경 1차

㉠ 부작위범에 대한 교사 · 방조는 가능하지만, 부작위에 의한 교사 · 방조는 불가능하다.
㉡ 진정부작위범과 부진정부작위범의 구별에 관한 학설 중 실질설은 거동범에 대하여는 부진정부작위범이 성립할 여지가 없다고 보는 반면에, 형식설은 결과범은 물론 거동범에 대하여도 부진정부작위범이 성립할 수 있다고 본다.
㉢ 타인의 범죄행위를 인식하면서도 그것을 방지해야 할 직무상의 의무가 있는 자가 방지조치를 취하지 아니하여 타인의 실행행위를 용이하게 하는 경우에는 부작위에 의한 공동정범이 성립된다.
㉣ 자기의 아들이 바다에 빠져 허우적거리고 있음을 알고도 망나니 같은 아들에 대해서는 구조의무가 없다고 생각하고 구조하지 않은 경우를 환각범이라 한다.
㉤ 보증인의무를 구성요건요소로 이해하는 견해에 의하면 부진정부작위범의 구성요건해당성은 위법성을 징표하지 못하며, 구성요건해당성의 범위가 부당하게 확대될 우려가 있다.
㉥ 부진정부작위범은 부진정신분범에 해당한다.

① 1개　　　　② 2개　　　　③ 3개　　　　④ 4개

해설 ㉠ × : 부작위범에 대한 교사 · 방조 ○, 부작위에 의한 교사 ×, 부작위에 의한 방조 ○
㉡ ○ : 옳다. ㉢ × : ~ 경우에는 부작위에 의한 방조범(공동정범 ×)이 성립된다(대판 1996.9.6, 95도2551).

Answer　01. ②　02. ①

② × : 다수설인 이분설에 따르면 ②의 경우는 보증인의무에 대한 착오로 금지(위법성·법률)의 착오에 해당한다.
⑩ × : 부진정부작위범의 구성요건해당성의 범위가 부당하게 확대될 우려가 있는 견해는 보증인적 지위와 작위의무(보증의무)를 모두 부진정부작위범의 위법성의 요소로 파악하는 견해이므로 틀린 지문이다.
⑭ × : 부진정부작위범은 작위의무 있는 자만이 범할 수 있는 진정신분범에 해당한다.

03 부작위범에 관한 설명 중 옳지 않은 것은 모두 몇 개인가?(다툼이 있는 경우 판례에 의함)

22. 순경 2차

⑦ 압류된 골프장 시설을 보관하는 회사의 대표이사 甲이 그 압류시설의 사용 및 봉인의 훼손을 방지할 수 있는 적절한 조치 없이 골프장 개장 및 압류시설 작동을 의도적으로 묵인 또는 방치하여 봉인이 훼손되게 한 경우, 甲에게는 부작위에 의한 공무상 표시무효죄가 성립한다.
⑥ 국가연구개발사업의 연구책임자 甲이 처음부터 소속 학생연구원들에게 학생연구비를 개별 지급할 의사 없이 공동관리 계좌를 관리하면서 사실상 그 처분권을 가질 의도 하에 이를 숨기고 산학협력단에 연구비를 신청하여 지급받은 경우, 甲의 행위는 산학협력단에 대한 관계에 있어서 기망에 의한 편취행위에 해당한다.
⑥ 위치추적 전자장치의 피부착자 甲이 그 장치의 구성 부분인 휴대용 추적장치를 분실한 후 3일이 경과하도록 보호관찰소에 분실신고를 하지 않고 돌아다닌 경우, 분실을 넘어서서 상당한 기간 동안 휴대용 추적장치가 없는 상태를 방치한 부작위는 전자장치 부착 등에 관한 법률 제38조에 따른 전자장치의 효용을 해한 행위에 해당하지 아니한다.
⑫ 甲은 법무사가 아님에도 자신이 법무사로 소개되거나 호칭되는 상황에서 자신이 법무사가 아니라는 사실을 밝히지 않은 채 법무사 행세를 계속하면서 근저당권설정계약서를 작성해 준 경우, 甲에게는 부작위에 의한 법무사법 위반(법무사가 아닌 자에 대한 금지)죄가 성립한다.
⑩ 대출자금으로 빌딩을 경락받았으나 분양이 저조하여 자금조달에 실패한 甲과 乙은 수분양자들과 사이에 대출금으로 충당되는 중도금을 제외한 계약금과 잔금의 지급을 유예하고 1년의 위탁기간 후 재매입하기로 하는 등의 비정상적인 이면 약정을 체결하고 점포를 분양하였음에도, 금융기관에 대해서는 그러한 이면약정의 내용을 감춘 채 분양 중도금의 집단적 대출을 교섭하여 중도금 대출 명목으로 금원을 지급받은 경우, 甲과 乙의 행위는 사기죄의 요건으로서의 부작위에 의한 기망에 해당하지 아니한다.

① 1개 ② 2개 ③ 3개 ④ 4개

해설 ⑦ ○ : 대판 2005.7.22, 2005도3034
⑥ ○ : 대판 2021.9.9, 2021도8468
⑥ × : ~ 행위에 해당한다(대판 2012.8.17, 2012도5862 ∵ 부작위라고 하더라도 고의적으로 그 효용이 정상적으로 발휘될 수 없도록 한 경우임).
⑫ ○ : 대판 2008.2.28, 2007도9354
⑩ × : ~ (5줄) 교섭하여 중도금 대출 명목으로 금원을 지급받은 경우, 대출 금융기관에 대하여 비정상적인 이면 약정의 내용을 알릴 신의칙상 의무가 있다고 보아 이를 알리지 않은 것은 사기죄의 요건으로서의 부작위에 의한 기망에 해당한다(대판 2006.2.23, 2005도8645).

 **03. ②**

04 **부작위범에 대한 설명으로 옳지 않은 것은?**(다툼이 있는 경우 판례에 의함) 　23. 경찰간부

① 작위의무가 법적으로 인정되는 부진정부작위범이라 하더라도 작위의무를 이행하는 것이 사실상 불가능한 상황이었다면, 부작위범이 성립할 수 없다.

② 하나의 행위가 부작위범인 직무유기죄와 작위범인 허위공문서작성죄 및 허위작성공문서행사죄의 구성요건을 동시에 충족하는 경우, 공소제기권자는 작위범인 허위공문서작성죄 및 허위작성공문서행사죄로 공소를 제기하지 아니하고 부작위범인 직무유기죄로만 공소를 제기할 수 있다.

③ 진정부작위범은 미수 성립이 불가능하여 형법에서는 미수범 처벌규정이 존재하지 않는 반면, 부진정부작위범은 미수 성립이 가능하다.

④ 부작위에 의한 살인에 있어서 작위의무를 이행하였다면 사망의 결과가 발생하지 않았을 것이라는 관계가 인정될 경우, 부작위와 사망의 결과 사이에 인과관계가 인정된다.

> **해설** ① 대판 2015.11.12, 2015도6809 전원합의체 ② 대판 2008.2.14, 2005도4202
> ③ × : 진정부작위범은 일정한 부작위가 있으면 바로 기수가 되는 형식범으로 미수는 불가능하나, 형법상 진정부작위범 중 퇴거불응죄(제322조)와 집합명령위반죄(제149조)는 미수처벌규정이 있다.
> ④ 대판 2015.11.12, 2015도6809 전원합의체

05 **부작위범에 대한 설명으로 옳은 것은?**(다툼이 있는 경우 판례에 의함) 　23. 7급 검찰

① 부작위범의 작위의무는 공법상의 의무로 제한되므로 단순한 도덕상 또는 종교상의 의무는 포함되지 않으나 작위의무가 공법적인 의무인 한 성문법이건 불문법이건 상관이 없고 법령, 법률행위, 선행행위로 인한 경우는 물론이고 기타 신의성실의 원칙이나 사회상규 혹은 조리상 작위의무가 기대되는 경우에도 법적인 작위의무는 있다.

② 형법상 방조행위는 정범의 실행을 용이하게 하는 직접, 간접의 모든 행위를 가리키는 것으로서 작위에 의한 경우 외에 부작위에 의해서는 성립하지 않는다.

③ 일정한 기간 내에 잘못된 상태를 바로잡으라는 행정청의 지시를 이행하지 않았다는 것을 구성요건으로 하는 범죄는 이른바 진정부작위범으로서 그 의무이행 기간의 경과에 의하여 범행이 기수에 이른다.

④ 도로교통법 제54조 제1항, 제2항이 규정한 교통사고발생시의 구호조치의무 및 신고의무는 교통사고를 발생시킨 당해 차량의 운전자에게 그 사고발생에 있어서 고의·과실 혹은 유책·위법한 경우에 한하여 부과된 의무라고 해석함이 상당하므로, 교통사고에 고의·과실 없는 자가 해당 의무를 이행하지 않은 부작위에 대해서는 도로교통법위반죄가 성립하지 않는다.

> **해설** ① × : 부작위범의 작위의무는 법적인 의무(공법상의 의무로 제한 ×)이어야 하므로 단순한 도덕상 또는 종교상의 의무는 포함되지 않으나 작위의무가 법적인(공법적인 ×) 의무인 한 성문법·불문법, 공법·사법을 불문하므로 법령, 법률행위, 선행행위로 인한 경우는 물론이고 기타 신의성실의 원칙이나 사회상규 혹은 조리상 작위의무가 기대되는 경우에도 법적인 작위의무는 있다(대판 1996.9.6, 95도2551).
> ② × : ~ (2줄) 작위에 의한 경우뿐만 아니라 부작위에 의하여도 성립된다(대판 2006.4.28, 2003도4128).
> ③ ○ : 대판 1994.4.26, 93도1731

04. ③　05. ③

④ × : ~ (3줄) 유책·위법의 유무에 관계없이 부과된 의무이므로, 교통사고에 고의·과실 없는 자가 해당 의무를 이행하지 않은 부작위에 대해서도 도로교통법위반죄가 성립할 수 있다(대판 2002.5.24, 2000도 1731).

06 부작위범에 관한 설명으로 옳고 그름의 표시(○, ×)가 바르게 된 것은?(다툼이 있는 경우 다수설과 판례에 의함) 24. 경찰간부

> ㉠ 어떠한 범죄가 적극적 작위에 의하여 이루어질 수 있음은 물론 결과의 발생을 방지하지 아니하는 소극적 부작위에 의하여도 실현될 수 있는 경우에, 행위자가 자신의 신체적 활동이나 물리적·화학적 작용을 통하여 적극적으로 타인의 법익 상황을 악화시킴으로써 결국 그 타인의 법익을 침해하기에 이르렀다면, 이는 작위에 의한 범죄로 봄이 원칙이다.
> ㉡ 업무상 배임죄는 부작위에 의해서도 성립할 수 있는데, 그러한 부작위를 실행의 착수로 볼 수 있기 위해서는 작위의무가 이행되지 않으면 사무처리의 임무를 부여한 사람이 재산권을 행사할 수 없으리라고 객관적으로 예견되는 등으로 구성요건적 결과발생의 위험이 구체화한 상황에서 부작위가 이루어져야 한다.
> ㉢ 부작위에 의한 교사는 교사자가 정범에게 부작위에 의하여 범죄의 결의를 일으키게 할 수 없기 때문에 불가능하지만, 부작위에 의한 방조는 방조범에게 보증인의무가 인정된다면 가능하다.
> ㉣ 부작위범에 대한 교사는 교사자가 정범에게 부작위에 나가도록 결의하게 함으로써 가능하고, 부작위범에 대한 방조는 부작위하겠다는 부작위범의 결의를 강화하는 형태의 방조도 가능하다.

① ㉠(○), ㉡(○), ㉢(○), ㉣(○)   ② ㉠(○), ㉡(×), ㉢(○), ㉣(×)
③ ㉠(×), ㉡(○), ㉢(×), ㉣(○)   ④ ㉠(×), ㉡(×), ㉢(×), ㉣(×)

해설 ㉠ ○ : 대판 2004.6.24, 2002도995
㉡ ○ : 대판 2021.5.27, 2020도15529
㉢㉣ ○ : 다수설

07 부작위범에 관한 설명으로 가장 적절한 것은?(다툼이 있는 경우 판례에 의함) 24. 경찰승진
① 하나의 행위가 작위범과 부작위범의 구성요건을 동시에 충족할 수는 없다.
② 부작위범에 대한 방조범은 부작위에 의한 방조뿐만 아니라 작위에 의한 방조의 경우에도 결과 발생을 방지할 의무 내지 보증의무가 있는 경우에만 성립한다.
③ 부진정부작위범의 경우와는 달리 진정부작위범의 공동정범은 그 의무가 수인에게 공통으로 부여되어 있지 않더라도 수인이 공모한 경우에 성립할 수 있다.
④ 도로교통법 제54조 제1항, 제2항이 규정한 교통사고 발생시의 구호조치의무 및 신고의무는 교통사고의 결과가 피해자의 구호 및 교통질서의 회복을 위한 조치가 필요한 상황인 이상, 교통사고를 발생시킨 당해 차량의 운전자에게 그 사고 발생에 있어서 고의 과실 혹은 유책 위법의 유무에 관계없이 부과된 의무이므로 위법하지 않은 선행행위로부터도 작위의무가 발생할 수 있다.

Answer   06. ①   07. ④

해설 ① × : ~ 동시에 충족할 수 있다(대판 2008.2.14, 2005도4202).
② × : 부작위범에 대한 방조범은 부작위에 의한 방조와 달리 작위에 의한 방조의 경우에는 결과발생을 방지할 의무 내지 보증의무가 없어도 성립한다.
③ × : 부작위범 사이의 공동정범은 다수의 부작위범에게 공통된 의무가 부여되어 있고 그 의무를 공통으로 이행할 수 있을 때에만 성립한다(대판 2008.3.27, 2008도89).
④ ○ : 대판 2002.5.24, 2000도1731

08 부작위범에 관한 설명 중 옳지 않은 것을 모두 고른 것은?(다툼이 있는 경우 판례에 의함)

24. 변호사시험

⊙ 작위의무는 법적인 의무이어야 하므로 법령, 법률행위, 선행행위로 인한 경우에는 법적인 작위의무가 인정되나, 기타 신의성실의 원칙이나 사회상규 혹은 조리상 작위의무가 기대되는 경우에는 법적인 작위의무를 인정할 수 없다.
ⓒ 부진정부작위범의 고의는 반드시 구성요건적 결과발생에 대한 목적이나 계획적인 범행 의도가 있어야 한다.
ⓒ 업무상 배임죄는 부작위에 의해서도 성립할 수 있는바, 그러한 부작위를 실행의 착수로 볼 수 있기 위해서는 작위의무가 이행되지 않으면 사무처리의 임무를 부여한 사람이 재산권을 행사할 수 없으리라고 객관적으로 예견되는 등으로 구성요건적 결과발생의 위험이 구체화한 상황에서 부작위가 이루어져야 한다.
ⓒ 중고자동차 매매에 있어서 매도인의 할부금융회사 또는 보증보험에 대한 할부금 채무가 매수인에게 당연히 승계되므로 그 할부금 채무의 존재를 매수인에게 고지하지 아니한 경우 부작위에 의한 기망에 해당한다.
ⓒ 부작위범 사이의 공동정범은 다수의 부작위범에게 공통된 의무가 부여되어 있고 그 의무를 공통으로 이행할 수 있을 때에만 성립한다.

① ㉠, ㉡, ㉢　　　　② ㉠, ㉡, ㉣　　　　③ ㉡, ㉢, ㉣
④ ㉠, ㉡, ㉣, ㉤　　　　⑤ ㉠, ㉢, ㉣, ㉤

해설 ㉠ × : ~ (1줄) 선행행위로 인한 경우는 물론이고, 기타 신의성실의 원칙이나 사회상규 혹은 조리상 작위의무가 기대되는 경우에는 법적인 작위의무를 인정할 수 있다(대판 1996.9.6, 95도2551).
㉡ × : ~ (1줄) 의도가 있어야 하는 것은 아니다(대판 2015.11.12, 2015도6809 전원합의체).
㉢ ○ : 대판 2021.5.27, 2020도15529
㉣ × : ~ (1줄) 매수인에게 당연히 승계되는 것은 아니므로 그 할부금 채무의 존재를 매수인에게 고지하지 아니한 경우 부작위에 의한 기망에 해당하지 않는다(대판 1998.4.14, 98도231).
㉤ ○ : 대판 2008.3.27, 2008도89

Answer　08. ②

09 **부작위범에 대한 설명으로 옳은 것은?**(다툼이 있는 경우 판례에 의함) 24. 7급 검찰

① 부진정부작위범의 성립은 보호법익의 주체에게 법익침해 위험에 대처할 보호능력이 있는지 여부가 아니라, 부작위행위자가 그러한 보호적 지위에서 법익침해를 일으키는 사태를 지배하고 있어 작위의무의 이행으로 결과발생을 쉽게 방지할 수 있는지 여부에 따라 판단하여야 한다.

② 부진정부작위범의 고의는 법익침해의 결과발생을 방지할 법적 작위의무를 가지고 있는 자가 그 의무를 이행함으로써 그 결과발생을 쉽게 방지할 수 있었음을 예견하고도 결과발생을 용인하고 이를 방관한 채 그 의무를 이행하지 아니한다는 인식을 하는 것만으로는 부족하다.

③ 보호자의 간청에 따라 담당 전문의와 주치의가 치료중단 및 퇴원을 허용하는 조치를 취함으로써 환자를 사망에 이르게 한 경우, 그 행위에 대한 비난의 중점은 치료중단이라는 부분에 있으므로 담당 전문의와 주치의에게는 부작위에 의한 살인방조죄가 성립한다.

④ 공무원이 농지불법전용의 위법사실을 발견하고도 직무상 의무에 따른 적절한 조치를 취하지 아니하고, 오히려 신청받은 농지일시전용을 허가하여 주기 위하여 그것이 타당하다는 취지의 현장출장복명서 및 심사의견서를 작성하여 결재권자에게 제출한 경우, 작위범인 허위공문서작성, 동행사죄와 부작위범인 직무유기죄는 실체적 경합범의 관계에 있다.

> **해설** ① × : ~ (1줄) 대처할 보호능력이 없고, 부작위행위자가 그러한 보호적 지위에서 법익침해를 일으키는 사태를 지배하고 있어 작위의무의 이행으로 결과발생을 쉽게 방지할 수 있는지 여부에 따라 판단하여야 한다(대판 2015.11.12, 2015도6809 전원합의체).
> ② × : ~ (3줄) 아니한다는 인식을 하면 족하다(대판 2015.11.12, 2015도6809 전원합의체).
> ③ × : ~ (3줄) 주치의에게는 작위(부작위 ×)에 의한 살인방조죄가 성립한다(대판 2004.6.24, 2002도995).
> ④ ○ : 대판 1993.12.24, 92도3334

10 **부작위범에 관한 설명으로 가장 적절하지 않은 것은?**(다툼이 있는 경우 판례에 의함) 24. 순경 2차

① 보험계약 체결 당시 이미 발생한 교통사고 등으로 생긴 '요추, 경추, 사지' 부분의 질환과 관련하여 입·통원치료를 받고 있었을 뿐 아니라 그러한 기왕증으로 인해 유사한 상해나 질병으로 보통의 경우보다 입원치료를 더 받게 될 개연성이 농후하다는 사정을 인식하고 있었음에도 자신의 과거 병력과 치료이력을 모두 묵비한 채 보험계약을 체결하였다면 부작위에 의한 기망에 해당한다.

② 경찰공무원이 지명수배 중인 범인을 발견하고도 직무상 의무에 따른 적절한 조치를 취하지 아니하고 오히려 범인을 도피하게 하는 행위를 하였다면, 그 직무위배의 위법상태는 범인도피행위 속에 포함되어 있다고 보아야 할 것이므로, 이와 같은 경우에는 작위범인 범인도피죄만이 성립하고 부작위범인 직무유기죄는 따로 성립하지 아니한다.

③ 甲이 휴대폰 녹음기능을 작동시킨 상태로 A의 휴대폰에 전화를 걸어 약 8분간의 전화통화를 마친 후 바로 전화를 끊지 않고 A가 먼저 전화 끊기를 기다리던 중 B의 목소리가 들려오자 A가 실수로 통화종료 버튼을 누르지 아니한 상태를 이용하여 A와 B가 나누는 대화를 몰래 청취 녹음하였다면 甲의 행위는 부작위에 의한 통신비밀보호법위반죄에 해당한다.

 Answer   09. ④   10. ③

④ 공사업자 甲이 A의 토지 위에 자신의 공사를 위해 쌓아 두었던 건축자재를 공사 완료 후 단순히 치우지 않은 것에 불과하다면, 이러한 행위가 A의 추가공사 업무에 대한 적극적인 방해행위와 동등한 형법적 가치를 가진다고 볼 수 없다.

해설 ① 대판 2017.4.16, 2017도1405

② 대판 2017.3.15, 2015도1456

③ × : ~ (4줄) 행위는 작위(부작위 ×)에 의한 통신비밀보호법위반죄에 해당한다(대판 2016.5.12, 2013도15616 ∵ 통화연결상태에 있는 휴대폰을 이용하여 이 사건 대화를 청취·녹음하는 행위는 소극적 부작위에 의해 실현된 작위범임).

④ 대판 2017.12.22, 2017도13211

11 A(5세)의 아버지 甲은 해수욕장에서 자신으로부터 10m 정도 떨어진 곳에서 A가 익사 위기에 처했음을 인식하고도 A가 익사하여도 상관없다고 생각하면서 아무런 조치를 취하지 아니하였고, 결국 A는 사망하였다. 이 사례에 관한 설명 중 옳지 않은 것은?(다툼이 있는 경우 판례에 의함) 25. 변호사시험

① 甲이 작위의무를 이행하였다면 그 결과가 발생하지 않았을 것이라는 관계가 인정될 경우에 한하여 그 작위를 하지 않은 부작위와 사망의 결과 사이에 인과관계가 인정된다.

② 만약 甲이 누군가 익사 위기에 처해 있다고 생각했을 뿐 그 대상이 A임을 인식하지 못하였던 경우, 보증인적 지위는 구성요건요소이지만 보증의무는 위법성요소라고 보는 견해에 따르면, 甲의 부작위는 구성요건에 해당하고 위법하지만 그러한 착오에 정당한 이유가 있는 때에 한하여 법률의 착오로서 책임이 조각된다.

③ 甲에게 부작위에 의한 살인죄의 실행의 착수가 인정되기 위해서는 A의 사망 위험이 구체화한 상황에서 부작위가 이루어지고, 부작위 당시 자신이 구조의무 위반행위를 하고 있으며 그로 인하여 A의 사망 위험이 생긴다는 점을 인식해야 한다.

④ 만약 乙이 해수욕장의 안전요원이고, 甲과 乙이 각자 주의의무를 불이행하여 A가 익사 위기에 처했음을 알지 못하고 그로 인하여 A를 구하지 못하였다면, 甲은 부작위에 의한 과실치사죄, 乙은 부작위에 의한 업무상과실치사죄가 각각 성립할 수 있다.

⑤ 甲의 부작위를 살인죄의 실행행위로 평가하려면 甲이 A가 처한 사태를 지배하고 있어 구조의무 이행으로 사망의 결과를 쉽게 방지할 수 있어야 한다.

해설 ①⑤ 대판 2015.11.12, 2015도6809 전원합의체

② × : ~ (3줄) 견해(이분설 : 다수설)에 따르면, 甲은 A의 아버지로서의 지위를 가지고 있음에도 불구하고 그러한 지위에 있지 않다고 착오한 경우로 이는 보증인지위에 대한 착오(구성요건적 착오)로서 고의가 조각된다.

③ 대판 2021.5.27, 2020도15529

④ 옳다(∵ 과실범의 처벌규정이 있을 때 과실에 의한 부작위범이 성립할 수 있다. ▶ 진정부작위범 ⇨ 과실범 처벌규정 ×).

12 부작위범에 관한 설명으로 가장 적절하지 않은 것은?(다툼이 있는 경우 판례에 의함) 25. 경찰승진

① 부작위범 사이의 공동정범은 다수의 부작위범에게 공통된 의무가 부여되어 있고 그 의무를 공통으로 이행할 수 있는 경우에 성립한다.

② 인터넷 포털 사이트 내 오락채널 총괄팀장 甲과 동 오락채널 내 만화사업의 운영 직원 乙에게 만화콘텐츠를 관리·감독할 권한과 능력이 있었고, 음란만화가 지속적으로 게재되는 사실을 알고 있었다면 甲과 乙은 콘텐츠제공업체들이 게재하는 음란만화의 삭제를 요구할 조리상의 의무가 있다.

③ 연구책임자가 처음부터 소속 학생연구원들에게 연구비를 개별적으로 지급할 의사 없이 공동관리계좌를 관리하면서 사실상 그 처분권을 가질 의도하에 이를 숨기고 산학협력단에 연구비를 신청하여 지급받았다면 이는 산학협력단에 대한 관계에 있어 기망에 의한 편취행위에 해당한다.

④ 아파트 전매인이 전매할 때 아파트 분양회사의 대표이사가 그 분양업무와 관련된 형사사건으로 유죄판결을 받은 사실이 있다면 그 내용이 매수인의 위 아파트 소유권취득에 영향을 미치는 사법상 효력에 관계있는 것이 아니더라도 매수인에게 고지할 의무가 있다.

> **해설** ① 대판 2008.3.27, 2008도89
> ② 대판 2006.4.28, 2003도4128
> ③ 대판 2021.9.9, 2021도8468
> ④ × : ~ (2줄) 받은 바 있다고 하여도, 그 내용이 매수인의 위 아파트 소유권취득에 영향을 미치는 사법상 효력에 관계있는 것이 아니라면 매수인에게 고지할 의무가 없다(대판 1983.9.13, 83도823).

13 부작위범에 관한 설명으로 가장 적절한 것은?(다툼이 있는 경우 판례에 의함) 25. 순경 1차

① 부작위에 의한 방조는 있을 수 있지만, 부작위범 사이의 공동정범은 있을 수 없다.

② 부진정 부작위범의 경우 작위의무는 법령, 법률행위, 선행행위로부터 도출되며, 신의성실의 원칙이나 사회상규 혹은 조리로부터 작위의무가 도출될 수는 없다.

③ 타인과의 신뢰관계에서 일정한 임무에 따라 사무를 처리할 법적 의무가 있는 자가 그 상황에서 당연히 할 것이 법적으로 요구되는 행위를 하지 않은 경우, 업무상 배임의 실행의 착수를 인정하기 위해서는 그러한 부작위 자체가 존재하는 것으로 족하고 구성요건적 결과 발생의 위험이 구체화한 상황에서의 부작위가 있을 것까지는 요하지 않는다.

④ 형법이 금지하고 있는 법익침해의 결과발생을 방지할 법적인 작위의무를 지고 있는 자가 그 의무를 이행함으로써 결과발생을 쉽게 방지할 수 있었음에도 불구하고 그 결과의 발생을 용인하고 이를 방관한 채 그 의무를 이행하지 않은 경우, 그 부작위가 작위에 의한 법익침해와 동등한 형법적 가치가 있는 것이어서 그 범죄의 실행행위로 평가될 만한 것이라면, 작위에 의한 실행행위와 동일하게 부작위범으로 처벌할 수 있다.

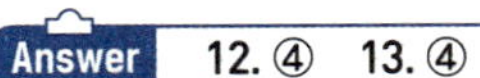

해설 ① × : 부작위에 의한 방조(대판 2006.4.28, 2003도4128)나 부작위범 사이의 공동정범(대판 2008. 3.27, 2008도89)은 있을 수 있다.
② × : ~ (1줄) 선행행위로 인한 경우는 물론이고 기타 신의성실의 원칙이나 사회상규 혹은 조리로부터 작위의무가 도출될 수 있다(대판 1996.9.6, 95도2551).
③ × : 업무상 배임죄는 부작위에 의해서도 성립할 수 있는바, 그러한 부작위를 실행의 착수로 볼 수 있기 위해서는 작위의무가 이행되지 않으면 사무처리의 임무를 부여한 사람이 재산권을 행사할 수 없으리라고 객관적으로 예견되는 등으로 구성요건적 결과발생의 위험이 구체화한 상황에서 부작위가 이루어져야 한다(대판 2021.5.27, 2020도15529).
④ ○ : 대판 2010.1.14, 2009도12109

14 **부작위범에 관한 설명 중 옳은 것은?**(다툼이 있는 경우 판례에 의함)　　　26. 변호사시험

① 형법은 이른바 '착한 사마리아인'에 관한 규정을 두고 있지 않기 때문에 조리에 의한 작위의무가 인정되지 않는다.

② 다수의 부작위범에게 공통된 의무가 부여되어 있다면, 그 의무를 공통으로 이행할 수 없을 때에도 부작위범 사이에 공동정범이 성립할 수 있다.

③ 어느 행정법규가 "…시설 및 설비를 갖추고 시장·군수·구청장에게 신고하여야 한다."라고 규정하면서 "…신고를 하지 아니한 자를 처벌한다."라고 규정하고 있는 경우, 이 위반죄는 구성요건이 부작위에 의해서만 실현될 수 있는 진정부작위범에 해당한다.

④ 배임죄는 부작위에 의해서도 성립할 수 있는데, 이 경우 배임행위자는 부작위 당시 자신에게 주어진 임무를 위반한다는 점만 인식하면 되고, 그 부작위로 인해 본인에게 손해가 발생할 위험이 있다는 점까지는 인식할 필요가 없다.

⑤ 보호자의 간청에 따라 담당 의사가 치료를 요하는 환자에 대한 치료를 중단하고 퇴원을 허용함으로써 그 환자가 사망한 경우, 부작위에 의한 살인방조죄가 성립한다.

해설 ① × : 형법은 이른바 '착한 사마리아인'에 관한 규정(프랑스 등 유럽국가에서는 자신 또는 제3자의 위험을 초래하지 않고 위험에 처한 다른 사람을 구조할 수 있음에도, 고의로 구조하지 않은 자에 대하여 구금 및 벌금에 처하도록 법으로 규정하고 있다.)을 두고 있지 않으나, 대법원 판례는 조리상 작위의무가 기대되는 경우에도 부작위범의 법적인 작위의무가 있다고 본다(대판 1996.9.6, 95도2551).
② × : 부작위범 사이의 공동정범은 다수의 부작위범에게 공통된 의무가 부여되어 있고 그 의무를 공통으로 이행할 수 있을 때에만 성립한다(대판 2008.3.27, 2008도89).
③ ○ : 대판 2008.3.27, 2008도89
④ × : ~ (2줄) 위반한다는 점과, 그 부작위로 인해 본인에게 손해가 발생할 위험이 있다는 점을 인식하였어야 한다(대판 2021.5.27, 2020도15529).
⑤ × : ~ (2줄) 사망한 경우, 작위(부작위 ×)에 의한 살인방조죄가 성립한다(대판 2004.6.24, 2002도995).

 **Answer** 14. ③

제3절　인과관계와 객관적 귀속이론

> **제17조【인과관계】**　어떤 행위라도 죄의 요소되는 위험발생에 연결되지 아니한 때에는 그 결과(행위 ×)로 인하여 벌하지 아니한다. 17. 경찰승진·순경 2차, 24. 해경승진, 25. 해경경위공채

1　인과관계의 의의와 기능

① **인과관계의 의의** : 결과범에 있어서 결과가 발생해야만 기수가 되는데 이러한 발생결과에 대해 행위자에게 책임을 과하기 위해서 요구되는 행위와 결과 사이의 불가분의 연관관계를 인과관계라고 한다. 이는 객관적 구성요건요소에 해당한다.

② **인과관계의 형법상 기능**

형식범 (거동범)	구성요건상의 행위만 있으면 바로 기수가 되므로 기수가 되기 위해서 인과관계가 필요없다. **예** 위증죄, 무고죄, 폭행죄, 명예훼손죄, 공연음란죄, 진정부작위범 등
실질범 (결과범)	일정한 결과발생이 있어야 기수가 되므로 인과관계가 필요하다. 만일 결과범에서 인과관계가 없다면 미수범으로 처벌될 뿐이므로 인과관계는 결과범에 있어서 미수와 기수를 한계지우는 기능을 한다. 23. 변호사시험, 24. 경찰승진, 25. 해경경위공채 **예** 살인죄, 사기죄, 상해죄, 횡령죄, 공갈죄, 과실범, 결과적 가중범, 부진정부작위범 등 ▶ 과실범은 모두 결과범이므로 과실범의 미수가 성립될 여지는 없으나(현행법상 과실범의 미수처벌규정 ×), 과실범이 성립하기 위해서는 결과발생과 객관적 주의의무위반 사이에는 인과관계가 있어야 한다. 15. 순경 1차, 25. 해경경위공채

2　인과관계에 관한 학설

① **조건설**(동등설, 등가설) : 만일 어떤 행위가 없었더라면 그러한 결과도 발생하지 아니하였을 것이라는 논리적 조건관계만 있으면 그 결과는 그 행위로 인하여 초래된 것이라고 하여 인과관계를 인정하는 견해이다.

　Q **비판** : 인과관계를 긍정하는 범위가 지나치게 확대되어 그 한계가 명확하지 못하다(**예** 살인범의 출산행위까지도 인과관계를 긍정하게 됨). 19. 순경 2차, 23. 경찰간부, 24. 경찰승진

② **인과관계중단설** : 인과관계 진행 중에 타인의 행위나 예기치 못한 우연한 사실이 개입된 경우에는 이에 선행했던 행위와 발생된 결과 사이의 인과관계가 중단되어 기수의 책임을 물을 수 없다는 견해이다. 이는 조건설의 결함을 시정하기 위해 나타난 학설이다. 07. 사시

③ **상당인과관계설** : 사회생활상의 일반적인 경험에 비추어 그런 행위로부터 그러한 결과가 발생하는 것이 상당하다고 인정될 때 인과관계를 긍정하는 견해로(판례, 종래 다수설), 상당인과

관계설에 의하면 사실적 측면과 규범적 측면을 모두 고려하여 '상당성'을 판단하며 상당성은 행위와 결과 사이의 개연성 관계를 의미한다. 24. 경위공채

④ **합법칙적 조건설과 객관적 귀속이론** : 인과관계의 문제와 결과에 대한 형사책임의 귀속문제를 구분하여 인과관계는 합법칙적 조건설에 따라 존재론적으로 파악하고(사실적 인과관계의 확정), 그 결과가 정당한 처벌이라는 관점에서 행위자에게 객관적으로 귀속시킬 수 있느냐는 객관적 귀속이론에 따라 규범적으로 파악되어야 한다(법적·규범적 확정)고 본다(현재의 다수설). 11. 순경, 24. 경위공채

⑤ **비유형적 인과관계** : 일정한 행위가 결과에 대하여 원인이 되지만, 그 결과에 이르는 과정에 다른 원인이 기여하였거나, 피해자의 잘못 또는 특이체질이 결합한 경우를 말한다. 이때에도 인과관계는 인정된다(단, 결과에 대한 예견가능성이 없으면 객관적 귀속이 부정됨). 08. 9급 검찰·순경, 21. 해경간부

3 **인과관계의 착오**

인과관계의 착오란 행위자가 인식한 사실과 현실로 발생한 사실이 일치하나 결과에 이르는 인과과정이 행위자가 인식한 인과과정과 서로 다른 경우를 말한다.

예 목을 졸라 죽은 줄 알고 사체를 은닉하기 위해 땅에 묻었는데 사실은 목을 졸라 죽은 것이 아니고 땅속에 묻혀 질식사한 경우 ⇨ 살인죄의 기수범(대판 1988.6.28, 88도650)

🔔 행위자가 일정한 고의(살인의 고의)를 가지고 행위(제1행위)를 하였으나 그의 의도와는 달리 연속된 다른 행위(제2행위)에 의해 원래 의도한 결과(사망)가 실현된 경우 20. 순경 2차, 23. 7급 검찰, 25. 변호사시험

학설 ⎡ • 인과관계착오설(다수설), 개괄적 고의설, 객관적 귀속이론 ⇨ 살인기수
⎣ • 미수범설 ⇨ 살인미수(제1행위)와 과실치사(제2행위)의 실체적 경합

판례 : 살인기수(대판 1988.6.28, 88도650 ∵ 전 과정을 개괄적으로 보면 피해자의 살해라는 처음에 예견된 사실이 결국 실현된 것으로서 살인죄의 죄책을 면할 수 없음) 18. 순경 3차, 21. 7급 검찰, 22. 경찰승진

Q 주의 : 甲이 상해의 고의로 A를 구타하여 A가 정신을 잃자 사망한 것으로 오인하고, A가 자살한 것처럼 가장하기 위하여 A를 베란다 아래로 떨어뜨려 사망하게 한 경우에는 포괄하여 단일의 상해치사죄(살인죄 ×)에 해당한다(대판 1994.11.4, 94도2361). 22. 9급 검찰·마약수사·경찰승진, 24. 해경간부·법원행시, 25. 변호사시험

4 **기 타**

① 부진정부작위범의 경우 작위의무를 이행하였다면 결과가 발생하지 않았을 것이라는 관계가 인정될 경우 작위를 하지 않은 부작위와 발생된 결과 사이에 인과관계가 인정된다(대판 2015.11.12, 2015도6809 전원합의체). 18. 변호사시험, 21. 9급 검찰·철도경찰, 23. 경찰간부, 24. 순경 2차·해경경장, 25. 7급 검찰

② 과실범에 있어서 인과관계를 인정하기 위해서는, 주의의무위반이 없었더라면 그러한 결과가 발생하지 않았을 것임이 입증(증명)되어야 한다(대판 2023.1.12, 2022도11163). 21. 순경 1차, 24. 경위공채

③ 실화죄에 있어서 공동의 과실이 경합되어 화재가 발생한 경우 적어도 각 과실이 화재의 발생에 대하여 하나의 조건이 된 이상은 그 공동적 원인을 제공한 사람들은 각자 실화죄의 책임을 면할 수 없다(대판 2023.3.9, 2022도16120). 24. 9급 검찰 · 마약수사 · 철도경찰 · 순경 1차

④ 교사자가 전화로 범행을 만류하는 취지의 말을 한 것만으로는 교사자의 교사행위와 정범의 실행행위 사이에 인과관계가 단절되었다거나 교사자가 공범관계에서 이탈한 것으로 볼 수 없다(대판 2012.11.15, 2012도7407). 20. 법원직, 24. 9급 검찰 · 마약수사 · 철도경찰

⑤ 방조범이 성립하려면 방조행위가 정범의 범죄실현과 밀접한 관련이 있고 정범으로 하여금 구체적 위험을 실현시키거나 범죄결과를 발생시킬 가능성을 높이는 등으로 현실적 기여를 하였다고 평가할 수 있는 인과관계가 필요하다(대판 2021.9.16, 2015도12632). 23. 경력채용 · 해경간부, 24. 9급 검찰 · 마약수사 · 철도경찰, 24. 변호사시험 · 해경경위공채

⑥ 정범의 실행행위 중에 이를 용이하게 하는 경우뿐만 아니라 정범의 실행착수 전에 장래의 실행행위를 예상하고 이를 용이하게 하는 경우에도 방조행위로서 정범의 실행행위에 대한 인과관계를 인정할 수 있다(대판 2021.9.9, 2017도19025 전원합의체). 19. 7급 검찰, 23. 경찰승진, 24. 9급 검찰 · 마약수사 · 철도경찰

⑦ 강간죄에 있어서 폭행 · 협박과 간음 사이에는 인과관계가 있어야 하나, 폭행 · 협박이 반드시 간음행위보다 선행되어야 하는 것은 아니다(대판 2017.10.12, 2016도16948). 20. 법원직, 22. 순경 1차, 23. 경찰승진, 24. 경찰간부 · 해경순경, 25. 변호사시험

관련판례

Ⅰ. 제3자 또는 피해자의 행위가 개입된 경우

● 인과관계를 인정한 경우

> 살인의 실행행위가 피해자의 사망이라는 결과를 발생하게 한 유일한 원인이거나 직접적인 원인이어야만 되는 것은 아니므로, 살인의 실행행위와 피해자의 사망과의 사이에 다른 사실이 개재되어 그 사실이 치사의 직접적인 원인이 되었다고 하더라도 그와 같은 사실이 통상 예견할 수 있는 것에 지나지 않는다면 살인의 실행행위와 피해자의 사망과의 사이에 인과관계가 있는 것으로 보아야 한다(대판 1994.3.22, 93도3612). 18. 9급 철도경찰 · 순경 2차, 20. 해경승진, 21. 9급 검찰 · 마약수사, 22. 해경간부, 23. 변호사시험, 24. 해경순경, 26. 경찰승진

1. 복부를 강타하여 장파열로 인한 복막염으로 사망한 경우 의사의 수술지연 등의 과실이 사망의 공동원인이 된 경우에 폭행과 사망 사이(대판 1984.6.26, 84도831) 16. 9급 철도경찰, 17. 순경 2차, 22. 7급 검찰, 23. 법원행시, 24. 경찰승진

2. 자상을 입은 피해자가 치료 중 급성신부전증이 발생하였는바, 피해자가 음식조절을 하지 않아(콜라와 김밥 등을 함부로 먹음)으로 사망한 경우(대판 1994.3.22, 93도3612 ∵ 선행행위 후 피해자의 과실이 개입되어 결과가 발생한 경우, 그와 같은 사실이 통상 예견할 수 있는 것이라면 선행행위와 결과 사이에 인과관계가 인정된다.) 15. 사시, 24. 해경승진, 25. 경위공채 · 법원직

3. 정신과질환으로 입원한 환자의 주치의사가 환자의 전해질이상 유무를 확인하지 않고 포도당액을 주사하여 환자가 이로 인한 쇼크로 사망하였다면, 그 치료과정에서 야간당직의사의 과실이 일부 개입

했더라도 주치의사 및 환자와의 관계에 비추어 볼 때 환자의 주치의사는 업무상 과실치사죄의 책임을 면할 수 없다(대판 1994.12.9, 93도2524). 21. 경력채용, 23. 해경승진

4. 피고인의 행위가 결과발생에 유력한 원인이 된 이상 결과발생에 시간적으로 근접한 제3자의 또 다른 공동 원인행위가 있더라도 피고인의 행위와 결과 사이의 인과관계가 있다(대판 1984.6.26, 84도831). 25. 순경 2차

5. 상해, 감금, 강도, 강간 등을 당한 상태에서 피해자가 이를 피하려다 사상의 결과가 발생한 경우 ⇨ 인과관계 ○

① 피해자가 피고인의 상해행위를 피하려고 도로를 건너 도주하다가 그 도로를 주행하던 차량에 치어 사망한 경우, 피고인의 상해행위와 피해자의 사망 사이(대판 1996.5.10, 96도529) 15. 순경 3차, 18. 9급 철도경찰, 19. 법원행시, 20. 경찰승진, 24. 해경순경, 25. 순경 1차

② 피고인들로부터 폭행을 당하고 당구장 3층 화장실에 숨어 있던 피해자가 다시 피고인들로부터 폭행당하지 않으려고 창문 밖으로 숨으려다가 실족하여 사망한 경우, 피고인들의 폭행과 피해자의 사망 간의 관계(대판 1990.10.16, 90도1786) 16. 경찰승진, 17. 순경 2차

③ 승용차로 피해자를 가로막아 승차하게 한 후 피해자의 하차 요구를 무시한 채 시속 약 60km 내지 70km의 속도로 진행하자, 피해자가 감금상태를 벗어날 목적으로 차량을 빠져나오려다가 길바닥에 떨어져 상해를 입고 그 결과 사망한 경우, 감금행위와 피해자의 사망과의 관계(대판 2000.2.11, 99도5286) 15. 순경 3차, 21. 7급 검찰, 24. 해경간부

④ 甲이 속셈학원의 강사로 A를 채용하고 학습교재를 설명하겠다는 구실로 유인하여 호텔 객실에 감금한 후 강간하려 하자 A가 완강히 반항하던 중 甲이 전화하는 사이에 객실 창문을 통해 탈출하려다가 추락하여 사망한 경우, 甲의 강간미수행위와 A의 사망 사이(대판 1995.5.12, 95도425) 15. 법원직, 16. 9급 철도경찰, 25. 순경 2차 · 법원직 · 9급 검찰 · 마약수사 · 철도경찰, 26. 경찰승진

▶ 유사판례 : 피해자가 강간을 피하려다 사망한 경우(대판 1968.5.21, 68도419)

⑤ 동거녀를 술집에 나갈 수 없게 안방에 감금하고 가혹한 행위를 하자, 그녀가 이를 피하기 위해 창문을 통해 뛰어 내리려는 것을 저지시킨 후 거실로 나오는 사이에 갑자기 안방창문을 통하여 알몸으로 아파트 아래 잔디밭에 뛰어내려 사망한 경우(대판 1991.10.25, 91도2085) 16. 9급 철도경찰, 19. 경력채용, 22. 경찰간부 · 해경 2차

⑥ 폭행 또는 협박으로 타인의 재물을 강취하려는 행위와 이에 극도의 흥분을 느끼고 공포심에 사로잡혀 이를 피하려다 상해에 이르게 된 사실 사이(대판 1996.7.12, 96도1142) 22. 법원행시 · 법원직, 23. 경찰승진, 24. 해경승진, 25. 변호사시험 · 해경경사 · 순경 2차

6. 교통사고 관련 판례

① 피고인이 고속도로 2차로를 따라 자동차를 운전하다가 1차로를 진행하던 甲의 차량 앞에 급하게 끼어든 후 곧바로 정차하여 甲의 차량 및 이를 뒤따르던 차량 두 대는 연이어 급제동하였으나, 그 뒤를 따라오던 乙의 차량이 앞의 차량들을 연쇄적으로 추돌케 하여 乙을 사망에 이르게 하고 나머지 차량 운전자 등 피해자들에게 상해를 입힌 경우, 피고인의 정차 행위와 사상의 결과발생 사이에 상당인과관계가 있다(대판 2014.7.24, 2014도6206 ∵ 교통방해치사상죄가 성립하려면 교통방해행위가 피해자의 사상이라는 결과를 발생하게 한 유일하거나 직접적인 원인이 될 필요가 없고,

그 행위와 결과 사이에 피해자나 제3자의 과실 등 다른 사실이 개재된 경우라도 그와 같은 사실이 통상 예견될 수 있는 것이라면 상당인과관계를 인정할 수 있다). 19. 순경 2차, 21. 경찰승진 · 해경승진, 22. 경찰간부 · 법원직, 24. 법원행시 · 해경경장 · 순경 1차, 25. 9급 검찰 · 마약수사 · 철도경찰

② 피고인이 자동차를 운전하다 횡단보도를 걷던 보행자 甲을 들이받아 그 충격으로 횡단보도 밖에서 甲과 동행하던 피해자 乙이 밀려 넘어져 상해를 입은 경우, 피고인의 (구)도로교통법 제27조 제1항에 따른 주의의무를 위반하여 운전한 업무상 과실과 乙의 상해 사이에는 인과관계가 인정된다(대판 2011.4.28, 2009도12672). 21. 경찰간부 · 경찰승진, 22. 9급 철도경찰, 24. 해경경장

③ 선행차량에 이어 피고인 운전차량이 피해자를 연속하여 역과하는 과정에서 피해자가 사망한 경우, 피고인 운전차량의 역과와 피해자의 사망 사이(대판 2001.12.11, 2001도5005) 15. 경찰승진, 20. 해경승진

④ 야간에 오토바이를 운전하다가 무단횡단하던 피해자를 치어 도로에 넘어지게 한 후 약 40초 내지 60초 동안 그대로 방치하던 중 그 피해자가 후속차량에 치어 사망한 경우, 오토바이 운전자의 과실과 피해자의 사망 사이(대판 1990.5.22, 90도580) 23. 해경승진, 24. 7급 검찰

⑤ 운전자가 시동을 끄고 1단 기어가 들어가 있는 상태에서 열쇠를 꽂아 둔 채 11세 정도의 어린이를 조수석에 남겨두고 내려온 경우 어린이가 시동열쇠를 돌리며 가속페달을 밟아 사고가 난 경우(대판 1986.7.8, 86도1048) 22. 경찰간부 · 해경간부 · 해경 2차, 23. 법원행시, 25. 경찰승진

⑥ 도선사가 강제도선구역 내에서 조기 하선함으로 인하여 적기에 충돌회피동작을 취하지 못하여 결국 선박충돌사고가 발생한 경우, 도선사가 하선 후 발생한 충돌사고이므로 도선사의 업무상 과실과 사고발생 사이의 상당인과관계가 인정된다(대판 2007.9.21, 2006도6949 ∴ 업무상 과실 선박파괴죄). 20. 해경승진 · 해경 3차, 21. 해경간부 · 해경 1차

⑦ 야간에 2차선의 굽은 도로상에 미등과 차폭등을 켜지 않은 채 화물차를 주차시켜 놓음으로써 오토바이가 추돌하여 오토바이 운전자가 사망하게 된 경우, 화물차운전자의 주차행위와 피해자의 사망 사이(대판 1996.12.20, 96도2030) 13. 7급 검찰, 25. 경찰승진

⑧ 피고인이 운행하던 자동차로 도로를 횡단하던 피해자를 충격하여 피해자로 하여금 반대차선의 1차선상에 넘어지게 하여 피해자가 반대차선을 운행하던 자동차에 역과되어 사망한 경우(대판 1988.11.8, 88도928) 06. 사시, 22. 7급 검찰

⑨ 모든 차의 운전자는 신호기의 지시에 따라 횡단보도를 횡단하는 보행자가 있을 때에는 횡단보도에의 진입 선후를 불문하고 일시정지하는 등의 조치를 취함으로써 보행자의 통행이 방해되지 아니하도록 하여야 한다. 다만, 자동차가 횡단보도에 먼저 진입한 경우로서 그대로 진행하더라도 보행자의 횡단을 방해하거나 통행에 아무런 위험을 초래하지 아니할 상황이라면 그대로 진행할 수 있다. 따라서 피고인이 운전하는 차량이 이미 횡단보도에 먼저 진입한 뒤에 보행자 신호가 녹색으로 바뀌었고, 바뀐 신호만을 보고 횡단보도에 진입한 피해자를 피고인이 그대로 충격하여 피해자에게 상해를 입힌 경우에는 피고인의 과실(일시정지를 하지 아니한 업무상 과실)과 피해자가 입은 상해 사이에는 상당인과관계가 인정된다(대판 2017.3.15, 2016도17442). 19. 순경 2차, 22. 법원행시

⑩ 자동차의 운전자가 통상 예견되는 상황에 대비하여 결과를 회피할 수 있는 정도의 주의의무를 다하지 못한 것이 교통사고 발생의 직접적인 원인이 되었다면, 비록 자동차가 보행자를 직접 충격한 것이 아니고 보행자가 자동차의 급정거에 놀라 도로에 넘어져 상해를 입은 경우라고 할지라도, 업무상 주의의무위반과 교통사고 발생 사이에 상당인과관계를 인정할 수 있다(대판 2022.6.16, 2022도1401). 24. 경위공채, 25. 변호사시험 · 9급 검찰 · 마약수사 · 철도경찰

⑪ 자동차 운전자인 피고인이 교차로와 연접한 횡단보도에 차량 보조등은 설치되지 않았으나 보행등이 녹색이고, 교차로의 차량신호등은 적색인데도, 횡단보도를 통과하여 교차로를 우회하다가 신호에 따라 진행하던 자전거를 들이받아 운전자에게 상해를 입힌 경우 피고인의 위 우회전행위와 위 사고 발생 사이에는 직접적인 원인관계가 존재한다고 보는 것이 타당하다(대판 2011.7.28, 2009도8222). 24. 법원행시

● **인과관계를 부정한 경우**

1. 강간을 당한 피해자가 집에 돌아가 강간을 당함으로 인하여 생긴 수치심과 장래에 대한 절망감 등으로 인해 음독자살한 경우 강간행위와 피해자의 자살행위 사이(대판 1982.11.23, 82도1446) 15. 경찰간부, 16. 9급 철도경찰, 19. 경력채용, 21. 경찰승진, 22. 9급 검찰·마약수사·철도경찰, 23. 법원행시

2. 초지조성공사를 도급받은 수급인이 산불작업을 하도급 준 이후 그 작업을 감독하지 않은 과실(도급계약상의 책임임)과 하수급인의 과실로 인한 산림실화의 사이(대판 1987.4.28, 87도297) 16. 7급 검찰·철도경찰, 18. 순경 2차, 20. 해경승진, 22. 경찰승진·해경간부·해경 2차·경력채용

3. 甲은 선단 책임선의 선장으로서 종선의 선장에게 조업상의 지시만 할 수 있을 뿐 선박의 안전관리는 각 선박의 선장이 책임지도록 되어있었던 경우, 甲이 풍랑 중에 종선에 조업 지시를 한 것과 종선의 풍랑으로 인한 매몰사고와의 사이(대판 1989.9.12, 89도1084) 18. 경찰간부·순경 2차, 21. 해경간부, 22. 경력채용, 23. 해경 3차, 24. 해경승진

4. 술을 마시고 찜질방에 들어온 甲이 찜질방 직원 몰래 후문으로 나가 술을 더 마신 다음 후문으로 다시 들어와 발한실에서 잠을 자다가 사망한 경우, 찜질방 직원 및 영업주가 통제·관리하지 않은 부분(업무상 주의의무 ×)과 甲의 사망 간의 관계(대판 2010.2.11, 2009도9807) 14. 순경 1차

5.
> 피고인의 도로교통 규칙 위반(📕 안전거리유지의무 위반, 제한속도 위반 등)이 그 교통사고의 직접적 원인이 아닌 경우 ⇨ 인과관계 ×

① 피고인이 인터체인지 진입로 부근 고속도로에서 제한최고속도를 20km 초과한 속도로 고속버스 우측으로 추월한 직후에 자동차의 30 내지 40m 전방에서 고속도로를 무단횡단하기 위하여 피고인의 진행차로인 2차로로 갑자기 뛰어든 피해자를 충격한 경우(대판 2000.9.5, 2000도2671) 12. 9급 검찰·철도경찰, 16. 경찰승진, 19. 법원행시, 25. 해경경사

② 신호등에 의하여 교통정리가 행하여지고 있는 ㅏ자형 삼거리의 교차로를 녹색등화에 따라 직진하는 차량의 운전자인 피고인이 과속으로 운전하다가, 대향차선 위의 다른 차량이 신호를 위반하여 좌회전하여 사고가 발생한 경우(대판 1993.1.15, 92도2579) 16. 7급 검찰, 23. 경력채용, 24. 순경 2차

③ 좌회전 금지구역에서 좌회전하는 도중 후행차량이 중앙선을 넘어 과속으로 돌진하여 교통사고가 발생한 경우(대판 1996.5.28, 95도1200) 15. 법원직, 20. 경찰승진, 25. 9급 검찰·마약수사·철도경찰

④ 운전사가 차의 시동을 끄고 시동열쇠는 꽂아 둔 채로 하차한 동안에 조수가 이를 운전하다가 사고를 낸 경우에 시동열쇠를 그대로 꽂아 둔 행위와 상해의 결과발생 사이(대판 1971.9.28, 71도1082) 13. 법원직, 24. 해경순경

▶ **유사판례** : 운전자가 차주에게 운전하게 하여 통행인에게 상해를 입힌 경우에 운전자의 과실과 사고결과 사이(대판 1974.7.23, 74도778)

⑤ 甲이 운전하는 차가 이미 정차하였음에도 뒤쫓아오던 차의 충돌로 인하여 앞차를 충격하여 사고가 발생한 경우, 甲에게 안전거리를 준수하지 않은 위법이 있었더라도 사고 피해 결과에 대하여 인과관계가 있다고 단정할 수 없다(대판 1983.8.23, 82도3222). 22. 경찰승진, 23. 경력채용, 25. 7급 검찰

⑥ 교차로에서 직진신호에 따라 과속하여 직진하던 중 접속도로에서 허용되지 아니하는 좌회전을 감행하여 자기 차량의 앞을 가로질러 진행하여 오던 차량과 충돌한 경우 제한속도 위반행위와 교통사고 사이(대판 1998.9.22, 98도1854) 02. 사시, 25. 7급 검찰

⑦ 트럭이 왼쪽 바퀴를 중앙선 위에 걸친 상태로 운행하던 중 마주오던 승용차가 트럭이 진행하는 차선으로 들어와 사고가 발생한 경우 트럭의 중앙선침범 운행과 사고 사이(대판 1991.2.26, 90도2856) 19. 경력채용

Ⅱ. 피해자의 특이체질(지병)과 인과관계

● 인과관계를 인정한 경우

1. 피고인이 甲의 뺨을 1회 때리고 오른손으로 목을 쳐 甲으로 하여금 뒤로 넘어지면서 머리를 땅바닥에 부딪치게 하여 상해를 가하고, 甲이 두부 손상을 입은 후 병원에서 입원치료를 받다가 합병증(폐렴으로 인한 패혈증)으로 사망한 경우 ⇨ 상해치사죄 ○(대판 2012.3.15, 2011도17648 ∵ 인과관계 ○, 예견가능성 ○) 17. 9급 검찰 · 마약수사, 20. 경찰승진, 21. 경찰간부 · 해경간부, 24. 경위공채, 25. 변호사시험

2. 평소 고혈압과 선천성 혈관기형인 좌측전고동맥류(관상동맥폐쇄 및 허혈성심근경맥)의 증세를 앓고 있던 자가 폭행을 당하여 사망한 경우에 위와 같은 지병이 사망결과에 영향을 주었더라도 폭행과 사망 사이(대판 1979.10.10, 79도2040 ; 대판 1989.10.13, 89도556) 22. 법원행시 · 7급 검찰

3. 피해자를 두 손으로 밀어 바닥에 넘어뜨려 사망하게 하였는데, 피해자가 심관성동맥경화 및 심근섬유화 증세 등의 지병이 있었고 음주로 인하여 만취한 상태였던 경우(대판 1986.9.9, 85도2433) 19. 법원행시, 22. 9급 검찰 · 마약수사 · 철도경찰, 25. 순경 2차 · 법원직

● 인과관계를 부정한 경우

1. 교사가 피해자의 뇌에 특별한 이상인 비정상적인 얇은 두개골과 뇌수종이 있음을 알지 못하고 피해자의 뺨을 때리는 순간 평소의 허약상태에서 온 급격한 뇌압상승으로 피해자가 뒤로 넘어지면서 사망한 경우(대판 1978.11.28, 78도1961) 21. 해경간부, 22. 9급 검찰 · 마약수사 · 철도경찰 · 경력채용, 25. 법원직

2. 외견상 건강하지만 관상동맥경화와 협착증세가 있는 사람과 시비하다 떠밀어 엉덩방아를 찧게 하여 심장마비로 사망케 한 경우(대판 1985.4.23, 85도303) 07. 경찰승진

3. 욕설을 하고 피해자의 어깨쭉지를 잡고 조금 걸어가다가 놓아준 데 불과한 정도의 폭행으로 인하여 고혈압환자인 피해자가 충격을 받은 나머지 뇌실질내혈종의 상해를 입은 경우(대판 1982.1.12, 81도1811)

Ⅲ. 기 타

● 인과관계를 인정한 경우

1. 임차인이 가스설비의 휴즈콕크를 아무런 조치 없이 제거하고 이사를 간 후 주밸브가 열려져 가스가 유입되어 폭발사고가 발생한 경우(대판 2001.6.1, 99도5086) 15. 순경 2차, 16. 사시 · 법원행시, 18. 경찰간부, 23. 해경승진, 25. 경찰승진

2. 피고인이 제왕절개수술 후 대량출혈이 있었던 피해자를 전원 조치하였으나 전원 받은 병원 의료진
의 조치가 다소 미흡하여 도착 후 약 1시간 20분이 지나 수혈이 시작된 사안에서, 피고인의 전원지체
등의 과실로 신속한 수혈 등의 조치가 지연되어 피해자가 사망한 경우, 전원지체의 과실로 인한 수
혈지연과 사망과의 관계(대판 2010.4.29, 2009도7070). 15. 경찰간부, 19. 경찰승진, 21. 7급 검찰 · 철도경찰,
22. 법원행시, 24. 해경간부

> ▶ **유사판례** : 의사가 환자를 진료하면서 혈종을 발견한 지 2주가 지나도록 적절한 치료조치를 취하지
> 아니하여 회복하기 어려운 상태에 빠지게 방치하여 다른 병원으로 옮긴 후 사망에 이르게 한 경우
> (대판 1996.9.24, 95도245) 08. 경찰승진

3. 부작위에 의한 살인에 있어서 작위의무를 이행하였다면 사망의 결과가 발생하지 않았을 것이라는
관계가 인정될 경우, 부작위와 사망의 결과 사이에 인과관계가 인정된다(대판 2015.11.12, 2015도
6809 전원합의체). 18. 변호사시험, 21. 9급 검찰 · 마약수사 · 철도경찰, 22. 경찰간부

4. 피고인은 결혼을 전제로 교제하던 甲의 임신 사실을 알고 수회에 걸쳐 낙태를 권유하였다가 거절
당하였음에도 계속 甲에게 "출산 여부는 알아서 하되 아이에 대한 친권을 행사할 의사가 없다."라고
하면서 낙태할 병원을 물색해 주기도 하였다. 그 후 甲은 피고인에게 알리지 않고 자신이 알아본
병원에서 낙태시술을 받았다면 피고인의 낙태교사행위와 甲의 낙태행위 사이에 인과관계가 단절
되는 것은 아니므로 피고인에게 낙태교사죄가 성립한다(대판 2013.9.12, 2012도2744 ∴ 인과관계 ○).
15. 순경 3차, 19. 경찰승진, 20. 해경승진

5. 사기죄가 성립하려면 행위자의 기망행위, 피기망자의 착오와 그에 따른 처분행위 그리고 행위자
등의 재물이나 재산상 이익의 취득이 있고, 그 사이에 순차적인 인과관계가 존재하여야 하나(대판
2017.9.26, 2017도8449), 18. 변호사시험 · 7급 검찰, 21. 9급 검찰 · 마약수사 · 철도경찰 착오에 빠진 원인 중에
피기망자 측의 과실이 있는 경우에도 사기죄가 성립한다(대판 2009.6.23, 2008도1697). 15. 사시, 19. 수
사경과, 25. 해경경사

6. 수술 후 복막염에 대한 진단과 처치 지연 등 담당의사 甲의 과실이 있어 A가 제때 필요한 조치를
받지 못한 경우, A가 甲의 지시를 일부 따르지 않거나 퇴원한 사실은 A의 사망과 甲의 과실 사이의
인과관계가 단절된다고 볼 수 없다(대판 2018.5.11, 2018도2844 ∴ 인과관계 ○). 21. 경찰간부, 22. 경찰승
진, 24. 순경 2차 · 해경경장

7. 연탄가스(일산화탄소) 중독환자가 치료 후 퇴원할 때 병명을 물었으나 의사가 요양방법을 지도해
주지 않아 병명을 모르는 환자가 재차 그 방에서 자다가 연탄가스에 중독된 경우(대판 1991.2.12,
90도2547) 16. 사시 · 경찰승진, 18. 경찰간부, 23. 해경승진 · 경력채용

8. 거의 탈진상태에 있는 피해자의 손과 발을 17시간 이상 묶어두고 좁은 차량에 감금하여 혈액순환
장애로 인하여 사망한 경우(대판 2002.10.11, 2002도4315) 16. 사시, 18. 경찰간부 · 9급 철도경찰, 22. 법원직,
23. 해경승진

9. 의사가 설명의무를 위반한 채 의료행위를 하였다가 환자에게 상해의 결과가 발생한 경우, 의사에
게 업무상 과실로 인한 형사책임을 지우기 위해서는 의사의 설명의무 위반과 환자의 상해 사이에
상당인과관계가 존재하여야 한다(대판 2015.6.24, 2014도11315). 18. 7급 검찰, 21. 9급 검찰 · 마약수사 · 철
도경찰, 23. 경찰승진 · 법원행시, 25. 순경 2차

> ▶ **비교판례** : 의사가 시술의 위험성에 관하여 설명을 하였더라면 환자가 시술을 거부하였을 것이라
> 는 점이 합리적 의심의 여지가 없이 증명되지 못한 경우에는 의사의 설명의무 위반과 환자의 상해

또는 사망 사이에 상당인과관계를 인정할 수 없다(대판 2018.5.15, 2016도13089). 17·23. 변호사시험, 20. 순경 2차

10. 임신 7개월의 임산부를 폭행, 땅에 넘어지게 하여 심근경색증으로 낙태하게 하고 그 때문에 사망하게 된 경우(대판 1972.3.28, 72도296) 15. 순경 2차, 16. 경찰승진

11. 자동차의 운전자가 열차건널목을 그대로 건너간 과실로 열차와 충돌하는 교통사고를 일으킨 경우에 그곳에서 열차가 지나가기를 기다리고 있던 피해자가 그 충돌사고에 놀라 넘어져 상해를 입었다면 비록 피해자가 사고차량에 직접 충돌되지 않았더라도 운전자의 과실과 피해자의 부상 사이(대판 1989.9.12, 89도866) 14. 9급 철도경찰, 21. 7급 검찰, 23. 경력채용, 24. 해경간부

12. 위계에 의한 간음죄가 보호대상으로 삼는 아동·청소년, 미성년자, 심신미약자, 피보호자·피감독자, 장애인 등의 성적 자기결정 능력은 그 나이, 성장과정, 환경, 지능 내지 정신기능 장애의 정도 등에 따라 개인별로 차이가 있으므로 간음행위와 인과관계가 있는 위계에 해당하는지 여부를 판단할 때에는 구체적인 범행 상황에 놓인 피해자의 입장과 관점이 충분히 고려되어야 하고, 일반적·평균적 판단능력을 갖춘 성인 또는 충분한 보호와 교육을 받은 또래의 시각에서 인과관계를 쉽사리 부정하여서는 안 된다(대판 2020.8.27, 2015도9436 전원합의체 ☑ 아동·청소년의 성보호에 관한 법률 제7조 제5항 위반의 위계에 의한 간음죄에서 행위자가 간음의 목적으로 피해자에게 오인, 착각, 부지를 일으키고 피해자의 그러한 심적 상태를 이용하여 간음의 목적을 달성하였다면 위계와 간음행위 사이의 인과관계를 인정할 수 있다). 21. 경찰승진, 22. 경찰간부·순경 1차, 23. 변호사시험

13. 피고인들이 의도적으로 피해자를 술에 취하도록 유도하고 수차례 강간한 후 의식불명 상태에 빠진 피해자를 비닐창고로 옮겨 놓아 피해자가 저체온증으로 사망한 경우(대판 2008.2.29, 2007도10120) 18. 9급 철도경찰, 24. 7급 검찰

14. 자상행위로 피해자가 부상한 후 1개월이 지난 후에 위 자상으로 인한 과다한 출혈과 상처의 감염 등에 연유한 패혈증 등(간접적 원인)으로 사망한 경우(대판 1982.12.28, 82도2525) 14. 사시, 22. 7급 검찰, 23. 경찰승진

15. 피해자의 머리를 한번 받고 경찰봉으로 구타하자 외상성뇌경막하 출혈로 20여 시간 경과 후에 사망한 경우(대판 1984.12.11, 84도2347) 07. 경찰승진·순경, 14. 경찰간부

16. 건설업자의 과실(건설업법 소정의 건설기술자 현장배치의무위반)과 공사현장인접 소방도로의 지반침하 방지를 위한 그라우팅공사 과정에서 발생한 가스폭발사고 사이(대판 1997.1.24, 96도776) 18. 경찰승진

17. 안면 및 흉부에 대한 구타는 생리적 작용에 중대한 영향을 줄 뿐 아니라 신경에 강대한 자극을 줌으로써 정신의 흥분과 이에 따르는 혈압의 항진을 초래하여 뇌일혈을 야기케 할 수 있고 이는 누구든지 예견할 수 있으므로 구타와 뇌일혈 사이에 인과관계가 있다(대판 1955.6.7, 4288형상88). 23. 법원행시

● **인과관계를 부정한 경우**

1. 선행 교통사고와 후행 교통사고 중 어느 쪽이 원인이 되어 피해자가 사망에 이르게 되었는지 밝혀지지 않은 경우 후행 교통사고를 일으킨 사람의 과실과 피해자의 사망 사이에 인과관계가 인정되기 위해서는 후행 교통사고를 일으킨 사람이 주의의무를 게을리하지 않았다면 피해자가 사망에 이르지 않았을 것이라는 사실이 증명되어야 하고, 그 증명책임은 검사에게 있다(대판 2007.10.26, 2005도8822). 21. 변호사시험·9급 검찰·마약수사·철도경찰, 23. 경찰간부, 25. 7급 검찰, 26. 경찰승진

2. 한의사인 甲이 乙에게 문진하여 과거 봉침을 맞고도 별다른 이상반응이 없었다는 답변을 듣고 알레르기 반응검사를 생략한 채 부작용에 대한 충분한 사전 설명 없이 환부에 봉침시술을 하였는데, 乙이 위 시술 직후 쇼크반응을 나타내는 등 상해를 입은 경우 알레르기 반응검사를 하지 않은 과실이나 피고인의 설명의무 위반과 피해자의 상해 사이에 상당인과관계를 인정하기 어렵다(대판 2011.4.14, 2010도10104). 17. 9급 검찰·철도경찰, 21. 경찰간부·7급 검찰, 22. 법원직, 24. 해경간부, 26. 경찰승진

3. 甲이 乙과 윤락행위 도중 시비 끝에 乙을 이불로 덮어씌우고 폭행한 후 이불 속에 들어 있는 乙을 두고 나가다가 탁자 위의 乙의 가방 안에서 우발적으로 현금을 가져간 경우에 폭행과 절취행위 사이에 인과관계가 인정되지 않는다(대판 2009.1.30, 2008도10308 ∴ 강도죄 ×). 14. 사시·9급 검찰·철도경찰, 19. 법원행시, 22. 경찰간부

4. 부동산에 대하여 전매사실을 숨기고 지주명의로 위장하여 대지에 관한 매매계약을 체결하였으나 그 이행에 아무런 영향이 없었던 경우, 피고인들의 매도당사자에 대한 기망행위와 매수인의 처분행위 사이에 인과관계를 인정할 수 없다(대판 1985.5.14, 84도2751). 15. 순경 1차, 16. 7급 검찰·철도경찰, 18. 순경 2차, 23. 해경 3차

5. 전문적으로 대출을 취급하면서 차용인에 대한 체계적인 신용조사를 행하는 금융기관이 금원을 대출한 경우에는, 비록 대출 신청 당시 차용인에게 변제기 안에 대출금을 변제할 능력이 없었고, 자체 신용조사 결과에는 관계없이 '변제기 안에 대출금을 변제하겠다'는 취지의 차용인 말만을 그대로 믿고 대출하였다고 하더라도, 차용인의 이러한 기망행위와 금융기관의 대출행위 사이에 인과관계를 인정할 수는 없다(대판 2000.6.27, 2000도1155). 18. 변호사시험·순경 2차, 23. 해경 3차

6. 파도수영장에서 물놀이하던 초등학교 6학년생이 수영장 안에 엎어져 있는 것을 수영장 안전요원인 피고인이 발견하여 인공호흡을 실시하다가 구급차가 오자 인공호흡을 중단하고 의료기관에 후송하였으나 후송 도중 사망한 사고에 있어서 그 사망원인이 구체적으로 밝혀지지 않은 경우(대판 2002. 4.9, 2001도6601) 20. 해경승진, 22. 해경간부·해경 2차

7. 혈청에 의한 간기능검사를 시행하지 않거나 이를 확인하지 않은 피고인들의 과실과 피해자의 사망 간에 인과관계가 있다고 하려면 피고인들이 수술 전에 피해자에 대한 간기능검사를 하였더라면 피해자가 사망하지 않았을 것이라는 점이 증명되어야 할 것이다(대판 1990.12.11, 90도694). 16. 9급 검찰·마약수사, 22. 경력채용, 25. 순경 1차

  ▶ **유사판례** : 농배양을 하지 않은 의사의 과실과 피해자의 사망 사이에 인과관계를 인정하려면, 농배양을 하였더라면 피고인이 투약해 온 항생제와 다른 어떤 항생제를 사용하게 되었을 것이라거나 어떤 다른 조치를 취할 수 있었을 것이고, 따라서 피해자가 사망하지 않았을 것이라는 점이 인정되어야 한다(대판 1996.11.8, 95도2710). 21. 순경 1차

8. 요추척추후궁절제수술 도중에 수술용 메스가 부러지자 담당의사가 부러진 메스조각(가로 3mm~세로 5mm)을 찾아 제거하기 위한 최선의 노력을 다하였으나 찾지 못하여 부러진 메스조각을 그대로 둔 채 수술부위를 봉합한 경우(대판 1999.12.10, 99도3711) 08. 경찰승진

9. 피해자 법인의 대표가 기망행위자와 동일인이거나 기망행위자와 공모하는 등 기망행위임을 알고 있었던 경우에는 기망행위로 인한 착오가 있다고 볼 수 없고, 재물 교부 등의 처분행위가 있었더라도 기망행위와 인과관계가 있다고 보기 어렵다(대판 2017.9.26, 2017도8449). 18. 법원행시, 19. 9급 검찰·마약수사·법원직, 20. 순경 2차, 21. 순경 1차, 22. 경찰간부·경찰승진, 23. 변호사시험

10. 甲은 주식회사를 운영하면서 발주처로부터 공사완성의 대가로 공사대금을 지급받은 것이므로, 설령 피고인이 법인 인수 과정에서 법인 등록요건 중 인력요건을 외형상 갖추기 위해 관련 자격증 소지자들로부터 자격증을 대여받은 사실을 발주처에 숨기는 행위를 하였다고 하더라도 그 행위와 공사대금 지급 사이에 상당인과관계를 인정하기 어렵다(대판 2022.7.14, 2017도20911). 25. 해경경사

11. 한국철도공사의 야간 업무에 사용되는 조명탑을 노동조합원 甲이 위법하게 점거하여 위력에 의한 업무방해죄가 성립하였고, 다른 노동조합원 乙 등이 그 조명탑 아래에서 지지 발언을 하며 음식물을 제공하는 행위를 하였지만, 乙 등의 행위가 표현의 자유 일반적 행동의 자유나 단결권의 보호 영역을 벗어났다고 볼 수 없다면 乙 등의 조력행위와 甲의 업무방해죄의 실현 사이에 인과관계를 인정하기 어려우므로 乙 등에게 업무방해방조죄가 성립하지 않는다(대판 2023.6.29, 2017도9835). 24. 순경 2차

12. 인턴의사 丙이 응급실로 이송되어 온 익수(溺水)환자를 담당의사의 지시에 따라 구급차에 태워 다른 병원으로 이송하던 중 산소통의 산소잔량을 체크하지 않아 산소 공급이 중단된 결과 환자를 폐부종 등으로 사망에 이르게 한 경우, 丙이 이송 도중 환자에 대한 앰부 배깅(ambu bagging)과 진정제 투여 업무만을 지시받았다 하여도 丙의 과실과 환자의 사망 사이에 인과관계를 인정하기 어렵다(대판 2011.9.8, 2009도13959). 24. 7급 검찰

13. 조정에 따른 이행의무를 부담하는 피고가 조정성립 이후 청구원인에 관한 주된 조정채무를 제때 이행하지 않았다는 사정만으로 원고에게 신의칙상 주의의무를 다하지 아니하였다거나 조정성립과 상당인과관계에 있는 손해가 발생하였다고 쉽사리 단정해서는 아니 된다(대판 2024.1.25, 2020도10330). 25. 경찰승진

1 어떤 행위라도 죄의 요소되는 위험발생에 연결되지 아니한 때에는 그 행위로 인하여 벌하지 아니한다. ( )
17. 경찰승진 · 순경 2차, 24. 해경승진, 25. 해경경위공채

2 과실범에서는 미수가 성립될 여지가 없으므로 인과관계를 논할 실익이 없다. ( )
23. 변호사시험, 24. 경찰승진, 25. 해경경위공채

3 방조범의 방조행위가 반드시 정범의 범죄실현에 현실적인 기여를 하였다고 평가할 수 있는 인과관계가 필요한 것은 아니므로, 정범의 범죄실현에 반드시 밀접한 관련이 있는 행위를 요하는 것은 아니고 용이하게 하는 것으로 충분하다. ( )
23. 경력채용 · 해경간부, 24. 9급 검찰 · 마약수사 · 철도경찰, 25. 변호사시험 · 해경경위공채

4 정범의 실행행위 중에 이를 용이하게 하는 경우뿐만 아니라 정범의 실행착수 전에 장래의 실행행위를 예상하고 이를 용이하게 하는 경우에도 방조행위로서 정범의 실행행위에 대한 인과관계를 인정할 수 있다. ( )
19. 7급 검찰, 23. 경찰승진, 24. 9급 검찰 · 마약수사 · 철도경찰

5 부진정 부작위범에서 작위의무를 이행하였다면 결과가 발생하지 않았을 것이라는 관계가 인정되는 경우, 부작위와 결과발생 사이에 인과관계가 인정된다. ( )
18. 변호사시험, 21. 9급 검찰 · 철도경찰, 23. 경찰간부, 24. 순경 2차 · 해경경장, 25. 7급 검찰

6 강간죄에서 폭행 · 협박과 간음 사이에는 인과관계가 있어야 하고, 폭행 · 협박은 반드시 간음행위보다 선행되어야 한다. ( )
20. 법원직, 22. 순경 1차, 23. 경찰승진, 24. 경찰간부 · 해경승진, 25. 변호사시험

7 살인의 실행행위와 피해자의 사망과의 사이에 다른 사실이 개재되어 그 사실이 치사의 직접적인 원인이 되었다고 한다면 살인의 실행행위와 피해자의 사망과의 사이에 상당인과관계가 있다고 볼 여지는 없다. ( )
18. 순경 2차, 21. 9급 검찰 · 마약수사, 22. 해경간부, 23. 변호사시험, 26. 경찰승진

※ 판례에 의할 때 인과관계가 인정된 경우(○)와 부정된 경우(×)를 ○, ×로 표기하시오. (4~29)

8 甲이 입힌 자상(刺傷)으로 인하여 급성신부전증이 발생되어 치료를 받게 된 乙이 음식과 수분의 섭취를 억제해야 하는 사실을 모르고 콜라와 김밥 등을 함부로 먹은 탓에 패혈증 등 합병증이 발생하여 사망한 경우 ( )
15. 사시, 24. 해경승진, 25. 법원직 · 경위공채

9 甲이 주먹으로 乙의 복부를 1회 힘껏 때린 결과 장파열을 일으켜 병원에 입원한 乙이 의사의 수술지연으로 결국 복막염으로 사망한 경우, 甲의 상해행위와 피해자의 사망 사이 ( )
16. 9급 철도경찰, 17. 순경 2차, 22. 7급 검찰, 23. 법원행시, 24. 경찰승진

10 교사인 피고인이 피해자의 뺨을 때리는 순간, 피해자의 두개골이 비정상적으로 얇고 뇌수종 등으로 인한 평소의 허약상태에서 온 급격한 뇌압상승으로 뒤로 넘어지며 사망한 경우 ( )
21. 해경간부, 22. 9급 검찰 · 마약수사 · 철도경찰 · 경력채용, 25. 법원직

Answer ▸ 1. × 2. × 3. × 4. ○ 5. ○ 6. × 7. × 8. ○ 9. ○ 10. ×

11 일산화탄소에 중독되어 병원에서 회복된 환자가 의사에게 자신의 병명을 물었으나 응답하지 않아 병명도 모른 채 동일한 방에서 다시 잠을 자다가 재차 중독된 경우, 의사의 과실과 재중독과의 관계 ( )
16. 사시 · 경찰승진, 18. 경찰간부, 23. 해경승진 · 경력채용

12 의사인 피고인이 피해자를 전원조치하면서 전원받는 병원 의료진에게 피해자가 고혈압환자이고 제왕절개수술 후 대량출혈이 있었던 사정을 설명하지 않아 피해자가 사망한 경우 ( )
15. 경찰간부, 19. 경찰승진, 21. 7급 검찰 · 철도경찰, 22. 법원행시, 24. 해경간부

13 한의사인 甲이 乙에게 문진하여 12일 전에도 봉침을 맞고도 별다른 이상반응이 없었다는 답변을 듣고 알레르기 반응검사를 생략한 채 환부에 봉침시술을 하였다가 乙이 시술 직후 쇼크반응 등의 상해를 입은 경우, 甲의 반응검사 미시행과 乙의 상해 사이 ( )
17. 9급 검찰 · 마약수사, 21. 경찰간부 · 7급 검찰. 22. 법원직, 24. 해경간부, 26. 경찰승진

14 'ㅏ'자형 삼거리의 교차로를 녹색신호에 따라 과속으로 통과할 무렵 중앙선을 침범하여 좌회전하는 차와 충돌한 경우, 과속한 과실과 교통사고의 발생 사이 ( )
16. 7급 검찰, 23. 경력채용, 24. 순경 2차

15 甲이 야간에 오토바이를 운전하다가 도로를 무단횡단하던 A를 충격하여 A가 도로에 넘어졌고, 그로부터 약 40초 내지 60초 후에 乙이 운전하던 타이탄 트럭이 도로 위에 쓰러져 있던 A를 역과하여 사망케 한 경우, 甲의 행위와 A의 사망 사이 ( )
15. 사시, 16. 철도경찰, 23. 해경승진, 24. 7급 검찰

16 운전자가 상당한 거리에서 보행자의 무단횡단을 미리 예상할 수 없는 야간에 고속도로를 무단횡단하는 보행자를 충격하여 사망에 이르게 한 운전자의 과실과 사고 사이 ( )
16. 경찰승진, 19. 법원행시, 25. 해경경사

17 甲이 자동차를 운전하다 횡단보도를 걷던 보행자 A를 들이받아 그 충격으로 A와 함께 가던 B가 A에 의해 밀려 넘어져 상해를 입은 경우, 甲의 행위와 B의 상해 사이 ( )
21. 경찰간부 · 경찰승진, 22. 9급 철도경찰, 24. 해경경장

18 甲은 선단 책임선의 선장으로서 종선의 선장에게 조업상의 지시만 할 수 있을 뿐 선박의 안전관리는 각 선박의 선장이 책임지도록 되어있었던 경우, 甲이 풍랑 중에 종선에 조업 지시를 한 것과 종선의 풍랑으로 인한 매몰사고와의 사이 ( )
18. 경찰간부 · 순경 2차, 21. 해경간부, 22. 경력채용, 23. 해경 3차, 24. 해경승진

19 피고인이 고속도로 2차로를 따라 자동차를 운전하다가 1차로를 진행하던 甲의 차량 앞에 급하게 끼어든 후 곧바로 정차하여 甲의 차량 및 이를 뒤따르던 차량 두 대는 연이어 급제동하였으나 그 뒤를 따라오던 乙의 차량이 앞의 차량들을 연쇄적으로 추돌케 하여 乙을 사망에 이르게 하고 나머지 차량 운전자 등 피해자들에게 상해를 입힌 경우, 피고인의 정차행위와 사상의 결과 발생 사이 ( )
21. 경찰승진, 22. 경찰간부 · 법원직, 24. 순경 1차 · 해경경장

Answer ▶ **11.** ○ **12.** ○ **13.** × **14.** × **15.** ○ **16.** × **17.** ○ **18.** × **19.** ○

20 피해자가 계속되는 피고인의 폭행을 피하려고 도로를 건너 도주하다가 그 도로를 주행하던 차량에 치어 사망한 경우, 피고인의 상해행위와 피해자의 사망 사이 (   )
18. 9급 철도경찰, 19. 법원행시, 20. 경찰승진, 24. 해경순경

21 강간으로 인한 수치심과 장래에 대한 절망감 때문에 피해자가 음독 자살한 경우, 강간과 사망과의 관계 (   )
16. 9급 철도경찰, 21. 경찰승진, 22. 9급 검찰·마약수사·철도경찰, 23. 법원행시

22 甲은 乙을 취직시켜 주겠다는 구실로 유인하여 호텔 객실에 감금한 후 강간하려 하자, 乙이 완강히 반항하던 중 甲이 대실시간 연장을 위해 전화하는 사이에 객실 창문을 통해 탈출하려다가 지상에 추락하여 사망한 경우, 甲의 강간미수행위와 乙의 사망 사이 (   )
15. 경찰간부, 16. 9급 철도경찰, 25. 9급 검찰·마약수사·철도경찰·법원직·순경 2차, 26. 경찰승진

23 승용차로 피해자를 가로막아 승차하게 한 후 피해자의 하차 요구를 무시한 채 시속 약 60km 내지 70km의 속도로 진행하자, 피해자가 감금상태를 벗어날 목적으로 차량을 빠져나오려다가 길바닥에 떨어져 상해를 입고 그 결과 사망한 경우, 감금행위와 피해자의 사망 사이 (   )
14. 경찰간부, 15. 순경 3차, 21. 7급 검찰, 24. 해경간부

24 甲이 4일 가량 물조차 제대로 마시지 못하고 잠도 못 자서 거의 탈진 상태에 있었던 A의 손과 발을 묶어 17시간 이상 좁은 차량 속에 감금하여 사망하게 한 경우 (   )
16. 사시, 18. 경찰간부·9급 철도경찰, 22. 법원직, 23. 해경승진

25 甲이 乙과 윤락행위 도중 시비 끝에 乙을 이불로 덮어씌우고 폭행한 후 이불 속에 들어 있는 乙을 두고 나가다가 탁자 위의 乙의 가방 안에서 우발적으로 현금을 가져간 경우 甲의 폭행행위와 재물취거 사이 (   )
14. 사시·9급 검찰·철도경찰, 19. 법원행시, 22. 경찰간부

26 폭행 또는 협박으로 타인의 재물을 강취하려는 행위와 이에 극도의 흥분을 느끼고 공포심에 사로잡혀 이를 피하려다 상해에 이르게 된 사실 사이 (   )
22. 법원행시·법원직, 23. 경찰승진, 24. 해경승진, 25. 변호사시험·해경경사

27 임차인이 자신의 비용으로 설치사용하던 가스설비의 휴즈콕크를 아무런 조치 없이 제거하고 이사를 간 후 주밸브가 열려져 가스가 유입되어 폭발사고가 발생한 경우 임차인의 과실과 가스폭발사고 사이 (   )
15. 순경 2차, 16. 사시·법원행시, 18. 경찰간부, 23. 해경승진, 25. 경찰승진

28 전매사실을 숨기고 지주명의로 위장하여 대지에 관한 매매계약을 체결하였으나, 그 이행에 아무런 영향이 없는 경우에 기망행위와 처분행위 사이 (   ) 16. 7급 검찰·철도경찰, 18. 순경 2차, 23. 해경 3차

29 초지조성공사를 도급받은 수급인이 불경운작업(산불작업)을 하도급 준 이후 계속하여 감독하지 않은 과실과 산림실화의 사이 (   )
16. 7급 검찰·철도경찰, 18. 순경 2차, 20. 해경승진, 22. 경찰승진·해경간부·경력채용

Answer ▸   20. ○   21. ×   22. ○   23. ○   24. ○   25. ×   26. ○   27. ○   28. ×   29. ×

01 인과관계에 관한 설명 중 옳은 것은? 15. 순경 1차

① 어떤 행위라도 죄의 요소되는 위험발생에 연결되지 아니한 때에는 그 행위로 인하여 벌하지 아니한다.

② 과실범에서는 미수가 성립될 여지가 없으므로 인과관계를 논할 실익이 없다.

③ 고의범의 경우에는 인과관계가 인정되면 범죄기수가 되고 인정되지 않으면 불가벌로 된다.

④ 결과범의 경우 행위와 결과 사이에 인과관계가 있어야 기수범이 성립할 수 있다.

> 해설 ① × : ~ 그 결과(행위 ×)로 ~ 아니한다(제17조).
> ② × : 과실범은 모두 결과범이므로 과실범의 미수가 성립될 여지는 없으나(현행법상 과실범의 미수처벌규정 ×), 과실범이 성립하기 위해서는 결과발생과 객관적 주의의무위반 사이에는 인과관계가 있어야 한다.
> ③ × ④ ○ : 결과범·고의범 : 인과관계 ○ ⇨ 기수범, 인과관계 × ⇨ 미수범(불가벌이 아님)

02 인과관계에 대한 설명 중 옳은 것만을 모두 고른 것은?(다툼이 있는 경우 판례에 의함) 23. 경찰간부

> ㉠ 과실범의 독립행위가 경합하여 결과발생의 원인된 행위가 판명되지 아니한 때에는 각 행위자를 미수범으로 처벌한다.
> ㉡ '그러한 행위가 없었더라면 그러한 결과도 발생하지 않았을 것'이라는 자연과학적 인과관계를 판단의 척도로 삼는 조건설은 각 조건들을 결과에 대한 동등한 원인으로 간주하여 인과관계의 범위가 지나치게 확장된다는 비판을 받는다.
> ㉢ 어느 행위로부터 어느 결과가 발생하는 것이 경험칙상 상당하다고 판단될 때 인과관계가 인정되는 상당인과관계설은 인과관계를 일상적인 생활경험으로 제한하여 형사처벌의 확장을 방지하는 장점이 있으나 '상당성'의 판단이 모호하여 법적 안정성을 해칠 우려가 있다는 비판을 받는다.
> ㉣ 甲에 의한 선행 교통사고와 乙에 의한 후행 교통사고로 A가 사망하였으나 사망의 원인된 행위가 밝혀지지 않은 경우, 乙의 과실과 A의 사망 간에 인과관계가 인정되기 위해서는 乙이 주의의무를 게을리하지 않았다면 A가 사망하지 않았을 것이라는 사실이 증명되어야 하고, 그 증명책임은 乙에게 있다.

① ㉠   ② ㉡, ㉢   ③ ㉠, ㉡, ㉢   ④ ㉡, ㉢, ㉣

> 해설 ㉠ × : 과실범은 항상 결과발생을 요하는 결과범(실질범)이므로 과실범의 미수는 이론상 인정할 여지가 없으며 현행법상 과실범에 대한 미수처벌규정도 없기 때문에 제19조(독립행위의 경합)를 적용할 수 없다.
> ㉡ ○ : 옳다.
> ㉢ ○ : 옳다.
> ㉣ × : ~ (4줄) 증명책임은 검사(乙 ×)에게 있다(대판 2007.10.26, 2005도8822).

> **Answer** 01. ④ 02. ②

03 인과관계와 객관적 귀속에 관한 설명으로 옳지 않은 것은?(다툼이 있는 경우 판례에 의함)

① 합법칙적 조건설은 인과관계와는 다른 별도의 기준인 객관적 귀속이론에 의해 사실적 인과관계의 확정과 법적·규범적 확정을 구별하여 인과관계와 객관적 귀속을 판단한다.

② 상당인과관계설에 의하면 사실적 측면과 규범적 측면을 모두 고려하여 '상당성'을 판단하며 상당성은 행위와 결과 사이의 개연성 관계를 의미한다.

③ 과실범에 있어서 행위자에게 주의의무위반이 존재하면 주의의무를 다하였다면 같은 결과가 발생하지 않았을 것이라는 점을 입증하지 않았다 하더라도 주의의무위반과 발생한 결과 사이에 객관적 귀속이 인정된다.

④ 자동차가 보행자를 직접 충격한 것이 아니고 보행자가 자동차의 급정거에 놀라 도로에 넘어져 상해를 입은 경우라고 할지라도 주의의무위반이 교통사고 발생의 직접적인 원인이 되었다면 업무상 주의의무위반과 교통사고 발생 사이에 상당인과관계를 인정할 수 있다.

해설 ①② 옳다.

③ × : 과실범에 있어서 인과관계를 인정하기 위해서는, 주의의무위반이 없었더라면 그러한 결과가 발생하지 않았을 것임이 입증(증명)되어야 한다(대판 2023.1.12, 2022도11163).

④ 대판 2022.6.16, 2022도1401

04 인과관계에 관한 설명으로 옳고 그름의 표시(○, ×)가 바르게 된 것은?(다툼이 있는 경우 판례에 의함)

> ㉠ 동시의 독립행위가 경합한 경우에 그 결과발생의 원인된 행위가 판명되지 아니한 때에는 이시(異時)의 독립행위가 경합한 경우와 달리 각 행위를 기수범으로 처벌한다.
>
> ㉡ 고의의 결과범에서 실행행위와 결과발생 간에 인과관계가 없는 경우 행위자를 기수범으로 처벌할 수 없다.
>
> ㉢ 결과발생을 위해 경험칙상 상당한 조건만이 원인이 되고 이 경우 인과관계가 인정된다는 견해에 대해서는 결과발생에 관계된 모든 조건을 등가적으로 평가함으로써 인과관계를 인정하는 범위가 너무 넓어 결과책임을 제한하려는 형법의 목적을 실현하는 데 문제가 있다는 비판이 제기된다.
>
> ㉣ 甲이 주먹으로 A의 복부를 1회 강타하여 장파열로 인한 복막염으로 A를 사망케 하였다면, 비록 의사의 과실에 의한 수술지연이 공동원인이 되었더라도 甲의 행위가 사망의 결과에 대한 유력한 원인이 된 이상 甲의 행위와 A의 사망 사이에는 인과관계가 인정된다.

① ㉠(×), ㉡(○), ㉢(○), ㉣(○)

② ㉠(×), ㉡(○), ㉢(×), ㉣(○)

③ ㉠(○), ㉡(×), ㉢(○), ㉣(×)

④ ㉠(×), ㉡(×), ㉢(×), ㉣(○)

03. ③ 04. ②

해설 ㉠ × : 동시 또는 이시의 독립행위가 경합한 경우에 그 결과발생의 원인된 행위가 판명되지 아니한 때에는 각 행위를 미수범으로 처벌한다(제19조).
㉡ ○ : 옳다.
㉢ × : 결과발생을 위해 경험칙상 상당한 조건만이 원인이 되고 이 경우 인과관계가 인정된다는 견해는 상당인과관계설이고, 결과발생에 관계된 모든 조건을 등가적으로 평가함으로써 인과관계를 인정하는 견해인 조건설에 대해서는 인과관계를 인정하는 범위가 너무 넓어 결과책임을 제한하려는 형법의 목적을 실현하는 데 문제가 있다는 비판이 제기된다.
㉣ ○ : 대판 1984.6.26, 84도831

05 인과관계에 대한 설명이다. 옳은 것만으로 묶인 것은?(다툼이 있는 경우 판례에 의함) 22. 경찰간부

㉠ 부작위에 의한 살인의 경우, 작위의무를 이행하였다면 결과가 발생하지 않았을 것이라는 관계가 인정될 경우에는 부작위와 사망의 결과 사이에 인과관계가 인정된다.
㉡ 甲이 乙에게 반항을 억압하기에 충분한 정도의 폭행 또는 협박을 가하여 乙이 재물 취거의 사실을 알지 못하는 사이에 그 틈을 이용하여 甲이 우발적으로 乙의 재물을 취거한 경우, 위 폭행 또는 협박에 의한 반항억압의 상태가 전체적·실질적으로 단일한 재물 탈취의 범의의 실현행위로 평가할 수 있는 경우가 아니면 강도죄는 성립되지 않는다.
㉢ 甲이 차를 세워두고 열쇠를 끼워놓은 채 내린 이후 조수석에 있던 어린이 乙이 시동 열쇠를 돌리고 악셀레이터 페달을 밟아 차량을 진행하여 사고가 난 경우, 甲의 과실은 사고발생에 간접적인 원인이기 때문에 사고의 결과와 인과관계가 있다고 볼 수 없다.
㉣ 살인의 실행행위가 피해자의 사망이라는 결과를 발생하게 한 유일한 원인 혹은 직접적인 원인이어야 하므로, 살인의 실행행위와 피해자 사망과의 사이에 통상 예견할 수 있는 다른 사실이 개재되어 그 사실이 치사의 직접적인 원인이 된 경우에는 살인의 실행행위와 피해자의 사망과의 사이에 인과관계는 부정된다.
㉤ 의사 甲의 수술 후 복막염에 대한 진단과 처치 지연 등의 과실로 乙이 제때 필요한 조치를 받지 못하였다면 乙의 사망과 甲의 과실 사이에는 일반적으로 인과관계가 인정되나, 乙이 甲의 지시를 일부 따르지 않거나 퇴원한 적이 있는 경우에는 인과관계가 단절된다.

① ㉠, ㉡   ② ㉠, ㉢   ③ ㉡, ㉤   ④ ㉢, ㉣

해설 ㉠ ○ : 대판 2015.11.12, 2015도6809 전원합의체
㉡ ○ : 대판 2009.1.30, 2008도10308(∵ 인과관계 ×)
㉢ × : ~ (3줄) 인과관계가 있다고 볼 수 있다(대판 1986.7.8, 86도1048).
㉣ × : ~ (1줄) 직접적인 원인이어야만 되는 것은 아니므로, 살인의 ~ 인과관계가 인정된다(대판 1994.3.22, 93도3612).
㉤ × : ~ 인과관계가 단절된다고 볼 수 없다(대판 2018.5.11, 2018도2844 ∴ 인과관계 ○).

Answer 05. ①

06 다음 중 상당인과관계가 인정되기 가장 어려운 경우는?(다툼이 있는 경우 판례에 의함) 22. 법원직

① 피고인이 고속도로 2차로를 따라 자동차를 운전하다가 1차로를 진행하던 甲의 차량 앞에 급하게 끼어든 후 곧바로 정차하여, 甲의 차량 및 이를 뒤따르던 차량 두 대는 연이어 급제동하여 정차하였으나, 그 뒤를 따라오던 乙의 차량이 앞의 차량들을 연쇄적으로 추돌케하여 乙을 사망에 이르게 하고 나머지 차량운전자 등 피해자들에게 상해를 입힌 경우, 피고인의 정차행위와 사상의 결과발생 사이

② 한의사인 피고인이 피해자에게 문진하여 과거 봉침을 맞고도 별다른 이상반응이 없었다는 답변을 듣고 알레르기반응 검사를 생략한 채 환부인 목 부위에 봉침시술을 하였는데, 피해자가 위 시술 직후 아나필락시쇼크반응을 나타내는 등 상해를 입은 경우, 알레르기 반응검사를 하지 않은 과실과 피해자의 상해 사이

③ 4일 가량 물조차 제대로 마시지 못하고 잠도 자지 아니하여 거의 탈진상태에 이른 피해자의 손과 발을 17시간 이상 묶어두고 좁은 차량 속에서 움직이지 못하게 감금한 행위와 묶인 부위의 혈액순환에 장애가 발생하여 혈전이 형성되고 그 혈전이 폐동맥을 막아 사망에 이르게 된 결과 사이

④ 폭행 또는 협박으로 타인의 재물을 강취하려는 행위와 이에 극도의 흥분을 느끼고 공포심에 사로잡혀 이를 피하려다 상해에 이르게 된 사실 사이

> 해설 • **상당인과관계** ○ : ① 대판 2014.7.24, 2014도6206 ③ 대판 2002.10.11, 2002도4315 ④ 대판 1996.7.12, 96도1142
> • **상당인과관계** × : ② 대판 2011.4.14, 2010도10104

07 인과관계에 대한 설명으로 옳은 것은?(다툼이 있는 경우 판례에 의함) 22. 7급 검찰

① 甲이 자동차를 운행하던 중 과실로 A를 충격하여 반대차로에 넘어지게 했는데 그 직후 A가 반대차로를 운행하던 다른 자동차에 깔려 사망한 경우, 甲의 과실행위와 A의 사망 사이에는 인과관계가 인정되지 않는다.

② 甲이 예리한 칼로 A를 찔러 부상케 한 후 1개월이 지난 후에 A가 그 찔린 상처로 인한 과다출혈과 상처의 감염 등으로 말미암은 패혈증으로 사망한 경우, 甲이 A를 찌른 행위와 A의 사망 사이에는 인과관계가 인정되지 않는다.

③ 甲의 폭행으로 장 파열을 일으켜 병원으로 옮겨진 A가 장 파열로 인한 복막염이 유력한 원인이 되었지만 의사의 수술 지연이 함께 원인이 되어 사망한 경우, 甲의 폭행과 A의 사망 사이에는 인과관계가 인정되지 않는다.

④ 평소 고혈압 증세가 있는 A가 甲의 폭행으로 땅바닥에 넘어질 때의 자극 때문에 뇌출혈을 일으켜서 사망한 경우, 甲의 폭행과 A의 사망 사이에는 인과관계가 인정된다.

> 해설 ① × : ~ 인과관계가 인정된다(대판 1988.11.8, 88도928).
> ② × : ~ 인과관계가 인정된다(대판 1982.12.28, 82도2525).
> ③ × : ~ 인과관계가 인정된다(대판 1984.6.26, 84도831). ④ ○ : 대판 1979.10.10, 79도2040

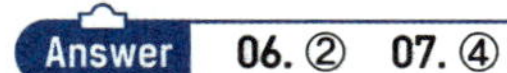

08 인과관계에 관한 설명 중 옳지 않은 것은?(다툼이 있는 경우 판례에 의함)　　23. 변호사시험

① 의사가 시술의 위험성에 관하여 설명을 하였더라면 환자가 시술을 거부하였을 것이라는 점이 합리적 의심의 여지가 없이 증명되지 못한 경우에는 의사의 설명의무 위반과 환자의 상해 또는 사망 사이에 상당인과관계를 인정할 수 없다.

② 고의의 결과범에서 실행행위와 결과발생 간에 인과관계가 없는 경우 행위자를 기수범으로 처벌할 수 없다.

③ 아동·청소년의 성보호에 관한 법률 제7조 제5항 위반의 위계에 의한 간음죄에서 행위자가 간음의 목적으로 피해자에게 오인, 착각, 부지를 일으키고 피해자의 그러한 심적 상태를 이용하여 간음의 목적을 달성하였다면 위계와 간음행위 사이의 인과관계를 인정할 수 있다.

④ 피해자 법인의 대표가 기망행위자와 동일인이거나 기망행위자와 공모하는 등 기망행위임을 알고 있었던 경우에는 기망행위로 인한 착오가 있다고 볼 수 없고, 재물 교부 등의 처분행위가 있었더라도 기망행위와 인과관계가 있다고 보기 어렵다.

⑤ 살인의 실행행위와 피해자의 사망 사이에 다른 사실이 개재되어 그 사실이 사망의 직접적인 원인이 되었다면, 그 사실이 통상 예견할 수 있는 것이라 하더라도 살인의 실행행위와 피해자의 사망 사이에 인과관계가 없는 것으로 보아야 한다.

> **해설**　① 대판 2018.5.15, 2016도13089
> ② 옳다.　③ 대판 2020.8.27, 2015도9436 전원합의체
> ④ 대판 2017.9.26, 2017도8449
> ⑤ × : ~ 인과관계가 있는 것으로 보아야 한다(대판 1994.3.22, 93도3612).

09 사례에 대한 학설 및 판례의 설명으로 틀린 것만을 모두 고르면?(시체은닉의 점은 논하지 않음)
　　22. 경찰승진, 23. 7급 검찰

> 甲은 A를 살해하기로 마음먹고 돌로 A의 머리를 내리쳤다. 甲은 A가 정신을 잃고 축 늘어지자 그가 죽은 것으로 오인하고 증거를 없앨 생각으로 A를 개울가로 끌고 가 웅덩이에 매장하였다. 그런데 A의 사망원인은 매장으로 인한 질식사로 밝혀졌다.

> ㉠ 개괄적 고의 이론에 따르면, 甲이 A를 돌로 내려친 행위에 대한 살인의 고의가 매장행위에도 미치기 때문에 甲에게는 하나의 고의기수범이 성립한다.
> ㉡ 인과과정의 착오 이론에 따르면, 사례의 경우 인과과정의 불일치를 본질적으로 보는 한 甲에게는 발생결과에 대한 고의기수범이 성립한다.
> ㉢ 미수범과 과실범의 경합설에 따르면, 甲의 범행계획이 미실현된 것으로 평가되면 살인미수죄와 과실치사죄의 경합범이 성립하지만, 사례의 경우 甲의 범행계획이 실현되었으므로 甲에게는 살인의 고의기수범이 성립한다.
> ㉣ 판례에 따르면, A의 살해라는 처음에 예견된 사실이 결국은 실현된 것으로서 甲에게는 살인의 고의기수범이 성립한다.

Answer　**08.** ⑤　**09.** ②

> ⓜ 위와 유사한 사례에서 판례는 상해의 고의로 구타하여 피해자가 정신을 잃고 빈사상태에 빠지자(제1행위) 사망한 것으로 오인하고 자신의 행위를 은폐하기 위하여 피해자를 베란다 아래로 떨어뜨려 사망하게 한 경우(제2행위), 그 행위들을 포괄하여 단일의 살인죄에 해당한다고 본다.

① ㉠, ㉢, ㉤　　　　② ㉡, ㉢, ㉤　　　　③ ㉠, ㉡, ㉢　　　　④ ㉠, ㉢, ㉢

해설　㉠ ○ : 옳다.

㉡ × : ~, 사례의 경우 인과과정의 불일치(행위자가 생각한 진행과정과 실제로 진행된 과정의 불일치)가 비본질적(본질적 ×)인 것으로 보는 한 甲에게는 발생결과에 대한 고의기수범이 성립한다(다수설).

㉢ × : 사례의 경우 미수범과 과실범의 경합설에 따르면, 제1행위에 대해서 미수를 인정하고 제2의 행위에 대해서는 과실이 인정되어 살인미수죄와 과실치사죄의 (실체적) 경합범을 인정한다.

▶ **참고** : 지문 ㉢은 계획실현설에 따른 것이다.

㉣ ○ : 대판 1988.6.28, 88도650

㉤ × : ~ 포괄하여 단일의 상해치사죄(살인죄 ×)에 해당한다(대판 1994.11.4, 94도2361).

10 인과관계에 대한 설명으로 옳지 않은 것은?(다툼이 있는 경우 판례에 의함)

24. 9급 검찰 · 마약수사 · 철도경찰

① 방조범이 성립하려면 방조행위가 정범의 범죄실현과 밀접한 관련이 있고 정범으로 하여금 구체적 위험을 실현시키거나 범죄결과를 발생시킬 가능성을 높이는 등으로 현실적 기여를 하였다고 평가할 수 있는 인과관계가 필요하다.

② 실화죄에 있어서 공동의 과실이 경합되어 화재가 발생하여 적어도 각 과실이 화재의 발생에 대하여 하나의 조건이 된 경우라도, 원인된 행위가 밝혀지지 않았다면 그 원인을 제공한 사람들은 실화죄의 미수로 불가벌에 해당한다.

③ 정범의 실행행위 중에 이를 용이하게 하는 경우뿐만 아니라 정범의 실행착수 전에 장래의 실행행위를 예상하고 이를 용이하게 하는 경우에도 방조행위로서 정범의 실행행위에 대한 인과관계를 인정할 수 있다.

④ 교사자가 전화로 범행을 만류하는 취지의 말을 한 것만으로는 교사자의 교사행위와 정범의 실행행위 사이에 인과관계가 단절되었다거나 교사자가 공범관계에서 이탈한 것으로 볼 수 없다.

해설　① 대판 2021.9.16, 2015도12632

② × : ~ (2줄) 하나의 조건이 된 이상은 원인된 행위가 밝혀지지 않았더라도 그 원인을 제공한 사람들은 각자 실화죄의 책임을 면할 수 없다(대판 2023.3.9, 2022도16120).

③ 대판 2021.9.9, 2017도19025 전원합의체

④ 대판 2012.11.15, 2012도7407

Answer　10. ②

11 인과관계에 관한 설명 중 옳지 않은 것은?(다툼이 있는 경우 판례에 의함)　　25. 변호사시험

① 방조범에 있어서 방조행위와 정범의 범죄 실현 사이에 인과관계가 인정되려면 방조행위가 정범의 범죄 실현과 밀접한 관련이 있고 정범으로 하여금 구체적 위험을 실현시키거나 범죄 결과를 발생시킬 기회를 높이는 등으로 정범의 범죄 실현에 현실적인 기여를 하였다고 평가할 수 있어야 한다.

② 자동차의 운전자가 통상 예견되는 상황에 대비하여 결과를 회피할 수 있는 정도의 주의의무를 다하지 못한 것이 교통사고 발생의 직접적인 원인이 되었다면, 비록 자동차가 보행자를 직접 충격한 것이 아니고 보행자가 자동차의 급정거에 놀라 도로에 넘어져 상해를 입은 경우라 할지라도, 업무상 주의의무 위반과 교통사고 발생 사이에 상당인과관계를 인정할 수 있다.

③ 피고인이 피해자의 뺨을 1회 때리고 오른손으로 목을 쳐 피해자로 하여금 넘어지면서 머리를 땅바닥에 부딪치게 하여 상해를 가하고, 이로 인하여 두부 손상을 입은 피해자로 하여금 병원에서 입원치료를 받다가 합병증으로 사망에 이르게 한 경우, 피고인의 범행과 피해자의 사망 사이에 인과관계가 인정된다.

④ 강간죄에서 폭행·협박과 간음 사이에는 인과관계가 있어야 하고, 폭행·협박은 반드시 간음행위보다 선행되어야 한다.

⑤ 폭행 또는 협박으로 타인의 재물을 강취하려는 행위와 이에 극도의 흥분을 느끼고 공포심에 사로잡혀 이를 피하려다 입은 상해 사이에는 상당인과관계가 인정된다.

> 해설 ① 대판 2021.9.16, 2015도12632
> ② 대판 2022.6.16, 2022도1401
> ③ 대판 2012.3.15, 2011도17648
> ④ × : ~ 인과관계가 있어야 하나, 폭행·협박이 반드시 간음행위보다 선행되어야 하는 것은 아니다(대판 2017.10.12, 2016도16948).
> ⑤ 대판 1996.7.12, 96도1142

12 인과관계에 관한 설명으로 가장 적절하지 않은 것은?(다툼이 있는 경우 판례에 의함)　　25. 경찰승진

① 임차인이 자신의 비용으로 설치·사용하던 가스설비의 휴즈콕크를 아무런 조치 없이 제거하고 이사를 간 후 가스공급을 개별적으로 차단할 수 있는 주밸브가 열려져 가스가 유입되어 폭발사고가 발생한 경우 임차인의 과실과 가스폭발사고 사이에는 상당인과관계가 인정된다.

② 차를 도로에 주차한 점이나 차의 미등 및 차폭등을 켜 놓지 않은 것이 가령 도로교통법 위반의 잘못이 있더라도 그로 인해 오토바이 운전자가 위 차를 뒤늦게 발견하여 사고가 일어났다고 인정되지 않는다면, 위 사고와 위 차의 주차 사이에 상당인과관계가 있다고 할 수 없다.

③ 조정에 따른 이행의무를 부담하는 피고가 조정성립 이후 청구원인에 관한 주된 조정채무를 제때 이행하지 않았다는 사정만으로 원고에게 신의칙상 주의의무를 다하지 아니하였다거나 조정성립과 상당인과관계에 있는 손해가 발생하였다고 쉽사리 단정해서는 아니 된다.

④ 운전자 甲이 차를 세워 시동을 끄고 1단 기어가 들어가 있는 상태에서 시동열쇠를 끼워 놓은 채 11세인 A를 조수석에 남겨 두고 차에서 내렸는데 A가 시동열쇠를 돌리며 악셀러레이터 페달을 밟아 차량이 진행하여 사고가 발생한 경우 甲의 행위와 차량사고 간에는 상당인과관계가 있다고 할 수 없다.

해설 ① 대판 2001.6.1, 99도5086
② 대판 1996.12.20, 96도2030
③ 대판 2024.1.25, 2020도10330
④ × : ~ 상당인과관계가 있다(대판 1986.7.8, 86도1048).

13 다음 중 인과관계에 대한 설명으로 가장 옳지 않은 것은?(다툼이 있으면 판례에 의함) 25. 해경경사
① 폭행 또는 협박으로 타인의 재물을 강취하려는 행위와 이에 극도의 흥분을 느끼고 공포심에 사로잡혀 이를 피하려다 상해에 이르게 된 사실과는 상당인과관계가 인정된다.
② 운전자가 상당한 거리에서 보행자의 무단횡단을 미리 예상할 수 없는 야간에 고속도로를 무단횡단하는 보행자를 충격하여 사망에 이르게 한 운전자의 과실과 사고 사이에는 상당인과관계가 인정되지 않는다.
③ 회사를 운영하면서 발주처로부터 공사완성의 대가로 공사대금을 지급받았으나, 법인 인수 과정에서 법인 등록 요건 중 인력요건을 외형상 갖추기 위해 관련 자격증 소지자들로부터 자격증을 대여받은 사실을 발주처에 숨기는 행위를 하였다면, 그 기망행위와 공사대금 지급 사이에 상당인과관계가 인정되지 않는다.
④ 사기죄가 성립하기 위해서는 기망행위와 상대방의 착오 및 재물의 교부 사이에 순차적인 인과관계가 있어야 하지만 착오에 빠진 원인 중에 피기망자 측의 과실이 있는 경우에는 사기죄가 성립하지 않는다.

해설 ① 대판 1996.7.12, 96도1142
② 대판 2000.9.5, 2000도2671 ③ 대판 2022.7.14, 2017도20911
④ × : ~ (2줄) 인과관계가 있어야 하나, 착오에 빠진 원인 중에 피기망자 측의 과실이 있는 경우에도 사기죄가 성립한다(대판 2009.6.23, 2008도1697).

14 인과관계에 관한 설명으로 가장 적절하지 않은 것은?(다툼이 있는 경우 판례에 의함) 25. 순경 2차
① 甲이 乙을 2회에 걸쳐 두 손으로 힘껏 밀어 땅바닥에 넘어뜨리는 폭행을 가함으로써 그 충격으로 인한 쇼크성 심장마비로 사망케 하였다면 비록 乙에게 그 당시 심관성동맥경화 및 심근섬유화 증세 등의 심장질환의 지병이 있었고 음주로 만취된 상태였으며 그것이 乙의 사망에 영향을 주었다고 해서 甲의 폭행과 乙의 사망 간에 상당인과관계가 없다고 할 수 없다.
② 피고인의 행위가 결과발생에 유력한 원인이라 할지라도 결과발생에 시간적으로 근접한 제3자의 또 다른 공동 원인행위가 있다면 피고인의 행위와 결과 사이의 인과관계는 부정된다.

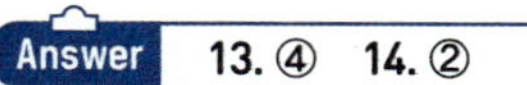

③ 의사가 설명의무를 위반한 채 의료행위를 하였다가 환자에게 상해 또는 사망의 결과가 발생한 경우 의사에게 업무상 과실로 인한 형사책임을 지우기 위해서는 의사의 설명의무 위반과 환자의 상해 또는 사망 사이에 상당인과관계가 존재하여야 한다.

④ 甲은 자신이 경영하는 속셈학원의 강사로 乙을 채용하고 학습교재를 설명하겠다는 구실로 유인하여 호텔 객실에 감금한 후 강간하려 하자, 乙이 완강히 반항하던 중 甲이 대실시간 연장을 위해 전화하는 사이에 객실 창문을 통해 탈출하려다가 지상에 추락하여 사망한 경우, 甲의 강간미수행위와 乙의 사망 사이에 상당인과관계가 있다.

[해설] ① 대판 1986.9.9, 85도2433

② × : ~ (1줄) 유력한 원인이 된 이상 결과발생에 시간적으로 근접한 제3자의 또 다른 공동 원인행위가 있더라도 피고인의 행위와 결과 사이의 인과관계가 있다(대판 1984.6.26, 84도831).

③ 대판 2015.6.24, 2014도11315

④ 대판 1995.5.12, 95도425

15 인과관계에 대한 설명으로 옳은 것만을 모두 고르면?(다툼이 있는 경우 판례에 의함) 　25.7급 검찰

> ㉠ 현주건조물방화죄는 추상적 위험범으로 불태움과 방화행위와의 인과관계는 문제되지 않으므로 방화행위가 있으면 그 자체로 동죄의 기수에 이르게 된다.
>
> ㉡ 甲이 운전하는 자동차가 이미 정차하였음에도 뒤쫓아오던 차의 충돌로 인하여 앞차를 충격하여 사고가 발생한 경우, 甲에게 안전거리를 준수하지 않은 위법이 있었다면 그것이 앞차와의 충격에 대하여 당연히 인과관계가 존재한다.
>
> ㉢ 부진정 부작위범에서 작위의무를 이행하였다면 결과가 발생하지 않았을 것이라는 관계가 인정되는 경우, 부작위와 결과발생 사이에 인과관계가 인정된다.
>
> ㉣ 선행 교통사고와 후행 교통사고 중 어느 쪽이 원인이 되어 피해자가 사망에 이르게 되었는지 밝혀지지 않은 경우, 후행 교통사고를 일으킨 사람의 과실과 피해자의 사망 사이에 인과관계가 인정되기 위해서는 후행 교통사고를 일으킨 사람이 주의의무를 게을리하지 않았다면 피해자가 사망에 이르지 않았을 것이라는 사실이 입증되어야 한다.

① ㉠, ㉡　　　② ㉠, ㉣　　　③ ㉡, ㉢　　　④ ㉢, ㉣

[해설] ㉠ × : 현주건조물방화죄는 추상적 위험범이나 미수범 처벌규정(제174조)이 있으므로, 방화행위(불을 놓아)와 불태움(소훼) 사이에는 인과관계가 있어야 현주건조물방화죄의 기수가 된다.

㉡ × : ~ (2줄) 않은 위법이 있었더라도 사고 피해 결과에 대하여 인과관계가 있다고 단정할 수 없다(대판 1983.8.23, 82도3222).

㉢ ○ : 대판 2015.11.12, 2015도6809 전원합의체

㉣ ○ : 대판 2007.10.26, 2005도8822

Answer　15. ④

제4절 **고의**(범의, 구성요건적 고의)

> **제13조【고의】** 죄의 성립요소인 사실을 인식하지 못한 행위는 벌하지 아니한다. 다만, 법률에 특별한 규정이 있는 경우에는 예외로 한다. 21. 해경승진

(1) 고의의 의의와 본질

① **고의의 의의** : 고의란 구성요건에 해당하는 객관적 사실(범죄사실, 구성요건적 사실)을 인식하고 그 내용을 실현하려는 의사를 말한다. 즉, 자기의 행위가 불법구성요건을 실현함을 인식·인용하는 행위자의 심적 태도를 말한다.

고의 = 인식(지적 요소) + **의사**(의지적 요소) 22. 경찰간부

구 분	지적 요소	의지적 요소
의 의	행위자가 객관적 구성요건요소가 되는 사실을 인식하는 것을 말한다.	구성요건적 불법을 실현하려는 의사를 말한다.
형법규정	제13조 '죄의 성립요소인 사실의 인식'이 바로 지적 요소를 말하는 것이다.	형법에 명시하지 않아 입법론적으로 비판받고 있으나 해석상 당연히 전제되는 것으로 본다.
결여의 효과	구성요건적 착오의 문제가 발생한다.	인식 있는 과실의 문제가 발생한다.

Q **주의** : 고의는 구성요건의 인식·인용이 아니라 범죄사실의 인식·인용이다.

② **고의의 본질** : 고의의 본질 내지 성립범위에 관한 학설은 다음과 같다. 24. 순경 1차

학 설	내 용	비 판
인식설	구성요건에 해당하는 객관적 사실에 대한 인식만 있으면 고의를 인정한다(지적 요소 강조).	인식 있는 과실이 고의에 포함되어 고의의 범위가 부당하게 확대된다.
의사설	고의는 범죄사실에 대한 인식만으로는 부족하고, 그 실현을 희망·의욕하는 의사이다(의지적 요소 강조).	결과발생을 의욕하지 않은 미필적 고의를 고의의 범위에서 제외하게 되어 고의의 범위가 부당하게 축소된다. 09. 경찰승진
용인설	범죄사실의 인식 외에 결과발생을 용인하는 내심의 의사가 있으면 미필적 고의가 인정되고, 용인하는 내심의 의사가 없으면 인식 있는 과실에 해당한다(다수설·판례). 22. 순경 2차, 23. 9급 검찰·마약수사·철도경찰	

(2) 범죄체계론상 고의의 지위

고의는 범죄체계론상(구성요건 ⇨ 위법성 ⇨ 책임) 어디에 속하는가에 대해 학설은 다음과 같다.

학 설	내 용
책임요소설	• 인과적 행위론(고전적 범죄체계, 신고전적 범죄체계)에서 주장하는 견해이다. • 고의는 행위의 주관적 측면이므로 책임의 요소(책임형식)라고 한다. • 이 설에서는 고의=구성요건의 객관적 사실에 대한 인식+위법성의 인식으로 본다.

구성요건요소설	• 목적적 행위론(목적적 범죄체계)에서 주장하는 견해이다. • 고의는 책임요소가 아닌 모든 범죄의 주관적 구성요건요소라고 한다. 24. 순경 1차 • 이 설에서는 고의＝구성요건의 객관적 사실에 대한 인식, 위법성의 인식＝책임요소로 본다.
고의의 2중기능설 (구성요건요소임과 동시에 책임요소) ⇨ 다수설	• 사회적 행위론(신고전적·목적적 범죄체계)에서 주장하는 견해이다. • 고의는 구성요건요소인 동시에 책임요소라고 한다. • 이 설에서는 고의〔행위방향설정으로서의 고의(불법고의, 구성요건적 고의) ⇨ 구성요건요소, 심정적 반가치로서의 고의(책임고의) ⇨ 책임요소〕, 위법성의 인식 ⇨ 책임요소로 본다.

(3) 고의의 성립요건(고의의 내용·대상)

① **고의의 지적 요소**(고의의 성립에 필요한 인식의 대상) : 고의가 성립하기 위해서는 행위자가 모든 객관적 구성요건에 해당하는 사실(범죄사실)의 전부를 인식해야 한다. 즉, 고의의 인식대상이 되는 것은 모든 객관적 구성요건요소이다.

23. 변호사시험, 24. 순경 1차, 25. 경찰승진·해경경위공채

고의의 성립에 필요한 인식·인용의 대상인 것	고의의 성립에 필요한 인식·인용의 대상이 아닌 것
다음은 객관적 구성요건요소에 해당되는 것들로 고의가 성립하기 위하여 행위자가 인식해야 하는 것들이다. ㉠ 행위의 주체(신분범의 신분, 수뢰죄의 공무원), 행위의 객체(살인죄의 사람, 절도죄의 타인의 재물), 행위의 방법(사기죄의 기망, 공갈죄의 공갈), 행위의 상황(야간주거침입절도죄에 있어서 야간에, 소요죄에서 다중의 집합) ㉡ 결과범에 있어서의 결과(살인죄의 사망, 상해죄의 상해)와 인과관계 ㉢ 구체적 위험범에 있어서 위험의 발생 ㉣ 가중적·감경적 구성요건요소(존속살해죄의 존속, 승낙살인죄에서 승낙)	다음은 객관적 구성요건요소에 해당되지 않아 고의의 성립에 필요한 인식대상이 아니다. 즉, 행위자가 인식하지 않아도 고의의 성립에 지장이 없다. ㉠ • 주관적 구성요건요소(고의, 목적범의 목적)·책임의 요소(책임능력, 기대가능성) • 처벌조건(가벌성) : 사전수뢰죄에 있어서 공무원 또는 중재인이 된 사실 • 소추조건(친고죄의 고소, 반의사불벌죄의 피해자 의사) ㉡ 결과적 가중범의 중한 결과〔∵ 결과에 대한 인식은 필요없고 예견가능성만 있으면 됨(제15조 제2항)〕 ㉢ 추상적 위험범에 있어서 위험 ㉣ 상습도박죄의 상습성(∵ 상습성은 행위자가 갖추고 있으면 충분하고 인식할 필요는 없음) ㉤ 형벌법규 자체

🔔 고의범이 성립하려면 행위자는 객관적 구성요건요소인 행위주체·객체·행위·결과 등에 관한 인식을 갖고 있어야 한다고 규정하고 있으므로, 구성요건 중에 특별한 행위양태를 필요로 하는 경우에는 이러한 사정의 존재까지도 행위자가 인식하여야 한다〔대판 2019.3.28, 2018도16002 전원합의체(특별한 행위양태 예 준강간죄에서의 '심신상실 또는 항거불능의 상태를 이용')〕. 22. 경찰간부

② **고의의 의지적 요소** : 고의가 성립되기 위해서는 구성요건의 객관적 사실에 대한 인식뿐만 아니라 인식한 사실을 실현하려는 의사를 요한다.

(4) 사전고의와 사후고의

고의는 행위시(실행의 착수부터 실행행위 종료시까지)에 있어야 하므로(고의와 행위의 동시존재의 원칙) 사전고의와 사후고의는 형법상의 고의가 아니다. 17. 변호사시험, 22. 9급 철도경찰

(5) 형법 제13조

고의란 '죄의 성립요소인 사실의 인식', 즉 구성요건에 해당하는 객관적 사실의 인식·인용을 말하며, 형법은 원칙적으로 고의 행위만을 처벌하고, 법률에 특별한 규정이 있는 경우(예 과실범 처벌규정이 있는 경우)에 한해 예외적으로 처벌한다고 규정하고 있다. 24. 경찰간부

> **관련판례**
>
> 1. 행정상의 단속을 주안으로 하는 법규라 하더라도 '명문규정이 있거나 해석상 과실범도 벌할 뜻이 명확한 경우'를 제외하고는 형법의 원칙에 따라 '고의'가 있어야 벌할 수 있다(대판 2010.2.11, 2009도 9807). 17. 9급 검찰, 22. 해경간부·순경 1차, 23. 해경승진, 24. 법원행시·경력채용
> 2. 형법상 고의란 자기가 의도한 바 행위에 의하여 범죄사실이 발생할 것을 인식하면서 그 행위를 감행하거나 하려고 하면 족하고, 그 결과발생을 희망함을 요하지 아니한다(대판 1987.10.13, 87도1240). 22. 경찰간부

(6) 확정적 고의와 미필적 고의

> **관련판례**
>
> 고의(범의)는 반드시 어떤 목적이나 의도를 지녀야 인정되는 것은 아니고 자기 행위로 인하여 구성요건적 결과가 발생할 가능성 또는 위험이 있음을 인식하거나 예견하면 족한 것이고, 그 인식 또는 예견은 확정적인 것(확정적 고의)은 물론 불확정적인 것(미필적 고의)으로도 족하다(대판 2000.8.18, 2000도2231). 18. 변호사시험, 21. 해경 2차, 22. 경찰간부·9급 철도경찰, 25. 해경경사
>
> 1. 미필적 고의는 범죄사실의 발생가능성을 불확실한 것으로 표상하면서 이를 용인하고 있는 경우를 말하고, 미필적 고의가 있었다고 하려면 범죄사실의 발생가능성에 대한 인식이 있음은 물론 나아가 범죄사실이 발생할 위험을 용인하는 내심의 의사가 있어야 한다(대판 1987.2.10, 86도2338). 18. 경찰간부·변호사시험, 22. 해경간부, 24. 경찰승진·경력채용·7급 검찰, 25. 경위공채
> 2. 미필적 고의는 범죄사실의 발생 가능성에 대한 인식이 있고 범죄사실이 발생할 위험을 용인하는 내심의 의사가 있어야 하는데, 범죄사실이 발생할 가능성을 용인하고 있었는지는 행위자의 진술에 의존하지 않고 외부에 나타난 행위의 형태와 행위의 상황 등 구체적인 사정을 기초로 일반인이라면 범죄사실이 발생할 가능성을 어떻게 평가할 것인지를 고려하면서 행위자(일반인 ×)의 입장에서 그 심리상태를 추인하여야 한다(대판 2017.1.12, 2016도15470). 18. 경력채용, 21. 경찰간부·해경간부, 23. 경찰승진·9급 검찰·마약수사·철도경찰, 24. 해경경위, 25. 해경경장

3. 고의는 내심적 사실이므로 피고인이 범죄구성요건의 주관적 요소인 고의를 부인하는 경우, 범의 자체를 객관적으로 증명할 수는 없으므로 사물의 성질상 범의와 관련성이 있는 간접사실 또는 정황사실을 증명하는 방법으로 이를 증명할 수밖에 없다(대판 2017.1.12, 2016도15470). 21. 7급 검찰, 22. 순경 2차, 24. 경찰승진

> ▶ **유사판례** : 피고인이 살인의 범의를 부인할 경우, 범행 당시 살인의 범의가 있었는지 여부는 피고인이 범행에 이르게 된 경위, 범행의 동기, 준비된 흉기의 유무·종류·용법, 공격의 부위와 반복성, 사망의 결과발생가능성 정도 등 범행 전후의 객관적인 사정을 종합하여 판단할 수밖에 없다(대판 2006.4.14, 2006도734). 16. 순경 2차, 19. 7급 검찰

4. 방조범은 정범의 실행을 방조한다는 이른바 방조의 고의와 정범의 행위가 구성요건에 해당하는 행위인 점에 대한 정범의 고의가 있어야 하나, 방조범에 있어서 정범의 고의는 정범에 의하여 실현되는 범죄의 구체적 내용을 인식할 것을 요하는 것은 아니고 미필적 인식 또는 예견으로 족하다(대판 2005.4.29, 2003도6056). 21. 경찰간부·순경 2차, 22. 해경간부, 23. 경찰승진·변호사시험·법원행시, 24. 순경 1차·9급 검찰·마약수사·철도경찰·경력채용, 25. 해경경위공채

5. 방조범은 2중의 고의를 필요로 하므로 정범이 정하는 범죄의 일시, 장소, 객체 등을 구체적으로 인식할 필요가 없으며, 나아가 정범이 누구인지 확정적으로 인식할 필요도 없다(대판 2007.12.14, 2005도872). 22. 순경 1차·7급 검찰, 23. 해경승진

6. 목적범의 목적(내란죄의 국헌문란의 목적)은 범죄 성립을 위하여 고의 외에 요구되는 초과주관적 위법요소로서 엄격한 증명사항에 속하나, 확정적 인식임을 요하지 아니하며, 다만 미필적 인식이 있으면 족하다(대판 2015.1.22, 2014도10978 전원합의체). 21. 9급 검찰, 22. 변호사시험·해경간부·순경 2차, 23. 경찰간부·경찰승진, 24. 해경수사·7급 검찰

> ▶ **유사판례**
>
> ① 모해위증죄에서 모해할 목적은 허위의 진술을 함으로써 피고인에게 불리하게 될 것이라는 인식이 있으면 충분하고 그 결과의 발생을 희망할 필요까지는 없다(대판 2007.12.27, 2006도3575). 17. 순경 1차, 20. 법원행시, 23. 해경승진, 25. 해경경사·해경경위
>
> ② 무고죄의 '형사처분 또는 징계처분을 받게 할 목적'은 허위신고를 함에 있어서 다른 사람이 그로 인하여 형사 또는 징계처분을 받게 될 것이라는 인식이 있으면 족한 것이고 그 결과발생을 희망하는 것까지를 요하는 것은 아니므로, 고소인이 피무고자의 승낙을 받아 고소장을 수사기관에 제출한 이상 그러한 인식은 있었다고 보아야 한다(대판 2005.9.30, 2005도2712). 18. 경력채용, 22. 경찰승진·수사경과, 24. 경찰간부, 25. 해경경사
>
> ③ 목적범인 국가보안법 제7조 제5항의 이적표현물소지죄가 성립하기 위해서는 이적행위를 하려는 목적의 적극적 의욕이나 확정적 인식까지는 필요 없고 미필적 인식으로 족하다(대판 1992.3.31, 90도2033 전원합의체). 22. 순경 2차

7. 부진정부작위범의 고의는 법익침해의 결과발생을 방지할 법적 작위의무를 가지고 있는 사람이 의무를 이행함으로써 결과발생을 쉽게 방지할 수 있었음을 예견하고도 결과발생을 용인하고 이를 방관한 채 의무를 이행하지 아니한다는 인식을 하면 족하다(대판 2015.11.12, 2015도6809 전원합의체). 19. 7급 검찰, 22. 경찰승진, 24. 경찰간부·해경경위, 25. 변호사시험·해경경위공채

8. 살인죄의 범의는 자기의 행위로 인하여 피해자가 사망할 수도 있다는 사실을 인식·예견하는 것으로 족하고 피해자의 사망을 희망하거나 목적으로 할 필요는 없고, 또 확정적인 고의가 아닌 미필적 고의로도 족한 것이다(대판 1994.12.22, 94도2511). 17. 9급 검찰·마약수사, 19. 7급 검찰

9. 새로 목사로 부임한 자가 전임목사에 관한 교회 내의 불미스러운 소문의 진위를 확인하기 위하여 이를 교회집사들에게 물어본 경우 명예훼손의 고의 없는 단순한 확인에 지나지 아니하여 사실의 적시라고 할 수 없다 할 것이므로 이 점에서 피고인에게 명예훼손의 고의 또는 미필적 고의가 있을 수 없다(대판 1985.5.28, 85도588). 17. 9급 검찰·철도경찰·순경 2차, 20. 해경승진, 22. 경찰승진·해경간부

10. 대상자가 성인이라는 말만 믿고 타인의 건강진단결과서만을 확인한 채 청소년을 청소년유해업소에 고용한 업주에게는 적어도 청소년 고용에 관한 미필적 고의가 있음이 인정된다(대판 2002.6.28, 2002도2425). 16. 경찰승진, 17. 9급 검찰·마약수사, 20. 해경승진, 21. 해경 2차, 25. 해경경사

▶ **유사판례** : ① 이성혼숙하려는 자의 외모나 차림 등을 보아 청소년이라고 의심할 만한 사정이 있을 때 그들이 신분증을 가지고 있지 않다는 말을 듣고는 구두로 연령을 확인하여 이성혼숙을 하게 하였다면, 이 경우는 적어도 청소년 이성혼숙에 관한 미필적 고의가 있다(대판 2001.8.21, 2001도3295). 14. 경찰승진, 18. 경력채용 ② 청소년유해업소에 종업원을 고용하면서 주민등록증 제출을 요구하여 확인하였는데 주민등록상 사진과 실물이 다소 달라 보인다고 여겼다고 하더라도, 청소년보호법위반죄의 미필적 고의가 인정된다(대판 2004.4.28, 2004도255). 18. 법원행시 ③ 피고인이 청소년으로 의심되는 피해자에게 단지 나이만 묻고 신분증 등으로 정확히 연령을 확인하지 않은 채 청소년인 피해자를 성매매 알선을 위한 종업원으로 고용하여 성매매 알선행위를 업으로 하였다면, 청소년 성매매 알선영업행위의 미필적 고의가 인정된다(대판 2014.7.10, 2014도5173). 20. 9급 검찰·마약수사·철도경찰

▶ **비교판례** : 피고인이 만 12세의 피해자를 강간할 당시 피해자가 자신을 중학교 1학년이라 14세라고 하였고, 피해자는 키와 체중이 동급생보다 큰 편이었으며, 이들이 모텔에 들어갈 때 특별한 제지도 받지 아니하였다면, 강간 범행 당시 피해자가 13세 미만인 사실을 미필적으로라도 인식하였다고 볼 수 없다(대판 2012.8.30, 2012도7377). 20. 9급 검찰·마약수사·철도경찰, 22. 경력채용

11. (미성년자의제)강제추행죄의 성립에 필요한 주관적 구성요건요소는 고의만으로 충분하고, 성욕을 자극·흥분·만족시키려는 주관적 동기나 목적까지 있어야 하는 것은 아니다(대판 2006.1.13, 2005도6791 ; 대판 2013.9.26, 2013도5856). 15. 법원직, 19. 경찰승진·순경 1차, 21. 경찰간부·7급 검찰

12. 공무원이 여러 차례의 출장반복의 번거로움을 회피하고 민원사무를 신속히 처리한다는 방침에 따라 사전에 출장조사한 다음 출장조사 내용이 변동없다는 확신하에 출장복명서를 작성하고, 다만 그 출장일자를 작성일자로 기재한 것이라면 허위공문서작성의 범의가 있었다고 볼 수 없다(대판 2001.1.5, 99도4101). 16. 순경 1차, 17. 순경 2차, 19. 경찰간부, 20. 해경승진, 23. 변호사시험

13. 업무방해죄의 고의는 반드시 업무방해의 목적이나 계획적인 업무방해의 의도가 있어야만 하는 것은 아니고 자기의 행위로 인하여 타인의 업무가 방해될 가능성 또는 위험에 대한 인식이나 예견으로 충분하다(대판 2012.5.24, 2009도4141). 16. 사시, 17. 순경 2차, 20. 해경승진, 23. 변호사시험

14. 공무집행방해죄에 있어서의 범의는 상대방이 직무를 집행하는 공무원이라는 사실, 그리고 이에 대하여 폭행 또는 협박을 한다는 사실을 인식하는 것을 그 내용으로 하고, 그 직무집행을 방해할 의사를 필요로 하지 아니한다(대판 1995.1.24, 94도1949). 15. 순경 2차, 20. 해경 3차, 22. 순경 1차·해경간부, 23. 해경승진

▶ **비교판례** : 위계에 의한 공무집행방해죄가 성립되려면 자기의 위계행위로 인하여 공무집행을 방해하려는 의사가 있을 경우에 한한다(대판 1970.1.27, 69도2260). 19. 경찰간부, 22. 수사경과, 24. 경력채용

15. 상해죄의 성립에는 상해의 원인인 폭행에 대한 인식만으로 족하고 상해를 가할 의사의 존재는 필요 없다(대판 2000.7.4, 99도4341). 16. 경찰승진, 17. 7급 검찰·마약수사, 20. 해경승진

16. 장물취득죄에 있어서 장물의 인식은 확정적 인식임을 요하지 않으며 장물일지도 모른다는 의심을 가지는 정도의 미필적 인식으로서도 충분하고, 또한 장물인 정을 알고 있었느냐의 여부는 장물 소지자의 신분, 재물의 성질, 거래의 대가 기타 상황을 참작하여 이를 인정할 수밖에 없다(대판 1995.1.20, 94도1968). 14. 사시·7급 검찰·철도경찰, 21. 해경 2차, 25. 해경경사

17. 범죄의 고의는 확정적 고의뿐만 아니라 결과발생에 대한 인식이 있고 그를 용인하는 의사인 이른바 미필적 고의도 포함하므로 허위사실 적시에 의한 명예훼손죄 역시 미필적 고의에 의하여도 성립하고, 위와 같은 법리는 형법 제308조의 사자명예훼손죄의 판단에서도 마찬가지로 적용된다(대판 2014.3.13, 2013도12430). 17. 7급 검찰·마약수사, 18. 순경 2차, 21. 해경 2차, 25. 해경경사

18. 운전면허증 앞면에 적성검사기간이 기재되어 있고 뒷면 하단에 경고 문구가 있다는 점만으로 피고인이 정기적성검사 미필로 면허가 취소된 사실을 미필적으로나마 인식하였다고 추단하기 어렵다(대판 2004.12.10, 2004도6480). 14. 사시·법원행시, 17. 9급 철도경찰, 21. 해경간부

   ▶ **비교판례** : 면허증에 그 유효기간과 적성검사를 받지 아니하면 면허가 취소된다는 사실이 기재되어 있고, 이미 적성검사 미필로 면허가 취소된 전력이 있는데도 면허증에 기재된 유효기간이 5년 이상 지나도록 적성검사를 받지 아니한 채 자동차를 운전하였다면 비록 적성검사 미필로 인한 운전면허 취소사실이 통지되지 아니하고 공고되었다 하더라도 면허취소사실을 알고 있었다고 보아야 하므로 무면허운전죄가 성립한다(대판 2002.10.22, 2002도4203). 18. 경력채용, 25. 해경경장

   ▶ **비교판례** : 피고인이 적성검사기간 도래 여부에 관한 확인을 게을리하여 기간이 도래하였음을 알지 못하였더라도 적성검사기간 내에 적성검사를 받지 않는 데 대한 미필적 고의는 있었다고 봄이 타당하다(대판 2014.4.10, 2012도8374). 15. 순경 2차, 24. 경찰승진

19. 주거침입죄의 범의는 반드시 신체의 전부가 타인의 주거 안으로 들어간다는 인식이 있어야만 하는 것이 아니라 신체의 일부라도 타인의 주거 안으로 들어간다는 인식이 있으면 족하다(대판 1995.9.15, 94도2561). 14. 경찰승진, 16. 순경 1차, 22. 해경간부

20. 공연음란죄는 행위의 음란성에 대한 의미의 인식이 있으면 족하고, 주관적으로 성욕의 흥분 또는 만족 등의 성적인 목적이 있어야 성립하는 것은 아니다(대판 2004.3.12, 2003도6514). 13. 경찰승진, 17. 9급 검찰·마약수사

21. 건장한 체격의 군인이 왜소한 체격인 피해자의 목을 15초 내지 20초 동안 세게 졸라 설골이 부러질 정도로 폭력을 행사하였다면, 피해자가 실신하자 피해자에게 인공호흡을 실시하였다 하여도 살인의 미필적 고의가 인정된다(대판 1995.9.15, 94도2561). 18. 변호사시험, 20. 해경 3차

22. 의무경찰의 지시에 따르지 않고 항의하던 택시운전자가 신경질적으로 갑자기 좌회전하여 택시 우측 앞 범퍼 부분으로 의무경찰의 무릎을 들이받은 경우 공무집행방해의 미필적 고의가 있다(대판 1995.1.24, 94도1949). 16. 경찰승진, 20. 해경승진, 22. 경력채용, 23. 9급 검찰·마약수사·철도경찰

23. 강도가 베개로 피해자의 머리부분을 약 3분간 누르던 중 피해자가 저항을 멈추고 사지가 늘어졌음에도 계속하여 누른 경우 살해의 고의가 인정된다(대판 2002.2.8, 2001도6425). 14. 7급 검찰, 16. 경찰승진·순경 1차, 22. 경력채용

24. 재물의 타인성을 오신하여 그 재물의 취득이 자기에게 허용된 동일한 물건으로 오인하고 가져온 경우에는 범죄사실에 대한 인식이 있다고 할 수 없으므로 범의가 조각되어 절도죄가 성립하지 아니한다(대판 1983.9.13, 83도1762). 18. 법원행시, 23. 변호사시험·해경승진, 24. 7급 검찰·해경경위

25. 살인예비죄가 성립하기 위해서는 살인죄를 범할 목적 외에도 살인의 준비에 관한 고의가 있어야 한다(대판 2009.10.29, 2009도7150). 17. 7급 검찰 · 마약수사, 22. 순경 2차, 24. 경찰간부

26. 채권자(대주)가 채무자(차주)의 신용상태를 인식하고 있어 장래의 변제지체 또는 변제불능에 대한 위험을 예상하고 있거나 예상할 수 있었다면, 채무자가 구체적인 변제의사 · 변제능력 · 거래조건 등 거래 여부를 결정할 수 있는 중요한 사항을 허위로 말하였다는 등의 사정이 없는 한, 채무자가 그 후 제대로 변제하지 못하였다는 사실만 가지고 사기죄의 고의가 있었다고 단정할 수 없다(대판 2016.4.28, 2012도14516). 17. 법원직 · 7급 검찰 · 마약수사, 21. 순경 2차, 22. 9급 철도경찰

27. 형법은 폭행 또는 협박의 방법이 아닌 심신상실 또는 항거불능의 상태를 이용하여 간음한 행위를 강간 죄에 준하여 처벌하고 있으므로, 준강간의 고의는 피해자가 심신상실 또는 항거불능의 상태에 있다는 것과 그러한 상태를 이용하여 간음한다는 구성요건적 결과발생의 가능성을 인식하고 그러한 위험을 용인하는 내심의 의사를 말한다(대판 2019.3.28, 2018도16002 전원합의체). 22. 경찰간부, 23. 변호사시험, 24. 9급 검찰 · 마약수사 · 철도경찰

28. 예리한 식도로 타인의 하복부를 찔러 직경 5센티미터, 깊이 15센티미터 이상의 자상을 입힌 결과 그 타인이 내장파열 및 다량의 출혈뿐만 아니라 자창의 감염으로 인해 사망에 이른 경우에는 행위 자에게 고의에 의한 살인의 죄책을 물을 수 있다(대판 1982.12.28, 82도2525). 18. 변호사시험

29. 피고인이 피해자의 머리나 가슴 등 치명적인 부위가 아닌 허벅지와 종아리 부위 등을 20여 회 힘껏 찔러 피해자가 과다실혈로 사망하였다면, 살인의 미필적 고의가 있다(대판 2002.10.25, 2002도4089). 20. 9급 검찰 · 마약수사 · 철도경찰

30. 피고인이 이미 도산이 불가피한 상황으로 대금지급이 불가능하게 될 가능성을 충분히 인식하면서도 이러한 사정을 숨기고 피해자로부터 생산자재용 물품을 납품받았다면, 편취의 미필적 고의가 인정 된다(대판 1983.5.10, 83도340). 20. 9급 검찰 · 마약수사 · 철도경찰

31. 전당포영업자가 보석들을 전당잡으면서 인도받을 당시 장물인 정을 몰랐다가 그 후 장물일지도 모른 다고 의심하면서 소유권포기각서를 받은 경우 장물취득죄에 해당하지 않는다(대판 2006.10.13, 2004 도6084 ∵ 장물취득시에 고의 × ⇨ 장물취득죄 ×, 보석을 대여금채권의 담보로 저당잡은 경우 ⇨ 점유할 권한 ○ ⇨ 장물보관죄 ×). 12. 경찰승진, 19. 순경 2차

32. 피고인이 인신구속에 관한 직무를 집행하는 사법경찰관으로서 체포 당시 상황을 고려하여 경험칙에 비추어 현저하게 합리성을 잃지 않은 채 판단하면 체포 요건이 충족되지 아니함을 충분히 알 수 있었는 데도, 자신의 재량 범위를 벗어난다는 사실을 인식하고 그와 같은 결과를 용인한 채 사람을 체포하여 권리행사를 방해한 경우 직권남용체포죄와 직권남용권리행사방해죄의 고의는 인정된다(대판 2017. 3.9, 2013도16162 ∵ 미필적 고의 ○ ∴ 직권남용체포죄와 직권남용권리행사방해죄 ○). 17. 순경 2차

33. 금성호의 선장 甲은 피조개양식장에 피해를 주지 않기 위해 양식장까지의 거리가 약 30미터가 되도록 선박의 닻줄을 7샤클(175미터)에서 5샤클(125미터)로 감아놓았는데, 태풍을 만나게 되면서 선박의 안전을 위하여 선박의 닻줄을 7샤클로 늘여 놓았다가 피조개양식장을 침범하여 물적 피해를 야기한 경우 손괴의 범의가 있다고 볼 수 있다(대판 1987.1.20, 85도221). 19. 경찰간부

34. 어부인 피고인들이 어로저지선을 넘어 어업을 하였다고 하더라도 북괴경비정이 출현하는 경우 납치 되어 가더라도 좋다고 생각하면서 어로저지선을 넘어서 어로작업을 한 것이 아니라면 북괴집단의 구성원들과 회합이 있을 것이라는 미필적 고의가 있었다고 단정할 수 없다(대판 1975.1.28, 73도2207). 12. 경찰승진, 21. 해경간부, 24. 해경승진, 25. 해경경장

35. 운전면허가 취소된 상태에서 운전자가 면허가 취소되었다는 사실을 인식하지 못하고 자동차를 운전한 경우 도로교통법상 무면허운전죄에 해당하지 않는다(대판 2004.12.10, 2004도6480). 17. 9급 철도경찰

36. 관할 경찰당국이 운전면허취소통지에 갈음하여 적법한 공고를 거쳤다고 하더라도 공고만으로 운전면허가 취소된 사실을 알게 되었다고 볼 수 없다 할 것이므로 피고인에게 무면허운전이라는 점에 대한 고의가 있었다고 할 수 없다(대판 1993.3.23, 92도3045). 14. 법원행시

37. 국가보안법 제7조 제5항에 규정된 이적표현물에 관한 죄는 목적범이고, 이적표현물임을 인식하면서 취득·소지 또는 제작·반포한 사실만으로 그 행위자에게 위 표현물의 내용과 같은 이적행위를 할 목적이 있는 것으로 추정해서는 아니 된다(대판 2010.7.23, 2010도1189 전원합의체). 17. 법원행시

38. 성을 사는 행위를 알선하는 행위를 업으로 하는 자가 성매매알선을 위한 종업원을 고용하면서 연령확인의무의 이행을 다하지 아니한 채 아동·청소년을 고용하였다면, 특별한 사정이 없는 한 적어도 아동·청소년의 성을 사는 행위의 알선에 관한 미필적 고의는 인정된다(대판 2014.7.10, 2014도5173). 18. 경찰승진

   ▶ **유사판례** : 아동·청소년의 성을 사는 행위를 알선하는 행위를 업으로 하여 청소년성보호법 제15조 제1항 제2호의 위반죄가 성립하기 위해서는 알선행위를 업으로 하는 사람이 아동·청소년을 알선의 대상으로 삼아 그 성을 사는 행위를 알선한다는 것을 인식하여야 하지만, 이에 더하여 알선행위로 아동·청소년의 성을 사는 행위를 한 사람이 행위의 상대방이 아동·청소년임을 인식하여야 한다고 볼 수는 없다(대판 2016.2.18, 2015도15664). 18. 변호사시험, 22. 경력채용

39. 무고죄는 신고자가 진실하다는 확신 없는 사실을 신고함으로써 성립하고 그 신고사실이 허위라는 것을 확신함을 필요로 하지 않는다고 할 것이고, 또 고소를 한 목적이 상대방을 처벌받도록 하는 데 있지 않고 시비를 가려 달라는 데에 있다고 하여 무고죄의 범의가 없다고 할 수는 없다(대판 1995.12.12, 94도3271). 14. 7급 검찰·철도경찰, 23. 법원행시, 25. 변호사시험

40. 대구지하철 사고현장에서 청소작업이 한참 중에 실종자 유족들로부터 이의제기가 있었음에도 대구지하철공사 사장이 즉각 청소작업중단을 지시하지 아니하였고 수사기관과 협의·확인하지 아니한 경우 ⇨ 증거인멸죄의 미필적 고의 ×(대판 2004.5.14, 2004도74) 23. 9급 검찰·마약수사·철도경찰, 25. 해경경장

41. 성적 수치심 또는 혐오감의 유발 여부는 일반적이고 평균적인 사람들을 기준으로 하여 판단함이 타당하고, 특히 성적 수치심의 경우 피해자와 같은 성별과 연령대의 일반적이고 평균적인 사람들을 기준으로 하여 그 유발 여부를 판단하여야 한다(대판 2017.6.8, 2016도21389). 22. 9급 철도경찰

42. 살인죄에 있어서 고의는 반드시 살해의 목적이나 계획적인 살해의 의도가 있어야만 인정되는 것은 아니고, 자기의 폭행 등 행위로 인하여 타인의 사망이라는 결과를 발생시킬 만한 가능성 또는 위험이 있음을 인식하거나 예견하였다면 족한 것이다(대판 2006.4.14, 2006도734). 22. 9급 철도경찰

43. 임금 등 지급의무의 존부와 범위에 관하여 다툴 만한 근거가 있다면 사용자가 그 임금 등을 지급하지 않은 데에 상당한 이유가 있다고 보아야 하므로, 사용자에게 구 근로기준법 제109조 제1항, 제36조, 제43조 제2항 위반의 고의가 있었다고 보기 어렵다(대판 2023.4.27, 2020도16431). 24. 경찰간부

44. 채무자가 차용원리금을 변제공탁한 것을 채권자가 아무런 이의 없이 이를 수령하고서도 담보물에 대한 경매 절차에 대하여 손을 쓰지 아니하는 바람에 타인에게 경락되게 하고 그 부동산의 경락잔금까지 받아간 경우 배임죄의 미필적 고의가 인정된다(대판 1988.12.13, 88도184). 14. 경찰승진

45. 허위사실을 유포하는 방법에 의하여 타인의 업무를 방해함으로써 성립하는 업무방해죄에 있어, 허위사실을 유포한다고 함은 실제의 객관적 사실과 서로 다른 사항을 내용으로 하는 사실을 불특정 다수인에게 전파시키는 것을 말하고, 특히 이러한 경우 그 행위자에게 행위 당시 자신이 유포한 사실이 허위라는 점을 적극적으로 인식하였을 것을 요한다(대판 1994.1.28, 93도1278). 24. 경찰승진

46. 이미 과다한 부채의 누적 등으로 신용카드 사용으로 인한 대출금채무를 변제할 의사나 능력이 없는 상황에 처하였음에도 불구하고 신용카드를 사용하였다면 편취의 고의를 인정할 수 있다(대판 2005.8.19, 2004도6859). 14. 법원행시

47. 공직선거법상 허위사실공표죄에서는 공표된 사실이 허위라는 것이 구성요건의 내용을 이루는 것이기 때문에, 행위자의 고의의 내용으로서 그 사항이 허위라는 것의 인식이 필요하나 어떠한 소문을 듣고 그 진실성에 강한 의문을 품고서도 공표한 경우에는 적어도 미필적 고의가 인정될 수 있다(대결 2002.4.10, 2001모193). 14. 사시

48. 협박죄에 있어서의 고의는 일반적으로 보아 사람으로 하여금 공포심을 일으킬 수 있는 정도의 해악을 고지하는 것에 대한 인식 내지 인용을 말하며, 고지한 해악을 실제로 실현할 의도나 욕구는 필요로 하지 않는다(대판 1991.5.10, 90도2102). 13. 순경 1차

49. 심야시간에 20대 후반의 남자가 인터넷 채팅을 통하여 만난 가출 청소년들과 함께 찜질방에 입장하면서 위 청소년들의 오빠로 행세하자 그를 위 청소년들의 보호자로 오인하여 청소년들을 입장시킨 경우, 종업원에게는 그에 관한 미필적 인식이 있다고 볼 수 없다(대판 2009.3.26, 2008도12065). 24. 해경승진

50. "사고장소에서 무엇인가 딱딱한 물체를 충돌한 느낌을 받았다."는 피고인의 제1심 법정에서의 신빙성이 있는 진술에 비추어 볼 때, 피고인에게는 미필적으로나마 사고의 발생사실을 알고 도주할 의사가 있었다고 할 수 있다(대판 2000.3.28, 99도5023). 24. 해경승진

51. 피해자의 양 손목과 발목을 노끈으로 묶고, 입에는 반창고를 두 겹으로 붙인 다음, 얼굴에는 모포를 씌워 포박, 감금한 후 수차례 그 방을 출입하던 중 어느 시점에서 이미 피해자가 탈진상태에 있어 피로회복제를 먹여 보려 해도 입에서 흘러버릴 뿐 마시지 못하기에 얼굴에 모포를 다시 덮어씌워 놓고 그대로 위 아파트에서 나와 버린 경우 살인죄에 대한 미필적 고의가 있다(대판 1982.11.23, 82도2024). 11. 7급 검찰

52. 전파가능성을 이유로 명예훼손죄의 공연성을 인정하는 경우에 주관적 요소(객관적 요소 ×)로서 전파가능성에 대한 인식과 그 위험을 용인하는 내심의 의사가 있어야 한다(대판 2004.4.9, 2004도340). 22. 법원직, 23. 순경 2차, 24. 경찰승진 · 9급 검찰 · 마약수사 · 철도경찰, 25. 해경경위

53. 피고인들이 보이스피싱 사기 범죄단체의 구성원으로 활동하면서 사기범죄의 피해자들로부터 자신 또는 공범들의 계좌와 전혀 무관한 제3자 명의의 계좌로 돈을 송금받는 방법으로 범죄수익 등의 취득에 관한 사실을 가장한 경우 범죄수익 은닉행위에 대한 고의도 있다(대판 2017.10.26, 2017도8600).

54. 도로교통법 위반(무면허운전)죄는 도로교통법 제43조를 위반하여 운전면허를 받지 아니하고 자동차를 운전하는 경우에 성립하는 범죄로, 유효한 운전면허가 없음을 알면서도 자동차를 운전하는 경우에만 성립하는 고의범이다. 교통사고처리 특례법 제3조 제2항 단서 제7호에서 말하는 '도로교통법 제43조를 위반'한 행위는 도로교통법 위반(무면허운전)죄와 마찬가지로 유효한 운전면허가 없음을 알면서도 자동차를 운전하는 경우만을 의미한다고 보아야 한다(대판 2023.6.29, 2021도17733). 24. 순경 2차

55. 경영상의 판단과 관련하여 기업의 경영자에게 자기 또는 제3자가 재산상 이익을 취득한다는 인식과 본인에게 손해를 가한다는 인식(미필적 인식을 포함)하의 의도적 행위임이 인정되는 경우에 한하여 배임죄의 고의가 인정하는 엄격한 해석기준은 유지되어야 할 것이고, 그러한 인식이 없는데 단순히 본인에게 손해가 발생하였다는 결과만으로 책임을 묻거나 주의의무를 소홀히 한 과실이 있다는 이유로 책임을 물을 수는 없다(대판 2010.1.14, 2007도10415). 24. 9급 검찰 · 마약수사 · 철도경찰

56. 성폭력범죄의 처벌 등에 관한 특례법 제11조 위반죄(공중 밀집 장소에서의 추행죄)가 성립하기 위해서는 주관적 구성요건으로서 추행을 한다는 인식을 전제로 적어도 미필적으로나마 이를 용인하는 내심의 의사가 있어야 하므로, 피고인이 추행의 고의를 부인하는 경우에는 고의와 상당한 관련성이 있는 간접사실을 증명하는 방법에 따를 수밖에 없다(대판 2024.1.4, 2023도13081).

57. 아동학대살해죄에서 살해의 범의의 인정 기준은 살인죄에서의 범의의 인정 기준과 같다고 보아야 한다. 아동학대살해의 범의는 반드시 살해의 목적이나 계획적인 살해의 의도가 있어야 인정되는 것은 아니고, 자기의 행위로 인하여 아동에게 사망이라는 결과가 발생할 가능성 또는 위험이 있음을 인식하거나 예견하면 족한 것이며, 그 인식이나 예견은 확정적인 것은 물론 불확정적인 것이라도 이른바 미필적 고의로서 살해의 범의가 인정된다(대판 2024.7.11, 2024도2940).

58. 고의로 법령을 잘못 적용하여 공문서를 작성하였다고 하더라도 그 법령적용의 전제가 된 사실관계에 대한 내용에 거짓이 없다면 허위공문서작성죄가 성립될 수 없다(대판 2021.9.16, 2019도18394).
19. 경찰승진, 21. 9급 검찰 · 마약수사, 23. 법원행시, 25. 변호사시험 · 해경경위공채

확인학습(다툼이 있는 경우 판례에 의함)

1 행정상의 단속을 주안으로 하는 법규라 하더라도 '명문규정이 있거나 해석상 과실범도 벌할 뜻이 명확한 경우'를 제외하고는 형법의 원칙에 따라 '고의'가 있어야 벌할 수 있다. ( )
17. 9급 검찰, 22. 해경간부 · 순경 1차, 23. 해경승진, 24. 법원행시 · 경력채용

2 미필적 고의가 인정되기 위해서는 결과발생의 가능성에 대한 인식이 있음은 물론 나아가 결과발생을 용인하는 내심의 의사가 있음을 요한다. ( )
18. 경찰간부 · 변호사시험, 22. 해경간부, 24. 경찰승진 · 경력채용 · 7급 검찰

3 미필적 고의는 범죄사실의 발생가능성에 대한 인식이 있고 범죄사실이 발생할 위험을 용인하는 내심의 의사가 있어야 하는데, 범죄사실이 발생할 가능성을 용인하고 있었는지는 행위자의 진술에 의존하지 않고 외부에 나타난 행위의 형태와 행위의 상황 등 구체적인 사정을 기초로 일반인이라면 범죄 사실이 발생할 가능성을 어떻게 평가할 것인지를 고려하면서 일반인의 입장에서 그 심리상태를 추인하여야 한다. ( )   18. 경력채용, 21. 해경간부 · 경찰간부, 23. 경찰승진 · 9급 검찰, 25. 해경경장

4 방조범은 정범의 실행을 방조한다는 이른바 방조의 고의와 정범의 행위가 구성요건에 해당하는 행위인 점에 대한 정범의 고의가 있어야 하고, 이 경우 방조범에서 요구되는 정범의 고의는 적어도 정범에 의하여 실현되는 범죄의 구체적 내용을 인식할 것을 필요로 한다. ( )
21. 경찰간부 · 순경 2차, 23. 변호사시험 · 경찰승진, 24. 순경 1차 · 9급 검찰 · 마약수사 · 철도경찰 · 경력채용, 25. 해경경위공채

5 목적범에서의 목적은 목적내용에 대한 적극적 의욕이나 확정적 인식까지는 요하지 않고 미필적 인식으로도 족하다. ( )
21. 9급 검찰, 22. 해경간부 · 순경 1차, 23. 경찰간부 · 경찰승진, 24. 7급 검찰

6 작위의무자가 그 의무를 이행함으로써 결과발생을 쉽게 방지할 수 있었음을 예견하고도 결과발생을 용인하고 이를 방관한 채 그 의무를 이행하지 아니한다는 인식만으로는 부진정 부작위범의 고의가 인정되지 않는다. ( )   19. 7급 검찰, 22. 경찰승진, 24. 경찰간부 · 해경경위, 25. 변호사시험

7 새로 목사로서 부임한 甲이 전임목사에 관한 교회 내의 불미스러운 소문의 진위를 확인하기 위하여 이를 교회집사들에게 물어본 경우 명예훼손에 대한 미필적 고의가 인정된다. ( )
17. 9급 검찰 · 철도경찰 · 순경 2차, 22. 경찰승진 · 해경간부

8 유흥업소 업주가 고용대상자가 성인이라는 말만 믿고, 타인의 건강진단결과서만 확인한 채 청소년을 청소년유해업소에 고용한 경우 청소년 고용에 관한 미필적 고의가 있다. ( )
16. 경찰승진, 17. 9급 검찰, 20. 해경승진, 21. 해경 2차, 25. 해경경사

9 형법 제305조의 미성년자의제강제추행죄의 성립에 필요한 주관적 구성요건요소는 고의만으로는 부족하며, 성욕을 자극 · 흥분 · 만족시키려는 주관적 동기 혹은 목적이 존재해야 한다. ( )
15. 법원직, 19. 경찰승진 · 순경 1차, 21. 경찰간부 · 7급 검찰

Answer ▶ 1. ○   2. ○   3. ×   4. ×   5. ○   6. ×   7. ×   8. ○   9. ×

10 공무원이 여러 차례의 출장반복의 번거로움을 회피하고 민원사무를 신속히 처리한다는 방침에 따라 사전에 출장조사한 다음 출장조사 내용이 변동 없다는 확신하에 출장복명서를 작성하고, 다만 그 출장일자를 작성일자로 기재한 것이라면 허위공문서작성의 범의가 있었다고 볼 수 없다. ( )
16. 순경 1차, 17. 순경 2차, 19. 경찰간부, 20. 해경승진, 23. 변호사시험

11 허위사실 적시에 의한 명예훼손죄 및 사자명예훼손죄는 미필적 고의에 의해서도 성립하므로 허위사실에 대한 인식은 확정적일 필요가 없다. ( ) 16. 순경 1차, 17. 7급 검찰, 18. 순경 2차, 25. 해경경사

12 상해죄의 성립에는 상해의 원인인 폭행에 관한 인식이 있는 것으로 충분하지 않고 상해를 가할 의사의 존재가 필요하다. ( )
16. 경찰승진, 17. 9급 검찰 · 마약수사, 20. 해경승진

13 공무집행방해죄에 있어서의 범의는 상대방이 직무를 집행하는 공무원이라는 사실 그리고 이에 대하여 폭행 또는 협박을 가한다는 사실에 대한 인식과 그 직무집행을 방해할 의사가 있어야 인정할 수 있다. ( )
15. 순경 2차, 20. 해경 3차, 22. 해경간부 · 순경 1차, 23. 해경승진

14 고의로 법령을 잘못 적용하여 공문서를 작성하였다고 하더라도 그 법령적용의 전제가 된 사실관계에 대한 내용에 거짓이 없다면 허위공문서작성죄가 성립될 수 없다. ( )
19. 경찰승진, 21. 9급 검찰 · 마약수사, 23. 법원행시, 25. 변호사시험 · 해경경위공채

15 명예훼손죄의 주관적 요소인 고의가 인정되기 위해서는 전파가능성에 대한 인식이 있을 것을 요구하나, 그 위험을 용인하는 내심의 의사까지 있어야 하는 것은 아니다. ( )
22. 법원직, 23. 순경 2차, 24. 경찰승진 · 9급 검찰 · 마약수사 · 철도경찰, 25. 해경경위

16 무고죄의 범의는 신고자가 허위라고 확신한 사실을 신고한 경우에만 인정되고, 진실하다는 확신 없는 사실을 신고하는 경우에는 인정되지 않는다. ( )
14. 7급 검찰 · 철도경찰, 23. 법원행시, 25. 변호사시험

17 준강간의 고의는 피해자가 심신상실 또는 항거불능의 상태에 있다는 것과 그러한 상태를 이용하여 간음한다는 구성요건적 결과 발생의 가능성을 인식하고 그러한 위험을 용인하는 내심의 의사를 말한다. ( )
22. 경찰간부, 23. 변호사시험, 24. 9급 검찰 · 마약수사 · 철도경찰

18 살인예비죄가 성립하기 위해서는 살인죄를 범할 목적 외에도 살인준비에 관한 고의가 있어야 한다. ( )
17. 9급 검찰 · 마약수사, 22. 순경 2차, 24. 경찰간부

19 절도죄의 구성요건에서 재물의 타인성에 관하여 착오를 일으킨 경우, 이는 행위의 법질서에 대한 관련성에 관한 착오로서 법률의 착오에 해당하여 그 오인에 정당한 이유가 있는 때 벌하지 아니한다. ( )
18. 법원행시, 23. 변호사시험, 23. 해경승진, 24. 7급 검찰 · 해경경위

Answer ▶ 10. ○ 11. ○ 12. × 13. × 14. ○ 15. × 16. × 17. ○ 18. ○ 19. ×

01 고의의 인식대상으로 가장 적절하지 않은 것은? 25. 경찰승진

① 촉탁·승낙살인죄에 있어서 촉탁 또는 승낙이 있다는 사실

② 사전수뢰죄에 있어서 공무원 또는 중재인이 된 사실

③ 특수폭행죄에 있어서 위험한 물건을 휴대한다는 사실

④ 절도죄에 있어서 재물의 타인성

해설 • **고의의 인식대상** ○ : ① 감경적 구성요건(형의 감경적 요소) ③ 행위방법이나 수단 ④ 절도죄의 객체(타인의 점유하에 있는 타인소유물)
• **고의의 인식대상** × : ② 객관적 처벌조건

02 고의에 관한 설명 중 옳지 않은 것은 모두 몇 개인가?(다툼이 있는 경우 판례에 의함) 17. 변호사시험

> ㉠ 부진정부작위범의 고의는 결과발생을 쉽게 방지할 수 있었음을 예견하고도 결과발생을 용인하고 이를 방관하는 미필적 고의만으로는 족하지 않다.
> ㉡ 부진정결과적 가중범의 경우 중한 결과에 대한 고의가 있어도 결과적 가중범이 성립한다.
> ㉢ 일반물건방화죄의 경우 '공공의 위험 발생'은 고의의 내용이므로 행위자는 이를 인식할 필요가 있다.
> ㉣ 친족상도례가 적용되기 위하여는 친족관계가 객관적으로 존재하고, 행위자가 이를 인식하여야 한다.
> ㉤ 형법 제331조 제2항(흉기휴대절도)의 특수절도죄에서 행위자는 흉기를 휴대하고 있다는 사실을 인식할 필요가 없다.
> ㉥ 고의는 행위 당시에 존재하여야 하며, 사전고의나 사후고의는 예외적으로 인정할 뿐이다.

① 1개 ② 2개 ③ 3개 ④ 4개

해설 ㉠ × : ~ 미필적 고의로 인정될 수 있다(대판 2015.11.12, 2015도6809 전원합의체).
㉡㉢ ○ : 옳다.
㉣ × : 친족상도례 ⇨ 친고죄(제328조 제1항) ⇨ 고의의 인식대상 ×
㉤ × : 행위방법이나 수단(흉기 휴대) ⇨ 객관적 구성요건에 해당하는 사실 ⇨ 고의의 인식대상 ○
㉥ × : 사전고의나 사후고의는 형법상의 고의가 아니다.

Answer 01. ② 02. ④

03 고의와 관련된 설명 중 가장 적절하지 않은 것은?(다툼이 있는 경우 판례에 의함)　　22. 경찰간부

① 형법상 고의란 자기가 의도한 바 행위에 의하여 범죄사실이 발생할 것을 인식하면서 그 행위를 감행하거나 하려고 할 뿐만 아니라 그 결과발생을 희망함을 의미한다.

② 고의는 법적 구성요건의 객관적 요소에 대한 인식과 구성요건 실현의 의사이다. 전자를 고의의 지적 요소, 후자를 고의의 의지적 요소로 부른다.

③ 자기의 행위로 인하여 결과를 발생시킬 만한 가능성 또는 위험이 있음을 인식하거나 예견하면 족한 것이고 그 인식이나 예견은 확정적인 것은 물론 불확정적인 것이라도 이른바 미필적 고의로 인정된다.

④ 고의범이 성립하려면 행위자는 객관적 구성요건요소인 행위주체·객체·행위·결과 등에 관한 인식을 갖고 있어야 한다고 규정하고 있으므로, 구성요건 중에 특별한 행위양태를 필요로 하는 경우에는 이러한 사정의 존재까지도 행위자가 인식하여야 한다.

> 해설 ① × : ~ (2줄) 하려고 하면 족하고, 그 결과발생을 희망함을 요하지 아니한다(대판 1987.10.13, 87도1240). ② 옳다. ③ 대판 2000.8.18, 2000도2231
> ④ 대판 2019.3.28, 2018도16002 전원합의체(특별한 행위양태 예 준강간죄에서의 '심신상실 또는 항거불능의 상태를 이용')

04 고의에 관한 설명으로 옳지 않은 것을 모두 고른 것은?(다툼이 있는 경우 판례에 의함)
22. 순경 1차, 23. 해경승진

> ㉠ 행정상의 단속을 주안으로 하는 법규라 하더라도 명문규정이 있거나 해석상 과실범도 벌할 뜻이 명확한 경우를 제외하고는 형법의 원칙에 따라 고의가 있어야 벌할 수 있다.
> ㉡ 형법 제167조 제1항의 일반물건방화죄에서 '공공의 위험 발생'은 고의의 인식대상이 아니다.
> ㉢ 형법 제136조 제1항의 공무집행방해죄에 있어서의 범의는 상대방이 직무를 집행하는 공무원이라는 사실과 이에 대하여 폭행 또는 협박을 한다는 인식, 그리고 그 직무집행을 방해할 의사를 내용으로 한다.
> ㉣ 방조범은 2중의 고의를 필요로 하므로 정범이 정하는 범죄의 일시, 장소, 객체 등을 구체적으로 인식하여야 하며, 나아가 정범이 누구인지 확정적으로 인식해야 한다.
> ㉤ 구성요건적 고의의 인식대상은 객관적 구성요건이며, 진정신분범에서의 신분은 고의의 인식대상이다.

① ㉠, ㉡, ㉢　　　② ㉠, ㉣, ㉤　　　③ ㉡, ㉢, ㉣　　　④ ㉢, ㉣, ㉤

> 해설 ㉠ ○ : 대판 2010.2.11, 2009도9807 ㉡ × : ~ 인식대상이다(∵ 일반물건방화죄는 구체적 위험범임).
> ㉢ × : 공무집행방해죄에 있어서의 범의는 상대방이 직무를 집행하는 공무원이라는 사실, 그리고 이에 대하여 폭행 또는 협박을 한다는 사실을 인식하는 것을 그 내용으로 하며, 그 직무집행을 방해할 의사를 필요로 하지 아니한다(대판 1995.1.24, 94도1949).
> ㉣ × : ~ (1줄) 구체적으로 인식할 필요가 없으며, 나아가 정범이 누구인지 확정적으로 인식할 필요도 없다(대판 2007.12.14, 2005도872). ㉤ ○ : 옳다.

Answer　03. ①　04. ③

05 다음 보기 중 옳은 것은 모두 몇 개인가?(다툼이 있는 경우 판례에 의함)　　25. 해경경위

> ㉠ 사문서위조죄는 행위자가 '행사할 목적'으로 사문서를 위조할 것을 규정하고 있으므로 여기서의 목적은 일반적 주관적 불법요소에 해당한다.
> ㉡ 형법 제152조 제2항의 모해위증죄에 있어서 '모해할 목적'은 허위의 진술을 함으로써 피고인에게 불리하게 될 것이라는 인식과 아울러 그 결과의 발생을 희망하여야 한다.
> ㉢ 목적범에서 '목적'은 범죄성립을 위하여 고의 외에 요구되는 초과주관적 위법요소이다.
> ㉣ 고의는 일반적 주관적 불법요소로서 인적 행위불법의 핵심적 요소에 해당한다.
> ㉤ 불법영득의사는 과실범에는 있을 수 없고 고의범에서만 있을 수 있는 특수한 주관적 불법요소(초과주관적 구성요건요소)에 해당한다.
> ㉥ 명예훼손죄의 주관적 요소인 고의가 인정되기 위해서는 전파가능성에 대한 인식이 있을 것을 요구하나, 그 위험을 용인하는 내심의 의사까지 있어야 하는 것은 아니다.

① 3개　　　② 4개　　　③ 5개　　　④ 6개

해설 ㉠ × : ~ (2줄) 목적은 초과(특수한) 주관적 불법(위법)요소에 해당한다.

㉡ × : 모해위증죄에서 모해할 목적은 허위의 진술을 함으로써 피고인에게 불리하게 될 것이라는 인식이 있으면 충분하고 그 결과의 발생을 희망할 필요까지는 없다(대판 2007.12.27, 2006도3575).

㉢㉣㉤ : 옳다.

㉥ × : ~ 전파가능성에 대한 인식과 그 위험을 용인하는 내심의 의사가 있어야 한다(대판 2004.4.9, 2004도340).

06 괄호 안에 기재된 범죄에 대한 미필적 고의가 인정되지 않는 것은?(다툼이 있는 경우 판례에 의함)

20. 9급 검찰 · 마약수사 · 철도경찰

① 피고인이 만 12세의 피해자를 강간할 당시 피해자가 자신을 중학교 1학년이라 14세라고 하였고, 피해자는 키와 체중이 동급생보다 큰 편이었으며, 이들이 모텔에 들어갈 때 특별한 제지도 받지 아니하였다. (성폭력범죄의 처벌 등에 관한 특례법위반 – 13세 미만 미성년자강간 등)

② 피고인이 피해자의 머리나 가슴 등 치명적인 부위가 아닌 허벅지와 종아리 부위 등을 20여 회 힘껏 찔러 피해자가 과다실혈로 사망하였다. (살인)

③ 피고인이 청소년으로 의심되는 피해자에게 단지 나이만 묻고 신분증 등으로 정확히 연령을 확인하지 않은 채 청소년인 피해자를 성매매 알선을 위한 종업원으로 고용하여 성매매 알선 행위를 업으로 하였다. (아동 · 청소년의 성보호에 관한 법률위반 – 알선영업행위 등)

④ 피고인이 이미 도산이 불가피한 상황으로 대금지급이 불가능하게 될 가능성을 충분히 인식하면서도 이러한 사정을 숨기고 피해자로부터 생산자재용 물품을 납품받았다. (사기)

해설 • **미필적 고의 ○** : ② 대판 2002.10.25, 2002도4089 ③ 대판 2014.7.10, 2014도5173 ④ 대판 1983. 5.10, 83도340
　　• **미필적 고의 ×** : ① 강간 범행 당시 피해자가 13세 미만인 사실을 미필적으로라도 인식하였다고 볼 수 없다(대판 2012.8.30, 2012도7377).

Answer　05. ①　06. ①

07 고의와 목적에 대한 설명으로 옳은 것은?(다툼이 있는 경우 판례에 의함) 21. 경찰간부

① 방조범의 경우에 정범의 고의는 정범에 의하여 실현되는 범죄의 구체적 내용을 인식할 것을 요하는 것은 아니고 미필적 인식 또는 예견으로 족하다.

② 공직선거법 제93조 제1항의 '선거에 영향을 미치게 하기 위하여'는 목적범 규정으로서, 그 목적에 대하여는 미필적 인식으로는 부족하고 적극적 의욕이나 확정적 인식을 필요로 한다.

③ 형법 제305조의 미성년자의제강제추행죄의 성립에 필요한 주관적 구성요건요소는 고의만으로는 부족하며, 성욕을 자극·흥분·만족시키려는 주관적 동기 혹은 목적이 존재해야 한다.

④ 미필적 고의를 판단함에 있어 범죄사실이 발생할 가능성을 용인하고 있었는지의 여부는 외부에 나타난 행위의 형태와 행위의 상황 등 구체적인 사정을 기초로 삼아 일반인이라면 범죄사실의 발생 가능성을 어떻게 평가할 것인지를 고려하여 일반인의 입장에서 그 심리상태를 추인하여야 한다.

> **해설** ① ○ : 대판 2005.4.29, 2003도6056
> ② × : ~ (2줄) 미필적 인식으로 족하고 적극적 의욕이나 확정적 인식을 필요로 하지 않는다(대판 2006.5.25, 2005도4642).
> ③ × : ~ (1줄) 고의만으로 충분하고, 성욕을 자극·흥분·만족시키려는 주관적 동기 혹은 목적까지 있어야 하는 것은 아니다(대판 2006.1.13, 2005도6791).
> ④ × : ~ (3줄) 행위자(일반인 ×)의 입장에서 그 심리상태를 추인하여야 한다(대판 2017.1.12, 2016도15470).

08 고의에 대한 설명으로 옳지 않은 것은?(다툼이 있는 경우 판례에 의함) 22. 9급 철도경찰

① 범행의 미수에 그치고자 하는 내심의 상태를 가지고 행위를 한 경우, 고의가 인정될 수 있다.

② 성적 수치심 또는 혐오감의 유발 여부는 일반적이고 평균적인 사람들을 기준으로 하여 판단함이 타당하고, 특히 성적 수치심의 경우 피해자와 같은 성별과 연령대의 일반적이고 평균적인 사람들을 기준으로 하여 그 유발 여부를 판단하여야 한다.

③ 고의는 행위 당시에 존재해야 하므로 사후고의는 형법의 고의에 속하지 않는다.

④ 살인죄에 있어서 고의는 반드시 살해의 목적이나 계획적인 살해의 의도가 있어야만 인정되는 것은 아니고, 자기의 폭행 등 행위로 인하여 타인의 사망이라는 결과를 발생시킬 만한 가능성 또는 위험이 있음을 인식하거나 예견하였다면 족한 것이다.

> **해설** ① × : ~ 고의가 인정될 수 없다(∵ 미수범의 성립요건 중 주관적 구성요건 고의는 기수의 고의이므로, ①의 경우는 미수의 고의에 불과하기 때문).
> ② 대판 2017.6.8, 2016도21389
> ③ 대판 2017.6.8, 2016도21389
> ④ 대판 2006.4.14, 2006도734

Answer 07. ① 08. ①

09 **고의에 관한 설명 중 옳지 않은 것은?**(다툼이 있는 경우 판례에 의함)　　　23. 변호사시험

① 절도죄에 있어서 재물의 타인성은 고의의 인식대상이다.

② 무고죄의 고의는 신고자가 허위라고 확신한 사실을 신고한 경우뿐만 아니라 진실하다는 확신 없는 사실을 신고하는 경우에도 인정할 수 있다.

③ 업무방해죄에서 업무방해의 고의는 반드시 업무방해의 목적이나 계획적인 업무방해의 의도가 있어야 인정되는 것은 아니고, 자기의 행위로 인하여 타인의 업무가 방해될 것이라는 결과를 발생시킬 만한 가능성 또는 위험이 있음을 인식하거나 예견하면 충분하다.

④ 방조범은 정범의 실행을 방조한다는 이른바 방조의 고의와 정범의 행위가 구성요건에 해당하는 행위인 점에 대한 정범의 고의가 있어야 하고, 방조범에서 요구되는 정범의 고의는 정범에 의하여 실현되는 범죄의 미필적 인식이 아니라 구체적 내용을 인식할 것을 요한다.

⑤ 준강간죄에서 준강간의 고의는 피해자가 심신상실 또는 항거불능의 상태에 있다는 것과 그러한 상태를 이용하여 간음한다는 구성요건적 결과발생의 가능성을 인식하고 그러한 위험을 용인하는 내심의 의사가 있으면 인정될 수 있다.

해설　① 대판 1983.9.13, 83도1762　② 대판 1995.12.12, 94도2171　③ 대판 2012.5.24, 2009도4141
④ × : ~ (3줄) 미필적 인식으로 족하고 범죄의 구체적 내용을 인식할 것을 요하는 것은 아니다(대판 2005.4.29, 2003도6056).
⑤ 대판 2019.3.28, 2018도16002 전원합의체

10 **주관적 구성요건에 대한 설명 중 가장 적절한 것은?**(다툼이 있는 경우 판례에 의함)　　　23. 경찰승진

① 친족상도례가 적용되는 범죄에 있어서 '친족관계'와 특수폭행죄에 있어서 '위험한 물건을 휴대한다는 사실'은 고의의 인식대상이다.

② 내란선동죄에서 국헌문란의 목적은 고의 외에 요구되는 초과 주관적 위법요소로서 엄격한 증명사항에 속하므로 미필적 인식만으로는 부족하고, 적극적 의욕이나 확정적 인식이어야 한다.

③ 방조범은 정범의 실행을 방조한다는 이른바 방조의 고의와 정범의 행위가 구성요건에 해당하는 행위인 점에 대한 정범의 고의가 있어야 하며, 정범의 고의는 범죄의 미필적 인식 또는 예견만으로는 부족하고 정범에 의하여 실현되는 범죄의 구체적 내용을 인식하여야 한다.

④ 미필적 고의에서 행위자가 범죄사실이 발생할 가능성을 용인하고 있었는지의 여부는 행위자의 진술에 의존하지 아니하고 외부에 나타난 행위의 형태와 행위의 상황 등 구체적인 사정을 기초로 하여 일반인이라면 당해 범죄사실이 발생할 가능성을 어떻게 평가할 것인가를 고려하면서 행위자의 입장에서 그 심리상태를 추인하여야 한다.

해설　① × : '친족관계' ⇨ 고의의 인식대상 ×, '위험한 물건을 휴대한다는 사실' ⇨ 고의의 인식대상 ○
② × : ~ 증명사항에 속하나, 확정적 인식임을 요하지 아니하며 미필적 인식이 있으면 족하다(대판 2015.1.22, 2014도10978 전원합의체).
③ × : ~ (3줄) 예견만으로 족하고, 정범에 의하여 실현되는 범죄의 구체적 내용을 인식할 것을 요하는 것은 아니다(대판 2005.4.29, 2003도6056).　④ ○ : 대판 2017.1.12, 2016도15470

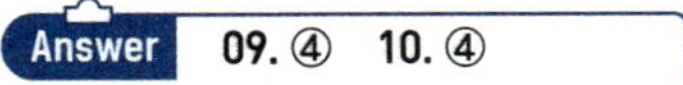
Answer　09. ④　10. ④

11 고의에 관한 설명으로 옳은 것은 모두 몇 개인가?(다툼이 있는 경우 판례에 의함) 24. 경찰간부

> ㉠ 부진정부작위범의 고의는 반드시 구성요건적 결과발생에 대한 목적이나 계획적인 범행 의도가 있어야 하는 것은 아니고 법익침해의 결과발생을 방지할 법적 작위의무를 가지고 있는 사람이 의무를 이행함으로써 결과발생을 쉽게 방지할 수 있었음을 예견하고도 결과발생을 용인하고 이를 방관한 채 의무를 이행하지 아니한다는 인식을 하면 족하다.
> ㉡ 임금 등 지급의무의 존부와 범위에 관하여 다툴 만한 근거가 있다면 사용자가 그 임금 등을 지급하지 않은 데에 상당한 이유가 있다고 보아야 하므로, 사용자에게 근로기준법 제109조 제1항, 제36조 위반의 고의가 있었다고 보기 어렵다.
> ㉢ 살인예비죄가 성립하기 위하여는 살인죄를 범할 목적 외에도 살인의 준비에 관한 고의가 있어야 한다.
> ㉣ 고의는 객관적 구성요건요소에 관한 인식과 구성요건실현을 위한 의사를 의미하고, 형법 제13조에 의하면 고의가 인정되지 않은 경우 원칙적으로 처벌되지 않는다.

① 1개   ② 2개   ③ 3개   ④ 4개

해설 ㉠ ○ : 대판 2015.11.12, 2015도6809 전원합의체
㉡ ○ : 대판 2023.4.27, 2020도16431
㉢ ○ : 대판 2009.10.29, 2009도7150
㉣ ○ : 옳다.

12 고의에 관한 설명으로 가장 적절하지 않은 것은?(다툼이 있는 경우 판례에 의함) 24. 경찰승진

① 고의는 내심적 사실이므로 피고인이 이를 부정하는 경우에는 사물의 성질상 고의와 상당한 관련성이 있는 간접사실을 증명하는 방법에 의하여 입증할 수밖에 없다.

② 운전면허 소지인인 甲이 정기적성검사기간 내에 적성검사를 받지 아니한 경우, 甲이 적성검사기간 도래 여부에 관한 확인을 게을리하여 기간이 도래하였음을 알지 못하였더라도 적성검사기간 내에 적성검사를 받지 않은 것에 대한 미필적 고의는 있었다고 봄이 타당하다.

③ 허위사실을 유포하는 방법에 의하여 타인의 업무를 방해함으로써 성립하는 업무방해죄에 있어, 허위사실을 유포한다고 함은 실제의 객관적 사실과 서로 다른 사항을 내용으로 하는 사실을 불특정 다수인에게 전파시키는 것을 말하고, 특히 이러한 경우 그 행위자에게 행위 당시 자신이 유포한 사실이 허위라는 점을 적극적으로 인식하였을 것을 요한다.

④ 미필적 고의는 결과발생에 대한 확실한 예견은 없으나 그 가능성에 대한 인식이 있으면 족하고 결과발생을 용인하는 내심의 의사가 있음을 요하지는 않는다는 점에서 확정적 고의와 구별된다.

해설 ① 대판 2017.1.12, 2016도15470 ② 대판 2014.4.10, 2012도8374 ③ 대판 1994.1.28, 93도1278
④ × : ~ 그 가능성에 대한 인식이 있음은 물론 나아가 결과발생을 용인하는 내심의 의사가 있음을 요한다(대판 1987.2.10, 86도2338)는 점에서 인식있는 과실과 구별된다.

13 고의에 관한 설명으로 가장 적절한 것은?(다툼이 있는 경우 판례에 의함)　　24. 순경 1차

① 목적적 범죄체계론에 따르면 고의는 책임의 요소이다.

② 고의가 성립하기 위해서는 행위자가 모든 객관적 구성요건에 해당하는 사실을 인식해야 하기에 상습도박죄에 있어서 상습성은 고의의 인식 대상이다.

③ 고의의 본질에 관한 학설 중 행위자가 결과발생의 가능성을 인식하기만 하면 고의가 성립한다고 보는 견해에 따르면 인식 있는 과실도 고의로 인정될 수 있다.

④ 방조범은 정범의 실행을 방조한다는 방조의 고의와 정범의 행위가 구성요건에 해당하는 행위인 점에 대한 정범의 고의가 있어야 하고, 방조범에 있어서 정범의 고의는 정범에 의하여 실현되는 범죄의 구체적 내용까지 인식할 것을 요한다.

> **해설** ① × : 목적적 범죄체계론에 따르면 고의는 책임요소가 아닌 주관적 구성요건요소이다.
> ② × : ~ 인식해야 하나 상습도박죄에 있어서 상습성은 고의의 인식 대상이 아니다(∵ 상습성은 행위자가 갖추고 있으면 충분하고 인식할 필요는 없음).
> ③ ○ : 옳다(고의의 본질에 관한 인식설). ④ × : ~ (3줄) 인식할 것을 요하는 것은 아니고 미필적 인식 또는 예견으로 족하다(대판 2005.4.29, 2003도6056).

14 고의에 관한 설명으로 가장 적절하지 않은 것은?(다툼이 있는 경우 판례에 의함)　　24. 경력채용

① 고의의 일종인 미필적 고의는 중대한 과실과는 달리 범죄사실의 발생 가능성에 대한 인식이 있고 나아가 범죄사실이 발생할 위험을 용인하는 내심의 의사가 있어야 한다.

② 방조범은 정범의 실행을 방조한다는 이른바 방조의 고의와 정범의 행위가 구성요건에 해당하는 행위인 점에 대한 정범의 고의가 있어야 한다.

③ 위계에 의한 공무집행방해죄가 성립되려면 자기의 위계행위로 인하여 공무집행을 방해하려는 의사까지 요구되는 것은 아니다.

④ 행정상의 단속을 주안으로 하는 법규라 하더라도 '명문규정이 있거나 해석상 과실범도 벌할 뜻이 명확한 경우'를 제외하고는 형법의 원칙에 따라 '고의'가 있어야 벌할 수 있다.

> **해설** ① 대판 1987.2.10, 86도2338 ② 대판 2005.4.29, 2003도6056
> ③ × : ~ 방해하려는 의사가 있을 경우에 한한다(대판 1970.1.27, 69도2260). ④ 대판 2010.2.11, 2009도9807

15 고의에 대한 설명으로 옳지 않은 것은?(다툼이 있는 경우 판례에 의함)　　24. 9급 검찰 · 마약수사 · 철도경찰

① 명예훼손죄가 성립하기 위해서는 범죄구성요건의 주관적 요소로서 공연성에 대한 미필적 고의가 필요하므로 전파가능성에 대한 인식이 있음은 물론 나아가 그 위험을 용인하는 내심의 의사가 있어야 한다.

② 준강간의 고의는 피해자가 심신상실 또는 항거불능의 상태에 있다는 것과 그러한 상태를 이용하여 간음한다는 구성요건적 결과 발생의 가능성을 인식하고 그러한 위험을 용인하는 내심의 의사를 말한다.

③ 업무상 배임죄의 일반적인 고의의 법리와는 달리 경영상 판단의 경우에는 단순히 본인에게 손해가 발생하였다는 결과만으로도 업무상 배임죄의 성립을 인정할 수 있다.

④ 방조범이 성립하기 위해서는 정범의 실행을 방조한다는 방조의 고의와 정범의 행위가 구성 요건에 해당한다는 점에 대한 정범의 고의가 있어야 한다.

> **해설** ① 대판 2018.6.15, 2018도4200
>
> ② 대판 2019.3.28, 2018도16002 전원합의체
>
> ③ × : 경영상의 판단과 관련하여 기업의 경영자에게 자기 또는 제3자가 재산상 이익을 취득한다는 인식과 본인에게 손해를 가한다는 인식(미필적 인식을 포함)하의 의도적 행위임이 인정되는 경우에 한하여 배임죄의 고의가 인정하는 엄격한 해석기준은 유지되어야 할 것이고, 그러한 인식이 없는데 단순히 본인에게 손해가 발생하였다는 결과만으로 책임을 묻거나 주의의무를 소홀히 한 과실이 있다는 이유로 책임을 물을 수는 없다(대판 2010.1.14, 2007도10415).
>
> ④ 대판 2005.4.29, 2003도6056

16 고의와 과실에 대한 설명 중 옳은 것(○)과 옳지 않은 것(×)을 올바르게 조합한 것은?(다툼이 있는 경우 판례에 의함)

25. 변호사시험

> ㉠ 고의로 법령을 잘못 적용하여 공문서를 작성하였다고 하더라도 그 법령적용의 전제가 된 사실관계에 대한 내용에 거짓이 없다면 허위공문서작성죄가 성립될 수 없다.
>
> ㉡ 살해의 의도로 피해자를 구타하였으나 이로 인하여 직접 사망한 것이 아니라 그 후 죄적을 인멸할 목적으로 행한 매장행위에 의하여 피해자가 사망하게 된 경우, 살인미수죄와 과실치사죄의 경합범이 된다.
>
> ㉢ 작위의무자가 그 의무를 이행함으로써 결과발생을 쉽게 방지할 수 있었음을 예견하고도 결과발생을 용인하고 이를 방관한 채 그 의무를 이행하지 아니한다는 인식만으로는 부진정부작위범의 고의가 인정되지 않는다.
>
> ㉣ 무고죄의 범의는 신고자가 허위라고 확신한 사실을 신고한 경우에만 인정되고, 진실하다는 확신 없는 사실을 신고하는 경우에는 인정되지 않는다.
>
> ㉤ 피고인이 상해의 고의로 구타하여 상해를 입은 피해자가 정신을 잃고 빈사상태에 빠지자 사망한 것으로 오인하고, 자신의 행위를 은폐하고 피해자가 자살한 것처럼 가장하기 위하여 피해자를 베란다 밖으로 떨어뜨려 사망케 하였다면, 피고인의 행위는 포괄하여 단일의 상해치사죄에 해당한다.

① ㉠(○), ㉡(×), ㉢(○), ㉣(○), ㉤(×)

② ㉠(×), ㉡(○), ㉢(○), ㉣(×), ㉤(×)

③ ㉠(○), ㉡(×), ㉢(×), ㉣(×), ㉤(○)

④ ㉠(×), ㉡(×), ㉢(×), ㉣(○), ㉤(×)

⑤ ㉠(○), ㉡(○), ㉢(×), ㉣(×), ㉤(○)

> **해설** ㉠ ○ : 대판 2021.9.16, 2019도18394

 **Answer** 16. ③

ⓛ × : ~ (2줄) 경우, 피해자가 피고인들의 살해의 의도로 행한 구타행위에 의하여 직접 사망한 것이 아니라 죄적을 인멸할 목적으로 행한 매장행위에 의하여 사망하게 되었다 하더라도 전과정을 개괄적으로 보면 피해자의 살해라는 처음에 예견된 사실이 결국 실현된 것으로서 피고인들은 살인죄의 죄책을 면할 수 없다(대판 1988.6.28, 88도650).

ⓒ × : ~ (2줄) 인식만으로 부진정부작위범의 고의가 인정된다(대판 2015.11.12, 2015도6809 전원합의체).

ⓔ × : 무고죄의 범의는 반드시 확정적 고의일 필요가 없고 미필적 고의로도 충분하므로, 신고자가 허위라고 확신한 사실을 신고한 경우뿐만 아니라 진실하다는 확신 없는 사실을 신고하는 경우에도 그 범의를 인정할 수 있다(대판 2022.6.30, 2022도3413).

ⓜ ○ : 대판 1994.11.4, 94도2361

17 다음 보기 중 고의에 대한 설명으로 옳은 것은 모두 몇 개인가?(다툼이 있으면 판례에 의함)

25. 해경경사

> ㉠ 고의 또는 범의는 자기행위로 인하여 구성요건적 결과가 발생할 가능성 또는 위험이 있음을 인식하거나 예견하면 족하다.
>
> ㉡ 형법 제152조 제2항의 모해위증죄에 있어서 '모해할 목적'은 허위의 진술을 함으로써 피고인에게 불리하게 될 것이라는 인식과 함께 아울러 그 결과의 발생을 희망하여야 한다.
>
> ㉢ 장물취득죄에서 장물의 인식은 확정적 인식임을 요하지 않으며 장물일지도 모른다는 의심을 가지는 정도의 미필적 인식으로서도 충분하고, 또한 장물인 점을 알고 있었느냐의 여부는 장물 소지자의 신분, 재물의 성질, 거래의 대가 기타 상황을 참작할 필요는 없다.
>
> ㉣ 대상자가 성인이라는 말만 믿고 타인의 건강진단 결과서만을 확인한 채 청소년을 청소년 유해업소에 고용한 업주에게는 적어도 청소년 고용에 관한 미필적 고의가 있음이 인정된다.
>
> ㉤ 범죄의 고의는 확정적 고의뿐만 아니라 결과발생에 대한 인식이 있고 그를 용인하는 의사인 이른바 미필적 고의도 포함하므로 허위사실 적시에 의한 명예훼손죄 역시 미필적 고의에 의하여도 성립하고, 위와 같은 법리는 형법 제308조 사자명예훼손죄의 판단에서도 마찬가지로 적용된다.
>
> ㉥ 무고죄의 '형사 또는 징계처분을 받게 할 목적'은 허위신고를 함에 있어서 다른 사람이 그로 인하여 형사 또는 징계처분을 받게 될 것이라는 인식 외에도 그 결과발생을 희망하는 의사를 필요로 한다.

① 3개   ② 4개   ③ 5개   ④ 6개

해설 ㉠ ○ : 대판 2000.8.18, 2000도2231

㉡ × : 모해위증죄에서 모해할 목적은 허위의 진술을 함으로써 피고인에게 불리하게 될 것이라는 인식이 있으면 충분하고 그 결과의 발생을 희망할 필요까지는 없다(대판 2007.12.27, 2006도3575).

㉢ × : ~ (3줄) 기타 상황을 참작하여 이를 인정할 수밖에 없다(대판 1995.1.20, 94도1968).

㉣ ○ : 대판 2002.6.28, 2002도2425   ㉤ ○ : 대판 2014.3.13, 2013도12430

㉥ × : '형사처분 또는 징계처분을 받게 할 목적'은 허위신고를 함에 있어서 다른 사람이 그로 인하여 형사 또는 징계처분을 받게 될 것이라는 인식이 있으면 족한 것이고 그 결과발생을 희망하는 것까지를 요하는 것은 아니므로, 고소인이 피무고자의 승낙을 받아 고소장을 수사기관에 제출한 이상 그러한 인식은 있었다고 보아야 한다(대판 2005.9.30, 2005도2712).

 **17. ①**

18 다음 〈보기〉 중 고의와 과실에 대한 설명으로 옳은 것(○)과 옳지 않은 것(×)을 올바르게 조합한 것은?(다툼이 있으면 판례에 의함)

> ㉠ 결과적 가중범에서 발생된 '중한 결과', 추상적 위험범의 행위객체에 대한 '위험', '주관적 위법요소'는 고의의 인식대상이 아니다.
>
> ㉡ 방조범은 정범의 실행을 방조한다는 이른바 방조의 고의와 정범의 행위가 구성요건에 해당하는 행위인 점에 대한 정범의 고의가 있어야 하므로, 방조범의 경우에 정범의 고의는 정범에 의하여 실현되는 범죄의 구체적 내용을 인식할 것을 요한다.
>
> ㉢ 부진정부작위범의 고의는 법익침해의 결과발생을 방지할 법적 작위의무를 가지고 있는 자가, 결과발생을 쉽게 방지할 수 있었음을 예견하고도 결과발생을 용인하고 이를 방관한 채 그 의무를 이행하지 아니한다는 인식을 하면 족하다.
>
> ㉣ 甲은 살해의 의도로 乙을 둔기로 내려쳤으나, 이로 인하여 직접 사망한 것이 아니라 그 후 죄적을 인멸할 목적으로 바다에 수장한 행위에 의하여 乙이 사망하게 된 경우, 甲은 살인미수죄와 과실치사죄의 경합범이 된다.
>
> ㉤ 공무원이 고의로 법령을 잘못 적용하여 공문서를 작성하였다고 하더라도, 그 법령적용의 전제가 된 사실관계에 대한 내용에 거짓이 없다면 허위공문서작성죄가 성립될 수 없다.

① ㉠(○), ㉡(×), ㉢(○), ㉣(○), ㉤(○)

② ㉠(○), ㉡(×), ㉢(○), ㉣(×), ㉤(○)

③ ㉠(×), ㉡(○), ㉢(×), ㉣(○), ㉤(×)

④ ㉠(×), ㉡(○), ㉢(×), ㉣(×), ㉤(×)

해설 ㉠ ○ : 결과적 가중범에서 '중한 결과' ⇨ 예견가능성(과실) ○(제15조 제2항) ⇨ 고의의 인식대상 ×, 추상적 위험범에서 '위험' 및 주관적 위험성 위법요소(방위의사) ⇨ 객관적 구성요건요소 × ⇨ 고의의 인식대상 ×

㉡ × : 방조범은 정범의 실행을 방조한다는 이른바 방조의 고의와 정범의 행위가 구성요건에 해당하는 행위인 점에 대한 정범의 고의가 있어야 하나, 방조범에 있어서 정범의 고의는 정범에 의하여 실현되는 범죄의 구체적 내용을 인식할 것을 요하는 것은 아니고 미필적 인식 또는 예견으로 족하다(대판 2005.4.29, 2003도6056).

㉢ ○ : 대판 2015.11.12, 2015도6809 전원합의체

㉣ × : ~ (2줄) 사망하게 된 경우, 甲에게는 살인기수의 죄책이 인정된다(대판 1988.6.28, 88도650).

㉤ ○ : 대판 2021.9.16, 2019도18394

Answer **18. ②**

제5절 　사실의 착오(구성요건적 착오)

> **제15조【사실의 착오】** ① 특별히 무거운 죄가 되는 사실을 인식하지 못한 행위는 무거운 죄로 벌하지 아니한다.

1 　사실의 착오의 의의

(1) 의 의

사실의 착오란 행위자가 주관적으로 인식하고 실현하려는 범죄사실(구성요건적 사실)과 실제로 발생한 범죄사실이 일치하지 않는 경우를 말한다. 즉, 행위자가 행위시에 고의의 인식대상이 되는, 실제로 발생한 구성요건적 사실(객관적 구성요건요소)을 인식하지 못한 경우이다.

🔔 따라서 객관적 구성요건요소가 아닌 것(예 범행동기, 책임능력, 형벌의 종류, 처벌조건, 소추조건 등)에 대한 착오는 사실의 착오가 아니다[예 甲이 절취한 물건이 자신의 아버지 소유인 줄 오신했다 하더라도 그 오신은 형면제사유에 관한 것으로서 절도죄의 성립이나 처벌에 아무런 영향을 미치지 않는다(대판 1966.6.28, 66도104)]. 19. 변호사시험 · 9급 검찰 · 마약수사, 23. 해경승진

(2) 형법상의 착오 15. 순경 1차, 19. 9급 검찰 · 마약수사, 20. 경찰승진, 23. 해경승진, 25. 변호사시험

① **사실의 착오**(구성요건적 착오, 구성요건의 소극적 착오) : 행위자가 인식한 사실과 실제로 발생한 사실이 일치하지 않을 경우, 즉 실제로 존재(발생)하는 사실을 인식하지 못한 경우를 말한다〔예 甲인 줄 알고 총을 쏘았으나 실은 甲이 아니라 乙이었던 경우 ⇨ 인식사실(甲)≠발생사실(乙 : 乙이라는 인식 ×)〕.

② **불능미수**(반전된 사실의 착오, 적극적 사실의 착오) : 행위자가 실제로 존재하지 않는 사실을 존재한다고 오인한 경우를 말한다〔예 시체를 살아있는 사람으로 오인하고 사살한 경우 ⇨ 처음부터 구성요건의 충족(살인죄의 사망)은 불가능 ⇨ 행위의 위험성 ○(불능미수 : 제27조), 위험성 ×(불능범 : 불가벌)〕.

③ **법률**(위법성, 금지)**의 착오**(위법성의 소극적 착오) : 행위자가 범죄사실의 인식은 있으나 그 행위의 위법성을 인식하지 못한 경우, 즉 위법한 행위를 위법하지 않다고 오인한 경우를 말한다〔예 개를 타살하면서 개는 재물손괴죄의 객체가 아니라고 오인한 경우 ⇨ 범죄사실의 인식(타인의 개를 타살한다는 인식)은 있으나 위법성 인식이 없음(개는 손괴죄의 객체가 아니므로 허용된 행위로서 죄가 되지 아니한다고 잘못 인식함) ⇨ 잘못 인식함에 정당한 이유가 있는 경우 ⇨ 불가벌(제16조)〕.

④ **환각범**(반전된 금지의 착오, 위법성의 적극적 착오) : 행위자가 위법하지 않은 행위(처벌되지 않는 행위 ⇨ 처벌법규가 존재 ×)를 위법한 행위(처벌되는 행위)라고 오인(처벌법규가 존재한다고 오인)한 경우를 말한다〔예 동성애(처벌규정 ×)를 하면서 죄가 된다고 오인(위법성 인식 ○)한 경우, 간통이 형사처벌된다고 착오하고 간통행위를 한 경우 ⇨ 불가벌〕. 25. 변호사시험

2 사실의 착오의 종류

(1) 구체적 사실의 착오

인식한 범죄사실과 발생한 범죄사실이 동일한 구성요건에 해당하는 경우의 착오를 구체적 사실의 착오라고 하며 이에는 객체의 착오와 방법의 착오가 있다.

객체의 착오 (목적의 착오)	행위객체의 동일성을 착오한 경우, 즉 객체의 성질에 관한 착오를 말한다. 예 甲인 줄 알고 총을 쏘았는데 실은 甲이 아니라 乙이었던 경우
방법의 착오 (타격의 착오)	행위의 방법이 잘못되어 의도한 객체가 아닌 다른 객체에 결과가 발생한 경우를 말한다. 예 甲을 향해 총을 쏘았는데 옆에 있던 乙이 맞은 경우

(2) 추상적 사실의 착오

인식한 사실과 발생한 사실이 서로 다른 구성요건에 해당하는 경우의 착오를 추상적 사실의 착오라 한다.

객체의 착오	• 경한 사실을 인식하고 중한 사실을 발생시킨 경우 예 개라고 생각하고 총을 쏘았는데 실은 사람을 명중시킨 경우 • 중한 사실을 인식하고 경한 사실을 발생시킨 경우 예 사람이라고 생각하고 총을 쏘았는데 실은 개에게 명중한 경우
방법의 착오	• 경한 사실을 인식하고 중한 사실을 발생시킨 경우 예 개를 향해 발포하였으나 옆에 있는 사람을 명중시킨 경우 • 중한 사실을 인식하고 경한 사실을 발생시킨 경우 예 사람을 향해 발포하였으나 옆에 있던 개를 명중시킨 경우

(3) 인과관계의 착오

인과관계의 착오란 인식한 사실과 발생한 사실은 일치하지만 행위자가 인식한 인과과정과 실제로 진행된 인과과정이 서로 다른 경우를 말한다.

> **관련판례**
>
> 1. 피해자가 피고인들의 살해의 의도로 행한 구타행위에 의하여 직접 사망한 것이 아니라 죄적을 인멸할 목적으로 행한 매장행위에 의하여 사망하게 되었다 하더라도 전과정을 개괄적으로 보면 피해자의 살해라는 처음에 예견된 사실이 결국 실현된 것으로서 피고인들은 살인죄의 죄책을 면할 수 없다(대판 1988.6.28, 88도650). 21. 순경 1차, 22. 경찰간부, 25. 변호사시험 · 7급 검찰, 26. 경찰승진
> 2. 甲이 상해의 고의로 구타하여 A가 정신을 잃자 사망한 것으로 오인하고 자살한 것처럼 가장하기 위하여 A를 베란다 아래로 떨어뜨려 사망하게 한 경우, 포괄하여 단일의 상해치사죄(살인죄 ×)에 해당한다(대판 1994.11.4, 94도2361). 19. 9급 검찰 · 마약수사 · 철도경찰, 22. 경찰간부 · 7급 검찰, 23. 해경승진, 24. 해경간부, 25. 변호사시험 · 경력채용 · 경대편입, 26. 경찰승진

3 사실의 착오와 고의의 성립 여부

(1) 사실의 착오와 고의

사실의 착오는 현실적으로 발생한 사실(즉, 고의의 성립에 필요한 객관적 구성요건요소에 해당하는 사실)에 대한 인식이 없는 경우이므로 원칙적으로 고의를 조각한다. 따라서 사실의 착오는 고의론의 이면에 불과하며 고의의 일반이론에 의해 해결할 수 있다. 그러나 실제에 있어서 행위자가 인식한 사실과 현실적으로 발생한 사실이 완전히 일치할 것을 요한다면 고의의 인정범위는 부당하게 축소될 것이다. 이에 양자가 어느 정도 일치하여야 고의를 인정할 수 있느냐의 문제를 해결하기 위해 사실의 착오문제를 다루는 것이다. 즉, 사실의 착오는 고의·기수범의 인정범위에 관한 문제이다.

(2) 형법의 태도

형법 제15조 제1항은 "특별히 중한 죄가 되는 사실을 인식하지 못한 행위는 중한 죄로 벌하지 않는다."라고 규정하고 있다. 19. 순경 2차, 23. 해경승진

① 이는 추상적 사실의 착오 중 경한 범죄사실을 인식하고 중한 결과를 발생시킨 경우만을 규정한 것이다.

가중적 구성요건의 착오의 경우	제15조 제1항이 직접 적용된다(다수설·판례). 예 甲은 사람을 살해하였는데 범행 당시 피살자가 장모라는 사실을 전혀 알지 못하였던 경우, 이는 직계존속임을 인식치 못하고 살인을 한 경우로서 형법 제15조 소정의 특히 중한 죄가 되는 사실을 인식하지 못한 행위에 해당한다(대판 1960. 10.31, 4293형상494 ∴ 보통살인죄 ○). 18. 순경 3차, 20. 해경승진, 21. 9급 검찰, 23. 경찰승진, 25. 경력채용·순경 1차·7급 검찰
감경적 구성요건의 착오의 경우	해석상 제15조 제1항을 적용한다. 예 피해자의 촉탁·승낙이 있는 줄로 오인하고 살해한 자의 죄책은? ⇨ 촉탁·승낙살인죄 19. 7급 검찰

② 그 밖의 사실의 착오의 해결은 학설·판례에 일임하고 있다.

(3) 사실의 착오에 관한 학설과 판례

① 구체적 부합설

구 분	객체의 착오	방법의 착오
구체적 사실의 착오	발생사실에 대한 '고의·기수'	
추상적 사실의 착오	인식사실에 대한 '미수' 발생사실에 대한 '과실' ─ 상상적 경합	

예 • A를 B로 잘못 알고 A를 살해했을 경우(구체적 사실의 착오 중 객체의 착오) ⇨ A에 대한 살인기수
　• 甲을 향하여 총을 쏘았으나 빗맞아 乙이 명중되어 사망한 경우(구체적 사실의 착오 중 방법의 착오)
　　⇨ 甲에 대한 살인미수와 乙에 대한 과실치사죄의 상상적 경합

- 사람을 개로 오인하고 사살한 경우(추상적 사실의 착오 중 객체의 착오) ⇨ 손괴미수죄와 과실치사죄의 상상적 경합
- 유리창을 깨뜨리려고 돌을 던졌던바, 잘못 던져서 옆에 있던 사람에게 맞아 상처를 입힌 경우(추상적 사실의 착오 중 방법의 착오) ⇨ 손괴미수죄와 과실치상죄의 상상적 경합

② **법정적 부합설**(다수설·판례)

구 분	객체의 착오	방법의 착오
구체적 사실의 착오	발생사실에 대한 '고의·기수'	
추상적 사실의 착오	인식사실에 대한 '미수' 발생사실에 대한 '과실' ⎤ 상상적 경합	

예
- 甲이라 믿고 살해한바, 乙이었을 경우(구체적 사실의 착오 중 객체의 착오) ⇨ 乙에 대한 살인기수죄
- 甲에게 발포한 것이 옆에 있던 乙에게 명중되어 사망한 경우(구체적 사실의 착오 중 방법의 착오) ⇨ 乙에 대한 살인기수죄
- 개를 사람으로 오인하고 사살한 경우(추상적 사살의 착오 중 객체의 착오) ⇨ 살인미수죄와 과실손괴죄의 상상적 경합이 되나 과실손괴죄의 처벌규정이 없으므로 ⇨ 살인미수죄
- 폭행의 의사로 돌을 던졌는데 잘못하여 유리창만 깨뜨린 경우(추상적 사실의 착오 중 방법의 착오) ⇨ 폭행미수죄와 과실손괴죄의 상상적 경합이 되나 둘 다 처벌규정이 없으므로 ⇨ 무죄

③ **추상적 부합설**

구 분	객체의 착오	방법의 착오
구체적 사실의 착오	발생사실에 대한 '고의·기수'	
추상적 사실의 착오	• 輕한 인식으로 重한 결과발생 인식사실에 대한 '고의·기수' 발생사실에 대한 '과실' ⎤ 상상적 경합 • 重한 인식으로 輕한 결과발생 인식사실에 대한 '미수 발생사실에 대한 '고의·기수' ⎤ 상상적 경합	

🔔 추상적 부합설은 발생하지 않은 사실에 대하여 기수를 인정하거나 인식하지 못한 사실에 대하여 고의를 인정하게 되어 범죄의 정형성을 무시하고 있다는 비판을 받는다.

예
- 유리창을 깨뜨리려고 돌을 던졌는데 그 옆에 있던 사람에 맞아 상처를 입힌 경우 ⇨ 손괴기수죄와 과실치상죄의 상상적 경합
- 개를 사람으로 오인하여 사살한 경우 ⇨ 살인미수와 재물손괴기수의 상상적 경합(인식사실 : 사람 ⇨ 살인미수, 발생사실 : 개의 죽음 ⇨ 손괴기수)

관련판례

1. 싸움을 하던 중 말리면서 식칼을 뺏으려던 제3자에게 상해를 입힌 경우 ⇨ 과실치상죄 ×, 제3자에 대한 상해죄 ○[대판 1987.10.26, 87도1745 ∵ 목적하지 않은 사람을 상해했더라도 상해 고의는 인정됨 ⇨ 법정적 부합설 입장(구체적 착오의 방법의 착오)] 18. 순경 2차, 22. 변호사시험, 23. 경찰간부·9급 검찰·마약수사·철도경찰

2. 일병 甲이 하사 乙을 살해할 목적으로 발사한 총탄이 이를 제지하려고 뛰어들던 병장 丙에게 명중되어 丙이 사망한 경우 ⇨ 丙에 대한 살인기수(대판 1975.4.22, 75도727 ∵ 丙에 대한 살인의 고의가 있음 ⇨ 구체적 사실의 착오 중 방법의 착오) 18. 순경 2차, 21. 경찰승진

3. 형수를 향하여 살의를 갖고 소나무 몽둥이로 힘껏 내리쳤으나 형수의 등에 업힌 조카의 머리에 맞아 즉사한 경우 ⇨ 소위 타격의 착오가 있는 경우라 할지라도 행위자의 살인의 범의 성립에 방해가 되지 않는다(대판 1984.1.24, 83도2813 ∴ 조카에 대한 살인기수죄) 19 · 22. 7급 검찰, 18. 순경 2차 · 3차

4. 甲은 A를 살해할 의사로 농약을 숭늉그릇에 투입하여 A의 집 안에 놓아두었는데, 이러한 사정을 모르는 B가 이를 마시고 사망했다. 甲에게는 B에 대한 살인죄가 성립한다(대판 1968.8.23, 68도884). 18. 순경 2차, 21. 해경승진, 22. 7급 검찰, 26. 경찰승진

사실의 착오에 관한 학설과 사례의 총정리(이론문제 중 가장 출제비중이 높음)

구분	종류	구체적 부합설	법정적 부합설 (통설 · 판례)	추상적 부합설
구체적 사실의 착오	• **객체의 착오** : 甲을 乙로 인식하고 사살한 경우	발생사실에 (甲에	대한 고의 · 대한 살인죄)	기수
	• **방법의 착오** : 甲을 향해 발사하였으나, 옆에 있는 乙이 맞아 사망	인식사실에 대한 미수 (甲에 대한 살인미수) 발생사실에 대한 과실 (乙에 대한 과실치사) ⎱ 상상적 경합	(乙에	대한 살인죄)
추상적 사실의 착오	• **객체의 착오** : 개를 사람(甲)으로 오인하여 사살한 경우	인식사실에 대한 미수 (甲에 대한 살인미수) 발생사실에 대한 과실 (개에 대한 과실손괴) ⎱ 상상적 경합 (甲에 대한 살인미수죄)		1. **輕한 고의로 重한 결과 발생** : 유리창 손괴하려고 사격, 빗나가 甲 사망 ⇨ (재물손괴기수＋과실치사) 상상적 경합 2. **重한 고의로 輕한 결과 발생** : A에게 사격, 빗나가 유리창 손괴 ⇨ (살인미수＋손괴기수) 상상적 경합
	• **방법의 착오** : 사람(甲)을 향해 발사하였으나, 옆에 있는 개를 죽인 경우			

Q 사실의 착오의 해결

1. **구체적 사실의 착오의 해결** : 방법의 착오에 한해 구체적 부합설을 따를 때 인식사실에 대한 미수와 발생사실에 대한 과실범의 상상적 경합을 인정하고 그 이외에는 모두 어느 설에 의하나 발생사실에 대한 고의 · 기수를 인정한다.

2. **추상적 사실의 착오의 해결** : 구체적 부합설과 법정적 부합설을 따를 때 어느 경우에나 인식사실의 미수와 발생사실에 대한 과실범의 상상적 경합을 인정한다. 추상적 부합설을 따를 때는 경한 쪽의 고의 · 기수와 중한 쪽의 미수 또는 과실범의 상상적 경합을 인정한다.

01 사실의 착오(구성요건적 착오)에 관한 설명으로 옳은 것을 모두 고른 것은? 19. 순경 2차, 23. 해경승진

> ㉠ 형법에는 사실의 착오에 관한 규정이 없어, 사실의 착오 문제를 해결하는 것은 오롯이 학설에 위임되어 있다.
> ㉡ 乙을 살해할 의사로 乙을 향해 총을 쐈으나 빗나가 옆에 있던 丙에게 명중하여 丙이 사망한 경우 구체적 부합설과 법정적 부합설의 결론이 다르다.
> ㉢ 판례의 입장에 따르면 ㉡의 사례에서 乙에 대한 살인죄의 미수와 丙에 대한 과실치사죄의 상상적 경합이 성립한다.
> ㉣ 추상적 부합설에 따르면 ㉡의 사례에서 살인죄의 고의기수가 성립한다.
> ㉤ 법정적 부합설은 사람을 살해할 의사로 사람을 살해했음에도 불구하고 살인미수라고 하는 것은 일반인의 법감정에 반한다는 비판을 받는다.

① ㉠, ㉡　　　　② ㉡, ㉣　　　　③ ㉠, ㉢　　　　④ ㉢, ㉤

해설 ㉠ × : 형법 제15조 제1항은 "특별히 중한 죄가 되는 사실을 인식하지 못한 행위는 중한 죄로 벌하지 않는다."라고 규정하고 있다.
㉡의 사례 : 구체적 사실의 착오 중 방법(타격)의 착오 ⇨ 구체적 부합설 : 乙에 대한 살인미수죄와 丙에 대한 과실치사죄의 상상적 경합, 법정적 부합설(판례)과 추상적 부합설 : 丙에 대한 살인기수
∴ ㉡ ○ ㉢ × ㉣ ○ ㉤ ×(∵ ㉤은 구체적 부합설에 대한 비판임)

02 사실의 착오에 대한 사례 중 구체적 부합설과 법정적 부합설의 결론이 다른 것만을 모두 고르면?
20. 7급 검찰

> ㉠ 甲은 A를 B로 오인하여 살해 의사로 총을 쏘았고, A가 이를 맞고 사망하였다.
> ㉡ 甲은 A를 살해하려고 총을 쏘았으나, 총알이 빗나가 옆에 있던 B가 이를 맞고 사망하였다.
> ㉢ 甲은 A의 도자기를 깨뜨리기 위하여 총을 쏘았으나, 총알이 빗나가 B의 거울을 깨뜨렸다.
> ㉣ 甲은 A를 상해하려고 돌을 던졌는데, 돌이 빗나가 A의 개가 이를 맞고 다쳤다.

① ㉡　　　　② ㉠, ㉢　　　　③ ㉡, ㉢　　　　④ ㉡, ㉢, ㉣

해설 ㉠ 구체적 사실의 착오 중 객체의 착오
㉡㉢ 구체적 사실의 착오 중 방법의 착오
㉣ 추상적 사실의 착오 중 방법의 착오
구체적 부합설과 법정적 부합설의 결론이 다른 것은 구체적 사실의 착오 중 방법의 착오에 한하므로 ㉡과 ㉢이 여기에 해당된다.

Answer　01. ②　02. ③

03 사실의 착오에 관한 사례 중 구체적 부합설과 법정적 부합설의 결론이 다른 것을 모두 고른 것은?

25. 경찰승진

> ㉠ 甲이 A를 살해하고자 마음 먹고 몽둥이를 집어 들어 A를 향하여 가격하였으나 빗나가 A의 등에 업힌 B가 두개골절 및 뇌좌상으로 사망하였다.
> ㉡ 甲이 A를 살해하고자 A의 물잔에 독을 탔으나 A의 개가 이 물을 마시고 죽었다.
> ㉢ 甲이 절취의 의사로 A의 지갑을 훔쳤으나 알고 보니 B의 지갑이었다.
> ㉣ 甲이 A를 상해할 의사로 돌을 A에게 던졌으나 이를 말리던 A의 동생 B가 그 돌에 맞아 상해를 입었다.

① ㉠, ㉡　　　② ㉠, ㉣　　　③ ㉡, ㉢　　　④ ㉢, ㉣

해설 구체적 부합설과 법정적 부합설의 결론이 다른 것은 구체적 사실의 착오 중 방법의 착오에 한하므로 ㉠과 ㉣이 여기에 해당된다. ㉡ 추상적 사실의 착오 ㉢ 구체적 사실의 착오 중 객체의 착오

04 다음 설명 중 가장 적절하지 않은 것은?(다툼이 있는 경우 판례에 의함)

26. 경찰승진

① 甲이 친구 A를 살해하려고 독약을 놓아두었으나 친구 B가 이를 마시게 되어 사망한 경우 A에 대하여는 살인미수, B에 대하여는 과실치사가 성립하고 양죄는 상상적 경합에 해당한다.

② 甲이 A를 살해하려고 돌로 A의 머리를 때려 A가 기절하자, 甲은 A가 사망한 것으로 오인하고 사체를 은닉하기 위해 모래 구덩이에 묻었는데 A가 이로 인해 질식사 한 경우 甲에게 살인기수의 죄책이 인정된다.

③ 甲이 상해의 고의로 A를 구타하였는데 그 구타행위로 상해를 입은 피해자 A가 정신을 잃고 빈사상태에 빠지자 사망한 것으로 오인하고, 자신의 행위를 은폐하고 피해자가 자살한 것처럼 가장하기 위하여 피해자를 베란다 아래의 바닥으로 떨어뜨려 사망케 하였다면, 甲의 행위는 포괄하여 단일의 상해치사죄에 해당한다.

④ 甲이 A의 쌍둥이 동생 B를 A로 오인하여 살해한 경우 B에 대한 살인기수가 인정된다.

해설 ① × : 甲이 친구 A를 살해하려고 독약을 놓아두었으나 친구 B가 이를 마시게 되어 사망한 경우, B에 대한 살인죄가 성립한다(대판 1968.8.23, 68도884).
② 대판 1988.6.28, 88도650 ③ 대판 1994.11.4, 94도2361
④ 옳다(구체적 사실의 착오 중 객체의 착오 ⇨ 어느 학설에 의하더라도 B에 대한 살인기수가 인정된다).

05 구성요건적 착오에 대한 설명 중 가장 적절하지 않은 것은?(다툼이 있는 경우 판례에 의함)

21. 경력채용

① 구체적 부합설에 의하면 甲을 향하여 발포하였으나 빗나가 乙이 맞아 사망한 경우는 甲에 대한 살인미수와 乙에 대한 과실치사의 상상적 경합이 된다.

② 구체적 사실의 착오에 있어 객체의 착오는 구체적 부합설, 법정적 부합설, 추상적 부합설 모두 동일한 결론을 도출한다.

Answer　03. ②　04. ①　05. ④

③ 법정적 부합설은 법정적 사실의 인정 범위에 따라 구성요건부합설과 죄질부합설로 나누어지고, 후자가 전자보다 고의·기수책임의 인정범위가 넓다.

④ 추상적 부합설은 객관주의 범죄이론의 입장에서 행위자의 범죄적 의사가 어떤 범죄로든지 표현되어 범죄결과가 발생하면, 추상적 부합을 인정하고 있어 고의·기수책임을 가장 넓게 인정한다.

해설 ① ○ : 구체적 사실의 착오 중 방법의 착오 ⇨ 구체적 부합설 : 甲에 대한 살인미수와 乙에 대한 과실치사의 상상적 경합

② ○ : 옳다(발생사실에 대한 고의·기수).

③ ○ : 구성요건부합설(인식사실과 발생사실의 구성요건이 일치한 경우에 발생사실에 대한 고의·기수책임 인정)보다 죄질부합설(보호법익이 같고 행위태양이 같거나 유사한 경우에도 발생사실에 대한 고의·기수책임 인정)이 고의·기수책임의 인정범위가 넓다.

④ × : 추상적 부합설은 주관주의(객관주의 ×) 범죄이론의 ~ 인정한다(객관주의는 외부적 사실인 행위와 결과라는 객관적 요소를 중시하여 범죄를 파악하므로 구성요건적 착오에서 구체적 부합설이나 법정적 부합설을 취하고, 주관주의는 주관적 요소를 중시하여 범죄는 행위자의 반사회적 성격의 징표에 지나지 않는다는 것으로 보아 구성요건적 착오에서 추상적 부합설을 취한다).

06 甲은 乙에게 A를 살해하라고 교사하였다. 甲의 청부를 받아들인 乙은 A라고 생각되는 사람이 골목길에 들어서는 것을 보고 그가 집에 들어가려는 순간을 기다려 총을 쏘았다. 사망을 확인하기 위하여 다가가서 보니 죽은 사람은 A가 아니라 A와 꼭 닮은 동생 B였다. 이 사례에 관한 설명으로 옳은 것은?(다툼이 있는 경우 판례에 의함)   22. 순경 1차

① 乙의 착오를 객체의 착오로 보고 구체적 부합설을 따르는 견해에 의하면 乙에게는 살인미수죄와 과실치사죄의 상상적 경합이 인정된다.

② 만일 乙이 A가 오는 것을 보고 총을 쏘았으나 빗나가서 그 옆에 있던 C소유의 자전거에 맞고 자전거의 일부가 손괴된 경우, 乙의 행위는 발생사실인 과실재물손괴죄로 처벌된다.

③ 乙의 착오를 객체의 착오로 보고 이에 기반을 둔 甲의 착오도 객체의 착오로 보는 경우, 구체적 부합설을 따르는 견해에 의하면 甲에게는 살인미수죄와 과실치사죄의 상상적 경합이 인정된다.

④ 乙의 착오를 객체의 착오로 보고 이에 기반을 둔 甲의 착오를 방법의 착오로 보는 경우, 법정적 부합설을 따르는 견해에 의하면 甲은 살인죄의 교사범으로 처벌된다.

해설 ① × : 구체적 사실의 착오 중 객체의 착오 ⇨ 구체적 부합설 : 발생사실(B)에 대한 고의·기수(B에 대한 살인기수죄)

② × : 추상적 사실의 착오 중 방법의 착오 ⇨ 법정적 부합설(판례) : A에 대한 살인미수죄와 자전거에 대한 과실손괴죄(처벌규정 ×)의 상상적 경합 ∴ A에 대한 살인미수죄로 처벌

③ × : ~ 甲에게는 B에 대한 살인죄의 교사범이 인정된다. 그러나 甲의 착오를 방법의 착오로 보는 경우, 구체적 부합설에 따르면 甲에게는 살인미수죄의 교사범과 과실치사죄의 상상적 경합이 인정된다.

④ ○ : 옳다(∵ 발생사실(B의 사망)에 대한 살인죄의 교사범).

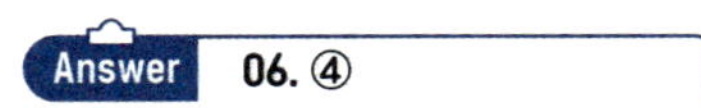

07 구성요건적 착오에 관한 설명 중 옳고 그름의 표시(○, ×)가 바르게 된 것은? 23. 순경 1차

> ㉠ 甲이 자신의 아버지 A를 친구 B로 오인하고 B를 살해할 의사로 총을 발포하여 A가 사망한 경우 - 형법 제15조 제1항에 따라 보통살인죄가 성립한다.
> ㉡ 甲이 살해 의사를 가지고 친구 A에게 총을 발포하였으나 빗나가 옆에 있던 친구 B에게 명중하여 사망한 경우 - 법정적 부합설에 의하면 B에 대한 살인죄가 성립한다.
> ㉢ 사냥을 나온 甲이 어둠 속에서 움직이는 물체를 동료 A로 알고 A를 살해하기 위해 총을 발포하였으나 사실은 A의 사냥개였던 경우 - 구체적 부합설과 법정적 부합설 중 어느 학설에 의하더라도 결론은 같다.
> ㉣ 甲이 이웃 A를 상해할 의사로 A를 향해 돌을 던졌으나 빗나가서 옆에 있던 A의 개가 맞아 다친 경우 - 구체적 부합설과 법정적 부합설 모두 A에 대한 상해미수죄가 성립한다.

① ㉠(○), ㉡(○), ㉢(○), ㉣(○) 　　② ㉠(○), ㉡(×), ㉢(○), ㉣(×)
③ ㉠(×), ㉡(○), ㉢(×), ㉣(○) 　　④ ㉠(×), ㉡(×), ㉢(×), ㉣(×)

해설 ㉠ ○ : 다수설·판례(대판 1960.10.31, 4293형상494)
㉡ ○ : 구체적 사실의 착오 중 방법의 착오 ⇨ 법정적 부합설 : 발생사실(B)에 대한 고의·기수(B에 대한 살인죄) ㉢ ○ : 추상적 사실의 착오 ⇨ 구체적 부합설과 법정적 부합설 : A에 대한 살인미수죄와 사냥개에 대한 과실손괴죄(처벌규정 ×)의 상상적 경합 ∴ A에 대한 살인미수죄
㉣ ○ : 추상적 사실의 착오 ⇨ 구체적 부합설과 법정적 부합설 : A에 대한 상해미수죄와 개에 대한 과실손괴죄(처벌규정 ×)의 상상적 경합 ∴ A에 대한 상해미수죄

08 구성요건요소에 대한 착오사례가 아닌 것은?(다툼이 있는 경우 판례에 의함)

23. 9급 검찰·마약수사·철도경찰

① 甲이 성명불상자 3명과 싸우다가 힘이 달리자 옆 차에서 식칼을 가지고 나와 이들 3명을 상대로 휘두르다가 이를 말리던 A에게 상해를 입힌 경우
② 甲이 6층 호텔방에서 상해의 의사로 A를 구타하여 A가 정신을 잃고 쓰러지자 사망한 것으로 착각하고, A가 자살한 것으로 위장하기 위해 6층 아래로 떨어뜨려 사망케 한 경우
③ 甲이 저작권 침해물 링크사이트를 운영하던 중 그러한 링크행위가 범죄에 해당하지 않는다는 대법원 판결이 선고되자 자신의 행위는 죄가 되지 않는다고 생각하고 계속 운영한 경우
④ 甲이 살해의도로 피해자 A를 몽둥이로 내리쳤으나 A의 등에 업힌 피해자 B가 맞아 현장에서 두개골절 및 뇌좌상으로 사망한 경우

해설 • **구성요건요소에 대한 착오사례** : ① 구체적 사실의 착오 중 방법의 착오(대판 1987.10.26, 87도1745 ; A에 대한 상해죄) ② 인과관계(과정)의 착오(대판 1994.11.4, 94도2361 ; 포괄하여 상해치사죄)
④ 구체적 사실의 착오 중 방법의 착오(대판 1984.1.24, 83도2813 ; B에 대한 살인죄)
• **법률의 착오(제16조)사례** : ③ 법률 위반 행위 중간에 일시적으로 판례에 따라 그 행위가 처벌대상이 되지 않는 것으로 해석되었던 적이 있었다고 하더라도 그것만으로 자신의 행위가 처벌되지 않는 것으로 믿은 데에 정당한 이유가 있다고 할 수 없다(대판 2021.11.25, 2021도10903).

Answer 　07. ①　 08. ③

09 사실의 착오에 관한 설명으로 가장 적절한 것은?　　　24. 경찰승진

> ㉠ 甲은 창문에 비친 사람을 친구 A라 생각하고 살해하기 위해 총을 발사했는데, 실제로는 A의 집에 놀러 온 친구 B였고 그로 인해 B가 사망하였다.
> ㉡ 甲이 A가 기르던 애완견을 죽이려고 총을 발사했는데, 총알이 빗나가서 옆에 있던 A가 사망하였다.
> ㉢ 甲은 乙에게 A를 살해하라고 교사하였다. 이를 승낙한 乙은 甲으로부터 A에 대한 인상착의를 설명받고, A를 향해 총을 발사했다. 사망을 확인하기 위하여 다가가서 보니 죽은 사람은 A가 아니라 A의 쌍둥이 동생 B였다.

① ㉠에서 B의 사망에 대한 甲의 죄책과 관련하여 구체적 부합설에 의하면 살인미수죄이고, 법정적 부합설에 의하면 무죄이다.

② ㉡에서 A의 사망에 대한 甲의 죄책과 관련하여 구체적 부합설과 법정적 부합설에 의하면 결론이 다르다.

③ ㉢에서 B의 사망에 대한 甲의 죄책과 관련하여 乙의 착오를 객체의 착오로 보고 이에 기반을 둔 甲의 착오도 객체의 착오로 보는 경우, 구체적 부합설에 의하면 甲에게는 살인미수죄와 과실치사죄의 상상적 경합범이 인정된다.

④ ㉢에서 B의 사망에 대한 甲의 죄책과 관련하여 乙의 착오를 객체의 착오로 보고 이에 기반을 둔 甲의 착오를 방법의 착오로 보는 경우, 법정적 부합설에 의하면 甲에게는 살인죄의 교사범이 성립한다.

해설 ㉠은 구체적 사실의 착오 중 객체의 착오, ㉡은 추상적 사실의 착오 중 방법의 착오, ㉢은 피교사자(乙)의 객체의 착오에 관한 것임.
① × : ㉠에서 구체적 부합설과 법정적 부합설에 의하면 B에 대한 살인기수죄이다.
② × : ㉡에서 구체적 부합설과 법정적 부합설에 의하면 결론이 동일하다(애완견에 대한 손괴미수죄와 A에 대한 과실치사죄의 상상적 경합). ③ × : 구체적 부합설에 의하면 甲에게는 살인죄의 교사범이 인정된다.
④ ○ : 옳다.

10 다음 각각의 사례에 대해 甲과 乙이 취하고 있는 학설에 대한 설명으로 옳은 것은?　　　24. 경위공채

> 甲 : A가 B에게 불만을 품고 B를 살해하려고 몽둥이를 후려쳤으나, 몽둥이가 빗나가서 B가 안고 있던 B의 자녀 C가 맞고 그 자리에서 사망한 경우 A에게는 B에 대한 살인미수와 C에 대한 과실치사죄의 상상적 경합이 성립한다.
> 乙 : A가 B를 살해하기 위해 총을 발사하여 사람이 사망하였다면, 객체의 착오든 방법의 착오든 발생한 결과에 대한 살인죄가 성립한다.

① 판례는 甲과 동일한 입장에서 A에게 살인미수와 과실치사죄의 상상적 경합을 인정하고 있다.

② 乙은 구체적 부합설의 입장이며, 인식한 사실과 발생한 사실이 구체적으로 부합하면 발생한 사실에 대한 고의·기수가 인정된다.

09. ④　**10.** ③

③ D인 줄 알고 살해할 생각으로 총을 발사하였는데 다가가서 확인해보니 D가 아니라 사람 모양의 마네킹인 경우, 죄책에 대한 甲과 乙의 결론은 동일하다.

④ D인 줄 알고 살해할 생각으로 총을 발사하였는데 다가가서 확인해보니 D가 아니라 D와 닮은 E가 사망한 경우, 甲의 입장에서는 E에 대한 살인의 고의가 인정될 수 없고, 살인미수와 과실치사죄의 상상적 경합이 성립한다.

해설
- 甲 : 구체적 사실의 착오 중 방법의 착오에 대한 구체적 부합설의 입장
- 乙 : 구체적 사실의 착오에 대한 법정적 부합설

① × : 판례는 법정적 부합설의 입장이며, 발생사실에 대한 고의·기수가 인정된다(대판 1984.1.24, 83도2813 ∴ C에 대한 살인기수).

② × : 乙은 법정적 부합설의 입장이며, 발생한 사실에 대한 고의·기수가 인정된다.

③ ○ : 추상적 사실의 착오로 甲(구체적 부합설)과 乙(법정적 부합설)의 결론은 동일하다〔D에 대한 살인미수와 마네킹에 대한 과실손괴죄(처벌규정 ×)의 상상적 경합 ∴ 살인미수죄 성립〕.

④ × : 구체적 사실의 착오 중 객체의 착오로 甲(구체적 부합설)의 입장에서도 E에 대한 살인의 고의가 인정되어 살인죄가 성립한다.

11 구성요건적 착오에 대한 설명으로 옳은 것만을 모두 고르면?(다툼이 있는 경우 판례에 의함)

25. 7급 검찰

> ㉠ 甲이 친구 A를 살해하고자 A라고 믿고 총을 발사하여 명중시켰으나 사실은 총에 맞아 사망한 자가 A의 동생 B였던 경우, 인식사실과 발생사실이 구체적으로 부합하는 경우에만 발생사실에 대한 고의를 인정할 수 있다는 견해에 의하면 B에 대한 살인죄의 고의가 인정된다.
>
> ㉡ 甲이 친구 A를 살해하고자 총을 발사하였으나 총알이 빗나가 옆에 있던 친구 B가 맞아 사망한 경우, 인식사실과 발생사실이 법정적으로 부합하기만 하면 발생사실에 대한 고의를 인정할 수 있다는 견해에 의하면 B에 대한 살인죄의 고의가 인정된다.
>
> ㉢ 甲이 어두운 밤에 사람이 많이 모여 혼잡한 상황에서 자신의 장모임을 인식하지 못하고 그녀를 살해한 경우, 판례에 의하면 甲에게 보통살인죄의 미수와 존속살해죄의 기수가 성립하고 양죄는 상상적 경합관계에 있다.
>
> ㉣ 甲이 A를 살해하려고 머리를 돌로 내리쳐 A가 정신을 잃고 축 늘어지자 A가 죽은 것으로 오인하고 증거를 인멸할 목적으로 A를 매장한 결과 A가 질식사한 경우, 판례에 의하면 돌로 내리친 행위와 매장행위를 개별적으로 파악하여 살인죄의 고의와 과실치사죄의 과실을 각각 인정한다.

① ㉠, ㉡ ② ㉠, ㉢ ③ ㉡, ㉣ ④ ㉢, ㉣

해설
㉠ ○ : 구체적 사실의 착오 중 객체의 착오 ⇨ 구체적 부합설 : B에 대한 살인죄(고의·기수)

㉡ ○ : 구체적 사실의 착오 중 방법의 착오 ⇨ 법정적 부합설 : B에 대한 살인죄(고의·기수)

㉢ × : ~ (2줄) 살해한 경우, 판례에 의하면 형법 제15조 제1항의 특별히 중한 죄가 되는 사실을 인식하지 못한 행위에 해당하므로 보통살인죄가 성립한다(대판 1960.10.31, 4293형상494).

㉣ × : ~ (3줄) 매장행위를 개괄적으로(개별적으로 ×) 파악하여 피해자의 살해라는 처음에 예견된 사실이 결국 실현된 것으로서 살인죄의 죄책을 면할 수 없다(대판 1988.6.28, 88도650).

Answer 11. ①

12 다음 〈보기〉의 사례에 대한 설명으로 가장 옳은 것은?(다툼이 있으면 판례에 의함) **25. 해경경위공채**

> ㉠ 甲은 친구 乙을 살해하기 위하여 乙이 매일 지나가는 골목에서 기다리던 중, 乙이 나타나자 乙을 향해 총을 발사하였는데, 총알이 빗나가 근처를 지나가던 A에게 명중되어 A가 사망하였다.
> ㉡ 丙은 丁에게 귀곡산장 310호에 투숙하는 B를 살해하라고 교사하였다. 丙의 청부를 받아들인 丁은 310호에 투숙하고 있는 사람을 살해하였으나, B가 방이 마음에 들지 않아 방을 312호로 이동투숙하는 바람에, 그 이후 310호에 투숙하게 된 C라는 사람이 살해되었다.

① ㉠에서 甲은 구체적 부합설에 의하면 A에 대한 살인죄의 죄책을 진다.

② ㉠에서 甲은 법정적 부합설에 의하면 乙에 대한 살인미수죄와 A에 대한 과실치사죄의 상상적 경합범으로 처벌된다.

③ ㉡에서 丁은 구체적 부합설에 의하면 B에 대한 살인미수죄와 C에 대한 과실치사죄의 상상적 경합범으로 처벌된다.

④ ㉡에서 丁은 법정적 부합설에 의하면 C에 대한 살인죄의 죄책을 진다.

[해설] ㉠ 구체적 사실의 착오 중 방법의 착오, ㉡ 정범 丁의 착오는 구체적 사실의 착오 중 객체의 착오
① × : 구체적 부합설 ⇨ 乙에 대한 살인미수죄와 A에 대한 과실치사죄의 상상적 경합
② × : 법정적 부합설 ⇨ A에 대한 살인죄(기수)
③ × : 구체적 부합설 ⇨ C에 대한 살인죄(기수)
④ ○ : 법정적 부합설 ⇨ C에 대한 살인죄(기수)

Answer 12. ④

제6절 과 실

> **제14조 【과실】** 정상의 주의를 태만함으로 인하여 죄의 성립요소인 사실을 인식하지 못한 행위는 법률에 특별한 규정이 있는 경우에 한하여 처벌한다. 23. 순경 2차

1 과실의 의의

① 과실범이란 행위자가 부주의(정상의 주의 태만)로 자기의 행위가 구성요건을 실현하는 것을 인식·예견하지 못하고 구성요건적 결과를 실현하는 범죄를 말한다. 과실범의 불법은 객관적 주의의무위반을 통한 행위반가치 및 구성요건적 결과발생을 통한 결과반가치에서 찾을 수 있다. 13. 사시, 20. 순경 2차, 25. 해경 2차

② '당한 자'라는 문언은 타인이 어떠한 행위를 하여 그로부터 위해 등을 입는 것을 뜻하고 스스로 어떠한 행위를 한 자를 포함하는 개념이 아니다. 형사법은 고의범과 과실범을 구분하여 구성요건을 정하고 있는데, 위와 같은 문언은 과실범을 처벌하는 경우에 사용하는 것으로 볼 수 있다(대판 2022.3.17, 2019도9044). 23. 법원행시

2 과실의 종류

(1) 인식 없는 과실과 인식 있는 과실

형법상 양자는 동일하게 취급되나, 인식 있는 과실과 미필적 고의를 구별함으로써 고의와 과실의 한계를 명확하게 할 수 있다.

과실범에 있어서의 비난가능성의 지적 요소란 결과발생의 가능성에 대한 인식으로서 인식 있는 과실에는 이와 같은 인식이 있고, 인식 없는 과실에는 이에 대한 인식 자체도 없는 경우이나, 전자에 있어서 책임이 발생함은 물론 후자에 있어서도 그 결과발생을 인식하지 못하였다는 데에 대한 부주의가 있다면 규범적 실재로서의 과실책임이 있다고 할 것이다(대판 1984.2.28, 83도3007). 24. 변호사시험 · 법원행시, 25. 해경 2차

(2) 업무상 과실과 중과실

① **업무상 과실** : 일정한 업무(사람의 사회생활면에서 하나의 지위로서 계속적으로 종사하는 사무)에 종사하는 자가 그 업무상 일반적으로 요구되는 주의의무를 태만히 한 경우를 말한다.

관련판례

1. 건물의 소유자로서 건물을 비정기적으로 수리하거나 건물의 일부분을 임대하였다는 사정만으로는 업무상 과실치상죄에 있어서의 '업무'로 보기 어렵다(대판 2009.5.28, 2009도1040). 17. 변호사시험, 19. 법원행시, 20. 순경 1차 · 해경승진, 22. 경찰간부

예 4층 건물의 2층 내부 벽면에 설치된 분전반을 통해 3층과 4층으로 가설된 전선이 합선으로 단락되어 화재가 나 상해가 발생한 사안에서, 단지 4층 건물의 소유자로서 위 건물 2층을 임대하였다는 사정만으로는 업무상 과실치상죄에 있어서의 '업무'로 보기 어렵다(대판 2009.5.28, 2009도1040). 23. 순경 2차

2. 골재채취업무가 허가받은 적법한 업무가 아닐 경우에도 업무상 과실치사상죄에 있어서의 업무에 해당한다(대판 1985.6.11, 84도2527). 23. 법원행시, 25. 경위공채

3. 골프와 같은 개인 운동경기에서, 경기에 참가하는 자는 자신의 행동으로 인해 다른 사람이 다칠 수도 있으므로 경기규칙을 준수하고 주위를 살펴 상해의 결과가 발생하는 것을 미연에 방지해야 할 (업무상 ×) 주의의무가 있고, 경기보조원은 경기 참가자들의 안전을 배려하고 그 생명 · 신체의 위험을 방지할 업무상 주의의무를 부담한다(대판 2022.12.1, 2022도11950). 25. 순경 1차

② **중과실** : 주의의무를 현저히 태만히 한 경우로서, 행위자가 극히 근소한 주의를 함으로서 결과발생을 인식할 수 있음에도 불구하고 부주의로서 이를 인식하지 못한 경우를 말한다(대판 1980.10.14, 79도305).

관련판례

● **중과실을 인정한 판례**

1. 성냥불이 꺼진 것을 확인하지 않고 플라스틱 휴지통에 던져서 화재가 발생한 경우(대판 1993.7.27, 93도135) 17. 7급 검찰, 19. 9급 검찰 · 마약수사 · 철도경찰, 21. 경찰승진

2. 노인(84세)과 여자 아이(11세)에게 안수기도를 하면서 20 내지 30분 동안 배와 가슴 부분을 세게 때리고 누르는 바람에 사망하게 한 경우(대판 1997.4.22, 97도538) 17. 7급 검찰, 19. 9급 검찰 · 마약수사 · 철도경찰

3. 연탄아궁이로부터 80cm 떨어진 곳에 쌓아둔 스폰지와 솜 등이 연탄아궁이쪽으로 넘어지면서 화재가 발생한 경우 ⇨ 중과실 ×, 17. 7급 검찰 연탄아궁이로부터 80cm 떨어진 곳에 스폰지와 솜 등을 쉽게 넘어질 수 있는 상태로 쌓아둔 채 방치하였기 때문에 화재가 발생한 경우 ⇨ 중과실 ○(대판 1989.1.17, 88도643) 25. 경력채용

4. 평소 소다(중조)를 신문지에 포장하여 판매해온 자가 어느 날 농약을 소다(중조)처럼 신문지로 포장하여 점포선반에 방치하고 가족에게 알리지 아니하여 가족이 이를 먹고 사망한 경우(대판 1961.11.16, 4294형상312)

● **중과실을 부정한 판례**

1. 호텔 오락실 경영자가 전기보안담당자에게 통보하지 않고 무자격자에게 천장 형광등 설치공사를 맡긴 결과 화재가 발생한 경우(대판 1989.10.13, 89도204) 19. 9급 검찰 · 마약수사 · 철도경찰

2. 임대차 목적물인 방문에 약간의 틈이 있고 연통 등 가스배출시설에 결함이 있는 방에서 임차인이 연탄가스에 중독되어 사망한 경우(대판 1986.6.24, 85도2070) 19. 9급 검찰 · 마약수사 · 철도경찰

3. 함께 술을 마시던 피해자가 '러시안 룰렛' 게임을 하다가 사망한 경우 이를 제지 못한 동석자(경찰관) ⇨ 과실과 중과실치사죄 ×(대판 1992.3.10, 91도3172 ∵ 위법한 주의의무위반 ×) 17. 7급 검찰

③ **양자의 특징** : 업무상 과실과 중과실은 ㉠ 함께 규정되어 있으며, ㉡ 법정형이 동일하고, ㉢ 보통과실·경과실에 비해 형이 가중되고 있으므로 형법상 동일하게 취급되고 있다.

🔔 동일한 행위에서 양자가 경합하는 경우(업무자의 중과실로 인한 행위) ⇨ 상상적 경합범 ×, 포괄일죄 ○
(중과실은 업무상 과실에 포섭된다는 견해와 양자는 택일관계라는 견해가 대립)

3 과실범의 성립요건

과실범이 성립되기 위해서는 ① 범죄사실의 불인식, ② 정상의 주의태만(부주의), ③ 결과발생·인과관계가 있어야 한다.

(1) 범죄사실의 불인식

과실범이 성립하려면 범죄사실(죄의 성립요소인 사실, 구성요건적 사실)에 대한 인식·인용이 없어야 한다.

(2) 부주의(객관적 주의의무위반, 정상의 주의태만)

① 과실범에 있어서 주의의무란 결과예견의무와 결과회피의무를 말한다. 즉, 행위자가 정상의 주의를 하였더라면 범죄결과의 발생을 인식·예견할 수 있었고(결과예견의무), 이 예견으로부터 결과발생을 회피할 수 있었다(결과회피의무)고 할 경우에 과실범의 주의의무위반이 인정된다.

관련판례

1. 의료과오사건에 있어서의 의사의 과실은 결과발생을 예견할 수 있었음에도 불구하고 그 결과발생을 예견하지 못하였고 그 결과발생을 회피할 수 있었음에도 불구하고 그 결과발생을 회피하지 못한 과실이 검토되어야 한다(대판 1984.6.12, 82도3199). 15. 경찰간부·9급 검찰·마약수사·철도경찰
2. 과실범에서 요구되는 주의의무는 반드시 개별 법령에 일일이 그 근거나 내용이 명시되어 있어야만 하는 것은 아니며, 결과발생 즈음의 구체적인 상황에서 이와 관련된 제반 사정들을 종합적으로 평가하여 그 결과발생을 방지하여야 할 주의의무를 인정할 수 있다(대판 1999.1.15, 98도2605). 23. 순경 2차, 25. 9급 검찰·마약수사·철도경찰

② **주의의무의 판단기준** : 그렇다면 이러한 주의의무위반(부주의)의 유무는 누구를 기준으로 판단할 것인가에 대해 다음과 같이 견해가 대립하고 있다.
　㉠ **주관설** : 행위자 본인의 주의능력을 기준으로 하여 주의의무위반의 유무를 판단하려는 견해이다.
　㉡ **객관설**(통설·판례) : 사회일반인의 주의능력을 기준으로 하여 주의의무위반의 유무를 판단하려는 견해로 통설·판례의 입장이다. 다만, 행위자의 특별한 능력은 고려하지 않지만 행위자의 특별한 지식과 경험은 판단기준이 된다. 16. 9급 검찰·마약수사, 24. 해경경위

관련판례

1. 의료사고에 있어서 의료종사자의 과실의 유무를 판단함에는 같은 업무와 직무에 종사하는 일반적 보통인(평균인)의 주의 정도를 표준으로 하여야 하며, 이에는 사고 당시의 일반적인 의학의 수준과 의료환경 및 조건, 의료행위의 특수성 등이 고려되어야 한다(대판 2007.9.20, 2006도294). 20. 법원행시 · 순경 1차, 22. 경찰간부 · 경찰승진, 23. 순경 2차, 24. 경위공채, 25. 9급 검찰 · 마약수사 · 철도경찰 이러한 법리는 한의사의 경우에도 마찬가지이다(대판 2014.7.24, 2013도16101). 17. 변호사시험, 22. 경찰간부
   - ▶ **유사판례** : 의사의 주의의무의 내용과 정도 및 과실의 유무는 의료행위를 할 당시 의료기관 등 임상의학 분야에서 실천되고 있는 의료행위의 수준을 기준으로 삼되 그 의료수준은 같은 업무와 직무에 종사하는 통상의 의사에게 의료행위 당시 일반적으로 알려져 있고 또 시인되고 있는 의학의 수준, 진료환경과 조건, 의료행위의 특수성 등을 고려하여 규범적인 수준으로 파악되어야 한다 (대판 2022.12.1, 2022도1499).
2. 의사에게는 환자의 상황, 당시의 의료수준, 자신의 지식 · 경험 등에 따라 적절하다고 판단되는 진료방법을 선택할 폭넓은 재량권이 있으므로, 의사가 특정 진료방법을 선택하여 진료를 하였다면 해당 진료방법 선택과정에 합리성이 결여되어 있다고 볼 만한 사정이 없는 이상 진료의 결과만을 근거로 하여 그중 어느 진료방법만이 적절하고 다른 진료방법을 선택한 것은 과실에 해당한다고 말할 수 없다(대판 2015.6.24, 2014도11315). 18. 변호사시험, 20. 9급 검찰 · 마약수사 · 철도경찰, 21. 해경 1차
3. 미용성형을 시술하는 의사로서는 고도의 전문적 지식에 입각하여 시술 여부, 시술의 시기, 방법, 범위 등을 충분히 검토한 후 그 미용성형 시술의 의뢰자에게 생리적, 기능적 장해가 남지 않도록 신중을 기하여야 할 뿐 아니라, 회복이 어려운 후유증이 발생할 개연성이 높은 경우 그 미용성형 시술을 거부 내지는 중단하여야 할 의무가 있다(대판 2007.5.31, 2007도1977). 22. 경찰간부

(3) 결과발생 · 인과관계 및 객관적 예견가능성

① 과실범이 성립하려면 구성요건상 일정한 결과발생이 필요하다. 즉, 현행법상 과실범은 모두 결과범이다.

② 그리고 과실범이 성립하기 위해서는 결과발생과 주의의무위반 사이에는 인과관계가 있어야 한다. 즉, 과실범의 결과는 주의의무위반으로 인하여 발생해야 한다. 15. 순경 1차

관련판례

1. 의사가 설명의무를 위반한 채 의료행위를 하여 피해자에게 상해가 발생하였다고 하더라도, 업무상 과실로 인한 형사책임을 지기 위해서는 피해자의 상해와 의사의 설명의무(의료행위 ×) 위반 내지 승낙취득 과정의 잘못 사이에 상당인과관계가 존재하여야 하고, 이는 한의사의 경우에도 마찬가지이다(대판 2015.6.24, 2014도11315). 18. 7급 검찰, 21. 9급 검찰 · 마약수사 · 철도경찰 · 순경 1차 · 해경 승진, 22. 경찰승진, 25. 해경경사 · 해경 2차
2. 의사 甲이 고령의 간경변증 환자 A에게 수술과정에서 출혈 등으로 신부전이 발생하여 생명이 위험할 수 있다는 점에 대하여 설명하지 아니하고 수술하던 도중 출혈 등으로 A가 사망한 경우, A가 당해 수술의 위험성을 충분히 인식하고 있어 甲이 설명의무를 다하였더라도 A가 수술을 거부하지 않았을

것으로 인정된다면 甲의 설명의무위반과 A의 사망 사이에 인과관계가 부정된다(대판 2015.6.24, 2014
도11315). 17. 변호사시험, 20. 순경 2차

3. 행위자의 주의의무위반행위가 결과발생에 유일하거나 직접적인 원인일 필요는 없으며, 설령 피해자의
주의의무위반이 개입되어 있더라도 인과관계는 단절되지 않는다(대판 2014.7.24, 2014도6206). 15. 9급
검찰 · 마약수사 · 철도경찰

4. 의료사고에서 의사의 과실과 결과발생 사이에 인과관계를 인정하기 위해서는, 주의의무위반이 없었
더라면 그러한 결과가 발생하지 않았을 것임이 증명되어야 한다(대판 2023.1.12, 2022도11163 예 농배
양을 하지 않은 의사의 과실과 피해자의 사망 사이에 인과관계를 인정하려면, 농배양을 하였더라면
피고인이 투약해 온 항생제와 다른 어떤 항생제를 사용하게 되었을 것이라거나 어떤 다른 조치를
취할 수 있었을 것이고, 따라서 피해자가 사망하지 않았을 것이라는 점이 인정되어야 한다 ; 대판
1996.11.8, 95도2710). 21. 순경 1차, 24. 경위공채

4 객관적 주의의무의 제한원리(과실범의 처벌을 제한하는 원리)

과실범의 주의의무 범위를 제한(한정)하여 일정한 경우에 과실범의 처벌을 제한하고자 등장한
이론이 허용된 위험과 신뢰의 원칙이다. 24. 경위공채

(1) 허용된 위험

허용된 위험이란 현대산업사회에서 필수불가결한 업무나 시설들(예 자동차 교통, 공장의 운영, 원
자력 발전소, 지하자원채굴 등)과 전형적으로 결합된 위험은 필요한 안전조치를 취하는 이상, 사회
적 유용성 때문에 법질서에 의하여 허용되어 그 허용된 위험의 범위 내에서는 그 위험성을 동반
하는 행위가 범죄결과를 발생시켰더라도 과실범으로 처벌할 수 없다는 이론을 말한다.

(2) 신뢰의 원칙

① 의 의

㉠ 도로교통에 관해 판례에 의하여 형성되어 온 원칙으로, 신뢰의 원칙이란 스스로 교통규칙
을 준수한 자는 특별한 사정이 없는 한 다른 참여자(운전자나 보행자)도 교통규칙을 지켜
행동할 것이라고, 즉 상대방의 적법행위를 신뢰해도 좋다는 원칙을 말한다.

㉡ 이때 다른 참여자가 신뢰에 반한 부적절한 행동을 함으로써 범죄결과가 발생한 경우에는
그 결과에 대해 신뢰자는 책임을 지지 않는다는 것이다.

관련판례

- **신뢰원칙을 적용한 경우**(운전자 과실 부정 ⇨ 주의의무가 없다.)
1. 차량 대 차량
   ① 교차로를 녹색등화에 따라 직진하는 차량의 운전자는 다른 차량이 신호를 위반하고 직진하는 차량
   의 앞을 가로 질러 좌회전할 경우까지를 예상하여 대비할 주의의무 ×(대판 1985.1.22, 84도1493).
   16. 경찰간부, 18. 경찰승진

② 고속도로 양측에 휴게소가 있는 경우에 고속도로를 무단횡단하는 보행자가 있음을 예상하여 감속 등의 조치를 취할 주의의무가 없다(대판 2000.9.5, 2000도2671). 16. 사시, 17. 순경 1차, 21. 경찰승진, 22. 9급 철도경찰, 25. 해경경사

③ 중앙선이 표시되어 있지 아니한 비포장도로라고 하더라도 승용차가 넉넉히 서로 마주보고 진행할 수 있는 정도의 너비가 되는 도로라면 특별한 사정이 없는 한 마주 오는 차가 중앙이나 좌측 부분으로 진행하여 올 것까지 예상하여 적절한 조치를 취할 업무상 주의의무가 없다(대판 1992.7.28, 92도1137). 16. 사시 · 법원행시, 22. 해경간부

> ▶ **유사판례** : 중앙선 표시가 있는 직선도로에서 특별한 사정이 없는 한 그 대향차선상의 차량이 중앙선을 넘어 반대차선에 진입하지 않으리라고 믿는 것이 우리의 경험칙에 합당하다(대판 1995.7.11, 95도382). 17. 9급 검찰 · 마약수사 · 철도경찰

④ 우선권 가진 운전자는 상대방 차가 대기할 것을 기대하면 족함(대판 1992.8.18, 92도934 : 교차로에 먼저 진입한 운전자로서는 특별한 사정이 없는 한 피해자가 자신의 진행속도보다 빠른 속도로 무모하게 교차로에 진입하여 자신이 운전하는 차량과 충격할지 모른다는 것까지 예상하고 대비하여 운전하여야 할 주의의무는 없다). 07. 7급 검찰, 17. 경찰간부

⑤ 무모하게 앞지르려는 차를 위해 서행해야 할 주의의무 ×(대판 1984.5.29, 84도483 : 오토바이가 버스를 앞지르기 위해 무모하게 트럭과 버스 사이에 끼어 들어 이 사이를 빠져 나가려 한 경우) 17. 경찰간부

⑥ 침범 당하는 차선의 차량운행자의 신뢰에 어긋난 운행을 하였다면 좌회전 또는 유턴을 하려고 하였다 하더라도 중앙선 침범의 죄책을 면할 수 없다(대판 2000.7.7, 2000도2116).

⑦ 차량의 안전지대 횡단은 일반적으로 금지되어 있으므로, 안전지대의 표시에도 불구하고 차량의 안전지대 횡단이 특별히 허용되고 있었던 사정이 인정되지 않는 한 안전지대 옆을 통과하는 차량의 운전자로서는 그 부근을 운행하는 다른 차량이 위 안전지대를 횡단하여 자기 차량의 진로 앞에 달려드는 일은 없으리라고 신뢰하는 것이 당연한 것이므로, 안전지대를 횡단하려는 차량을 상당한 거리에서 미리 발견하여 안전지대의 횡단을 예상할 수 있는 특별한 사정이 없는 한, 운전자에게 위 안전지대를 횡단하여 오는 차량이 있을 것을 미리 예상하고 운전할 업무상 주의의무를 기대할 수는 없다(대판 2025.6.12, 2025도1049). 25. 7급 검찰

2. 차량 대 보행자

① 차량의 운전자는 횡단보도의 신호가 적색인 상태에서 반대 차선상에 정지하여 있는 차량의 뒤로 보행자가 건너오는 사태를 예상하여야 할 주의의무가 없다(대판 1993.2.23, 92도2077) 17. 9급 검찰 · 마약수사 · 철도경찰, 16. 경찰승진, 21. 경찰간부

② 보행자의 횡단이 금지되어 있는 육교 밑 차도를 주행하는 운전자는 차도에 보행자가 뛰어들 것을 예상하여 감속 조치를 취할 업무상 주의의무가 없다(대판 1985.9.10, 84도1572). 16. 사시 · 9급 철도경찰, 20. 순경 2차, 22. 해경간부

③ 보행자 또는 자동차 외의 차마는 자동차 전용도로로 통행하거나 횡단할 수 없도록 되어 있으므로 무단횡단하는 보행자가 나타날 경우를 미리 예상하여 급정차할 수 있도록 운전해야 할 주의의무는 없다(대판 1989.3.28, 88도1484). 17. 경찰간부

④ 고속도로를 운행하는 자동차의 운전자로서는 일반적인 경우에 고속도로를 횡단하는 보행자가 있을 것까지 예견하여 보행자와의 충돌사고를 예방하기 위하여 급정차 등의 조취를 취할 수 있도록

대비하면서 운전할 주의의무가 없다(대판 2000.9.5, 2000도2671). 20. 법원행시 그러나 고속도로를 무단횡단하는 보행자를 충격하여 사고를 발생시킨 경우라도 운전자가 보행자의 무단횡단을 미리 예상할 수 있었고 필요한 조치를 취하였다면 보행자와의 충돌을 피할 수 있었던 경우, 자동차 운전자의 과실이 인정된다(대판 2000.9.5, 2000도2671). 21. 경찰간부, 23. 순경 2차

⑤ 자동차전용도로를 운행 중인 자동차운전자에게는 진행차량 사이를 뚫고 횡단하는 보행자가 있을 것을 예상하여 전방주시를 할 의무가 없다(대판 1990.1.23, 89도1395). 12. 법원직

ⓒ 오늘날 신뢰의 원칙은 도로교통위반사례 이외에 기업이나 의료행위와 같이 다수인이 일정한 목적을 달성하기 위하여 분업관계가 확립되어 있는 영역 등으로 그 범위가 확대되고 있다. 23. 경력채용

관련판례

● **수평적 분업관계**(상호간에 아무런 지휘·감독관계가 없는 경우) ⇨ **신뢰원칙 적용 ○**

1. 약사와 제약회사 사이 : 약사가 의약품을 판매하거나 조제함에 있어서 특별한 사정이 없는 한 그 약의 포장상의 표시를 신뢰하고 이를 사용한 경우 ⇨ 과실 ×(대판 1976.2.10, 74도2046) 17. 9급 검찰·마약수사·철도경찰, 19. 법원행시, 22. 해경간부, 23. 경력채용

2. 의사와 의사 사이

① 내과의사가 신경과 전문의에 대한 협의진료 결과 피해자의 증세와 관련하여 신경과 영역에서 이상이 없다는 회신을 믿고 그것에 기초해서 환자를 치료한 경우 업무상 과실이 인정되지 않는다(대판 2003.1.10, 2001도3292). 21. 경력채용, 23. 법원행시, 24. 경찰간부·7급 검찰, 25. 경위공채

② 대학병원의 과장이라는 이유만으로 외래담당의사 및 담당 수련의들의 처치와 치료결과를 주시하고 적절한 수술방법을 지시하거나 담당의사 대신 직접 수술을 하고, 농배양을 지시·감독할 주의의무 ×(대판 1996.11.8, 95도2710) 16. 경찰간부

③ 의사가 환자에 대하여 주된 의사의 지위에서 진료하는 경우라도, 자신은 환자의 수술이나 시술에 전념하고 마취과 의사로 하여금 마취와 환자 감시 등을 담당토록 하는 경우처럼 서로 대등한 지위에서 각자의 의료영역을 나누어 환자 진료의 일부를 분담하였다면, 진료를 분담받은 다른 의사의 전적인 과실로 환자에게 발생한 결과에 대하여는 주된 의사의 책임을 인정할 수 없다(대판 2022.12.1, 2022도1499). 23. 순경 2차, 25. 9급 검찰·마약수사·철도경찰

● **수직적 분업관계**(지휘·감독관계가 있는 경우) ⇨ **신뢰원칙 적용 ×** 02. 사시

1. 의사와 간호사 사이

① 의사가 만연히 간호사를 신뢰하여 간호사에게 당해 의료행위를 일임함으로써 간호사의 과오로 환자에게 위해가 발생한 경우(간호사가 혈액을 잘못 수혈하여 환자가 사망한 경우에 수혈을 맡긴 의사의 과실 인정 : 대판 1998.2.27, 97도2812) 16. 경찰승진, 17. 경찰간부, 19. 법원행시

② 전격성 간염의 경과를 보이는 입원환자를 직접 관찰하거나 진단하지 않고 간호사로 하여금 신경안정제를 투여하게 한 종합병원 야간 당직의사에게 업무상 과실이 인정된다(대판 2007.9.20, 2006도9435). 14. 7급 검찰·철도경찰

▶ **비교판례**

1. 간호사가 의사의 처방에 의한 정맥주사를 의사의 입회 없이 간호실습생(간호학과 대학생)에게

실시하도록 하여 발생한 의료사고에 대해 의사의 과실을 부정하였다(대판 2003.8.19, 2001도3667).
16. 9급 철도경찰, 18. 법원행시, 22. 변호사시험, 24. 경찰간부, 25. 경위공채 · 경력채용

2. 피해자를 감시하도록 의사에게 업무를 인계받지 않은 간호사가 자기 환자의 회복처치에 전념하고 있었다면 회복실 내의 모든 환자에 대하여 적극적 · 계속적으로 주시, 점검을 할 의무가 있다고 할 수 없다(대판 1994.4.26, 92도3283). 18. 경찰승진, 21. 경력채용

3. 야간 당직간호사가 담당 환자의 심근경색 증상을 당직의사에게 제대로 보고하지 않음으로써 당직의사가 필요한 조치를 취하지 못한 채 환자가 사망한 경우, 병원의 야간당직 운영체계상 당직간호사에게 환자의 사망을 예견하거나 회피하지 못한 업무상 과실이 있고, 당직의사에게 는 업무상 과실을 인정하기 어렵다(대판 2007.9.20, 2006도294). 16. 경찰간부, 18. 경찰승진, 23. 순경 2차

4. 의사들의 주의의무위반과 처방체계상의 문제점으로 인하여, 수술 후 회복과정에 있는 환자에게 사용할 수 없는 약제가 잘못 처방되었고, 간호사 甲이 처방 약제의 기본적인 약효나 부작용 및 주사 투약에 따르는 주의사항 등을 미리 확인 · 숙지하였다면 과실로 처방된 것임을 알 수 있었음에도 그대로 주사하여 환자가 의식불명 상태에 이르게 되었다면, 甲의 행위는 업무상 과실치상죄에 해당한다(대판 2009.12.24, 2005도8980). 21. 경력채용 · 순경 1차

5. 간호사가 수술 직후의 환자에 대한 진료를 보조하면서 1시간 간격으로 4회 활력징후를 측정하라 는 담당의사의 지시에 따르지 아니하였고 그 후 위 환자가 과다출혈로 사망한 경우 ⇨ 업무상 과실치사죄(대판 2010.10.28, 2008도8606) 19. 수사경과, 22. 해경간부 · 순경 2차

③ 산부인과 의사가 만연히 간호조무사로 하여금 마취주사를 피해자의 우측 팔에 놓게 하여 피해자가 상해를 입은 경우 ⇨ 의사 과실 ○(대판 1990.5.22, 90도579)

2. 주치의사와 야간 당직의사 사이 : 정신과질환인 조증으로 입원한 환자의 주치의사의 과실로 환자가 전해질이상 · 빈혈 · 저알부민증 등으로 인한 쇼크로 사망한 경우 그 치료 과정에서 야간당직의사의 과실이 일부 개입하였다고 하더라도 주치의사는 업무상 과실치사죄의 책임을 면할 수 없다(대판 1994.12.9, 93도2524). 15. 사시, 21. 경력채용, 25. 경위공채

3. 전공의와 수련의 사이 : 환자의 주치의 겸 정형외과 전공의가 같은 과 수련의의 처방에 대한 감독의무 를 소홀히 하여 환자가 수련의의 잘못된 처방으로 인하여 상해를 입게 된 경우 ⇨ 전공의에 대한 업무상 과실치상죄 ○(대판 2007.2.22, 2005도9229), 15. 경찰간부, 16. 사시 · 9급 검찰 · 마약수사 그러나 의사 가 환자에 대하여 다른 의사와 의료행위를 분담하는 경우에 다른 의사의 전공과목에 전적으로 속하는 사항에 대하여는 다른 의사가 하는 의료행위의 내용이 적절한 것인지의 여부를 확인하고 감독하여야 할 업무상 주의의무가 없다(대판 2007.2.22, 2005도9229). 20. 9급 · 7급 검찰 · 마약수사, 22. 해경간부

4. 전문의와 전공의 사이

① 수련병원의 전문의와 전공의 등의 관계처럼 의료기관 내의 직책상 주된 의사의 지위에서 지휘 · 감 독관계에 있는 다른 의사에게 특정 의료행위를 위임하는 수직적 분업의 경우에는, 그 다른 의사에게 전적으로 위임된 것이 아닌 이상 주된 의사는 자신이 주로 담당하는 환자에 대하여 다른 의사가 하는 의료행위의 내용이 적절한 것인지 여부를 확인하고 감독하여야 할 업무상 주의의무가 있고, 만약 의사가 이와 같은 업무상 주의의무를 소홀히 하여 환자에게 위해가 발생하였다면 주된 의사는 그에 대한 과실책임을 면할 수 없다(대판 2022.12.1, 2022도1499). 23. 경력채용, 24. 7급 검찰, 25. 순경 1차, 26. 경찰승진

② 이때 여러 사정에 비추어 해당 의료행위가 위임을 통해 분담 가능한 내용의 것이고 실제로도 그에 관한 위임이 있었다면, 그 위임 당시 구체적인 상황하에서 위임의 합리성을 인정하기 어려운 사정이 존재하고 이를 인식하였거나 인식할 수 있었다고 볼 만한 다른 사정에 대한 증명이 없는 한, 위임한 의사는 위임받은 의사의 과실로 환자에게 발생한 결과에 대한 책임이 있다고 할 수 없다(대판 2022.12.1, 2022도1499). 23. 경력채용

③ 나아가, 의료행위에 앞서 환자에게 그로 인하여 발생할 수 있는 위험성 등을 구체적으로 설명하여야 하는 주체는 원칙적으로 주된 지위에서 진료하는 의사라 할 것이나 특별한 사정이 없는 한 다른 의사를 통한 설명으로도 충분하다(대판 2022.12.1, 2022도1499). 25. 경위공채

② **적용한계** : 신뢰관계를 기대할 수 없는 다음과 같은 특별한 사정이 있는 때에는 신뢰의 원칙이 적용될 수 없다.

㉠ 상대방의 규칙 위반을 이미 인식한 경우나 상대방의 주의의무위반이 예상되는 경우

관련판례

1. 반대방향에서 오는 차량이 이미 중앙선을 침범하여 비정상적인 운행을 하고 있음을 목격한 경우(대판 1986.2.25, 85도2651) 16. 사시, 17. 경찰간부

2. 빗물로 노면이 미끄러운 고속도로에서 진행전방의 차량이 빗길에 미끄러져 비정상적으로 움직이고 있다면 그 후방에서 진행하고 있던 차량의 운전자는 사태에 대비하여 속도를 줄이고 안전거리를 확보해야 할 주의의무가 있다(대판 1990.2.27, 89도777). 18. 법원행시

㉡ 상대방의 규칙준수를 신뢰할 수 없는 경우

관련판례

1. 버스운전자가 40m 전방 우측로변에 어린아이가 같은 방향으로 걸어가고 있음을 목격한 경우에 자동차운전수로서는 그 아이가 진행하는 버스앞으로 느닷없이 튀어나오는 수가 있음을 예견하고 이로 인한 사고를 방지하기 위하여 속력을 줄이고 그 동태를 주시하는 등 만반의 사고에 대비할 주의의무가 있다(대판 1970.8.18, 70도1336). 08. 경찰승진

2. 과실범에 관한 이른바 신뢰의 원칙은 상대방이 이미 비정상적인 행태를 보이고 있는 경우에는 적용될 여지가 없는 것이고, 이는 행위자가 경계의무를 게을리하는 바람에 상대방의 비정상적인 행태를 미리 인식하지 못한 경우에도 마찬가지이다(대판 2009.4.23, 2008도11921). 21. 경찰승진

㉢ 운전자가 교통규칙을 스스로 위반한 경우

관련판례

행위자의 규칙위반이 있더라도 직접적으로 사고와 관계없는 단속상의 위반이나 결과발생에 결정적인 원인이 아닌 경우에는 다시 신뢰의 원칙이 적용되어 행위자의 과실이 인정되지 않는다(대판 1970.2.24, 70도176 ; 대판 1996.5.28, 95도1200 ; 대판 1990.2.9, 89도1774). 02. 사시

1. 피고인이 녹색등화에 따라 사거리 교차로를 통과할 무렵 제한속도를 초과하였더라도, 신호를 무시한 채 왼쪽도로에서 사거리 교차로로 가로 질러 진행한 피해자에 대한 업무상 과실치사의 책임이 없다 (대판 1990.2.9, 89도1774). 10. 법원행시, 18. 경찰승진

2. 도로교통법규정을 위반하여 앞지르기를 하였더라도, 반대방향에서 과속으로 오던 택시가 정차하고 있는 차량을 피하기 위해 급좌회전하여 제동조치 등을 취하지 못하고 사고가 발생하였다면, 앞지르기에 의한 위반행위가 사고의 발생원인이 되었다고 볼 수 없다(대판 1987.9.22, 87누674). 18. 법원행시

3. 피고인이 좌회전 금지구역에서 좌회전하는 중에 후행차량이 중앙선을 넘어 피고인 운전차량의 좌측으로 돌진하다가 사고가 발생한 경우(대판 1996.5.28, 95도1200). 25. 경대편입

5 과실범의 처벌

형법상의 범죄는 고의범을 원칙으로 하고(제13조) 과실범은 예외적으로 법률에 특별한 규정이 있는 경우에 한하여 처벌된다(제14조). 과실범은 법률에 특별한 규정이 있는 경우에 한하여 처벌되며 형벌법규의 성질상 과실범을 처벌하는 특별규정은 그 명문에 의하여 명백·명료하여야 한다(대판 1983.12.13, 83도2467). 08. 7급 검찰, 24. 법원행시·해경경위

관련판례

1. 행정상의 단속을 주 내용으로 하는 법규라고 하더라도 명문규정이 있거나 해석상 과실범도 벌할 뜻이 명확한 경우를 제외하고는 형법의 원칙에 따라 고의가 있어야 벌할 수 있다(대판 2010.2.11, 2009도9807). 17. 경찰승진, 20. 경찰간부·해경승진, 24. 법원행시, 25. 9급 검찰·마약수사·철도경찰·해경 2차

2. 형법 제10조 제3항은 고의에 의한 원인에 있어서의 자유로운 행위만이 아니라 과실에 의한 원인에 있어서의 자유로운 행위까지도 포함하는 것이다(대판 1992.7.28, 92도999). 15. 경찰승진·순경 3차, 19. 변호사시험

현행형법상 과실범의 처벌규정

일반과실범	업무상 과실	중과실
① **실화죄**(제170조)	업무상 실화죄(제171조)	중실화죄(제171조)
② **과실일수죄**(제181조)	×	×
③ **과실폭발성물건파열죄** (제173조의 2)	업무상 과실폭발성물건파열죄 (제173조의 2)	중과실폭발성물건파열죄 (제173조의 2)
④ **과실교통방해죄** (제189조 제1항)	업무상 과실교통방해죄(제189조 제2항)	중과실교통방해죄(제189조 제2항)
⑤ **과실치상죄**(제266조)	업무상 과실치상죄(제268조)	중과실치상죄(제268조)
⑥ **과실치사죄**(제267조)	업무상 과실치사죄(제268조)	중과실치사죄(제268조)
⑦ ×	업무상 과실장물죄(제364조)	중과실장물죄(제364조)

⑧ 과실가스·전기 등 방류죄 (제173조의 2)	업무상 과실 가스·전기 등 방류죄 (제173조의 2)	중과실 가스·전기 등 방류죄 (제173조의 2)
⑨ 과실가스·전기 등 공급 방해죄(제173조의 2)	업무상 과실 가스·전기 등 공급방해죄 (제173조의 2)	중과실 가스·전기 등 공급방해죄 (제173조의 2)

Key Point

- 과실일수죄는 업무상 과실과 중과실의 처벌규정이 없으며, 반대로 장물죄는 일반과실의 처벌규정이 없고 업무상 과실과 중과실만 처벌된다. 따라서 업무상 과실장물죄와 중과실장물죄는 가중적 구성요건이 아니다 (부진정신분범 ×, 진정신분범 ○). 17. 순경 1차, 19. 변호사시험, 22. 경찰간부, 23. 순경 2차, 24. 해경경위
- 재산범죄에는 업무상 과실·중과실장물죄 이외에는 과실범처벌규정이 없다.
  예 과실로 타인의 재물을 손괴한 경우 ⇨ 무죄
- 폭발물사용죄 ⇨ 과실범 규정 ×, 폭발성물건파열죄 ⇨ ○ 13. 경찰승진
- 연소죄, 진화방해죄 ⇨ 과실범 처벌 규정 ×
- 과실치상죄 ⇨ 반의사불벌죄 ○(제266조 제2항), 업무상 과실치사상죄 ⇨ 반의사불벌죄 × 13. 법원행시

6 관련문제

(1) 과실범의 미수

과실범은 항상 결과발생을 요하는 결과범(실질범)이므로 과실범의 미수는 이론상 인정할 여지가 없으며 현행법상 과실범에 대한 미수처벌규정도 없다. 17. 경찰승진, 20. 해경승진, 21. 순경 1차, 25. 9급 철도경찰

(2) 과실범의 공범

과실에 의한 교사·방조	교사범과 종범이 성립되기 위해서는 교사와 방조의 고의를 요하므로 과실에 의한 교사·방조는 있을 수 없다.
과실범에 대한 교사·방조	과실범에 대한 교사·방조는 간접정범이 된다(제34조).
과실범의 공동정범	과실범의 공동정범 인정 여부에 대해 학설의 대립이 있으나 판례는 행위공동설의 입장에서 인정하고 있다. 13. 법원직, 19. 변호사시험

관련판례

1. 공동정범은 고의범이나 과실범을 불문하고 의사의 연락이 있는 경우이면 그 성립을 인정할 수 있다 (대판 1982.6.8, 82도781). 15. 경찰승진, 16. 경찰간부, 20. 해경승진, 24. 법원행시

2. 교량붕괴 사고와 관련하여, 건설업자 甲과 이를 감독하는 공무원 乙 및 완공된 교량의 관리를 담당하는 공무원 丙의 과실이 서로 합쳐져 교량이 붕괴된 사실이 인정된다면 과실범의 공동정범이 성립된다 (대판 1997.11.28, 97도1740). 13. 법원직, 15. 경찰승진

3. 실화죄에 있어서 공동의 과실이 경합되어 화재가 발생한 경우 적어도 각 과실이 화재의 발생에 대하여 하나의 조건이 된 이상은 그 공동적 원인을 제공한 사람들은 각자 실화죄의 책임을 면할 수 없다 (대판 2023.3.9, 2022도16120 **예** 피고인들이 분리수거장 방향으로 담배꽁초를 던져 버리고 현장을 떠난 후 화재가 발생한 경우, 피고인들 각자의 실화죄 책임을 인정한다). 24. 9급 검찰 · 마약수사 · 순경 1차, 25. 경력채용, 26. 경찰승진

---

(3) 과실범의 부작위범

과실에 의한 부작위범의 성립이 가능하다(망각범). 15. 사시

예 모친이 잊어버리고 유아에게 젖을 주지 않아서 유아가 사망한 경우 ⇨ 부작위에 의한 과실치사죄

관련판례

- **객관적 주의의무 인정 ⇨ 과실범 ○**
- ⅰ. 자동차 운전자의 경우
  ① 택시 운전자인 피고인이 그다지 속도를 줄이지 아니한 상태로 만연히 진행하던 중 심야에 밀집된 주택 사이의 좁은 골목길이자 직각으로 구부러져 가파른 비탈길의 내리막에 누워 있던 피해자의 몸통 부위를 자동차 바퀴로 역과하여 사망에 이르게 한 경우 ⇨ 업무상 과실치사죄(대판 2011.5.26, 2010도17506 ∵ 업무상 주의의무위반 ○) 14. 사시, 17. 경찰승진, 20. 순경 1차
  ② 골프 카트 운전자는 골프 카트 출발 전에 승객들에게 안전 손잡이를 잡도록 고지하고 승객이 안전 손잡이를 잡은 것을 확인하고 출발하여야 할 업무상 주의의무가 있다(대판 2010.7.22, 2010도1911). 16. 9급 철도경찰, 19. 경찰승진, 20. 해경승진, 22. 해경간부 · 순경 2차
  ③ 피고인의 주의의무 태만으로 인하여 고속도로상에 정지 중인 차량을 추돌한 사고가 발생된 이상 피해차량 후방에 사고발생표지가 설치되어 있지 아니하였고 피해자들이 다른 승객들처럼 대피하지 않고 피해차량 뒤 고속도로 노면에 들어와 있었다 하더라도 피고인의 범행성립에는 영향이 없다(대판 1990.12.26, 89도2589). 10. 법원행시, 12. 경찰간부
  ④ 비가 내려 노면이 미끄러운 고속도로의 주행선을 진행하던 甲의 차선으로 추월선상의 A차량이 갑자기 들어오는 것을 피하다가 빗길에 미끄러져 중앙분리대를 넘어가 반대편 추월선상의 B차량과 충돌하여 B차량의 운전자가 사망한 경우 甲의 업무상 과실이 인정된다(대판 1991.1.15, 90도1918). 18. 경찰승진
  ⑤ 야간에 고속도로에서 차량을 운전한 자는 주간과는 달리 노면상태 및 가시거리상태 등에 따라 제한최고속도 이하의 속도로 감속 · 서행할 주의의무가 있으므로 이를 위반하여 선행사고로 전방에 정차해 있던 승용차와 옆에 서 있던 피해자를 충돌하였다면 과실이 있다(대판 1999.1.15, 98도2605). 20. 순경 1차
  ⑥ 앞차를 뒤따라 진행하는 차량의 운전사는 앞차에 의하여 전방의 시야가 가리는 관계상 앞차의 어떠한 돌발적인 운전 또는 사고에 의하여서라도 자기 차량에 연쇄적인 사고가 일어나지 않도록 앞차와의 충분한 안전거리를 유지하고 진로 전방 좌우를 잘 살펴 진로의 안전을 확인하면서 진행할 주의의무가 있다(대판 2001.12.11, 2001도5005). 12. 법원직, 26. 경찰승진

⑦ 자동차전용도로에서 무단횡단하는 보행자까지 예상하여 주의하여야 할 의무는 없으나, 자동차전용도로상에 나온 보행자를 미리 발견하였을 때에는 속도를 줄여서 운전할 의무가 인정된다(대판 1989.2.28, 88도1689). 08. 경찰승진

⑧ 보행등이 설치되어 있지 아니한 횡단보도를 진행하는 차량의 운전자가 인접한 교차로의 차량진행 신호에 따라 진행하다 교통사고를 낸 경우, 횡단보도에서의 보행자보호의무 위반의 책임을 지게 된다(대판 2003.10.23, 2003도3529). 08. 법원직

⑨ 피고인이 운행하던 자동차로 도로를 횡단하던 피해자를 충격하여 피해자로 하여금 반대차선의 1차 선상에 넘어지게 하여 피해자가 반대차선을 운행하던 자동차에 역과되어 사망한 경우(대판 1988.11.8, 88도928) 09. 경찰승진

⑩ 버스운전사에게 전날밤에 주차해둔 버스를 그 다음날 아침에 출발하기에 앞서 차체 밑에 장애물이 있는지 여부를 확인하여야 할 주의의무가 있다(대판 1988.9.27, 88도833). 07. 9급 검찰, 24. 해경간부

⑪ 고속도로의 노면이 결빙된 데다가 짙은 안개로 시계가 20m 정도 이내였다면 차량운전자는 제한시속에 관계없이 장애물 발견 즉시 제동정지할 수 있을 정도로 속도를 줄이는 등의 조치를 취하였어야 할 것이므로 단순히 제한속도를 준수하였다는 사실만으로는 주의의무를 다하였다 할 수 없다(대판 1990.12.26, 89도2589). 25. 경대편입

2. 기 타

① 원칙적으로 도급인에게는 수급인의 업무와 관련하여 사고방지에 필요한 안전조치를 취할 주의의무가 없으나, 법령에 의하여 도급인에게 수급인의 업무에 관하여 구체적인 관리·감독의무 등이 부여되어 있거나 도급인이 공사의 시공이나 개별 작업에 관하여 구체적으로 지시·감독하였다는 등의 특별한 사정이 있는 경우에는 도급인에게도 수급인의 업무와 관련하여 사고방지에 필요한 안전조치를 취할 주의의무가 있다(대판 2009.5.28, 2008도7030). 18. 변호사시험, 19. 경찰승진, 20. 해경승진, 21. 해경 1차·7급 검찰, 22. 해경간부, 25. 9급 검찰·마약수사·철도경찰

② 골프경기를 하던 중 골프공을 쳐서 아무도 예상하지 못한 자신의 등 뒤편으로 보내어 등 뒤에 있던 경기보조원(캐디)에게 상해를 입힌 경우에는 주의의무를 현저히 위반하여 사회적 상당성의 범위를 벗어난 행위로서 과실치상죄가 성립한다(대판 2008.10.23, 2008도6940). 14. 사시·9급 철도경찰, 19. 순경 1차, 23. 법원행시, 24. 경찰승진

③ 공사현장감독인이 공사의 발주자에 의하여 현장감독에 임명된 것이 아니고, 건설업법상 요구되는 현장건설기술자의 자격도 없다는 등의 사유는 업무상 과실책임을 물음에 아무런 영향도 미칠 수 없다(대판 1983.6.14, 82도2713). 16. 9급 검찰·마약수사, 20. 경찰간부, 22. 경찰승진

④ 편도 2차선 도로 중앙선에 서서 도로횡단을 중단한 술취한 피해자의 팔을 갑자기 잡아끌고 무단횡단을 하는 도중에 지나가는 차량에 충격당하여 피해자가 사망한 경우 ⇨ 과실치사죄 ○(대판 2002.8.23, 2002도2800) 18. 변호사시험, 21. 해경 1차·순경 2차, 22. 경찰간부

⑤ 소유자가 건물을 임대한 경우, 그 건물의 전기배선이 벽 내부에 매립·설치되어 건물 구조의 일부를 이루고 있다면 그에 관한 관리책임은 통상적으로 건물을 직접 사용하는 임차인이 아닌 소유자에게 있어, 특별한 사정이 없는 한 소유자가 전기배선의 하자로 인한 화재를 예방할 주의의무를 부담한다. 그러나 그 전기배선을 임차인이 직접 하였으며 그 이상을 미리 알았거나 알 수 있었다는 등의 특별한 사정이 있는 때에는 임차인에게도 그 부분의 하자로 인한 화재를 예방할 주의의무가 인정될 수 있다(대판 2009.5.28, 2009도1040). 18. 변호사시험, 21. 해경 1차·순경 2차

⑥ 금은방을 운영하는 자는 전당물을 취득함에 있어 좀 더 세심한 주의를 기울였다면 그 물건이 장물임을 알 수 있는 특별한 사정이 있다면, 신원확인절차를 거치는 이외에 매수물품의 성질과 종류 및 매도자의 신원 등에 더 세심한 주의를 기울여 전당물인 귀금속이 장물인지의 여부를 확인할 주의의무를 부담한다(대판 2003.4.25, 2003도348). 18. 변호사시험, 21. 해경 1차, 24. 해경경위

⑦ 함께 술을 마신 후 만취된 피해자를 촛불이 켜져 있는 방안에 혼자 눕혀 놓고 촛불을 끄지 않고 나오는 바람에 화재가 발생하여 피해자가 사망한 경우 ⇨ 과실치사죄 ○(대판 1994.8.26, 94도1291 ∵ 화재가 발생할 가능성과 화재로 인하여 피해자가 사망할 가능성이 있음을 예견할 수 있으므로 촛불을 끄거나 적절하고 안전한 조치를 취하여야 할 주의의무가 있다.) 20. 순경 2차, 25. 해경경위공채, 26. 경찰승진

⑧ 산후조리원에 입소한 신생아가 계속하여 잦은 설사 등의 이상증세를 보임에도 불구하고, 산후조리원의 신생아 집단관리를 맡은 책임자인 甲이 의사 등의 진찰을 받도록 하지 않아 신생아가 사망한 경우 ⇨ 업무상 과실치사죄 ○(대판 2007.11.16, 2005도1796) 13. 법원행시, 16. 7급 검찰·철도경찰

⑨ 알코올중독자의 수용시설을 운영 또는 관리하던 피고인들이 피해자가 금단증상을 보이자 피해자를 독방에 가둔 다음 그대로 방치하였는데 피해자가 자살한 경우 ⇨ 업무상 과실치사죄 ○(대판 2005.3.24, 2004도8137)

⑩ 건축자재인 철판 수백 장의 운반을 의뢰한 생산자 甲이 절단면이 날카롭고 무거운 철판을 묶기에 매우 부적합한 폴리에스터 끈을 사용하여 철판 묶음 작업을 한 탓에 철판 쏠림 현상이 발생하였고, 이로 인하여 철판을 차에서 내리는 과정에서 철판이 쏟아져 내려 화물차 운전자 A가 사망한 경우 (대판 2009.7.23, 2009도3219) 14. 사시, 22. 순경 2차

⑪ 전기배선이 벽 내부에 매립 설치되어 건물 구조의 일부를 이루고 있다면, 그에 관한 관리책임은 일반적으로 소유자에게 있다고 보아야 할 것이고, 다만 그 전기배선을 임차인이 직접 하였으며 그 이상을 미리 알았거나 알 수 있었다는 등의 특별한 사정이 있는 때에는, 임차인에게도 그 부분의 하자로 인한 화재를 예방할 주의의무가 인정될 수 있다(대판 2009.5.28, 2009도1040). 25. 해경위공채

● **객관적 주의의무 부정 ⇨ 과실범 ×**

1. **자동차 운전자의 경우**

① 교통이 빈번한 간선도로에서 횡단보도의 보행자 신호등이 적색으로 표시된 경우 운전자는 보행자가 동 적색신호를 무시하고 갑자기 뛰어나올 가능성에 대비하여 운전하여야 할 업무상 주의의무는 없다(대판 1985.11.12, 85도1893). 18. 법원행시, 19. 경찰승진

② 시내버스운전사가 버스정류장에서 승객을 하차시킨 후 통상적으로 버스를 출발시키던 중에는 더 내릴 손님이 있는지 등을 일일이 확인할 주의의무는 없다(대판 1992.4.28, 92도56). 14. 7급 검찰

▶ **유사판례** : 버스정류장에서 버스를 타려고 뛰어가던 행인끼리 충돌하여 넘어지면서 순간적으로 막 출발하려는 버스의 앞바퀴와 뒷바퀴 사이로 머리가 들어가 사고가 발생한 경우(대판 1986. 8.19, 86도1123). 10. 법원행시 버스기사가 정류장에서 출발하려는 순간 4세 어린이가 장난감을 주우려고 뒷바퀴 밑으로 들어가 사고가 발생한 경우(대판 1984.7.10, 84도687) 15. 수사경과

③ 자동차전용도로를 운행 중인 자동차운전자에게는 진행차량 사이를 뚫고 횡단하는 보행자가 있을 것을 예상하여 전방주시를 할 의무가 없다(대판 1990.1.23, 89도1395). 12. 법원직

④ 택시 운전수가 횡단보도가 아닌 차도를 무단횡단하는 피해자를 뒤늦게 발견하고 급정차 조치를 취하여 위 피해자와의 충돌을 사전에 예방하였지만 피해자가 갑자기 급정차하는 위 택시를 보고 당황한 끝에 도로 위에 넘어져 상해를 입은 경우(대판 1987.5.26, 86도2707). 09. 경찰승진

⑤ 피고인이 자동차를 운행하면서 제동파이프의 연결부분 고정이 확실치 않고 그곳에서 기름 누설이 되는 결함을 운행개시 전에 발견치 못하여 교통사고가 발생한 경우, 자동차를 운행하는 자에게 매일 그 운행개시 전에 일상점검의 하나로 제동장치 중 제동파이프에 기름 누설이 없고 고정이 확실한 여부를 점검하여야 할 업무상 주의의무가 있다(대판 1985.12.24, 85도1755). 25. 경력채용

2. 기 타

① 술을 마시고 찜질방에 들어온 甲이 찜질방 직원 몰래 후문으로 나가 술을 더 마신 다음 후문으로 다시 들어와 발한실(發汗室)에서 잠을 자다가 사망한 경우 찜질방 직원 및 영업주에게 몰래 후문으로 출입하는 모든 자를 통제·관리하여야 할 업무상 주의의무가 있다고 보기 어렵다(대판 2010.2.11, 2009도9807). 14. 사시·9급 철도경찰, 16. 경찰간부, 24. 경찰승진

② 병원 인턴 甲이 응급실로 이송되어 온 익수환자를 담당의사의 지시에 따라 구급차에 태워 다른 병원으로 이송하던 중 산소통의 산소잔량을 체크하지 않아 산소공급이 중단된 결과 환자를 폐부종 등으로 사망에 이르게 한 경우 ⇨ 무죄 ○, 업무상 과실치사죄 ×(대판 2011.9.8, 2009도13959 ∵ 산소통의 산소잔량을 확인할 주의의무가 있다고 보기는 어렵고, 피고인이 산소부족 상태를 안 후 취한 조치에 어떠한 업무상 주의의무위반이 있었다고 볼 수 없다.) 22. 순경 2차, 24. 경찰승진·7급 검찰

③ 법인 대표자의 법규위반행위에 대한 법인의 책임은 법인 자신의 법규위반행위로 평가될 수 있는 행위에 대한 법인의 직접책임으로서, 대표자의 고의에 의한 위반행위에 대하여는 법인 자신의 고의에 의한 책임을, 대표자의 과실에 의한 위반행위에 대하여는 법인 자신의 과실에 의한 책임을 부담한다(헌재결 2010.7.29, 2009헌가25). 21. 변호사시험, 22. 경찰승진

④ 건설회사가 건설공사 중 타워크레인의 설치작업을 전문업자에게 도급주어 타워크레인 설치작업을 하던 중 발생한 사고에 대하여 건설회사의 현장대리인에게 업무상 과실치사상의 죄책을 물을 수 없다(대판 2005.9.9, 2005도3108). 15. 순경 3차, 16. 경찰간부, 24. 변호사시험

⑤ 지하철 공사구간 현장안전업무 담당자인 피고인이 공사현장에 인접한 기존의 횡단보도 표시선 안쪽으로 돌출된 강철빔 주위에 라바콘 3개를 설치하고 신호수 1명을 배치하였는데, 피해자가 위 횡단보도를 건너면서 강철빔에 부딪혀 상해를 입은 경우, 피고인이 안전조치를 취하여야 할 업무상 주의의무를 위반하였다고 보기 어렵다(대판 2014.4.10, 2012도11361 ∴ 업무상 과실치상죄 ×). 15. 경찰간부, 18. 경찰승진, 22. 순경 2차

⑥ 제왕절개분만을 함에 있어서 산모에게 수혈을 할 필요가 있을 것이라고 예상할 수 있었다는 사정이 보이지 않는 한, 산후과다출혈에 대비하여 제왕절개수술을 시행하기 전에 미리 혈액을 준비할 업무상 주의의무가 있다고 보기 어렵다(대판 1997.4.8, 96도3082).

▶ **비교판례** : 산모의 태반조기박리에 대한 대응조치로서 응급 제왕절개 수술을 하는 산부인과 의사에게는 미리 수혈용 혈액을 준비하여야 할 업무상 주의의무가 있다(대판 2000.1.14, 99도3621). 16. 7급 검찰, 22. 경찰간부

⑦ 호텔을 경영하는 회사에 대표이사가 따로 있고 담당업무에 대한 실무자 및 소방법상 방화관리자까지 선정되어 있다면, 회사의 업무에 전혀 관여하지 않는 소위 회장에게는 종업원의 부주의와

호텔구조상 결함으로 발생, 확대된 화재에 대한 구체적·직접적 주의의무가 없다(대판 1986.7.22, 85도108). 18. 법원행시, 25. 경대편입

▶ **유사판례** : 시공회사의 상무이사인 현장소장이 현장에서의 공사감독을 전담하였고 사장은 그와 같은 감독을 하게 되어 있지 않았다면 사장으로서는 각개의 개별작업에 대하여 일일이 세부적인 안전대책을 강구하여야 하는 구체적이고 직접적인 주의의무가 있다고 하기 어렵다(대판 1989.11.24, 89도1618). 13. 순경 3차, 14. 경찰간부

⑧ 수술 도중에 수술용 메스가 부러지자 담당의사가 부러진 메스조각을 찾아 제거하기 위한 최선의 노력을 다하였으나 찾지 못하여 부러진 메스조각을 그대로 둔 채 수술부위를 봉합한 경우(대판 1999.12.10, 99도3711) 08. 경찰승진, 16. 경찰간부

⑨ 교사가 징계의 목적으로 회초리로 학생들의 손바닥을 때리기 위해 회초리를 들어올리는 순간 이를 구경하기 위해 옆으로 고개를 돌려 일어나는 다른 학생의 눈을 찔러 그로 하여금 우안실명의 상해를 입게 한 경우(대판 1985.7.9, 84도822) 16. 경찰간부

⑩ 담임교사가 유리창을 청소할 때는 교실 안쪽에서 닦을 수 있는 유리창만을 닦도록 지시하였는데도 유독 피해자만이 수업시간이 끝나자마자 베란다로 넘어 갔다가 밑으로 떨어져 사망한 경우(대판 1989.3.28, 89도108) 10. 법원행시

⑪ 정신병동에 입원 중인 환자가 완전감금병동의 화장실 창문을 열고 탈출하려다가 떨어져 사망한 경우(위 병동의 당직간호사인 피고인의 과실 × : 대판 1992.4.28, 91도1346) 14. 7급 검찰·철도경찰

⑫ 30대 중반의 산모가 제왕절개 수술 후 폐색전증으로 사망한 경우(대판 2006.10.26, 2004도486). 12. 경찰간부

⑬ 혈청에 의한 간기능 검사를 시행하지 않고 마취제(할로타인)를 사용하여 수술한 결과 간부전으로 사망한 경우 인과관계를 인정하려면 수술 전에 간기능검사를 하였더라면 피해자가 사망하지 않았을 것임이 입증되어야 한다(대판 1990.12.11, 90도694). 10. 사시

⑭ 가정주부 甲은 임차한 한옥을 수리하여 한복집을 경영할 계획으로 주택수리공사 전문업자인 목수 乙에게 공사를 맡겼는바, 공사 도중 외벽과 천장이 무너지면서 인부 丙을 덮쳐 약 8주간의 치료를 요하는 상해를 입게 한 경우(대판 2002.4.12, 2000도3295)

1 안전배려 내지 안전관리사무에 계속적으로 종사하지 않았더라도 건물의 소유자로서 건물을 비정기적으로 수리하거나 건물의 일부분을 임대한 자는 건물에 화재가 발생하는 것을 미리 막아야 할 업무상 주의의무를 부담한다. (　)

17. 변호사시험, 19. 법원행시, 20. 해경승진·순경 1차, 22. 경찰간부, 23. 순경 2차

2 의료과오사건에서 의사의 과실 유무를 판단할 때에는 동일 업종에 종사하는 일반적 보통인의 주의 정도를 표준으로 하고, 사고 당시의 일반적인 의학 수준과 의료환경 및 조건 등을 고려하여야 한다. (　)

20. 법원행시·순경 1차, 22. 경찰승진, 23. 순경 2차, 24. 경위공채, 25. 9급 검찰·마약수사·철도경찰·7급 검찰

3 행정상의 단속을 주안으로 하는 법규라 하더라도 명문규정이 있거나 해석상 과실범도 벌할 뜻이 명확한 경우를 제외하고는 형법의 원칙에 따라 고의가 있어야만 벌할 수 있다. (　)

15. 순경 3차, 17. 경찰승진, 20. 경찰간부·해경승진, 25. 9급 검찰·마약수사·철도경찰·해경 2차

4 의사가 설명의무를 위반한 채 의료행위를 하였다가 환자에게 사망의 결과가 발생한 경우, 의사에게 업무상 과실로 인한 형사책임을 지우기 위해서는 의사의 설명의무 위반과 환자의 사망 사이에 상당인과관계가 존재할 필요는 없다. (　)

18. 7급 검찰, 21. 9급 검찰·철도경찰·해경승진·순경 1차, 22. 경찰간부, 25. 해경경사·해경 2차

5 차량의 운전자는 횡단보도의 신호가 적색인 상태에서 반대 차선상에 정지하여 있는 차량의 뒤로 보행자가 건너오는 사태를 예상하여야 할 주의의무가 없다. (　)

16. 경찰승진, 17. 9급 검찰·마약수사·철도경찰, 21. 경찰간부

6 고속도로 양측에 휴게소가 있는 경우에는 고속도로를 무단횡단하는 보행자가 있음을 예상하여 감속 등의 조치를 취할 주의의무가 있다. (　)　　16. 사시, 17. 순경 1차, 21. 경찰승진, 22. 9급 철도경찰

7 약사가 의약품을 판매하거나 조제함에 있어서 특별한 사정이 없는 한 그 약의 포장상의 표시를 신뢰하고 이를 사용한 경우에는 과실이 없다. (　)

17. 9급 검찰·철도경찰, 19. 법원행시, 22. 해경간부, 23. 경력채용

8 내과의사가 신경과 전문의와의 협의진료 결과를 신뢰하여 뇌혈관계통 질환의 가능성을 배제하고 피해자의 증세 호전에 따라 퇴원조치한 경우, 피해자의 지주막하출혈을 발견하지 못한 데 대한 업무상 과실이 인정된다. (　)　　20. 9급 검찰·철도경찰, 21. 경력채용, 24. 경찰간부·7급 검찰, 25. 경위공채

9 의사 甲이 간호사에게 환자에 대한 수혈을 맡겼는데, 간호사가 다른 환자에게 수혈할 혈액을 당해 환자에게 잘못 수혈하여 환자가 사망한 경우 甲의 행위를 과실범으로 처벌할 수 있다. (　)

16. 경찰승진, 17. 경찰간부, 19. 법원행시

Answer ▶　1. ×　2. ○　3. ○　4. ×　5. ○　6. ×　7. ○　8. ×　9. ○

10 간호사가 의사의 처방에 의한 정맥주사를 의사의 입회 없이 간호실습생에게 실시하도록 하여 발생한 의료사고에 대하여는 의사의 과실이 인정된다. ( )

16. 9급 철도경찰, 18. 법원행시, 22. 변호사시험, 24. 경찰간부, 25. 경위공채 · 경력채용

11 수련병원의 전문의 甲과 전공의 乙이 수직적 분업관계에 있는 경우, 乙에게 전적으로 위임된 것이 아닌 이상 甲은 자신이 주로 담당하는 환자에 대하여 乙이 하는 의료행위의 내용이 적절한 것인지 여부를 확인하고 감독하여야 할 업무상 주의의무가 있고, 만약 이와 같은 업무상 주의의무를 소홀히 하여 환자에게 위해가 발생하였다면 甲은 그에 대한 과실 책임을 면할 수 없다. ( )

23. 경력채용, 24. 7급 검찰, 25. 순경 1차, 26. 경찰승진

12 피고인들이 분리수거장 방향으로 각자 담배꽁초를 던져버리고 현장을 떠난 후 화재가 발생한 경우, 적어도 각 과실이 화재의 발생에 대하여 하나의 조건이 된 이상 그 공동적 원인을 제공한 사람들은 각자 실화죄의 책임을 진다. ( )

24. 순경 1차 · 9급 검찰 · 마약수사 · 철도경찰, 25. 경력채용, 26. 경찰승진

13 의사가 환자에 대하여 다른 의사와 의료행위를 분담하는 경우에 다른 의사의 전공과목에 전적으로 속하는 사항에 대하여는 다른 의사가 하는 의료행위의 내용이 적절한 것인지의 여부를 확인하고 감독하여야 할 업무상 주의의무가 없다. ( )

20. 9급 · 7급 검찰 · 마약수사 · 철도경찰, 22. 해경간부, 23. 경력채용 · 순경 2차

14 골프 카트 운전자는 골프 카트 출발 전에 승객들에게 안전손잡이를 잡도록 고지하고 승객이 안전 손잡이를 잡은 것을 확인하고 출발하여야 할 업무상 주의의무가 있다. ( )

16. 9급 철도경찰, 19. 경찰승진, 20. 해경승진, 22. 해경간부 · 순경 2차

15 골프경기 중 골프공을 쳐서 아무도 예상하지 못한 자신의 등 뒤편으로 보내어 등 뒤에 있던 경기보조원(캐디)이 상해를 입은 경우에는 주의의무를 위반한 것으로 볼 수 없으므로 과실치상죄가 성립하지 않는다. ( ) 14. 사시 · 9급 철도경찰, 19. 순경 1차, 23. 법원행시, 24. 경찰승진

16 도급인이 수급인에게 공사의 시공이나 개별 작업에 관하여 구체적으로 지시 · 감독하였더라도, 법령에 의하여 도급인에게 구체적인 관리 · 감독의무가 부여되어 있지 않다면 도급인에게는 수급인의 업무와 관련하여 사고방지에 필요한 안전조치를 해야 할 주의의무가 없다. ( )

18. 변호사시험, 19. 경찰승진, 20. 해경승진, 21. 7급 검찰, 22. 해경간부, 25. 9급 검찰 · 마약수사 · 철도경찰

17 공사현장 감독인이 공사의 발주자에 의하여 현장감독에 임명된 것이 아니고, 건설업법상 요구되는 현장건설기술자의 자격도 없다면 업무상 과실책임을 물을 수 없다. ( )

16. 9급 검찰 · 마약수사, 20. 경찰간부, 22. 경찰승진

18 甲과 乙이 함께 술을 마신 이후 도로 중앙선에 서 있다가 甲이 통행하는 차량의 유무를 확인하지 않고 乙의 팔을 갑자기 끌어당겨 도로를 무단횡단하던 중 지나가던 차량에 乙이 사망한 경우, 乙의 안전을 위해 차량통행 여부 및 횡단 가능 여부를 확인해야 할 주의의무를 부담하지 않는다. ( )

18. 변호사시험, 21. 해경 1차 · 순경 2차, 22. 경찰간부

Answer ▶ **10.** ✕ **11.** ○ **12.** ○ **13.** ○ **14.** ○ **15.** ✕ **16.** ✕ **17.** ✕ **18.** ✕

19 병원 인턴 甲이 응급실로 이송되어 온 익수환자를 담당의사의 지시에 따라 구급차에 태워 다른 병원으로 이송하던 중 산소통의 산소잔량을 체크하지 않아 산소공급이 중단된 결과 환자를 폐부종 등으로 사망에 이르게 한 경우 과실범이 성립한다. (　　)

14. 사시, 16. 7급 검찰·철도경찰, 22. 순경 2차, 24. 경찰승진

20 술을 마시고 찜질방에 들어온 자가 찜질방 직원 몰래 후문으로 나가 술을 더 마시고 들어와 잠을 자다가 사망한 경우, 찜질방 주인에게는 후문으로 출입하는 모든 자를 통제·관리하여야 할 업무상 주의의무가 있다. (　　)

14. 사시·9급 철도경찰, 16. 경찰간부, 24. 경찰승진

21 법인 대표자의 법규위반 행위에 대한 법인의 책임은 법인 자신의 법규위반 행위로 평가될 수 있는 행위에 대한 법인의 직접 책임으로서의 성격을 가지지만, 대표자의 과실에 의한 위반행위에 대하여는 법인 자신의 과실에 의한 책임이라고 할 수 없다. (　　)　21. 변호사시험, 22. 경찰승진

22 지하철 공사구간 현장안전업무 담당자 甲은 공사현장에 인접한 기존의 횡단보도 표시선 안쪽으로 돌출된 강철빔 주위에 라바콘 3개를 설치하고 신호수 1명을 배치하였는데, A가 그 횡단보도를 건너면서 강철빔에 부딪혀 상해를 입은 경우 甲에게 업무상 과실이 인정된다. (　　)

15. 경찰간부, 18. 경찰승진, 22. 순경 2차

23 형법 제30조 소정의 "2인 이상이 공동하여 죄를 범한 때"의 "죄"에는 고의범이 아닌 과실범은 포함되지 아니하므로 2인 이상이 일정한 과실행위를 서로의 의사연락하에 실행하여 범죄의 결과가 발생하더라도 과실범의 공동정범은 성립하지 아니한다. (　　)

15. 경찰승진, 16. 경찰간부, 20. 해경승진, 24. 법원행시

24 형법 제10조 제3항(원인에 있어서 자유로운 행위)은 고의에 의한 원인에 있어서의 자유로운 행위만을 규정하며, 과실에 의한 원인에 있어서의 자유로운 행위까지 포함하는 것은 아니다. (　　)

15. 경찰승진·순경 3차, 19. 변호사시험

25 업무상 과실장물취득죄는 업무상 과실에 의하여 단순과실장물취득죄보다 형이 가중되는 가중적 구성요건이다. (　　)　17. 순경 1차, 19. 변호사시험, 22. 경찰간부, 23. 순경 2차, 24. 해경경위

26 과실일수죄는 형법상 처벌규정이 있으나 과실교통방해죄는 형법상 처벌규정이 없다. (　　)

14. 경찰승진, 17. 순경 1차, 25. 해경경사

27 과실이 있는 경우, 결과가 발생하지 않거나 과실과 결과 사이에 인과관계가 부정될 때에는 과실미수범으로 처벌된다. (　　)

17. 경찰승진, 20. 해경승진, 21. 순경 1차, 25. 9급 철도경찰

Answer ▶　　19. ✕　　20. ✕　　21. ✕　　22. ✕　　23. ✕　　24. ✕　　25. ✕　　26. ✕　　27. ✕

01 과실범에 관한 설명 중 옳은 것은?(다툼이 있는 경우 판례에 의함) 17. 변호사시험

① 의사 甲이 고령의 간경변증 환자 A에게 수술과정에서 출혈 등으로 신부전이 발생하여 생명이 위험할 수 있다는 점에 대하여 설명하지 아니하고 수술하던 도중 출혈 등으로 A가 사망한 경우, A가 당해 수술의 위험성을 충분히 인식하고 있어 甲이 설명의무를 다하였더라도 A가 수술을 거부하지 않았을 것으로 인정된다면 甲의 설명의무위반과 A의 사망 사이에 인과관계가 부정된다.

② 도급인이 수급인에게 공사의 시공이나 개별 작업에 관하여 구체적으로 지시·감독하였더라도, 법령에 의하여 도급인에게 구체적인 관리·감독의무가 부여되어 있지 않다면 도급인에게는 수급인의 업무와 관련하여 사고방지에 필요한 안전조치를 해야 할 주의의무가 없다.

③ 안전배려 내지 안전관리사무에 계속적으로 종사하지 않았더라도 건물의 소유자로서 건물을 비정기적으로 수리하거나 건물의 일부분을 임대한 자는 건물에 화재가 발생하는 것을 미리 막아야 할 업무상 주의의무를 부담한다.

④ 의료사고에서 의사의 과실을 인정하기 위한 요건과 판단기준은 한의사의 그것과 다르다.

⑤ 행정상의 단속을 주안으로 하는 법규의 위반행위는 과실범 처벌규정은 없으나 해석상 과실범도 벌할 뜻이 명확한 경우에도 형법의 원칙에 따라 고의가 있어야 벌할 수 있다.

하설 ① ○ : 대판 2015.6.24, 2014도11315
② × : 법령에 의하여 도급인에게 수급인의 업무에 관하여 구체적인 관리·감독의무가 부여되어 있거나 도급인이 공사의 시공이나 개별 작업에 관하여 구체적으로 지시·감독하였다는 등의 특별한 사정이 있는 경우에는, 도급인에게 수급인의 업무와 관련하여 사고방지에 필요한 안전조치를 할 주의의무가 있다(대판 2009.5.28, 2008도7030). ③ × : 업무상 과실치상죄의 '업무' ×(대판 2009.5.28, 2009도1040)
④ × : ~ 그것과 동일하다(대판 2014.7.24, 2013도16101). ⑤ × : ~ (2줄) 명확한 경우를 제외하고는(~ 명확한 경우에도 ×) 형법의 원칙에 따라 고의가 있어야 벌할 수 있다(대판 2010.2.11, 2009도9807).

02 다음 설명 중 옳은 것을 모두 고른 것은?(다툼이 있는 경우 판례에 의함) 19. 변호사시험

> ㉠ 업무상 과실장물죄에서 업무자의 신분은 부진정신분범 요소이다.
> ㉡ 형법 제10조 제3항은 고의에 의한 원인에 있어서의 자유로운 행위에만 적용되고 과실에 의한 원인에 있어서의 자유로운 행위까지는 포함하지 않는다.
> ㉢ 방조범은 정범의 실행을 방조한다는 방조의 고의와 정범의 행위가 구성요건에 해당한다는 점에 대한 정범의 고의가 있어야 한다.
> ㉣ 과실에 의한 공동정범은 물론 과실에 의한 위험범의 성립도 가능하다.

① ㉠, ㉡   ② ㉠, ㉢   ③ ㉡, ㉢
④ ㉡, ㉣   ⑤ ㉢, ㉣

Answer **01. ①   02. ⑤**

해설 ㉠ × : ~ 신분은 진정신분범(부진정신분범 ×) 요소이다.
㉡ × : 형법 제10조 제3항은 고의에 의한 원인에 있어서의 자유로운 행위만이 아니라 과실에 의한 원인에 있어서의 자유로운 행위까지도 포함하는 것이다(대판 1992.7.28, 92도999).
㉢ ○ : 대판 2005.4.29, 2003도6056 ㉣ ○ : 과실에 의한 공동정범 ○(대판 1982.6.8, 82도781), 과실에 의한 위험범(실화죄, 과실교통방해죄 등)도 성립할 수 있다.

03 과실에 대한 설명으로 가장 적절한 것은?(다툼이 있는 경우 판례에 의함) 21. 경찰승진

① 의료사고에서 의사에게 과실이 있다고 하기 위하여는 의사가 결과발생을 예견할 수 있고 또 회피할 수 있었는데도 이를 예견하지 못하거나 회피하지 못하였음이 인정되어야 하며, 과실의 유무를 판단할 때에는 구체적인 경우 당해 행위자가 기울일 수 있었던 주의정도를 표준으로 한다.

② 과실범에 관한 이른바 신뢰의 원칙은 상대방이 이미 비정상적인 행태를 보이고 있는 경우에는 적용될 여지가 없는 것이고, 이는 행위자가 경계의무를 게을리하는 바람에 상대방의 비정상적인 행태를 미리 인식하지 못한 경우에도 마찬가지이다.

③ 고속국도에서는 보행으로 통행, 횡단하거나 출입하는 것이 금지되어 있지만, 도로양측에 휴게소가 있는 경우에는 고속국도를 주행하는 차량의 운전자는 동 도로상에 보행자가 있음을 예상하여 감속 등 조치를 할 주의의무가 있다 할 것이다.

④ 피고인이 성냥불로 담배를 붙인 다음 그 성냥불이 꺼진 것을 확인하지 아니한 채 휴지가 들어 있는 플라스틱 휴지통에 던진 것으로는 형법 제171조 중실화죄에 있어 중대한 과실이 있는 경우에 해당한다고 할 수 없다.

해설 ① × : ~ (3줄) 유무를 판단함에는 같은 업무와 직무에 종사하는 일반적 보통인(당해 행위자 ×)의 주의정도를 표준으로 하여야 한다(대판 2007.9.20, 2006도294).
② ○ : 대판 2009.4.23, 2008도11921 ③ × : ~ 주의의무가 없다(대판 2000.9.5, 2000도2671).
④ × : ~ 경우에 해당한다(대판 1993.7.27, 93도135).

04 과실범에 대한 설명으로 가장 적절한 것은?(다툼이 있는 경우 판례에 의함) 21. 순경 1차

① 의사가 설명의무를 위반한 채 의료행위를 하였다가 환자에게 사망의 결과가 발생한 경우, 의사에게 업무상 과실로 인한 형사책임을 지우기 위해서는 의사의 설명의무 위반과 환자의 사망 사이에 상당인과관계가 존재할 필요는 없다.

② 골프 카트 운전자는 골프 카트 출발 전에 승객들에게 안전손잡이를 잡도록 고지하고 승객이 안전 손잡이를 잡은 것을 확인하고 출발하여야 할 업무상 주의의무가 있다.

③ 과실이 있는 경우, 결과가 발생하지 않거나 과실과 결과 사이에 인과관계가 부정될 때에는 과실미수범으로 처벌된다.

④ 의사들의 주의의무위반과 처방체계상의 문제점으로 인하여 수술 후 회복과정에 있는 환자에게 인공호흡 준비를 갖추지 않은 상태에서는 사용할 수 없는 약제가 잘못 처방되었고, 종합병원의 간호사로서 환자에 대한 투약 과정 및 그 이후의 경과 관찰 등의 직무수행을 위하여 처방

Answer 03. ② 04. ②

약제의 기본적인 약효나 부작용 및 주사 투약에 따르는 주의사항 등을 미리 확인·숙지하였다면 과실로 처방된 것임을 알 수 있었음에도 그대로 주사하여 환자가 의식불명 상태에 이르게 된 사안에서, 간호사에게는 업무상 과실치상의 형사책임은 인정되지 않는다.

> **해설** ① × : ~ 상당인과관계가 존재하여야 한다(대판 2015.6.24, 2014도11315).
> ② ○ : 대판 2010.7.22, 2010도1911 ③ × : 과실범은 항상 결과발생을 요하는 결과범(실질범)이므로 과실범의 미수는 이론상 인정할 여지가 없으며 현행법상 과실범에 대한 미수처벌규정도 없다.
> ④ × : ~ 형사책임이 인정된다(대판 2009.12.24, 2005도8980 ∵ 간호사에게는 당해 처방의 경위와 내용을 관련자에게 재확인함으로써 그 실행으로 인한 위험을 방지할 주의의무가 있다).

05 과실범에 대한 설명으로 가장 적절하지 않은 것은?(다툼이 있는 경우 판례에 의함) 20. 순경 2차

① 함께 술을 마신 후 만취된 피해자를 촛불이 켜져 있는 방안에 혼자 눕혀 놓고 촛불을 끄지 않고 나오는 바람에 화재가 발생하여 피해자가 사망한 경우, 화재가 발생할 것은 예상할 수 없으므로 과실치사의 책임을 물을 수 없다.

② 육교 밑 차도를 주행하는 자동차 운전자가 전방 보도 위에 서 있는 피해자를 발견했다 하더라도 육교를 눈앞에 둔 피해자가 특히 차도로 뛰어들 거동이나 기색을 보이지 않는 한 일반적으로 차도로 뛰어들어 오리라고 예견하기 어렵다.

③ 고령의 간경변증 환자인 피해자에게 화상 치료를 위한 가피절제술과 피부이식수술을 실시하기 전에 출혈과 혈액량 감소로 신부전이 발생하여 생명이 위험할 수 있다는 점에 대해 피해자와 피해자의 보호자에게 설명을 하지 아니한 채 수술을 실시한 과실로 인하여 환자가 사망한 경우, 의사에게 업무상 과실로 인한 형사책임을 지우기 위해서는 의사의 설명의무 위반과 환자의 사망 사이에 상당인과관계가 존재하여야 한다.

④ 과실범의 불법은 객관적 주의의무위반을 통한 행위반가치 및 구성요건적 결과발생을 통한 결과반가치에서 찾을 수 있다.

> **해설** ① × : 과실치사죄 ○(대판 1994.8.26, 94도1291 ∵ 화재가 발생할 가능성과 화재로 인하여 피해자가 사망할 가능성이 있음을 예견할 수 있으므로 촛불을 끄거나 적절하고 안전한 조치를 취하여야 할 주의의무가 있다.) ② 대판 1985.9.10, 84도1572 ③ 대판 2015.6.24, 2014도11315 ④ 타당하다.

06 과실범에 관한 설명으로 가장 적절한 것은?(다툼이 있는 경우 판례에 의함) 23. 순경 2차

① 형법 제14조에 따르면 정상적으로 기울여야 할 주의(注意)를 게을리하여 죄의 성립요소인 사실을 인식하지 못한 행위는 정당한 이유가 있는 때에 한하여 벌하지 아니한다.

② 의료과오사건에 있어서 의사의 과실을 인정하려면 결과발생을 예견할 수 있고 또 회피할 수 있었음에도 이를 하지 못한 점을 인정할 수 있어야 하고, 위 과실의 유무를 판단함에는 사회적 평균인의 주의 정도를 표준으로 하여야 하며, 이때 사고 당시의 일반적인 의학의 수준과 의료환경 및 조건, 의료행위의 특수성 등을 고려하여야 한다.

Answer 05. ① 06. ③

③ 과실범의 주의의무는 반드시 개별적인 법령에서 일일이 그 근거나 내용이 명시되어 있어야만 하는 것이 아니며, 결과발생에 즈음한 구체적인 상황에서 이와 관련된 제반사정들을 종합적으로 평가하여 결과발생에 대한 예견 및 회피 가능성을 기준으로 삼아 그 결과발생을 방지하여야 할 주의의무를 인정할 수 있는 것이다.

④ 형법 제364조에 따른 업무상 과실장물취득죄는 업무상 과실에 의하여 형법 제362조 제1항에 따른 단순과실장물취득죄보다 형이 가중되는 가중적 구성요건이다.

[해설] ① × : ~ (2줄) 인식하지 못한 행위는 법률에 특별한 규정이 있는 경우에만 처벌한다(제14조).
② × : ~ (2줄) 과실의 유무를 판단함에는 같은 업무와 직무에 종사하는 일반적 보통인(사회적 평균인 ×)의 주의 정도를 표준으로 하여야 하며, 이때 사고 당시의 일반적인 의학의 수준과 의료환경 및 조건, 의료행위의 특수성 등을 고려하여야 한다(대판 2007.9.20, 2006도294).
③ ○ : 대판 1999.1.15, 98도2605
④ × : 장물죄는 일반(보통)과실의 처벌규정이 없고 업무상 과실과 중과실만 처벌된다. 따라서 업무상 과실장물죄와 중과실장물죄는 가중적 구성요건이 아니다(부진정신분범 ×, 진정신분범 ○).

07 과실치사상의 죄에 관한 설명으로 가장 적절하지 않은 것은?(다툼이 있는 경우 판례에 의함)

23. 순경 2차

① 4층 건물의 2층 내부 벽면에 설치된 분전반을 통해 3층과 4층으로 가설된 전선이 합선으로 단락되어 화재가 나 상해가 발생한 사안에서, 단지 4층 건물의 소유자로서 위 건물 2층을 임대하였다는 사정만으로는 업무상 과실치상죄에 있어서의 '업무'로 보기 어렵다.

② 고속도로를 무단횡단하는 보행자를 충격하여 사고를 발생시킨 경우라도 운전자가 상당한 거리에서 보행자의 무단횡단을 미리 예상할 수 있는 사정이 있었고, 그에 따라 즉시 감속하거나 급제동하는 등의 조치를 취하였다면 보행자와의 충돌을 피할 수 있었다는 등의 특별한 사정이 인정되는 경우에는 자동차운전자의 과실을 인정할 수 있다.

③ 야간 당직간호사가 담당 환자의 심근경색 증상을 당직의사에게 제대로 보고하지 않음으로써 당직의사가 필요한 조치를 취하지 못한 채 환자가 사망하였다면 병원의 야간당직 운영체계상 당직의사에게도 업무상 과실이 있다.

④ 의사가 환자에 대하여 주된 의사의 지위에서 진료하는 경우라도, 자신은 환자의 수술이나 시술에 전념하고 마취과 의사로 하여금 마취와 환자 감시 등을 담당토록 하는 경우처럼 서로 대등한 지위에서 각자의 의료영역을 나누어 환자 진료의 일부를 분담하였다면, 진료를 분담받은 다른 의사의 전적인 과실로 환자에게 발생한 결과에 대하여는 주된 의사의 책임을 인정할 수 없다.

[해설] ① 대판 2009.5.28, 2009도1040
② 대판 2000.9.5, 2000도2671
③ × : ~ (3줄) 운영체계상 당직간호사에게 환자의 사망을 예견하거나 회피하지 못한 업무상 과실이 있고, 당직의사에게는 업무상 과실을 인정하기 어렵다(대판 2007.9.20, 2006도294).
④ 대판 2022.12.1, 2022도1499

08 과실범에 대한 설명으로 가장 적절한 것은?(다툼이 있는 경우 판례에 의함)　　　22. 경찰승진

① 甲이 사업 당시 공사현장 감독자이기는 하였으나 해당 공사의 발주자에 의하여 현장감독에 임명된 것이 아니고 구 건설업법상 요구되는 현장건설기술자의 자격도 없었다면, 비록 그의 현장감독 부주의로 인하여 근로자가 다쳤다고 하더라도 甲에게 업무상 과실책임을 물을 수 없다.

② 의사가 설명의무를 위반한 채 의료행위를 하였다가 환자에게 사망의 결과가 발생한 경우, 의사에게 업무상 과실로 인한 형사 책임을 지우기 위하여 의사의 설명의무위반과 환자의 사망 사이에 상당인과관계가 존재할 필요는 없다.

③ 의료사고에서 의사의 과실을 인정하기 위해서는 의사가 결과발생을 예견할 수 있었음에도 이를 예견하지 못하였고 결과발생을 회피할 수 있었음에도 이를 회피하지 못한 과실이 검토되어야 하고, 과실의 유무를 판단할 때에는 같은 업무와 직무에 종사하는 보통인의 주의정도를 표준으로 하여야 한다.

④ 법인 대표자의 법규위반 행위에 대한 법인의 책임은 법인 자신의 법규위반 행위로 평가될 수 있는 행위에 대한 법인의 직접 책임으로서의 성격을 가지지만, 대표자의 과실에 의한 위반 행위에 대하여는 법인 자신의 과실에 의한 책임이라고 할 수 없다.

> **해설**　① × : ~ (2줄) 자격도 없었다 하더라도, 비록 그의 현장감독 부주의로 인하여 근로자가 다쳤다면 甲에게 업무상 과실책임을 물을 수 있다(대판 1983.6.14, 82도2713).
> ② × : ~ 존재하여야 한다(대판 2015.6.24, 2014도11315).
> ③ ○ : 대판 2007.9.20, 2006도294
> ④ × : ~ (2줄) 법인의 직접 책임으로서, 대표자의 과실에 의한 위반행위에 대하여는 법인 자신의 과실에 의한 책임이라고 할 수 있다(대판 2010.9.30, 2009도3876).

09 과실범에 관한 설명 중 가장 옳지 않은 것은?(다툼이 있는 경우 판례에 의함)　　　24. 법원행시

① 과실범은 법률에 특별한 규정이 있는 경우에 한하여 처벌되며 형벌법규의 성질상 과실범을 처벌하는 특별규정은 그 명문에 의하여 명백, 명료하여야 한다.

② 군형법 제74조에 규정된 군용물분실죄는 같은 조에서 정한 군용에 공하는 물건을 보관할 책임이 있는 자가 선량한 보관자로서의 주의의무를 게을리하여 그의 의사에 의하지 않고 물건의 소지를 상실하는 소위 과실범을 말한다.

③ 과실범에 있어서의 비난가능성의 지적 요소란 결과발생의 가능성에 대한 인식으로서 인식 있는 과실에는 이와 같은 인식이 있고, 인식 없는 과실에는 이에 대한 인식 자체도 없는 경우인데, 과실책임이 발생하는 것은 전자이고, 후자에 대하여는 그 결과발생을 인식하지 못하였다는 데에 대한 부주의가 있다고 하더라도 과실책임을 물을 수 없다.

④ 행정상의 단속을 주안으로 하는 법규라 하더라도 명문규정이 있거나 해석상 과실범도 벌할 뜻이 명확한 경우를 제외하고는 형법의 원칙에 따라 고의가 있어야만 벌할 수 있다.

⑤ 2인 이상이 서로의 의사연락 아래 과실행위를 하여 범죄되는 결과를 발생하게 하면 과실범의 공동정범이 성립한다.

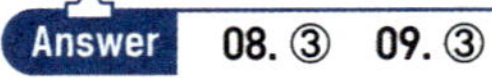

해설 ① 대판 1983.12.13, 83도2467
② 대판 1999.7.9, 98도1719
③ ×: ~ (2줄) 없는 경우이나, 전자에 있어서 책임이 발생함은 물론 후자에 있어서도 그 결과발생을 인식하지 못하였다는 데에 대한 부주의가 있다면 규범적 실재로서의 과실책임이 있다고 할 것이다(대판 1984.2.28, 83도3007).
④ 대판 2010.2.11, 2009도9807 ⑤ 대판 1982.6.8, 82도781

10 과실범에 관한 설명으로 가장 적절하지 않은 것은?(다툼이 있는 경우 판례에 의함) 25. 경력채용

① 피고인들이 분리수거장 방향으로 각자 담배꽁초를 던져버리고 현장을 떠난 후 화재가 발생한 경우, 적어도 각 과실이 화재의 발생에 대하여 하나의 조건이 된 이상 그 공동적 원인을 제공한 사람들은 각자 실화죄의 책임을 진다.

② 피고인이 평상시와 마찬가지로 연탄아궁이에 불을 피워놓은 채 연탄아궁이로부터 80센티미터쯤 떨어진 곳에 스폰지요·솜 등을 쌓아놓고 퇴근하였는데, 스폰지요·솜 등이 연탄아궁이 쪽으로 넘어지면서 훈소현상에 의하여 점포를 떠난 지 4시간 이상이 지난 뒤 화재가 발생한 경우, 피고인에게 중대한 과실이 있다고 볼 수 없다.

③ 간호사가 의사의 처방에 의한 정맥주사(Side Injection 방식)를 의사의 입회 없이 간호실습생에게 실시하도록 하여 발생한 의료사고와 관련하여, 의사에게는 그 스스로 직접 주사를 하거나 또는 직접 주사하지 않더라도 현장에 입회하여 간호사의 주사 행위를 직접 감독할 업무상 주의의무가 없다.

④ 피고인이 자동차를 운행하면서 제동파이프의 연결부분 고정이 확실치 않고 그곳에서 기름 누설이 되는 결함을 운행개시 전에 발견치 못하여 교통사고가 발생한 경우, 자동차를 운행하는 자에게 매일 그 운행개시 전에 일상점검의 하나로 제동장치 중 제동파이프에 기름 누설이 없고 고정이 확실한 여부를 점검하여야 할 업무상 주의의무는 없다.

해설 ① 대판 2023.3.9, 2022도16120
② 대판 1989.1.17, 88도643 ③ 대판 2003.8.19, 2001도3667
④ ×: ~ (4줄) 업무상 주의의무가 있다(대판 1985.12.24, 85도1755).

11 다음 사례에 대한 설명으로 옳지 않은 것은?(다툼이 있는 경우 판례에 의함) 25. 경위공채

내과의사 甲은 신경과 전문의 A에 대한 협의진료 결과 신경과 영역에서 피해자에게 이상이 없다는 회신을 받고 내과 영역의 진료행위를 계속하였는데, 지주막하출혈을 발견하지 못하였다. 한편 정신과질환인 조증으로 입원한 환자의 주치의사 乙의 조증치료제 투여 등 치료 과정에서, 야간당직의사 B의 과실이 일부 개입되어 환자가 쇼크로 사망에 이르게 되었다.
주치의사 丙은 정맥주사를 숙련된 간호사 C(경력 7년)에게 지시했는데, C는 병실에서 간호실습생에게 정맥주사를 지시하였고, 실습생의 과실로 주사액이 뇌로들어가 환자가 사망하였다.

① 내과의사 甲은 환자에 대해 신경과 전문의 A와 의료행위를 분담하는 경우에 A의 전공과목에 전적으로 속하는 사항에 대하여는 그 의료행위의 내용이 적절한 것인지의 여부를 확인하고 감독해야 할 업무상 주의의무가 없다.

② 주치의사 乙은 야간당직의사 B와의 관계에서 수직적 분업의 관계로 乙은 B에 대하여 지휘·감독관계에 있으므로 비록 B의 과실이 일부 개입되었다고 하더라도 乙은 업무상 과실치사죄의 책임을 면할 수 없다.

③ 주치의사 乙은 원칙적으로 의료행위에 앞서 환자에게 이로 인하여 발생할 수 있는 위험성 등을 구체적으로 설명해야 하는 주체이므로, 수직적 분업의 관계인 야간당직의사 B를 통한 설명으로는 어떤 경우도 충분하지 않다.

④ 간호사 C가 의사의 처방에 의한 정맥주사를 주치의사 丙의 입회 없이 간호실습생에게 실시하도록 하여 발생한 의료사고에 대하여는 주치의사 丙에게 제반 사정에 비추어 예견가능성이 없었다면 과실이 인정되지 않는다.

> 해설 ① 대판 2003.1.10, 2001도3292
> ② 대판 1994.12.9, 93도2524
> ③ × : 의료행위에 앞서 환자에게 그로 인하여 발생할 수 있는 위험성 등을 구체적으로 설명하여야 하는 주체는 원칙적으로 주된 지위에서 진료하는 의사(주치의사 乙)라 할 것이나 특별한 사정이 없는 한 다른 의사(야간당직의사 B)를 통한 설명으로도 충분하다(대판 2022.12.1, 2022도1499).
> ④ 대판 2003.8.19, 2001도3667

12 과실범에 관한 설명으로 가장 적절하지 않은 것은?(다툼이 있는 경우 판례에 의함)　26. 경찰승진

① 수련병원의 전문의와 전공의 등의 관계처럼 의료기관 내의 직책상 주된 의사의 지위에서 지휘·감독 관계에 있는 다른 의사에게 특정 의료행위를 위임하는 수직적 분업의 경우에는, 그 다른 의사에게 전적으로 위임된 것이 아닌 이상 주된 의사는 자신이 주로 담당하는 환자에 대하여 다른 의사가 하는 의료행위의 내용이 적절한 것인지 여부를 확인하고 감독하여야 할 업무상 주의의무가 있다.

② 실화죄에 있어서 피고인들의 공동의 과실이 경합되어 화재가 발생한 경우 적어도 각 과실이 화재의 발생에 대하여 하나의 조건이 되었더라도, 그 공동적 원인을 제공한 사람들에게 각자 실화죄의 책임을 인정할 수는 없다.

③ 앞차를 뒤따라 진행하는 차량의 운전사로서는 앞차에 의하여 전방의 시야가 가리는 관계상 앞차의 어떠한 돌발적인 운전 또는 사고에 의하여서라도 자기 차량에 연쇄적인 사고가 일어나지 않도록 앞차와의 충분한 안전거리를 유지하고 진로 전방좌우를 잘 살펴 진로의 안전을 확인하면서 진행할 주의의무가 있다.

④ 함께 술을 마신 후 만취된 피해자를 촛불이 켜져 있는 방안에 혼자 눕혀 놓고 촛불을 끄지 않고 나오는 바람에 화재가 발생하여 피해자가 사망한 경우 과실치사죄가 인정된다.

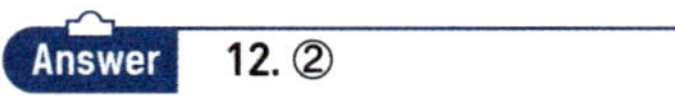

해설 ① 대판 2022.12.1, 2022도1499
② × : ~ (2줄) 하나의 조건이 된 이상은, 그 공동적 원인을 제공한 사람들은 각자 실화죄의 책임을 면할 수 없다(대판 2023.3.9, 2022도16120).
③ 대판 2001.12.11, 2001도5005
④ 대판 1994.8.26, 94도1291

13 고의와 과실에 관한 설명으로 옳지 않은 것은?(다툼이 있는 경우 판례에 의함) 24. 경위공채

① 절도죄에서 타인의 물건을 자기에게 취득할 것이 허용된 동일한 물건으로 오인하고 가져온 경우에는 범죄사실에 대한 인식이 있다고 할 수 없으므로 범죄가 성립하지 않는다.

② 미필적 고의가 있었다고 하려면 결과 발생의 가능성에 대한 인식이 있음은 물론 나아가 결과 발생을 용인하는 내심의 의사가 있음을 요한다.

③ 주의의무위반 여부를 판단함에는 행위자 본인의 주의능력을 표준으로 하여 주의의무위반을 결정해야 한다.

④ 허용된 위험이론과 신뢰의 원칙은 과실범에 있어서 주의의무의 범위를 한정하는 원리로 작동하고 있다.

해설 ① 대판 1983.9.13, 83도1762(∵ 범의가 조각됨.)
② 대판 1987.2.10, 86도2338
③ × : 주의의무위반 여부를 판단함에는 같은 업무와 직무에 종사하는 일반적 보통인(행위자 본인 ×)의 주의능력을 표준으로 하여 주의의무위반을 결정해야 한다[대판 2007.9.20, 2006도294 ∴ 판례·통설 ⇨ 주관설(행위자표준설) ×, 객관설(평균인표준설) ○].
④ 옳다.

Answer 13. ③

제7절 결과적 가중범

> **제15조 제2항【결과적 가중범】** 결과 때문에 형이 무거워지는 죄의 경우에 그 결과의 발생을 예견할 수 없었을 때에는 무거운 죄로 벌하지 아니한다.

(1) 의 의

① 결과적 가중범이란 고의에 의한 기본범죄에 의하여 행위자가 예견하지 못한 중한 결과가 발생한 경우에 그 중한 결과로 인해 형이 가중되는 범죄를 말한다. 같은 결과를 과실로 실현한 과실범보다 무겁게 처벌하는 이유는 고의의 기본범죄에 전형적으로 포함된 잠재적인 위험의 실현으로 단순한 과실범보다 행위반가치(결과반가치 ×)가 더 크기 때문이다. 16. 9급 철도경찰 24. 순경 2차, 25. 해경경위

② 따라서 결과적 가중범은 고의범과 과실범의 결합형태의 범죄라고 할 수 있다.

  예 $\dfrac{\text{상해의 고의로 사람을 칼로 찔렀으나}}{\text{기본범죄(고의범 : 상해)}}$ + $\dfrac{\text{출혈과다로 사망한 경우}}{\text{중한 결과(과실범 : 치사)}}$ ⇨ 결과적 가중범(상해치사죄)

  Q 주의 : 실화치사죄, 과실치사상죄, 업무상 과실치사상죄 ⇨ 과실범이지 결과적 가중범이 아니다.

③ 행위자가 예견하지 못한 중한 결과에 대해 가중처벌하는 것은 책임주의에 반하지 않는가에 대해 종래에는 결과적 가중범을 책임주의의 예외로 파악하였으나, 우리 형법은 제15조 제2항에서 중한 결과발생에 대한 예견가능성, 즉 과실이 있으면 결과적 가중범이 된다고 규정하고 있다. 17. 순경 2차, 19. 경찰간부

(2) 진정결과적 가중범과 부진정결과적 가중범

① **진정결과적 가중범**(고의+과실) : 진정결과적 가중범이란 고의(과실 ×)에 의한 기본범죄에 의하여 과실로 중한 결과를 발생하게 한 경우로 대부분의 결과적 가중범이 이에 해당한다.

  예 상해치사죄, 25. 경위공채 폭행치사죄, 유기치사상죄, 체포감금치사상죄, 강도치사상죄, 강간치사상죄 등

② **부진정결과적 가중범**(고의+과실·고의) : 부진정결과적 가중범이란 고의(과실 ×)에 의한 기본범죄에 의하여 중한 결과가 과실은 물론 고의에 의하여도 발생할 수 있는 것을 말하며 처벌의 균형상 이를 인정하는 것이 다수설과 판례의 입장이다. 20. 순경 1차, 21. 변호사시험, 24. 경찰승진

  예 1. 부진정결과적 가중범 ○ ⇨ 현주건조물방화치사상죄, 현주건조물일수치사상죄, 특수공무집행방해치상죄, 16. 변호사시험·순경 2차, 21. 경찰승진·해경승진 교통방해치상죄, 25. 경위공채 음용수혼독치상죄, 중상해죄, 중손괴죄, 중권리행사방해죄, 중유기죄

  2. 부진정결과적 가중범 × ⇨ 강도(강간·인질)치사상죄(∵ 강도범(강간범·인질범)이 상해나 살인의 고의가 있으면 강도(강간·인질)상해죄, 강도(강간·인질)살인죄가 성립함), 중체포·감금죄(∵ 체포·감금행위와 가혹행위가 결합된 결합범) 16. 변호사시험, 19. 경찰간부

  Q 부진정결과적 가중범의 죄수
  부진정결과적 가중범에서 고의로 중한 결과를 발생하게 한 행위가 별도의 구성요건에 해당하고 그 고의범의 법정형이 결과적 가중범의 법정형보다 더 무거운 경우에는 고의범과 결과적 가중범이 상상적 경합관계(실체

적 경합관계 ×)에 있지만, 고의범의 법정형이 더 무겁지 않은 경우에는 결과적 가중범이 고의범에 대하여 특별관계에 있으므로 결과적 가중범만 성립한다(대판 2008.11.27, 2008도7311). 22. 법원직 · 7급 검찰, 23. 변호사시험 · 경찰간부, 24. 순경 2차, 25. 경위공채 · 9급 검찰 · 마약수사 · 철도경찰 · 해경경사, 26. 경찰승진

관련판례

1. 사람을 살해할 목적으로 현주건조물에 방화하여 사망에 이르게 한 경우 ⇨ 현주건조물방화치사죄 (대판 1996.4.26, 96도485) 17. 9급 철도경찰, 18. 순경 2차, 19. 순경 1차, 23. 해경승진, 25. 경력채용

2. 존속을 살해할 목적으로 현주건조물에 방화하여 사망에 이르게 한 경우 ⇨ 존속살해죄와 현주건조물 방화치사죄의 상상적 경합(대판 1996.4.26, 96도485) 20. 순경 1차, 23. 7급 검찰, 24. 해경간부

3. 재물을 강취한 후 살해할 목적으로 현주건조물에 방화하여 사망하게 한 경우 ⇨ 강도살인죄와 현주건 조물방화치사죄의 상상적 경합(대판 1998.12.8, 98도3416) 18. 순경 1차, 21. 경찰간부, 22. 변호사시험 · 해경간 부, 24. 7급 검찰 · 순경 2차, 25. 경찰승진 · 해경경위

4. 직무를 집행하는 공무원에 대하여 위험한 물건을 휴대하여 고의로 상해를 가한 경우에는 특수공무집 행방해치상죄만이 성립하고, 이와 별도로 특수상해죄는 성립하지 않는다(대판 2008.11.27, 2008도 7311 ∵ 특수공무집행방해치상죄는 부진정결과적 가중범임). 21. 경찰승진, 22. 법원직, 24. 변호사시험 · 법 원행시 · 순경 2차

5. 현주건조물에 방화하여 기수에 이른 후, 이 건조물에서 빠져나오려는 자를 가로막아 불에 타서 숨지게 한 경우 ⇨ 현주건조물방화죄와 살인죄의 실체적 경합범(대판 1983.1.18, 82도2341), 부진정결과적 가중범(현주건조물방화치사죄) 성립 × 18. 순경 1차, 22. 경력채용

6. 교통사고 등의 발생 없이 운행 중인 자동차의 운전자를 폭행하거나 협박하여 운전자나 승객 또는 보행자 등을 상해나 사망에 이르게 하였다면 이로써 특정범죄가중법 제5조의 10 제2항의 구성요건 을 충족한다(대판 2015.3.26, 2014도13345 ∵ 특가법 제5조의 10 제2항의 죄는 추상적 위험범이자 결과적 가중범임. **예** 신호대기를 위하여 정차 중인 대리운전기사의 얼굴을 2회 때리고 목을 졸라 14일간의 치료가 필요한 기타 유리체 장애 등의 상해를 가한 경우 ⇨ 특가법 제5조의 10 제2항의 폭행치상죄 ○). 16. 변호사시험, 22. 경찰간부

⑶ 결과적 가중범의 성립요건

결과적 가중범이 성립하기 위해서는 ① 고의에 의한 기본범죄행위와 ② 기본범죄행위를 초과 하는 중한 결과가 발생해야 하며 ③ 이들 양자간에 인과관계가 있어야 하고 ④ 중한 결과발생 에 대한 예견가능성(과실)이 있어야 한다.

① **고의에 의한 기본범죄행위** : 기본범죄는 고의에 의한 범죄이어야 한다. 따라서 기본범죄가 과실에 의한 경우(**예** 과실치사상죄)는 단순과실범이지 결과적 가중범이 아니다. 21. 9급 검찰 · 마약수 사 · 철도경찰, 24. 경찰승진 · 순경 1차

관련판례

1. 기본범죄인 강간이 미수(중지미수 포함)에 그쳤더라도 그 수단인 폭행 · 협박에 의하여 중한 결과인 상해가 발생한 경우 ⇨ 강간치상죄의 기수가 된다(대판 1988.11.8, 88도1628). 21. 변호사시험 · 경찰승진, 22. 경력채용, 23. 경찰간부 · 7급 검찰, 24. 법원행시 · 해경간부, 25. 해경경위공채

2. 위험한 물건인 전자충격기를 사용하여 강간을 시도하다가 미수에 그치고 피해자에게 약 2주간의 치료를 요하는 안면부 좌상 등의 상해를 입힌 경우 ⇨ 성폭력범죄의 처벌 등에 관한 특례법 제9조 제1항의 특수강간치상죄의 기수 ○, 특수강간치상 미수 ×(대판 2008.4.24, 2007도10058). 20. 해경 3차 · 7급 검찰, 22. 변호사시험, 25. 경위공채 · 경력채용 · 해경경사

3. 강도가 택시를 타고 가다가 요금지급을 면할 목적으로 소지한 과도로 운전수를 협박하자 이에 놀란 운전수가 택시를 급우회전하면서 그 충격으로 강도가 겨누고 있던 과도에 어깨부분이 찔려 상처를 입힌 경우 ⇨ 강도치상죄 ○(대판 1985.1.15, 84도2397) 26. 경찰승진

4. 조문형식상 결과적 가중범에 대한 미수범처벌규정이 있더라도 이는 결합범에만 적용되고, 결과적 가중범의 경우에는 중한 결과가 발생한 이상 기본범죄가 미수에 그쳐도 결과적 가중범의 기수범이 된다(대판 2008.4.24, 2007도10058). 21. 변호사시험, 23. 9급 검찰 · 마약수사 · 철도경찰, 25. 해경경위공채

5. 수뢰 후 부정처사죄는 반드시 뇌물수수 등의 행위가 완료된 이후에 부정한 행위가 이루어져야 함을 의미하는 것은 아니고, 결합범 또는 결과적 가중범 등에서의 기본행위와 마찬가지로 뇌물수수 등의 행위를 하는 중에 부정한 행위를 한 경우도 포함한다(대판 2021.2.4, 2020도12103). 22. 변호사시험

6. 성폭력범죄의 처벌 등에 관한 특례법 제4조 제1항에서 정한 특수강간의 죄를 범한 경우뿐만 아니라 특수강간의 실행에 착수하였으나 미수에 그친 경우라고 하더라도, 이로 인하여 피해자가 상해를 입었으면 특수강간치상죄가 성립한다. 후자의 경우 특수강간치상죄의 기수범이 성립할 뿐, 성폭력범죄의 처벌 등에 관한 특례법 제15조가 다시 적용되어 특수강간치상죄의 미수범이 성립하는 것은 아니다 (대판 2025.3.20, 2023도10405 전원합의체 ∵ 성폭력범죄의 처벌 등에 관한 특례법에 정한 특수강간치상죄의 미수범 처벌규정은 특수강간상해죄의 미수범에 적용될 뿐, 결과적 가중범인 특수강간치상죄에는 적용되지 않는다). 26. 변호사시험

---

② 결과적 가중범은 기본범죄에 내재된 전형적 위험성이 발현되었다는 점에서 가중처벌의 근거를 찾을 수 있으므로 기본범죄의 실행에 착수한 사람이 실행행위를 완료하지 않았더라도 이로 인하여 형이 무거워지는 요인이 되는 결과가 생겼다면 기본범죄에 내재된 위험이 현실화되었다는 점에서 이를 결과적 가중범의 기수범으로 처벌하는 것은 당연하다(대판 2008.4.24, 2007도10058). 25. 순경 2차

③ **중한 결과의 발생** : 기본범죄행위를 초과하는 중한 결과의 발생이 있어야 한다. 여기서 중한 결과는 기본범죄에서 직접 초래되었다고 볼 수 있어야 한다(소위 직접성의 원칙).

④ **인과관계**(▶ 제3절 인과관계 : 관련판례 복습 요함) : 기본범죄행위와 중한 결과 사이에 인과관계가 있어야 한다(형법 제15조 제2항에 명시적 규정 ×). 19. 경찰간부, 23. 해경승진

관련판례

● **인과관계를 인정한 경우**

1. 상해의 고의로 가격한 피해자가 의식을 잃고 쓰러지자 사망한 것으로 오인하고 범행을 감추고 자살로 가장하기 위해 베란다 밖으로 떨어뜨려 사망케 한 경우 상해치사죄가 성립한다(대판 1994.11.4, 94도2361). 18. 법원행시, 23. 해경승진 · 경찰승진

2. 피해자의 신체 여러 부위에 심하게 폭행을 가함으로써 피해자의 심장에 악영향을 초래하여 피해자를 심근경색 등으로 사망하게 하였더라도 피해자가 평소에 심장질환을 앓고 있던 경우 ⇨ 폭행치사죄 ○(대판 1989.10.13, 89도556) 18. 경찰승진

3. 피고인이 승용차로 피해자를 가로막아 승차하게 한 후 시속 약 60~70km의 속도로 진행하여 피해자를 차에서 내리지 못하게 하자 이를 벗어날 목적으로 차량을 빠져 나오려다가 차도에 떨어져 상해를 입고 그 결과 사망에 이른 경우 ⇨ 감금치사죄 ○(대판 2000.2.11, 99도5286) 18. 7급 검찰, 25. 경찰승진

4. 피고인이 물조차 제대로 마시지 못하고 잠도 자지 아니하여 거의 탈진상태에 이른 피해자의 손과 발을 17시간 이상 묶어 두고 좁은 차량 속에서 움직이지 못하게 감금하여 혈액순환에 장애가 발생하여 혈전이 형성되고 그 혈전이 폐동맥을 막아 사망한 경우 ⇨ 감금치사죄 ○(대판 2002.10.11, 2002도4315) 07. 사시, 23. 경찰승진

5. 甲이 피해자를 강간한 후 의식불명 상태에 빠진 피해자를 비닐창고로 옮겨 놓아 피해자가 저체온증으로 사망한 경우, 강간치사상죄의 사상의 결과는 간음행위 자체나 강간에 수반하는 행위에서 발생한 경우도 포함되므로 甲에게는 강간치사죄가 인정된다(대판 2008.2.29, 2007도10120). 18. 9급 철도경찰, 24. 7급 검찰

6. 甲이 A의 얼굴을 주먹으로 수회 때리는 등 무차별적으로 폭행하여 상해를 가하자 A가 甲의 계속된 폭행을 피하려고 도로를 건너 도주하다가 차량에 치여 사망한 경우, 甲의 위 상해행위와 A의 사망 사이에는 상당인과관계가 인정된다(대판 1996.5.10, 96도529). 18. 9급 철도경찰, 20. 경찰승진, 24. 해경순경, 25. 순경 1차

7. 폭행 또는 협박으로 타인의 재물을 강취하려는 행위와 이에 극도의 흥분을 느끼고 공포심에 사로잡혀 이를 피하려다 입은 상해 사이에는 상당인과관계가 인정된다(대판 1996.7.12, 96도1142 ∴ 강도치상죄 ○). 22. 법원직, 23. 경찰승진, 24. 해경승진, 25. 변호사시험 · 해경경사 · 순경 2차

- **인과관계를 부정한 경우**

1. 강간을 당한 피해자가 수치심과 장래에 대한 절망감 등으로 음독자살한 경우 ⇨ 강간치사죄 ×(대판 1982.11.23, 82도1446) 11. 사시, 23. 경찰승진

2. 甲이 피해자를 폭행하여 비골 골절 등의 상해를 가한 다음 새로이 추행의 범의를 일으켜 피해자를 강제추행한 경우, 甲의 위 폭행은 강제추행의 수단으로서의 폭행으로 볼 수 없어 이로 인하여 피해자가 상해를 입은 결과에 대하여는 결과적 가중범인 강제추행치상죄가 성립하지 않는다(대판 2009.7.23, 2009도1934 ∴ 상해와 강제추행 사이에 인과관계 ×). 18. 경찰간부, 24. 법원행시 · 7급 검찰

⑤ **예견가능성** : 중한 결과발생에 대한 예견가능성(제15조 제2항에 명시적 규정 ○), 19. 경찰간부, 23. 해경승진, 24. 해경경위 즉 과실이 있어야 한다. 이때 예견가능성은 기본범죄행위의 실행시에 존재해야 한다〔예 중한 결과에 대한 과실은 기본범죄(기본적 구성요건)의 실행시에 존재해야 하므로 강간 후에 살해의 고의가 생겨 피해자를 살해한 경우에는 강간치사죄가 될 수 없다(대판 1986.11.11, 86도1989)〕. 15. 9급 철도경찰

관련판례

> 1. 결과적 가중범이 성립하려면 행위와 결과 사이에 상당인과관계가 있어야 하고 행위시에 결과의 발생을 예견할 수 있어야 하는데, 그러한 예견가능성은 일반인을 기준으로 객관적으로 판단되어야 하며 행위자를 기준으로 판단해야 하는 것은 아니다(대판 2014.7.24, 2014도6206). 23. 경찰간부, 24. 경찰승진
> 2. 결과적 가중범은 행위자가 그 결과를 의도할 필요가 없고 그 결과의 발생을 예견할 수 있으면 족하다(대판 1980.5.27, 80도796). 25. 순경 2차

● **예견가능성 ○ ⇨ 결과적 가중범 ○**

1. 결과적 가중범은 행위자가 행위시에 그 결과의 발생을 예견할 수 없을 때에는 비록 그 행위와 결과 사이에 인과관계가 있다 하더라도 중한 죄로 벌할 수 없다(대판 1988.4.12, 88도178). 20. 경찰간부, 21. 해경승진, 22. 9급 검찰 · 마약수사 · 철도경찰, 25. 7급 검찰 · 해경경위, 26. 변호사시험

   ▶ **유사판례** : 폭행치사죄는 결과적 가중범으로서 사망의 결과에 대한 예견가능성 즉 과실이 있어야 하는 것 외에, 폭행과 사망의 결과 사이에 인과관계가 있어야 한다(대판 1990.9.25, 90도1596). 14. 9급 검찰 · 마약수사 · 철도경찰

2. 피고인이 고속도로 2차로를 따라 자동차를 운전하다가 1차로를 진행하던 甲의 차량 앞에 급하게 끼어든 후 곧바로 정차하여, 甲의 차량 및 이를 뒤따르던 차량 두 대는 연이어 급제동하여 정차하였으나, 그 뒤를 따라오던 乙의 차량이 앞의 차량들을 연쇄적으로 추돌케 하여 乙을 사망에 이르게 하고 나머지 차량 운전자 등 피해자들에게 상해를 입힌 경우 ⇨ 일반교통방해치사상죄 ○(대판 2014.7.24, 2014도6206 ∵ 상당인과관계 ○, 예견가능성 ○) 16. 변호사시험 · 법원행시, 20. 7급 검찰

3. 강간치상죄에서 상해의 결과는 강간에 수반하는 행위에서 발생한 경우도 포함하는데, 강간이 미수에 그친 경우라도 그로 인하여 피해자가 상해를 입고 그 결과의 발생을 예견할 수 있었다면 강간치상죄가 성립한다(대판 2003.5.30, 2003도1256). 22. 7급 검찰, 23. 해경 3차

4. 교통방해치사죄의 경우 결과발생에 대한 예견가능성은 일반인을 기준으로 객관적으로 판단해야 하므로 일반인의 관점에서 결과발생을 예견할 수 있었다면, 설령 행위자가 결과발생을 구체적으로 예견하지는 못하였다고 하더라도 실제로 발생한 사망의 결과에 대하여 교통방해치사죄가 성립한다(대판 2014.7.24, 2014도6206). 23. 경찰간부

5. 사람이 현존하는 건조물을 방화하는 집단행위의 과정에서 일부 집단원이 고의행위로 상해를 가한 경우에도 방화를 공모한 다른 집단원에게 그 상해의 결과가 예견가능한 것이었다면, 다른 집단원도 그 결과에 대하여 현존건조물방화치상죄의 책임을 진다(대판 1996.4.12, 96도215). 17. 수사경과, 23. 9급 검찰 · 마약수사 · 철도경찰, 25. 해경경사, 26. 변호사시험

6. 甲이 주먹으로 A의 얼굴과 가슴을 수없이 때리고 머리채를 휘어잡아 벽에 여러 차례 부딪치게 함으로써 A가 이틀 후 두개골 결손, 뇌 경막하출혈 등으로 사망한 경우, 甲에게 사망의 결과에 대한 예견가능성이 인정된다(대판 1984.12.11, 84도2183). 22. 7급 검찰, 23. 해경 3차

● **예견가능성 × ⇨ 결과적 가중범 ×**

1. 공장에서 동료 사이에 말다툼을 하던 중 피고인이 삿대질을 하는 것을 피해자가 피하려다가 회전 중이던 십자형 스빙기계 철받침대에 걸려 넘어져 머리를 바닥에 부딪혀 두개골골절로 사망한 경우 ⇨ 폭행치사죄 ×(대판 1990.9.25, 90도1596) 23. 해경승진, 25. 경력채용 · 해경경위공채, 26. 경찰승진

2. 피고인과 피해자가 여관에 투숙하여 별다른 저항이나 마찰 없이 성관계를 가진 후 피고인이 잠시 나간 사이에 피해자가 방문을 잠그고 구조요청을 한 후라면 피고인의 방문 흔드는 소리에 겁을 먹고 탈출하다가 상해를 입을 것이라고 예견할 수 없다(대판 1985.10.8, 85도1537 ∴ 강간치상죄 ×). 16. 9급 철도경찰, 22. 경력채용, 25. 해경경위

3. 서로 시비하다가 외관상 건강하여 전혀 병약한 흔적이 없는 자인데 사실은 관상동맥경화 및 협착증세를 가진 특수체질자인 피해자를 떠밀어 땅에 엉덩방아를 찧고 주저앉게 하였는데 심장마비를 일으켜 사망한 경우 ⇨ 폭행치사죄 ×(대판 1985.4.3, 85도303) 22. 7급 검찰, 23. 해경 3차

4. 고혈압환자인 피해자가 피고인의 욕설과 어깨쭉지를 잡고 조금 걸어가다가 놓아준 데 불과한 정도의 폭행으로 인하여 뇌실질혈종의 상해를 입은 경우 ⇨ 폭행치상죄 ×(대판 1982.1.12, 81도1811)

(4) 관련문제

① **결과적 가중범의 미수** : 현행형법과 성폭력특례법상 결과적 가중범의 미수에 관한 규정을 두고 있는 것이 있다. 21. 경찰간부, 23. 해경승진, 25. 경찰승진

> **예** • 현주건조물일수치상 · 치사죄(제182조), 인질치상 · 치사죄(제324조의 5), 강도치상 · 치사죄(제342조), 해상강도치상 · 치사죄(제342조)
> • 성폭력범죄의 처벌 등에 관한 특례법에도 결과적 가중범의 미수를 처벌하는 규정이 있다(**예** 특수강도강간치사상죄, 특수강간치사상죄 등).

② **결과적 가중범의 공동정범**

> 기본행위를 공동으로 할 의사만 있고 결과를 공동으로 할 의사가 없더라도 중한 결과에 대한 예견가능성이 있다면 결과적 가중범의 공동정범이 인정된다(대판 2000.5.12, 2000도745). 22. 법원직, 23. 경찰간부 · 9급 검찰 · 마약수사 · 철도경찰, 24. 법원행시 · 순경 1차, 25. 해경경사, 26. 변호사시험

관련판례

1. 결과적 가중범인 상해치사죄의 공동정범은 폭행 기타의 신체침해 행위를 공동으로 할 의사가 있으면 성립되고 결과를 공동으로 할 의사는 필요없으며, 여러 사람이 상해의 범의로 범행 중 한 사람이 중한 상해를 가하여 피해자가 사망에 이르게 된 경우 나머지 사람들은 사망의 결과를 예견할 수 없는 때가 아닌 한 상해치사의 죄책을 면할 수 없다(대판 2000.5.12, 2000도745). 17. 순경 2차, 18. 7급 검찰, 20. 해경승진 · 해경 3차, 21. 경찰간부, 23. 경찰승진, 24. 법원행시

2. 부진정결과적 가중범은 예견가능한 결과를 예견하지 못한 경우뿐만 아니라 그 결과를 예견하거나 고의가 있는 경우까지도 포함하는 것이므로, 공무집행을 방해하는 집단행위의 과정에서 일부 집단원이 고의로 살상을 가한 경우에도 다른 집단원에게 그 사상의 결과가 예견가능한 것이었다면 다른 집단원도 그 결과에 대하여 특수공무방해치사상의 책임을 면할 수 없다(대판 2002.4.12, 2000도3485). 17. 9급 철도경찰, 22. 경찰간부 · 경찰승진

3. 강도의 공범자 중 1인이 강도의 기회에 피해자에게 폭행 또는 상해를 가하여 살해한 경우에 다른 공범자는 강도의 수단으로 폭행 또는 상해가 가해지리라는 점에 대하여 상호 인식이 있었다면 살해에 대하여 공모한 바가 없다고 하여도 강도치사죄의 죄책을 진다(대판 1991.11.12, 91도2156). 16. 변호사시험 · 사시, 26. 경찰승진

4. 공범자 중 수인이 강간의 기회에 상해의 결과를 야기하였다면 다른 공범자가 그 결과의 인식(고의)이 없었더라도 강간치상죄의 책임이 없다고 할 수 없다(대판 1984.2.14, 83도3120). 10. 7급 검찰

5. 강도합동범 중 1인인 甲이 공범 乙과 공모한 대로 과도를 들고 강도를 하기 위하여 피해자의 거소에 들어가 피해자를 향하여 칼을 휘두른 경우, 대문 밖에서 망을 본 공범 乙은 구체적으로 상해를 가할 것까지 공모하지 않았다 하더라도 그 상해의 결과에 대하여 공범으로서의 책임을 면할 수 없다(대판 1998.4.14, 98도356). 16. 수사경과, 24. 7급 검찰

③ **결과적 가중범의 교사 · 방조** : 중한 결과에 대하여 과실(예견가능성)이 있는 경우에 인정된다 (통설 · 판례). 16. 경찰승진, 20. 해경승진 · 해경 3차

관련판례

1. 교사자가 피교사자에 대하여 상해 또는 중상해를 교사하였는데 피교사자가 이를 넘어 살인을 실행한 경우 일반적으로 교사자는 상해죄 또는 중상해죄의 교사범이 되지만 이 경우 교사자(피교사자 ×)에게 피해자의 사망이라는 결과에 대하여 과실 내지 예견가능성이 있는 때에는 상해치사죄의 교사범으로서의 죄책을 지울 수 있다(대판 1993.10.8, 93도1873). 18. 법원행시 · 순경 1차, 20. 해경승진 · 해경 3차, 21. 경찰승진, 22. 해경간부, 24. 변호사시험, 25. 경력채용 · 경대편입

2. 군대의 하급자인 A가 상급자인 B에게 무례한 행동을 하자 甲은 B가 A를 교육시킨다는 정도로 가볍게 생각하고 B에게 각목을 건네주었는데, B가 각목으로 A를 폭행하자 이를 제지하기 위해 애를 썼지만 A가 사망한 경우, 甲의 방조책임은 A의 사망에 미치지 않는다(대판 1998.9.4, 98도2061 ∴ 특수폭행죄의 방조범 ○, 특수폭행치사죄의 방조범 ×). 15. 사시

(5) 형법상 결과적 가중범의 처벌규정(각칙상의 결과적 가중범)

① 연소죄(제168조)는 '치'자가 붙지 않았지만 결과적 가중범이다. 12. 경찰간부, 16. 순경 2차

② 과실상해(과실치상 제266조)나 과실치사죄(제267조)는 '치'자가 붙었으나 결과적 가중범이 아니다.

③ 재산죄의 경우 강도치사상죄(제337조, 제338조)와 재물손괴(공익건조물파괴)치사상죄(제368조 제2항) 외에는 결과적 가중범의 형태가 존재하지 않는다.

④ 업무상 위력에 의한 간음치상죄라는 처벌규정은 없다. 18. 법원행시, 23. 해경승진

1 특수공무집행방해치상죄는 상해결과에 대해 예견할 수 있었음에도 불구하고 예견하지 못한 경우는 물론이고 상해에 대한 고의가 있는 경우도 포함하는 부진정결과적 가중범이다. (　)

16. 순경 2차, 21. 경찰승진 · 해경승진, 22. 법원직, 24. 변호사시험

2 중체포 · 감금죄는 사람을 체포 · 감금하여 생명에 위험을 야기한 경우 성립하는 결과적 가중범이다. (　)

16. 변호사시험, 19. 경찰간부

3 부진정결과적 가중범에서 고의로 중한 결과를 발생하게 한 행위가 별도의 구성요건에 해당하고 그 고의범의 법정형이 결과적 가중범의 법정형보다 더 무거운 경우에는 고의범과 결과적 가중범이 실체적 경합관계에 있지만, 고의범의 법정형이 더 무겁지 않은 경우에는 결과적 가중범이 고의범에 대하여 특별관계에 있으므로 결과적 가중범만 성립한다. (　)

22. 법원직 · 경력채용 · 7급 검찰 · 순경 2차, 23. 변호사시험 · 경찰간부, 25. 경위공채 · 해경경사, 26. 경찰승진

4 직계존속이 아닌 사람을 살해할 목적으로 현주건조물에 방화하여 사망에 이르게 한 경우에는 현주건조물방화치사죄로 처벌하여야 하고 이와 더불어 살인죄와의 상상적 경합범으로 볼 것은 아니다. (　)

17. 9급 철도경찰, 18. 법원행시 · 순경 2차, 19. 순경 1차, 23. 해경승진, 25. 경력채용

5 피해자의 재물을 강취한 후, 그를 살해할 목적으로 현주건조물에 방화하여 사망에 이르게 한 경우 강도살인죄와 현주건조물 방화치사죄의 상상적 경합이 된다. (　)

21. 경찰간부, 22. 해경간부, 24. 7급 검찰 · 순경 2차, 25. 경찰승진, 26. 변호사시험

6 강간이 미수에 그쳤으나 그 과정에서 상해의 결과가 발생하였다면 강간치상죄의 기수가 성립한다. (　)

21. 변호사시험 · 경찰승진, 22. 경력채용, 23. 경찰간부 · 7급 검찰, 25. 해경경위공채

7 위험한 물건인 전자충격기를 사용하여 강간을 시도하다가 미수에 그치고, 피해자에게 약 2주간의 치료를 요하는 안면부 좌상 등의 상해를 입힌 경우 구 성폭력범죄의 처벌 및 피해자보호 등에 관한 법률에 의한 특수강간치상죄의 미수가 성립한다. (　)

20. 7급 검찰 · 해경 3차, 22. 변호사시험, 25. 경위공채 · 경력채용 · 해경경사

8 결과적 가중범의 미수범 규정이 있는 경우, 기본범죄가 미수에 그친 때에는 결과적 가중범의 미수범이 성립한다. (　)

21. 변호사시험, 23. 9급 검찰 · 마약수사 · 철도경찰 · 해경경위공채

9 甲이 A의 얼굴을 주먹으로 수회 때리는 등 무차별적으로 폭행하여 상해를 가하자 A가 甲의 계속된 폭행을 피하려고 도로를 건너 도주하다가 차량에 치여 사망한 경우, 甲의 위 상해행위와 A의 사망 사이에는 상당인과관계가 인정되지 않는다. (　)

18. 9급 철도경찰, 20. 경찰승진, 24. 해경순경, 25. 순경 1차

Answer ▶ — 1. ○　2. ×　3. ×　4. ○　5. ○　6. ○　7. ×　8. ×　9. ×

10 甲이 乙을 폭행하여 재물을 강취하려 하자 극도의 흥분과 공포심을 느낀 乙이 이를 피하려다 상해를 입은 경우, 甲이 상해의 결과를 예견할 수 있었더라도 甲의 폭행과 乙의 상해 사이에는 상당인과관계가 없으므로 甲을 강도치상죄로 처벌할 수 없다. (   )
22. 법원직, 23. 경찰승진, 24. 해경승진, 25. 변호사시험 · 해경경사 · 순경 2차

11 결과적 가중범은 행위자가 행위시에 그 결과의 발생을 예견할 수 없을 때에도 그 행위와 결과 사이에 상당인과관계가 있다고 하면 중한 죄로 벌하여야 한다. (   )
20. 경찰간부, 22. 9급 검찰 · 마약수사 · 철도경찰, 23. 해경승진, 25. 7급 검찰 · 해경경위, 26. 변호사시험

12 甲은 공장에서 동료 A와 말다툼을 하던 중 A에게 삿대질을 하였는데 이를 피하고자 A 자신이 두어 걸음 뒷걸음 치다가 회전 중이던 십자형 스빙기계 철받침대에 걸려 넘어져 머리를 시멘트 바닥에 부딪혀 두개골절로 사망한 경우, 甲에게 폭행치사죄의 책임을 물을 수 있다. (   )
18. 법원행시, 19. 순경 2차, 21. 해경간부, 23. 해경승진, 26. 경찰승진

13 사람이 현존하는 건조물을 방화하는 집단행위의 과정에서 일부 집단원만이 고의 행위로 살상을 가한 경우 다른 집단원이 그 결과를 예견할 수 있었더라도 현존건조물방화치사상죄의 죄책을 인정할 수 없다. (   ) 17. 수사경과, 23. 변호사시험 · 9급 검찰 · 마약수사 · 철도경찰, 25. 해경경사

14 성폭력범죄의 처벌 등에 관한 특례법에는 결과적 가중범의 미수를 처벌하는 규정을 두고 있으나 현행 형법전에는 이에 대한 규정이 없다. (   ) 15. 변호사시험, 21. 경찰간부, 23. 해경승진, 25. 경찰승진

15 기본행위를 공동으로 할 의사만 있고 결과를 공동으로 할 의사는 없더라도 중한 결과에 대한 예견가능성이 있다면 결과적 가중범의 공동정범이 인정된다. (   )
22. 법원직, 23. 경찰간부, 24. 순경 1차, 25. 해경경사, 26. 변호사시험

16 결과적 가중범인 상해치사죄의 공동정범은 폭행 기타의 신체침해 행위를 공동으로 할 의사가 있으면 성립되고 결과를 공동으로 할 의사는 필요없으며, 여러 사람이 상해의 범의로 범행 중 한 사람이 중한 상해를 가하여 피해자가 사망에 이르게 된 경우 나머지 사람들은 사망의 결과를 예견할 수 없는 때가 아닌 한 상해치사의 죄책을 면할 수 없다. (   )
17. 순경 2차, 18. 7급 검찰, 20. 해경승진 · 해경 3차, 21. 경찰간부, 23. 경찰승진

17 교사자가 피교사자에 대하여 상해를 교사하였는데 피교사자가 이를 넘어 살인을 실행한 경우, 교사자에게 피해자의 사망이라는 결과에 대하여 과실 내지 예견가능성이 있는 때에는 상해치사죄의 교사범으로서의 죄책을 지울 수 있다. (   )
18. 순경 2차, 20. 해경승진 · 해경 3차, 21. 경찰승진, 22. 해경간부, 24. 변호사시험, 25. 경력채용

18 형법 제15조 제2항 결과적 가중범은 기본범죄와 중한 결과 사이의 인과관계에 대해서만 규정하고 있을 뿐, 예견가능성을 명시적으로 요구하고 있지는 않다. (   )
16. 순경 2차, 19. 경찰간부, 23. 해경승진, 24. 해경경위

19 형법 제168조 연소죄는 결과적 가중범에 해당한다. (   ) 12. 경찰간부, 16. 순경 2차

Answer ▶ **10.** × **11.** × **12.** × **13.** × **14.** × **15.** ○ **16.** ○ **17.** ○ **18.** × **19.** ○

01 다음 괄호 안에 들어갈 말을 순서대로 나열한 것으로 옳은 것은?(다툼이 있는 경우 판례에 의함)

25. 경위공채

> 가. 교통방해치상죄는 (㉠) 결과적 가중범이다.
> 나. 상해치사죄는 (㉡) 결과적 가중범이다.
> 다. 기본범죄를 통하여 고의로 중한 결과를 발생하게 한 경우에 가중처벌하는 (㉢) 결과적 가중범에 있어서, 고의로 중한 결과를 발생하게 한 행위가 별도의 구성요건에 해당하고 그 고의범에 대하여 결과적 가중범에 정한 형보다 더 무겁게 처벌하는 규정이 있는 경우에는 그 고의범과 결과적 가중범이 (㉣) 관계에 있다고 보아야 할 것이다.
> 라. 위험한 물건인 전자충격기를 피해자의 허리에 대고 피해자를 폭행하여 강간하려다가 미수에 그치고 피해자에게 약 2주간의 치료를 요하는 안면부 좌상 등의 상해를 입혔다면 성폭력범죄의 처벌 및 피해자보호 등에 관한 법률 소정의 특수강간치상죄는 (㉤)에 해당한다.

① ㉠부진정 ㉡진정 ㉢부진정 ㉣실체적 경합 ㉤미수
② ㉠진정   ㉡부진정 ㉢부진정 ㉣상상적 경합 ㉤기수
③ ㉠진정   ㉡부진정 ㉢진정 ㉣실체적 경합 ㉤미수
④ ㉠부진정 ㉡진정 ㉢부진정 ㉣상상적 경합 ㉤기수

해설 가. 교통상해치상죄 ⇨ 부진정결과적 가중범, 교통방해치사죄 ⇨ 진정결과적 가중범
나. 상해치사죄 ⇨ 진정결과적 가중범
다. ㉢ 부진정 ㉣ 상상적 경합관계(대판 2008.11.27, 2008도7311)
라. ㉤ 기수(대판 2008.4.24, 2007도10058)

02 다음 설명 중 옳지 않은 것은 모두 몇 개인가?(다툼이 있는 경우 판례에 의함)

18. 법원행시, 23. 해경승진

> ㉠ 공장에서 동료 사이에 말다툼을 하던 중 피고인의 삿대질을 피하려고 뒷걸음치던 피해자가 장애물인 철받침대에 걸려 넘어져 두개골절로 사망하였다면, 폭행치사죄가 성립하지 않는다.
> ㉡ 상해를 교사하였는데 피교사자가 이를 넘어 살인을 실행한 경우, 교사자에게 피해자의 사망이라는 결과에 대하여 과실 내지 예견가능성이 있는 때에는 상해치사죄의 교사범이 성립한다.
> ㉢ 친구를 살해할 의도로 친구가 살고 있는 집을 방화하여 그를 사망하게 하였다면, 현주건조물방화치사죄와 살인죄가 성립하고 상상적 경합관계에 있다.
> ㉣ 상해 후 피해자가 졸도하자 죽은 것으로 오인하고 자살로 위장하기 위해서 베란다 아래로 떨어뜨림으로써 사망의 결과를 발생하게 한 경우 상해죄와 과실치사죄의 경합범이 성립한다.
> ㉤ 배우자가 경영하는 미장원에 고용된 부녀에게 성교 요구에 불응하면 해고한다고 위협하여 간음하고 이로 인하여 피해자의 처녀막이 파열되었다면, 업무상 위력에 의한 간음치상죄가 성립한다.

Answer　01. ④　02. ④

① 0개   ② 1개   ③ 2개
④ 3개   ⑤ 4개

해설 ㉠ ○ : 대판 1990.9.25, 90도1596
㉡ ○ : 1993.10.8, 93도1873
㉢ × : 현주건조물방화치사죄 ○, 살인죄 ×(대판 1996.4.26, 96도485)
㉣ × : 포괄하여 상해치사죄 ○(대판 1994.11.4, 94도2361)
㉤ × : 업무상 위력에 의한 간음치상죄 처벌규정 ×

03 결과적 가중범에 대한 설명으로 가장 옳은 것은?(다툼이 있는 경우 판례에 의함)

19. 경찰간부, 23. 해경승진

① 중체포·감금죄는 사람을 체포·감금하여 생명에 위험을 야기한 경우 성립하는 결과적 가중범이다.
② 기본범죄를 통하여 고의로 중한 결과를 발생하게 한 경우에 가중 처벌하는 부진정결과적 가중범에서, 고의로 중한 결과를 발생하게 한 행위가 별도의 구성요건에 해당하고 그 고의범에 대하여 결과적 가중범에 정한 형보다 더 무겁게 처벌하는 규정이 있는 경우에는 그 고의범과 결과적 가중범이 실체적 경합관계에 있다.
③ 형법 제15조 제2항 결과적 가중범은 기본범죄와 중한 결과 사이의 인과관계에 대해서만 규정하고 있을 뿐, 예견가능성을 명시적으로 요구하고 있지는 않다.
④ 해상강도치사상죄, 현주건조물일수치사상죄, 강도치사상죄, 인질치사상죄 모두 형법상 미수범 처벌규정이 있다.

해설 ① × : 중체포·감금죄는 부진정결과적 가중범 ×(∵ 체포·감금행위와 가혹행위가 결합된 결합범)
② × : 상상적 경합관계 ○, 실체적 경합관계 ×(대판 2008.11.27, 2008도7311)
③ × : 인과관계 ⇨ 명시적 규정 ×, 예견가능성 ⇨ 명시적 규정 ○(제15조 제2항)
④ ○ : 옳다(제342조, 제182조, 제324조의 5).

04 다음 설명 중 옳은 것을 모두 고른 것은?(다툼이 있는 경우 판례에 의함)   21. 변호사시험

㉠ 선행 교통사고와 후행 교통사고 중 어느 쪽이 원인이 되어 피해자가 사망에 이르게 되었는지 밝혀지지 않은 경우, 후행 교통사고를 일으킨 사람의 과실과 피해자의 사망 사이에 인과관계가 인정되기 위해서는 후행 교통사고를 일으킨 사람이 주의의무를 게을리하지 않았다면 피해자가 사망에 이르지 않았을 것이라는 사실이 증명되어야 한다.
㉡ 결과적 가중범의 미수범 규정이 있는 경우, 기본범죄가 미수에 그친 때에는 결과적 가중범의 미수범이 성립된다.
㉢ 결과적 가중범의 공동정범이 성립하기 위해서는 고의의 기본범죄를 공동으로 할 의사와 함께 과실에 의한 중한 결과를 공동으로 할 의사가 필요하다.

Answer   03. ④   04. ①

ㄹ 절도를 교사하였는데 피교사자가 강간을 실행한 경우, 교사자에게 피교사자의 강간행위에 대한 예견가능성이 있는 때에는 강간죄의 교사범으로서의 죄책을 지울 수 있다.
ㅁ 부진정결과적 가중범은 기본범죄가 고의범인 경우에는 물론이고 과실범인 경우에도 인정되는 개념이다.

① ㄱ 　　　② ㄱ, ㄴ 　　　③ ㄱ, ㅁ
④ ㄷ, ㄹ, ㅁ 　　　⑤ ㄴ, ㄷ, ㄹ, ㅁ

[해설] ㄱ ○ : 대판 2014.7.24, 2014도6206
ㄴ × : 조문형식상 결과적 가중범에 대한 미수범처벌규정이 있더라도 이는 결합범에만 적용되고, 결과적 가중범의 경우에는 중한 결과가 발생한 이상 기본범죄가 미수에 그쳐도 결과적 가중범의 기수범이 된다(대판 2008.4.24, 2007도10058).
ㄷ × : 기본행위를 공동으로 할 의사만 있고 결과를 공동으로 할 의사가 없더라도 중한 결과에 대한 예견가능성이 있다면 결과적 가중범의 공동정범이 인정된다(대판 2000.5.12, 2000도745).
ㄹ × : 교사의 착오 중 질적 초과 ⇨ 교사자에게는 강간죄에 대한 교사 책임이 없고, 단지 제31조 제2항에 의한 교사한 범죄(절도죄)의 예비·음모에 준하여 처벌될 수 있으나 절도죄의 예비·음모 처벌규정이 없으므로 불가벌이 된다.
ㅁ × : 기본범죄가 과실범인 경우에는 결과적 가중범이 인정되지 않는다. 부진정결과적 가중범은 고의에 의한 기본범죄에 대하여 중한 결과가 과실은 물론 고의에 의하여도 발생할 수 있는 것을 말한다.

05 다음 설명 중 옳은 것을 모두 고른 것은?(다툼이 있는 경우 판례에 의함)　　　22. 변호사시험, 24. 해경간부

ㄱ 특수강간이 미수에 그쳤다 하더라도 그로 인하여 피해자가 상해를 입었다면 성폭력범죄의 처벌 등에 관한 특례법에 의한 특수강간치상죄의 기수가 성립한다.
ㄴ 강도가 재물강취의 뜻을 재물의 부재로 이루지 못한 채 미수에 그쳤으나 그 자리에서 항거불능의 상태에 빠진 피해자를 간음할 것을 결의하고 실행에 착수했으나 역시 미수에 그쳤더라도 반항을 억압하기 위한 폭행으로 피해자에게 상해를 입힌 경우에는 강도강간미수죄와 강도치상죄의 실체적 경합범이 성립한다.
ㄷ 재물을 강취한 후 피해자를 살해할 목적으로 현주건조물에 방화하여 사망에 이르게 한 경우, 강도살인죄와 현주건조물방화치사죄에 해당하고 그 두 죄는 상상적 경합관계에 있다.
ㄹ 수뢰 후 부정처사죄는 반드시 뇌물수수 등의 행위가 완료된 이후에 부정한 행위가 이루어져야 함을 의미하는 것은 아니고, 결합범 또는 결과적 가중범 등에서의 기본행위와 마찬가지로 뇌물수수 등의 행위를 하는 중에 부정한 행위를 한 경우도 포함한다.

① ㄱ, ㄴ 　　　② ㄴ, ㄷ 　　　③ ㄷ, ㄹ
④ ㄱ, ㄷ, ㄹ 　　　⑤ ㄴ, ㄷ, ㄹ

[해설] ㄱ ○ : 대판 2008.4.24, 2007도10058
ㄴ × : ~ 상상적 경합범(실체적 경합범 ×)이 성립한다(대판 1988.6.28, 88도820).
ㄷ ○ : 대판 1998.12.8, 98도3416　　ㄹ ○ : 대판 2021.2.4, 2020도12103

Answer　　05. ④

06 결과적 가중범에 대한 설명으로 옳지 않은 것은?(다툼이 있는 경우 판례에 의함) 23. 경찰간부

① 교통방해치사죄의 경우 결과발생에 대한 예견가능성은 일반인을 기준으로 객관적으로 판단해야 하므로 일반인의 관점에서 결과발생을 예견할 수 있었다면, 설령 행위자가 결과발생을 구체적으로 예견하지는 못하였다고 하더라도 실제로 발생한 사망의 결과에 대하여 교통방해치사죄가 성립한다.

② 결과적 가중범에서 공동정범이 성립하려면 행위를 공동으로 할 의사가 있으면 족하고 결과를 공동으로 할 의사는 필요하지 않다.

③ 부진정결과적 가중범에서 고의로 중한 결과를 발생하게 한 행위가 별도의 구성요건에 해당하고 그 고의범의 법정형이 결과적 가중범의 법정형보다 더 무겁게 처벌하는 규정이 없는 경우, 결과적 가중범이 고의범에 대하여 특별관계에 있으므로 결과적 가중범만 성립한다.

④ 甲이 A를 강간하려고 폭행하던 중 양심의 가책이 들어 강간행위를 중지하였으나 그 강간행위로 인해 A에게 상해의 결과가 발생한 경우, 강간죄의 중지미수와 과실치상죄의 상상적 경합이 성립한다.

> **해설** ① 대판 2014.7.24, 2014도6206 ② 대판 2000.5.12, 2000도745 ③ 대판 2008.11.27, 2008도7311
> ④ × : ~ (2줄) 발생한 경우, 강간치상죄의 기수범이 성립한다(대판 1988.11.8, 88도1628).

07 결과적 가중범에 대한 설명으로 옳지 않은 것은?(다툼이 있는 경우 판례에 의함) 24. 7급 검찰

① 甲이 피해자들의 재물을 강취하고 그들을 살해할 목적으로 현주건조물에 방화하여 피해자들을 사망에 이르게 한 경우, 甲의 행위는 강도살인죄와 현주건조물방화치사죄에 모두 해당하고 그 두 죄는 상상적 경합범관계에 있다.

② 甲이 피해자를 폭행하여 비골 골절 등의 상해를 가한 다음 새로이 추행의 범의를 일으켜 피해자를 강제추행한 경우, 甲의 위 폭행은 강제추행의 수단으로서의 폭행으로 볼 수 있고 이로 인하여 피해자가 상해를 입은 결과에 대하여는 결과적 가중범인 강제추행치상죄가 성립한다.

③ 甲이 피해자를 강간한 후 의식불명 상태에 빠진 피해자를 비닐창고로 옮겨 놓아 피해자가 저체온증으로 사망한 경우, 강간치사상죄의 사상의 결과는 간음행위 자체나 강간에 수반하는 행위에서 발생한 경우도 포함되므로 甲에게는 강간치사죄가 인정된다.

④ 강도합동범 중 1인인 甲이 공범 乙과 공모한 대로 과도를 들고 강도를 하기 위하여 피해자의 거소에 들어가 피해자를 향하여 칼을 휘두른 경우, 대문 밖에서 망을 본 공범 乙은 구체적으로 상해를 가할 것까지 공모하지 않았다 하더라도 그 상해의 결과에 대하여 공범으로서의 책임을 면할 수 없다.

> **해설** ① 대판 1998.12.8, 98도3416
> ② × : ~ (2줄) 수단으로서의 폭행으로 볼 수 없어 이로 인하여 피해자가 상해를 입은 결과에 대하여는 결과적 가중범인 강제추행치상죄가 성립하지 않는다(대판 2009.7.23, 2009도1934 ∵ 상해와 강제추행 사이에 인과관계 ×). ③ 대판 2008.2.29, 2007도10120 ④ 대판 1998.4.14, 98도356

Answer 06. ④ 07. ②

08 결과적 가중범에 관한 설명으로 가장 적절하지 않은 것은?(다툼이 있는 경우 판례에 의함) 25. 경찰승진

① 피해자의 재물을 강취한 후 그를 살해할 목적으로 현주건조물에 방화하여 소사(燒死)하게 한 경우 강도살인죄만 성립하고 현주건조물방화치사죄는 별도로 죄를 구성하지 아니한다.

② 형법상 해상강도치사상죄(제340조 제2항 및 제3항), 현주건조물일수치사상죄(제177조 제2항), 강도치사상죄(제337조 및 제338조), 인질치사상죄(제324조의 3 및 제324조의 4)는 모두 미수범을 처벌한다.

③ 甲이 A를 강제로 차에 태워 A의 하차 요구를 무시한 채 당초 목적지가 아닌 다른 장소를 향하여 시속 약 60km 내지 70km의 속도로 진행하여 차량에서 내리지 못하게 하자, A가 감금 상태를 벗어날 목적으로 차량을 빠져나오다가 길바닥에 떨어져 상해를 입고 사망한 경우 감금치사죄가 성립한다.

④ 수면제와 같은 약물을 투약하여 피해자를 일시적으로 수면 또는 의식불명 상태에 이르게 한 경우에도 약물로 인하여 피해자의 건강 상태가 불량하게 변경되고 생활기능에 장애가 초래되었다면 자연적으로 의식을 회복하거나 외부적으로 드러난 상처가 없더라도 이는 강간치상죄나 강제추행치상죄에서 말하는 상해에 해당한다.

> **해설** ① × : 강도살인죄와 현주건조물방화치사죄의 상상적 경합(대판 1995.12.8, 98도3416)
> ② 옳다. ③ 대판 2000.2.11, 99도5286 ④ 대판 2017.6.29, 2017도3196

09 결과적 가중범에 관한 설명으로 옳은 것을 모두 고른 것은?(다툼이 있는 경우 판례에 의함)
25. 순경 2차

> ㉠ 결과적 가중범은 기본범죄에 내재된 전형적 위험성이 발현되었다는 점에서 가중처벌의 근거를 찾을 수 있으므로 기본범죄의 실행에 착수한 사람이 실행행위를 완료하지 않았더라도 이로 인하여 형이 무거워지는 요인이 되는 결과가 생겼다면 기본범죄에 내재된 위험이 현실화되었다는 점에서 이를 결과적 가중범의 기수범으로 처벌하는 것은 당연하다.
>
> ㉡ 특수공무집행방해치상죄는 단체 또는 다중의 위력을 보이거나 위험한 물건을 휴대하고 직무를 집행하는 공무원에 대하여 폭행·협박을 하여 공무원을 사상에 이르게 한 경우에 성립하는 결과적 가중범으로서 행위자가 그 결과를 의도할 필요는 없고 그 결과의 발생을 예견할 수 있으면 족하다.
>
> ㉢ 甲이 乙을 폭행하여 재물을 강취하려하자 극도의 흥분과 공포심을 느낀 乙이 이를 피하려다 상해를 입은 경우, 甲이 상해의 결과를 예견할 수 있었더라도 甲의 폭행과 乙의 상해 사이에는 상당인과관계가 없으므로 甲을 강도치상죄로 처벌할 수 없다.
>
> ㉣ 강제추행치상죄에서 상해의 결과는 강제추행의 수단으로 사용한 폭행이나 추행행위 그 자체 또는 강제추행에 수반하는 행위로부터 발생한 것이어야 하므로 상해를 가한 부분을 고의범인 상해죄로 처벌하면서 이를 다시 결과적 가중범인 강제추행치상죄의 상해로 인정하여 처벌할 수 없다.

① ㉡   ② ㉠, ㉡   ③ ㉠, ㉡, ㉣   ④ ㉠, ㉢, ㉣

Answer 08. ① 09. ③

해설 ㉠ ○ : 대판 2008.4.24, 2007도10058(∵ 기본범죄가 미수에 그쳤더라도 중한 결과가 발생하면 결과적 가중범의 기수범이 성립된다.) ㉡ ○ : 대판 1980.5.27, 80도796
㉢ × : 강도치상죄 ○(대판 1996.7.12, 96도1142 ∵ 상당인과관계 ○, 예견가능성 ○)
㉣ ○ : 대판 2009.7.23, 2009도1934

10 결과적 가중범에 관한 설명으로 가장 적절하지 않은 것은?(다툼이 있는 경우 판례에 의함)

25. 경력채용

① 피고인이 위험한 물건인 전자충격기를 사용하여 강간을 시도하다가 미수에 그치고, 피해자에게 약 2주간의 치료를 요하는 안면부 좌상 등의 상해를 입힌 경우, 성폭력범죄의 처벌 및 피해자보호 등에 관한 법률에 의한 특수강간치상죄가 성립한다.

② 공장에서 동료 사이에 말다툼을 하던 중 피고인이 삿대질하는 것을 피하고자 피해자 자신이 두어걸음 뒷걸음치다가 회전 중이던 십자형 스빙기계 철받침대에 걸려 넘어져 머리를 바닥에 부딪쳐 두개골절로 사망한 경우, 그 정도로 넘어지면서 머리를 바닥에 부딪쳐 두개골절로 사망한다는 것은 이례적인 일이어서 통상적으로 일반인이 예견하기 어려운 결과라고 하더라도 피고인에게 폭행치사죄의 책임을 물을 수 있다.

③ 사람이 현존하는 건조물을 방화하는 집단행위의 과정에서 일부 집단원이 고의행위로 살상을 가한 경우에도 다른 집단원에게 그 사상의 결과가 예견 가능한 것이었다면 다른 집단원도 그 결과에 대하여 현존건조물방화치사상의 책임을 면할 수 없다.

④ 교사자가 피교사자에 대하여 상해 또는 중상해를 교사하였는데 피교사자가 이를 넘어 살인을 실행한 경우, 교사자에게 피해자의 사망이라는 결과에 대하여 과실 내지 예견가능성이 있는 때에는 상해치사죄의 교사범으로서의 죄책을 지울 수 있다.

해설 ① 대판 2008.4.24, 2007도10058
② × : ~ (4줄) 예견하기 어려운 결과라고 하지 않을 수 없으므로(예견가능성 ×) 피고인에게 폭행치사죄의 책임을 물을 수 없다(대판 1990.9.25, 90도1596).
③ 대판 1996.4.12, 96도215 ④ 대판 1993.10.8, 93도1873

11 결과적 가중범에 관한 설명 중 옳은 것을 모두 고른 것은?(다툼이 있는 경우 판례에 의함)

26. 변호사시험

㉠ 기본행위와 중한 결과 사이에 인과관계가 있다고 하더라도 행위자가 행위 시에 그 결과의 발생을 예견할 수 없을 때에는 중한 죄로 벌할 수 없다.
㉡ 결과적 가중범의 공동정범은 기본행위를 공동으로 할 의사와 결과를 공동으로 할 의사가 있어야 성립한다.
㉢ 성폭력범죄의 처벌 등에 관한 특례법은 결과적 가중범인 특수강간치상죄의 미수범을 처벌하는 규정을 두고 있는데, 이는 입법자가 결과적 가중범의 미수범을 인정하기 위한 입법이라고 볼 수 있다.

Answer 10. ② 11. ①

㉣ 공무집행을 방해하는 집단행위의 과정에서 일부 집단원이 경찰관이 현존하는 건물에 방화를 하여 상해의 결과를 초래한 경우에 방화에 공모한 바 없는 다른 집단원 甲이 그 방화로 인한 상해의 결과를 예견할 수 있는 상황이었다면, 甲은 현존건조물방화치상의 죄책을 진다.

㉤ 甲이 A의 재물을 강취한 후 A를 살해할 목적으로 현주건조물에 방화하여 A를 사망에 이르게 한 경우, 甲의 행위는 강도살인죄와 현주건조물방화치사죄에 모두 해당하고 그 두 죄는 실체적 경합범 관계에 있다.

① ㉠   ② ㉠, ㉡   ③ ㉠, ㉣
④ ㉡, ㉢, ㉤   ⑤ ㉢, ㉣, ㉤

해설 ㉠ ○ : 대판 1988.4.12, 88도178

㉡ × : 기본행위를 공동으로 할 의사만 있고 결과를 공동으로 할 의사가 없더라도 중한 결과에 대한 예견가능성이 있다면 결과적 가중범의 공동정범이 인정된다(대판 2000.5.12, 2000도745).

㉢ × : 성폭력범죄의 처벌 등에 관한 특례법에 정한 특수강간치상죄의 미수범 처벌규정은 특수강간치상죄의 미수범에 적용될 뿐, 결과적 가중범인 특수강간치상죄에는 적용된다고 볼 수 없다(대판 2025.3.20, 2023도10405 전원합의체 ▶ 주의 : ㉢지문은 반대 의견임).

㉣ × : ~ (2줄) 방화에 공모한 바 있는 다른 집단원 甲이 그 방화로 인한 상해의 결과를 예견할 수 있는 상황이었다면, 甲은 현존건조물방화치상의 죄책을 진다(대판 1996.4.12, 96도215).

㉤ × : ~ 상상적 경합범(실체적 경합범 ×) 관계에 있다(대판 2008.11.27, 2008도7311).

12 결과적 가중범에 관한 설명으로 가장 적절하지 않은 것은?(다툼이 있는 경우 판례에 의함)

26. 경찰승진

① 피고인이 피해자에게 상당한 힘을 가하여 넘어뜨린 것이 아니라 단지 공장에서 동료 사이에 말다툼을 하던 중 피고인이 삿대질하는 것을 피하고자 피해자 자신이 두어걸음 뒷걸음치다가 회전 중이던 십자형 스빙기계 철받침대에 걸려 넘어진 정도라면, 당시 바닥에 위와 같은 장애물이 있어서 뒷걸음치면 장애물에 걸려 넘어질 수 있다는 것까지는 예견할 수 있었다고 하더라도 그 정도로 넘어지면서 머리를 바닥에 부딪쳐 두개골절로 사망한다는 것은 이례적인 일이어서 통상적으로 일반인이 예견하기 어려운 결과라고 하지 않을 수 없으므로 피고인에게 폭행치사죄의 책임을 물을 수 없다.

② 고의범에 대하여 더 무겁게 처벌하는 규정이 없는 경우에는 결과적 가중범이 고의범에 대하여 특별관계에 있다고 해석되므로 결과적 가중범만 성립하고 이와 법조경합의 관계에 있는 고의범에 대하여는 별도로 죄를 구성한다고 볼 수 없다.

③ 피고인이 택시를 타고 가다가 요금지급을 면할 목적으로 소지한 과도로 운전수를 협박하자 이에 놀란 운전수가 택시를 급우회전하면서 그 충격으로 피고인이 겨누고 있던 과도에 어깨 부분이 찔려 상처를 입었다면, 강도치상죄가 성립한다.

④ 강도의 공범자 중 1인이 강도의 기회에 피해자에게 폭행 또는 상해를 가하여 살해한 경우 다른 공모자가 살인의 공모를 하지 아니하였다면 그 살인행위나 치사의 결과에 대한 예견가능성과 관계없이 강도치사죄의 죄책을 인정할 수는 없다.

Answer 12. ④

해설 ① 대판 1990.9.25, 90도1596

② 대판 2008.11.27, 2008도7311

③ 대판 1985.1.15, 84도23971985.1.15, 84도2397

④ × : 강도의 공범자 중 1인이 강도의 기회에 피해자에게 폭행 또는 상해를 가하여 살해한 경우에 다른 공범자는 강도의 수단으로 폭행 또는 상해가 가해지리라는 점에 대하여 상호 인식이 있었다면 살해에 대하여 공모한 바가 없다고 하여도 강도치사죄의 죄책을 진다(대판 1991.11.12, 91도2156).

13 과실범과 결과적 가중범에 관한 설명 중 옳은 것을 모두 고른 것은?(다툼이 있는 경우 판례에 의함)

24. 변호사시험

> ㉠ 형법상 특수공무집행방해치상죄는 중한 결과에 대한 예견가능성이 있었음에도 불구하고 예견하지 못한 경우뿐만 아니라 고의가 있는 경우까지도 포함하는 부진정결과적 가중범이다.
>
> ㉡ 과실범에 있어서의 인식 없는 과실은 결과발생의 가능성에 대한 인식 자체도 없는 경우로 그 결과발생을 인식하지 못하였다는 데에 대한 부주의, 즉 규범적 실재로서의 과실 책임이 있다고 할 것이다.
>
> ㉢ 건설회사가 건설공사 중 타워크레인의 설치작업을 전문업자에게 도급을 주어 타워크레인 설치작업을 하던 중 발생한 사고에 대하여, 건설회사의 현장대리인 甲에게 타워크레인의 설치작업을 관리하고 통제할 실질적인 지휘·감독 권한이 없었다면 업무상 주의의무를 위반한 과실이 있다고 볼 수 없다.
>
> ㉣ 甲이 A에 대한 살인의 고의로 A가 자고 있는 집에 불을 놓아 불이 A의 집 안방 천장까지 붙었으나 A가 잠에서 깨어 집 밖으로 빠져나오는 바람에 살인의 목적을 달성하지 못하였다면, 甲은 현주건조물방화치사죄의 미수범으로 처벌된다.
>
> ㉤ 상해를 교사하였는데 피교사자가 이를 넘어 살인을 실행한 경우 교사자는 상해죄에 대한 교사범이 되는 것이고, 다만 이 경우 교사자에게 피해자의 사망이라는 결과에 대하여 과실 내지 예견가능성이 있는 때에는 상해죄의 교사범과 과실치사죄의 상상적 경합범이 된다.

① ㉠, ㉡, ㉢　　　　② ㉠, ㉡, ㉤　　　　③ ㉡, ㉢, ㉣
④ ㉠, ㉡, ㉢, ㉣　　　　⑤ ㉠, ㉢, ㉣, ㉤

해설 ㉠ ○ : 대판 2008.11.27, 2008도7311

㉡ ○ : 대판 1984.2.28, 83도3007

㉢ ○ : 대판 2005.9.9, 2005도3108

㉣ × : ~ (2줄) 못하였다면, 甲은 현주건조물방화죄의 기수와 살인미수죄의 상상적 경합이 된다(∵ 현주건조물방화치사상죄의 미수처벌규정이 없음).

㉤ × : ~ (3줄) 있는 때에는 상해치사죄의 교사범이 성립할 수 있다(대판 1993.10.8, 93도1873).

Answer　13. ①

14 과실범과 결과적 가중범에 대한 설명으로 옳은 것은?(다툼이 있는 경우 판례에 의함) 25. 7급 검찰

① 과실의 유무를 판단함에는 일반적 보통인의 주의정도를 표준으로 하여야 하나, 의료사고에 있어서는 사고 당시 최고의 의학적 수준 및 지식을 가진 의료종사원을 기준으로 주의의무위반을 판단하여야 한다.

② 차량의 안전지대 횡단이 일반적으로 금지되어 있다고 하더라도 안전지대 옆을 통과하는 차량의 운전자로서는 당연히 그 부근을 운행하는 다른 차량이 위 안전지대를 횡단하여 자기 차량의 진로 앞에 달려드는 일을 미리 예상하고 운전하여야 할 업무상 주의의무가 있다.

③ 현주건조물방화치사상죄는 결과적 가중범으로서 불을 놓아 사람이 주거로 사용하거나 사람이 현존하는 건조물을 불태움으로 인하여 사람을 사상에 이르게 한 경우에 성립되며, 이때 사상의 결과는 과실에 의한 경우만을 의미하고 고의에 의한 경우는 포함되지 않는다.

④ 형법 제15조 제2항의 결과적 가중범은 행위자가 행위시에 그 결과의 발생을 예견할 수 없을 때에는 비록 그 행위와 결과 사이에 인과관계가 있다 하더라도 중한 죄로 벌할 수 없다.

> 해설 ① × : 의료사고에 있어서 의료종사자의 과실의 유무를 판단함에는 같은 업무와 직무에 종사하는 일반적 보통인(평균인)의 주의 정도를 표준으로 하여야 하며, 이에는 사고 당시의 일반적인(최고의 ×) 의학의 수준과 의료환경 및 조건, 의료행위의 특수성 등이 고려되어야 한다(대판 2007.9.20, 2006도294).
> ② × : 차량의 안전지대 횡단은 일반적으로 금지되어 있으므로, 안전지대 옆을 통과하는 차량의 운전자로서는 그 부근을 운행하는 다른 차량이 위 안전지대를 횡단하여 자기 차량의 진로 앞에 달려드는 일은 없으리라고 신뢰하는 것이 당연한 것이므로, 안전지대를 횡단하려는 차량을 상당한 거리에서 미리 발견하여 안전지대의 횡단을 예상할 수 있는 특별한 사정이 없는 한, 운전자에게 위 안전지대를 횡단하여 오는 차량이 있을 것을 미리 예상하고 운전할 업무상 주의의무가 없다(대판 2025.6.12, 2025도1049).
> ③ × : ~ (3줄) 결과는 과실이 있는 경우뿐만 아니라 고의가 있는 경우도 포함된다고 볼 것이다(대판 1996. 4.26, 96도485).
> ④ ○ : 대판 1988.4.12, 88도178

단원
advice

본장에서는 정당방위와 정당행위가 출제비중이 가장 높고, 피해자의 승낙과 긴급피난이 그 뒤를 이으며, 전체를 아우르는 종합문제의 출제도 빈번하다.

제1절 위법성의 일반이론

(1) 위법성의 의의

① **위법성의 개념** : 위법성이란 범죄성립요건의 하나로서 구성요건에 해당하는 행위가 법적 견지에서 허용되지 아니하는 성질을 말한다. 즉, 법질서 전체의 입장에서 내려지는 행위에 대한 부정적 가치판단을 말한다.

② **위법성과 구성요건해당성** : 어떤 행위가 구성요건에 해당한다는 것은 그 행위가 형법 각칙상의 개개의 구성요건에 합치함을 말하고, 위법성이 있다는 것은 그러한 구성요건에 합치한 행위가 법질서 전체의 입장에서 허용되지 않음을 말한다. 따라서 범죄체계론상 어떤 행위가 구성요건에 해당하는가를 먼저 검토한 후에 위법성을 따져 보아야 한다.

형법은 위법성을 적극적으로 규정하지 않고, 다만 위법성이 조각되는 경우를 소극적·예외적으로 규정하고 있을 뿐이다.

> **관련판례**
>
> '정당한 사유' 없이 입영에 불응하는 사람을 처벌하는 병역법 제88조의 범죄에서 '정당한 사유'는 구성요건해당성을 조각하는 사유이다. 이는 형법상 위법성조각사유인 정당행위나 책임조각사유인 기대불가능성과는 구별된다. 그리고 진정한 양심에 따른 병역거부라면, 이는 병역법 제88조 제1항의 '정당한 사유'에 해당한다(대판 2018.11.1, 2016도10912 전원합의체 **예** 사회복무요원으로 복무하던 중 종교적 신념을 이유로 통틀어 8일 이상 복무를 이탈한 경우, '정당한 사유'에 해당하지 않는다 ; 대판 2023.3.16, 2020도15554 ∴ 병역법위반죄 ○). 19. 7급 검찰, 20. 경찰간부·법원행시·순경 1차, 24. 경위공채, 25. 9급 철도경찰
>
> ▶ **유사판례**
>
> ① '정당한 사유' 없이 성충동 약물치료 명령에 따른 준수사항 위반행위를 처벌하는 성폭력범죄자의 성충동 약물치료에 관한 법률 제35조 제2항에서 정한 '정당한 사유'는 구성요건해당성을 조각하는 사유로, 정당한 사유가 없다는 사실을 검사가 증명하여야 하고, 이는 형법상 위법성조각사유인 정당행위나 책임조각사유인 기대불가능성과는 구별된다(대판 2021.8.19, 2020도16111).
>
> ② 특정범죄 가중처벌 등에 관한 법률 제5조의 9 제4항에 따르면 '정당한 사유'가 있는 경우에는 피고인을 벌할 수 없는데, 여기에서 정당한 사유는 구성요건해당성을 조각하는 사유로 정당한 사유가 없다는 사실을 검사가 증명해야 하고, 이는 형법상 위법성조각사유인 정당행위나 책임조각사유인 기대불가능성과는 구별된다(대판 2025.7.18, 2023도16500).

(2) 위법성의 본질과 평가방법

① **위법성의 본질**(실질) : 위법성의 평가기준을 어디에 둘 것인가 10. 사시

  ㉠ **형식적 위법성론** : 위법성을 형식적으로 파악하여 행위가 형식적인 법률규정(실정법)에 위반하면 위법성이 있다고 보는 견해이다.

  ㉡ **실질적 위법성론** : 위법성의 평가기준을 형식적인 법률의 기초를 이루고 있는 실질적 기준에 두고, 이에 위반하는 것을 위법성이라고 하는 견해로 ⓐ 공서양속위반설, ⓑ 권리침해설, ⓒ 법익침해설 등이 있다.

② **위법성의 평가방법**(판단방법) : 누구를 기준으로 하여 위법성을 판단할 것인가 12. 사시, 20. 해경 3차

  ㉠ **객관적 위법성론**(통설·판례) : 형법의 본질을 평가규범으로 이해하여 위법성을 객관적인 평가규범에 위반하는 것으로 본다(법규범의 평가규범성 강조). 책임무능력자(예 정신병자, 아동)의 행위라도 그것이 객관적인 법질서에 위반되는 행위이면 위법성이 인정되어 이들에 대한 정당방위가 가능하다. 21. 해경간부, 24. 해경경위

  ㉡ **주관적 위법성론** : 형법의 본질을 의사결정규범으로 이해하여 위법성을 주관적인 의사결정규범에 대한 위반으로 본다(법규범의 의사결정규범성 강조). 법규범의 의미내용을 이해하지 못하고 이에 따라 자기의 의사를 결정할 수 없는 책임무능력자의 행위는 위법하다고 할 수 없으므로 이들에 대한 정당방위는 불가능하고, 다만 긴급피난이 가능하다.

(3) 주관적 불법요소와 주관적 정당화 요소의 구별

① **주관적 불법요소** : 주관적 불법요소란 행위자의 주관적·심리적 요소임에도 불구하고 위법성 평가의 대상이 되는 주관적 구성요건요소(주관적 불법요소, 주관적 위법요소)를 말한다. 17. 9급 검찰·마약수사·철도경찰

  예 • **일반적·주관적 불법**(위법)**요소** : 고의, 과실
  • **초과**(특수한) **주관적 불법**(위법)**요소** : 목적범의 '목적', 표현범의 '표현', 경향범의 '경향', 재물죄에 있어서 '불법영득의사'

② **주관적 정당화 요소**(주관적 위법성조각사유)

  ㉠ 주관적 정당화 요소란 구성요건에 해당하는 행위의 위법성을 조각시키기 위해 필요한 행위자의 주관적·정신적 측면을 말한다. 즉, 구성요건에 해당하는 행위가 위법성조각사유에 해당되어 정당화되기 위한 주관적 측면이 주관적 정당화 요소이다.

  예 정당방위의 방위의사 '방위하기 위한'(제21조 제1항), 긴급피난의 피난의사 '피하기 위한'(제22조 제1항), 자구행위의 자구의사 '피하기 위한'(제23조 제1항)

  ㉡ 위법성이 조각되기 위해 이러한 주관적 정당화 요소가 필요한가에 대해서는 객관적 정당화 상황(⇨ 구성요건해당행위의 결과반가치 제거)만으로는 족하지 않고, 주관적 정당화 요소(⇨ 구성요건해당행위의 행위반가치 제거)가 필요하다는 것이 통설·판례이다. 24. 경위공채·해경경위

관련판례

정당방위 · 과잉방위나 긴급피난 · 과잉피난이 성립하기 위하여는 방위의사 또는 피난의사가 있어야 한다(대판 1997.4.17, 96도3376 '12 · 12사건'). 21. 해경간부 · 9급 검찰 · 마약수사 · 철도경찰, 24. 변호사시험

예 • 甲이 乙을 살해할 의사로 총을 쏘아 살해하였는데 사실은 乙이 먼저 甲을 살해하려고 총을 겨누고 있었던 경우 ⇨ 우연방위
  • 피해자가 연탄가스에 질식 중인 사실을 모르고 재물손괴 의사로 유리창을 깨뜨려 신선한 공기 덕분에 피해자가 깨어난 경우 ⇨ 우연피난

Q 주관적 정당화 요소를 결한 경우의 효과(우연방위, 우연긴급피난, 우연자구행위) 20. 7급 검찰 · 해경 3차, 23. 경찰간부 · 해경승진, 24. 순경 1차 · 2차, 25. 경위공채 · 해경경위공채, 26. 변호사시험
만약 객관적 정당화 상황만 있고 주관적 정당화 요소가 없는 경우의 형법상 효과에 대해서는 형법상 명문규정이 없고, 다음과 같이 견해가 대립한다.

1. 위법성조각설(무죄설 : 주관적 정당화 요소 불요설)
  ① 위법성이 조각되려면 객관적 정당화 상황(요건)만 갖추고 있으면 족하고, 주관적 정당화 요소가 필요없다는 견해로 우연방위(주관적 정당화 요소 ×)의 경우 위법성이 조각되어 무죄가 된다.
  ② 객관적 위법성론(행위의 위법성 여부는 객관적 사정만으로 판단해야 함)과 (순수한) 결과반가치론(불법의 실체는 결과반가치에 있으므로 행위자의 주관이 어떠하든 결과가 좋으면 불법하지 않음)에서 주장된다.
  ③ 비판 : 무죄설(위법성조각설)에 대해서는 객관적 정당화 상황이 존재하므로 결과반가치가 탈락(∵ 행위자에게 유리한 요소로 작용됨)되더라도 주관적 정당화 요소가 결여되어 행위반가치는 여전히 남게 됨에도 불구하고 이를 적법(위법성조각)하다고 보는 것은 부당하다는 비판이 제기된다.

2. 기수범설(주관적 정당화 요소 필요설)
  ① 위법성이 조각되려면 위법성조각의 객관적 요건(객관적 정당화 상황)과 주관적 요건(주관적 정당화 요소)이 모두 갖추어져야 하므로 우연방위의 경우 기수범으로 처벌되어야 한다.
  ② 순수한 행위반가치론과 일원적 인적 불법론(주관적 정당화 요소가 있는 경우에만 행위반가치가 탈락하여 정당화됨)에서 주장된다.
  ③ 비판 : 불법(위법) 판단을 오로지 행위반가치에 의해서만 결정하려고 한다는 비판이 제기된다.

3. 불능미수범설(주관적 정당화 요소 필요설 : 다수설)
주관적 정당화 요소가 결여된 경우는 객관적 정당화 상황이 존재함으로써 결과반가치(행위반가치 ×)는 배제되나 행위반가치(결과반가치 ×)는 그대로 존재하므로 미수범의 불법구조와 유사하고, 특히 결과불법의 발생이 불가능함에도 행위자는 가능하다고 오인하였다는 점에서 불능미수와 유사하므로 불능미수 규정을 유추적용하여 처벌해야 한다는 견해이다.

01 주관적 정당화 요소에 대한 설명 중 옳지 않은 것은?　12. 경찰승진·7급 검찰, 17. 경찰간부, 23. 해경승진

① 순수한 결과반가치론에 의하면 위법성조각사유에서 주관적 정당화 요소가 없어도 위법성이 조각될 수 있다.

② 일원적 인적 불법론에 의하면 구성요건적 행위는 주관적 정당화 요소가 있는 경우에만 행위 반가치가 탈락하여 정당화될 수 있다.

③ 우연방위 효과에 관한 불능미수범설은 기수범의 결과반가치는 배제되지만 행위반가치는 그 대로 존재하므로 불능미수의 규정을 유추적용해야 한다는 견해이다.

④ 형법의 규정에 의하면 우연방위가 야간 기타 불안스러운 상태하에서 공포, 경악, 흥분 또는 당황으로 인한 때에는 벌하지 아니한다.

⑤ 위법성이 조각되기 위해서는 객관적 정당화 상황과 더불어 주관적 정당화 요소가 필요하다 는 견해에 의하면 우연방위는 위법성이 조각되지 않는다.

해설　①②③⑤ 타당하다.
④ 우연방위에 대해 형법 제21조 제3항과 같은 명문규정이 없다.

02 다음 중 주관적 정당화 요소에 대한 설명으로 가장 옳지 않은 것은?　20. 해경 3차

① 순수한 결과반가치론에 의하면 위법성조각사유에서 주관적 정당화 요소가 없으면 위법성이 조각될 수 없다.

② 주관적 정당화 요소란 정당화 상황을 인식하고서 이에 기하여 행위한다는 의사를 말한다.

③ '야간 기타 불안스러운 상태하에서 공포·경악·흥분 또는 당황으로 인한 때에는 벌하지 아 니한다.'는 형법 제21조 제3항은 과잉방위에 대해서 적용되는 규정이므로 주관적 정당화 요 소를 결여한 우연방위에 대해서는 적용되지 아니한다.

④ 甲은 폭행의 의사로 乙을 향해 돌을 던졌으나, 돌을 맞고 기절한 사람은 乙이 아니라 절도를 하려고 침입한 괴한인 경우, 불능미수범설은 甲의 행위는 위험성이 있는 것으로 보아 불능미 수로 처벌한다.

해설　① ×: ~ 정당화 요소가 없다 하여도 위법성이 조각될 수 있다.
②③④ 옳다.

 Answer　**01.** ④　**02.** ①

03 다음 사례에 대한 설명으로 옳지 않은 것은?　　　　　　　20. 7급 검찰

> 甲은 A를 골탕 먹일 생각으로 A의 집 창문을 향해 돌을 던져 창문을 깨뜨렸다. 하지만 마침 연탄
> 가스에 중독되어 위험한 상태였던 A는 甲이 창문을 깨뜨리는 바람에 생명을 구할 수 있었다.

① 위법성조각사유를 검토함에 있어 주관적 정당화 요소가 필요하지 않다는 입장에 따르면 甲
　의 행위는 불가벌이다.
② 고의범의 위법성조각사유에는 주관적 정당화 요소가 필요하다는 입장은 구성요건 해당 행위
　의 결과반가치와 행위반가치 모두가 상쇄되어야 위법성이 조각될 수 있다는 점을 근거로 한다.
③ 행위반가치는 인정되나 객관적 정당화 상황의 존재로 인해 결과반가치가 인정되지 않으므로
　甲에게 불능미수 규정을 유추적용하자는 견해에 따르는 경우, 甲의 행위는 불가벌이다.
④ 구성요건적 결과가 발생한 이상 결과반가치가 인정되므로 甲에게 재물손괴죄의 기수를 인정
　해야 한다는 입장에 대하여는, 객관적 정당화 상황이 존재함에도 존재하지 않는 경우와 동일
　하게 평가하는 것은 문제라는 비판이 있다.

[해설] 사례는 주관적 정당화 요소를 결한 경우(우연피난)
①②④ 옳다.
③ × : ~ 경우, 甲의 행위는 불가벌이 아니라 손괴죄의 불능미수로 처벌될 수 있다.

04 객관적 정당화 상황이 존재함에도 주관적 정당화 요소 없이 구성요건을 실현한 경우 법적 판단에 대
하여 각 학설이 대립하고 있다. 다음 중 가장 적절한 것은?　　　　　　22. 경찰간부
① 기수범설에 대해서는 불법(위법성)판단을 오로지 결과반가치에 의해서만 결정하려고 한다는
　비판이 제기된다.
② 무죄설에 대해서는 객관적 정당화 상황이 존재함에도 그것이 행위자에게 유리한 요소로 작
　용하지 못한다는 비판이 제기된다.
③ 불능미수범설은 불법의 본질을 결과반가치로서 법익침해와 행위의 주관적, 객관적 측면을 포
　섭하는 행위반가치를 모두 고려하여 판단하여야 한다는 입장을 기초로 한다.
④ 판례는 정당화 사유에 해당하기 위해서 객관적 정당화 상황 이외에 주관적 정당화 요소를
　필요로 하지 않는다는 입장을 취하고 있다.

[해설] 주관적 정당화 요소를 결한 경우(우연방위)의 법적 효과에 관한 문제임.
① × : ~ (1줄) 오로지 행위반가치(결과반가치 ×)에 의해서만 결정하려고 한다는 비판이 제기된다.
② × : 무죄설(위법성조각설)에 대해서는 객관적 정당화 상황이 존재하므로 결과반가치가 탈락(∴ 행위자에
게 유리한 요소로 작용됨)되더라도 주관적 정당화 요소가 결여되어 행위반가치는 여전히 남게 됨에도 불구
하고 이를 적법(위법성조각)하다고 보는 것은 부당하다는 비판이 제기된다.
③ ○ : 타당하다(다수설).
④ × : ~ (2줄) 필요로 한다는 입장을 취하고 있다(대판 1997.4.17, 96도3376).

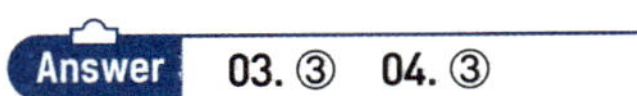

05 甲은 층간소음문제로 평소 다툼이 있던 아파트 위층에 앙갚음을 할 마음으로 돌을 던져 유리창을 깨트렸다. 그런데 위층에 살던 A는 빚독촉에 시달리다 자살하기로 마음먹고 창문을 닫은 채 연탄불을 피운 결과, 연탄가스에 중독되어 쓰러져 있던 상태였다. 유리창을 깨트린 甲의 행위로 인하여 A는 구조되었다. 이 사례에서 甲이 무죄라는 견해에 관한 설명으로 가장 적절하지 않은 것은?　　22. 순경 1차

① 범죄성립에 있어서 결과반가치만을 고려하는 입장에서 주장될 수 있다.

② 객관적으로 존재하는 정당화 요건은 기수범 처벌에 대한 감경가능성으로만 고려될 수 있다.

③ 객관적 정당화 사정의 존재가 행위자에게 유리하게 작용하는 경우이다.

④ 주관적 정당화 사정이 있는 경우와 없는 경우를 동일하게 취급한다는 비판이 가능하다.

> 해설　사례는 주관적 정당화 요소를 결한 경우(우연피난)에 무죄설(위법성조각설, 주관적 정당화 요소 불요설 : 객관적 위법성론, 결과반가치론)의 견해를 묻는 것임.
> ① ○ : 결과반가치론(불법의 실체는 결과반가치에 있으므로 행위자의 주관이 어떠하든 결과가 좋으면 불법하지 않음) ② × : 무죄설에 따르면 위법성이 조각되어 범죄가 성립되지 않으므로 ②는 적절하지 않다.
> ③ ○ : 위법성이 조각되어 무죄가 되므로 ③은 옳다.
> ④ ○ : 주관적 정당화 사정이 있는 경우(피난의사 ○)와 없는 경우(손괴의사 ○ ⇨ 피난의사 ×)를 동일하게 취급한다(둘 다 위법성이 조각되어 무죄임)는 비판이 가능하다.

06 다음 사례에 관한 설명으로 가장 적절한 것은?　　24. 순경 2차

> 甲은 남편 A가 매일 술을 마시고 들어와서 행패를 부리는 등 A와의 불화로 갈등을 겪는 중이었다. 이에 甲은 새벽에 문이 열리는 소리가 들리고 누군가 집안으로 들어오자, A에 대한 상해의 고의로 컵을 집어 던졌다. 그러자 사람이 '어이쿠'하며 쓰러지는 소리가 나서 불을 켜보니, A가 아니라 칼을 든 B가 컵에 머리를 맞고 쓰러져 있었다. B는 강도를 하기 위하여 甲의 집으로 들어오던 중이었다.

① 위 사례는 구체적 사실의 착오 중 객체의 착오에 해당하는 사례로 구체적 부합설에 따를 경우, 甲의 행위는 A에 대한 상해미수와 B에 대한 과실치상의 죄가 성립하고 양 죄는 상상적 경합관계에 있다.

② 위 사례는 주관적 정당화요소가 결여된 사례로 이러한 때에는 행위반가치는 존재하지만 결과반가치는 존재하지 않아 불능 미수범 규정을 유추적용하자는 견해에 따를 경우, 甲의 행위는 상해죄의 불능미수가 된다.

③ 위 사례는 우연방위에 해당하는 사례로 위법성조각사유에 주관적 정당화요소가 필요하지 않다는 판례에 따를 경우, 甲의 행위는 상해죄의 기수가 된다.

④ 위 사례는 오상방위에 해당하는 사례로 엄격책임설에 따를 경우, 甲이 B를 A로 오인함에 있어서 정당한 이유가 있다면 책임이 조각되어 甲의 행위는 무죄가 된다.

> 해설　사례는 주관적 정당화요소를 결한 경우(우연방위)이므로 ①과 ④는 해당되지 않는다.
> ② ○ : 불능미수범설 ③ × : ~ (1줄) 주관적 정당화요소가 필요하다는 판례(대판 1997.4.17, 96도3376)에 따를 경우, 甲의 행위는 상해죄의 기수가 된다.

Answer　05. ②　06. ②

07 甲은 A의 연인으로 보이는 B가 자신이 흠모하는 A를 껴안으려 하는 것을 보고 분을 참지 못해 해코지를 하려는 의도로 B를 때려 상해를 가하였다. 그러나 실제로 당시 B는 A를 추행하려는 목적으로 껴안으려 했던 것이기에 甲의 행위는 B의 강제추행을 막은 것이었다. 이 사례에 관한 설명 중 옳은 것은?　　　　　　　　　　　　　　　　　　　　　　　　　　　　　　26. 변호사시험

① 甲의 행위는 상해죄의 구성요건에 해당하나 위법성 인식이 결여되어 있다.

② 위법성조각을 위해 주관적 정당화요소가 필요하지 않다는 견해에 따르면 甲의 행위는 상해죄의 기수범이 성립한다.

③ 판례는 정당방위로서 위법성이 조각되기 위해서 행위자에게 정당방위상황에 대한 인식만 있으면 충분하고 정당방위에 대한 의사까지 필요한 것은 아니라고 본다.

④ 甲의 행위를 상해죄의 불능미수로 해결하려는 견해는 법익침해의사는 유지되는 반면에 법질서가 침해되는 결과로 나아가지 않았음을 주된 근거로 한다.

⑤ 판례에 따르면 B가 A를 추행하려는 상황이었음을 甲이 몰랐던 것에 '정당한 이유'가 있는 경우라면 위법성이 조각된다.

> 해설　사례는 주관적 정당화 요소를 결한 경우(우연방위)임.
>
> ① × : 甲의 행위는 구성요건에 해당하나, 위법성을 조각시키기 위해 필요한 주관적 정당화 요소('방위의사')가 결여되어 있다.
>
> ② × : ~ (1줄) 견해에 따르면 甲의 행위는 위법성이 조각되어 무죄가 된다.
>
> ③ × : ~ (1줄) 정당방위상황에 대한 인식 이외에 정당방위에 대한 의사(방위의사)까지 필요한 것으로 본다 (대판 1997.4.17, 96도3376).
>
> ④ ○ : 옳다.
>
> ⑤ × : 판례에 따르면 B가 A를 추행하려는 상황이었음을 甲이 몰랐다면(즉, 정당방위상황에 대한 인식이 없는 경우) 위법성이 조각되지 않는다(대판 1997.4.17, 96도3376).

Answer　　**07. ④**

제2절　정당방위

> **제21조 【정당방위】** ① 현재의 부당한 침해로부터 자기 또는 타인의 법익을 방위하기 위하여 한 행위는 상당한 이유가 있는 경우에는 벌하지 아니한다. 22. 법원직·7급 검찰, 23. 순경 2차·해경 3차

1 서 설

(1) 의 의

정당방위란 자기 또는 타인의 법익에 대한 현재의 부당한 침해를 방위하기 위한 상당한 이유가 있는 행위(제21조 제1항)를 말한다.

(2) 성 질

정당방위는 긴급피난·자구행위와 함께 긴급행위로서 위법성조각사유(정당화 사유)의 하나이며, 현재의 부당한 침해를 방위하기 위한 행위이므로 '부정(不正) 대 정(正)'의 관계이며 법익균형을 요하지 않는다.

2 정당방위의 성립요건

정당방위는 ① 자기 또는 타인의 법익에 대한 현재의 부당한 침해가 있을 것, ② 방위하기 위한 행위일 것, ③ 상당한 이유가 있을 것이라는 세 가지 요건이 갖추어져야 성립한다.

(1) 자기 또는 타인의 법익에 대한 현재의 부당한 침해 : 객관적 정당방위 상황

① **자기 또는 타인의 법익**

㉠ 정당방위에 의하여 보호되는 법익은 법에 의하여 보호되는 모든 이익으로서 형법상의 법익(예 생명, 신체, 명예, 재산, 자유, 비밀 등)은 물론 형법에 의하여 보호되지 않는 법익도 포함된다.

관련판례

1. 사용자가 적법한 직장폐쇄 기간 중 일방적으로 업무에 복귀하겠다고 하면서 자신의 퇴거요구에 불응한 채 계속하여 사업장 내로 진입을 시도하는 해고 근로자를 폭행·협박한 것은, 사업장 내의 평온과 노동조합의 업무방해행위를 방지하기 위한 정당방위 내지 정당행위에 해당한다(대판 2005.6.9, 2004도7218). 15. 사시, 16. 경찰간부, 19. 경찰승진

2. 차량 통행문제로 자신의 父와 피해자가 다툴시 피해자의 차량전진으로 父가 위험에 처하자 피해자의 머리털을 잡아당겨 상처를 입힌 경우 ⇨ 정당방위 ○(대판 1986.10.14, 86도1091 ∵ 父(타인)의 생명과 신체에 대한 현재의 부당한 침해를 방위하기 위한 상당한 행위임) 16. 경찰승진, 22. 법원행시·해경간부, 23. 변호사시험

3. 타인이 보는 자리에서 인륜상 용납할 수 없는 폭언과 함께 폭행을 가하려는 자식을 1회 구타하였는데 넘어져 머리에 상처를 입고 사망한 경우 ⇨ 정당방위 ○(대판 1974.5.14, 73도2401 ∵ 아버지의 신체와 신분에 대한 현재의 부당한 침해를 방위하기 위한 상당한 행위임) 15. 사시

ⓛ 국가적·사회적 법익을 위한 정당방위는 원칙적으로 부정하고 예외적으로 국가가 그 기관에 의하여 스스로 보호조치를 취할 여유가 없는 급박한 경우에는 허용된다고 보는 것이 다수설이다.

관련판례

국군보안사령부의 민간인에 대한 정치사찰을 폭로한다는 명목으로 군무를 이탈한 행위는 정당방위나 정당행위에 해당하지 아니한다(대판 1993.6.8, 93도766). 17. 변호사시험, 26. 경찰승진

② 현재의 부당한 침해

ⓐ **침해** : 침해란 법익에 대한 사람(물건이나 동물의 침해 ⇨ 정당방위 ×, 긴급피난 ○)에 의한 공격 또는 그 위험을 말하며, 고의에 의한 침해는 물론 과실에 의하거나 책임무능력자에 의한 침해도 여기에 해당한다.

> 예 동물에 의한 침해가 사육주의 고의(사주)·과실(과실범 처벌규정 유무 불문)에 의해 야기된 경우 ⇨ 정당방위 ○ 09. 사시, 22. 해경간부

또한 침해는 작위는 물론 보증인적 지위에 있는 자의 부작위에 의해서도 가능하다(예 퇴거요구에 불응하는 자를 실력으로 축출한 경우). 그러나 단순한 계약상의 채무불이행에 대하여는 정당방위가 있을 수 없다(∵ 부작위에 의한 침해 ×). 11. 경찰승진

> 예 임대차계약기간 만료 후 가옥을 명도하지 않은 임차인을 임대인이 폭력으로 축출한 경우 ⇨ 정당방위 ×(∵ 임차인의 부작위는 단순한 계약상의 채무불이행에 불과함) 07. 사시
> ▶ 임대차 기간이 만료되었다 하더라도 임차인이 가옥을 명도하지 않고 있던 중에 임대인이 강제로 침입하는 행위에 대해서 임차인은 정당방위를 할 수 있다(∵ 임대인의 강제침입행위는 현재의 부당한 침해 ○). 10. 사시

ⓛ **현재의 침해**(침해의 현재성) : 정당방위의 요건 중 '침해의 현재성'이란 침해행위가 형식적으로 기수에 이르렀는지에 따라 결정되는 것이 아니라 자기 또는 타인의 법익에 대한 침해상황이 종료되기 전까지를 의미하는 것이므로, 일련의 연속되는 행위로 인해 침해상황이 중단되지 아니하거나 일시 중단되더라도 추가 침해가 곧바로 발생할 객관적인 사유가 있는 경우에는 그중 일부 행위가 범죄의 기수에 이르렀더라도 전체적으로 침해상황이 종료되지 않은 것으로 볼 수 있다(대판 2023.4.27, 2020도6874). 24. 경찰간부·순경 1차, 25. 7급 검찰·해경경장·해경 2차·경대편입

ⓐ 침해행위가 이미 기수에 이른 경우 : 이 경우에도 법익침해가 현장에서 계속되는 상태에 있으면 현재의 침해로 보아 정당방위가 가능하다(다수설).

> 예 절도범을 현장에서 추격하여 도품을 탈환한 경우 ⇨ 정당방위(다수설) 07. 9급 검찰, 10. 사시

ⓑ **현재성의 판단** : 침해의 현재성은 방위행위시가 아니라 방위행위의 효과발생시(침해행위시)를 표준으로 결정해야 한다. 따라서 장래의 예상되는 침해에 대한 준비행위라도 그의 효과가 침해발생시에 나타나면 현재의 침해에 대한 방위행위로서 정당방위에 해당하게 된다. 예 절도범의 침입을 막기 위해 자기 집 담장에 감전 장치를 설치하였는데 절도범이 절도의사로 그 담장을 넘다가 감전이 되어 상해를 입은 경우 ⇨ 정당방위 ○ 15. 사시, 14. 7급 검찰

관련판례

1. 임차인이 임대차기간이 만료된 방을 비워주지 못하겠다고 억지를 쓰며 폭언을 하자 임대인의 며느리가 홧김에 그 방의 창문을 쇠스랑으로 부쉈던바, 임차인이 배척(속칭 빠루)을 들고 휘둘러 구경꾼인 마을주민에게 상해를 가한 경우 ⇨ 침해행위에서 벗어난 후 분을 풀려는 목적에서 나온 공격행위 ⇨ 정당방위 ×(대판 1996.4.9, 96도241) 15. 9급 검찰·마약수사·순경 3차, 24. 경찰간부
2. 피해자가 칼을 들고 찌르자 그 칼을 뺏어 그 칼로 반격을 가한 결과 피해자에게 상해를 입힌 행위 ⇨ 정당방위 ×(대판 1984.1.24, 83도1873) 11. 사시, 22. 순경 1차

ⓒ **예방적 정당방위** : 반복될 계속침해의 위험을 방위하기 위한 정당방위는 허용되지 않는다(통설 ∵ 현재의 침해 ×).

관련판례

12살 때 의붓아버지의 강간행위에 의하여 정조를 유린당한 후 계속적으로 성관계를 강요받아 온 피고인이 그의 남자친구와 공모하여 범행을 준비하고 의붓아버지가 반항할 수 없는 잠든 틈에 식칼로 심장을 찔러 살해한 행위는(이 사건 범행 당시 피고인의 신체나 자유 등에 대한 현재의 부당한 침해상태가 있었다고 볼 여지가 있으나) 사회통념상 상당성을 결여하여 정당방위나 과잉방위에 해당하지 않는다(대판 1992.12.22, 92도2540 ∴ 살인죄 ○). 19. 경찰간부, 22. 7급 검찰, 24. 해경경위, 25. 경력채용

ⓒ **부당한 침해**(침해의 부당성) : 부당한 침해란 위법한 침해, 즉 침해행위가 객관적으로 전체의 법질서에 위반됨을 의미한다. 위법은 전체로서의 법질서에 반하는 것을 의미하기 때문에 형법상의 불법(범죄행위)뿐만 아니라 민법상의 불법행위에 대해서도 정당방위가 가능하며 고의에 기한 것이든 과실에 기한 것이든 불문한다.

관련판례

1. 불법체포(현행범 요건 × ⇨ 동행거부 ⇨ 체포·강제연행)를 면하려고 반항하는 과정에서 경찰관에게 상해를 가한 것은 현재의 부당한 침해에서 벗어나기 위한 행위로 정당방위에 해당(대판 2002.5.10, 2001도300) 18. 순경 2차, 21. 법원직·9급 검찰·철도경찰·경찰승진, 24. 해경승진, 25. 해경 2차
   ▶ **유사판례** : ① 피고인이 경찰관의 불심검문을 받아 운전면허증을 교부한 후 경찰관에게 큰 소리로 욕설을 하였는데, 경찰관이 피고인을 모욕죄의 현행범으로 체포하려고 하자 피고인이 반항하면서 경찰관에게 상해를 가한 경우(대판 2011.5.26, 2011도3682), ② 경찰관 乙이 현행범 甲을 체포하면서 범죄사실의 요지와 구속이유 등을 고지하지 아니한 채 체포하려고 하자 甲이 그 체포를 면하려고

반항하는 과정에서 乙에게 상해를 가한 경우(대판 2006.11.23, 2006도2732), ③경찰관이 임의동행을 요구하며 손목을 잡고 뒤로 꺾어 올리는 등으로 제압하자 거기에서 벗어나려고 몸싸움을 하는 과정에서 경찰관에게 경미한 상해를 입힌 경우(대판 1999.12.28, 98도138) ⇨ 공무집행방해죄 ×(∵ 적법한 공무집행 ×), 상해죄 ×(∵ 정당방위 ○) ∴ 무죄 18. 9급 검찰·철도경찰, 19. 법원직, 21. 경찰간부, 22. 변호사시험, 24. 해경간부, 25. 해경경장

▶ **비교판례** : 검문 중이던 경찰관이 자전거를 이용한 날치기 사건 범인과 흡사한 인상착의의 甲이 자전거를 타고 다가오는 것을 발견하고 정지를 요구하였으나 멈추지 않아 앞을 가로막고 소속과 성명을 고지한 후 검문에 협조해 달라는 취지로 말하였음에도 불응하고 그대로 전진하자 따라가서 재차 앞을 막고 검문에 응하라고 요구하였는데 이에 甲이 경찰관들의 멱살을 잡아 밀치거나 욕설을 하였다면 甲의 행위 ⇨ 정당방위 ×, 공무집행방해죄 ○(대판 2012.9.13, 2010도6203 ∵ 경찰관들의 행위는 적법한 불심검문에 해당한다.) 13. 순경 2차, 16. 순경 1차

2. 검사가 참고인조사를 받는 줄 알고 검찰청에 자진출석한 변호사사무실 사무장을 합리적 근거 없이 긴급체포하자 그 변호사가 이를 제지하는 과정에서 위 검사에게 상해를 가한 것은 정당방위에 해당할 수 있다(대판 2006.9.8, 2006도148 ∵ 적법한 공무집행 × ⇨ 공무집행방해죄 ×). 17. 변호사시험, 18. 순경 1차, 20. 법원행시, 22. 해경간부, 25. 해경경사·해경경장, 26. 경찰승진

3. 절도범으로 오인받은 자가 야간에 군중들로부터 무차별 구타를 당하자 이를 방어하기 위하여 소지하고 있던 손톱깍이 칼을 휘둘러 상해를 입힌 경우 ⇨ 정당방위 ○(대판 1970.9.17, 70도1473) 13. 7급 검찰, 15. 법원직, 16. 경찰승진

4. 종전 경작자인 甲이 이미 보리를 파종하여 30cm 가량 성장하였는데, 입찰에 의해 인도받은 乙이 소를 이용하여 쟁기질을 하고 성장한 보리를 갈아엎는 행위를 하기에 소를 가로막고 쟁기를 잡아당긴 경우 ⇨ 정당방위 ○(대판 1977.5.24, 76도3460 ∵ 乙의 행위는 甲의 재산에 대한 현재의 부당한 침해) 12. 순경 3차, 21. 해경간부

5. 乙이 점유하던 공사현장에 실력을 행사하여 들어와 현수막 및 간판을 설치하고 담장에 글씨를 쓰는 甲의 행위에 대하여 乙이 그 현수막을 찢고 간판 및 담장에 쓰인 글씨를 지운 경우 ⇨ 정당방위 ○(대판 1989.3.14, 87도3674 ∵ 시공 및 공사현장의 점유방해 ⇨ 현재의 부당한 침해) 11. 법원행시

ⓐ 어떠한 행위가 정당방위로 인정되려면 그 행위가 자기 또는 타인의 법익에 대한 현재의 부당한 침해를 방어하기 위한 것으로서 상당성이 있어야 하므로, 위법하지 않은 정당한 침해에 대한 정당방위는 인정되지 아니한다(대판 2003.11.13, 2003도3606). 22. 해경간부, 23. 법원행시, 24. 경찰승진, 25. 7급 검찰·해경경사

예 정당방위, 자구행위, 긴급피난(위법성조각사유설 : 다수설), 징계권자의 징계행위, 법령에 의한 공무원의 직무집행행위에 대해서는 정당방위를 할 수 없다. 12. 7급 검찰, 16. 사시

관련판례

1. 공직선거 후보자 합동연설회장에서 후보자(甲)가 적시한 연설 내용이 다른 후보자(乙)에 대한 형법상의 명예훼손이나 공직선거 및 선거부정방지법상의 후보자비방의 (구성)요건에 해당하나 그 위법성이 조각된 경우(형법 제310조, 공직선거 및 선거부정방지법 제251조 단서)에 甲의 연설 도중에 乙이 마이크를 빼앗고 욕설을 하는 등 물리적으로 甲의 연설을 방해한 행위 ⇨ 정당방위 ×(대판 2003.11.13,

2003도3606 ∵ 乙의 행위는 '위법하지 않은 정당한 침해(甲의 행위)'에 대해 이루어진 것이고 '상당성'을 결여했음 ∴ 공직선거 및 선거부정방지법상 선거의 자유방해죄 ○) 17. 법원행시, 19. 경찰승진·9급 철도경찰, 20. 해경승진, 21. 순경 1차, 22. 해경간부, 25. 해경경사·해경경장

2. 채권자가 가옥명도강제집행에 의하여 적법하게 점유를 이전받아 점유하고 있는 방실에 채무자가 무단히 침입한 경우 ⇨ 주거침입죄 ○(대판 1962.8.23, 62도93 ∵ 적법한 강제집행에 대한 정당방위나 자구행위는 인정 ×)

ⓑ 싸움의 경우 : 일방의 행위만을 위법한 침해행위라고 볼 수 없고(대판 1984.5.22, 83도3020), 방위의사가 아닌 공격의사를 가지고 있으며(대판 2000.3.28, 2000도228), 상호간에 침해를 유발한 것이기 때문에(대판 1996.9.6, 95도2954) 원칙적으로 정당방위 내지 과잉방위는 성립하지 않는다(통설·판례).

관련판례

● **싸움의 경우 정당방위가 부정되는 경우(원칙)**

1. 가해자의 행위가 피해자의 부당한 공격을 방위하기 위한 것이라기보다는 서로 공격할 의사로 싸우다가 먼저 공격을 받고 이에 대항하여 가해하게 된 것이라고 봄이 상당하고 이와 같은 싸움의 경우 가해행위는 방어행위인 동시에 공격행위의 성격을 가지므로 정당방위 또는 과잉방위행위라고 볼 수 없다(대판 1993.8.24, 92도1329). 16. 경찰승진·9급 철도경찰, 23. 순경 2차, 24. 법원행시·법원직

   ▶ **유사판례** : 서로 격투를 하는 자 상호간에는 공격행위와 방어행위가 연속적으로 교차되고 방어행위는 동시에 공격행위가 되는 양면적 성격을 띠는 것이므로 어느 한쪽 당사자의 행위만을 가려내어 방어를 위한 정당행위라거나 정당방위에 해당한다고 보기 어려운 것이 보통이다(대판 1999.10.12, 99도3377). 20. 법원직

2. 술에 만취한 동생(85kg)이 누나를 폭행하자 그 남편(피고인)과 그 동생이 싸우는 과정에서 그 남편(62kg)을 넘어뜨려 목을 누르자 호흡이 곤란한 피고인이 과도로 피해자(그 동생)의 허벅지를 찔러 상해를 입힌 경우 ⇨ 싸움의 경우 가해행위는 방어행위인 동시에 공격행위의 성격을 가지므로 정당방위 또는 과잉방위행위라고 볼 수 없다(대판 2000.3.28, 2000도228 ∴ 상해죄 ○). 16. 사시, 22. 법원행시

3. 서로 말다툼을 하던 중 흥분 끝에 싸우다가 상처를 가한 행위는 서로 상대방의 상해행위를 유발한 것이어서 정당방위가 성립하지 않는다(대판 1984.6.26, 83도3090). 19. 법원행시

4. 乙은 甲에게 자기 동생 丙의 혼사길을 막는다면서 시비를 걸고 머리채를 잡아 흔들자 이에 대항하여 甲은 乙의 오른손을 비틀면서 넘어뜨린 다음 발로 전신을 수회 찼을 경우 ⇨ 정당방위 ×(대판 1996.9.6, 95도2945 ∵ 싸움의 경우) 08. 법원행시

5. 정당방위 상황을 이용할 목적으로 처음부터 공격자의 공격행위를 유발하는 의도적 도발의 경우라 하더라도 그 공격행위에 대해서는 방위행위를 인정할 수 없어 정당방위가 성립하지 않는다(대판 1968.11.12, 68도912). 24. 경찰간부

6. 甲은 乙의 모자챙을 쳐 모자를 벗기거나 뒷목을 잡아당기거나 멱살을 잡아 벽에 밀치는 등 상당 시간 동안 다툼을 벌이며 피해자를 폭행하였다. 이러한 다툼이 있은 후 乙은 자리를 피하려는 甲 일행을 따라가 '도망가지 말라.'는 말을 하며 계단에서 여러 차례 甲을 붙잡았고, 실랑이 과정에서 甲이 乙을 거세게 뿌리치는 바람에 피해자가 넘어져 상해를 입은 경우 ⇨ 상해죄 ○(대판 2021.5.7,

2020도15812 ∵ 가해자의 행위가 피해자의 부당한 공격을 방위하기 위한 것이라기보다는 서로 공격할 의사로 싸우다가 먼저 공격을 받고 이에 대항하여 가해를 한 경우 가해행위는 방어행위인 동시에 공격행위의 성격을 가지므로 정당방위 또는 과잉방위행위라고 볼 수 없다.)

● 싸움의 경우 정당방위가 인정되는 경우(예외)

1. 그 싸움(격투)에서 당연히 예상할 수 있는 정도를 초과하여 공격해온 때〔살인의 흉기 등을 사용한 경우(언쟁 중 구타당하자 카빈소총을 등뒤에 겨눈 경우) : 대판 1968.5.7, 68도370〕 19. 경찰간부, 20. 해경승진, 24. 법원직, 25. 7급 검찰

2. 외관상 서로 싸움(격투)을 하는 것처럼 보여도 실지로는 상대방의 일방적인 불법한 공격에 대해 자신을 보호하기 위한 수단으로 유형력을 행사한 경우(적극적인 반격이 아니라 소극적인 방어한도 내에서) 14. 9급 철도경찰, 23. 경찰승진, 24. 해경승진·법원직

   예 ① 자신의 남편과 甲이 불륜을 저지른 것으로 의심한 乙이 이를 따지기 위해 乙의 아들 등과 함께 甲의 집 안으로 들어와 서로 합세하여 甲을 구타하자, 그로부터 벗어나기 위해 손을 휘저으며 발버둥치는 과정에서 乙에게 상해를 가한 甲의 행위(대판 2010.2.11, 2009도12958) 17. 변호사시험, 18. 경찰간부, 21. 7급 검찰

   ② 50대 후반의 부부(피해자)가 피고인의 외딴 집에 찾아와 피고인의 멱살을 잡고 밀어 넘어뜨리고 배 위에 올라타 주먹으로 팔, 얼굴 등을 폭행하자 피고인은 이를 방어하기 위하여 피해자의 팔을 잡아 비틀고, 다리를 물어 상해를 가한 경우(대판 1999.10.12, 99도3377) 07. 사시

   ③ 피고인이 방 안에서 피해자로부터 깨진 병으로 찔리고 이유 없이 폭행을 당하여 피고인이 방 안에서 피해자를 껴안거나 두 손으로 멱살부분을 잡고 흔든 경우(대판 1989.10.10, 89도623 ∵ 피해자의 부당한 공격에서 벗어나거나 이를 방어하려고 한 행위) 04. 순경

3. 싸움이 중지된 후 다시 도발한 별개의 가해행위를 방위하기 위하여 단도로 상대방의 복부에 자상을 입힌 행위(대판 1957.3.8, 4290형상18)

---

(2) 방위하기 위한 행위

① **방위의사**(주관적 정당화 요소) : 정당방위에 있어서의 방위의사는 행위자의 주관을 표준으로 하는 동시에 객관적으로 사회통념상 방위의사를 추정할 수 있는 경우이어야 한다(대판 1955. 8.5, 4288형상124). 12. 변호사시험

② **방위행위** : 방위행위란 현재의 부당한 침해 그 자체를 배제하기 위한 반격행위를 말하며, 방어행위에는 순수한 수비적 방어(보호방위)뿐 아니라 적극적 반격을 포함하는 반격방어(공격방위)의 형태도 포함되나(대판 1992.12.22, 92도2540), 18. 순경 1차, 19. 법원행시, 20. 법원직, 21. 경찰승진, 22. 해경간부·7급 검찰, 23. 해경승진, 25. 해경경위 그 방어행위는 자기 또는 타인의 법익침해를 방위하기 위한 행위로서 상당한 이유가 있어야 한다(대판 2023.4.27, 2020도6874). 24. 경찰간부·법원행시, 25. 7급 검찰·해경 2차

③ **방위행위의 상대방** : 방위행위는 침해자나 그 도구에 대하여 행하여야 하며, 침해와 무관한 제3자에게 행할 수는 없다. 침해와 무관한 제3자의 법익을 침해한 경우는 긴급피난에 해당한다. 12. 7급 검찰

(3) 상당한 이유(방위행위의 상당성)

정당방위가 성립하기 위해서는 방위행위가 상당한 이유가 있어야 한다. 여기서 상당한 이유란 방위행위가 사회상규에 비추어 상당한 정도를 넘지 아니하고 당연시되는 것으로 방위의 필요성과 방위행위에 대한 사회윤리적 제한이 포함되는 것으로 본다(다수설).

① **방위의 필요성** : 방위행위는 침해를 즉시 효과적으로 제거할 수 있는 사실상 방어에 필요한 행위여야 한다. 방위의 필요성 여부는 침해의 강도와 수단 등을 고려하여 구체적인 경우에 객관적으로 판단되어야 한다.

　　㉠ **보충성의 원칙과 법익균형성의 원칙 ⇨ 불필요** : 정당방위는 '부정 대 정'의 관계로 개인의 법익에 대한 보호뿐만 아니라 법질서의 수호를 위하여도 인정되는 것이므로 긴급피난의 경우와 같은 보충성의 원칙〔정당방위 이외의 다른 방법(📵 도주나 긴급피난)이 없을 경우에만 최후의 수단으로 정당방위를 할 수 있다는 원칙〕이나 법익균형성의 원칙〔보호되는 법익과 정당방위에 의해 침해되는 법익(공격자의 법익)이 균형을 이루어야 한다는 원칙〕을 요하지 아니한다. 21. 경찰승진, 23. 해경승진

　　㉡ **방위수단의 적합성과 최소침해의 원칙 ⇨ 필요** : 다만, 방위행위가 방어를 위한 적합한 수단이어야 하고 여러 가지 가능한 수단 중에서 상대방에게 경미한 손해를 주는 수단을 택해야 하므로 방위수단의 적합성과 최소침해의 원칙은 인정된다. 21. 경찰승진, 24. 해경승진
　　📵 신발을 절취하는 걸인에게 상해를 가한 경우 ⇨ 정당방위의 상당성이 없어 정당방위가 아니다.

② **사회윤리적 제한** : 방위행위의 상당성이 인정되기 위해서는 정당방위가 사회윤리적으로 비난받지 않는 방위행위이어야 한다는 것으로 주로 정당방위의 제한문제로 다룬다.

관련판례

- 정당방위에 있어서는 반드시 방위행위에 보충의 원칙은 적용되지 않으나 방위에 필요한 한도 내의 행위로서 사회윤리에 위배되지 않는 상당성 있는 행위임을 요하며(대판 1991.9.10, 91다19913), 방위행위가 사회적으로 상당한 것인지 여부는 침해행위에 의해 침해되는 법익의 종류, 정도, 침해의 방법, 침해행위의 완급과 방위행위에 의해 침해될 법익의 종류, 정도 등 일체의 구체적 사정들을 참작하여 판단하여야 한다(대판 2003.11.13, 2003도3606). 16. 경찰간부, 24. 해경경위
- 어떠한 행위가 위법성조각사유로서 정당행위나 정당방위가 되는지 여부는 구체적인 경우에 따라 합목적적·합리적으로 가려야 하고, 행위의 적법 여부는 국가질서를 벗어나서 이를 가릴 수 없는 것이므로, 정당방위로 인정되려면 그 행위가 자기 또는 타인의 보호법익에 대한 현재의 부당한 침해를 방어하기 위한 것으로서 상당성이 있어야 한다(대판 2018.12.27, 2017도15226). 19. 7급 검찰, 20. 법원행시
- 제1방위행위는 상당성이 인정되는 방위행위이고 제2방위행위는 상당성을 결여한 방위행위인 경우, 제1행위와 제2행위가 극히 짧은 시간 내에 계속하여 행하여지면 이를 전체로서 하나의 행위로 보아야 한다(대판 1986.11.11, 86도1862). 18. 순경 2차, 21. 7급 검찰

- **상당성이 인정되는 경우 ⇨ 정당방위 ○**
1. 강제추행범의 혀를(정조와 신체를 지키려는 일념에서 엉겁결에) 깨물어 혀절단상을 입힌 경우 ⇨ 정당방위 ○, 과잉방위 ×(대판 1989.8.8, 89도358) 15. 경찰승진, 22. 변호사시험, 24. 해경경장
2. 피해자가 피고인이 운전하는 차량 앞에 뛰어들어 함부로 타려고 하고 이에 항의하는 피고인의 바지춤을 잡아당겨 찢고 피고인을 끌고 가려다 넘어지자 피고인이 피해자의 양 손목을 경찰관이 도착할 때까지 약 3분간 잡아 누른 경우 정당방위에 해당한다(대판 1999.6.11, 99도943). 15. 사시
3. 乙이 경영하는 주점에서 甲 등 3인이 통금시간이 지나도록 외상술을 마시면서 접대부와 동침시켜 줄 것을 요구하고 이를 거절한 데 불만을 품고 내실까지 들어와 乙의 처가 있는 데서 소변까지 하므로 乙이 甲을 넘어뜨려 전치 12일의 상해를 입힌 경우 ⇨ 정당방위 ○(대판 1981.8.25, 80도800)

- **상당성이 부정되는 경우 ⇨ 정당방위 ×**
1. 甲소유의 밤나무 단지에서 乙이 밤 18개를 푸대에 주워 담는 것을 보고 그 푸대를 빼앗으려다 반항하는 乙의 뺨과 팔목을 때려 상처를 입힌 甲의 행위가 비록 피해자의 절취행위를 방지하기 위한 것이었다 하여도 긴박성과 상당성을 결여하여 정당방위라고 볼 수 없다(대판 1984.9.25, 84도1611). 16. 9급 철도경찰, 19. 경찰간부, 22. 해경간부, 25. 해경경사
2. 운전자가 자신의 차를 가로막고 서서 통행을 방해하는 피해자를 향해 차를 조금씩 전진시키고 피해자가 뒤로 물러나면 다시 차를 전진시키는 방식의 운행을 반복한 경우 ⇨ 특수폭행죄 ○(대판 2016.10.27, 2016도9302 ∵ 피해자에 대한 위법한 유형력 행사 ○, 정당방위 ×, 정당행위 ×) 17. 7급 검찰, 21. 경찰간부
3. 회사의 관리사원으로 근무하는 자들이 해고에 항의하는 농성을 제거하기 위하여 그 주동자라고 생각되는 해고근로자들을 다른 근로자와 분리시켜 귀가시키거나 불응시에는 경찰에 고발·인계할 목적으로 간부사원회의의 지시에 따라 위 근로자들을 봉고차에 강제로 태운 경우 ⇨ 정당한 업무행위 ×, 사회상규에 위배되지 않는 정당행위 ×, 정당방위 ×(대판 1989.12.12, 89도875) 08. 법원행시

3 정당방위의 효과

정당방위가 성립되면 비록 방위행위가 구성요건에 해당되어도 위법성이 조각되므로 범죄가 성립되지 아니하고 따라서 처벌되지 않는다(무죄가 됨 ; 제21조 제1항).

4 과잉방위

> **제21조 【과잉방위】** ② 방위행위가 그 정도를 초과한 경우에는 정황에 따라 그 형을 감경하거나 면제할 수 있다(감경하거나 면제한다 ×). 21. 경찰승진, 22. 법원직, 23. 순경 2차, 24. 해경승진
> ③ 제2항의 경우에 야간이나 그 밖의 불안한 상태에서 공포를 느끼거나 경악하거나 흥분하거나 당황하였기 때문에 그 행위를 하였을 때에는 벌하지 아니한다. 21. 법원행시, 23. 경찰승진, 24. 해경승진

과잉방위는 방위행위의 상당성이 결여된 경우이므로 위법성이 조각되지 않고 위법하다. 즉, 과잉방위는 위법성조각사유에 해당하지 않아 과잉방위에 대해서는 정당방위가 가능하게 된다.

① 다만, 과잉방위는 위법하지만 정황에 의하여 책임이 감소·소멸되어 형을 감경 또는 면제할 수 있다(임의적 감면 ; 제21조 제2항).

② 만약에 과잉방위가 야간 기타 불안스러운 상태하에서 공포, 경악, 흥분 또는 당황으로 인한 때에는 적법행위의 기대가능성의 결여로 책임이 조각되어 벌하지 아니한다(제21조 제3항).

관련판례

1. 이혼소송 중인 남편이 찾아와 가위로 폭행하고 변태적 성행위를 강요하는 데 격분하여 처가 칼로 남편의 복부를 찔러 사망에 이르게 한 경우 ⇨ 그 행위는 방위행위로서의 한도를 넘어선 것으로 사회통념상 용인될 수 없는 것이므로 정당방위나 과잉방위에 해당하지 않는다(대판 2001.5.15, 2001도1089 ∴ 상해치사죄 ○). 18. 경찰승진·순경 2차, 19. 경찰간부·변호사시험, 20. 법원행시·해경승진·해경 3차, 24. 경위 공채·해경경장, 25. 경대편입

2. 피고인이 피해자와 말다툼을 하다가 건초더미에 있던 낫을 들고 반항하는 피해자로부터 낫을 빼앗아 그 낫으로 피해자의 가슴, 배, 등, 뒤통수, 목, 왼쪽 허벅지 부위 등을 10여 차례 찔러 피해자로 하여금 다발성 자상에 의한 기흉 등으로 사망하게 한 경우 ⇨ 정당방위 ×, 과잉방위 ×(대판 2007.4.26, 2007 도1794) 20. 해경 3차, 22. 변호사시험

3. 피고인이 피해자로부터 갑작스럽게 뺨을 맞는 등 폭행을 당하여 서로 멱살을 잡고 다투자 주위 사람들이 싸움을 제지하였으나 피해자에게 대항하기 위하여 깨어진 병으로 피해자를 찌를 듯이 겨누어 협박한 경우, 사회통념상 그 정도를 초과한 방어행위로서 상당성이 결여된 것이고(과잉방위 ○), 또 주위사람들이 싸움을 제지하였다는 상황에 비추어 야간의 공포나 당황으로 인한 것이었다고 보기도 어렵다(제21조 제3항 적용 × : 대판 1991.5.28, 91도80). 16. 사시, 22. 변호사시험, 25. 경대편입

4. 구타하자 과도(길이 26cm)로 인체 중요부분(복부)을 3~4회 찔러 상해를 입힌 행위 ⇨ 정당방위 ×, 과잉방위 ×(대판 1989.12.12, 89도2049) 04. 순경

   ▶ **유사판례** : 피고인인 피해자로부터 뺨을 맞고 손톱깎기 칼에 찔려 약 1cm의 상처를 입게 되자 이에 격분하여 약 20cm의 과도로 피해자의 복부를 찌른 경우(대판 1968.12.24, 68도1229), 15. 경찰 승진 피해자의 구타행위에 맞서 7군데나 식칼로 찔러 피해자를 사망케 한 경우(대판 1983.9.27, 83도1906)

5. 이유 없이 집단구타를 당해 더 이상 피할 수 없는 상황에서 이를 방어하기 위해 곡괭이자루를 휘둘러 1명을 사망하게 하고 다른 자에게 상해를 입힌 경우 ⇨ 과잉방위 ○(대판 1985.9.10, 85도1370)

6. 피고인이 22 : 40경 처와 함께 극장구경을 마치고 귀가하는 도중, 술취한 피해자(19세)가 피고인의 질녀인 소녀들에게 음경을 내놓고 소변을 보면서 키스를 하자고 달려들고 타이르는 피고인의 뺨을 때리고 돌을 들어 구타하려고 따라오는 것을 피하자, 처를 땅에 넘어뜨려 깔고 앉아서 돌로서 때리려 는 순간 피고인이 농구화 신은 발로서 피해자의 복부를 한차례 차서 사망에 이르게 한 경우 ⇨ 무죄 (대판 1974.2.26, 73도2380 ∴ 제21조 제3항이 적용됨) 13. 9급 철도경찰

   ▶ **유사판례** : 야간에 흉폭한 성격에 술까지 취한 피해자(피고인의 오빠)가 식칼을 들고 피고인을 포 함한 가족들의 생명·신체를 위협하는 불의의 행패와 폭행을 하자 피고인이 피해자의 몸 위에 타고 앉아 그의 목을 계속 눌러 질식 사망케 한 경우 ⇨ 무죄(대판 1986.11.11, 86도1862 ∴ 제21조 제3항이 적용됨) 07. 사시

01 정당방위에 대한 설명으로 가장 적절한 것은?(다툼이 있는 경우 판례에 의함) 18. 순경 2차

① 가해자의 행위가 피해자의 부당한 공격을 방위하기 위한 것이라기보다는 서로 공격할 의사로 싸우다가 먼저 공격을 받고 이에 대항하여 가해하게 된 것인 경우에는 형법 제21조 제2항의 과잉방위가 성립한다.

② 피고인이 피해자로부터 먼저 폭행·협박을 당하다가 이를 피하기 위하여 피해자를 칼로 찔러 즉사케 한 경우, 그 행위가 피해자의 폭행·협박의 정도에 비추어 방위행위로서의 한도를 넘어선 것으로서 사회통념상 용인될 수 없다고 판단될 때에는 형법 제21조 제2항의 과잉방위가 성립한다.

③ 생명·신체에 대한 현재의 부당한 침해를 방위하기 위한 상당한 행위가 있고, 이어서 정당방위의 요건인 상당성을 결여한 행위가 연속적으로 이루어진 경우 극히 짧은 시간 내에 계속하여 행하여진 가해자의 이와 같은 일련의 행위는 이를 전체로서 하나의 행위라고 보아 형법 제21조 제2항의 과잉방위가 성립한다고 볼 여지가 있다.

④ 경찰관이 적법절차를 준수하지 않은 채 실력으로 현행범인을 연행하려 한 경우 이에 저항하는 과정에서 경찰관에게 상해를 입힌 행위는 그것이 자신의 신체에 대한 현재의 부당한 침해를 방위하기 위한 행위로서 상당한 이유가 있는 것이었다 하더라도 정당방위가 되지 못한다.

> **해설** ① × : 싸움의 경우 ⇨ 정당방위 ×, 과잉방위 ×(대판 1993.8.24, 92도1329)
> ② × : ~ 판단될 때 ⇨ 정당방위 ×, 과잉방위 ×(대판 2001.5.15, 2001도1089)
> ③ ○ : 대판 1986.11.11, 86도1862
> ④ × : 정당방위 ○(대판 2002.5.10, 2001도300)

02 다음 중 정당방위에 대한 설명으로 가장 옳은 것은?(다툼이 있는 경우 판례에 의함) 19. 경찰간부

① 12살 때 의붓아버지의 강간행위에 의하여 정조를 유린당한 후 계속적으로 성관계를 강요받아 온 피고인이 그의 남자친구와 범행을 준비하고 의붓아버지가 반항할 수 없는 잠든 틈에 식칼로 심장을 찔러 살해한 행위는 정당방위가 성립한다.

② 甲소유의 밤나무 단지에서 乙이 밤 18개를 푸대에 주워 담는 것을 본 甲이 그 푸대를 빼앗으려다가 반항하는 乙의 뺨과 팔목을 때려 상처를 입힌 경우 甲의 그러한 행위는 乙의 절취행위를 방지하기 위한 것으로서 정당방위가 성립한다.

③ 싸움을 함에 있어서 격투를 하는 자 중의 한 사람의 공격이 그 격투에서 당연히 예상할 수 있는 정도를 초과하여 살인의 흉기 등을 사용하여 온 경우에는 이를 '부당한 침해'라고 아니 할 수 없으므로 이에 대하여는 정당방위를 허용하여야 한다.

> **Answer** 01. ③ 02. ③

④ 이혼소송 중인 남편이 찾아와 가위로 폭행하고 변태적 성행위를 강요하는 데에 격분하여 처가 칼로 남편의 복부를 찔러 사망에 이르게 한 경우는 정당방위나 과잉방위에 해당한다.

해설 ① × : 정당방위 ×(대판 1992.12.22, 92도2540)
② × : 정당방위 ×(대판 1984.9.25, 84도1611)
③ ○ : 대판 1968.5.7, 68도370
④ × : 정당방위 ×, 과잉방위 ×(대판 2001.5.15, 2001도1089)

03 정당방위에 대한 설명으로 가장 적절하지 않은 것은?(다툼이 있는 경우 판례에 의함) 19. 경찰승진

① 사용자가, 적법한 직장폐쇄 기간 중 일방적으로 업무에 복귀하겠다고 하면서 자신의 퇴거요구에 불응한 채 계속하여 사업장 내로 진입을 시도하는 해고 근로자를 폭행·협박한 행위는 사업장 내의 평온과 노동조합의 업무방해행위를 방지하기 위한 행위로서 정당방위 또는 정당행위에 해당한다.
② 불법체포에 대항하기 위하여 경찰관에게 상해를 가한 경우 이는 부당한 침해에서 벗어나기 위한 행위로서 정당방위에 해당한다.
③ 검사 甲이 검찰청에 자진출석한 乙변호사사무실 사무장 丙을 합리적 근거 없이 긴급체포하자 변호사 乙이 이를 제지하는 과정에서 검사 甲에게 상해를 가한 행위는 정당방위에 해당한다.
④ 공직선거 후보자 甲이 연설 중 유권자들의 적절한 투표권 행사를 위해 다른 후보자 乙의 과거 행적에 대한 신문에 게재된 자료를 제시하면서 후보자의 자질을 문제 삼자 乙이 물리력으로 甲의 연설을 중단시킨 것은 정당방위에 해당한다.

해설 ① 대판 2005.6.9, 2004도7218 ② 대판 2002.5.10, 2001도300 ③ 대판 2006.9.8, 2006도148
④ × : 정당방위 ×(대판 2003.11.13, 2003도3606)

04 정당방위 및 과잉방위에 대한 설명으로 가장 적절하지 않은 것은?(다툼이 있는 경우 판례에 의함)
21. 경찰승진, 23. 해경승진

① 경찰관의 불법한 현행범체포에 대해 그 체포를 면하려고 반항하는 과정에서 그 경찰관에게 상해를 입힌 행위는 정당방위에 해당하여 위법성을 조각한다.
② 정당방위의 상당성 판단에는 상대적 최소침해의 원칙 이외에 보충성의 원칙이 필수적으로 요구된다.
③ 형법 제21조 제2항에 의하면 과잉방위의 경우에는 그 형을 감면할 수 있다.
④ 정당방위의 방어행위에는 순수한 수비적 방어뿐만 아니라 적극적 반격을 포함하는 반격방어의 형태도 포함된다.

해설 ① 대판 2002.5.10, 2001도300
② × : 상대적 최소침해의 원칙은 요구되나 보충성의 원칙이 필수적으로 요구되는 것은 아니다.
③ 옳다. ④ 대판 1992.12.22, 92도2540

05 **정당방위에 대한 설명으로 옳지 않은 것은?**(다툼이 있는 경우 판례에 의함) 21. 7급 검찰

① 정당방위는 자기 또는 타인의 법익에 대한 현재의 부당한 침해를 방어하기 위한 것으로서, 위법하지 않은 정당한 침해에 대한 정당방위는 인정되지 않는다.

② 제1방위행위는 상당성이 인정되는 방위행위이고 제2방위행위는 상당성을 결여한 방위행위인 경우, 제1행위와 제2행위가 극히 짧은 시간 내에 계속하여 행하여지면 이를 전체로서 하나의 행위로 보아야 한다.

③ 경찰관 甲과 乙이 'A가 사람을 칼로 위협한다.'는 신고를 받고 출동한 상황에서, A가 乙을 지속적으로 폭행하며 그의 총기를 빼앗으려 하자, 甲은 A가 칼로 자신과 乙을 공격할 수 있다고 생각하고 乙을 구출하기 위하여 A에게 실탄을 발사하여 흉부관통상으로 A를 사망케 한 경우 정당방위의 상당성이 인정될 수 없다.

④ 불륜관계를 의심받아 집단폭행을 당하게 된 甲이 이를 벗어나기 위해 손을 휘저으며 발버둥 치는 과정에서 A에게 약 14일간의 치료를 요하는 뇌진탕의 상해를 가한 경우 사회적 상당성이 인정되는 방어행위라고 할 수 있다.

해설 ① 대판 2003.11.13, 2003도3606

② 대판 1986.11.11, 86도1862

③ × : ~ 인정될 수 있다(∵ 사례는 위법성조각사유의 전제사실에 관한 착오문제로 볼 수 있고, 이 경우 판례는 그 오인의 정당한 이유가 있는 경우에는 위법성이 조각된다고 봄).

④ 대판 2010.2.11, 2009도2009도12958

06 **정당방위에 관한 설명으로 옳은 것은 모두 몇 개인가?**(다툼이 있는 경우 판례에 의함) 24. 경찰간부

> ㉠ 정당방위에서 '침해의 현재성'이란 침해행위가 형식적으로 기수에 이르렀는지에 따라 결정되는 것이 아니라 자기 또는 타인의 법익에 대한 침해상황이 종료되기 전까지를 의미한다.
> ㉡ 정당방위 상황을 이용할 목적으로 처음부터 공격자의 공격행위를 유발하는 의도적 도발의 경우라 하더라도 그 공격행위에 대해서는 방위행위를 인정할 수 있어 정당방위가 성립한다.
> ㉢ 피해자의 침해행위에 대하여 자기의 권리를 방위하기 위한 부득이한 행위가 아니고, 그 침해행위에서 벗어난 후 분을 풀려는 목적에서 나온 공격행위는 정당방위에 해당한다고 할 수 없다.
> ㉣ 정당방위의 성립요건으로서 방어행위는 순수한 수비적 방어뿐만 아니라 적극적 반격을 포함하는 반격방어의 형태도 포함되나, 그 방어행위는 자기 또는 타인의 법익침해를 방위하기 위한 행위로서 상당한 이유가 있어야 한다.

① 1개   ② 2개   ③ 3개   ④ 4개

해설 ㉠ ○ : 대판 2023.4.27, 2020도6874

㉡ × : ~ (2줄) 방위행위를 인정할 수 없어 정당방위가 성립하지 않는다(대판 1968.11.12, 68도912).

㉢ ○ : 대판 1996.4.9, 96도241

㉣ ○ : 대판 2023.4.27, 2020도6874

Answer **05. ③   06. ③**

07 정당방위에 대한 설명으로 옳지 <u>않은</u> 것은?(다툼이 있는 경우 판례에 의함) 25. 7급 검찰

① 정당방위의 성립요건으로서의 '침해의 현재성'이란 자기 또는 타인의 법익에 대한 침해상황이 종료되기 전까지를 의미하는 것이 아니라 침해행위가 형식적으로 기수에 이르렀는지에 따라 결정되는 것이다.

② 정당방위의 성립요건으로서의 방어행위에는 순수한 수비적 방어뿐 아니라 적극적 반격을 포함하는 반격방어의 형태도 포함되나, 그 방어행위는 자기 또는 타인의 법익침해를 방위하기 위한 행위로서 상당한 이유가 있어야 한다.

③ 위법하지 않은 정당한 침해에 대한 정당방위는 인정되지 않는다.

④ 격투를 하는 자 중의 한 사람의 공격이 그 격투에서 당연히 예상을 할 수 있는 정도를 초과하여 살인의 흉기를 사용하여 온 경우, 이는 부당한 침해로 볼 수 있으므로 이에 대하여는 정당방위가 허용된다.

> [해설] ① × : 정당방위의 요건 중 '침해의 현재성'이란 침해행위가 형식적으로 기수에 이르렀는지에 따라 결정되는 것이 아니라 자기 또는 타인의 법익에 대한 침해상황이 종료되기 전까지를 의미하는 것이므로, 일련의 연속되는 행위로 인해 침해상황이 중단되지 아니하거나 일시 중단되더라도 추가 침해가 곧바로 발생할 객관적인 사유가 있는 경우에는 그중 일부 행위가 범죄의 기수에 이르렀더라도 전체적으로 침해상황이 종료되지 않은 것으로 볼 수 있다(대판 2023.4.27, 2020도6874).
> ② 대판 2023.4.27, 2020도6874
> ③ 대판 2003.11.13, 2003도3606
> ④ 대판 1968.5.7, 68도370

08 다음 중 정당방위에 대한 설명으로 가장 옳지 <u>않은</u> 것은?(다툼이 있으면 판례에 의함) 25. 해경 2차

① 폭력행위 등 처벌에 관한 법률 제8조 제1항 "죄를 범한 자가 흉기 기타 위험한 물건 등으로 사람에게 위해를 가하거나 가하려 할 때, 이를 예방 또는 방위하기 위하여 한 행위는 벌하지 아니한다."고 한 규정은 '침해의 현재성'을 완화한 예외적 규정으로 볼 수 있다.

② 경찰관의 불법체포에 대항하는 상황에서 경찰관에게 상해를 가한 것은 정당방위에 해당한다.

③ 일련의 연속되는 행위로 인해 침해상황이 일시 중단되더라도 추가 침해가 곧바로 발생할 객관적인 사유가 있는 경우에는 '침해의 현재성'이 인정된다.

④ 정당방위 성립요건으로서의 방어행위에는 순수한 방어적 방어만이 인정되고 적극적 반격을 포함하는 반격방어의 형태는 포함되지 않는다.

> [해설] ① 옳다.
> ② 대판 2002.5.10, 2001도300
> ③ 대판 2023.4.27, 2020도6874
> ④ × : 정당방위의 방어행위에는 순수한 수비적 방어뿐만 아니라 적극적 반격을 포함하는 반격방어의 형태도 포함된다(대판 1992.12.22, 92도2540).

Answer   07. ①   08. ④

제3절　긴급피난

> **제22조【긴급피난】** ① 자기 또는 타인의 법익에 대한 현재의 위난을 피하기 위한 행위는 상당한 이유가 있는 때에는 벌하지 아니한다. 22. 9급 검찰·마약수사·철도경찰, 23. 순경 2차, 25. 해경경사
> ② 위난을 피하지 못할 책임이 있는 자에 대하여는 전항의 규정을 적용하지 아니한다.
> ③ 전조 제2항과 제3항의 규정은 본조에 준용한다.

1 서 설

(1) 의 의

긴급피난이란 자기 또는 타인의 법익에 대한 현재의 위난을 피하기 위한 상당한 행위를 말한다 (제22조 제1항).

예 브레이크 고장으로 인도로 뛰어드는 자동차를 피하려고 상점의 유리문을 부순 경우

(2) 긴급피난의 본질(법적 성질)

긴급피난은 위난이 부당한 침해에 의하여 발생될 필요가 없고 또한 피난행위가 위난을 야기시킨 자에게 향하는 것이 아니라 이와 무관한 제3자의 법익에 손해를 줄 수도 있다는 점에서 '정 대 정'의 관계이다. 이러한 특성 때문에 긴급피난의 본질(법적 성질)에 대해 다음과 같은 견해의 대립이 있다.

① **위법성조각설**(통설) 19. 순경 1차, 20. 해경 1차·3차

  ㉠ 긴급상태하에서 법익이 충돌하는 경우에 이익교량설에 입각하여 긴급피난행위로 보호받는 이익이 침해받는 이익보다 우월할 때에는 긴급피난행위는 위법성이 조각되어 적법하다는(정당화된다는) 견해로 통설이다.

  ㉡ 이 설에 의하면 긴급피난에 대하여는 정당방위가 불가능하고 긴급피난만이 가능하다.

② **책임조각설** : 긴급피난에 해당하는 행위는 적법한 제3자의 법익을 침해하는 것이기 때문에 위법하지만 자기 유지의 본능으로 적법행위에 대한 기대가능성이 없기 때문에 책임이 조각된다는 견해이다. 이 견해에 의하면 긴급피난에 대해 정당방위가 가능하다. 09. 사시, 20. 해경 1차

  Q 면책적 긴급피난 : 본질적으로 우월하지 않은 자기 또는 타인의 법익에 대한 현재의 위난을 피하기 위한 행위(예 표류 중인 선원이 아사를 면하기 위해 다른 선원을 살해한 경우)는 긴급피난(정당화적 긴급피난)에 해당하지 않으나, 적법행위에 대한 기대가능성이 없어 책임이 조각되는 경우를 말한다. 21. 7급 검찰, 24. 경위공채

2 긴급피난의 성립요건

긴급피난이 성립되기 위해서는 ① 자기 또는 타인의 법익에 대한 현재의 위난이 있고, ② 그 위난을 피하기 위한 행위(피난행위)가 있어야 하며, ③ 피난행위는 상당한 이유가 있어야 한다.

(1) 자기 또는 타인의 법익에 대한 현재의 위난(긴급피난상황)

① **자기 또는 타인의 법익** : 피난행위로 보호될 수 있는 법익은 법에 의하여 보호되는 자기 또는 타인의 모든 법익이다(정당방위와 동일). 15. 경찰승진

② **현재의 위난**(위난의 현재성) : '현재의 위난'이란 침해의 발생이 근접한 상태(법익침해가 즉시 또는 곧 발생할 것으로 예견되는 경우)를 의미하므로 정당방위의 침해의 현재성(침해가 급박하거나 개시된 경우)보다 범위가 넓다(다수설). 09. 사시

　㉠ 정당방위와는 달리 위난의 '행위성'을 요하지 아니하므로 사람의 행위에 의한 것은 물론 자연현상이건 동물의 침해이건 불문한다. 08. 9급 검찰

　㉡ 또한 현재의 위난만 있으면 족하므로 부당한 침해가 있어야 하는 정당방위와는 달리 부당한 위난, 즉 위난이 위법하거나 부당할 것을 요하지 않는다. 13. 9급 검찰·철도경찰, 21. 경찰승진

> **Key Point**
>
> - 적법한 행위(정당방위, 긴급피난)에 대해 ⇨ 정당방위 ×, 긴급피난 ○ 08. 9급 검찰, 13. 사시
> - 위법·부당한 침해에 대해 ⇨ 정당방위 ○, 긴급피난 ○ 16. 사시

③ **자초위난** : 긴급피난을 목적으로 위난을 자초하거나 고의로 위난을 자초한 경우(의도적 자초위난)에는 긴급피난이 허용되지 않는다.

관련판례

피고인이 스스로 야기한 강간범행의 와중에서 피해자가 피고인의 손가락을 깨물며 반항하자, 물린 손가락을 비틀며 잡아 뽑다가 피해자에게 치아결손의 상해를 입힌 경우 ⇨ 긴급피난 × ⇨ 강간치상죄(대판 1995.1.12, 94도2781) 18. 순경 3차, 22. 변호사시험, 23. 해경 3차, 24. 법원직, 25. 9급 철도경찰

(2) 상당한 이유(피난행위의 상당성)

정당방위는 '부정 대 정'의 관계로 보충성의 원칙이나 법익균형성의 원칙을 요하지 아니하나, 긴급피난은 자기 또는 타인의 법익에 대한 현재의 위난을 모면하기 위하여 현재의 위난과 관계없는 제3자의 정당한 법익을 침해하는 것으로 '정 대 정'의 관계이므로 제3자의 입장이 충분히 고려되어야 하기 때문에 '상당한 이유'에 큰 차이가 있다. 16. 사시

관련판례

형법 제22조 제1항의 긴급피난이란 자기 또는 타인의 법익에 대한 현재의 위난을 피하기 위한 상당한 이유 있는 행위를 말하고, 여기서 '상당한 이유 있는 행위'에 해당하려면, 첫째 피난행위는 위난에 처한

법익을 보호하기 위한 유일한 수단이어야 하고(보충성의 원칙), 둘째 피해자에게 가장 경미한 손해를 주는 방법을 택하여야 하며(최소피난의 원칙), 셋째 피난행위에 의하여 보전되는 이익은 이로 인하여 침해되는 이익보다 우월해야 하고(균형성의 원칙, 우월한 이익의 원칙), 넷째 피난행위는 그 자체가 사회윤리나 법질서 전체의 정신에 비추어 적합한 수단일 것(적합성의 원칙, 적합한 수단의 원칙)을 요하는 등의 요건을 갖추어야 한다(대판 2016.1.28, 2014도2477). 22. 법원직 · 7급 검찰, 24. 경찰승진, 25. 9급 검찰 · 마약수사

3 효 과

① 다수설인 위법성조각사유설에 따르면, 긴급피난행위는 구성요건에 해당하여도 위법성을 조각하여 범죄가 성립되지 않아 벌하지 아니한다(제22조 제1항).
② 또한 긴급피난은 정당한 행위이므로 긴급피난에 대한 정당방위는 불가능하고 긴급피난만이 가능하다.

4 긴급피난의 특칙

위난을 피하지 못할 책임 있는 자에게는 긴급피난이 허용되지 않는다(제22조 제2항).
일반적으로 군인, 경찰관, 소방관과 같이 위난을 피하지 못할 책임이 있는 자에게는 긴급피난이 허용되지 않는다고 하더라도, 이들이 특별의무로서 감수해야 할 범위를 넘는 위난에 처한 때에는 긴급피난이 허용된다. 16. 사시, 24. 순경 1차

5 과잉피난

과잉피난이란 피난행위가 상당한 정도를 초과한 경우를 말하며, 이는 위법성을 조각하지 않는다. 다만, 책임이 감경 · 소멸되어 정황에 따라 형을 감경 또는 면제할 수 있다(제22조 제3항에 의한 제21조 제2항 준용). 그러나 이때에도 행위자가 야간 기타 불안스러운 상태하에서 공포 · 경악 · 흥분 또는 당황으로 인한 때에는 기대가능성이 없어 책임이 조각되므로 벌하지 아니한다(제22조 제3항, 제21조 제3항). 18. 경찰승진, 23. 순경 2차, 25. 9급 검찰 · 마약수사 · 철도경찰

> **관련판례**
>
> ● 긴급피난이 인정되는 경우
> 1. 산부인과 의사가 임신의 지속이 모체의 건강을 해칠 우려가 현저할뿐더러 기형아 내지 불구아를 출산할 가능성이 있다는 판단하에 부득이하게 낙태수술을 한 경우 ⇨ 정당행위 내지 긴급피난(대판 1976.7.13, 75도1205) 16. 경찰승진, 17. 경찰간부, 22. 해경 2차
> 2. 선장 甲은 피조개 양식장 앞의 해상에 허가 없이 선박을 정박시켜 놓고 있다가 태풍이 내습하자 선원들과 선박의 안전을 위하여 닻줄을 늘여 정박하였는데, 태풍이 도래하여 풍랑이 심하게 이는 바람에 늘어진 닻줄이 피조개 양식장 바다 밑을 쓸고 지나가면서 A의 양식장에 상당한 피해를 입힌

경우 ⇨ 긴급피난 ○(대판 1987.1.20, 85도221). 18. 변호사시험, 19. 경찰간부, 20. 9급 철도경찰, 21. 해경간부, 22. 해경 2차, 23. 법원행시, 24. 해경간부, 25. 해경경위

● 긴급피난이 인정되지 않는 경우

1. 집회장소 사용 승낙을 하지 않은 대학교 측의 집회 저지 협조요청에 따라 경찰관들이 대학교 출입문에서 신고된 대학교에서의 집회에 참가하려는 자들의 출입을 저지하자 다른 대학교로 장소를 옮겨서 아무런 신고 없이 집회를 한 경우 ⇨ 긴급피난 ×(대판 1990.8.14, 90도870 ∵ 급박한 현재의 위난을 피하기 위한 부득이한 것 ×) 14. 법원직, 22. 경찰승진, 25. 9급 검찰·마약수사·철도경찰

2. 아파트 입주자대표회의 회장이 다수 입주민들의 민원에 따라 위성방송 수신을 방해하는 케이블TV방송의 시험방송 송출을 중단시키기 위하여 위 케이블TV방송의 방송안테나를 절단하도록 지시한 행위를 긴급피난 내지는 정당행위에 해당한다고 볼 수 없다(대판 2006.4.13, 2005도9396). 14. 법원직, 17. 경찰간부, 19. 변호사시험, 24. 해경간부, 25. 경대편입

3. 피해자의 개가 다가오자 피고인으로서는 자신의 진돗개를 보호하기 위하여 몽둥이나 기계톱 등을 휘둘러 피해자의 개들을 쫓아버리는 방법으로 자신의 재물을 보호할 수 있었음에도 불구하고 피해견을 기계톱으로 내리쳐 척추를 포함한 등 부분에서부터 배 부분까지 절단하여 죽인 경우 ⇨ 긴급피난 ×, 책임조각적 과잉피난(제22조 제3항) ×(대판 2016.1.28, 2014도2477 ∴ 재물손괴죄와 동물보호법 위반죄의 상상적 경합) 18. 변호사시험·경찰간부, 24. 해경간부·7급 검찰, 25. 경대편입·해경경위

4. 정당 당직자가 국회 외교통상 상임위원회 회의장 앞 복도에서 출입이 봉쇄된 회의장 출입구를 뚫을 목적으로 회의장 출입문 및 그 안쪽에 쌓여있던 집기를 손상하거나 국회 심의를 방해할 목적으로 회의장 내에 물을 분사한 경우 ⇨ 긴급피난 ×, 정당행위 ×(대판 2013.6.13, 2010도13609) 16. 순경 2차, 17. 경찰간부, 18. 변호사시험, 24. 해경간부

5. 특정 후보자에 대한 낙선운동은 시민불복종운동으로서 헌법상의 기본권 행사 범위 내에 속하는 정당행위이거나 형법상 사회상규에 위반되지 아니하는 정당행위 또는 긴급피난의 요건을 갖춘 행위로 볼 수는 없다(대판 2004.4.27, 2002도315). 14. 사시, 15. 경찰승진

6. 갑자기 기절한 어머니의 치료를 위하여 군무를 이탈한 경우(대판 1969.6.10, 69도690 ∵ 범행동기에 불과, 법률상 긴급피난 ×) 14. 법원직, 17. 경찰간부

7. 채무 없이 단지 잠시 빌려준 약속어음을 제3자에게 배서양도함으로써 재산상 손실을 입을 우려가 있자 재발행을 이유로 제3자가 소지 중 이를 교부받아 찢어버린 경우 ⇨ 자구행위 ×, 긴급피난 ×, 문서손괴죄 ○(대판 1975.5.27, 74도3559 ∵ 적법절차에 의해 다툴 성질의 것임) 03. 법원행시, 22. 해경 2차

8. 상관으로부터 뺨을 한 대 얻어맞고 홧김에 그의 뒤통수를 대검 뒷자루로 한번 치자 그도 야전삽으로 대항하던 중 대검으로 상관의 쇄골부분을 찔러 사망하게 한 경우(대판 1970.8.18, 70도1364 ∵ 급박한 경우 ×) 03. 법원행시

9. 순순히 손을 들고 나오면서 도주하는 범인의 등에 총을 쏘아 사망하게 하거나, 경찰관의 신호위반을 이유로 한 정지명령에 불응하고 도주한 차량의 운전자나 동승자가 아무런 흉기도 휴대하지 않은 상태에서 경찰관을 공격하거나 위협하는 등 거칠게 항거하지 않고 단지 계속하여 도주하자 실탄을 발사하여 사망케 한 경우 현재의 부당한 침해를 방지하거나 현재의 위난을 피하기 위한 상당성 있는 행위라 볼 수 없다(대판 1991.5.28, 91다10084 ; 대판 1999.6.22, 98다61470 ∴ 정당방위 ×, 긴급피난 ×). 11. 경찰승진, 22. 해경 2차

01 다음 중 긴급피난에 관한 설명으로 옳은 경우(○)와 옳지 않은 경우(×)를 바르게 표시한 것은?(다툼이 있는 경우 판례에 의함)　　14. 사시, 17. 7급 검찰, 20. 해경 1차

> ㉠ 긴급피난의 본질에 관하여 위법성조각설을 따를 경우 긴급피난에 대한 정당방위나 긴급피난이 모두 가능하다.
> ㉡ 의사 甲이 수혈 없이는 살 수 없는 응급환자 A를 구조하기 위하여 A와 혈액형이 동일한 환자 B의 동의를 받지 않고 강제채혈을 한 경우 긴급피난의 상당성 요건 중 보충성의 원칙과 관련되어 문제된다.
> ㉢ 긴급피난을 '정 대 정(正 對 正)'의 관계라고 말하는 것은 '공격적 긴급피난'의 경우 피난자의 정당화된 행위와 위난과 관계없이 침해되는 제3자의 법익과의 관계를 염두에 두고 있기 때문이다.
> ㉣ 책임조각설은 '자신을 위한 긴급피난'의 경우에 비하여 '타인을 위한 긴급피난'의 경우의 불처벌 근거를 설명하는 데 보다 적합하다.
> ㉤ 제한적 종속형식을 전제로 한 경우 긴급피난을 위법성조각사유로 이해하는 입장에 따르면 긴급피난행위를 한 자에 대한 교사범의 성립은 인정될 수 없다.

① ㉠(○), ㉡(○), ㉢(×), ㉣(○), ㉤(×)　　② ㉠(×), ㉡(×), ㉢(○), ㉣(×), ㉤(○)
③ ㉠(×), ㉡(○), ㉢(×), ㉣(×), ㉤(×)　　④ ㉠(○), ㉡(×), ㉢(○), ㉣(○), ㉤(○)

> **해설** ㉠ × : ~ (1줄) 대한 정당방위가 불가능하고 긴급피난만이 가능하다.
> ㉡ × : ~ (2줄) 요건 중 적합성의 원칙(적합한 수단의 원칙)과 관련되어 문제된다.
> ㉢ ○ : 옳다. ㉣ × : 책임조각설은 '타인을 위한 긴급피난'의 경우에 비하여 '자신을 위한 긴급피난'의 경우의 불처벌 근거를 설명하는 데 보다 적합하다(∵ 책임조각설은 피난행위 자체는 위법하지만 긴급행위 이외의 적법행위에 대한 기대가능성이 없기 때문에 책임이 조각된다고 봄).
> ㉤ ○ : 옳다(∵ 제한적 종속형식에 의하면 정범의 행위가 구성요건에 해당하고 위법해야만 공범(교사범)이 성립하므로, 위법성이 조각되는 자(긴급피난행위를 한 자)에 대한 교사범의 성립은 인정 ×).

02 다음 중 정당방위 및 긴급피난에 관한 설명으로 옳은 것은 모두 몇 개인가?(다툼이 있는 경우 판례에 의함)　　20. 해경 3차

> ㉠ 긴급피난의 본질에 관하여 책임조각설을 따를 경우 긴급피난행위에 대해서 공범의 성립과 정당방위 및 긴급피난이 가능하다.
> ㉡ 이혼소송 중인 남편이 찾아와 가위로 폭행하고 변태적 성행위를 강요하는 데에 격분하여 처가 칼로 남편의 복부를 찔러 사망에 이르게 한 경우 과잉방위에 해당한다.
> ㉢ 위법성의 평가방법에 관한 주관적 위법성론에 의하면 책임무능력자의 행위에 대해서는 정당방위는 할 수 없고, 긴급피난만 가능하게 된다.

Answer　01. ②　02. ②

㉣ 甲이 乙과 말다툼을 하던 중 乙이 건초더미에 있던 낫을 들고 반항하자 乙로부터 낫을 빼앗아 그 낫으로 乙의 가슴, 배, 왼쪽 허벅지 부위 등을 수차례 찔러 乙이 사망한 경우, 甲에 대한 현재의 부당한 침해를 방위하기 위한 것으로 정당방위에 해당한다.

① 1개　　　　② 2개　　　　③ 3개　　　　④ 4개

해설　㉠ ○ : 위법성이 인정되기 때문에 공범의 성립(다수설인 제한적 종속형식)과 정당방위 및 긴급피난이 가능하다. ㉡ × : 정당방위 ×, 과잉방위 ×(대판 2001.5.15, 2001도1089 ∴ 상해치사죄 ○)
㉢ ○ : 위법성을 주관적인 의사결정규범에 대한 위반으로 보는 주관적 위법성론에 의하면, 법규범의 의미내용을 이해하지 못하고 이에 따라 자기의 의사를 결정할 수 없는 책임무능력자의 행위는 위법하다고 할 수 없으므로 이들에 대한 정당방위는 불가능하고, 다만 긴급피난이 가능하다.
㉣ × : 정당방위 ×, 과잉방위 ×(대판 2007.4.26, 2007도1794)

03 다음과 같은 근거로 벌하지 아니하는 경우는?(다툼이 있는 경우 판례에 의함)

18. 변호사시험, 24. 해경간부

> 자기 또는 타인의 법익에 대한 현재의 위난을 피하기 위한 행위는 상당한 이유가 있는 때에는 벌하지 아니한다.

① 정당 당직자가 국회 외교통상 상임위원회 회의장 앞 복도에서 출입이 봉쇄된 회의장 출입구를 뚫을 목적으로 회의장 출입문 및 그 안쪽에 쌓여있던 집기를 손상하거나 국회 심의를 방해할 목적으로 회의장 내에 물을 분사한 경우
② 자신의 진돗개를 물어뜯는 공격을 하였다는 이유로 소지하고 있던 기계톱으로 타인의 개를 내리쳐 등 부분을 절개하여 죽인 경우
③ 아파트 입주자대표회의 회장이 다수 입주민들의 민원에 따라 위성방송 수신을 방해하는 케이블TV방송의 시험방송 송출을 중단시키기 위하여 위 케이블TV방송의 방송안테나를 절단하도록 지시한 경우
④ 운전자가 경찰관의 불심검문을 받아 운전면허증을 교부한 후 경찰관에게 큰 소리로 욕설을 하였는데, 경찰관이 자신을 모욕죄의 현행범으로 체포하려고 하자 반항하면서 경찰관에게 가벼운 상해를 입힌 경우
⑤ 선장이 피조개양식장에 피해를 주지 않기 위해 양식장까지의 거리가 약 30미터가 되도록 선박의 닻줄을 7샤클(175미터)에서 5샤클(125미터)로 감아놓았는데, 태풍을 갑자기 만나게 되면서 선박의 안전을 위하여 어쩔 수 없이 선박의 닻줄을 7샤클로 늘여 놓았다가 피조개양식장을 침범하여 물적 피해를 야기한 경우

해설　긴급피난(제22조)에 해당하여 위법성이 조각되는 경우임.
① 긴급피난 ×, 정당행위 ×(대판 2013.6.13, 2010도13609)
② 긴급피난 ×, 책임조각적 과잉피난(제22조 제3항) ×(대판 2016.1.28, 2014도2477)
③ 긴급피난 ×, 정당행위 ×(대판 2006.4.13, 2005도9396)
④ 정당방위 ○(대판 2006.11.23, 2006도2732)　⑤ 긴급피난 ○(대판 1987.1.20, 85도221)

제4절 자구행위

> **제23조【자구행위】** ① 법률에서 정한 절차에 따라서는 청구권을 보전할 수 없는 경우에 그 청구권의 실행이 불가능해지거나 현저히 곤란해지는 상황을 피하기 위하여 한 행위는 상당한 이유가 있는 때에는 벌하지 아니한다. 22. 법원직, 23. 순경 2차, 24. 9급 검찰 · 마약수사 · 철도경찰, 25. 해경경사
> ② 제1항의 행위가 그 정도를 초과한 경우에는 정황에 따라 그 형을 감경하거나 면제할 수 있다.

1 의 의

자구행위란 법정절차에 의하여 청구권을 보전하기 불능한 경우에 그 청구권의 실행불능 또는 현저한 실행곤란을 피하기 위하여 공권력의 발동에 의하지 않고 자력으로 행사하는 청구권 보전행위로 상당한 이유가 있는 것을 말한다(제23조 제1항). 이는 민법상의 자력구제(민법 제209조)와 같은 취지의 제도이다.

관련판례

1. 점유할 권리 없는 자의 점유라고 하더라도 그 주거의 사실상의 평온은 보호되어야 하므로, 권리자가 그 권리실행으로서 자력구제의 수단으로 건조물에 침입한 경우에도 주거침입죄가 성립한다(대판 2007.3.15, 2006도7044). 13. 사시, 19. 9급 검찰 · 마약수사
2. 집행관이 집행채권자 甲조합 소유 아파트에서 유치권을 주장하는 피고인을 상대로 부동산인도집행을 실시하여, 甲조합이 집행관으로부터 아파트를 인도받은 후 출입문의 잠금 장치를 교체하는 등으로 그 점유가 확립된 상태에서 피고인이 이에 불만을 갖고 아파트 출입문과 잠금 장치를 훼손하며 강제로 개방하고 아파트에 들어간 경우 민법상 자력구제에 해당하지 않는다(대판 2017.9.7, 2017도9999 ∴ 재물손괴죄와 건조물침입죄 ○). 23. 경찰간부

2 성립요건

자구행위는 ① 법정절차에 의하여 청구권을 보전하기 불가능한 경우일 것, ② 청구권의 실행불능 또는 현저한 실행곤란을 피하기 위한 행위일 것, ③ 상당한 이유가 있을 것이라는 세 가지 요건이 갖추어져야 성립한다.

(1) 법정절차에 의해 청구권을 보전하기 불가능한 경우일 것

① **청구권**(자구행위의 보호의 대상) : 여기서의 청구권은 원상회복이 가능한(즉, 보전이 가능한) 것(예 재산권)만을 대상으로 하며, 한 번 침해되면 원상회복이 어려운 권리(예 생명, 신체, 자유, 명예, 정조 등)는 제외된다.

관련판례

피해자가 다른 친구들 앞에서 피고인의 전과사실을 폭로함으로써 명예를 훼손하기 때문에 구타한 경우 ⇨ 자구행위 ×(대판 1969.12.30, 69도2138) 15. 사시, 24. 경찰승진

또한 청구권은 자기의 청구권(긴급행위 중에서 보전되는 법익의 범위가 가장 좁음)이어야 하므로 타인의 청구권을 위한 자구행위는 허용되지 않는다. 09. 9급 검찰, 21. 경찰승진

예 친족을 위한 자구행위, 어머니를 위한 자구행위, 친구를 위한 자구행위 ⇨ 위법성조각사유 ×

그러나 청구권자로부터 자구행위의 위임을 받은 경우에는 타인을 위한 자구행위가 가능하다.
14. 사시, 22. 9급 검찰·마약수사·철도경찰

예 여관 주인이 사환을 시켜서 숙박비를 지불하지 않고 도주하는 손님을 붙들어 오게 한 경우 ⇨ 자구행위 ○

② **청구권에 대한 부당한 침해가 있을 것** : 자구행위는 사후적 긴급행정이므로 청구권에 대한 침해는 과거의 부당한 침해이어야 한다. 23. 순경 1차

예 • 절도피해자의 재물탈환행위 ┌ 절도현장에서 추격하여 재물을 탈환하는 경우 ⇨ 정당방위(다수설)
└ 상당한 시일이 경과한 후에 탈환하는 경우 ⇨ 자구행위

• 재물을 절취하고자 물색하던 중에 발각된 자가 빈손으로 도망가는 것을 알면서도 추적하여 그의 멱살을 잡고 붙잡은 행위 ⇨ 자구행위 ×(∵ 보전해야 할 청구권이 존재 ×), 정당행위 ○(∵ 사인의 현행범 체포 ○) 13. 사시

관련판례

채권자가 가옥명도강제집행에 의하여 적법하게 점유를 이전받아 점유하고 있는 방실에 채무자가 무단히 침입한 때에는 주거침입죄가 성립하고 적법한 강제집행에 대한 정당방위나 자구행위는 인정될 수 없다(대판 1962.8.23, 62도93).

③ **법정절차에 의한 청구권의 보전이 불가능**(자구행위의 보충성) : 자구행위에서 청구권 보전의 불가능이란 시간적·장소적 관계로 국가기관의 구제를 기다릴 여유가 없거나 후일 공적수단에 의한다면 그 실효를 거두지 못할 긴급한 사정이 있는 경우를 말한다. 23. 순경 1차

관련판례

1. 채무 없이 단지 잠시 빌려준 약속어음을 제3자에게 배서양도함으로써 재산상 손실을 입을 우려가 있자 재발행을 이유로 제3자가 소지 중 이를 교부받아 찢어버린 경우 ⇨ 자구행위 ×, 긴급피난 ×, 문서손괴죄 ○(대판 1975.5.27, 74도3559).
2. 가옥명도청구, 토지반환청구 또는 점유사용권을 회복하기 위한 자구행위는 허용되지 않는다(대판 1985.7.9, 85도707 ∵ 법정절차에 의한 청구권보전이 불가능한 경우 ×). 09. 9급 검찰
3. 절의 출입구와 마당으로 10여 년 전부터 점유사용하던 대지를 타인이 매수하고(등기마침) 불법침입하여 담장을 쌓기 위한 호를 파놓자 주지와 신도들이 호를 메워버린 경우 ⇨ 자구행위 ×(대판 1970.

7.21, 70도996 ∵ 점유배제청구권을 보존할 수 있는 법정절차가 없다거나 그 청구권을 보존할 수 없는 경우에 해당 × ⇨ 점유사용권 회복을 위한 자구행위는 허용 ×) 07. 경찰승진

4. 자신이 소유하는 토지상에 도로가 무단으로 확장 개설되어 그대로 방치할 경우 불특정 다수인이 통행할 우려가 있다는 사정만으로는 법정절차에 의하여 자신의 청구권을 보전하는 것이 불가능한 경우에 해당한다고 볼 수 없다(대판 2007.3.15, 2006도9418). 24. 9급 검찰 · 마약수사 · 철도경찰

(2) 청구권의 실행불능 또는 현저한 실행곤란을 피하기 위한 행위일 것

자구행위는 채권자로서의 지위확보를 위한 청구권 보전수단이지 청구권이행을 직접 추구하는 충족수단이 아니다(판례). 따라서 자구행위는 청구권 보전행위이지 권리실행행위가 아니다.

예 청구권보전의 범위를 벗어나 재산을 임의로 처분하거나 이행을 받아 스스로 변제에 충당하는 등 청구권을 '실현'하기 위한 행위는 자구행위에 해당되지 않는다(대판 1984.12.26, 84도2582). 09. 9급 검찰

관련판례

• 강제적 채권추심 또는 채권추심을 목적으로 하는 물품의 취거행위 ⇨ 자구행위 ×

1. 피해자에게 석고를 납품한 대금을 받지 못하고 있던 중 피해자가 화랑을 폐쇄하고 도주하자 야간에 폐쇄된 화랑의 베니어판 문을 미리 준비한 드라이버로 뜯어내고 피해자의 물건을 몰래 가지고 나온 경우 ⇨ 자구행위 ×(대판 1984.12.26, 84도2582 ∵ 특수절도죄) 11. 사시, 24. 9급 검찰 · 마약수사 · 철도경찰

2. 채무자가 유일한 재산인 가옥을 방매하고 그 대금을 받은 즉시 부산방면으로 떠나려 하자 가옥대금을 받는 현장에서 채권자가 각자의 채권을 추심한 경우 ⇨ 자구행위 ×(대판 1966.7.26, 66도469)

(3) 상당한 이유가 있을 것

상당한 이유란 자구행위가 객관적으로 사회상규에 비추어 당연시되는 것을 말한다.

관련판례

1. 소유권의 귀속에 관한 분쟁이 있어 민사소송이 계속 중인 건조물에 관하여 현실적으로 관리인이 있음에도 건조물의 자물쇠를 쇠톱으로 절단하고 침입한 경우 ⇨ 자구행위 ×(대판 1985.7.9, 85도707 ∵ 상당한 이유 ×) 18. 법원행시, 24. 9급 검찰 · 마약수사 · 철도경찰

2. 채무자인 피해자가 부도를 낸 후 도피하였고 다른 채권자들이 채권확보를 위하여 피해자의 물건들을 취거해 갈 수도 있는 사정하에 피해자 소유의 가구점에 관리종업원이 있음에도 불구하고 위 가구점의 시정장치를 쇠톱으로 절단하고 들어가 가구들을 무단으로 취거한 경우 ⇨ 자구행위 ×(대판 2006.3.24, 2005도8081) 12. 사시, 16 · 22. 9급 검찰 · 마약수사 · 철도경찰

3. 토지에 대하여 사실상의 지배권을 가지고 소유자를 대신하여 실질적으로 관리하고 있던 자가 소유권에 대한 방해를 배제하기 위하여 토지에 철주를 세우고 철망을 설치하고 포장된 아스팔트를 걷어내는 등의 방법으로, 그 토지를 그에 인접한 상가건물의 통행로로 이용하지 못하게 한 경우 ⇨ 자구행위 ×(대판 2007.12.28, 2007도7717 ∵ 일반교통방해죄) 14. 변호사시험, 18. 법원행시, 20. 순경 1차, 22. 경찰승진, 24. 7급 검찰

4. 甲이 주민들이 농기계 등으로 그 주변의 농경지나 임야에 통행하기 위해 이용하는 자신 소유의 도로에 깊이 1m 정도의 구덩이를 판 경우 자구행위나 정당행위에 해당하지 않는다(대판 2007.3.15, 2006도9418 ∴ 일반교통방해죄 ○). 21. 7급 검찰, 24. 9급 검찰·마약수사·철도경찰, 25. 경력채용·9급 철도경찰

5. 토지소유권자가 타인이 운영하는 회사에 대하여 사용대차계약을 해지하고 그 토지의 인도 등을 구할 권리가 있다는 이유로 그 회사로 들어가는 진입로를 폐쇄한 경우, 그 권리를 확보하기 위하여 다른 적법한 절차를 취하는 것이 곤란하지 않았다면, 정당한 행위 또는 자력구제(자구행위)에 해당하지 않는다(대판 2007.5.11, 2006도4328 ∴ 일반교통방해죄 ○). 22. 9급 검찰·마약수사·철도경찰

6. 임대인의 승낙 없이 건물을 전차한 전차인은 임대인에게 대항할 수 없다고 하더라도 불법침탈 등의 방법에 의하여 위 건물의 점유를 개시한 것이 아니고 그동안 평온하게 음식점영업을 하면서 점유를 계속하여 온 이상 임대인이 그 건물의 열쇠를 새로 만들어 잠근 행위는 업무방해죄의 위법성을 조각하는 정당한 행위이거나 자구행위에 해당한다고 볼 수 없다(대판 1986.12.23, 86도1372 ∴ 업무방해죄 ○). 23. 변호사시험

---

3 효 과

자구행위는 위법성을 조각하므로 구성요건에 해당하는 행위가 있더라도 범죄가 성립되지 않아 처벌되지 않는다(제23조 제1항). 그러므로 자구행위에 대한 정당방위는 허용되지 않는다.

4 과잉자구행위

자구행위가 상당성을 초과한 경우로서, 이는 자구행위가 아니므로 위법성조각사유가 아니나 "정황에 의하여 형을 감경 또는 면제할 수 있다"(제23조 제2항). 14. 사시, 23. 순경 2차

🔔 형법 제21조 제3항('야간 기타 ⋯ 벌하지 아니한다.')은 자구행위에 준용되지 않는다. 12. 변호사시험, 21. 경찰승진, 22. 9급 검찰·마약수사·철도경찰, 23. 순경 1차

01 자구행위에 대한 설명으로 옳지 않은 것은?(다툼이 있는 경우 판례에 의함)

22. 9급 검찰 · 마약수사 · 철도경찰

① 과잉자구행위의 경우에는 과잉방위의 경우와 달리, 야간이나 그 밖의 불안한 상태에서 공포를 느끼거나 흥분하거나 당황하였기 때문에 그 행위를 하였을 때에는 벌하지 아니한다는 규정이 존재하지 않는다.

② 채무자가 부도를 내고 도피하자 채권자가 채권확보를 위하여 채무자 소유의 가구점에 관리종업원이 있는데도 그 가구점의 시정장치를 쇠톱으로 절단하고 들어가 가구들을 무단으로 취거한 행위는 자구행위에 해당하지 않는다.

③ 타인의 청구권을 보전하기 위한 자구행위는 인정되지 않지만, 청구권자로부터 자구행위의 실행을 위임받은 경우에는 가능하다.

④ 토지소유권자가 타인이 운영하는 회사에 대하여 사용대차계약을 해지하고 그 토지의 인도 등을 구할 권리가 있다는 이유로 그 회사로 들어가는 진입로를 폐쇄한 경우, 그 권리를 확보하기 위하여 다른 적법한 절차를 취하는 것이 곤란하지 않았더라도, 정당한 행위 또는 자력구제에 해당한다.

[해설] ① 옳다. ② 대판 2006.3.24, 2005도8081 ③ 옳다.
④ × : ~ (3줄) 것이 곤란하지 않았다면, 정당한 행위 또는 자력구제(자구행위)에 해당하지 않는다(대판 2007.5.11, 2006도4328).

02 자구행위에 관한 설명 중 가장 적절하지 않은 것은?

23. 순경 1차

① 자구행위란 법률에서 정한 절차에 따라서는 청구권을 보전(保全)할 수 없는 경우에 그 청구권의 실행이 불가능해지거나 현저히 곤란해지는 상황을 피하기 위한 상당한 이유가 있는 행위를 말한다.

② 자구행위의 경우에도 야간이나 그 밖의 불안한 상태에서 공포를 느끼거나 경악하거나 흥분하거나 당황하였기 때문에 그 행위를 하였을 때 벌하지 아니하는 형법 제21조 제3항의 규정이 준용된다.

③ 자구행위는 사후적 긴급행위이므로 과거의 침해에 대해서만 가능하다.

④ 자구행위에서 청구권 보전의 불가능이란 시간적 · 장소적 관계로 국가기관의 구제를 기다릴 여유가 없거나 후일 공적수단에 의한다면 그 실효를 거두지 못할 긴급한 사정이 있는 경우를 말한다.

[해설] ①③④ 타당하다. ② × : 형법 제21조 제3항의 규정은 자구행위에 준용되지 않는다.

Answer   01. ④   02. ②

03 **자구행위에 대한 설명으로 옳지 않은 것은?**(다툼이 있는 경우 판례에 의함)

24. 9급 검찰 · 마약수사 · 철도경찰

① 자구행위는 법률에서 정한 절차에 따라서는 청구권을 보전할 수 없는 경우에 할 수 있다.

② 소유권의 귀속에 관한 분쟁이 있어 민사소송이 계속 중인 건조물에 관하여 현실적으로 관리인이 있음에도 위 건조물의 자물쇠를 쇠톱으로 절단하고 침입한 행위는 법정절차에 의하여 그 권리를 보전하기가 곤란하고 그 권리의 실행불능이나 현저한 실행곤란을 피하기 위해 상당한 이유가 있는 행위라고 할 수 없다.

③ 자신이 소유하는 토지상에 도로가 무단으로 확장 개설되어 그대로 방치할 경우 불특정 다수인이 통행할 우려가 있다는 사정만으로는 법정절차에 의하여 자신의 청구권을 보전하는 것이 불가능한 경우에 해당한다고 볼 수 없다.

④ 피해자에게 석고를 납품한 대금을 받지 못하고 있던 중 피해자가 화랑을 폐쇄하고 도주하자 야간에 폐쇄된 화랑의 베니어판 문을 미리 준비한 드라이버로 뜯어내고 피해자의 물건을 몰래 가지고 나온 경우 자구행위에 해당한다.

해설 ① 제23조 제1항 ② 대판 1985.7.9, 85도707 ③ 대판 2007.3.15, 2006도9418
④ × : 자구행위 ×(대판 1984.12.26, 84도2582 ∵ 강제적 채권추심 또는 채권추심을 목적으로 하는 물품의 취거행위 ⇨ 자구행위 ×)

04 **위법성조각사유에 관한 설명으로 옳은 것은?**(다툼이 있는 경우 판례에 의함)　　25. 경위공채

① 정당방위가 성립하기 위한 '상당한 이유'의 요건으로서, 다른 방어 방법이 없었을 것을 의미하는 보충성의 원칙과 가해자의 침해된 법익이 방위자의 보호법익을 가치적으로 초과하지 않을 것을 의미하는 균형성의 원리(이익형량의 원칙) 및 방위행위가 침해행위자에게 상대적으로 최소의 피해를 주어야 한다는 상대적 최소방위(또는 최소침해)의 원칙은 요구되지 않는다.

② 위법성이 조각되기 위해서 주관적 정당화요소가 필요하다고 보는 견해 중에서 주관적 정당화요소를 결한 경우에는 불능미수가 성립된다고 보는 견해는, 그 논거로서 결과반가치는 인정되나 행위반가치는 부정되기 때문이라고 한다.

③ 위법성이 조각되기 위해서 주관적 정당화요소가 필요하지 않다는 주관적 정당화요소 불요설에 의하면, 주관적 정당화요소가 결여된 경우에는 결과적으로 고의기수범이 성립한다.

④ 위법성이 조각되기 위하여 요구되는 '상당한 이유'에 관하여, 긴급피난과 자구행위는 보충성의 원칙을 요구한다는 점에서 양자 간에 공통점이 있고, 정당방위와 자구행위는 균형성의 원칙을 요구하지 않는다는 점에서 양자 간에 공통점이 있다.

해설 ① × : 정당방위가 성립하기 위한 '상당한 이유'의 요건 ⇨ 보충성의 원칙과 법익균형성의 원칙(이익형량의 원칙)은 적용 ×, 방위수단의 적합성과 최소침해의 원칙은 적용 ○
② × : ~ (2줄) 그 논거로서 결과반가치(행위반가치 ×)는 배제되나 행위반가치(결과반가치 ×)는 그대로 존재하기 때문이라고 한다. ③ × : ~ (2줄) 결여된 경우에도 위법성이 조각되어 무죄가 된다.
④ ○ : '상당한 이유' ⇨ 정당방위 : 보충성 · 균형성 불요, 긴급피난 : 보충성 · 균형성 요구, 자구행위 : 보충성 요구 · 균형성 불요

Answer　03. ④　04. ④

제5절 피해자의 승낙

제24조【피해자의 승낙】 처분할 수 있는 자의 승낙에 의하여 그 법익을 훼손한 행위는 법률에 특별한 규정이 없는 한(있는 경우에만 ✕) 벌하지 아니한다. 14. 7급 검찰, 17. 경찰승진, 19. 순경 1차

1 서 설

피해자의 승낙은 형사불법의 귀속에 관하여 피해자에게 처분권을 부여해 주는 규정으로서, 형법 이론적으로 피해자 고려, 형법의 보충성 실현 등의 의미를 갖는다. 16. 변호사시험, 21. 해경승진 형법 제24조는 "처분할 수 있는 자의 승낙에 의하여 그 법익을 훼손한 행위는 법률에 특별한 규정이 없는 한 벌하지 아니한다."라고 규정하여 피해자의 승낙을 위법성조각사유의 하나로 규정하고 있다.

양해와 승낙

양 해	동의가 있으면 처음부터 구성요건해당성조차 없는 경우의 피해자의 동의를 양해라고 한다 (구성요건해당성 자체를 조각).
승 낙	피해자의 동의가 구성요건에 해당하는 행위의 위법성을 조각시키는 경우를 승낙이라고 한다 (위법성을 조각).

피해자의 승낙(동의)에 대한 형법상의 취급

16. 7급 검찰·철도경찰, 20. 순경 1차, 21. 해경승진, 22. 경찰간부, 23. 경력채용, 26. 변호사시험

유 형	형법규정
피해자의 동의가 구성요건 해당성을 조각하는 경우 (피해자의 양해)	구성요건이 피해자의 의사에 반하는 때에만 실현될 수 있도록 규정되어 있는 범죄(각칙상 개인의 자유·재산·사생활의 평온을 보호하기 위한 죄의 대부분)가 여기에 해당된다. **예** 강간죄, 주거침입죄, 강제추행죄, 체포감금죄, 절도죄, 횡령죄, 손괴죄, 비밀침해죄, 업무상 비밀누설죄 등
피해자의 동의가 있어도 범죄가 성립하는 경우	• 미성년자에 대한 간음·추행죄(제305조 ; 대판 1982.10.12, 82도2183) • 피구금자(被拘禁者)에 대한 간음죄(제303조) • 아동혹사죄(제274조)
피해자의 동의가 형의 감경사유가 되어 다른 구성요건에 해당하는 경우	• 일반 살인죄(제205조 제1항)에 대한 촉탁·승낙살인죄(제252조 제1항) • 타인소유일반건조물방화죄(제166조 제1항)에 대한 자기소유일반건조물방화죄(제166조 제2항) • 타인소유일반물건방화죄(제167조 제1항)에 대한 자기소유일반물건방화죄(제167조 제2항)
피해자의 동의가 있으면 구성요건에는 해당하나 위법성이 조각되는 경우	• 피해자의 승낙에 의한 행위(제24조) • 폭행죄나 상해죄가 대표적임

2 성립요건

피해자의 승낙이 성립되기 위해서는 ① 법익을 처분할 수 있는 자의 유효한 승낙이 있을 것, ② 행위자가 승낙사실을 인식하고 법익침해행위를 하였을 것, ③ 법률에 특별한 규정이 없을 것의 세 가지를 갖추어야 한다.

(1) 법익을 처분할 수 있는 자의 유효한 승낙이 있을 것

① **승낙주체**(승낙자) : 승낙은 원칙적으로 해당 법익의 주체(즉, 피해자)가 해야 한다. 다만 법적으로 처분권이 인정된 자는 예외적으로 승낙주체가 될 수 있다. 즉, 원칙적으로 대리승낙은 안 되나 예외적으로 가능하다.

② **승낙의 대상이 될 수 있는 법익** : 처분 가능한 개인적 법익에 한함(국가적·사회적 법익 ×)

    예 • 무고죄는 국가의 형사사법권 또는 징계권의 적정한 행사를 주된 보호법익으로 하고, 다만 개인의 부당하게 처벌 또는 징계받지 아니할 이익을 부수적으로 보호하는 죄이므로, 설사 무고에 있어서 피무고자의 승낙이 있었다고 하더라도 무고죄의 성립에는 영향을 미치지 못한다(대판 2005.9.30, 2005도2712). 20. 경찰간부·9급 검찰, 22. 해경 2차, 24. 순경 1차·7급 검찰, 25. 경위공채

    • 법정에서 선서를 한 증인이 피고인의 승낙을 받아 피고인에게 불리한 허위의 진술을 한 경우 ⇨ 위법성 조각 × 위증죄 ○ 05. 사시

③ **유효한 승낙** : 피해자의 승낙은 유효한 승낙이어야 하므로 승낙의 의미와 내용을 이해할 수 있는 자(승낙능력자)의 자유로운 의사에 의한 진지한 것이어야 한다. 승낙능력은 민법상의 행위능력과 구별되며, 형법의 독자적인 기준에 의하여 구체적·개별적으로 결정된다. 16. 사시, 22. 경찰간부, 24. 해경순경

관련판례

1. 의사가 설명의무를 다하지 않은 상태에서(부정확 또는 불충분한 설명을 근거로) 피해자로부터 수술승낙을 받은 경우 수술의 위법성을 조각할 유효한 승낙이라고 볼 수 없다(대판 1993.7.27, 92도2345 **예** 의사가 정밀한 진단방법을 실시하지 않은 채 환자의 병명이 자궁외임신인 것을 자궁근종으로 오진하고 환자인 피해자에게 자궁적출수술의 불가피성만을 설명하고 자궁외임신에 관한 설명을 하지 않은 채 피해자의 승낙을 받아 자궁적출수술을 한 경우 ⇨ 업무상 과실치상죄 ○). 19. 경찰승진, 20. 9급 검찰, 21. 변호사시험·해경 2차, 22. 순경 2차, 23. 9급 철도경찰·경력채용, 25. 경위공채

2. 환자의 생명과 환자의 자기결정권을 비교형량하기 어려운 특별한 사정이 있다고 인정되는 경우에 의사가 자신의 직업적 양심에 따라 환자의 양립할 수 없는 두 개의 가치 중 어느 하나를 존중하는 방향으로 행위하였다면, 이러한 행위는 처벌할 수 없다(대판 2014.6.26, 2009도14407). 16. 법원행시, 20. 순경 2차

㉠ **승낙의 시기** : 승낙은 행위 전이나 행위시에 표시되어 법익침해시까지 계속되어야 하므로 사후승낙은 허용되지 아니한다〔**예** 사문서위조죄나 공정증서원본부실기재죄가 성립한 이후, 피해자의 동의 등으로 문서에 기재된 대로 효과의 승인을 받거나 등기가 실체적 권리관계에 부합하게 되더라도 이미 성립한 범죄에 아무런 영향이 없다(대판 1999.5.14, 99도202)〕. 20. 7급 · 9급 검찰, 21. 해경승진, 24. 경찰승진, 25. 경위공채 · 해경경위공채

피해자의 승낙은 침해행위 이전에 자유롭게 철회할 수 있고, 그 철회의 방법에는 특별한 제한이 없다〔대판 2011.5.13, 2010도9962 **예** 피고인이 피해자 甲의 상가건물에 대한 임대차계약 당시 甲의 모(母) 乙에게서 인테리어 공사 승낙을 받았는데, 이후 乙이 임대차보증금 잔금 미지급을 이유로 즉시 공사를 중단하고 퇴거할 것을 요구하자 도끼를 집어 던져 상가 유리창을 손괴한 경우 ⇨ 재물손괴죄 ○ ∵ 乙이 위 의사표시로써 시설물 철거에 대한 동의를 철회한 것임〕. 20. 순경 1차, 21. 경찰간부, 25. 경찰승진 · 9급 검찰 · 마약수사 · 철도경찰 철회 후에 이루어진 행위는 정당화(피해자 승낙에 의한 위법성조각)되지 않으나, 철회 전에 이루어진 행위는 정당화된다. 22. 경찰간부, 24. 해경순경

㉡ **승낙의 표시** : 승낙은 적극적으로 표시될 필요는 없지만 어떠한 방법으로든지 외부에서 인식할 수 있을 정도로 외부에 표시하여야 한다(명시적 · 묵시적 승낙 모두 가능). 21. 변호사시험, 22. 해경 2차

관련판례

1. 동거 중인 피해자의 지갑에서 현금(6만원)을 꺼내 가는 것을 현장에서 목격하고도 만류하지 않은 경우 ⇨ 절도죄 ×(대판 1985.11.26, 85도1487 ∵ 이를 허용하는 묵시적 의사가 있음) 20. 경찰승진 · 순경 1차, 21. 순경 2차, 23. 9급 철도경찰 · 경력채용

2. 甲이 피해자 A가 B로부터 매수한 토지의 경계부분에 매수 전 자신이 식재하였던 수목을 전기톱으로 절단한 경우 甲이 수목을 식재할 당시 토지의 전 소유자 B로부터 명시적 또는 묵시적으로 승낙 · 동의를 얻었다면 이 수목은 토지에 부합하지 않고 이를 식재한 甲에게 소유권이 귀속되므로 특수재물손괴죄가 성립하지 않는다(대판 2023.11.16, 2023도11885 ∵ 구성요건해당성조각 ○, 위법성조각 ×). 25. 경찰승진 · 순경 2차

(2) 승낙에 의한 법익침해행위가 있을 것

위법성이 조각되는 피해자의 승낙은 개인적 법익을 훼손하는 경우에 법률상 이를 처분할 수 있는 사람의 승낙이어야 할 뿐만 아니라 그 승낙이 윤리적 · 도덕적으로 사회상규에 반하는 것이 아니어야 한다(대판 2008.12.11, 2008도9606). 21. 해경간부 · 9급 검찰 · 마약수사 · 철도경찰, 22. 해경 2차, 23. 경력채용 · 순경 2차, 26. 변호사시험

관련판례

1. 甲이 乙과 공모하여 교통사고를 가장해 보험금을 편취할 목적으로 乙에게 상해를 가했다면, 甲의 상해행위는 피해자의 승낙에 의해 위법성이 조각되지 않는다(대판 2008.12.11, 2008도9606). 21. 경력채용 · 순경 2차, 23. 경찰승진 · 9급 철도경찰 · 법원행시, 25. 변호사시험

2. 피할 만한 여유도 없는 좁은 장소에서, 피해자보다 신체가 더 건강한 피고인이 약 1분 이상 피해자의 급소인 가슴과 배를 때려 사망의 결과에 이르렀다면, 그 폭행이 장난권투로서 피해자의 승낙에 의하여 위법성이 조각된다고 할 수 없다(대판 1989.11.28, 89도201 ∴ 폭행치사죄 ○). 19. 경력채용, 21. 법원행시, 22. 해경간부

3. 甲이 병을 앓고 있는 乙에게 잡귀 때문에 병이 있다고 하자 乙은 잡귀를 물리쳐 줄 것을 부탁하였고, 이에 甲은 12시간 동안 잡귀를 물리친다면서 배와 가슴을 손과 무릎으로 힘껏 누르고 밟아 乙로 하여금 내출혈로 사망에 이르게 한 경우 ⇨ 폭행치사죄(대판 1985.12.10, 85도1892)

3 추정적 승낙

(1) 의 의

추정적 승낙이란 피해자의 현실적인 승낙은 없지만 행위 당시의 모든 사정을 객관적으로 판단할 때 피해자의 승낙이 있었을 것이라고 확실히 기대될 수 있는 경우를 말한다(객관적 의미의 추정 ○, 주관적 의미의 추정 ×).

> **예** 주인의 장기간 여행으로 비어 있는 옆집에 수도관이 파열된 것을 발견하고서 이웃 주민이 이를 고치기 위해 옆집의 문을 열고 들어간 경우 10. 사시

관련판례

1. 작성권한 없는 자가 타인 명의를 모용하여 사문서를 작성·수정할 당시 명의자의 현실적인 승낙은 없었지만 행위 당시의 모든 객관적 사정(행위자의 주관적 사정 ×)을 종합하여 명의자가 행위 당시 그 사실을 알았다면 당연히 승낙했을 것이라고 추정되는 경우 사문서위·변조죄가 성립하지 않는다(대판 2008.4.10, 2007도9987). 18. 경찰간부, 19. 변호사시험·경찰승진, 20. 9급 검찰·철도경찰, 24. 7급 검찰, 25. 해경경위공채

2. 추정적 승낙 여부는 행위 당시를 기준으로 판단되어야 하므로, 명의자의 명시적인 승낙이나 동의가 없다는 것을 알고 있으면서도 명의자 이외의 자의 의뢰로 권한 없이 문서를 작성하는 경우, 명의자가 문서작성 사실을 알았다면 승낙하였을 것이라고 기대하거나 예측한 것만으로는 그 승낙이 추정된다고 단정할 수 없다(대판 2008.4.10, 2007도9987). 21. 9급 검찰·마약수사·철도경찰·법원직, 24. 7급 검찰

(2) 추정적 승낙의 효과

피해자의 현실적 승낙이 있는 경우와 동일하게 위법성이 조각되어 벌하지 아니한다.

관련판례

1. 피고인이 피해자가 사용중인 공중화장실의 용변칸에 노크하여 남편으로 오인한 피해자가 용변칸 문을 열자 강간할 의도로 용변칸에 들어간 것이라면 피해자가 명시적 또는 묵시적으로 이를 승낙하였다고 볼 수 없어 주거침입죄에 해당한다(대판 2003.5.30, 2003도1256). 16. 7급 검찰·철도경찰, 18. 법원행시·순경 3차, 19. 경찰승진

2. 일반인의 출입이 허용된 음식점에 영업주의 승낙을 받아 통상적인 출입방법으로 들어갔다면 특별한 사정이 없는 한 주거침입죄에서 규정하는 침입행위에 해당하지 않는다. 설령 행위자가 범죄 등을 목적으로 음식점에 출입하였거나 영업주가 행위자의 실제 출입 목적을 알았더라면 출입을 승낙하지 않았을 것이라는 사정이 인정되더라도 그러한 사정만으로는 출입 당시 객관적·외형적으로 드러난 행위태양에 비추어 사실상의 평온상태를 해치는 방법으로 음식점에 들어갔다고 평가할 수 없으므로 침입행위에 해당하지 않는다〔대판 2022.3.24, 2017도18272 전원합의체 **예** ① 피고인들이 공모하여, 甲·乙이 운영하는 각 음식점에서 인터넷 언론사 기자 丙을 만나 식사를 대접하면서 丙이 부적절한 요구를 하는 장면 등을 확보할 목적으로 녹음·녹화장치를 설치하거나 장치의 작동 여부 확인 및 이를 제거하기 위하여 각 음식점의 방실에 들어간 경우, ② 甲이 기관장들의 조찬모임에서의 대화내용을 도청하기 위한 도청장치를 설치할 목적으로 손님을 가장하여 그 조찬모임 장소인 음식점에 들어간 경우(초원복집사건) ⇨ 주거침입죄 ×〕. 20. 경찰승진, 22. 해경간부, 24. 7급 검찰

3. 건물의 소유권에 대한 분쟁이 계속되고 있는 상황이라면 건물의 소유자라고 주장하는 피고인이 그 건물에 침입하는 것에 대한 건물점유자의 추정적 승낙이 있었다거나 사회상규에 위배되지 않는 것이라 볼 수 없다(대판 1989.9.12, 89도889 ∴ 건조물침입죄 ○). 18. 순경 3차, 21. 순경 2차, 22. 해경간부, 25. 경찰승진

4. 甲이 점유자와 소유자가 다른 승용차를 점유자의 의사에 반하여 자신의 점유로 옮긴 경우, 이러한 甲의 행위가 결과적으로 소유자의 이익이 되거나 이에 대한 소유자의 추정적 승낙이 있다고 볼 만한 사정이 있는 것만으로는 甲의 불법영득의사를 부정할 수 없다(대판 2014.2.21, 2013도14139). 15. 사시, 16. 순경 2차, 20. 7급 검찰, 21. 해경 2차

5. 피고인이 자신의 부(父) 甲에게서 甲소유 부동산의 매매에 관한 권한 일체를 위임받아 이를 매도하였는데, 그 후 甲이 갑자기 사망하자 부동산 소유권 이전에 사용할 목적으로 甲이 자신에게 인감증명서 발급을 위임한다는 취지의 인감증명 위임장을 작성한 후 주민센터 담당직원에게 이를 제출한 경우 ⇨ 사문서위조죄 및 동행사죄(대판 2011.9.29, 2011도6223 ∵ 피고인이 명의자 甲이 승낙하였을 것이라고 기대하거나 예측한 것만으로는 사망한 甲의 승낙이 추정된다고 단정할 수 없음) 15. 사시, 18. 9급 검찰·마약수사, 21. 경찰간부·순경 2차

6. 사망한 사람 명의의 사문서를 위조한 경우 문서명의인이 생존하고 있다는 점이 문서의 중요한 내용을 이루거나 그 점을 전제로 문서가 작성되었다면, 사망한 명의자의 승낙이 추정된다는 이유로 사문서위조죄의 성립을 부정할 수는 없다(대판 2011.9.29, 2011도6223). 20. 7급 검찰·철도경찰, 21. 법원행시, 22. 순경 2차, 25. 9급 검찰·마약수사·철도경찰

7. 작성권한 없는 자가 사문서를 작성함에 있어서 명의자의 명시적·묵시적·추정적 승낙이 있었다면 사문서위조죄가 성립하지 않는다(대판 2003.5.30, 2002도235). 20. 경찰승진, 23. 철도경찰, 26. 변호사시험 피고인에게 이 사건 문서를 작성케 하고 그의 서명을 대신하게 하여 비치하도록 지시 내지 승낙한 사실을 인정하기에 충분하므로 피고인의 위 소위는 공문서위조죄 등의 구성요건해당성(위법성 ×)이 조각된다(대판 1983.5.24, 82도1426). 18. 법원행시, 24. 해경순경

▶ 대법원은 문서위조죄는 사회적 법익이지만 피해자의 승낙이 구성요건해당성을 배제시킨다는 태도를 취한다.

▶ **유사판례** : 타인의 인장을 조각할 당시에 명의자로부터 명시적이거나 묵시적인 승낙 내지 위임을 받은 경우 인장위조죄는 성립하지 않는다(대판 2014.9.26, 2014도9213). 20. 경찰간부, 21. 해경간부

8. 사자 명의로 된 약속어음을 작성함에 있어 사망자의 처로부터 사망자의 인장을 교부받아 생존 당시 작성한 것처럼 약속어음의 발행일자를 그 명의자의 생존 중의 일자로 소급하여 작성한 때에는 발행 명의인의 승낙이 있었다고 볼 수 없다(대판 2011.7.14, 2010도1025 ∴ 유가증권위조죄 ○) 18. 법원행시, 22. 해경간부

9. 관련 민사소송에서 쟁점이 된 제3자로부터 급여를 받은 사실을 숨기기 위해 통장의 입금자 부분을 화이트테이프로 지우고 복사하였을 뿐 입금자를 제3자로 변경하지 않았다면, 통장 명의자인 은행의 추정적 승낙이 있었다고 볼 수 없다(대판 2011.9.29, 2010도14587 ∴ 사문서변조죄 ○). 18. 법원행시, 20. 경찰간부, 24. 7급 검찰

10. 아동복지법상 아동(18세 미만자)매매죄는 대가를 받고 아동의 신체를 인계·인수함으로써 성립하고, 설령 위와 같은 행위에 대하여 아동이 명시적인 반대 의사를 표시하지 아니하거나 더 나아가 동의·승낙의 의사를 표시하였다 하더라도 이러한 사정은 아동매매죄의 성립에 아무런 영향을 미치지 아니한다(대판 2015.8.27, 2015도6480). 15. 법원직, 21. 법원행시

11. 회사의 임원이 그 임무에 위배되는 행위로 재산상 이익을 취득하거나 제3자로 하여금 이를 취득하게 하여 회사에 손해를 가한 때에는 이로써 업무상 배임죄가 성립하고, 그 임무위배행위에 대하여 사실상 대주주의 양해를 얻었다거나 이사회의 결의가 있었다고 하여 업무상 배임죄의 성립에 어떠한 영향이 있는 것은 아니다(대판 2000.5.26, 99도2781). 21. 9급 검찰·마약수사·철도경찰

12. 밍크 45마리에 관하여 자기에게 그 권리가 있다고 주장하면서 이를 가져간 데 대해 묵시적 동의가 있었다면 그 주장이 후에 허위임이 밝혀졌더라도 절도죄의 절취행위에는 해당 ×(대판 1990.8.10, 90도1211 ∵ 절도죄의 구성요건해당성조각 ○, 위법성조각 ×) 22. 해경간부, 23. 법원행시·7급 검찰, 25. 경력채용·9급 검찰·마약수사·철도경찰

13. 타인의 승낙을 받아 촬영한 영상물도 반포시에 그 촬영대상자의 의사에 반하여 반포하였다면, 성폭력범죄의 처벌 등에 관한 특례법 제14조 제2항(카메라 등 이용촬영·반포)이 적용된다(대판 2022.6.9, 2022도1683). 23. 7급 검찰

14. 피해자가 부도를 낸 이후 피해자에 대한 자신들의 물품대금채권을 다른 채권자들보다 우선적으로 확보할 목적으로 피해자의 승낙 없이 새벽에 시건장치를 쇠톱으로 절단하고 침입하여 피해자의 가구들을 화물차에 싣고 갔다면 피해자의 추정적 승낙이 있다고 볼 수 없다〔대판 2006.3.24, 2005도8081 ▶ 자구행위 ×, 피해자의 추정적 승낙 ×, 불법영득의사 ○ ⇨ ∴ 특수절도죄(손괴 후 야간주거침입절도죄)〕. 09. 법원직, 10. 9급 검찰

15. 채무자가 채권확보를 위한 채권자의 요구를 거절할 수 없었기 때문에 채권자가 계주의 업무를 대행하는 데 대하여 이를 승인 내지 묵인한 경우(묵시적 승낙) ⇨ 피해자의 승낙 ⇨ 위법성조각 ⇨ 업무방해죄 ×(대판 1983.2.8, 82도2486) 05. 순경

16. A회사는 해고된 근로자에게 복직협의를 위한 회사출입을 허용해 왔는데, 그 근로자는 노조원들의 불법시위로 회사가 점거된 상태에서 노조간부들이 무단점거하여 사용하고 있던 노조임시사무실에 들어간 경우 ⇨ 회사 측의 의사 내지 추정적 의사에 반함(대판 1994.2.8, 93도120 ∴ 건조물침입죄)

17. 피해자가 스스로 가출하였다고는 하나 그것이 피고인의 독자적인 교리설교에 의하여 하자 있는 의사로써 이루어진 것이고, 동 피해자를 보호감독권자의 보호관계로부터 이탈시켜 피고인의 지배하에 옮긴 이상 미성년자유인죄가 성립한다(대판 1982.4.27, 82도186).

18. 사무실 임차인이 임대차계약 종료 후 갱신계약 여부에 관한 의사표시나 명도의무를 지체하고 있다는 이유로 '차임·관리비의 연체 등의 사유가 있는 경우 임대인이 단전조치를 할 수 있다.'는 임대차계약에 근거하여 임대인이 단전조치를 취한 경우, 설령 같은 이유로 단전조치를 당했거나 단전조치를 통지받았거나 임대인에게 기한유예 요청을 한 사실이 있더라도 위 단전조치를 묵시적으로 승낙한 것으로 볼 수 없다(대판 2006.4.27, 2005도8074 ∴ 업무방해죄 ○).

19. 예금주인 현금카드 소유자를 협박하여 그 카드를 갈취한 후 승낙을 받고 이를 이용하여 현금자동지급기에서 현금을 인출한 경우, **현금인출행위는 하자있는 의사표시에 의한 것이지만 피해자의 승낙에 의한 행위이므로** 절도죄가 성립하지 않는다(대판 1996.9.20, 95도1728). 18. 변호사시험, 19. 경찰간부, 20. 경찰승진, 21. 법원직, 23. 순경 2차, 24. 법원행시·해경순경

20. **외부인이 공동거주자의 일부가 부재중에 주거 내에 현재하는 거주자의 현실적인 승낙을 받아 통상적인 출입방법에 따라 공동주거에 들어간 경우라면** 그것이 부재중인 다른 거주자의 추정적 의사에 반하는 경우에도 주거침입죄가 성립하지 않는다(대판 2021.9.9, 2020도12630 **전원합의체**). 23. 9급 검찰·마약수사, 24. 법원직·경위공채, 26. 변호사시험

1 형법 제24조에 따르면 처분할 수 있는 자의 승낙에 의하여 그 법익을 훼손한 행위는 법률에 특별한 규정이 있는 경우에 한하여 벌하지 아니한다. (　　)
14. 7급 검찰, 17. 경찰승진, 19. 순경 1차

2 피무고인이 무고사실에 대하여 승낙한 경우 무고인을 처벌할 수 없다. (　　)
20. 경찰간부 · 9급 검찰, 22. 해경 2차, 24. 순경 1차 · 7급 검찰, 25. 경위공채

3 의사로부터 필요한 설명을 받지 못한 피해자의 수술승낙은 수술의 위법성을 조각하는 유효한 승낙이 될 수 없다. (　　)
19. 경찰승진, 21. 해경 2차, 22. 순경 2차, 23. 철도경찰 · 경력채용, 25. 경위공채

4 승낙은 법익침해 후에 하여도 유효하며, 승낙한 이후에는 자유롭게 철회할 수 없다. (　　)
20. 9급 검찰 · 순경 1차, 21. 경찰간부 · 해경승진, 24. 경찰승진, 25. 경위공채

5 甲이 피해자 A가 B로부터 매수한 토지의 경계부분에 매수 전 자신이 식재하였던 수목을 전기톱으로 절단한 경우 甲이 수목을 식재할 당시 토지의 전 소유자 B로부터 명시적 또는 묵시적으로 승낙을 얻었더라도 특수재물손괴죄가 성립한다. (　　)
25. 경찰승진 · 순경 2차

6 피해자의 승낙은 윤리적 · 도덕적으로 사회상규에 반하는 경우일지라도 유효하다. (　　)
21. 변호사시험 · 9급 검찰 · 마약수사 · 철도경찰, 22. 해경 2차, 23. 경력채용 · 순경 2차

7 甲이 乙과 공모하여 교통사고를 가장하여 보험금을 편취할 목적으로 乙에게 상해를 가한 경우 피해자의 승낙이 있어 위법성이 조각된다. (　　)
20. 9급 검찰 · 마약수사, 21. 경력채용 · 해경 2차 · 순경 2차, 23. 변호사시험 · 경찰승진 · 9급 철도경찰

8 사문서를 작성 · 수정할 당시 명의자의 현실적인 승낙은 없었지만 행위 당시의 모든 객관적 사정을 종합하여 명의자가 행위 당시 그 사실을 알았다면 당연히 승낙했을 것이라고 추정되는 경우 사문서위 · 변조죄가 성립하지 않는다. (　　)
18. 경찰간부, 19. 변호사시험 · 경찰승진, 20. 9급 검찰 · 철도경찰, 24. 7급 검찰, 25. 해경경위공채

9 사문서 명의자의 명시적인 승낙이나 동의가 없다는 것을 알고 있으면서 명의자 이외의 자의 의뢰로 문서를 작성하는 경우라 하더라도, 명의자가 문서작성 사실을 알았다면 승낙하였을 것이라고 기대하거나 예측하였다면 그 승낙이 추정된다. (　　)
19. 법원행시, 21. 9급 검찰 · 마약수사 · 철도경찰 · 법원직, 24. 7급 검찰

10 건물의 소유자라고 주장하는 甲과 그것을 점유 관리하고 있는 A 사이에 건물의 소유권에 대한 분쟁이 계속되고 있는 상황에서 甲이 그 건물에 침입하는 경우에는 그 침입에 대한 A의 승낙이 있었다고 볼 수 없다. (　　)
18. 순경 3차, 21. 경찰승진 · 순경 2차, 22. 해경간부

Answer ▶ 1. × 　 2. × 　 3. ○ 　 4. × 　 5. × 　 6. × 　 7. × 　 8. ○ 　 9. × 　 10. ○

11 어떠한 물건을 점유자의 의사에 반하여 취거하는 행위가 결과적으로 소유자의 이익으로 된다는 사정 또는 소유자의 추정적 승낙이 있다고 볼 만한 사정이 있는 경우, 불법영득의 의사가 부정된다. ( )
15. 사시, 16. 순경 2차, 20. 7급 검찰, 21. 해경 2차

12 피고인이 피해자가 사용 중인 공중화장실의 용변칸에 노크하여 남편으로 오인한 피해자가 용변칸 문을 열자 강간할 의도로 용변칸에 들어간 경우 주거침입죄가 성립하고 피해자의 명시적 또는 묵시적 승낙을 인정할 수 없다. ( )
13. 사시, 16. 7급 검찰 · 철도경찰, 18. 법원행시 · 순경 3차, 19. 경찰승진

13 甲이 자신의 부(父) 乙에게서 乙소유의 부동산 매매에 관한 권한 일체를 위임받아 이를 매도하였는데, 그 후 乙이 갑자기 사망하자 소유권 이전에 사용할 목적으로 乙이 甲에게 인감증명서발급을 위임한다는 취지의 인감증명 위임장을 작성한 경우 乙의 추정적 승낙이 인정되므로 사문서위조죄가 성립하지 않는다. ( )
15. 사시, 18. 9급 검찰 · 마약수사, 21. 경찰간부 · 순경 2차

14 문서명의인이 이미 사망하였는데 그가 생존하고 있음을 전제로 하는 문서를 권한 없는 자가 작성하였다면, 그러한 내용의 문서에 관하여 사망한 명의자의 승낙이 추정된다는 이유로 사문서위조죄의 성립을 부정할 수는 없다. ( )
20. 7급 검찰, 21. 법원행시, 22. 순경 2차, 25. 9급 검찰 · 마약수사 · 철도경찰

15 사자 명의로 된 약속어음을 작성함에 있어 사망자의 처로부터 사망자의 인장을 교부받아 생존 당시 작성한 것처럼 약속어음의 발행일자를 그 명의자의 생존 중의 일자로 소급하여 작성한 때에는 발행 명의인의 추정적 승낙이 있었다고 볼 수 없다. ( )
18. 법원행시, 22. 해경간부

16 작성권한 없는 자가 사문서를 작성함에 있어서 명의자의 명시적 · 묵시적 · 추정적 승낙이 있었다면 사문서위조죄가 성립하지 않는다. ( )
15. 9급 검찰 · 철도경찰, 16. 사시, 20. 경찰승진, 23. 철도경찰

17 관련 민사소송에서 쟁점이 된 제3자로부터 급여를 받은 사실을 숨기기 위해 통장의 입금자 부분을 화이트테이프로 지우고 복사하였을 뿐 입금자를 제3자로 변경하지 않았다면, 통장 명의자인 은행의 추정적 승낙이 있었다고 볼 수 있다. ( )
18. 법원행시, 20. 경찰간부, 24. 7급 검찰

18 피고인이 피해자에게 밍크 45마리에 관하여 자기에게 그 권리가 있다고 주장하면서 이를 가져간 데 대하여 피해자의 묵시적인 동의가 있었다면 피고인의 주장이 후에 허위임이 밝혀졌더라도 피고인의 행위는 절도죄의 절취행위에는 해당하나 위법성이 조각된다. ( )
22. 해경간부, 23. 법원행시 · 7급 검찰, 25. 9급 검찰 · 마약수사 · 철도경찰 · 경력채용 · 해경경사

19 예금주인 현금카드 소유자를 협박하여 그 카드를 갈취한 후 승낙을 받고 이를 이용하여 현금자동지급기에서 현금을 인출한 경우, 현금인출행위는 하자있는 의사표시에 의한 것이지만 피해자의 승낙에 의한 행위이므로 절도죄가 성립하지 않는다. ( )
18. 변호사시험, 19. 경찰간부, 20. 경찰승진, 21. 법원직, 23. 순경 2차, 24. 해경순경

Answer 11. ✕ 12. ○ 13. ✕ 14. ○ 15. ○ 16. ○ 17. ✕ 18. ✕ 19. ○

01 피해자의 승낙에 관한 설명 중 옳은 것을 모두 고른 것은?(다툼이 있는 경우 판례에 의함)

21. 변호사시험

> ㉠ 피해자의 승낙이 객관적으로 존재하는데도 불구하고 행위자가 이를 알지 못하고 행위한 경우에는 위법성조각사유의 전제사실의 착오가 되어 위법성이 조각되지 않는다.
> ㉡ 개인적 법익을 훼손하는 경우에 형법 제24조의 피해자의 승낙에 의해 위법성이 조각되려면 그 승낙이 법률상 이를 처분할 수 있는 사람의 승낙이어야 할 뿐 아니라 윤리적·도덕적으로 사회상규에 반하지 않아야 할 것이라는 요건도 충족되어야 한다.
> ㉢ 의사의 진단상 과오로 인해 당연히 설명받았을 내용을 설명받지 못한 경우라도 피해자로부터 수술 승낙을 받은 이상 그 승낙은 수술의 위법성을 조각할 유효한 승낙이라고 볼 수 있다.
> ㉣ 묵시적 승낙이 있는 경우에도 피해자의 승낙에 의해 위법성이 조각될 수 있다.

① ㉠, ㉡   ② ㉠, ㉢   ③ ㉡, ㉢
④ ㉡, ㉣   ⑤ ㉡, ㉢, ㉣

해설 ㉠ × : ~ 경우에는 주관적 정당화 요소를 결한 경우의 문제로서 불능미수(다수설)가 성립된다. 반대로 객관적으로 승낙사실이 존재하지 않는데도 불구하고 승낙사실이 존재한다고 오인하고 행위한 경우가 위법성조각사유의 전제사실의 착오가 되어 판례에 의할 경우, 그 오인에 정당한 이유가 있는 경우에는 위법성이 조각된다(대판 1986.10.28, 86도1406).
㉡ ○ : 대판 2008.12.11, 2008도9606
㉢ × : ~ 유효한 승낙이라고 볼 수 없다(대판 1993.7.27, 92도2345).
㉣ ○ : 대판 1983.2.8, 82도2436

02 다음 중 피해자 승낙에 대한 설명으로 가장 적절한 것은?

22. 경찰간부

① 형법은 살인, 상해, 강간의 경우에 피해자의 승낙이 있더라도 처벌하는 특별한 규정을 두고 있다.
② 승낙의 주체는 승낙의 의미와 내용을 이해할 수 있는 능력을 가진 자를 의미하므로 승낙권자는 민법상 행위능력자여야 한다.
③ 승낙은 원칙적으로 자유롭게 철회할 수 있으므로, 철회 전에 이루어진 행위는 정당화되지 않는다.
④ 승낙이 있는 것으로 오인한 자의 행위는 객관적 정당화 상황에 관한 착오에 해당하고, 승낙이 없는 것으로 오인한 자의 행위는 주관적 정당화 요소를 결한 경우의 문제가 된다.

해설 ① × : 살인의 경우에 처벌하는 특별규정(제252조 제1항 ; 촉탁·승낙살인죄)이 있으나 상해, 강간의 경우에는 없다.
② × : 승낙능력은 민법상의 행위능력과 구별되며, 형법의 독자적인 기준에 의하여 구체적·개별적으로 결정된다.

Answer 01. ④   02. ④

③ × : 철회 후에 이루어진 행위는 정당화(피해자 승낙에 의한 위법성조각)되지 않으나, 철회 전에 이루어진 행위는 정당화된다.

④ ○ : ~ 행위는 객관적 정당화 상황의 착오(위법성조각사유의 전제사실에 관한 착오)에 해당하고, ~ 행위는 주관적 정당화 요소를 결한 경우(우연승낙)의 문제가 된다.

03 다음 설명 중 옳지 않은 것은 모두 몇 개인가?(다툼이 있는 경우 판례에 의함) 18. 법원행시

> ㉠ 공문서의 기안문서를 작성하고 이를 작성권한 있는 자에게 결재를 요청하였으나 작성권한자가 서명을 거부하며 자기의 서명을 흉내내어 대신 서명하게 하였다면, 작성권한자의 지시 내지 승낙이 있다고 볼 수 없다.
> ㉡ 사자명의로 된 문서를 작성함에 있어 사망자의 처로부터 사망자의 인장을 교부받아 생존 당시 작성한 것처럼 문서의 작성일자를 그 명의자의 생존 중의 일자로 소급하여 작성하였다면 작성명의인의 추정적 승낙이 있다고 볼 수 있다.
> ㉢ 피해자의 병명을 오진하고 이에 근거하여 피해자에게 수술의 불가피성만을 강조하였을 뿐 진단상의 과오가 없었으면 당연히 설명받았을 내용을 설명받지 못한 채로 수술 승낙을 받았다면 피해자의 승낙이 있다고 볼 수 없다.
> ㉣ 관련 민사소송에서 쟁점이 된 제3자로부터 급여를 받은 사실을 숨기기 위해 통장의 입금자 부분을 화이트 테이프로 지우고 복사하였을 뿐 입금자를 다른 제3자로 변경하지 않았다면, 통장 명의자인 은행의 추정적 승낙이 있다고 볼 수 있다.
> ㉤ 피해자가 사용 중인 공중화장실의 용변칸에 노크하여 피해자가 남편으로 오인하고 용변칸 문을 열자 강간할 의도로 용변칸에 들어갔다면, 피해자가 명시적 또는 묵시적으로 승낙하였다고 볼 수 없다.

① 0개   ② 1개   ③ 2개   ④ 3개   ⑤ 4개

해설 ㉠ × : ~ 볼 수 있다(대판 1983.5.24, 82도1426 ∴ 공문서위조죄 ×).
㉡ × : ~ 볼 수 없다(대판 2011.7.14, 2010도1025).
㉢ ○ : 대판 1993.7.27, 92도2345
㉣ × : ~ 볼 수 없다(대판 2011.9.29, 2010도14587 ∴ 사문서변조죄 ○).
㉤ ○ : 대판 2003.5.30, 2003도1256(∴ 주거침입죄 ○)

04 다음 설명 중 가장 옳은 것은?(다툼이 있는 경우 판례에 의함) 20. 경찰간부

① 절도죄의 구성요건에서 재물의 타인성에 관하여 착오를 일으킨 경우 법률의 착오에 해당한다.
② 피해자의 승낙은 침해행위 이전에 자유롭게 철회할 수 있고, 그 철회의 방법에는 특별한 제한이 없다.
③ 관련 민사소송에서 쟁점이 된 제3자로부터 급여를 받은 사실을 숨기기 위해 통장의 입금자 부분을 화이트테이프로 지우고 복사하였을 뿐 입금자를 제3자로 변경하지 않았다면, 통장 명의자인 은행의 추정적 승낙이 있었다고 볼 수 있다.

Answer 03. ④ 04. ②

④ 무고죄는 부수적으로 부당하게 처벌 또는 징계받지 아니할 개인의 이익을 보호하는 죄이므로 피무고인이 무고사실에 대하여 승낙한 경우 무고인을 처벌할 수 없다.

해설 ① × : 재물의 타인성을 오신하여 그 재물의 취득이 자기에게 허용된 동일한 물건으로 오인하고 가져온 경우에는 범죄사실에 대한 인식이 있다고 할 수 없으므로 범의가 조각되어 절도죄가 성립하지 아니한다(대판 1983.9.13, 83도1762).
② ○ : 대판 2011.5.13, 2010도9962
③ × : ~ 볼 수 없다(대판 2011.9.29, 2010도14587 ∴ 사문서변조죄 ○).
④ × : 무고죄는 국가의 형사사법권 또는 징계권의 적정한 행사를 주된 보호법익으로 하고, 다만 개인의 부당하게 처벌 또는 징계받지 아니할 이익을 부수적으로 보호하는 죄이므로, 설사 무고에 있어서 피무고자의 승낙이 있었다고 하더라도 무고죄의 성립에는 영향을 미치지 못한다(대판 2005.9.30, 2005도2712).

05 추정적 승낙에 대한 설명 중 옳은 것(○)과 옳지 않은 것(×)을 바르게 연결한 것은?(다툼이 있는 경우 판례에 의함)

20. 7급 검찰

> ㉠ 승낙의 추정은 행위시에 있어야 하며, 사후승낙은 인정되지 않는다.
> ㉡ 문서명의인이 이미 사망하였는데 그가 생존하고 있음을 전제로 하는 문서를 권한 없는 자가 작성하였다면, 그러한 내용의 문서에 관하여 사망한 명의자의 승낙이 추정된다는 이유로 사문서위조죄의 성립을 부정할 수는 없다.
> ㉢ 어떠한 물건을 점유자의 의사에 반하여 취거하는 행위가 결과적으로 소유자의 이익으로 된다는 사정 또는 소유자의 추정적 승낙이 있다고 볼 만한 사정이 있는 경우, 불법영득의 의사가 부정된다.
> ㉣ 사문서 명의자의 명시적인 승낙이나 동의가 없다는 것을 알고 있으면서 명의자 이외의 자의 의뢰로 문서를 작성하는 경우라 하더라도, 명의자가 문서작성 사실을 알았다면 승낙하였을 것이라고 기대하거나 예측하였다면 그 승낙이 추정된다.

① ㉠(○), ㉡(○), ㉢(×), ㉣(×)
② ㉠(○), ㉡(○), ㉢(○), ㉣(×)
③ ㉠(×), ㉡(○), ㉢(×), ㉣(○)
④ ㉠(○), ㉡(×), ㉢(○), ㉣(○)

해설 ㉠ ○ : 옳다.
㉡ ○ : 대판 2011.9.29, 2011도6223
㉢ × : ~ 사정이 있다고 하더라도, 그러한 사유만으로 불법영득의사가 없다고 할 수는 없다(대판 2014.2.21, 2013도14139).
㉣ × : ~ 기대하거나 예측한 것만으로는 그 승낙이 추정된다고 단정할 수 없다(대판 2008.4.10, 2007도9987).

06 피해자의 승낙에 대한 설명으로 가장 적절하지 않은 것은?(다툼이 있는 경우 판례에 의함)

21. 순경 2차

① 甲이 동거 중인 A의 지갑에서 현금을 꺼내 가는 것을 A가 현장에서 목격하고도 만류하지 아니한 경우에는 이를 허용하는 A의 묵시적 의사가 있었다고 볼 수 있다.

② 건물의 소유자라고 주장하는 甲과 그것을 점유 관리하고 있는 A 사이에 건물의 소유권에 대한 분쟁이 계속되고 있는 상황에서 甲이 그 건물에 침입하는 경우에는 그 침입에 대한 A의 승낙이 있었다고 볼 수 없다.

③ 甲이 乙과 공모하여 교통사고를 가장하여 보험금을 편취할 목적으로 乙에게 승낙을 받고 상해를 가한 경우에는 피해자의 승낙에 의하여 위법성이 조각된다고 할 수 없다.

④ 甲은 자신의 아버지 A소유 부동산 매매에 관한 권한 일체를 위임받아 이를 매도한 후 갑자기 A가 사망하자 소유권이전에 사용할 목적으로 A가 자신에게 인감증명서 발급을 위임한다는 취지의 위임장을 작성하여, 주민센터 담당직원에게 제출한 경우에는 甲이 A가 승낙하였을 것이라고 기대하거나 예측한 것만으로도 사망한 A의 승낙이 추정된다.

> 해설 ① 대판 1985.11.26, 85도1487 ② 대판 1989.9.12, 89도889 ③ 대판 2008.12.11, 2008도9606
> ④ × : ~ 예측한 것만으로는 사망한 A의 승낙이 추정된다고 단정할 수 없다(대판 2011.9.29, 2011도6223).

07 피해자의 승낙 및 동의에 대한 설명으로 옳지 않은 것은?(다툼이 있는 경우 판례에 의함) 23.7급 검찰

① 무고죄는 국가의 형사사법권 또는 징계권의 적정한 행사와 개인의 부당하게 처벌 또는 징계받지 아니할 이익을 보호법익으로 하는 죄이므로, 무고에 있어서 피무고자의 승낙이 있었다면 무고죄는 성립하지 않는다.

② 피고인이 피해자 소유의 물건에 관한 권리가 자기에게 있다고 주장하면서 이를 가져간 데 대하여 피해자의 묵시적인 동의가 있었다면, 피고인의 주장이 후에 허위임이 밝혀졌더라도 절도죄의 절취행위에는 해당하지 않는다.

③ 타인의 승낙을 받아 촬영한 영상물도 반포시에 그 촬영대상자의 의사에 반하여 반포하였다면, 성폭력 범죄의 처벌 등에 관한 특례법 제14조 제2항(카메라 등 이용촬영·반포)이 적용된다.

④ 형법 제305조 제2항에 의하면 13세 이상 16세 미만의 사람에 대하여 간음 또는 추행을 한 19세 이상의 자는 상대방의 동의유무를 불문하고 형법 제297조(강간), 제297조의 2(유사강간), 제298조(강제추행), 제301조(강간 등 상해·치상) 또는 제301조의 2(강간 등 살인·치사)의 예에 의하여 처벌된다.

> 해설 ① × : 무고죄는 국가의 형사사법권 또는 징계권의 적정한 행사를 주된 보호법익으로 하고, 다만 개인의 부당하게 처벌 또는 징계받지 아니할 이익을 부수적으로 보호하는 죄이므로, 설사 무고에 있어서 피무고자의 승낙이 있었다고 하더라도 무고죄의 성립에는 영향을 미치지 못한다(대판 2005.9.30, 2005도2712).
> ② 대판 1990.8.10, 90도1211 ③ 대판 2022.6.9, 2022도1683
> ④ 형법 제305조 제1항 관련판례(대판 1982.10.12, 82도2183) 참고, 제305조 제2항(2020.5.19. 신설)

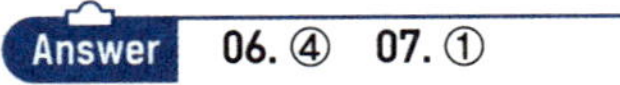

08 피해자의 승낙 또는 동의가 구성요건에 영향을 주는 것은?(다툼이 있는 경우 판례에 의함)

25. 경위공채

① 무고자가 피무고자의 승낙을 받아 허위사실을 기재한 고소장을 수사기관에 제출한 경우
② 사문서위조죄나 공정증서원본부실기재죄가 성립한 이후 피해자의 동의 등으로 문서에 기재된 대로 효과의 승인을 받거나 실체적 권리관계에 부합하게 된 경우
③ 의사가 정밀한 진단방법을 실시하지 않은 채 오진하여 설명의 의무를 다하지 않은 상태에서 피해자로부터 수술승낙을 받아 상해를 입힌 경우
④ 형법 제164조(현주건조물 등 방화죄)와 제165조(공용건조물 등 방화죄)에 기재한 외의 타인소유 일반건조물 등을 피해자의 승낙을 얻어 불태워 공공의 위험을 발생하게 한 경우

> **해설** ① × : 무고죄는 국가의 형사사법권 또는 징계권의 적정한 행사를 주된 보호법익으로 하고, 다만 개인의 부당하게 처벌 또는 징계받지 아니할 이익을 부수적으로 보호하는 죄이므로, 설사 무고에 있어서 피무고자의 승낙이 있었다고 하더라도 무고죄의 성립에는 영향을 미치지 못한다(대판 2005.9.30, 2005도2712).
> ② × : 사문서위조죄나 공정증서원본부실기재죄가 성립한 이후, 피해자의 동의 등으로 문서에 기재된 대로 효과의 승인을 받거나 등기가 실체적 권리관계에 부합하게 되더라도 이미 성립한 범죄에 아무런 영향이 없다(대판 1999.5.14, 99도202).
> ③ × : 의사가 설명의무를 다하지 않은 상태에서(부정확 또는 불충분한 설명을 근거로) 피해자로부터 수술승낙을 받은 경우 수술의 위법성을 조각할 유효한 승낙이라고 볼 수 없다(대판 1993.7.27, 92도2345).
> ④ ○ : 타인소유 일반건조물 등 방화죄(제168조 제1항)는 공공의 위험의 발생을 요구하지 않는 추상적 위험범이나, 타인소유일지라도 소유권자(피해자)의 동의·승낙이 있는 경우에는 자기소유 일반건조물 등 방화죄(제168조 제2항 ; 자기소유 일반건조물 등을 불태워 공공의 위험을 발생)의 구성요건에 해당한다.

09 피해자의 승낙에 관한 설명 중 옳지 않은 것은?(다툼이 있는 경우 판례에 의함)　　26. 변호사시험

① 위법성조각사유의 근거원리를 '이익형량'과 '이익흠결'로 나누는 견해에 따르면, 긴급피난은 이익형량에, 피해자의 승낙은 이익흠결에 근거한 것으로 볼 수 있다.
② 사문서위조는 사회적 법익 침해행위이므로 피해자인 명의자의 묵시적·추정적 승낙이 있더라도 사문서위조죄가 성립한다.
③ 甲이 A와 B가 공동거주하는 주거에 현재하는 B의 현실적인 승낙만 받고 통상적인 방식으로 들어간 것이라면, 부재중인 A의 추정적 의사에 반하더라도 주거침입죄가 성립하지 않는다.
④ 형법 제24조의 규정에 의하여 위법성을 조각하는 피해자의 승낙은 법률상 이를 처분할 수 있는 사람의 승낙이어야 하고, 그 승낙이 윤리적·도덕적으로 사회상규에 반하는 것이 아니어야 한다.
⑤ 20세인 甲이 15세인 乙의 승낙을 받아 성관계를 하였다고 하더라도 가벌성이 있다.

> **해설** ① 옳다. ② × : 사문서위조는 사회적 법익 침해행위이나, 피해자인 명의자의 묵시적·추정적 승낙이 있었다면 사문서위조죄가 성립하지 않는다(대판 2003.5.30, 2002도235).
> ③ 대판 2021.9.9, 2020도12630 전원합의체 ④ 대판 2008.12.11, 2008도9606
> ⑤ 미성년자에 대한 간음죄(제305조 제2항)

제6절 정당행위

> **제20조【정당행위】** 법령에 의한 행위 또는 업무로 인한 행위 기타 사회상규에 위배되지 아니하는 행위
> 는 벌하지 아니한다.

1 의의와 성질

형법 제20조의 '사회상규에 위배되지 아니하는 행위'는 우리 형법의 독특한 규정으로, 구성요건
에 해당하는 행위가 형식적으로 위법하더라도 사회가 내리는 공적 평가에 의하여 용인될 수
있다면 그 행위를 실질적으로 위법한 것으로는 평가할 수 없다는 취지에서 도입된 일반적 위법
성조각사유이다. 25. 순경 2차 즉, '사회상규에 위배되지 아니하는 행위'는 형법 제21조부터 제24조
까지의 개별적 위법성조각사유가 인정되지 않고, 법령이나 업무로 인한 행위로 포섭되기 어려운
경우 적용되는 일반적 위법성조각사유이다(대판 2024.8.1, 2021도2084). 25. 7급 검찰

2 법령에 의한 행위

(1) 공무원의 직무집행행위 · 상관의 명령에 의한 행위

공무원이 법령에 근거하여 당해 공무원의 직무범위 내에서 법령이 정한 요건과 절차에 따라
직무를 수행하면 위법성이 조각된다. 상관의 적법한 직무상 명령에 따른 행위는 정당행위로서
형법 제20조에 의하여 그 위법성이 조각된다고 할 것이나, 상관의 위법한 명령에 따라 범죄행위
를 한 경우에는 상관이 명령에 따랐다고 하여 부하가 한 범죄행위의 위법성이 조각될 수는 없다
(대판 1997.4.17, 96도3376 전원합의체). 20. 법원행시

관련판례

1. 집행관이 압류집행을 위하여 채무자의 주거에 들어가려고 하였으나 채무자의 아들이 이를 방해하는
   등 저항하므로 주거에 들어가는 과정에서 몸싸움을 하던 도중 그에게 2주간의 상해를 가한 행위는
   정당행위에 해당된다(대판 1993.10.12, 93도875). 15. 사시, 19. 경찰간부, 24. 경찰승진
2. 국가정보원의 사이버팀 직원들이 상부에서 하달된 지시에 따라 정치적인 목적을 가지고 인터넷 게시
   글과 댓글 작성, 찬반클릭 행위, 트윗과 리트윗 활동을 한 경우 구 국가정보원법에 따른 직무범위
   내의 정당한 행위로 볼 수 없다(대판 2018.4.19, 2017도14322 전원합의체). 18. 7급 검찰, 20. 해경승진,
   22. 해경 2차
3. 공무원은 직무수행에 있어 소속상관의 적법한 명령에 복종할 의무는 있으나 그 명령이 명백히 위법
   내지 불법한 명령인 때에는 이에 따라야 할 의무가 없다(대판 2013.11.28, 2011도5329). 15. 사시
4. 대공수사관이 상관의 명령에 따라 참고인을 고문치사한 경우 ⇨ 정당행위 ×, 강요된 행위로 적법행위
   에 대한 기대가능성이 없는 경우에 해당 ×(대판 1988.2.23, 87도2358) 08. 순경, 15. 경찰승진

(2) 징계행위

법령상 징계권을 가진 자가 주관적으로 교육의 목적을 가지고 객관적으로 징계사유가 있고 징계의 목적달성을 위해 필요하고도 적정한 범위 내에서 행한 징계행위는 위법성을 조각한다.

관련판례 1

● **정당한 징계행위 × ⇨ 위법성조각 ×**

1. 친권자가 자에 대해 감정을 이기지 못하고 야구방망이로 때릴 듯이 "죽여 버린다."고 말하여 협박한 경우 ⇨ 협박죄 ○(대판 2002.2.8, 2001도6468 ∵ 교양권의 행사 ×) 21. 9급 검찰·마약수사

2. 여자중학교의 체육교사가 감정을 자제하지 못하고 낯모르는 학생들이 있는 교실 밖에서 싸우는 여학생을 손이나 주먹으로 때리고 모욕감을 느낄 지나친 욕설을 한 경우(대판 2004.6.10, 2001도5380 ∵ 그 방법과 정도에서 사회통념상 용인될 수 있는 객관적 타당성 ×) 07. 법원행시, 11. 9급 검찰

3. 징계사유가 없는 경우(교사가 학생이 자신에게 욕을 한 것으로 오인하고 구타하여 상해를 입힌 경우 : 대판 1980.9.9, 80도762 ∵ 징계권의 범위를 일탈한 위법한 폭력행위임) 10. 9급 검찰

4. 피해자에게 상해를 입힌 정도인 경우(교사가 대나무 막대기로 나이 어린 피해자의 전신을 구타하여 상해를 입힌 경우 : 대판 1978.3.14, 78도203, 교사가 몽둥이와 당구큐대로 학생의 둔부를 때려 3주간의 치료를 요하는 상해를 입힌 경우 : 대판 1991.5.14, 91도513, 교사가 초등학교 5년생을 지휘봉으로 엉덩이를 때려 6주간의 치료를 요하는 상해를 입힌 경우 : 대판 1990.10.30, 90도1456) 04. 사시

(3) 사인의 현행범체포

현행범인은 누구든지 영장 없이 체포할 수 있으므로(형사소송법 제212조) 사인이 현행범을 체포하기 위하여 폭행을 가하거나 감금하더라도 위법성이 조각된다. 그러나 위법성이 조각되는 것은 직접 체포에 필요한 행위(예 폭행·협박·체포·감금 등)에 한정되므로 이를 넘어서 현행범을 상해·살인하거나 현행범체포를 위해 타인의 주거에 침입하는 경우에는 위법성이 조각되지 않는다.

관련판례 1

1. 피고인의 차를 손괴하고 도망하려는 피해자를 도망하지 못하게 멱살을 잡고 흔들어 전치 14일의 흉부찰과상을 가한 경우 ⇨ 정당행위 ○(대판 1999.1.26, 98도3029 ∵ 현행범인 체포행위가 적정한 한계를 벗어나는 행위인가 여부는 정당행위의 일반적 요건을 갖추었는지 여부에 따라 결정되어야 할 것이지 그 행위가 소극적인 방어행위인가 적극적인 공격행위인가에 따라 결정되어야 하는 것은 아니다.) 13. 법원직, 16. 9급 검찰·마약수사, 24. 경찰승진

2. 현행범을 추적하여 그 범인의 부(父)의 집에 들어가서 동인과 시비 끝에 상해를 입힌 경우에 주거침입죄가 성립한다(대판 1965.12.21, 65도899).

3. 노동조합의 조합원들이 파업기간 중에 위 업체에 채용되어 기중기 운전 작업을 대체 수행하고 있는 피해자를 발견하고 피해자를 붙잡으려고 하다가 피해자가 바닥에 넘어져 어금니 탈구 등 상해를 입은 경우 ⇨ 적법한 현행범인 체포로서 정당행위 ×(대판 2020.6.11, 2016도3048 ∵ 피해자는 노동조합법의 단독정범 ×, 공동정범 또는 방조범 × ⇨ 현행범인 × ∴ 폭력행위 등 처벌에 관한 법률상의 공동상해죄 ○)

(4) 노동쟁의행위

근로자의 쟁의행위가 형법상 정당행위에 해당하려면, ① 주체가 단체교섭의 주체로 될 수 있는 자이어야 하고, ② 목적이 근로조건의 향상을 위한 노사 간의 자치적 교섭을 조성하는 데에 있어야 하며, ③ 사용자가 근로자의 근로조건 개선에 관한 구체적인 요구에 대하여 단체교섭을 거부하였을 때 개시하되 특별한 사정이 없는 한 조합원의 찬성결정 등 법령이 규정한 절차를 거쳐야 하고, ④ 수단과 방법이 사용자의 재산권과 조화를 이루어야 함은 물론 폭력의 행사에 해당되지 아니하여야 한다는 조건을 모두 구비하여야 한다. 이러한 기준은 쟁의행위의 목적을 알리는 등 적법한 쟁의행위에 통상 수반되는 부수적 행위가 형법상 정당행위에 해당하는지 여부를 판단할 때에도 동일하게 적용된다(대판 2022.10.27, 2019도10516).

관련판례

- **정당한 쟁의행위에 해당하는 경우 ⇨ 위법성조각 ○**
1. 쟁의행위의 절차의 정당성을 인정한 경우
   ① 쟁의행위에 대한 찬반투표를 위해 근무시간 중에 노조임시총회를 개최하고 3시간에 걸친 투표 후 1시간의 여흥시간을 가진 경우(대판 1994.2.22, 93도613) 13. 법원직, 16. 순경 2차, 21. 해경승진
   ② 노동조합이 쟁의행위의 일시·장소·참가인원 및 그 방법에 관한 서면신고를 하지 않고 쟁의를 한 경우에는 신고절차의 미준수만을 이유로 쟁의행위의 정당성을 부정할 수는 없다(대판 2007. 12.28, 2007도5204). 21. 경찰간부, 23. 순경 2차
   ③ 노동조합이 노동쟁의조정신청을 하여 조정절차가 마쳐지거나 조정이 종료되지 아니한 채 조정기간이 끝난 후의 쟁의행위(대판 2001.6.26, 2000도2871 ; 대판 2003.12.26, 2001도1863 ∵ 조정절차를 거친 것임) 14. 사시, 15. 경찰간부
   ④ 근로조건에 관한 노동관계 당사자 간 주장의 불일치로 인하여 근로자들이 조정전치절차 및 찬반투표절차를 거쳐 정당한 쟁의행위를 개시한 후 쟁의사항과 밀접하게 관련된 새로운 쟁의사항이 부가된 경우에는, 근로자들이 새로이 부가된 사항에 대하여 쟁의행위를 위한 별도의 조정절차 및 찬반투표절차를 거쳐야 할 의무가 있다(×)고 할 수 없다(대판 2012.1.27, 2009도8917).
2. 쟁의행위의 수단·방법의 정당성을 인정한 경우
   ① 노동조합의 조합원들이 쟁의행위로 사용자인 서울특별시건축사회의 사무실 일부를 점거한 경우(대판 2007.12.28, 2007도5204 ∵ 이는 폭력의 행사에 해당하지 않는 사업장시설의 부분적·병존적인 점거로서 전면적·배타적으로 점거하는 경우가 아님) 18. 법원행시, 20. 9급 검찰·마약수사·철도경찰
   ② 노동조합이 주도한 쟁의행위 자체의 정당성과 이를 구성하거나 여기에 부수되는 개개 행위의 정당성은 구별하여야 하므로, 일부 소수의 근로자가 폭력행위 등의 위법행위를 하였더라도, 전체로서의 쟁의행위마저 당연히 위법하게 되는 것은 아니다(대판 2017.7.11, 2013도7896). 21. 법원직, 23. 순경 1차
3. 사용자는 쟁의행위 기간 중 그 쟁의행위로 중단된 업무의 수행을 위하여 당해 사업과 관계없는 자를 채용 또는 대체할 수 없다(노동조합 및 노동관계조정법 제43조 제1항). 사용자가 당해 사업과 관계없는 자를 쟁의행위로 중단된 업무의 수행을 위하여 채용 또는 대체하는 경우, 쟁의행위에 참가한 근로

자들이 위법한 대체근로를 저지하기 위하여 상당한 정도의 실력을 행사하는 것은 쟁의행위가 실효를 거둘 수 있도록 하기 위하여 마련된 위 규정의 취지에 비추어 정당행위로서 위법성이 조각된다(대판 2020.9.3, 2015도1927). 21. 순경 1차

● **정당한 쟁의행위에 해당하지 않는 경우 ⇨ 위법성조각 ×**

1. 쟁의행위의 목적의 정당성을 부정한 경우

> 쟁의행위에서 추구되는 목적이 여러 가지이고 그중 일부가 정당하지 못한 경우에는 주된 목적 내지 진정한 목적의 당부에 의하여 그 쟁의목적의 당부를 판단하여야 할 것이고, 부당한 요구사항을 뺐더라면 쟁의행위를 하지 않았을 것이라고 인정되는 경우에는 그 쟁의행위 전체가 정당성을 갖지 못한다고 보아야 할 것이다(대판 2007.5.11, 2006도9478). 15. 순경 3차, 20. 9급 검찰, 23. 해경승진

① (공)기업구조조정(정리해고나 조직의 통폐합, 과학기술원의 시설부문 민영화계획, 한국철도공사의 신규사업 외주화계획)의 저지에 그 주된 목적을 두고 행해진 쟁의행위(대판 2003.12.11, 2001도3429 ; 대판 2003.12.26, 2001도3380 ; 대판 2007.5.10, 2006도9478 ∵ 정리해고나 부서ㆍ조직의 통폐합 등 구조조정의 실시 여부는 원칙적으로 단체교섭의 대상 ×) 13. 법원행시, 17. 법원직

② 기업의 구조조정 실시 여부는 원칙적으로 단체교섭의 대상이 될 수 없고, 구조조정의 실시가 필연적으로 근로자들의 지위나 근로조건의 변경이 수반된다 하더라도 이를 반대하기 위하여 진행한 노동조합의 쟁의행위는 목적의 정당성을 인정할 수 없다(대판 2003.12.26, 2001도3380). 20. 9급 검찰ㆍ마약수사ㆍ철도경찰, 21. 경찰간부, 23. 해경승진

③ 사용자가 경영권의 본질에 속하여 단체교섭의 대상이 될 수 없는 사항(정리해고)에 관하여 노동조합과 '합의'하여 시행한다는 취지의 단체협약의 일부 조항이 있는 경우에도 쟁의행위의 목적이 정당화될 수는 없다(대판 2011.1.27, 2010도11030). 19. 경찰간부

④ 단체교섭의 대상이 될 수 없는 미국산 쇠고기 수입 반대 등을 주된 목적으로 한 파업은 그 쟁의행위 전체가 정당성을 갖지 못하는 불법파업에 해당한다(대판 2011.10.27, 2009도3390).

2. 쟁의행위의 절차의 정당성을 부정한 경우

① 조합원의 민주적 의사결정이 실질적으로 확보되었더라도 노동조합 및 노동관계조정법이 정한 조합원의 찬반투표를 거치지 아니한 쟁의행위(대판 2001.10.25, 99도4837 전원합의체) 15. 순경 3차, 19. 법원행시, 20. 9급 검찰ㆍ마약수사ㆍ철도경찰, 23. 해경승진

② 단체협약에서 정한 시간(9시 이전)이 아닌 시간(9시 정각)에 조합원들이 집단적으로 출근함으로써 업무수행에 지장을 초래한 경우(대판 1996.5.10, 96도419)

③ 버스노동조합 지부의 적법한 대표자를 배제하고 사용자에 대하여 아무런 통지를 하지 않은 채 일부 근로자들이 비상대책위원회를 구성하고 회사 대표자의 형사처벌 및 퇴진, 군내버스의 완전공영제를 요구하며 실시한 파업(대판 2008.1.18, 2007도1557) 10. 9급 검찰

3. 쟁의행위의 수단ㆍ방법의 정당성을 부정한 경우

① 사용자의 직장폐쇄가 정당한 쟁의행위로 인정되지 아니하는 경우(대판 2007.3.29, 2006도9307 ∵ 적법한 쟁의행위로서 사업장을 점거 중인 근로자들이 직장폐쇄를 단행한 사용자로부터 퇴거요구를 받고 이에 불응한 채 직장점거를 계속하더라도 퇴거불응죄가 성립 ×). 13. 사시, 15. 법원직

② 근로자의 쟁의행위 등 구체적인 사정에 비추어 직장폐쇄의 개시 자체는 정당하다고 할 수 있지만, 근로자의 쟁의행위에 대한 방어적인 목적에서 벗어나 적극적으로 노동조합의 조직력을 약화시키기 위한 목적 등을 갖는 공격적 직장폐쇄의 성격으로 변질되었다고 볼 수 있는 경우에는, 그 이후의 직장폐쇄는 정당성을 상실한 것으로 보아야 한다(대판 2017.7.11, 2013도7896).

▶ 비교판례

1. 사용자가 적법한 직장폐쇄 기간 중 일방적으로 업무에 복귀하겠다고 하면서 자신의 퇴거요구에 불응한 채 계속하여 사업장 내로 진입을 시도하는 해고 근로자를 폭행·협박한 것은, 사업장 내의 평온과 노동조합의 업무방해행위를 방지하기 위한 정당방위 내지 정당행위에 해당한다(대판 2005.6.9, 2004도7218). 10. 9급 검찰, 22. 법원직

2. 직장폐쇄가 정당한 쟁의행위로 평가받은 경우 사용자는 직장폐쇄 기간 동안의 대상 근로자에 대한 임금지불의무를 면한다(대판 2008.9.11, 2008도6026). 13. 법원행시

ⓒ 직장 또는 사업장시설을 전면적·배타적으로 점거하여 조합원 이외의 자의 출입을 저지하거나 사용자 측의 관리지배를 배제하여 업무의 중단 또는 혼란을 야기케 하는 경우(대판 2007.12.28, 2007도5204 ; 대판 1991.6.11, 91도383)

4. 쟁의행위가 정당행위로 위법성이 조각되는 것은 사용자에 대한 관계에서 인정되는 것이므로, 제3자의 법익을 침해한 경우에는 원칙적으로 정당성이 인정되지 않는다. 그런데 도급인은 원칙적으로 수급인 소속 근로자의 사용자가 아니므로, 수급인 소속 근로자의 쟁의행위가 도급인의 사업장에서 일어나 도급인의 형법상 보호되는 법익을 침해한 경우에는 사용자인 수급인에 대한 관계에서 쟁의행위의 정당성을 갖추었다는 사정만으로 사용자가 아닌 도급인에 대한 관계에서까지 법령에 의한 정당한 행위로서 법익 침해의 위법성이 조각된다고 볼 수는 없다(대판 2020.9.3, 2015도1927). 21. 순경 1차 그러나 사용자인 수급인에 대한 정당성을 갖춘 쟁의행위가 도급인의 사업장에서 이루어져 형법상 보호되는 도급인의 법익을 침해한 경우, 그것이 항상 위법하다고 볼 것은 아니고, 법질서 전체의 정신이나 그 배후에 놓여있는 사회윤리 내지 사회통념에 비추어 용인될 수 있는 행위에 해당하는 경우에는 형법 제20조의 '사회상규에 위배되지 아니하는 행위'로서 위법성이 조각된다(대판 2020.9.3, 2015도927). 21. 법원직

🔔 甲노동조합의 간부인 피고인들이 주요방위산업체로 지정된 乙주식회사와 임금단체협상을 진행하면서 乙회사의 방산물자 생산부서 근로자인 조합원들을 포함하여 연장근로, 휴일근로를 집단적으로 거부하도록 결정함으로써 단체협상 기간에 甲노동조합의 지침에 따라 연장근로·휴일근로가 이루어지지 않았더라도 방산물자 생산부서 조합원들이 통상적인 연장근로·휴일근로를 집단적으로 거부함으로써 쟁의행위를 하였다고 볼 수 없고, 이를 전제로 피고인들에게 공동정범의 책임을 물을 수 없다〔대판 2022.6.9, 2016도11744 ∴ 방산물자를 생산하는 업무에 종사하는 자의 쟁의행위 금지규정 위반(노동조합법 제88조)죄 ×〕.

⑸ 기타 법령에 의한 행위

관련판례

1. 국가정책적 견지에서 도박죄의 보호법익보다 좀 더 높은 국가이익을 위하여 예외적으로 내국인의 출입을 허용하는 폐광지역개발 지원에 관한 특별법 등에 따라 카지노에 출입하는 것은 법령(업무 ×)

에 의한 행위로 위법성이 조각된다(대판 2004.4.23, 2002도2518). 19. 경찰간부, 20. 법원행시, 21. 해경 2차, 23. 7급 검찰

2. 감정평가업자가 아닌 **공인회계사가** 타인의 의뢰에 의하여 일정한 보수를 받고 부동산공시법이 정한 토지에 대한 **감정평가를 업으로 행하는 것**은 특별한 사정이 없는 한 형법 제20조가 정한 '법령 (업무 ×)에 의한 행위'로서 **정당행위에 해당한다고 볼 수 없다**(대판 2015.11.27, 2014도191). 17. 경찰간부, 19. 경찰승진, 23. 7급 검찰

3. 부동산 가격공시 및 감정평가에 관한 법률에서 감정평가업자가 아닌 자가 타인의 의뢰에 의하여 일정한 보수를 받고 감정평가를 업으로 행하는 것을 처벌하도록 규정하고 있다. 그러나 민사소송법에 따른 **법원의 감정인 지정결정 또는 법원의 감정촉탁을 받은 경우**에는 감정평가업자가 아닌 사람이더라도 그 감정사항에 포함된 토지 등의 감정평가를 할 수 있고, 이러한 행위는 **법령에 근거한**(업무에 의한 ×) 법원의 적법한 결정이나 촉탁에 따른 것으로 형법 **제20조의 정당행위에 해당하여 위법성이 조각된다**(대판 2021.10.14, 2017도10634). 23. 경찰간부

3 업무로 인한 행위

업무란 사람이 그의 사회생활상의 지위에 의하여 계속·반복의 의사로써 행하는 사무를 말하며, 이러한 업무로 인한 행위는 사회상규에 위배되지 아니하는 한 위법성이 조각된다.

관련판례

1. 재건축조합의 조합장이 조합탈퇴의 의사표시를 한 자를 상대로 '사업시행구역 안에 있는 그 소유의 건물을 명도하고 이를 재건축사업에 제공하여 행하는 업무를 방해하여서는 아니 된다.'는 가처분의 판결을 받아 해당 건물을 철거한 것은 형법 제20조에 정한 **업무(법령 ×)로 인한 정당행위에 해당한다** (대판 1998.2.13, 97도2877). 19. 경력채용, 20. 순경 1차, 21. 경찰간부·해경승진

2. 회사의 관리사원으로 근무하는 자들이 해고에 항의하는 농성을 제거하기 위하여 그 주동자라고 생각되는 **해고근로자들을** 다른 근로자와 분리시켜 귀가시키거나 불응시에는 경찰에 고발·인계할 목적으로 **간부사원회의의 지시**에 따라 위 근로자들을 봉고차에 강제로 태운 경우 ⇨ 정당한 업무행위 ×, 사회상규에 위배되지 않는 **정당행위 ×, 정당방위 ×**(대판 1989.12.12, 89도875) 19. 경력채용

3. **천주교 사제**가 범인을 고발하지 않은 것에 그치지 아니하고 **적극적으로 은닉·도피하게 한 행위**(은신처 마련, 도피자금 제공) ⇨ **정당행위 ×** ⇨ 범인은닉·도피죄(대판 1983.3.8, 82도3248) 19. 경력채용, 22. 해경 2차, 24. 법원직

4. 의사가 **인공분만기인 '샥숀'을 사용**하면 통상 약간의 상해정도가 있을 수 있으므로, 그 상해가 있다 하여 '샥숀'을 거칠고 험하게 사용한 결과라고는 보기 어려워 **의사의 정당업무의 범위를 넘은 위법행위라고 할 수 없다**(대판 1978.11.14, 78도2388). 19. 경력채용

4 사회상규에 위배되지 않는 행위

(1) 사회상규란 국가질서의 존엄성을 기초로 한 국민 일반의 건전한 도의감 또는 법질서 전체의 정신이나 배후에 있는 사회윤리 내지 사회통념에 비추어 용인되는 것을 말한다(대판 2002.1.25, 2000도1696). 19. 변호사시험 · 9급 철도경찰, 21. 해경 2차, 22. 법원직

(2) 형법 제20조는 '사회상규에 위배되지 아니하는 행위'를 정당행위로서 위법성이 조각되는 사유로 규정하고 있다. 위 규정에 따라 사회상규에 의한 정당행위를 인정하려면, ① 그 행위의 동기나 목적의 정당성, ② 행위의 수단이나 방법의 상당성, ③ 보호이익과 침해이익과의 법익균형성, ④ 긴급성, ⑤ 그 행위 외에 다른 수단이나 방법이 없다는 보충성 등의 요건을 갖추어야 하는데, 위 '목적 · 동기', '수단', '법익균형', '긴급성', '보충성'은 불가분적으로 연관되어 하나의 행위를 이루는 요소들로 종합적으로 평가되어야 한다(대판 2023.5.18, 2017도2760). 21. 해경 2차, 22. 법원직 · 7급 검찰, 23. 경찰간부

① '목적의 정당성'과 '수단의 상당성' 요건은 행위(결과 ×)의 측면에서 사회상규의 판단기준이 된다. 25. 7급 검찰 사회상규에 위배되지 아니하는 행위로 평가되려면 행위의 동기와 목적을 고려하여 그것이 법질서의 정신이나 사회윤리에 비추어 용인될 수 있어야 한다. 수단의 상당성 · 적합성도 고려되어야 한다. 또한 보호이익과 침해이익 사이의 법익균형은 결과(행위 ×)의 측면에서 사회상규에 위배되는지를 판단하기 위한 기준이다(대판 2023.5.18, 2017도2760). 25. 경찰승진

② 이에 비하여 행위의 긴급성과 보충성은 수단의 상당성을 판단할 때 고려요소의 하나로 참작하여야 하고 이를 넘어 독립적인 요건으로 요구할 것은 아니다. 또한 그 내용 역시 다른 실효성 있는 적법한 수단이 없는 경우를 의미하고 '일체의 법률적인 적법한 수단이 존재하지 않을 것'을 의미하는 것은 아니라고 보아야 한다(대판 2023.5.18, 2017도2760). 24. 9급 검찰 · 마약수사 · 철도경찰 · 법원직, 25. 경찰승진 · 순경 1차 · 순경 2차 · 7급 검찰 · 해경경위공채

③ 어떠한 행위가 위 요건들을 충족하는 정당한 행위로서 위법성이 조각되는 것인지는 구체적인 사정 아래서 합목적적 · 합리적으로 고찰하여 개별적으로 판단되어야 하므로, 구체적인 사안에서 정당행위로 인정되기 위한 긴급성이나 보충성의 정도는 개별 사안에 따라 다를 수 있다(대판 2021.12.30, 2021도9680). 22. 법원직, 25. 순경 2차

(3) 형법 제20조의 '사회상규에 위배되지 아니하는 행위'라 함은 국가질서의 존중이라는 인식을 바탕으로 한 국민일반의 건전한 도의적 감정에 반하지 아니한 행위로서 초법규적인 기준에 의하여 이를 평가해야 한다(대판 1983.11.22, 83도2224). 19. 변호사시험, 20. 순경 1차, 23. 경찰간부

(4) 어떠한 행위가 범죄구성요건에 해당하지만 정당행위라는 이유로 위법성이 조각된다는 것은 그 행위가 적극적으로 용인, 권장된다는 의미가 아니라 단지 특정한 상황하에서 그 행위가 범죄행위로서 처벌대상이 될 정도의 위법성을 갖추지 못하였다는 것을 의미한다(대판 2021.12.30, 2021도9680). 22. 법원직, 24. 경찰승진 · 9급 검찰 · 마약수사 · 철도경찰, 25. 순경 2차

관련판례

• 사회상규에 위배되어(정당행위 ×) 위법성이 인정된 경우

1. 공사업자가 이전 공사대금의 잔금을 지급받지 못하자 추가로 자동문의 번호키 설치공사를 도급받아 시공하면서 자동문이 수동으로만 여닫히게 설정하여 일시적으로 자동잠금장치로서 역할을 할 수 없게 한 경우 ⇨ 재물손괴죄 ○(대판 2016.11.25, 2016도9219 ∵ 피해자의 승낙 ×, 정당행위 ×) 17. 법원행시 · 7급 검찰, 18. 경찰간부, 19. 순경 2차

2. 甲정당 당직자인 피고인들 등이 국회 외교통상 상임위원회 회의장 앞 복도에서 출입이 봉쇄된 회의장 출입구를 뚫을 목적으로 회의장 출입문 및 그 안쪽에 쌓여있던 책상, 탁자 등 집기를 손상하거나, 국회의 심의를 방해할 목적으로 소방호스를 이용하여 회의장 내에 물을 분사한 경우, 이를 위법성이 조각되는 정당행위나 긴급피난의 요건을 갖춘 행위로 평가하기 어렵다(대판 2013.6.13, 2010도13609 ∵ 공용물건손상죄 및 국회회의장소동죄 ○). 17. 경찰간부, 18. 변호사시험, 21. 9급 검찰 · 경력채용

3. 방송사 기자인 피고인이, 구 국가안전기획부 내 정보수집팀이 타인과의 사적 대화를 불법 녹음하여 생성한 도청자료인 녹음테이프와 녹취보고서를 입수한 후 그 내용을 자사의 방송프로그램을 통하여 공개한 경우(대판 2011.3.17, 2006도8839 전원합의체 ∵ 수단과 방법의 상당성 ×, 통신비밀보호법 위반죄 ○). 16. 9급 검찰 · 마약수사 · 철도경찰, 21. 경찰간부 · 경력채용

   ▶ **유사판례** : 국회의원인 피고인이 구 국가안전기획부 내 정보수집팀이 대기업 고위관계자와 중앙일간지 사주 간의 사적 대화를 불법 녹음한 자료를 입수한 후 그 대화내용과 위 대기업으로부터 이른바 떡값 명목의 금품을 수수하였다는 검사들의 실명이 게재된 보도자료를 작성하여 자신의 인터넷 홈페이지에 게재한 경우, 정당행위에 해당한다고 볼 수 없다(대판 2011.5.13, 2009도4442). 18. 순경 1차, 20. 해경승진, 23. 경찰승진

4. 아파트 입주자 대표회의 회장이 다수 입주민들의 민원에 따라 위성방송 수신을 방해하는 케이블TV방송의 시험방송 송출을 중단시키기 위해 케이블TV방송의 방송안테나를 절단하도록 지시한 행위(대판 2006.4.13, 2005도9396 : 긴급피난 ×, 정당행위 ×) 16. 경찰간부 · 7급 검찰 · 철도경찰, 18. 변호사시험, 22. 법원직, 26. 경찰승진

5. 사채업자인 피고인이 채무자 甲에게, 채무를 변제하지 않으면 甲이 숨기고 싶어하는 과거 행적과 사채를 쓴 사실 등을 남편과 시댁에 알리겠다는 등의 문자메시지를 발송한 경우 ⇨ 협박죄 ○(대판 2011.5.26, 2011도2412 ∵ 정당행위 ×) 21. 해경승진, 23. 변호사시험, 24. 순경 1차

6. 자신의 배우자가 상간자의 방에서 간통을 할 것이라고 추측하고 이혼소송에 사용할 증거자료 수집을 목적으로 그들의 간통현장을 직접 목격하고 그 사진을 촬영하기 위하여 상간자의 주거에 침입한 경우(대판 2003.9.26, 2003도3000 ∵ 수단 · 방법의 상당성 × ∴ 주거침입죄) 16. 사시 · 경찰승진

7. 사용자가 제3자와 공동으로 관리 · 사용하는 공간을 사용자에 대한 쟁의행위를 이유로 관리자의 의사에 반하여 침입 · 점거한 경우, 비록 그 공간의 점거가 사용자에 대한 관계에서 정당한 쟁의행위로 평가될 여지가 있다 하여도 이를 공동으로 관리 · 사용하는 제3자의 명시적 또는 추정적인 승낙이 없는 이상 위 제3자에 대하여서까지 이를 정당행위라고 하여 주거침입의 위법성이 조각된다고 볼 수는 없다(대판 2010.3.11, 2009도5008). 13. 법원행시, 15. 순경 2차

8. 대출의 조건 및 용도가 임야매수자금으로 한정되어 있는 정부정책자금을 대출받으면서 임야매수자금 외의 용도에 사용할 목적으로 임야매수자금을 실제보다 부풀린 허위계약서를 제출하여 대출받은

행위는, 정책자금을 대출받은 자가 대출의 조건 및 용도에 위반하여 자금을 사용하는 관행이 있더라도 사회상규에 반하므로 위법하다(대판 2007.4.27, 2006도7634). 15. 사시·순경 3차, 17. 경찰승진

9. 통상의 일반적인 안수기도의 방식과 정도를 벗어나 환자의 신체에 비정상적이거나 과도한 유형력을 행사하고 신체의 자유를 과도하게 제압하여 환자의 신체에 상해까지 입힌 경우(기도원운영자가 정신분열증 환자의 치료목적으로 안수기도를 하다가 환자에게 상해를 입힌 경우 : 대판 2008.8.21, 2008도2695 ▶ 주의 : 치료행위로 오인한 피해자 측의 승낙 ○ ⇨ 정당행위 ×). 14. 법원행시, 15. 경찰승진, 23. 법원직

10. 행방불명된 남편에 대하여 불리한 민사판결이 선고되자, 그 처가 적법한 다른 방법을 강구하지 아니하고 남편 명의의 항소장을 위조하여 이를 법원에 제출한 경우(대판 1994.11.8, 94도1657) 14. 순경 2차, 16. 법원직, 22. 경력채용

11. 피고인이 피해자를 '어용', '앞잡이' 등으로 표현한 현수막, 피켓 등을 장기간 반복하여 일반인의 왕래가 잦은 도로변 등에 게시한 행위는 피해자에 대한 모욕적 표현으로서 사회상규에 위배되지 않는 행위라고 보기 어렵다(대판 2021.9.9, 2016도88 ∴ 모욕죄 ○). 22. 법원행시·순경 2차

12. 甲주식회사 임원인 피고인들이 회사 직원들 및 그 가족들에게 수여할 목적으로 전문의약품인 타미플루 39,600정 등을 제약회사로부터 매수하여 취득한 경우(대판 2011.10.13, 2011도6287) 17. 경찰간부, 19. 경찰승진

13. 운수회사 직원인 甲이 회사 대표와 공모하여 지입차주인 피해자들이 점유하는 각 차량 또는 번호판을 지입료 등 연체를 이유로 무단 취거한 행위(대판 2003.6.27, 2002도6088 ∴ 권리행사방해죄 ○) 11. 순경, 16. 사시

14. 상사 계급의 피고인이 그의 잦은 폭력으로 신체에 위해를 느끼고 겁을 먹은 상태에 있던 부대원들에게 청소불량 등을 이유로 40~50분간 머리박아(속칭 원산폭격)를 시키거나 양손을 깍지낀 상태에서 2시간 동안 팔굽혀펴기를 하게 한 행위(대판 2006.4.27, 2003도4151 ∴ 강요죄) 13. 7급 검찰, 24. 순경 2차

15. 대학 당국이 집회를 허가하지 않았지만 학생회가 동의하였으므로 위법하지 않다고 믿고 금융노조가 집회를 목적으로 대학 내 학생회관에 들어간 경우(대판 1995.4.14, 95도12) 07. 경찰승진, 17. 경찰간부

16. 주식회사 감사인 피고인이 회사 경영진과의 불화로 한 달 가까이 결근하다가 자신의 출입카드가 정지되어 있는데도 이른 아침에 경비원에게서 출입증을 받아 컴퓨터 하드디스크를 절취하기 위해 회사 감사실에 들어간 경우 ⇨ 방실침입죄 ○(대판 2011.8.18, 2010도9570 ∴ 정당행위 ×) 13. 사시

17. 甲주식회사 대표이사인 피고인이 주주총회 등에서 특정 의결권 행사방법을 독려하기 위한 방법으로 甲회사의 주주총회 등에 참석하여 사전투표 또는 직접투표 방식으로 의결권을 행사한 주주들에게 甲회사에서 발행한 20만원 상당의 상품교환권 등을 제공한 경우 ⇨ 정당행위 ×(대판 2018.2.8, 2015도7397 ∴ 주주총회 의결권 행사와 관련된 이익의 공여로서 사회통념상 허용되는 범위를 넘어서는 것이어서 상법상 주주의 권리행사에 관한 이익공여의 죄에 해당한다.) 20. 순경 2차

18. 국군보안사령부의 민간인에 대한 정치사찰을 폭로한다는 명목으로 군무를 이탈한 행위 ⇨ 정당방위 ×, 정당행위 ×(대판 1993.6.8, 93도766) 17. 변호사시험, 23. 순경 1차

19. 구 공직선거 및 선거부정방지법상 선거비용지출죄는 회계책임자가 아닌 자가 선거비용을 지출한 경우에 성립되는 죄인바, 후보자가 그와 같은 행위가 죄가 되는지 몰랐다고 하더라도 회계책임자가 아닌 후보자가 선거비용을 지출한 이상 회계책임자가 후에 후보자의 선거비용 지출을 추인하였다 하더라도 그 위법성이 조각되지 않는다(대판 1999.10.12, 99도3335). 23. 순경 1차

20. 정보보안과 소속 경찰관이 자신의 지위를 내세우면서 타인의 민사분쟁에 개입하여 빨리 채무를 변제하지 않으면 상부에 보고하여 문제를 삼겠다고 말한 경우, 상대방이 채무를 변제하고 피해 변상을 하는지 여부에 따라 직무집행 여부를 결정하겠다는 취지라도 정당행위에 해당하지 않는다(대판 2007.9.28, 2007도606 전원합의체 ∴ 협박죄 ○). 13. 사시

21. 주점 임대차 약정기간이 만료되지 않고 임대차보증금도 상당한 액수가 남아 있는 상태에서 주점 임대인이 그 임차인의 차임 연체를 이유로 계약해지의 의사표시와 경고만을 한 후 계약서상 규정에 따라 그 주점에 대하여 단전·단수조치를 취한 경우(대판 2007.9.20, 2006도9157 ∴ 업무방해죄 ○) 13. 7급 검찰

22. 공직선거에 출마할 정당추천 후보자를 선출하기 위한 당내 경선에서 특정인을 지지하도록 부탁할 목적으로 타인의 술값을 대신 지불한 경우(대판 1996.6.14, 96도405) 07. 경찰승진·순경

23. 현직 군수로서 전국동시지방선거(제5회) 지방자치단체장 선거에 특정 정당 후보로 출마가 확실시되는 피고인이 같은 정당 지역청년위원장 등 선거구민 20명에게 약 36만원 상당의 식사를 제공하여 기부행위를 한 경우 ⇨ 정당행위 ×(대판 2011.2.24, 2010도14720) 14. 경찰승진

24. 시위참가자들이 경찰관들의 위법한 제지행위에 대항하는 과정에서 공동하여 경찰관들에게 돌을 던지고 PVC파이프를 휘두르거나 진압방패와 채증장비를 빼앗는 등의 폭행행위를 한 것 ⇨ 정당행위 ×, 정당방위 ×(대판 2009.6.11, 2009도2114) 13. 사시

25. 국회의원이 대한치과의사협회로부터 요청받은 자료를 제공하고 그 대가로 1,000만원을 후원회를 통하여 지급받은 경우(대판 2009.5.14, 2008도8852 ∴ 뇌물죄 ○) 11. 7급 검찰

26. 새마을금고 이사장이 새마을금고법 및 정관에 반하여 비회원인 회사에 대출을 해 주어 그 회사가 대출금으로 회원인 회사근로자들의 상여금을 지급한 경우(대판 1999.2.23, 98도1869) 11. 경찰승진

27. 사무실 임차인이 임대차계약 종료 후 갱신계약 여부에 관한 의사표시나 명도의무를 지체하고 있다는 이유로 임대인이 단전조치를 취한 경우(대판 2006.4.27, 2005도8074) 10. 9급 검찰

28. 남북정상회담의 개최과정에서 이루어진 법정절차를 거치지 아니한 대북송금행위 자체는 사법심사의 대상이 되며 이는 정당행위에 해당 ×(대판 2004.3.26, 2003도7878) 10. 경찰승진

29. 대표이사가 회사를 위한 탈세행위로 인하여 형사재판을 받은 경우 그 변호사비용과 벌금을 회사에 부담케 한 경우(대판 1990.2.23, 89도2466 ∴ 업무상 횡령죄 ○) 09. 경찰승진

30. 가요담당 방송프로듀서가 직무상 알고 지내던 가수매니저들로부터 많게는 100만원 적게는 20만원 정도의 금품을 28회에 걸쳐 받은 경우(대판 1991.6.11, 91도688) 04. 행시

31. 후보자가 선거구 내 거주자에 대한 결혼축의금으로서 중앙선거관리위원회규칙이 정한 금액(3만원)을 초과하여 지급한 사유가 모친상을 당했을 때 그로부터 받은 동액의 부의금(5만원)에 대한 답례취지인 경우(대판 1999.5.25, 99도983) 04. 행시

32. 불법 건축물이라는 이유로 일반음식점 영업신고의 접수가 거부되었고, 이전에 동일 장소에서 무신고 영업행위로 3차례나 형사처벌까지 받았음에도 계속하여 동일 장소에서 일반음식점 영업행위를 한 경우(대판 2009.4.23, 2008도6829 : 정당행위 ×, 기대가능성 ○).

33. 타 회사의 폐석운반을 방해할 의사로, 선착장 앞에 위치한 자신의 어업구역 내에 양식장을 설치한다는 구실로 밧줄을 매어 선박의 출입을 방해한 경우(대판 1996.11.12, 96도2214 ∴ 업무방해죄)

34. 특정후보자에 대한 낙선운동 ⇨ 시민불복종운동으로서 헌법상의 기본권행사 범위 내에 속하는 정당행위 ×, 사회상규에 위반되지 않은 정당행위 ×, 긴급피난 ×(대판 2004.4.27, 2002도315) 23. 법원직

35. 공직선거법 제250조 제2항 소정의 허위사실공표죄가 성립하는 그 행위가 공공의 이익을 위한 것이라고 하여 위법성이 조각된다고 볼 수 없다. 아울러 피고인의 행위가 사회상규에 위배되지 아니하는 행위로서 형법 제20조 소정의 정당행위라고 볼 수도 없다(대판 2011.12.22, 2008도11847).
   ▶ **비교판례** : 선거관리위원회가 주최한 합동연설회장에서 일간지의 신문기사를 읽는 방법으로 상대 후보의 전과사실을 적시한 사안에서, 상대 후보의 평가를 저하시켜 스스로 자신이 당선되려는 사적 이익도 동기가 되었지만 유권자들에게 상대 후보의 자질에 대한 자료를 제공함으로써 적절한 투표권을 행사하도록 하려는 공적 동기도 있었던 경우 ⇨ 공직선거법 제251조 단서(후보자비방죄 : 진실한 사실로서 공공이 이익에 관한 때에는 처벌하지 아니한다)에 의하여 위법성이 조각됨(대판 1996.6.28, 96도977). 22. 경찰승진

36. 甲주식회사가 피고인에게 공립유치원의 놀이시설 제작 및 설치공사를 하도급주었는데, 피고인이 유치원 행정실장 등에게 공사대금의 직접 지급을 요구하였으나 거절당하자 놀이시설의 일부인 보호대를 칼로 뜯어내고 일부 놀이시설은 철거하는 방법으로 공무소에서 사용하는 물건을 손상한 경우 ⇨ 정당행위 ×, 공용물건손상죄 ○(대판 2017.5.30, 2017도2758 ∵ 수단·방법의 상당성 ×, 공사대금 확보를 위한 유치권을 행사하는 데에 긴급하고 불가피한 수단 ×) 24. 순경 1차

37. 접근금지, 문언송신금지를 명한 가정폭력범죄의 처벌 등에 관한 특례법상 임시보호명령을 위반하여 피고인이 피해자에게 문자메시지를 보낸 경우 문자메시지 송신을 피해자가 양해 내지 승낙했더라도 형법 제20조의 정당행위로 볼 수 없다(대판 2022.1.14, 2021도14015). 23. 9급 검찰·마약수사·철도경찰·순경 2차, 25. 경찰승진·해경경위

38. 중학교 교사가 수업시간 중 다소 선정적인 책을 보고 있었던 학생에게 엎드려뻗쳐를 시키고 같은 반 학생들에게 책을 보여주면서 "선정적이냐? 아니냐?"라고 묻는 등 망신을 주어, 아동학대 신고의무자로서 보호하는 피해아동에 대하여 정서적 학대행위를 한 경우 ⇨ 아동학대범죄의 처벌 등에 관한 특례법 위반(아동복지시설 종사자 등의 아동학대가중처벌)죄 ○(대판 2024.9.12, 2020도12920 ∵ 정당행위 ×)

39. '동물권'을 주장해 온 피고인들이 A회사가 농장으로부터 생닭을 공급받아 도계하는 영업을 계속한다는 이유로 A회사의 공장 정문 앞 도로에서 차량 진행을 방해하는 등 위력으로써 A회사의 생닭 운송 및 도계 업무를 방해한 경우, 그 동기나 목적의 정당성이 인정될 여지가 있지만, 수단과 방법의 상당성, 법익 균형성 등이 인정되지 아니하여 정당행위에 해당하지 않는다(대판 2024.8.1, 2021도2084 ∵ 위력에 의한 업무방해죄 ○). 25. 경찰승진·9급 철도경찰

40.
> 의사나 한의사 아닌 자의 의료행위 ⇨ 무면허의료행위 ○

① 의사가 모발이식시술을 하면서 이에 관하여 어느 정도 지식을 가지고 있는 간호조무사로 하여금 모발이식시술행위 중 일정 부분을 직접 하도록 맡겨둔 채 별반 관여하지 않은 경우(대판 2007.6.28, 2005도8317), 15. 사시, 16. 경찰승진, 19. 순경 2차, 22. 경찰간부 ② 외국에서 침구사자격을 취득하였으나 국내에서 침술행위를 할 수 있는 면허나 자격을 획득하지 못한 자가 수지침 정도의 수준을 넘어 체침을 시술했거나(대판 2002.12.26, 2002도5077), 18. 법원행시, 23. 경찰승진 ③ 민간관리자격자로부터 대체

의학자격증을 수여받은 자가 침술원을 개설한 경우(대판 2003.5.13, 2003도939), 14. 사시 ④ 조산사가 산모의 분만과정 중 별다른 응급상황이 없음에도 독자적 판단으로 포도당 또는 옥시토신을 투여한 행위(대판 2007.9.6, 2005도9670), 15. 사시 ⑤ 의료인이 아닌 자가 안마·지압행위를 하면서 신체에 대한 상당한 물리적 충격을 가하는 방법으로 질병의 치료행위에까지 이르거나, 크리스탈 필리기를 사용하여 각질을 제거하는 피부박피술을 행한 경우(대판 2004.1.15, 2001도298 ; 대판 2003.9.5, 2003도2903), 22. 경찰간부 ⑥ 의사가 간호사에게 진료의 보조행위를 하도록 지시하거나 위임할 수는 있으나, 고도의 지식과 기술을 요하여 반드시 의사만이 할 수 있는 의료행위(예 마취액을 직접 주사하여 척수마취를 시행하는 행위) 자체를 하도록 지시하거나 위임하는 것은 허용될 수 없으므로, 마취전문 간호사가 의사의 지시나 위임을 받고 독자적으로 마취약제와 사용량을 결정하여 척수마취시술을 한 경우 ⇨ 정당행위 ×(대판 2010.3.25, 2008도590 ∴ 무면허 의료행위 ○), 22. 경찰간부 ⑦ 한의사 면허나 자격이 없는 甲이 한약재 달인 물을 처방하는 등 소위 통합의학에 기초하여 환자를 진찰하여 처방하는 행위는 정당행위로 인정되지 않는다(대판 2009.10.15, 2006도6870). 18. 9급 검찰·마약수사·철도경찰

41.

사회통념상 허용되는 정도나 범위를 넘은 권리행사 ⇨ 정당행위 ×

① 주주총회에 참석한 주주가 회사 측이 정당한 이유 없이 회계장부 등의 열람을 거부하자 회사의 의사에 반하여 회사 사무실을 뒤져 회계장부를 강제로 찾아 열람한 경우 ⇨ 방실수색죄(대판 2001. 9.7, 2001도2917), 16. 9급 검찰·마약수사·법원직, 21. 해경승진, 22. 경력채용 ② 대금청구소송의 계속 중 상대방에게 탈세사실을 진정하겠다고 말하여 겁을 먹은 피해자로부터 대금지급약속을 받아낸 경우(대판 1990.11.23, 90도1864 ∴ 공갈죄), 16. 9급 검찰·마약수사 ③ 피해자의 기망에 의하여 부동산을 비싸게 매수한 피고인이 그 계약을 취소함이 없이 등기를 피고인 앞으로 둔 채 피해자의 전매차익을 받아낼 셈으로 피해자를 협박하여 돈을 받아낸 경우(대판 1991.9.24, 91도1824 ∴ 공갈죄), 09. 경찰승진 ④ 공사수급인의 공사부실로 하자가 발생되어 도급인 측에서 하자보수까지 공사비 잔액의 지급을 거절하자 수급인이 도급인 측에 대하여 비리를 관계기관에 고발하겠다는 내용의 협박 내지 사무실의 장시간 무단점거 및 직원들에 대한 폭행 등의 수단을 써서 공사대금 명목으로 금 8천만원을 교부한 경우(대판 1991.12.13, 91도2127 ∴ 공갈죄), 09. 경찰승진, 14. 순경 2차 ⑤ 불특정·다수인의 통행로로 이용되어 오던 기존통로의 일부 소유자인 피고인으로부터 사용승낙을 받지 아니한 채 통로를 활용하여 공사차량을 통행하게 함으로써 피고인의 영업에 다소 피해가 발생하자 피고인이 공사차량을 통행하지 못하도록 자신 소유의 승용차를 통로에 주차시켜 놓은 행위(대판 2005.9.30, 2005도4688), 13. 사시, 22. 법원직 ⑥ 택시운전사가 고객인 가정주부들에게 입에 담지 못할 욕설을 퍼부어 가정주부들로부터 핸드백과 하이힐로 얻어맞게 되자, 그들을 고발하기 위해 파출소로 끌고가는 것을 빙자하여 손목을 비틀어 상해를 입힌 경우(대판 1991.12.27, 91도1169), 12. 사시 ⑦ 채권을 변제받을 목적으로 채무자에게 사회통념상 용인되기 어려울 정도의 협박을 수단으로 재물을 교부받은 경우(대판 2000.2.25, 99도4305 ∴ 공갈죄), ⑧ 채권을 변제받기 위한 방편으로 피해자에게 환전하여 주겠다고 기망하여 약속어음을 교부받는 경우(대판 1982.9.14, 82도1679 ∴ 사기죄), ⑨ 피해어민들이 피해보상 주장을 관철하기 위해 집단적인 시위를 하고, 선박의 입·출항 업무를 방해하며 이를 진압하려는 해양경찰관에게 대나무 등을 들고 구타하여 상해를 입히는 등의 행위를 한 경우(대판

1991.5.10, 91도346), 21. 해경승진 ⑩ 甲이 자신의 가옥 앞 도로가 폐기물 운반차량의 통행로로 이용되어 가옥 일부에 균열 등이 발생하자 위 도로에 트랙터를 세워두거나 철책 펜스를 설치함으로써 위 차량의 통행을 불가능하게 한 경우(대판 2009.1.30, 2008도10560 ∴ 일반교통방해죄 ○) 12. 경찰승진, 24. 순경 1차

● **사회상규에 위배되지 않아**(정당행위 ○) **위법성이 조각되는 경우**

1.
> 상대방의 도발행위나 폭행·강제연행을 피하기 위한 소극적인 저항(방어)행위 ⇨ 정당행위 ○

① 피해자가 피고인의 고소로 조사받는 것을 따지기 위하여 야간에 피고인의 집에 침입한 상태에서 문을 여닫는 실랑이가 계속되는 과정에서 문짝이 떨어져 그 앞에 있던 피해자가 넘어져 2주간의 치료를 요하는 상해를 입은 경우(대판 2000.3.10, 99도4273), 16. 법원직, 23. 순경 1차 ② 야간에 술에 만취되어 따지기 위해 거실에 침입하는 피해자를 밀어내는 과정에서 전치 2주의 상처를 입힌 경우(대판 1995.2.28, 94도2746), 14. 사시, 17. 경찰승진 ③ 목이 졸린 상태에서 벗어나기 위해 손을 잡아 비틀면서 서로 밀고 당기고 한 경우(대판 1996.5.28, 96도979), 10. 7급 검찰, 16. 법원직 ④ 며칠간에 걸쳐 집요한 괴롭힘을 당해 온 데다가 강의실 출입구에서 자신의 진로를 막아서자 극도로 흥분된 상태에서 그 행패에서 벗어나기 위하여 팔을 뿌리쳐서 상해를 가한 경우(대판 1995.8.22, 95도936), 15. 경찰간부, 22. 경력채용 ⑤ 피해자가 갑자기 달려 나와 정당한 이유 없이 자신의 멱살을 잡고 파출소로 가자면서 계속하여 끌어당기므로 피해자의 행위를 제지하기 위하여 그의 양팔부분의 옷자락을 잡고 밀친 경우(대판 1990.1.23, 89도1328), 10. 7급 검찰 ⑥ 피해자가 술에 취하여 피고인에게 아무런 이유 없이 시비를 걸면서 얼굴을 때리다가 피고인이 이를 뿌리치고 현장에서 도망가는 바람에 그가 땅에 넘어져 상처를 입은 경우(대판 1990.5.22, 90도748), 07. 사시 ⑦ 분쟁 중인 부동산관계로 따지러 온 피해자가 피고인에게 달려들어 멱살을 잡고 발로 차는 등 폭행을 가하자 이를 뿌리치기 위하여 소극적인 저항방법으로 부득이 멱살을 잡고 있는 피해자의 손을 잡고 비틀어 떼어낸 행위(대판 1986.6.10, 86도400), 23. 경찰승진 ⑧ 남자가 비좁은 여자 화장실 내에 주저앉아 있는 피고인으로부터 무리하게 쇼핑백을 빼앗으려고 다가오는 것을 저지하기 위하여 피해자의 어깨를 순간적으로 밀친 행위(대판 1992.3.27, 91도2831), 18. 9급 검찰 ⑨ 취객이 아무 연고도 없는 타인의 집에 함부로 들어가 출입문의 유리창을 발로 걷어차 깨뜨리는 등의 행동을 보고 그 집에 혼자 있던 가정주부가 '빨리가라.'면서 잡고 있던 왼손으로 취객의 어깨부위를 밀치자 취객이 몸을 제대로 가누지 못하고 앞으로 넘어져 시멘트 바닥에 이마를 부딪히면서 1차성 쇼크로 사망한 경우(대판 1992.3.10, 92도37) 21. 경력채용

2.
> 자기 또는 타인의 권리를 사회상규에 벗어나는 정도에 이르지 않는 정도로 실행하는 경우 ⇨ 정당행위 ○

① 피해자로부터 범인으로 오인되어 경찰에 끌려가 구타당하여 입원하게 되자 피해자에게 치료비를 요구하고 응하지 않으면 무고죄로 고소하겠다고 하여 치료비를 받은 경우(대판 1971.11.9, 71도1629), 14. 순경 2차 ② 인접대지 위에 건축허가조건에 위반되게 건물을 신축사용하는 소유자로부터 일조권 침해 등으로 인한 손해배상의 합의금을 받는 경우(대판 1990.8.14, 90도114), ③ 비료를 매수하여 시비한 결과 사과나무묘목이 고사하자 그 비료를 생산한 회사에게 손해배상을 요구하면서 사장 이하 간부들에게 욕설을 하거나 응접탁자 등을 들었다 놓았다 하거나 현수막을 만들어 보이면서 시위를

할 듯한 태도를 보이는 경우(대판 1980.11.25, 79도2565), 19. 경찰간부 ④ "앞으로 수박이 없어지면 네 책임으로 한다."고 말한 경우(대판 1995.9.29, 94도2187), 09. 경찰승진 ⑤ 여관을 매도하고 계약금과 잔대금 일부를 수령하였는데 여관을 명도하기가 어렵게 되자 "여관을 명도해 주던가 명도소송비용을 내놓지 않으면 고소하여 구속시키겠다."고 말한 경우(대판 1984.6.26, 84도648), ⑥ 이혼 후 자녀를 직접 양육하지 아니하는 모(母)가 자녀를 양육하고 있는 부(父)의 허락을 받지 않고 그 주거에 들어가 자녀들의 양육에 필요한 최소한의 행위만을 한 경우(대판 2003.11.28, 2003도5931 ∵ 주거침입죄의 고의 ×, 정당행위 ○ ⇨ 주거침입죄 ×)

3. 신문기자인 피고인이 고소인에게 2회에 걸쳐 증여세 포탈에 대한 취재를 요구하면서 이에 응하지 않으면 자신이 취재한 내용대로 보도하겠다고 말하여 협박한 행위가 설령 협박죄에서 말하는 해악의 고지에 해당하더라도 특별한 사정이 없는 한 기사 작성을 위한 자료를 수집하고 보도하기 위한 것으로서 신문기자의 일상적 업무 범위에 속하여 사회상규에 반하지 아니한다(대판 2011.7.14, 2011도639). 19. 경찰승진 · 순경 2차, 22. 해경 2차, 23. 법원직, 24. 해경승진 · 7급 검찰, 25. 해경경위

4. '회사의 직원이 회사의 이익을 빼돌린다.'는 소문을 확인할 목적으로, 비밀번호를 설정함으로써 비밀장치를 한 전자기록인 피해자가 사용하던 '개인용 컴퓨터의 하드디스크'를 떼어내어 다른 컴퓨터에 연결한 다음 의심이 드는 단어로 파일을 검색하여 메신저 대화 내용, 이메일 등을 출력한 경우(대판 2009.12.24, 2007도6243 ∵ 제316조 제2항의 비밀침해죄 ×) 17. 경찰간부, 19. 경찰승진, 23. 법원직, 24. 9급 검찰 · 마약수사 · 철도경찰

5. 수지침 시술행위나 부항 시술행위가 광범위하고 보편화된 민간요법이고, 그 시술로 인한 위험성이 적다는 사정만으로 그것이 바로 사회상규에 위배되지 아니하는 행위에 해당한다고 보기는 어렵고, 다만 여러 가지를 종합적으로 고려하여 구체적인 경우에 있어서 개별적으로 보아 법질서 전체의 정신이나 그 배후에 놓여 있는 사회윤리 · 사회통념에 비추어 용인되는 행위라고 인정되는 경우에 위법성이 조각된다(대판 2000.4.25, 98도2389 예 수지침 한 봉지를 사 가지고 수지침 전문가인 피고인을 찾아와 수지침 시술을 부탁하므로 피고인이 아무런 대가 없이 시술행위를 해준 경우 ⇨ 정당행위 ○ ; 대판 2004.10.28, 2004도3405 예 찜질방에서 돈을 받고 수지침 정도의 수준에 그치지 아니하고 부항침과 부항을 이용하여 체내의 혈액을 밖으로 배출되도록 한 경우 ⇨ 정당행위 ×). 22. 경찰간부, 23. 9급 검찰 · 마약수사 · 철도경찰 · 7급 검찰, 24. 경찰승진 · 해경승진, 25. 해경경위

6. 시장번영회의 회장이 시행 중인 관리규정을 위반하여 천장까지 칸막이를 설치한 일부 점포주들에 대하여 단전조치를 한 경우(대판 1994.4.15, 93도2899 ∵ 업무방해죄 ×), 시장번영회 회장이 이사회의 결의와 시장번영회의 관리규정에 따라서 관리비 체납자의 점포에 대하여 실시한 단전조치(대판 2004.8.20, 2003도4732) 16. 9급 검찰 · 마약수사, 21. 경찰간부, 22. 해경 2차

7. 시위방법의 하나인 삼보일배 행진은 시위의 목적달성에 필요한 합리적인 범위에서 사회통념상 용인될 수 있는 다소의 피해를 발생시킨 경우에 불과하고, 신고내용에 포함되지 않은 삼보일배 행진을 한 것이 신고제도의 목적 달성을 심히 곤란하게 하는 정도에 이른다고 볼 수도 없으므로 사회상규에 위반되지 않는 행위로 위법성이 조각된다(대판 2009.7.23, 2009도840) 19. 순경 2차, 24. 9급 검찰 · 마약수사 · 철도경찰

8. 피고인의 행위가 피해자의 부당한 행패를 저지하기 위해 사회윤리나 사회통념상 취할 수 있는 본능적이고 소극적인 방어행위라고 평가할 수 있다면 이는 사회상규에 위배되지 않는 행위라고 보아야 할 것이다(대판 2014.3.27, 2012도11204). 15. 경찰간부, 19. 순경 2차, 23. 7급 검찰

9. 골프클럽 경기보조원이 보조원들의 구직편의를 위해 제작된 인터넷 사이트 내 회원 게시판에 특정 골프클럽에서 운영된 징벌적 근무제도의 불합리성 및 불공정성을 비난하는 글을 게시하면서 위 클럽 담당자에 대하여 한심하고 불쌍한 인간이라는 표현을 일부 내용으로 게재한 경우, 사회상규에 위배되지 않는 행위로 모욕죄가 성립하지 않는다(대판 2008.7.10, 2008도1433). 10. 9급 검찰, 16. 7급 검찰

10. 아파트 입주자대표회의의 임원 또는 아파트관리회사의 직원들이 기존 관리회사의 직원들로부터 계속 업무집행을 제지받던 중 저수조 청소를 위하여 출입문에 설치된 자물쇠를 손괴하고 중앙공급실에 침입한 행위(대판 2006.4.13, 2003도3902 : 그러나 관리비 고지서를 빼앗거나 사무실의 집기 등을 들어낸 행위 ⇨ 정당행위 ×) 15. 경찰승진, 22. 법원직

11. 방송통신심의위원회 심의위원인 피고인이 자신의 인터넷 블로그에 위원회에서 음란정보로 의결한 '남성의 발기된 성기 사진'을 게시한 경우, 이 게시물은 사진과 학술적·사상적 표현 등이 결합된 결합 표현물로서 사진은 음란물에 해당하나, 결합 표현물인 게시물을 통한 사진의 게시는 '사회상규에 위배되지 아니하는 행위'에 해당한다(대판 2017.10.26, 2012도13352 ∴ 음란물유포죄 ×). 18. 7급 검찰, 23. 9급 검찰·마약수사·철도경찰, 24. 해경승진, 25. 해경경위

12. A아파트 입주자대표회의 회장인 甲이 자신의 승인 없이 동대표들이 관리소장과 함께 게시한 입주자대표회의의 소집 공고문을 뜯어내 제거한 경우, 해당 공고문을 손괴한 조치가 그에 선행하는 위법한 공고문 작성 및 게시에 따른 위법상태의 구체적 실현이 임박한 상황하에서 그 위법성을 바로잡기 위한 것이라면 사회통념상 허용되는 범위를 크게 넘어서지 않는 것으로 볼 수 있다(대판 2021.12.30, 2021도9680 ∴ 재물손괴죄 ×). 24. 순경 2차, 25. 경력채용

13. 연립주택 아래층에 사는 피해자가 위층 피고인의 집으로 통하는 상수도관의 밸브를 임의로 잠근 후 이를 피고인에게 알리지 않아 하루 동안 수돗물이 나오지 않은 고통을 겪었던 피고인이 상수도관의 밸브를 확인하고 이를 열기 위하여 부득이 피해자의 집에 들어간 행위(대판 2004.2.13, 2003도7393) 20. 9급 철도경찰

14. 교회담임목사를 출교처분한다는 취지의 교단산하 판결위원회의 판결문을 복사하여 예배를 보러 온 신도들에게 배포한 행위(대판 1989.2.14, 88도899 : 정당행위 내지 제310조에 의해 위법성조각) 11. 사시, 12. 9급 철도경찰

15. 후보자의 회계책임자가 자원봉사자인 후보자의 배우자, 직계혈족 기타 친족에게 식사를 제공한 경우(대판 1999.10.22, 99도2971) 11. 경찰승진

16. 부랑인 수용시설의 책임자가 부랑인들의 야간도주를 방지하기 위해 취침시간에 출입문을 잠근 경우(대판 1988.11.8, 88도1580 ∴ 감금죄 ×) 09. 경찰승진

17. 피고인이 소속한 교단협의회에서 조사위원회를 구성하여 피고인이 목사로 있는 교회의 이단성 여부에 대한 조사활동을 하고 보고서를 그 교회 사무국장에게 작성토록 하자, 피고인이 조사보고서의 관련 자료에 피해자를 명예훼손죄로 고소했던 고소장의 사본을 첨부한 경우(대판 1995.3.17, 93도923 ∴ 자신의 주장의 정당성을 입증하기 위한 자료의 제출행위) 09. 경찰승진, 22. 경력채용

18. 甲대학교는 학교법인의 전 이사장 乙이 부정입학과 관련된 금품수수 등의 혐의로 구속되었다가 甲대학교 총장으로 선임됨에 따라 학내 갈등을 빚던 중, 총학생회 간부인 피고인들이 총장 乙과의 면담을 요구하면서 총장실 입구에서 진입을 시도하거나, 교무위원회 회의실에 들어가 총장의 사퇴를 요구하면서 이를 막는 학교 교직원들과 실랑이를 벌인 경우 ⇨ 정당행위 ○(대판 2023.5.18, 2017도2760 ∴ 위력에 의한 업무방해죄 ×) 24. 순경 1차

19. 피고인이 방송국 홈페이지의 시청자 의견란에 작성 게시한 글 중 일부의 표현("그렇게 소중한 자식을 범법행위의 방패로 쓰시다니 정말 대단하십니다.")이 모욕적 언사에 해당될지라도 게시판에 올린 글을 전체적인 맥락에서 파악했을 때, 이로써 곧 사회통념상 피해자의 사회적 평가를 저하시키는 내용의 경멸적 판단을 표시한 것으로 인정하기 어렵다면 형법 제20조의 사회상규에 위배되지 아니하는 행위로 봄이 상당하다(대판 2003.11.28, 2003도3972 ∴ 모욕죄 ×). 20·22. 순경 1차, 21. 경찰간부

20. 골프클럽 경기보조원들의 구직편의를 위해 제작된 인터넷 사이트 내 회원 게시판에 특정 골프클럽의 운영상 불합리성을 비난하는 글을 게시하면서 위 클럽담당자에 대하여 한심하고 불쌍한 인간이라는 등 경멸적 표현을 한 경우 ⇨ 모욕죄 ×(대판 2008.7.10, 2008도1433 ∵ 사회상규에 위배 ×) 15. 경찰승진·순경 3차, 16. 법원행시, 18. 경력채용, 20. 순경 1차, 21. 경찰간부·수사경과·해경승진

21. 모욕죄의 형사처벌은 표현의 자유를 제한하고 있으므로, 어떠한 글이 모욕적 표현을 포함하는 판단이나 의견을 담고 있을 경우에도 그 시대의 건전한 사회통념에 비추어 살펴보아 그 표현이 사회상규에 위배되지 않는 행위로 볼 수 있는 때에는 형법 제20조의 정당행위에 해당하여 위법성이 조각된다고 보아야 하고, 이로써 표현의 자유로 획득되는 이익 및 가치와 명예보호에 의하여 달성되는 이익 및 가치를 적절히 조화할 수 있다(대판 2021.8.19, 2020도14576). 22. 법원직

▶ **유사판례** : 어떤 글이 모욕적 표현을 담고 있는 경우에도 그 글이 객관적으로 타당성이 있는 사실을 전제로 하여 그 사실관계나 이를 둘러싼 문제에 관한 자신의 판단과 피해자의 태도 등이 합당한가에 대한 의견을 밝히고, 자신의 판단과 의견이 타당함을 강조하는 과정에서 부분적으로 다소 모욕적인 표현이 사용된 것에 불과하다면 사회상규에 위배되지 않는 행위로서 형법 제20조에 의하여 위법성이 조각될 수 있다. 그리고 인터넷 등 공간에서 작성된 단문의 글이라고 하더라도, 그 내용이 자신의 의견을 강조하거나 압축하여 표현한 것이라고 평가할 수 있고 표현도 지나치게 모욕적이거나 악의적이지 않다면 마찬가지로 위법성이 조각될 수 있다(대판 2022.8.25, 2020도16897 예 피고인이 자신의 페이스북에 甲에 대한 비판적인 글을 게시하면서 "철면피, 파렴치, 양두구육, 극우부패세력"이라는 표현을 사용한 경우 ⇨ 모욕죄 × ∵ 피고인이 사용한 위 표현이 모욕적 표현으로서 모욕죄의 구성요건에는 해당하나, 피고인이 甲의 공적 활동과 관련한 자신의 의견을 담은 게시글을 작성하면서 위 표현을 한 것은 사회상규에 위배되지 않는 행위로서 형법 제20조에 의하여 위법성이 조각된다). 23. 순경 2차

22. 제품의 안정성에 논란이 많은 가운데 인터넷 신문사 소속기자 A가 인터넷 포털사이트의 '핫이슈'란에 제품을 옹호하는 기사를 게재하자 그 기사를 읽은 상당수의 독자들이 '네티즌 댓글'란에 A를 비판하는 댓글을 달고 있는 상황에서 甲이 "이런 걸 기레기라고 하죠?"라는 댓글을 게시한 경우, 이는 모욕적 표현에 해당하나 사회상규에 위배되지 않는 행위로서 형법 제20조에 의하여 위법성이 조각된다(대판 2021.3.25, 2017도17643). 21. 순경 2차, 22. 법원행시·9급 검찰·마약수사

23. 부사관 교육생이던 피고인이 동기들과 함께 사용하는 단체채팅방에서 지도관이던 피해자가 목욕탕 청소 담당 교육생들에게 과실 지적을 많이 한다는 이유로 "도라이 ㅋㅋㅋ 습기가 그렇게 많은데"라는 글을 게시한 경우, '도라이'는 상관인 피해자를 경멸적으로 비난한 것으로 모욕적인 언사라고 볼 수 있으나, 피고인의 위 표현은 군의 조직질서와 정당한 지휘체계가 문란하게 되었다고 보이지 않으므로, 이러한 행위는 사회상규에 위배되지 않는다(대판 2021.8.19, 2020도14576). 22. 순경 2차

24. 회사가 시설물 보안 및 화재 감시라는 정당한 이익을 위하여 CCTV를 설치한 것으로 볼 수 있는 경우, 그 설치 과정에서 근로자들의 동의 절차나 노사협의회의 협의를 거치지 아니하였다는 이유로 ① 회사가 CCTV 시험가동을 하려고 하자 노동조합원들이 CCTV 카메라 51대에 검정색 비닐봉지를 씌운 경우는 정당행위에 해당하지 않으나(∴ 위력에 의한 업무방해죄 ○), ② 회사가 비닐봉지를 제거하고 CCTV 카메라의 작동을 시작하여 근로자들의 작업 모습이 찍히는 CCTV 카메라 14대에 노동조합원들이 검정색 비닐봉지를 씌운 경우는 정당행위에 해당한다(대판 2023.6.29, 2018도1917 ∴ 위력에 의한 업무방해죄 ×). 24. 순경 2차

25. 구 개인정보 보호법상 개인정보 누설, 제공 금지 규정에도 불구하고 재판과정에서 소송상 필요한 주장의 증명이나 범죄혐의에 대한 방어권 행사를 위하여 개인정보가 포함된 소송서류나 증거를 법원에 제출하는 경우, 고소·고발 또는 수사절차에서 범죄혐의의 소명이나 방어권의 행사를 위하여 개인정보가 포함된 증거자료를 수사기관에 제출하는 경우가 사회상규에 위배되지 않는 행위에 해당하여 형법 제20조에 따라 위법성이 조각될 수 있다(대판 2025.7.18, 2023도3673). 26. 경찰승진

5 효 과

정당행위의 성립요건을 갖춘 행위는 구성요건에 해당하지만 위법성이 조각되어 범죄가 성립하지 않는다.

확인학습(다툼이 있는 경우 판례에 의함)

1 집행관이 압류집행을 위하여 채무자의 주거에 들어가려고 하였으나 채무자의 아들이 이를 방해하는 등 저항하므로 주거에 들어가는 과정에서 몸싸움을 하던 도중 그에게 2주간의 상해를 가한 행위는 정당행위라고 볼 수 없다. ( )
15. 사시, 19. 경찰간부, 24. 경찰승진

2 차를 손괴하고 도망하려는 피해자를 도망하지 못하게 멱살을 잡고 흔들어 피해자에게 전치 14일의 흉부찰과상을 가한 행위는 정당행위에 해당한다. ( )
13. 법원직, 16. 9급 검찰 · 마약수사, 23. 경찰승진

3 A노동조합의 조합원 甲 등이 관계 법령에서 정하는 서면 신고의무에 따라 쟁의행위의 일시, 장소, 참가인원 및 그 방법에 관한 서면신고를 하지 않고 쟁의행위를 한 경우, 세부적 · 형식적 절차를 미준수한 것으로서 쟁의행위의 정당성이 부정된다. ( )
21. 경찰간부, 23. 순경 2차

4 기업 구조조정의 실시로 근로자들의 지위나 근로조건의 변경이 필연적으로 수반되는 경우, 특별한 사정이 없더라도 이를 반대하는 쟁의행위의 정당성을 인정할 수 있다. ( )
20. 9급 검찰 · 마약수사 · 철도경찰, 21. 경찰간부, 23. 해경승진

5 조합원의 민주적 의사결정이 실질적으로 확보된 경우에는 노동조합 및 노동관계조정법이 정한 조합원의 투표절차를 거치지 아니하였다는 사정만으로 쟁의행위가 정당성을 상실한다고 볼 수 없다. ( )
15. 순경 3차, 19. 법원행시, 20. 9급 검찰 · 마약수사 · 철도경찰, 23. 해경승진

6 국가정책적 견지에서 도박죄의 보호법익보다 좀 더 높은 국가 이익을 위하여 예외적으로 내국인의 출입을 허용하는 폐광 지역개발 지원에 관한 특별법 등에 따라 카지노에 출입하는 것은 업무로 인한 행위로서 정당행위에 해당하여 위법성이 조각된다. ( )
19. 경찰간부, 20. 법원행시, 21. 해경 2차, 23. 7급 검찰

7 감정평가업자가 아닌 공인회계사가 타인의 의뢰에 의하여 일정한 보수를 받고 감정평가법이 정한 토지에 대한 감정평가를 업으로 행하는 것은 특별한 사정이 없는 한 법령에 의한 행위로서 정당행위에 해당한다. ( )
17. 경찰간부, 19. 경찰승진, 23. 7급 검찰

8 재건축조합 조합장이 조합탈퇴의 의사표시를 한 자를 상대로 '사업시행구역 안에 있는 그 소유의 건물을 명도하고 이를 재건축사업에 제공하여 행하는 업무를 방해하여서는 아니 된다'는 가처분의 판결을 받아 건물을 철거한 것은 형법 제20조의 업무로 인한 정당행위에 해당한다. ( )
19. 경력채용, 20. 순경 1차, 21. 경찰간부 · 해경승진

9 구성요건에 해당하는 행위가 형법 제20조에 따라 위법성이 조각되려면, 첫째 그 행위의 동기나 목적의 정당성, 둘째 행위의 수단이나 방법의 상당성, 셋째 보호법익과 침해법익의 균형성, 넷째 긴급성, 다섯째 그 행위 이외의 다른 수단이나 방법이 없다는 보충성의 요건을 모두 갖추어야 한다. ( )
21. 해경 2차, 22. 법원직 · 7급 검찰, 23. 경찰간부

Answer 1. ✕ 2. ○ 3. ✕ 4. ✕ 5. ✕ 6. ✕ 7. ✕ 8. ○ 9. ○

10 정당행위의 요건인 긴급성과 보충성은 수단의 상당성을 판단할 때 고려해야 될 하나의 요소로 참작할 뿐 이를 넘어 독립적인 요건으로 요구할 것은 아니며, 그 내용 역시 '일체의 법률적인 적법한 수단이 존재하지 않을 것'을 의미한다. (　)

24. 9급 검찰 · 마약수사 · 철도경찰 · 법원직, 25. 경찰승진 · 순경 1차 · 2차 · 7급 검찰 · 해경경위공채

11 어떠한 행위가 범죄구성요건에 해당하지만 정당행위라는 이유로 위법성이 조각된다는 것은 그 행위가 적극적으로 용인, 권장된다는 의미가 아니라 단지 특정한 상황하에서 그 행위가 범죄행위로서 처벌대상이 될 정도의 위법성을 갖추지 못하였다는 것을 의미한다. (　)

22. 법원직, 24. 경찰승진 · 9급 검찰 · 마약수사 · 철도경찰, 25. 순경 2차

12 의사 甲이 모발이식시술을 하면서 모발이식시술에 관하여 어느 정도 지식을 지닌 간호조무사로 하여금 모발이식용 기기로 모발을 삽입하는 행위를 하도록 한 채 별반 관여를 하지 않았다면, 甲의 행위는 정당행위에 해당한다. (　)　　　　15. 사시, 16. 경찰승진, 19. 순경 2차, 22. 경찰간부

13 (구) 국가안전기획부 정보수집팀이 타인 간의 사적 대화를 불법 녹음하여 생성한 도청자료인 녹음 테이프와 녹취보고서를 방송사 기자인 피고인이 입수한 후 이를 자사의 방송프로그램을 통하여 공개하였다면 비록 이 자료를 취득하기 위하여 적극적 · 주도적으로 관여하였고 대화 당사자들의 실명을 공개하였다 하더라도 정당행위에 해당한다. (　)

14. 법원행시, 16. 9급 검찰 · 철도경찰, 21. 경찰간부 · 경력채용

14 국회의원인 피고인이 구 국가안전기획부 내 정보수집팀이 대기업 고위관계자와 중앙일간지 사주 간의 사적 대화를 불법 녹음한 자료를 입수한 후 그 대화내용과 위 대기업으로부터 이른바 떡값 명목의 금품을 수수하였다는 검사들의 실명이 게재된 보도자료를 작성하여 자신의 인터넷 홈페이지에 게재한 경우, 정당행위에 해당한다고 볼 수 없다. (　)

15. 순경 2차, 18. 순경 1차, 20. 해경승진, 23. 경찰승진

15 아파트 입주자대표회의 회장 甲이 다수 입주민들의 민원에 따라 위성방송 수신을 방해하는 케이블TV방송의 시험방송 송출을 중단시키기 위하여 소수 입주민이 이용하고 있는 케이블TV 방송의 방송안테나를 절단하도록 지시한 경우 긴급피난 내지 정당행위에 해당한다. (　)

16. 경찰간부 · 7급 검찰, 19. 변호사시험, 22. 법원직, 26. 경찰승진

16 사채업자인 피고인이 채무자에게, 채무를 변제하지 않으면 채무자가 숨기고 싶어 하는 과거행적과 사채를 쓴 사실 등을 남편과 시댁에 알리겠다는 등의 문자메시지를 발송한 경우, 위 협박행위는 정당행위에 해당하지 않는다. (　)　　　　16. 사시, 21. 해경승진, 23. 변호사시험, 24. 순경 1차

17 甲정당 당직자인 피고인들이 국회 외교통상 상임위원회 회의장 앞 복도에서 출입이 봉쇄된 회의장 출입구를 뚫을 목적으로 회의장 출입문 및 그 안쪽에 쌓여 있던 집기를 손상하거나, 국회 심의를 방해할 목적으로 회의장 내에 물을 분사한 경우, 국민의 대의기관인 국회에서의 행위인 이상 피고인들의 행위는 위법성이 조각되는 정당행위라고 볼 수 있다. (　)

16. 순경 2차, 17. 경찰간부, 18. 변호사시험, 21. 9급 검찰 · 경력채용

Answer ▶　10. ✕　11. ○　12. ✕　13. ✕　14. ○　15. ✕　16. ○　17. ✕

18 분쟁이 있던 옆집 사람이 야간에 술에 만취한 채 시비를 하여 거실로 들어오려 하므로 이를 제지하여 밀어내는 과정에서 2주간의 치료가 필요한 요부좌상을 입힌 경우, 피고인의 행위는 정당행위이다. ( )
14. 사시, 16. 법원직, 17. 경찰승진, 23. 순경 1차

19 시장번영회 회장이 이사회의 결의와 시장번영회의 관리규정에 따라서 관리비 체납자의 점포에 대하여 단전조치를 실시한 경우 정당행위에 해당한다. ( )
15. 법원직, 16. 9급 검찰 · 마약수사, 21. 경찰간부, 22. 해경 2차

20 '회사 직원이 회사의 이익을 빼돌린다.'는 소문을 확인할 목적으로 비밀번호를 설정함으로써 비밀장치를 한 전자기록인 피해자가 사용하던 개인용 컴퓨터 하드디스크를 떼어내어 다른 컴퓨터에 연결한 다음 의심 드는 단어로 파일을 검색하여 메신저 대화내용, 이메일 등을 출력한 경우 정당행위에 해당한다. ( )
17. 경찰간부, 18. 순경 3차, 19. 경찰승진, 23. 법원직, 24. 9급 검찰 · 마약수사

21 신문기자인 甲이 고소인에게 2회에 걸쳐 증여세 포탈에 대한 취재를 요구하면서 이에 응하지 않으면 자신이 취재한 내용대로 보도하겠다고 한 경우 甲의 행위는 정당행위에 해당하지 아니한다. ( )
19. 경찰승진 · 순경 2차, 23. 법원직, 24. 해경승진 · 7급 검찰, 25. 해경경위

22 골프클럽 경기보조원들의 구직편의를 위해 제작된 인터넷 사이트 내 회원 게시판에 특정 골프클럽의 운영상 불합리성을 비난하는 글을 게시하면서 위 클럽 담당자에 대하여 한심하고 불쌍한 인간이라는 등 경멸적 표현을 한 경우 위법성이 조각된다. ( )
15. 경찰승진 · 순경 3차, 16. 7급 검찰, 18. 경력채용, 20. 순경 1차, 21. 경찰간부 · 수사경과

23 의료인이 아닌 자가 찜질방 내에서 부항과 부항침을 놓고 일정한 금원을 받은 행위는 그 시술로 인한 위험성이 적다는 사정만으로 사회상규에 위배되지 않는 행위로 보기는 어렵다. ( )
19. 변호사시험, 22. 경찰간부, 23. 7급 검찰, 24. 경찰승진 · 해경승진, 25. 해경경위

24 수지침 한 봉지를 사 가지고 수지침 전문가인 피고인을 찾아와 수지침 시술을 부탁하므로 피고인이 아무런 대가 없이 시술행위를 해준 경우 사회통념상 허용될 만한 정도의 상당성이 있는 것으로 정당행위에 해당한다. ( )
16. 7급 검찰 · 철도경찰, 17. 법원직, 23. 순경 2차

25 甲이 가정폭력범죄의 처벌 등에 관한 특례법상의 임시보호명령을 위반하여 피해자인 A의 주거지에 접근하고 문자메시지를 보낸 경우, 이에 대하여 A의 양해 내지 승낙이 있었다면 甲의 행위가 사회상규에 위배되는 행위로 볼 것은 아니다. ( )
23. 9급 검찰 · 마약수사 · 철도경찰 · 순경 2차, 25. 경찰승진 · 해경경위

26 '동물권'을 주장해 온 피고인들이 A회사가 농장으로부터 생닭을 공급받아 도계하는 영업을 계속한다는 이유로 A회사의 공장 정문 앞 도로에서 차량 진행을 방해하는 등 위력으로써 A회사의 생닭 운송 및 도계 업무를 방해한 경우, 그 동기나 목적의 정당성이 인정될 여지가 있지만, 수단과 방법의 상당성, 법익 균형성 등이 인정되지 아니하여 정당행위에 해당하지 않는다. ( )
25. 경찰승진 · 9급 철도경찰

Answer ▸ 18. ○   19. ○   20. ○   21. ✕   22. ○   23. ○   24. ○   25. ✕   26. ○

01 사회상규에 위배되지 아니하는 행위에 대한 설명으로 옳지 않은 것은?(다툼이 있는 경우 판례에 의함)
25. 7급 검찰

① 목적의 정당성과 수단의 상당성 요건은 행위의 측면에서 사회상규의 판단 기준이 된다.

② 행위의 긴급성과 보충성은 법익균형성을 판단할 때 고려요소의 하나로 참작하여야 하고 이를 넘어 독립적인 요건으로 요구할 것은 아니며, 그 내용은 '일체의 법률적인 적법한 수단이 존재하지 않을 것'을 의미하고 다른 실효성 있는 적법한 수단이 없는 경우를 의미하는 것은 아니라고 보아야 한다.

③ 보호이익과 침해이익 사이의 법익균형은 결과의 측면에서 사회상규에 위배되는지를 판단하기 위한 기준이다.

④ '사회상규에 위배되지 아니하는 행위'는 형법 제21조부터 제24조까지의 개별적 위법성조각사유가 인정되지 않고, 법령이나 업무로 인한 행위로 포섭되기 어려운 경우 적용되는 일반적 위법성조각사유이다.

> **해설** ①③ 대판 2023.5.18, 2017도2760
> ② × : ~ (2줄) 요구할 것은 아니다. 또한 그 내용 역시 다른 실효성 있는 적법한 수단이 없는 경우를 의미하고 '일체의 법률적인 적법한 수단이 존재하지 않을 것'을 의미하는 것은 아니라고 보아야 한다(대판 2023.5.18, 2017도2760). ④ 대판 2024.8.1, 2021도2084

02 정당행위에 관한 설명으로 가장 적절하지 않은 것은?(다툼이 있는 경우 판례에 의함)　　25. 경찰승진

① 정당행위에 있어 행위의 긴급성과 보충성은 수단의 상당성을 판단할 때 고려요소의 하나로 참작하여야 하고 이를 독립적인 요건으로 요구하지 않는다.

② '동물권'을 주장해 온 피고인들이 A회사가 농장으로부터 생닭을 공급받아 도계하는 영업을 계속한다는 이유로 A회사의 공장 정문 앞 도로에서 차량 진행을 방해하는 등 위력으로써 A회사의 생닭 운송 및 도계 업무를 방해한 경우, 그 동기나 목적의 정당성이 인정될 여지가 있지만, 수단과 방법의 상당성, 법익 균형성 등이 인정되지 아니하여 정당행위에 해당하지 않는다.

③ 사회상규에 기한 정당행위를 인정하기 위한 요건 중 하나인 "보호이익과 침해이익 사이의 법익균형"은 결과적 측면이 아니라 행위의 동기 또는 목적의 정당성 측면에서 사회상규에 위배되는지를 판단하기 위한 기준이다.

④ 행위의 긴급성과 보충성은 다른 실효성 있는 적법한 수단이 없는 경우를 의미하고 일체의 법률적인 적법한 수단이 존재하지 않을 것을 의미하는 것은 아니다.

> **해설** ① 대판 2023.5.18, 2017도2760 ② 대판 2024.8.1, 2021도2084
> ③ × : ~ (2줄) 법익균형"은 결과의 측면에서 사회상규에 위배되는지를 판단하기 위한 기준이다(대판 2023.5.18, 2017도2760). ④ 대판 2023.5.18, 2017도2760

Answer 01. ② 02. ③

03 정당행위에 관한 설명으로 가장 적절하지 않은 것은?(다툼이 있는 경우 판례에 의함)　25. 순경 2차

① 형법 제20조의 '사회상규에 위배되지 아니하는 행위'는 구성요건에 해당하는 행위가 형식적으로 위법하더라도 사회가 내리는 공적 평가에 의하여 용인될 수 있다면 그 행위를 실질적으로 위법한 것으로는 평가할 수 없다는 일반적 위법성조각사유이다.

② 정당행위의 요건인 긴급성과 보충성은 수단의 상당성을 판단할 때 고려해야 될 하나의 요소로 참작할 뿐 이를 넘어 독립적인 요건으로 요구할 것은 아니며, 그 내용 역시 '일체의 법률적인 적법한 수단이 존재하지 않을 것'을 의미한다.

③ 어떠한 행위가 범죄구성요건에 해당하지만 정당행위라는 이유로 위법성이 조각된다는 것은 그 행위가 적극적으로 용인, 권장된다는 의미가 아니라 단지 특정한 상황하에서 그 행위가 범죄행위로서 처벌대상이 될 정도의 위법성을 갖추지 못하였다는 것을 의미한다.

④ 어떠한 행위가 정당행위에 해당하는지는 구체적인 사정 아래서 합목적적, 합리적으로 고찰하여 개별적으로 판단되어야 하며, '목적의 정당성'과 '수단의 상당성' 요건은 행위의 측면에서 사회상규에 위배되는지의 판단기준이 된다.

해설　① 대판 2024.8.1, 2021도2084
② × : ~ (2줄) 아니며, 그 내용 역시 다른 실효성 있는 적법한 수단이 없는 경우를 의미하고 '일체의 법률적인 적법한 수단이 존재하지 않을 것'을 의미하는 것은 아니라고 보아야 한다(대판 2023.5.18, 2017도2760).
③ 대판 2021.12.30, 2021도9680　④ 대판 2023.5.18, 2017도2760

04 정당행위에 해당하여 위법성이 조각되는 것만을 모두 고른 것은?(다툼이 있는 경우 판례에 의함)
19. 순경 2차

> ㉠ 의사가 모발이식시술을 하면서 이에 관하여 어느 정도 지식을 가지고 있는 간호조무사로 하여금 환자의 머리부위 진피층까지 찔러 넣는 방법으로 수여부에 모발을 삽입하는 행위 자체 중 일정 부분을 직접 하도록 맡겨둔 채 별반 관여하지 않은 경우
>
> ㉡ 공사업자가 이전 공사대금의 잔금을 지급받지 못하자 추가로 자동문의 번호키 설치공사를 도급받아 시공하면서 자동문이 수동으로만 여닫히게 설정하여 일시적으로 자동잠금장치로서 역할을 할 수 없게 한 경우
>
> ㉢ 신문기자인 피고인이 고소인에게 2회에 걸쳐 증여세 포탈에 대한 취재를 요구하면서 이에 응하지 않으면 자신이 취재한 내용대로 보도하겠다고 말하여 협박한 경우
>
> ㉣ 실내 어린이 놀이터에서 자신의 딸(4세)에게 피해자가 다가와 딸이 가지고 놀고 있는 블록을 발로 차고 손으로 집어 들면서 쌓아놓은 블록을 무너뜨리고, 이에 딸이 울자 피고인이 피해자에게 "하지 마, 그러면 안 되는 거야"라고 말하면서 몇 차례 피해자를 제지하자 피해자가 갑자기 딸의 눈 쪽을 향해 오른 손을 뻗었고 이를 본 피고인이 왼손을 내밀어 피해자의 행동을 제지하여 피해자가 바닥에 넘어져 충격방지용 고무매트가 깔린 바닥에 엉덩방아를 찧게끔 한 경우
>
> ㉤ 건설업체 노조원들이 '임 단협 성실교섭 촉구 결의대회'를 개최하면서 신고하지 아니하고 700여 명이 이동하는 중에 앞선 100여 명이 30분간에 걸쳐 편도 2차로를 모두 차지하고 삼보일배 행진을 하여 차량의 통행을 다소간 방해한 경우

03. ②　04. ③

① ㉠, ㉡, ㉢   ② ㉡, ㉣, ㉤   ③ ㉢, ㉣, ㉤   ④ ㉠, ㉢, ㉤

해설　• 정당행위 ○ : ㉢ 대판 2011.7.14, 2011도639 ㉣ 대판 2014.3.27, 2012도11204 ㉤ 대판 2009.7.23, 2009도840
　　　• 정당행위 × : ㉠ 대판 2007.6.28, 2005도8317 ㉡ 대판 2016.11.25, 2016도9219

05 쟁의행위에 대한 설명으로 옳은 것은?(다툼이 있는 경우 판례에 의함)

20. 9급 검찰 · 마약수사 · 철도경찰, 23. 해경승진

① 쟁의행위가 추구하는 목적 중 일부가 정당하지 못한 경우에는 주된 목적 내지 진정한 목적을 기준으로 그 정당성 여부를 판단하여야 한다.

② 기업 구조조정의 실시로 근로자들의 지위나 근로조건의 변경이 필연적으로 수반되는 경우, 특별한 사정이 없더라도 이를 반대하는 쟁의행위의 정당성을 인정할 수 있다.

③ 조합원의 민주적 의사결정이 실질적으로 확보된 때에는 쟁의행위의 개시에 앞서 노동조합 및 노동관계조정법 제41조 제1항에 의한 투표절차를 거치지 아니한 경우에도 쟁의행위의 정당성은 상실되지 않는다.

④ 쟁의행위로서의 직장 또는 사업장시설 점거는 그 범위가 직장 또는 사업장시설 일부분에 그치고 사용자 측의 출입이나 관리지배를 배제하지 않는 병존적인 경우라도 이미 정당성의 한계를 벗어난 것이다.

해설　① ○ : 대판 2007.5.11, 2006도9478
② × : ~ 정당성을 인정할 수 없다(대판 2003.12.26, 2001도3380).
③ × : ~ 정당성은 상실된다(대판 2001.10.25, 99도4837 전원합의체).
④ × : 부분적 · 병존적 점거 ⇨ 정당성 ○, 전면적 · 배타적 점거 ⇨ 정당성 ×(대판 2007.12.28, 2007도5204)

06 다음 설명 중 가장 옳지 않은 것은?(다툼이 있는 경우 판례에 의함)

22. 법원직

① 사용자가 적법한 직장폐쇄기간 중임에도 불구하고 일방적으로 업무에 복귀하겠다고 하면서 자신의 퇴거요구에 불응한 채 계속하여 사업장 내로 진입을 시도하는 해고근로자를 폭행, 협박하였다면 이는 사업장 내의 평온과 노동조합의 업무방해행위를 방지하기 위한 정당방위 내지 정당행위에 해당한다.

② 피해자가 불특정 · 다수인의 통행로로 이용되어 오던 기존 통로의 일부 소유자인 피고인으로부터 사용승낙을 받지 아니한 채 통로를 활용하여 공사차량을 통행하게 함으로써 피고인의 영업에 다소 피해가 발생하자 피고인이 공사차량을 통행하지 못하도록 자신 소유의 승용차를 통로에 주차시켜 놓은 행위가 사회상규에 위배되지 않는 정당행위에 해당한다고 할 수 없다.

③ 아파트 입주자대표회의 회장이 다수 입주민들의 민원에 따라 위성방송수신을 방해하는 케이블TV방송의 시험방송송출을 중단시키기 위하여 위 케이블TV방송의 방송안테나를 절단하도록 지시한 행위를 긴급피난 내지는 정당행위에 해당한다고 볼 수 없다.

Answer　05. ①　06. ④

④ 아파트 입주자대표회의의 임원 또는 아파트관리회사의 직원들인 피고인들이 기존 관리회사의 직원들로부터 계속 업무집행을 제지받던 중 저수조청소를 위하여 출입문에 설치된 자물쇠를 손괴하고 중앙공급실에 침입한 행위는 정당행위에 해당하지 않지만, 관리비 고지서를 빼앗거나 사무실의 집기 등을 들어낸 것에 불과한 행위는 정당행위에 해당하여 위법성이 조각된다.

> **해설** ① 대판 2005.6.9, 2004도7218 ② 대판 2005.9.30, 2005도4688 ③ 대판 2006.4.13, 2005도9396
> ④ × : ~ (3줄) 침입한 행위는 정당행위에 해당하나, 관리비 고지서를 ~ 들어낸 행위는 정당행위에 해당하지 않는다(대판 2006.4.13, 2003도3902).

07 정당행위에 대한 설명 중 가장 적절하지 않은 것은?(다툼이 있는 경우 판례에 의함) 23. 경찰승진

① 甲이 자신의 차를 손괴하고 도망하려는 피해자를 도망하지 못하게 멱살을 잡고 흔들어 피해자에게 전치 14일의 흉부찰과상을 가한 경우 정당행위에 해당한다.

② 분쟁 중인 부동산관계로 따지러 온 피해자가 甲의 가게 안에 들어와서 甲 및 그의 아버지에게 행패를 부리자, 이에 甲이 피해자를 가게 밖으로 밀어내려다가 피해자를 넘어지게 한 경우 사회통념상 용인될 만한 상당성이 있는 행위로 위법성이 없다.

③ 甲이 외국에서 침구사자격을 취득하였으나 국내에서 침술행위를 할 수 있는 면허나 자격을 취득하지 못하였음에도 불구하고 단순한 수지침 정도의 수준을 넘어 체침을 시술한 경우 사회상규에 위배되지 아니하는 무면허의료행위로 인정될 수 없다.

④ 국회의원 甲이 대기업 고위관계자와 중앙일간지 사주 간의 사적 대화를 불법 녹음한 자료를 입수한 후 그 대화내용과 위 대기업으로부터 이른바 떡값 명목의 금품을 수수하였다는 검사들의 실명이 게재된 보도자료를 작성하여 자신의 인터넷 홈페이지에 게재한 경우 공익에 대한 중대한 침해가 발생할 가능성이 현저한 경우로서 비상한 공적 관심의 대상이 되고, 방법의 상당성도 갖추었으므로 정당행위에 해당한다.

> **해설** ① 대판 1999.1.26, 98도3029 ② 대판 1986.6.10, 86도400 ③ 대판 2002.12.26, 2002도5077
> ④ × : ~ (4줄) 비상한 공적 관심의 대상이 되는 경우에 해당한다고 보기 어려우며, 방법의 상당성을 결여하였으므로 정당행위에 해당하지 않는다(대판 2011.5.13, 2009도14442).

08 위법성조각사유에 관한 설명 중 가장 적절하지 않은 것은?(다툼이 있는 경우 판례에 의함)
23. 순경 1차

① A가 甲의 고소로 조사받는 것을 따지기 위하여 야간에 甲의 집에 침입한 상태에서 문을 닫으려는 甲과 열려는 A 사이의 실랑이가 계속되는 과정에서 문짝이 떨어져 그 앞에 있던 A가 넘어져 2주간의 치료를 요하는 타박상을 입게 된 경우, 甲의 행위는 사회통념에 비추어 용인할 수 있는 정도의 것이라고 보기 어렵다.

② 현역군인이 국군보안사령부의 민간인에 대한 정치사찰을 폭로한다는 명목으로 군무를 이탈한 행위는 정당방위나 정당행위에 해당하지 아니한다.

Answer 07. ④ 08. ①

③ 노동조합이 주도한 쟁의행위 자체의 정당성과 이를 구성하거나 여기에 부수되는 개개 행위의 정당성은 구별하여야 하므로, 일부 소수의 근로자가 폭력행위 등의 위법행위를 하였더라도, 전체로서의 쟁의행위마저 당연히 위법하게 되는 것은 아니다.

④ 구 공직선거 및 선거부정방지법상 선거비용지출죄는 회계책임자가 아닌 자가 선거비용을 지출한 경우에 성립되는 죄인바, 후보자가 그와 같은 행위가 죄가 되는지 몰랐다고 하더라도 회계책임자가 아닌 후보자가 선거비용을 지출한 이상 회계책임자가 후에 후보자의 선거비용 지출을 추인하였다 하더라도 그 위법성이 조각되지 않는다.

해설 ① × : ~ 정도의 것이라고 볼 수 있다(대판 2000.3.10, 99도4273 ∴ 정당행위 ○).
② 대판 1993.6.8, 93도766 ③ 대판 2017.7.11, 2013도7896 ④ 대판 1999.10.12, 99도3335

09 위법성조각사유에 관한 다음 설명 중 가장 옳은 것은?(다툼이 있는 경우 판례에 의함)　　23. 법원직

① 통상의 일반적인 안수기도의 방식과 정도를 벗어나 환자의 신체에 비정상적이거나 과도한 유형력을 행사하고 신체의 자유를 과도하게 제압하여 그 결과 환자의 신체에 상해까지 입힌 경우라면, 그러한 유형력의 행사가 비록 안수기도의 명목과 방법으로 이루어졌다 해도 일반적으로 사회상규상 용인되는 정당행위라고 볼 수 없으나, 이를 치료행위로 보아 피해자 측이 승낙하였다면 이는 정당행위에 해당한다.

② 신문기자인 피고인이 甲에게 2회에 걸쳐 증여세 포탈에 대한 취재를 요구하면서 이에 응하지 않으면 자신이 취재한 내용대로 보도하겠다고 말하여 협박한 경우 비록 피고인이 폭언을 하거나 보도하지 않는 데 대한 대가를 요구하지 않았다 하더라도 위 행위는 협박죄에서 말하는 해악의 고지에 해당하여 사회상규에 위반한 행위라고 보는 것이 타당하다.

③ 회사의 이익을 빼돌린다는 소문을 확인할 목적으로, 피해자가 사용하면서 비밀번호를 설정하여 비밀장치를 한 전자기록인 개인용 컴퓨터의 하드디스크를 검색한 행위는 형법 제20조의 '정당행위'에 해당된다.

④ 피고인들이 확성장치 사용, 연설회 개최, 불법행렬, 서명날인운동, 선거운동기간 전 집회 개최 등의 방법으로 특정 후보자에 대한 낙선운동을 함으로써 공직선거 및 선거부정방지법에 의한 선거운동제한 규정을 위반한 피고인들의 같은 법 위반의 각 행위는 시민불복종운동으로서 헌법상의 기본권 행사 범위 내에 속하는 정당행위이거나 형법상 사회상규에 위반되지 아니하는 정당행위 또는 긴급피난의 요건을 갖춘 행위로 보아야 한다.

해설 ① × : ~ (4줄) 정당행위라고 볼 수 없음은 물론이고, 이를 치료행위로 오인한 피해자 측의 승낙이 있었다 하여 달리 볼 수도 없다(대판 2008.8.21, 2008도2695).
② × : ~ (4줄) 해악의 고지에 해당하더라도 특별한 사정이 없는 한 기사 작성을 위한 자료를 수집하고 보도하기 위한 것으로서 신문기자의 일상적 업무 범위에 속하여 사회상규에 반하지 아니한다(대판 2011.7.14, 2011도639).
③ ○ : 대판 2009.12.24, 2007도6243
④ × : ~ 요건을 갖춘 행위로 볼 수는 없다(대판 2004.4.27, 2002도315).

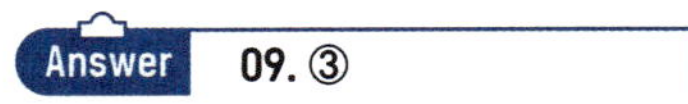

10 정당행위에 대한 설명으로 옳지 않은 것은?(다툼이 있는 경우 판례에 의함)

23. 9급 검찰 · 마약수사 · 철도경찰, 24. 해경승진

① 음란물이 문학적 · 예술적 · 사상적 · 과학적 · 의학적 · 교육적 표현 등과 결합되어 음란 표현의 해악이 상당한 방법으로 해소되거나 다양한 의견과 사상의 경쟁메커니즘에 의해 해소될 수 있는 정도에 이르렀다면, 이러한 결합표현물에 의한 표현행위는 형법 제20조에 정하여진 '사회상규에 위배되지 않는 행위'에 해당한다.

② 문언송신금지를 명한 가정폭력범죄의 처벌 등에 관한 특례법상 임시보호명령을 위반하여 피고인이 피해자에게 문자메시지를 보낸 경우 문자메시지 송신을 피해자가 양해 내지 승낙하였다면 형법 제20조의 정당행위에 해당한다.

③ 신문기자인 피고인이 고소인에게 2회에 걸쳐 증여세 포탈에 대한 취재를 요구하면서, 이에 응하지 않으면 자신이 취재한 내용대로 보도하겠다고 협박한 것은 특별한 사정이 없는 한 사회상규에 반하지 않는 행위이다.

④ 의료인이 아닌 자가 찜질방 내에서 부항과 부항침을 놓고 일정한 금원을 받은 행위는 그 시술로 인한 위험성이 적다는 사정만으로 사회상규에 위배되지 않는 행위로 보기는 어렵다.

해설 ① 대판 2017.10.26, 2012도13352
② × : 접근금지, 문언송신금지를 명한 가정폭력범죄의 처벌 등에 관한 특례법상 임시보호명령을 위반하여 피고인이 피해자에게 문자메시지를 보낸 경우 문자메시지 송신을 피해자가 양해 내지 승낙했더라도 형법 제20조의 정당행위로 볼 수 없다(대판 2022.1.14, 2021도14015).
③ 대판 2011.7.14, 2011도639 ④ 대판 2004.10.28, 2004도3405

11 정당행위에 관한 설명 중 옳은 것만을 모두 고른 것은?(다툼이 있는 경우 판례에 의함) 23. 순경 2차

> ㉠ 甲은 ○○수지요법학회의 지회를 운영하면서 일반인에게 수지침을 보급하고 무료의료봉사활동을 하는 사람으로서 A에게 수지침 시술을 부탁받고 아무런 대가 없이 수지침 시술을 해 준 경우, 甲이 침술 면허가 없다고 해도 해당 행위는 사회상규에 위배되지 아니하는 행위로서 위법성이 조각될 수 있다.
>
> ㉡ A노동조합의 조합원 甲 등이 관계 법령에서 정하는 서면 신고의무에 따라 쟁의행위의 일시, 장소, 참가인원 및 그 방법에 관한 서면신고를 하지 않고 쟁의행위를 한 경우, 세부적 · 형식적 절차를 미준수한 것으로서 쟁의행위의 정당성이 부정된다.
>
> ㉢ A아파트 입주자대표회의 회장인 甲이 자신의 승인 없이 동대표들이 관리소장과 함께 게시한 입주자대표회의의 소집 공고문을 뜯어내 제거한 경우, 해당 공고문을 손괴한 조치가 그에 선행하는 위법한 공고문 작성 및 게시에 따른 위법상태의 구체적 실현이 임박한 상황하에서 그 위법성을 바로잡기 위한 것이라면 사회통념상 허용되는 범위를 크게 넘어서지 않는 것으로 볼 수 있다.
>
> ㉣ 甲이 가정폭력범죄의 처벌 등에 관한 특례법상의 임시보호명령을 위반하여 피해자인 A의 주거지에 접근하고 문자메시지를 보낸 경우, 이에 대하여 A의 양해 내지 승낙이 있었다면 甲의 행위가 사회상규에 위배되는 행위로 볼 것은 아니다.

 Answer　10. ②　11. ②

① ㉠, ㉡   ② ㉠, ㉢   ③ ㉠, ㉡, ㉣   ④ ㉠, ㉢, ㉣

해설 ㉠ ○ : 대판 2000.4.25, 98도2389
㉡ × : ~ (2줄) 쟁의행위를 한 경우에는 신고절차의 미준수만을 이유로 쟁의행위의 정당성을 부정할 수 없다
(대판 2007.12.28, 2007도5204).
㉢ ○ : 대판 2021.12.30, 2021도9680
㉣ × : ~ (2줄) 이에 대하여 A(피해자)가 양해 내지 승낙을 했더라도 동법 위반죄의 구성요건에 해당하고
甲의 행위가 형법 제20조의 정당행위(사회상규에 위배되지 않는 행위)로 볼 수 없다(대판 2022.1.14, 2021
도14015).

12 정당행위에 대한 설명으로 옳지 않은 것은?(다툼이 있는 경우 판례에 의함)   **23. 7급 검찰**
① 내국인의 출입을 허용하는 폐광지역 개발 지원에 관한 특별법 등에 따라 폐광지역 카지노에
   출입하는 것은 법령에 의한 행위로 위법성이 조각되나, 도박죄를 처벌하지 않는 외국 카지노
   에서의 도박이라는 사정만으로 그 위법성이 조각된다고 할 수 없다.
② 피고인의 행위가 피해자의 부당한 행패를 저지하기 위해 사회통념상 취할 수 있는 본능적인
   소극적 방어 행위라면, 사회상규에 위배되지 아니하는 정당행위에 해당한다.
③ 한의사 자격 없이 영리를 목적으로 부항침과 부항을 이용하여 체내의 혈액을 밖으로 배출되
   도록 하는 시술행위는 사회상규에 위배되는 행위로서 정당행위에 해당하지 않는다.
④ 감정평가업자가 아닌 공인회계사가 타인의 의뢰에 의하여 일정한 보수를 받고 감정평가법이
   정한 토지에 대한 감정평가를 업으로 행하는 것은 특별한 사정이 없는 한 법령에 의한 행위
   로서 정당행위에 해당한다.

해설 ① 대판 2004.4.23, 2002도2518 ② 대판 2014.3.27, 2012도11204 ③ 대판 2004.10.28, 2004도3405
④ × : ~ 해당한다고 볼 수 없다(대판 2015.11.27, 2014도191).

13 정당행위에 관한 설명으로 가장 적절하지 않은 것은?(다툼이 있는 경우 판례에 의함)   **24. 경찰승진**
① 적정한 한계를 벗어나는 현행범인 체포행위는 그 부분에 관한 한 법령에 의한 행위로 될 수
   없다고 할 것이나, 적정한 한계를 벗어나는 행위인가 여부는 결국 정당행위의 일반적 요건을
   갖추었는지 여부가 아니라 그 행위가 소극적인 방어행위인가 적극적인 공격행위인가에 따라
   결정되어야 한다.
② 어떠한 행위가 범죄구성요건에 해당하지만 정당행위라는 이유로 위법성이 조각된다는 것은
   그 행위가 적극적으로 용인, 권장된다는 의미가 아니라 단지 특정한 상황하에서 그 행위가
   범죄행위로서 처벌대상이 될 정도의 위법성을 갖추지 못하였다는 것을 의미한다.
③ 집행관이 압류집행을 위하여 채무자의 주거에 들어가는 과정에서 집행을 방해하는 채무자를
   배제하고 주거에 들어가기 위하여 채무자를 떠밀었고 그로 인하여 채무자에게 약 2주간의
   가료를 요하는 상해를 입힌 경우, 정당행위로서 위법성이 조각된다.

Answer **12. ④ 13. ①**

④ 의학적 전문지식이 없는 甲이 찜질방 내에 침대, 부항기 및 부항침 등을 갖추어 놓고 찾아오는 사람들에게 아픈 부위와 증상을 물어본 다음 아픈 부위에 부항을 뜬 후 그곳을 부항침으로 10회 정도 찌르고 다시 부항을 뜨는 방법으로 치료를 하여 주고 치료비 명목으로 15,000원 또는 25,000원을 받은 경우, 정당행위로서 위법성이 조각되는 경우에 해당하지 않는다.

해설 ① × : ~ (3줄) 갖추었는지 여부에 따라 결정되어야 할 것이지 그 행위가 소극적인 방어행위인가 적극적인 공격행위인가에 따라 결정되어야 하는 것은 아니다(대판 1999.1.26, 98도3029).
② 대판 2021.12.30, 2021도9680
③ 대판 1993.10.12, 93도875
④ 대판 2004.10.28, 2004도3405

14 다음 중 甲에게 정당행위가 인정되는 것은?(다툼이 있는 경우 판례에 의함)   24. 순경 1차
① 사채업자 甲이 채권추심을 위하여 채무자 A에게 채무를 변제하지 않으면 A가 숨기고 싶어하는 과거 행적과 사채를 쓴 사실 등을 남편과 시댁에 알리겠다는 문자메시지를 발송한 경우
② A주식회사로부터 공립유치원의 놀이시설 제작 및 설치공사를 하도급 받은 甲이 유치원 행정실장 등에게 공사대금의 직접 지급을 요구하였으나 거절당하자, 공사대금 직불청구권이 있는 놀이시설의 정당한 유치권자로서 공사대금 채권을 확보할 필요가 있어 놀이시설의 일부인 보호대를 칼로 뜯어내고 일부 놀이시설은 철거하는 방법으로 공무소에서 사용하는 물건을 손상한 경우
③ 甲이 자신의 가옥 앞 도로가 폐기물 운반차량의 통행로로 이용되어 가옥 일부에 균열 등이 발생하자 위 도로에 트랙터를 세워두거나 철책 펜스를 설치함으로써 위 차량의 통행을 불가능하게 한 경우
④ 학교법인의 전 이사장 A가 부정입학과 관련된 금품수수 혐의로 구속되었다가 그 학교법인이 설립한 B대학교의 총장으로 선임됨에 따라 학내 갈등을 빚던 중 총학생회 간부 甲이 대학 운영의 정상화를 위해 A와의 대화를 꾸준히 요구하였으나, 학교의 소극적인 태도로 인해 면담이 성사되지 않자 A를 직접 찾아가 면담하는 이외에는 다른 방도가 없다는 판단 아래 A와의 면담을 추진하는 과정에서 총장실 진입을 시도하거나, 교무위원회 회의실에 들어가 총장의 사퇴를 요구하면서 이를 막는 학교 교직원들과 길지 않은 시간 동안 실랑이를 벌인 경우

해설 • **정당행위** ○ : ④ 대판 2023.5.18, 2017도2760(∵ 위력에 의한 업무방해죄 ×)
• **정당행위** × : ① 대판 2011.5.26, 2011도2412(∵ 협박죄 ○) ② 대판 2017.5.30, 2017도2758(∵ 수단·방법의 상당성 ×, 공사대금 확보를 위한 유치권을 행사하는 데에 긴급하고 불가피한 수단 × ∴ 공용물건손상죄 ○) ③ 대판 2009.1.30, 2008도10560(∵ 일반교통방해죄 ○)

Answer 14. ④

01 위법성조각사유에 관한 설명 중 가장 적절한 것은?(다툼이 있는 경우 판례에 의함)   17. 경찰승진

① 정당방위에서의 방위행위란 순수한 수비적 방위를 말하는 것이고, 적극적 반격을 포함하는 반격방어의 형태는 포함되지 않는다.

② 명예훼손죄의 특별한 위법성조각사유를 규정한 형법 제310조의 요소 중 사실의 진실성에 대한 착오가 있는 경우에는 위법성조각사유의 전제사실에 관한 착오 또는 법률의 착오가 문제될 뿐이기 때문에 위법성 그 자체는 조각될 여지가 없다.

③ 방위행위, 피난행위 그리고 자구행위가 그 정도를 초과한 때에는 공통적으로 정황에 의하여 형을 감경 또는 면제할 수 있다.

④ 형법 제24조에 따르면 처분할 수 있는 자의 승낙에 의하여 그 법익을 훼손한 행위는 법률에 특별한 규정이 있는 경우에 한하여 벌하지 아니한다.

> **해설** ① × : 정당방위의 성립요건으로서의 방어행위는 순수한 수비적 방어뿐 아니라 적극적 반격을 포함하는 반격방어의 형태도 포함한다(대판 1992.12.22, 92도2540).
> ② × : 적시된 사실이 진실한 것이라는 증명이 없더라도 행위자가 진실한 것으로 믿었고 또 그렇게 믿을 만한 상당한 이유가 있는 경우에는 위법성이 없다(대판 2007.12.14, 2006도2074).
> ③ ○ : 제21조 제2항, 제22조 제3항, 제23조 제2항
> ④ × : ~ 규정이 없는 한 벌하지 아니한다.

02 위법성조각사유에 대한 설명으로 가장 적절한 것은?(다툼이 있는 경우 판례에 의함)   20. 순경 2차

① 형법 제252조 제1항 촉탁·승낙살인죄는 피해자 승낙을 배제하는 효과를 그 내용으로 하고 있으므로, 본 죄의 위법성조각은 불가능하다.

② 무수혈 인공고관절 수술의 위험성을 충분히 설명받았으나, 진지한 의사결정에 의한 수혈 거부 의사가 존재하여 무수혈수술 동의 아래 수술을 진행하였는데 생명에 위험이 발생할 수 있는 응급상황이 발생하였음에도 환자의 자기결정권을 존중하여 수혈하지 않다가 환자가 과다출혈로 사망에 이른 경우 의사는 업무상 과실치사의 죄책을 진다.

③ 위법성의 본질을 결과반가치에서만 구하는 입장은 우연방위에 대해 위법성을 탈락시킨다.

④ 주식회사 대표이사로서 회사의 계산으로 사전투표와 직접투표를 한 주주들에게 무상으로 20만원 상당의 상품교환권 등을 각 제공한 것은 주주총회 의결권 행사와 관련된 이익의 공여이지만 사회통념상 허용되는 범위를 넘지 않는 행위로서 위법성이 조각된다.

> **해설** ① × : 소극적 안락사(의사가 생명유지에 필요한 의료적 조치를 취하지 않아 환자가 사망한 경우 **예** 인공생명유지장치 제거)의 경우 촉탁·승낙살인죄의 위법성이 조각될 수 있다(통설).

 **01.** ③   **02.** ③

② ✕ : 업무상 과실치사죄 ✕(대판 2014.6.26, 2009도14407 ∵ 환자의 생명과 환자의 자기결정권을 비교형량하기 어려운 특별한 사정이 있다고 인정되는 경우에 의사가 자신의 직업적 양심에 따라 환자의 양립할 수 없는 두 개의 가치 중 어느 하나를 존중하는 방향으로 행위하였다면, 이러한 행위는 처벌할 수 없다.)
③ ○ : 타당하다.
④ ✕ : ~ 범위를 넘어서는 행위로서 위법성이 조각되지 않는다(대판 2018.2.8, 2015도7397).

03 위법성조각사유에 대한 설명으로 옳은 것은?(다툼이 있는 경우 판례에 의함)　　21. 경찰간부

① 甲이 자신의 아버지 乙에게서 乙소유 부동산 매매에 관한 일체의 권한을 위임받아 이를 매도하였는데, 그 후 乙이 사망하자 부동산 소유권 이전에 사용할 목적으로 乙이 甲에게 인감증명서 발급을 위임한다는 취지의 인감증명 위임장을 작성한 후 주민센터 담당 직원에게 제출한 경우, 사망한 명의자 乙의 승낙이 추정되므로 위법성이 조각된다.

② 경찰관의 불심검문을 받게 된 甲이 운전면허증을 교부한 후 경찰관에게 큰 소리로 욕설을 하였고 이에 경찰관이 모욕죄의 현행범으로 체포하겠다고 고지한 후 甲의 어깨를 잡자, 甲이 이를 면하려고 반항하는 과정에서 경찰관에게 상해를 입힌 행위는 정당방위에 해당한다.

③ 운전자가 자신의 차를 가로막고 서서 통행을 방해하는 피해자를 향해 차를 조금씩 전진시키고 피해자가 뒤로 물러나면 다시 차를 전진시키는 방식의 운행을 반복한 경우, 정당방위에 해당하여 폭행죄가 성립하지 않는다.

④ 피해자의 승낙은 언제든지 자유롭게 철회될 수 있고 그 방법에는 제한이 없으며, 법익이 침해된 이후의 사후 승낙도 위법성을 조각할 수 있다.

해설　① ✕ : ~ (4줄) 승낙이 추정된다고 단정할 수 없으므로 위법성이 조각되지 않는다(대판 2011.9.29, 2011도6223 ∴ 사문서위조죄 및 동행사죄 ○). ② ○ : 대판 2011.5.26, 2011도3682
③ ✕ : ~ (2줄) 경우, 정당방위나 정당행위에 해당하지 않아 폭행죄가 성립한다(대판 2016.10.27, 2016도9302). ④ ✕ : ~ (2줄) 사후 승낙은 위법성을 조각할 수 없다.

04 정당화사유에 대한 설명으로 옳은 것만을 모두 고르면?(다툼이 있는 경우 판례에 의함)　21. 7급 검찰

> ㉠ 정당방위의 방어행위에는 순수한 수비적 방어뿐 아니라 적극적 반격을 포함하는 반격방어의 형태도 포함된다.
> ㉡ 자기의 생명에 대한 현재의 위난을 피하기 위하여 타인의 생명을 침해하는 행위는 상당한 이유가 있으면 긴급피난으로서 위법성이 조각된다.
> ㉢ 행위 당시 사문서의 명의자가 현실적으로 승낙하지는 않았지만 명의자가 그 사실을 알았다면 당연히 승낙했을 것이라고 추정되는 경우라면 추정적 승낙에 의해 사문서변조죄가 성립하지 않는다.
> ㉣ 주민들이 농기계 등으로 그 주변의 농경지나 임야에 통행하기 위해 이용하는 자신 소유의 도로에 깊이 1m 정도의 구덩이를 판 행위는 일반교통방해죄의 구성요건에 해당하지만, 자구행위로서 위법성이 조각된다.

Answer　03. ②　04. ①

① ㉠, ㉢　　　② ㉠, ㉣　　　③ ㉡, ㉢　　　④ ㉡, ㉢, ㉣

> [해설] ㉠ ○ : 대판 1992.12.22, 92도2540
> ㉡ × : 사람의 생명은 이익교량할 수 있는 법익이 아니므로 긴급피난에 의해 사람을 살해하는 것은 위법성을 조각할 수 없고, 다만 기대가능성의 유무에 따라 책임에 영향을 준다(면책적 긴급피난).
> ㉢ ○ : 대판 2008.4.10, 2007도9987
> ㉣ × : 자구행위 ×, 정당행위 ×(대판 2007.3.15, 2006도9418 ∴ 일반교통방해죄 ○)

05 다음 중 위법성이 조각되는 경우는?(다툼이 있는 경우 판례에 의함)

22. 경찰승진

① 인근상가의 통행로로 이용되고 있는 토지의 사실상 지배권자가 그 토지에 철주와 철망을 설치하고 포장된 아스팔트를 걷어냄으로써 통행로로 이용하지 못하게 한 경우

② 집회장소 사용승낙을 하지 않은 A대학교 측의 집회 저지 협조 요청에 따라 경찰관들이 A대학교 출입문에서 신고된 A대학교에서의 집회에 참가하려는 자의 출입을 저지하자, 그 때문에 소정의 신고 없이 B대학교로 장소를 옮겨서 집회를 한 경우

③ 아파트입주자대표회의 회장이 다수 입주민들의 민원에 따라 위성방송수신을 방해하는 케이블 TV방송의 시험방송 송출을 중단시키기 위하여 위 케이블방송의 방송안테나를 절단하도록 지시한 경우

④ 선거관리위원회가 주최한 합동연설회장에서 일간지의 신문기사를 읽는 방법으로 상대 후보의 전과사실을 적시한 사안에서, 상대 후보의 평가를 저하시켜 스스로 자신이 당선되려는 사적 이익도 동기가 되었지만 유권자들에게 상대 후보의 자질에 대한 자료를 제공함으로써 적절한 투표권을 행사하도록 하려는 공적 동기도 있었던 경우

> [해설] • 위법성조각 ○ : ④ 공직선거법 제251조 단서(후보자비방죄 : 진실한 사실로서 공공이 이익에 관한 때에는 처벌하지 아니한다.)에 의하여 위법성이 조각됨(대판 1996.6.28, 96도977).
> • 위법성조각 × : ① 자구행위 ×(대판 2007.12.28, 2007도7717 ∴ 일반교통방해죄) ② 긴급피난 × (대판 1990.8.14, 90도870 ∵ 급박한 현재의 위난을 피하기 위한 부득이한 것 ×) ③ 긴급피난 ×, 정당행위 ×(대판 2006.4.13, 2005도9396)

06 위법성조각사유에 대한 설명으로 옳은 것은?(다툼이 있는 경우 판례에 의함)

21. 9급 검찰 · 마약수사 · 철도경찰

① 甲이 A를 강간하던 중 A가 손가락을 깨물며 반항하자, 甲이 물린 손가락을 비틀어 잡아 뽑다가 A에게 치아결손을 가한 행위는 긴급피난에 해당한다.

② 경찰관이 현행범인으로서의 요건을 갖추지 못한 甲을 체포하려고 하자, 甲이 체포를 면하려고 반항하는 과정에서 경찰관에게 상해를 가한 행위는 정당방위에 해당한다.

③ 친권자 甲이 스스로의 감정을 이기지 못하고 야구방망이로 때릴 듯이 자녀 A에게 "죽여 버린다."고 말하여 협박한 행위는 정당행위에 해당한다.

Answer　05. ④　06. ②

④ 정당 당직자 甲이 국회 상임위원회 회의장 앞 복도에서 출입이 봉쇄된 회의장 출입구를 뚫을 목적으로 회의장 출입문 및 그 안쪽에 쌓여 있던 집기를 손상한 행위는 정당행위에 해당한다.

해설 ① × : 긴급피난 ×, 강간치상죄 ○(대판 1995.1.12, 94도2781)
② ○ : 대판 2002.5.10, 2001도300
③ × : 정당행위 × ⇨ 협박죄 ○(대판 2002.2.8, 2001도6468 ∵ 교양권의 행사 ×)
④ × : 정당행위 × ⇨ 공용물건손상죄 ○(대판 2013.6.13, 2010도13609)

07 다음은 위법성조각사유에 관한 어떤 규정을 설명한 것이다. 이 규정을 적용할 때 甲을 벌하지 아니하는 경우에 해당하는 것은?(다툼이 있는 경우 판례에 의함) 22. 순경 1차

> 이 규정은 사회상규라는 초법규적 위법성조각사유를 일반적·포괄적 위법성조각사유로 명문화해 놓은 것으로서, 다른 위법성조각사유에 대한 일반적 보충적 성격을 지니고 있는 것으로 볼 수 있다.

① A가 칼을 들고 찌르자 甲이 그 칼을 뺏어 반격을 가한 결과 A에게 상해를 입힌 경우
② 甲이 자신의 차를 가로막고 서서 통행을 방해하는 A를 향해 차를 조금씩 전진시키고 A가 뒤로 물러나면 다시 차를 전진시키는 방식의 운행을 반복한 경우
③ 甲과 A가 공모하여 교통사고를 가장해 보험금을 편취할 목적으로 A에게 상해를 입힌 경우
④ 甲이 방송국 시사프로그램을 시청한 후 방송국 홈페이지의 시청자 의견란에 "그렇게 소중한 자식을 범법행위의 변명의 방패로 쓰시다니 정말 대단하십니다."는 등의 표현이 담긴 글을 게시한 경우

해설 BOX는 정당행위(제20조)에 관한 설명임.
① 정당방위 ×(대판 1984.1.24, 83도1873)
② 특수폭행죄 ○(대판 2016.10.27, 2016도9302 ∵ 피해자에 대한 위법한 유형력 행사 ○, 정당방위 × 정당행위 ×)
③ 피해자의 승낙 ×(대판 2008.12.11, 2008도9606)
④ 정당행위 ○ : 모욕적 언사에 해당될지라도 형법 제20조의 사회상규에 위배되지 아니하는 행위로 봄이 상당하다(대판 2003.11.28, 2003도3972).

08 위법성조각사유에 대한 설명으로 옳은 것은?(다툼이 있는 경우 판례에 의함) 23. 7급 검찰
① 형법 제310조(위법성의 조각)에서 '공공의 이익'이라 함은 널리 국가·사회 기타 일반 다수인의 이익에 관한 것만을 의미하며, 특정한 사회집단이나 그 구성원의 관심과 이익에 관한 것은 포함되지 않는다.
② 甲이 스스로 야기한 강간범행의 와중에서 피해자가 甲의 손가락을 깨물며 반항하자 물린 손가락을 비틀며 잡아 뽑다가 피해자에게 치아결손의 상해를 입힌 행위는 긴급피난에 해당한다.

Answer 07. ④ 08. ③

③ 수급인 소속 근로자의 쟁의행위가 도급인의 사업장에서 일어나 도급인의 형법상 보호되는 법익을 침해한 경우, 사용자인 수급인에 대한 관계에서 쟁의행위의 정당성을 갖추었다 하더라도 그 사정만으로 사용자가 아닌 도급인에 대한 관계에서까지도 법령에 의한 정당한 행위로서 법익 침해의 위법성이 조각되는 것은 아니다.

④ 경찰관의 체포행위가 적법한 공무집행을 벗어나 불법하게 체포한 것으로 볼 수밖에 없다면, 피의자가 그 체포를 면하려고 반항하는 과정에서 경찰관을 폭행한 것은 불법체포로 인한 신체에 대한 현재의 부당한 침해에서 벗어나기 위한 행위이므로, 그 피의자의 공무집행방해는 정당방위로서 위법성이 조각된다.

[해설] ① × : ~ (2줄) 관한 것뿐만 아니라 특정한 사회집단이나 그 구성원의 관심과 이익에 관한 것도 포함된다(대판 2002.9.24, 2002도3570).
② × : 긴급피난 ×(대판 1995.1.12, 94도2781)
③ ○ : 대판 2020.9.3, 2015도1927
④ × : ~ (3줄) 행위이므로, 정당방위로서 위법성이 조각된다〔대판 2000.7.4, 99도434 ▶ 주의 : 경찰관의 체포행위는 적법한 공무집행이라고 할 수 없어(구성요건해당성을 조각) 공무집행방해죄가 성립하지 않는 것이지, 정당방위로서 위법성이 조각되는 것이 아니다〕.

09 위법성에 관한 설명 중 옳지 않은 것을 모두 고른 것은?(다툼이 있는 경우 판례에 의함)

23. 변호사시험

> ㉠ 甲과 乙이 교통사고를 가장하여 보험금을 편취할 것을 공모한 후 乙의 승낙을 받은 甲이 乙에게 상해를 가한 경우, 乙의 승낙이 위법한 목적에 이용하기 위한 것이었다고 할지라도 甲의 행위는 상해죄의 위법성이 조각된다.
>
> ㉡ 사채업자 甲이 채무자 A에게 채무를 변제하지 않으면 A가 숨기고 싶어 하는 과거 행적과 사채를 쓴 사실 등을 남편과 시댁에 알리겠다는 등의 문자메시지를 발송한 경우, 甲의 행위는 사회통념상 용인되는 범위를 넘지 않는 것이어서 협박죄가 성립하지 않는다.
>
> ㉢ A와 B가 차량 통행 문제로 다투던 중에 A가 차를 몰고 대문 안으로 운전해 들어가려 하자 B가 양팔을 벌리고 제지하였음에도 A가 차를 약 3미터 가량 B의 앞쪽으로 급진시키자, 이때 그 차 운전석 옆에 서 있던 B의 아들 甲이 B를 구하려고 차를 정지시키기 위하여 운전석 옆 창문을 통해 A의 머리카락을 잡아당겨 A의 흉부가 차의 창문틀에 부딪혀 약간의 상처를 입게 하였다면, 甲의 행위는 정당방위에 해당한다.
>
> ㉣ 임대인의 승낙 없이 건물을 전차한 전차인은 비록 불법 침탈 등의 방법에 의하여 건물의 점유를 개시한 것이 아니고 그동안 평온하게 음식점 영업을 하면서 점유를 계속하여 왔더라도 그 전대차로써 임대인에게 대항할 수 없기 때문에, 임대인이 그 건물의 열쇠를 새로 만들어 잠근 행위는 업무방해죄의 위법성을 조각하는 자구행위에 해당한다.
>
> ㉤ 싸움의 상황에서 상대방의 공격을 피하기 위하여 소극적으로 방어를 하던 도중 그 상대방을 상해 또는 사망에 이르게 한 경우라 하더라도, 이는 사회통념상 허용될 만한 상당성이 있는 정당행위라고 할 수 없다.

① ㉠, ㉡, ㉢　　　　② ㉡, ㉢, ㉤　　　　③ ㉢, ㉣, ㉤
④ ㉠, ㉡, ㉣, ㉤　　　⑤ ㉠, ㉢, ㉣, ㉤

해설 ㉠ × : ~ (2줄) 이용하기 위한 것이었다면 甲의 행위는 상해죄의 위법성이 조각되지 않는다(대판 2008.12.11, 2008도9606).
㉡ × : ~ (3줄) 범위를 넘는 것이어서 협박죄가 성립한다(대판 2011.5.26, 2011도2412).
㉢ ○ : 대판 1986.10.14, 86도1091
㉣ × : 임대인의 승낙 없이 건물을 전차한 전차인은 임대인에게 대항할 수 없다고 하더라도 불법침탈 등의 방법에 의하여 위 건물의 점유를 개시한 것이 아니고 그동안 평온하게 음식점영업을 하면서 점유를 계속하여 온 이상 임대인이 그 건물의 열쇠를 새로 만들어 잠근 행위는 업무방해죄의 위법성을 조각하는 정당한 행위이거나 자구행위에 해당한다고 볼 수 없다(대판 1986.12.23, 86도1372 ∴ 업무방해죄 ○).
㉤ × : ~ 할 수 있다(대판 1991.1.15, 89도2239).

10 위법성조각사유에 관한 설명으로 가장 적절한 것은?(다툼이 있는 경우 판례에 의함)　　24. 순경 1차

① 일련의 연속되는 행위로 인해 침해상황이 중단되지 아니하거나 일시 중단되더라도 추가 침해가 곧바로 발생할 객관적인 사유가 있는 경우, 그중 일부 행위가 범죄의 기수에 이르렀을지라도 정당방위의 요건 중 침해의 현재성이 인정된다.

② 甲이 A를 살해하기 위해 총을 쏴 A가 사망하였는데, 알고 보니 A도 甲을 살해하기 위해 甲에게 총을 조준하고 있었던 경우, 위법성이 조각되기 위해서는 주관적 정당화요소가 필요하다는 견해에 따르면 甲의 행위는 위법성이 조각된다.

③ 위난을 피하지 못할 책임 있는 자에게는 긴급피난이 허용되지 않기에 이들이 감수해야 할 범위를 넘는 위난에 처한 때에도 긴급피난은 허용되지 않는다.

④ 무고죄는 국가의 형사사법권의 적정한 행사뿐만 아니라 개인이 부당하게 처벌받지 아니할 이익을 부수적으로 보호하는 죄이기에, 피무고자의 승낙이 있는 경우에는 위법성이 조각된다.

해설 ① ○ : 대판 2023.4.27, 2020도6874 ② × : ~ 위법성이 조각되지 않는다.
③ × : ~ (1줄) 긴급피난이 허용되지 않는다고 하더라도 이들이 감수해야 할 범위를 넘는 위난에 처한 때에는 긴급피난은 허용된다.
④ × : ~ (2줄) 피무고자의 승낙이 있었다고 하더라도 무고죄의 성립에는 영향을 미치지 못한다(대판 2005.9.30, 2005도2712).

11 위법성조각사유에 관한 설명 중 가장 옳은 것은?(다툼이 있는 경우 판례에 의함)　　24. 법원직

① 싸움을 하는 경우 가해행위는 방어행위인 동시에 공격행위의 성격을 가진다. 따라서 싸움을 하는 경우에는 어느 경우에도 정당방위가 인정될 수 없다.

② 사회상규에 의한 정당행위를 인정하려면, 첫째 그 행위의 동기나 목적의 정당성, 둘째 행위의 수단이나 방법의 상당성, 셋째 보호이익과 침해이익과의 법익균형성, 넷째 긴급성, 다섯째로 그 행위 외에 다른 수단이나 방법이 없다는 보충성 등의 요건을 갖추어야 한다. 그중 행위의

Answer　10. ①　11. ③

긴급성과 보충성은 수단의 상당성을 판단할 때 고려요소의 하나로 참작하여야 하고 이를 넘어 독립적인 요건으로 요구할 것은 아니다. 그리고 그 내용은 '일체의 법률적인 적법한 수단이 존재하지 않을 것'을 의미한다.

③ 위난을 스스로 초래한 '자초위난'의 경우에는 원칙적으로 긴급피난이 허용되지 않는다.

④ 형법 제20조에서 업무로 인한 행위는 벌하지 아니한다고 규정하므로, 성직자가 범인의 은신처를 마련하거나 도피자금을 제공하는 등의 행위를 한 경우 범인은닉·도피죄로 처벌할 수 없다.

해설 ① × : 싸움의 경우 원칙적으로 정당방위 내지 과잉방위는 인정되지 않으나, 예외적으로 그 싸움(격투)에서 당연히 예상할 수 있는 정도를 초과하여 공격해 온 때[살인의 흉기 등을 사용한 경우(언쟁 중 구타당하자 카빈소총을 등 뒤에 겨눈 경우) : 대판 1968.5.7, 68도370]와 외관상 서로 싸움(격투)을 하는 것처럼 보여도 실지로는 상대방의 일방적인 불법한 공격에 대해 자신을 보호하기 위한 수단으로 유형력을 행사한 경우(적극적인 반격이 아니라 소극적인 방어한도 내에서 : 대판 1999.10.12, 99도3377)에는 정당방위가 인정될 수 있다.
② × : ~ (5줄) 독립적인 요건으로 요구할 것은 아니다. 또한 그 내용 역시 다른 실효성 있는 적법한 수단이 없는 경우를 의미하고 '일체의 법률적인 적법한 수단이 존재하지 않을 것'을 의미하는 것은 아니라고 보아야 한다(대판 2023.5.18, 2017도2760).
③ ○ : 대판 1995.1.12, 94도2781
④ × : 천주교 사제(성직자)가 범인을 고발하지 않은 것에 그치지 아니하고 적극적으로 은닉·도피하게 한 행위(은신처 마련, 도피자금 제공) ⇨ 정당행위 ×(∵ 사제의 정당한 직무에 속하는 것 ×) ⇨ 범익은닉·도피죄(대판 1983.3.8, 82도3248)

---

12 **위법성조각사유에 대한 설명으로 옳은 것은?**(다툼이 있는 경우 판례에 의함) 24. 7급 검찰

① 甲이 乙로 하여금 형사처벌을 받게 할 목적으로 乙의 동의를 얻어 수사기관에 허위의 사실을 기재한 고소장을 제출한 경우, 피해자의 승낙에 의하여 위법성이 조각된다.

② 甲이 乙의 개가 자신의 반려견을 물어뜯는 공격을 하자 소지하고 있던 엔진톱으로 피해견을 위협하다가 피해견의 등 부분을 내리쳐 절단하여 죽게 한 경우, 긴급피난에 의해 위법성이 조각된다.

③ 신문기자인 甲이 乙에게 2회에 걸쳐 증여세 포탈에 대한 취재를 요구하면서 이에 응하지 않으면 자신이 취재한 내용대로 보도하겠다고 말한 경우, 사회상규에 반하지 않는 행위로 위법성이 조각된다.

④ 인근 상가의 통행로로 이용되고 있는 토지의 사실상 지배권자인 甲이 위 토지에 철주와 철망을 설치하고 포장된 아스팔트를 걷어냄으로써 통행로로 이용하지 못하게 한 경우, 이는 자구행위에 해당하여 위법성이 조각된다.

해설 ① × : ~ 위법성이 조각되지 않는다(대판 2005.9.30, 2005도2712 ∴ 무고죄 ○).
② × : ~ 위법성이 조각되지 않는다(대판 2016.1.28, 2014도2477 ∴ 재물손괴죄와 동물보호법위반죄의 상상적 경합). ③ ○ : 대판 2011.7.14, 2011도639
④ × : ~ 위법성이 조각되지 않는다(대판 2007.12.28, 2007도7717 ∴ 일반교통방해죄 ○).

13 다음 설명 중 가장 적절하지 않은 것은?(다툼이 있는 경우 판례에 의함)　25. 경찰승진

① 甲이 피해자 A가 B로부터 매수한 토지의 경계부분에 매수 전 자신이 식재하였던 수목을 전기톱으로 절단한 경우 甲이 수목을 식재할 당시 토지의 전 소유자 B로부터 명시적 또는 묵시적으로 승낙을 얻었더라도 특수재물손괴죄가 성립한다.

② 甲이 접근금지, 문언송신금지 등을 명한 임시보호명령을 위반하여 피해자의 주거지에 접근하고 문자메시지를 보낸 사안에서, 임시보호명령을 위반한 주거지 접근이나 문자메시지 송신을 피해자가 양해 내지 승낙했더라도 가정폭력범죄의 처벌 등에 관한 특례법 위반죄의 구성요건에 해당하고 형법 제20조의 정당행위로 볼 수 없다.

③ 건물의 소유자라고 주장하는 甲과 그것을 점유관리하고 있는 A 사이에 건물의 소유권에 대한 분쟁이 계속되고 있는 상황이라면 甲이 위 건물에 침입하는 것에 대한 A의 추정적 승낙이 있었다거나 甲의 범행이 사회상규에 위배되지 않는다고 볼 수 없다.

④ 甲은 A의 상가건물에 대한 임대차계약 당시 A의 모(母) B에게서 인테리어 공사 승낙을 받았는데, 이후 B가 임대차보증금 잔금 미지급을 이유로 즉시 공사를 중단하고 퇴거할 것을 요구하자 甲이 도끼를 집어 던져 상가 유리창을 손괴한 사안에서, B가 위 의사표시로써 시설물 철거에 대한 동의를 철회하였다고 보아야 하므로 甲의 위 행위는 위법성이 조각되지 않는다.

> 해설　① × : ~ (3줄) 묵시적으로 승낙·동의를 얻었다면 이 수목은 토지에 부합하지 않고 이를 식재한 甲에게 소유권이 귀속되므로 특수재물손괴죄가 성립하지 않는다(대판 2023.11.16, 2023도11885).
> ② 대판 2022.1.14, 2021도14015
> ③ 대판 1989.9.12, 89도889
> ④ 대판 2011.5.13, 2010도9962

14 위법성조각사유에 관한 설명으로 옳지 않은 것은 모두 몇 개인가?(다툼이 있는 경우 판례에 의함)

25. 경력채용

㉠ 아파트 입주자대표회의 회장인 피고인이 자신의 승인 없이 동대표들이 관리소장과 함께 게시한 입주자대표회의 소집 공고문을 뜯어내 제거한 경우, 피고인이 위 공고문을 손괴한 조치는 그에 선행하는 위법한 공고문 작성 및 게시에 따른 위법상태의 구체적 실현이 임박한 상황하에서 그 위법성을 바로잡기 위한 것으로 사회통념상 허용되는 범위를 크게 넘어서지 않는 행위로 볼 수 있다.

㉡ 피고인이 피해자에게 밍크 45마리에 관하여 자기에게 그 권리가 있다고 주장하면서 이를 가져간 데 대하여 피해자의 묵시적인 동의가 있었다면 피고인의 주장이 후에 허위임이 밝혀졌더라도 피고인의 행위는 절도죄의 절취행위에는 해당하나 위법성이 조각된다.

㉢ 의붓아버지의 강간행위에 의하여 정조를 유린당한 후 계속적으로 성관계를 강요받아 온 피고인 甲이 친구 乙과 사전에 공모하여 범행을 준비하고 의붓아버지가 제대로 반항할 수 없는 상태에서 식칼로 심장을 찔러 살해한 경우, 이 사건 범행 당시 甲의 신체나 자유 등에 대한 현재의 부당한 침해상태가 있었다고 볼 여지가 없으므로 甲의 행위는 정당방위가 성립하지 않는다.

> ㉣ 피고인이 주민들이 농기계 등으로 그 주변의 농경지나 임야에 통행하기 위해 이용하는 피고인 소유의 도로에 깊이 1m 정도의 구덩이를 판 행위는 일반교통방해죄에 해당하고 자구행위나 정당행위에 해당하지 않는다.

① 1개   ② 2개   ③ 3개   ④ 4개

해설 ㉠ ○ : 대판 2021.12.30, 2021도9680
㉡ × : ~ (3줄) 피고인의 행위는 절도죄의 절취행위에는 해당하지 않는다(대판 1990.8.10, 90도1211 ∴ 구성요건해당성 조각 ○, 위법성조각 ×).
㉢ × : ~ (4줄) 침해상태가 있었다고 볼 여지가 있으나, 甲의 행위는 사회통념상 상당성을 결여하여 정당방위나 과잉방위에 해당하지 않는다(대판 1992.12.22, 92도2540).
㉣ ○ : 대판 2007.3.15, 2006도9418

15 위법성조각사유에 관한 설명으로 가장 적절하지 않은 것은?(다툼이 있는 경우 판례에 의함)

26. 경찰승진

① 현역군인이 국군보안사령부의 민간인에 대한 정치사찰을 폭로한다는 명목으로 군무를 이탈한 행위는 정당방위나 정당행위에 해당하지 아니한다.

② 검사가 참고인 조사를 받는 줄 알고 검찰청에 자진출석한 변호사사무실 사무장을 합리적 근거 없이 긴급체포하자 그 변호사가 이를 제지하는 과정에서 검사에게 상해를 가한 경우 정당방위에 해당한다.

③ 재판 과정에서 소송상 필요한 주장의 증명이나 범죄혐의에 대한 방어권 행사를 위하여 개인정보가 포함된 소송서류나 증거를 법원에 제출하는 행위는 '허용된 권한을 초과한 개인정보의 유출'이라고 봄이 상당하며, 사회상규에 위배되지 않는 행위에 해당하여 형법 제20조에 따라 위법성이 조각된다고 볼 수 없다.

④ 아파트 입주자대표회의 회장이 다수 입주민들의 민원에 따라 위성방송 수신을 방해하는 케이블TV방송의 시험방송 송출을 중단시키기 위하여 케이블TV방송의 방송안테나를 절단하도록 지시한 행위는 정당행위에 해당하지 않는다.

해설 ① 대판 1993.6.18, 93도766
② 대판 2006.9.8, 2006도148
③ × : ~ (2줄) 제출하는 행위는 사회상규에 위배되지 않는 행위에 해당하여 형법 제20조(정당행위)에 따라 위법성이 조각될 수 있다(대판 2025.7.18, 2023도3673).
④ 대판 2006.4.13, 2005도9396

Answer **15.** ③

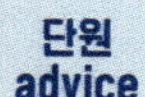

단원 advice 본장에서는 책임능력에서 판례에 따른 심신장애 여부 판단문제 및 원인에 있어서 자유로운 행위, 법률의 착오에 있어서 정당한 이유 해당 여부에 관한 판례, 강요된 행위와 판례에 따른 기대가능성 여부 등이 중요하다.

제1절 책임이론

1 책임의 의의

(1) 책임의 개념

형법이론에 있어서 책임은 구성요건해당성·위법성과 더불어 범죄성립요건의 하나로 된다. 구성요건해당성과 위법성이 있으면 불법은 긍정되는데, 책임이란 합법을 결의하고 이에 따라 행동할 수 있었음에도 불구하고 그러한 불법을 결의하고 위법하게 행위를 하였다는 것에 대하여 가해지는 비난가능성을 의미한다. 즉, 책임이란 불법행위를 한 자에게 가해지는 비난가능성이라고 정의된다. 따라서 책임은 불법(구성요건해당성＋위법성) 다음 단계의 문제로 책임 없는 불법은 있을 수 있으나 불법 없는 책임은 고려의 여지가 없다. 10. 사시, 24. 해경경위

(2) 책임원칙(책임주의)

"책임 없으면 형벌 없다."는 근대형법의 기본 원칙으로서 책임이 전제되어야만 형벌을 과할 수 있고, 형벌의 종류와 정도는 책임에 상응해야 한다는 원칙을 말한다. 따라서 행위자에게 책임 없는 결과로 형을 과하거나 가중할 수 없다는 것이다.

(3) 위법성과 책임

위법성	법질서 전체의 입장에서 내려지는 '행위'에 대한 부정적 가치판단으로 개인적 특수성을 고려치 않는 객관적 판단을 한다. 24. 경위공채
책 임	행위자에 대한 비난가능성의 유무에 따라 내려지는 '행위자'에 대한 부정적 가치판단으로 개인적 특수성을 고려한 주관적 판단을 한다. 24. 경위공채

2 책임의 근거(무엇을 근거로 하여 행위자를 비난하는가)

책임의 발생근거가 무엇인가에 관하여는 도의적 책임론과 사회적 책임론이 대립되고 있다.

구 분	도의적 책임론	사회적 책임론(Ferri, Liszt)
의 의	책임이란 자유의사를 가진 자가 자유로운 의사에 의하여 적법한 행위를 할 수 있었음에도 불구하고 위법행위를 한 데 대한 윤리적 비난이라고 보는 견해이다.	책임의 근거를 소질과 환경에 의해서 결정된 행위자의 반사회적 성격에 두고 책임이란 인간의 반사회적 성격에 대하여 가하여지는 사회적 비난가능이라고 보는 견해이다.
책 임	도의적 · 윤리적 비난가능성	사회적 비난가능성(사회방위처분을 받아야 할 지위)
책임의 근거	〈자유의사〉 • 의사책임(비결정론) • 행위책임(개별적 행위책임)	〈반사회적 성격(반사회성)〉 • 성격책임(결정론) • 행위자 책임
책임능력	**책임능력＝범죄능력**(행위능력) ▶ 책임무능력자는 자유의사가 없으므로 범죄능력이 없다.	**책임능력＝형벌능력**(형벌적응능력, 수형능력) ▶ 책임무능력자도 반사회적 성격을 갖고 반사회적 행위를 하는 이상, 사회방위를 위하여 보안처분이 필요하다.
형벌과 보안처분 과의 관계	〈이원론〉 • 책임무능력자에게는 일반인에게 부과하는 형벌 대신 보안처분을 과해야 한다. • 즉, 형벌과 보안처분의 질적 차이를 인정한다.	〈일원론〉 • 사회방위처분이라는 점에서 형벌과 보안처분은 성질상 동일하다. • 질적 차이가 아니라 양적 차이가 있을 뿐이다.
이론적 배경	〈고전학파(구파)〉 • 객관주의(범죄론) • 응보주의, 일반예방주의(형벌론)	〈근대학파(신파)〉 • 주관주의(범죄론) • 특별예방주의(형벌론)

🔔 사회적 책임론에 의하면 상습범은 형벌적응능력이 없으므로 책임무능력자로 평가하는 결점이 있다. 06. 사시, 21. 해경간부

Q **인격적 책임론**

환경과 소질의 영향을 받으면서도 어느 정도의 상대적 자유의사를 가진 인간상을 전제로 구체적인 행위와 그 배후에 잠재되어 있는 행위자의 인격에 책임의 근거가 있다고 보는 견해이다.

3 **책임의 구성요소 총정리** 24. 해경간부 · 경찰간부 · 해경경위 · 경대편입, 25. 해경경위공채

책임의 본질과 범죄체계에 따른 책임의 구성요소를 정리하면 다음과 같다.

구 분	책임의 본질	책임의 구성요소	범죄체계
심리적 책임론	행위자의 심리적 관계로서의 고의·과실	① 책임능력(심리적 관계가 아니므로 책임의 구성요소는 아니고 그 전제일 뿐임) ② 책임형식 　• 고의＝범죄사실의 인식＋위법성의 인식 　• 과실＝객관적 주의의무위반	고전적 범죄체계 〈인과적 행위론〉
규범적 책임론 (복합적 책임개념)	비난가능성	① 책임능력 ② 고의(범죄사실의 인식＋위법성의 인식)·과실 ③ 기대가능성	신고전적 범죄체계
순수한 규범적 책임론	비난가능성	① 책임능력 ② 위법성의 인식 ③ 기대가능성 ▶ 고의와 과실은 주관적 불법요소로만 인정됨	목적적 범죄체계 〈목적적 행위론〉
최근의 규범적 책임론 (합일태적 책임론, 고의·과실의 2중 기능설) : 다수설	비난가능성	〈복합적 책임개념〉 ① 책임능력 ② 책임형식으로서의 고의·과실 ③ 위법성 인식 ④ 기대가능성 ▶ 고의·과실의 2중기능 　• 고의 ┤• 행위방향 설정으로서의 고의 ⇨ 구성요건요소 　　　　└• 심정적 반가치로서의 고의 ⇨ 책임요소 　• 과실 ┤• 객관적 주의의무위반 ⇨ 구성요건요소 　　　　└• 주관적 주의의무위반 ⇨ 책임요소	신고전적·목적적 범죄체계(합일태적 범죄체계) 〈사회적 행위론〉

🔔 1. 심리적 책임론은 고의가 있으면 책임을 인정하므로, 강요된 행위의 경우처럼 고의는 인정되지만 기대가능성이 없어 책임이 조각되는 경우를 설명하기 곤란하다. 13. 9급 검찰 · 마약수사 · 철도경찰, 24. 경대편입
　 2. 순수한 규범적 책임론에 대해서는 평가의 대상과 대상의 평가를 엄격히 구분하려 한 나머지 규범적 평가의 대상을 결하여 책임개념의 공허화를 초래한다는 비판이 제기된다. 09. 순경, 20. 해경 1차

Q 예방적 책임론(기능적 책임론)
예방적 책임론에 의하면 행위자에 대한 비난가능성만으로 책임을 결정하는 것이 아니라 일반예방이나 특별예방이라는 형벌의 목적도 함께 고려하여 책임을 결정해야 하므로 책임비난이 가능한 경우에도 예방의 필요성이 없으면 책임을 부정할 수 있다. 25. 순경 2차

제2절　책임능력

1　형법상 책임무능력자

(1) 형사미성년자

> **제9조【형사미성년자】** 14세가 되지 아니한 자의 행위는 벌하지 아니한다.

① **의 의**
  - ㉠ 형사미성년자는 14세 미만자(14세 이하 ×, 13세 ×, 14세 ×)를 말한다. 19. 순경 2차, 20. 해경 1차, 21. 해경승진
  - ㉡ 제9조는 순수한 생물학적 방법에 의한 규정이다. 따라서 심리학적 방법으로 판단하는 것이 아니므로 14세 미만자는 개인의 지적·도덕적·성격적인 발육상태를 불문하고 모두 책임무능력자로 된다(즉, 절대적 책임무능력자임). 17. 경찰간부, 18. 순경 2차, 21. 해경 1차

② **형법상 취급** : 형사미성년자의 행위는 책임이 조각되므로 범죄가 성립되지 않아 "벌하지 아니한다."(제9조)

Q 소년법에 의한 소년범죄자의 특별취급 : 소년법상의 소년은 19세 미만자를 말한다(동법 제2조). 20. 해경 1차

1. **10세 미만** : 일체의 형사적인 처분이나 소년법상 제재로부터 면책된다. 24. 법원행시
2. **10세 이상 14세 미만**(촉법소년) : 형사처벌은 불가능하지만 보호처분은 가능하다(동법 제4조 제1항 제2호). 19. 순경 2차, 20. 법원직·9급 검찰·마약수사·철도경찰, 25. 해경경위
3. **14세 이상 19세 미만**(범죄소년) : 형사처벌과 보호처분이 모두 가능하다(동법 제4조 제1항 제1호). 16. 9급 철도경찰
   - 상대적 부정기형(제60조) : 법정형이 장기 2년 이상의 유기징역에 해당하는 범죄 ⇨ 장기는 10년, 단기는 5년을 초과하지 못한다. 다만, 집행유예와 선고유예를 선고할 때에는 정기형을 선고한다.
   - 범행시(심판시 ×) 18세 미만 소년에 대한 사형·무기형 × ⇨ 대신 15년의 유기징역(동법 제59조) 08. 7급 검찰
   - 18세 미만 소년에 대한 환형처분 금지(동법 제62조)

관련판례

1. 소년법(제60조 제2항 : 임의적 감경)상의 소년인지의 여부의 판단은 원칙적으로 심판시(사실심판결 선고시)를 기준으로 하여야 한다. 따라서 범행시에 소년이었다 할지라도 사실심 판결선고 당시에 이미 성년이 된 경우 부정기형을 선고할 수 없다(대판 2000.8.18, 2000도2704). 14. 사시, 21. 경찰승진·7급 검찰, 24. 법원행시
2. 소년법상 부정기형의 선고대상이 되는 '소년'인지의 여부는 사실심 판결 선고시를 기준으로 삼아야 하므로 피고인이 항소심 판결 선고일에 이미 19세에 달하여 소년법상의 소년에 해당하지 않게 되었다면, 항소심 법원은 피고인에 대하여 정기형을 선고하여야 한다(대판 2008.10.23, 2008도8090). 18. 순경 2차, 23. 경찰간부, 24. 해경수사
3. 상습성을 인정하는 자료에는 아무런 제한이 없으므로 과거에 소년법에 의한 보호처분을 받은 사실도 상습성 인정의 자료로 삼을 수 있다(대판 1990.6.26, 90도887). 03. 법원행시, 20. 경찰간부

4. 소년법 제53조 소정의 "사형 또는 무기형으로 처할 것인 때에는 15년의 유기징역으로 한다."라는 규정은 소년에 대한 처단형이 사형 또는 무기형일 때에 15년의 유기징역으로 한다는 것이지 법정형이 사형 또는 무기형인 경우를 의미하는 것은 아니다(대판 1986.12.23, 86도2314). 21. 해경승진

5. 특정범죄 가중처벌 등에 관한 법률 제5조의 4 제5항을 적용하기 위한 요건으로서 요구되는 과거 전과로서의 징역형에는 소년으로서 처벌받은 징역형도 포함된다고 보아야 한다(대판 2010.4.29, 2010도973). 21. 법원행시

6. 법정형이 사형, 무기형 또는 유기형의 삼자가 있어 선택으로 된 경우에, 사형·무기형을 배척하고 유기형을 선택한 때에는 그 장기가 2년 이상이라면, 감경 여하에 불구하고, 부정기형을 가하여야 할 것이다(대판 1966.7.19, 66도735). 08. 경찰승진

7. 법정형이 사형, 무기징역, 유기징역이 있는 때에 그 법정형 중 사형이나 무기징역형을 선택하고 작량 감경한 결과로 피고인에게 유기징역형을 선고할 경우에는 위 소년법 제60조는 그 적용이 없다(대판 1985.6.25, 85도881 ∴ 정기형을 선고하여야 함). 03. 법원행시, 08. 7급 검찰

(2) 심신상실자

> **제10조【심신상실자】** ① 심신장애로 인하여 사물을 변별할 능력이 없거나(없으며 ×) 의사를 결정할 능력이 없는 자의 행위는 벌하지 아니한다. 15. 변호사시험, 21. 해경간부, 25. 법원직

① 심신상실자란 심신장애로 인하여(생물학적 방법) 사물을 변별할 능력 또는(및 ×) 의사를 결정할 능력이 없는 자(심리학적 방법)를 말한다(혼합적 방법). 14. 순경 2차, 15. 변호사시험, 21. 해경간부

② **효과** : 심신상실자의 행위는 책임능력이 없으므로 책임이 조각되어 '벌하지 아니한다'(제10조 제1항). 다만, 위험의 발생을 예견하고 자의로 심신장애를 야기한 자의 행위는 소위 '원인에 있어서 자유로운 행위'(제10조 제3항)가 되어 책임능력자와 똑같이 취급되며, 심신상실의 경우에도 보안처분은 가능하다(치료감호법에 의한 치료감호처분). 22. 7급 검찰

② 한정책임능력자

(1) 심신미약자

> **제10조【심신미약자】** ② 심신장애로 인하여 전항의 능력이 미약한 자의 행위는 형을 감경할 수 있다 (~ 형을 감경한다 ×). 〈개정 2018. 12. 18〉

① **의의** : 심신미약자란 심신장애로 인하여(생물학적 방법) 사물변별능력 또는 의사결정능력이 미약한 자(심리학적 방법)를 말한다(혼합적 방법). 즉, 심신상실의 정도에 이르지 않는 자를 말한다.

② **효과** : 심신미약자는 원칙적으로 책임무능력자가 아니라 책임능력자이지만 규범에 따라 행위하는 것이 곤란하기 때문에 책임이 감경될 뿐이어서 형을 감경할 수 있다(임의적 감경 ○, 필요

적 감경 × : 제10조 제2항). 21. 법원행시 · 순경 1차, 23. 경찰승진 · 순경 2차, 24. 해경경위, 25. 법원직 **다만, 원인**에 있어서 자유로운 행위(제10조 제3항)와 보안처분(치료감호법에 의한 치료감호)이 가능하다는 점은 심신상실자의 경우와 같다.

관련판례 ①

> 1. 형법 제10조에 규정된 심신장애는 생물학적 요소로서 정신병 또는 비정상적 정신상태와 같은 정신적 장애가 있는 외에 심리학적 요소로서 이와 같은 정신적 장애로 말미암아 사물에 대한 변별능력과 그에 따른 행위통제능력이 결여되거나 감소되었음을 요한다(대판 2018.9.13, 2018도7658). 19. 9급 철도경찰, 23. 9급 검찰 · 마약수사 · 철도경찰, 25. 7급 검찰, 26. 변호사시험
> 2. 정신적 장애가 있는 자라고 하여도 범행 당시 정상적인 사물변별능력이나 행위통제능력이 있었다면 심신장애로 볼 수 없다(대판 1992.8.18, 92도1425). 21. 법원직 · 7급 검찰, 22. 경력채용, 23. 순경 2차, 24. 경위공채 · 해경경위, 25. 변호사시험 · 해경경사, 26. 경찰승진
> 3. 심신장애의 유무 및 정도에 관하여는 법원이 형벌제도의 목적 등에 비추어 판단하여야 할 법률문제(사실문제 ×)로서 그 판단에 전문감정인의 정신감정결과가 중요한 참고자료가 되기는 하나, 법원이 반드시 그 의견에 구속되는 것은 아니고, 그러한 감정결과뿐만 아니라 범행의 경위, 수단, 범행 전후의 피고인의 행동 등 기록에 나타난 여러 자료 등을 종합하여 독자적으로 심신장애의 유무를 판단하여야 한다(대판 2018.9.13, 2018도7658). 21. 변호사시험 · 경찰간부 · 순경 1차 · 9급 검찰 · 철도경찰, 22. 해경간부 · 해경 2차, 24. 7급 검찰, 25. 법원직 · 해경경사

1. ① 심신장애자의 행위인 여부는 반드시 전문가의 감정에 의하여만 결정할 수 있는 것이 아니고 그 행위의 전후 사정이나 기록에 나타난 제반자료와 공판정에서의 피고인의 태도 등을 종합하여 심신상실 또는 미약자의 행위가 아니라고 인정하여도 이를 위법이라 할 수 없다(대판 1984.4.24, 84도527). 09. 사시, 23. 9급 검찰 · 마약수사 · 철도경찰 ② 피고인이 편집형 정신분열증환자로서 심신상실의 상태에 있었다는 감정인의 의견을 배척하고 제반사정을 종합하여 법원이 독자적으로 심신미약으로 판단할 수 있다(대판 1994.5.13, 94도581). 15. 사시, 25. 해경 2차 ③ 피고인이 범행 당시 그 심신장애의 정도가 단순히 사물을 변별할 능력이나 의사를 결정할 능력이 미약한 상태에 그쳤는지 아니면 그러한 능력이 상실된 상태이었는지 여부가 불분명한 경우에는 법원은 피고인의 정신장애의 내용 및 그 정도 등에 관하여 정신의로 하여금 감정을 하게 한 다음, 그 감정결과를 중요한 참고자료로 삼아 범행 당시의 심신상실 여부를 경험칙에 비추어 규범적으로 판단하여야 한다(대판 1998.4.10, 98도549). 22. 경력채용, 24. 7급 검찰

   ▶ **비교판례** : 심신장애의 의심이 드는 경우 ⇨ 전문가의 감정 필요함.
   피고인에게 우울증 기타 정신병이 있고, 특히 생리도벽이 발동하여 절도 범행을 저지른 의심이 들 경우에 법원은 전문가에게 피고인의 정신상태를 감정시키는 등의 방법으로 심신장애 여부를 심리하여야 한다(대판 1999.4.27, 99도693). 14. 사시, 19. 경력채용, 25. 해경경사 · 해경경위

2. ① 원칙적으로 충동조절장애와 같은 성격적 결함(도벽성)은 정상인에게서도 얼마든지 찾아볼 수 있으므로 형의 감면사유인 심신장애에 해당하지 않으나, 그것이 매우 심각하여 원래의 의미의 정신병을 가진 사람과 동등하다고 평가할 수 있다든지 또는 다른 심신장애사유와 경합된 경우에는 심신장애를 인정할 수 있다(대판 1995.2.24, 94도3163 ; 대판 2002.5.24, 2002도1541 ; 대판 2009.2.26, 2008도

9867). ② 소아기호증과 같은 질환이나 무생물인 옷 등을 성적 각성과 희열의 자극제로 믿고 이를 성적 흥분을 고취시키는 데 쓰는 성주물성애증이라는 정신질환이 있다는 사정은 그 자체만으로는 형의 감면사유인 심신장애에 해당하지 아니한다고 봄이 상당하고, 다만 그 증상이 매우 심각하여 원래의 의미의 정신병이 있는 사람과 동등하다고 평가할 수 있거나, 다른 심신장애사유와 경합된 경우 등에는 심신장애를 인정할 여지가 있다(대판 2007.2.8, 2006도7900 ; 대판 2013.1.24, 2012도 12689). 20. 경찰간부, 23. 변호사시험 · 9급 검찰 · 마약수사 · 철도경찰, 24. 해경경위, 25. 7급 검찰 · 해경경사 · 해경 경위, 26. 경찰승진 ③ 피고인의 병력, 피고인에 대한 정신감정 결과 등에 비추어 피고인의 각 범행이 매우 심각한 충동조절장애와 같은 성격적 결함으로 인하여 심신장애 상태에서 순간적으로 저지른 것일 가능성이 나타난 경우, 법원이 객관적 정신감정기관을 통하여 자세한 정신감정을 다시 실시하는 등의 방법으로 심신장애 여부를 심리하지 아니한 것은 위법하다(대판 2006.10.13, 2006도5360). 24. 7급 검찰

3. 평소 간질병증세가 있더라도 범행 당시에 간질병이 발작하지 않았다면 심신상실이나 심신미약의 경우가 아니다(대판 1983.10.11, 83도1897). 15. 사시 · 9급 검찰 · 마약수사 · 철도경찰, 22. 경력채용

4. 사물변별능력이나 의사결정능력은 사실의 인식능력이나 기억능력과 반드시 일치하는 것은 아니다 (대판 1990.8.14, 90도1328 **예** 범행 당시 정신분열증을 앓고 있던 甲에게 A를 살해한다는 명확한 의식이 있었고 甲이 범행 경위를 소상하게 기억하고 있다는 점만으로는 甲이 범행 당시 심신상실 상태가 아니었다고 단정할 수 없다). 15. 사시, 20. 법원행시, 21. 해경간부 범행 당시 범행을 기억하고 있지 않다는 사실만으로 심신상실 상태에 있었다고 할 수 없다(대판 1985.5.28, 85도361). 19. 경력채용, 20. 경찰승진, 22. 9급 철도경찰, 24. 해경수사 범행 전후 사정을 비교적 사리에 맞도록 기억한다고 하여 반드시 범행 당시 사물을 변별할 능력을 갖추고 있었다고 할 수 없다(대판 1969.10.14, 69도1265).

5. 음주운전과 관련한 도로교통법 위반죄의 범죄수사를 위하여 미성년자인 피의자의 혈액채취가 필요한 경우에도 피의자에게 의사능력이 있다면 피의자 본인만이 혈액채취에 관한 유효한 동의를 할 수 있고, 피의자에게 의사능력이 없는 경우에도 명문의 규정이 없는 이상 법정대리인이 피의자를 대리하여 동의할 수는 없다(대판 2014.11.13, 2013도1228). 17. 법원직, 18. 변호사시험

6. 편집형 정신분열증세와 방화에 대한 억제하기 어려운 충동으로 6일간에 걸쳐 8회의 연속된 방화를 한 경우 이는 심신미약 상태이다(대판 1984.2.28, 83도3007). 12. 9급 철도경찰, 26. 경찰승진

7. 심신상실을 인정한 경우
① 범행 당시 정신분열증에 의한 망상에 지배되어 피해자를 "사탄"이라고 생각하고 피해자를 죽여야만 자신이 천당에 갈 수 있다고 믿어 살해하기에 이른 경우(대판 1990.8.14, 90도1328) 11. 7급 검찰 · 경찰승진, ② 편집성 정신병자가 아들이 단순히 자기말을 잘 듣지 않는다는 사유만으로 그가 가문의 역적이니 죽여야 된다는 심한 망상속에 빠져 현실을 판단하는 자아의 힘을 상실한 상태에서 살해한 경우(대판 1984.8.21, 84도1510), ③ 심한 만성형 정신분열증에 따른 망상의 지배로 말미암아 아무런 관계도 없는 행인들의 머리를 이유 없이 도끼로 내리쳐 상해를 입힌 경우(대판 1991.5.28, 91도636) 16. 9급 철도경찰

8. 행위자가 범죄행위 당시 심신미약 등 정신적 장애상태에 있었다는 이유만으로 그 범죄행위가 상습성이 발현된 것이 아니라고 단정할 수 없다(대판 2009.2.12, 2008도11550). 12. 순경 1차, 15. 법원행시

(2) 농아자

> **제11조【청각 및 언어 장애인】** 듣거나 말하는 데 모두 장애가 있는 사람의 행위에 대해서는 형을 감경한다.
> 17. 경찰간부, 20. 법원직, 24. 해경승진 · 법원행시, 25. 7급 검찰

① **의의** : 농아자란 청각 및 발음기능에 모두 장애가 있는 자, 즉 농자(귀머거리)인 동시에 아자(벙어리)인 자를 말한다. 따라서 발음기능 또는 청각기능 중 어느 하나가 결여된 자는 농아자가 아니다. 이때 장애의 원인은 선천적이든 후천적이든 불문한다.

② **효과** : 농아자는 책임무능력자가 아니므로 행위 당시 사물을 변별하고 이에 따라 행위를 통제할 능력이 있다 하더라도 반드시 형을 감경하여야 한다(필요적 감경 : 제11조). 20. 9급 검찰 · 마약수사 · 철도경찰, 22. 경찰간부

🔔 음주 또는 약물로 인한 심신장애 상태에서 아동 · 청소년 대상 성폭력범죄를 범한 때에는 형법 제10조 제1항 · 제2항 및 제11조를 적용하지 아니할 수 있다(아동 · 청소년의 성보호에 관한 법률 제19조). 15. 9급 검찰 · 마약수사 · 철도경찰

3 원인에 있어서 자유로운 행위

> **제10조【심신장애인】** ③ 위험의 발생을 예견하고 자의로 심신장애를 야기한 자의 행위에는 전 2항의 규정을 적용하지 아니한다.

(1) 의 의

원인에 있어서 자유로운 행위란 책임능력자가 고의 또는 과실로 자기 자신을 책임능력 결함상태(심신장애상태 : 심신상실 내지 심신미약 상태)에 빠뜨리고 범행시에 그러한 상태에서 범죄를 실행하는 것을 말한다. 즉, 자기자신의 심신장애를 이용하여 범죄를 실현하는 행위를 말한다.

예 사람을 상해할 목적으로 음주 후 만취한 상태에서 상해를 가한 경우

(2) 책임주의와의 관계 및 가벌성의 근거

① **책임주의와의 관계** : 책임주의 원칙상 형법상의 책임을 지는 것은 행위시에 책임능력이 있어야 한다(소위 '행위와 책임의 동시존재의 원칙'). 그런데 행위시에는 책임무능력상태에 있고, 원인설정 행위시에 책임능력이 있는 원인에 있어서 자유로운 행위를 처벌할 수 있는가가 문제되나 오늘날 대체적으로 가벌성을 인정하며, 우리 형법은 입법적으로 해결하였다(제10조 제3항). 11. 9급 검찰 · 7급 검찰 · 경찰승진

② **가벌성의 근거**

㉠ **원인설정행위에 가벌성**(책임)**의 근거를 인정하는 견해**(구성요건모델설, 일치설)

ⓐ 원인에 있어서 자유로운 행위는 자기의 책임능력 없는 상태를 도구로 이용한다는 점에서 간접정범과 유사하므로, 간접정범이론을 원용하여 원인행위를 바로 실행행위로 보

고 원인행위가 책임능력상태에서 이루어진 이상(행위와 책임의 동시존재의 원칙 유지됨)
그 가벌성을 인정하는 견해이다. 18. 경찰간부, 21. 순경 1차, 25. 경찰승진·해경경위공채·해경 1차

ⓑ 실행의 착수시기(원인행위시설) : 이 견해는 원인행위시에 실행의 착수가 있다고 본다.
21. 해경승진, 22. 경찰간부, 23. 7급 검찰, 25. 경찰승진·해경경위공채

ⓒ 비판 : 구성요건의 정형성에 반하여 가벌성이 확장되어 죄형법정주의의 **보장적 기능을
훼손**한다. 위의 예에서 상해의 목적으로 술을 마셨다고 하여 그 음주행위(원인설정행위)
가 아직 상해죄의 구성요건 실현행위, 즉 상해행위라고는 할 수 없다는 것이다. 21. 순경
1차, 22. 변호사시험·해경간부·해경 2차, 24. 해경승진, 25. 경찰승진·해경경위

ⓛ **원인행위와 실행행위의 불가분적 연관에서 가벌성(책임)의 근거를 인정하는 견해**(예외모델)

ⓐ 원인설정행위(음주행위)와 실행행위(상해행위) 사이의 불가분적 연관성때문에 원인설정
행위에 책임비난의 근거가 있고 **행위와 책임의 동시존재의 원칙의 예외**로서 가벌성이
인정된다는 견해이다. 20. 순경 1차, 22. 경찰간부·해경간부·해경 2차, 24. 경찰승진·7급 검찰

ⓑ 실행의 착수시기(실행행위시설) : 이 견해는 실행행위시에 실행의 착수가 있다고 본다.
22. 해경간부, 25. 경찰승진·해경경위공채

(3) 원인에 있어서 자유로운 행위의 유형

Key Point

원인에 있어서 자유로운 행위는 고의에 의한 작위·부작위범 및 과실에 의한 작위·부작위범 모두에 적용
된다. 11. 7급 검찰

① **고의에 의한 원인에 있어서 자유로운 행위** : 행위자가 결과발생을 예견하면서도 의식적으로
심신장애상태를 야기시켜 이 상태하에서 작위 또는 부작위의 형태로 구성요건을 실현하는
경우이다.

관련판례

살인범행 당시에 대마초를 흡연하여 그로 인하여 심신이 다소 미약한 상태에 있었음은 인정되나, 이는
피해자들을 살해할 의사를 가지고 범행을 공모한 후에 대마초를 흡연하고, 위 각 범행에 이른 것으로
대마초 흡연시에 이미 범행을 예견하고도 자의로 위와 같은 심신장애를 야기한 경우에 해당하므로,
형법 제10조 제3항에 의하여 심신장애로 인한 감경 등을 할 수 없다(대판 1996.6.11, 96도857). 21. 변호
사시험, 22. 경찰간부·9급 검찰·마약수사·철도경찰, 23. 해경승진, 24. 경위공채, 25. 해경경위

② **과실에 의한 원인에 있어서 자유로운 행위** : 형법 제10조 제3항은 고의에 의한 원인에 있어서
자유로운 행위만이 아니라 과실에 의한 원인에 있어서 자유로운 행위까지도 포함하는 것으
로서 **위험의 발생을 예견할 수 있었는데도** 자의로 심신장애를 야기한 경우도 그 적용 대상이
된다(대판 1992.7.28, 92도999). 20. 경찰간부·해경승진, 22. 해경간부, 23. 9급 검찰·마약수사·순경 2차, 24. 경위
공채·해경경위, 25. 경찰승진·7급 검찰

관련판례 1

음주운전을 할 의사를 가지고 음주만취한 후 운전을 결행하여 교통사고를 일으켰다면 음주시에 교통사고를 일으킬 위험성을 예견하였는데도 자의로 심신장애를 야기한 경우에 해당하므로 위 법조항에 의하여 심신장애로 인한 감경 등을 할 수 없다(대판 1992.7.28, 92도999). 22. 9급 검찰 · 마약수사 · 철도경찰 · 순경 1차, 23. 경찰간부, 24. 7급 검찰, 25. 해경경위, 26. 변호사시험 · 경찰승진

⑷ 효 과

"전2항의 규정을 적용하지 아니한다."

원인에 있어서 자유로운 행위는 심신상실자나 심신미약자의 행위가 아닌 책임능력자의 행위로 취급되어 행위자의 책임이 감경 또는 조각되지 않고 책임능력자와 동일하게 처벌된다. 22. 해경간부 · 9급 검찰 · 마약수사 · 철도경찰, 24. 경찰승진, 25. 해경경위

1 형사미성년자의 행위는 벌하지 아니하므로, 소년법에 의한 보호처분도 할 수 없다. ( )
19. 순경 2차, 20. 법원직 · 9급 검찰 · 마약수사 · 철도경찰, 25. 해경경위

2 책임무능력자로 하기 위해서는 심신상실로 인하여 사물을 변별할 능력이 없으며 의사를 결정할 능력이 없어야 한다. ( )
15. 변호사시험, 21. 해경간부, 25. 법원직

3 법원이 형법 제10조에 규정된 심신장애의 유무 및 정도를 판단하는 것은 법률적 판단이지만, 반드시 전문감정인의 의견에 기속되어야 한다. ( )
21. 경찰간부 · 변호사시험, 23. 7급 검찰 · 순경 2차, 25. 법원직 · 해경경사

4 충동조절장애와 같은 성격적 결함도 원칙적으로 형의 감면사유인 심신장애에 해당한다. ( )
16. 9급 검찰 · 철도경찰, 17. 경찰간부, 20. 법원행시, 21. 법원직 · 7급 검찰, 25. 해경경위

5 충동조절장애와 같은 성격적 결함은 정신병질이 아니기 때문에 그 정도에 상관없이 심신장애에 해당되지 않는다. ( )
19. 변호사시험 · 경찰승진, 20. 경찰간부, 23. 순경 1차, 25. 7급 검찰

6 소아기호증은 성격적 결함으로 인해 나타나는 것으로서 소아기호증과 같은 질환이 있다는 사정은 그 자체만으로는 형의 감면사유인 심신장애에 해당하지 아니한다. ( )
21. 변호사시험, 22. 경력채용, 23. 9급 검찰 · 마약수사 · 철도경찰

7 성주물성애증이 있다는 사정만으로는 심신장애에 해당한다고 볼 수 없으나, 그 증상이 매우 심각하여 원래 의미의 정신병이 있는 사람과 동등하다고 평가할 수 있거나 다른 심신장애사유와 경합된 경우 등에는 심신장애를 인정할 여지가 있다. ( )
19. 경찰간부, 20. 변호사시험, 21. 9급 검찰 · 마약수사 · 철도경찰, 26. 경찰승진

8 행위자에게 정신적 장애가 있는 경우에는 범행 당시 정상적인 사물변별능력과 행위통제능력이 있었다고 하더라도 형법 제10조의 심신장애가 인정된다. ( )
21. 7급 검찰, 22. 경력채용, 23. 경찰승진 · 순경 2차, 24. 경위공채, 25. 변호사시험

9 범행 당시를 기억하지 못한다는 사실만으로 바로 범행시 심신상실 상태에 있었다고 단정할 수 없다. ( )
19. 경력채용, 20. 경찰승진, 22. 9급 철도경찰, 24. 해경수사

10 평소 간질병 증세가 있었더라도 범행 당시에는 간질병이 발작하지 않았다면 심신상실 또는 심신미약에 해당한다고 볼 수 없다. ( )
20. 경찰승진, 22. 9급 철도경찰 · 경력채용

11 형법 제10조 제3항은 고의에 의한 원인에 있어서 자유로운 행위만이 아니라 과실에 의한 원인에 있어서 자유로운 행위에도 적용된다는 것이 판례의 입장이다. ( )
22. 해경간부, 23. 9급 검찰 · 마약수사 · 순경 2차, 24. 경위공채, 25. 경찰승진 · 7급 검찰

Answer ▸ 1. ✕ 2. ✕ 3. ✕ 4. ✕ 5. ✕ 6. ○ 7. ○ 8. ✕ 9. ○ 10. ○ 11. ○

12 음주운전을 할 의사를 가지고 음주만취 후 운전을 결행하여 교통사고를 일으켰다면 음주시에 교통사고를 일으킬 위험성을 예견하였는 데도 자의로 심신장애를 야기한 경우에 해당하므로 형법 제10조 제3항에 의하여 심신장애로 인한 감경 등을 할 수 없다는 것이 판례의 입장이다. (　)

22. 9급 검찰 · 마약수사 · 철도경찰 · 순경 1차, 23. 경찰간부, 24. 7급 검찰, 26. 변호사시험 · 경찰승진

13 형법은 원인에 있어서 자유로운 행위에 대하여 '위험의 발생을 예견하고' 자의로 심신장애를 야기한 경우라고 규정(제10조 제3항)하고 있으므로, '위험의 발생을 예견할 수 있었음에도' 자의로 심신장애를 야기한 경우는 원인에 있어서 자유로운 행위에 해당되지 않는다. (　)

20. 경찰간부, 22. 해경간부, 23. 9급 검찰 · 마약수사 · 철도경찰 · 순경 2차, 24. 경위공채, 25. 경찰승진 · 7급 검찰

14 원인에 있어서 자유로운 행위의 가벌성의 근거를 자신을 도구로 이용하는 간접정범으로 이해하여 원인설정행위를 실행행위로 파악하고 원인설정행위시의 책임능력을 기초로 책임을 인정하는 견해는 구성요건의 정형성을 중시하여 죄형법정주의의 보장적 기능을 관철하는 데 부합하는 이론이다. (　)　　　20. 순경 1차, 22. 변호사시험 · 해경간부, 24. 해경승진, 25. 경찰승진 · 해경경위

15 실행의 착수시기와 관련하여 원인행위를 실행행위로 보는 견해에 따르면 행위와 책임의 동시존재의 원칙이 유지되기 어렵다는 단점이 있다. (　)

18. 경찰간부, 21. 순경 1차, 25. 경찰승진 · 해경경위공채 · 해경 1차

16 원인행위를 실행행위로 보는 견해에 따르면 원인설정행위를 실행행위로 파악하기 때문에 구성요건적 행위정형성을 중시하여 죄형법정주의의 보장적 기능에 부합한다. (　)

17. 경찰승진 · 9급 검찰, 18. 7급 검찰, 20 · 21. 순경 1차, 22. 변호사시험

17 형법 제10조 제3항의 원인에 있어서 자유로운 행위의 가벌성 근거에 대하여 책임능력과 행위의 동시존재원칙을 고수하는 견해에 따르면 원인설정행위시에 실행의 착수가 있다. (　)

21. 해경승진, 22. 경찰간부, 23. 7급 검찰, 25. 경찰승진 · 해경경위공채

18 원인에 있어서 자유로운 행위는 형법상 책임무능력자의 행위와 동일하게 취급된다. (　)

20. 해경 1차, 22. 9급 검찰 · 마약수사 · 철도경찰, 24. 경찰승진 · 7급 검찰, 25. 해경경위

19 심신장애로 인하여 사물을 변별할 능력이 없거나 의사를 결정할 능력이 없는 자의 행위는 벌하지 아니하고, 심신장애로 인하여 위 능력이 미약한 자의 행위는 형을 감경한다. (　)

21. 법원행시 · 순경 1차, 23. 경찰승진 · 순경 2차, 24. 해경경위, 25. 법원직

20 형법 제11조는 "농아자의 행위는 형을 감경 또는 면제한다."고 규정하고 있다. (　)

20. 법원직 · 9급 검찰, 22. 경찰간부, 24. 해경승진, 25. 7급 검찰

Answer ▸　12. ○　13. ✕　14. ✕　15. ✕　16. ✕　17. ○　18. ✕　19. ✕　20. ✕

01 책임의 근거와 본질에 관한 설명으로 가장 적절하지 않은 것은?(다툼이 있는 경우 다수설에 의함)

25. 순경 2차

① 도의적 책임론에 의하면 자유의사가 없는 자는 책임무능력자로서 형벌을 부과할 수 없으며, 자유의사를 가진 책임능력자에게 과해지는 형벌과 자유의사가 없는 책임무능력자에게 과해지는 보안처분은 질적으로 구별된다.

② 사회적 책임론에 의하면 책임은 환경과 소질에 의해 결정되는 '행위자의 반사회적 성격'에 있는 것으로 책임능력은 형벌능력을 의미하고, 형벌과 보안처분은 사회방위의 수단인 점에서 동일하지만 양적 차이가 있을 뿐이다.

③ 인격적 책임론에 의하면 책임을 평가적 가치관계로 이해하여 구체적 사정 아래에서 행위자가 적법행위를 할 수 있었음에도 불구하고 그렇게 하지 않았을 때 비로소 책임비난이 가능하므로 적법행위의 기대가능성이 책임의 중심적 요소이며 비난가능성이 책임의 본질이 된다.

④ 예방적 책임론에 의하면 행위자에 대한 비난가능성만으로 책임을 결정하는 것이 아니라 일반예방이나 특별예방이라는 형벌의 목적도 함께 고려하여 책임을 결정해야 하므로 책임비난이 가능한 경우에도 예방의 필요성이 없으면 책임을 부정할 수 있다.

해설 ① 옳다(이원론). ② 옳다(일원론).
③ × : 지문의 내용은 규범적 책임론(인격적 책임론 ×)에 대한 것이다.
▶ **인격적 책임론** : 환경과 소질의 영향을 받으면서도 어느 정도의 상대적 자유의사를 가진 인간상을 전제로 구체적인 행위와 그 배후에 잠재되어 있는 행위자의 인격에 책임의 근거가 있다고 보는 견해임.
④ 옳다.

02 다음 〈보기〉의 책임의 근거와 본질에 대한 설명 중 옳은 것은 모두 몇 개인가? 25. 해경경위공채

㉠ 심리적 책임론은 책임을 결과에 대한 행위자의 심리적 사실관계로 파악하여, 이 실재가 있으면 고의책임을, 없으면 과실책임을 인정한다.
㉡ 규범적 책임론은 책임을 심리적 사실관계로 보지 않고 규범적 평가관계로 이해하여, 책임을 불법을 저지른 행위자에 대한 비난가능성으로 본다.
㉢ 도의적 책임론은 인간에게 자유의사가 있다는 의사비결정론을 전제로 하여, 책임을 자유의사를 가진 자가 위법한 행위로 의사결정을 한 점에 대한 도의적 비난을 가하는 것이라고 본다.
㉣ 사회적 책임론은 개인의 유전적 소질과 사회적 환경에 의하여 결정된 반사회적 성격에 책임의 근거를 두고, 보안처분과 형벌의 목적을 동일하게 보는 일원론을 취한다.
㉤ 기능적 책임론은 책임은 형벌목적과 관련하여 기능적으로 이해할 때에만 형법상의 의의를 가질 수 있으며, 특히 특별예방의 목적에 의하여 결정되어야 한다고 주장한다.

 **Answer** 01. ③ 02. ③

① 2개　　　　② 3개　　　　③ 4개　　　　④ 5개

해설　㉠×: ~ (1줄) 파악하여, 이 실재(심리적 사실)인 고의·과실만 있으면 책임이 있고, 그것이 없으면 책임도 없다는 견해이다.
㉡㉢㉣㉤ 옳다.

03 다음 중 책임능력에 대한 설명으로 옳지 않은 것은 모두 몇 개인가?(다툼이 있는 경우 판례에 의함)
20. 해경 1차

> ㉠ 도의적 책임론은 형사책임의 근거를 행위자의 자유의사에 찾으며, 가벌성 판단에서 행위보다 행위자에 중점을 두는 객관주의 책임론의 입장이다.
> ㉡ 사회적 책임론에 따르면, 책임의 근거는 행위자의 반사회적 성격에 있으므로 사회생활을 하고 있는 책임무능력자에 대하여도 사회방위를 위해 보안처분을 가하여야 한다. 이러한 의미에서 책임능력은 형벌능력을 의미한다.
> ㉢ 순수한 규범적 책임론에 대해서는 평가의 대상과 대상의 평가를 엄격히 구분하려 한 나머지 규범적 평가의 대상을 결하여 책임개념의 공허화를 초래한다는 비판이 제기된다.
> ㉣ 책임능력을 범죄능력으로 이해하는 견해에 의하면 책임무능력자를 교사한 자에 대하여는 공범성립의 극단적 종속형식에 의하더라도 교사범이 성립될 수 있다.
> ㉤ 행위시 책임능력이 없는 자의 행위는 어떠한 경우에도 형벌을 부과할 수 없다.

① 1개　　　　② 2개　　　　③ 3개　　　　④ 4개

해설　㉠×: 도의적 책임론은 형사책임의 근거를 행위자의 자유의사에 찾으며, 가벌성 판단에서 행위자(행위 ×)보다 행위(행위자 ×)에 중점을 두는 객관주의 책임론의 입장이다.
㉡ ○: 옳다. ㉢ ○: 옳다.
㉣×: 극단적 종속형식에 의하면 정범의 행위가 구성요건에 해당하고 위법·유책해야만, 즉 범죄의 성립요건을 완전히 구비해야만 공범(교사범)이 성립하므로 책임무능력자를 교사한 자는 교사범이 성립될 수 없다.
㉤×: 원인에 있어서 자유로운 행위(제10조 제3항)의 경우 책임능력자로 처벌될 수 있다.

04 책임능력에 관한 설명 중 가장 적절하지 않은 것은?(다툼이 있는 경우 판례에 의함)　　23. 순경 1차
① 심신장애로 인하여 사물을 변별할 능력이 없거나 의사를 결정할 능력이 없는 자의 행위는 벌하지 아니하고, 심신장애로 인하여 위의 능력이 미약한 자의 행위는 형을 감경할 수 있다.
② 충동조절장애와 같은 성격적 결함은 형의 감면사유인 심신장애에 해당하지 아니하지만 그것이 매우 심각하여 원래의 의미의 정신병을 가진 사람과 동등하다고 평가할 수 있는 경우에는 그로 인한 범행은 심신장애로 인한 범행으로 보아야 한다.
③ 형법은 책임능력의 평가방법에 있어서 제9조의 형사미성년자는 생물학적 방법을, 제10조의 심신장애인은 '심신장애'라는 생물학적 방법과 '사물변별능력 의사결정능력'이라는 심리적 방법의 혼합적 방법을 채택하고 있다.

Answer　03. ③　04. ④

④ 사물을 변별할 능력이나 의사를 결정할 능력은 판단능력 또는 의지능력과 관련된 것으로서 사실의 인식능력이나 기억능력과 반드시 일치하여야 한다.

[해설] ① 제10조 제1항·제2항
② 대판 1995.2.24, 94도3163
③ 타당하다.
④ × : ~ 반드시 일치하는 것은 아니다(대판 1990.8.14, 90도1328).

05 형법 제10조에 대한 설명으로 옳은 것은?(다툼이 있는 경우 판례에 의함)

21. 9급 검찰 · 마약수사 · 철도경찰

① 심신장애는 생물학적 요소로서 정신병이나 정신박약 또는 비정상적 정신상태와 같은 정신적 장애가 있는 것만으로도 인정된다.
② 심신장애의 유무 및 정도의 판단은 사실적 판단이므로 법원으로서는 전문감정인의 의견에 기속되어야 한다.
③ 형법 제10조 제3항은 고의에 의한 원인에 있어서의 자유로운 행위를 포함하고 과실에 의한 원인에 있어서의 자유로운 행위는 포함하지 않는다.
④ 무생물인 옷 등을 성적 각성과 희열의 자극제로 믿고 이를 성적 흥분을 고취시키는 데 쓰는 성주물성애증이라는 정신질환의 경우, 그 증상이 매우 심각하여 정신병이 있는 사람과 동등하다고 평가할 수 있으면 심신장애를 인정할 수 있다.

[해설] ① × : 형법 제10조에 규정된 심신장애는 생물학적 요소로서 정신병 또는 비정상적 정신상태와 같은 정신적 장애가 있는 외에 심리학적 요소로서 이와 같은 정신적 장애로 말미암아 사물에 대한 변별능력과 그에 따른 행위통제능력이 결여되거나 감소되었음을 요한다(대판 2018.9.13, 2018도7658).
② × : 심신장애의 유무 및 정도의 판단은 법률적(의학적 ×, 사실적 ×) 판단으로서 전문감정인의 의견에 기속되어야 하는 것은 아니고 여러 사정을 종합하여 법원이 독자적으로 판단할 수 있다(대판 1999.1.26, 98도3812).
③ × : ~ (1줄) 과실에 의한 원인에 있어서의 자유로운 행위도 포함된다(대판 1992.7.28, 92도999).
④ ○ : 대판 2013.1.24, 2012도12689

06 형법 제10조 심신장애에 대한 설명으로 가장 옳은 것은?(다툼이 있는 경우 판례에 의함) 25. 해경경위
① 형사미성년자의 행위는 벌하지 아니하므로, 소년법에 의한 보호처분도 할 수 없다.
② 우울증 기타 정신병이 있는 피고인이 특히 생리도벽으로 절도범행을 저지른 의심이 들 경우에 법원은 전문가의 감정을 구하지 않고 독자적으로 그 심신장애 여부를 심리할 수 있다.
③ 원칙적으로 충동조절장애와 같은 성격적 결함은 형의 감면사유인 심신장애에 해당한다.
④ 형법 제10조의 심신장애로 인하여 사물을 변별할 능력이 없거나 의사를 결정할 능력이 없는 자 및 이와 같은 능력이 미약한 자라 함은 어느 것이나 심신장애의 상태에 있는 사람을 말하고, 이 양자는 단순히 그 장애정도의 강약에 차이가 있을 뿐이다.

해설 ① × : 형사미성년자 중 촉법소년(10세 이상 14세 미만)은 형사처벌이 불가능하지만, 소년법(제4조 제1항 제2호)에 의한 보호처분은 가능하다.
② × : 피고인에게 우울증 기타 정신병이 있고, 특히 생리도벽이 발동하여 절도 범행을 저지른 의심이 들 경우에 법원은 전문가에게 피고인의 정신상태를 감정시키는 등의 방법으로 심신장애 여부를 심리하여야 한다(대판 1999.4.27, 99도693).
③ × : ~ 심신장애에 해당하지 않는다(대판 1995.2.24, 94도3163).
④ ○ : 1984.2.28, 83도3007

07 원인에 있어서 자유로운 행위에 대한 설명으로 옳은 것은 모두 몇 개인가?(다툼이 있는 경우 판례에 의함)
16. 경찰간부, 22. 해경간부

㉠ 행위시에 사물변별능력과 의사결정능력이 없는 자에게는 어떠한 경우에도 형벌을 부과할 수 없다.
㉡ 형법은 원인에 있어서 자유로운 행위의 가벌성을 입법적으로 해결하고 있다.
㉢ 자의로 심신장애를 야기하였다면 언제나 원인에 있어서 자유로운 행위에 해당한다.
㉣ 원인행위를 실행의 착수로 인정할 경우 행위와 책임의 동시 존재의 원칙이 유지된다.
㉤ 원인에 있어서 자유로운 행위에 관한 형법 제10조 제3항은 위험의 발생을 예견할 수 있었는데도 자의로 심신장애를 야기한 경우에는 적용되지 않는다.
㉥ 원인에 있어서 자유로운 행위는 형법상 책임무능력자의 행위와 동일하게 취급된다.

① 1개　　　② 2개　　　③ 3개　　　④ 4개

해설 ㉠ × : 행위시에 책임능력이 없는 경우에도 원인에 있어서 자유로운 행위에 해당할 때에는 면책 또는 감경되지 아니한다(제10조 제3항).
㉡ ○ : 제10조 제3항
㉢ × : 위험의 발생을 예견하고 자의로 심신장애를 야기한 경우가 원인에 있어서 자유로운 행위에 해당한다(제10조 제3항).
㉣ ○ : 타당하다.
㉤ × : ~ 경우에도 적용된다(대판 1992.7.28, 92도999).
㉥ × : ~ 책임능력자와 동일하게 처벌된다(제10조 제3항).

08 다음 사례에 관한 설명으로 가장 적절한 것은?(다툼이 있는 경우 판례에 의함)
24. 경찰승진

[사례1] 甲은 A를 살해하기로 마음먹었고 용기를 내기 위해 술을 마신 후 심신미약 상태에서 A를 살해하였다.
[사례2] 乙은 음주시 교통사고의 위험성을 예견하였음에도 자의로 음주 후, 음주만취한 상태에서 운전하여 교통사고를 일으켰다.
[사례3] 丙은 자신이 저지른 살해행위에 대한 재판 도중, 범행 당시 심신장애로 인하여 사물을 변별할 능력 또는 의사를 결정할 능력이 미약하였음을 주장하고 있다.

Answer 07. ② 08. ②

① [사례 1]에서 실행의 착수시기를 심신미약 상태에서의 살해행위로 본다는 견해는 책임능력과 행위의 동시존재 원칙을 고수한다는 장점이 있다.

② [사례 1]에서 실행의 착수시기를 원인행위시로 보는 견해에 대해서는 구성요건의 정형성을 무시한다는 비판이 제기된다.

③ [사례 2]는 [사례 1]과 달리 형법 제10조 제3항의 적용이 배제되어 심신장애로 인한 감경 등을 할 수 있다.

④ [사례 3]에서 전문감정인이 丙의 범행 당시에 심신미약 상태임을 인정하는 소견서를 제출하였다면, 법원은 전문감정인의 의견에 구속되어 형법 제10조 제2항을 적용하여야 한다.

해설 [사례 1]은 고의에 의한 원인에 있어서 자유로운 행위, [사례 2]는 과실에 의한 원인에 있어서 자유로운 행위에 관한 문제임.
① × : ~ 착수시기를 원인행위시로 본다는 견해(심신미약 상태에서의 살해행위로 본다는 견해 ×)는 책임능력과 행위의 동시존재 원칙을 고수한다는 장점이 있다.
② ○ : 옳다.
③ × : ~ 제10조 제3항이 적용되어 심신장애로 인한 감경 등을 할 수 없다(대판 1992.7.28, 92도999).
④ × : ~ 소견서를 제출하였더라도 법원은 반드시 전문감정인의 의견에 구속되는 것은 아니고 독자적으로 심신장애의 유무를 판단할 수 있다(대판 1999.1.26, 98도3812).

09 다음 중 원인에 있어서 자유로운 행위에 대한 설명으로 가장 옳지 않은 것은?(다툼이 있으면 판례에 의함)
25. 해경경위공채

① 원인행위 개시시기를 실행의 착수시기로 보는 견해는 구성요건의 정형성을 무시한다는 비판을 받는다.

② 甲이 乙을 살해하기로 마음 먹고 범죄실행의 용기를 내기 위해 만취상태로 술을 마신 후 乙의 집 앞까지 갔다가 마음이 바뀌어 다시 돌아온 경우, 행위와 책임의 동시존재의 원칙에 대한 예외를 인정하는 견해에 따르면, 甲의 실행의 착수는 인정되지 않아 처벌되지 않는다.

③ 甲이 乙을 살해하기로 마음 먹고 범죄실행의 용기를 내기 위해 만취상태로 술을 마신 후 乙의 집 앞까지 갔다가 마음이 바뀌어 다시 돌아온 경우, 행위와 책임의 동시존재의 원칙을 유지하는 견해에 따르면, 甲은 살인미수죄로 처벌된다.

④ 책임능력이 있는 상태하에서의 원인설정행위에 가벌성의 근거가 있다는 견해는, 자신을 도구로 이용하는 간접정범과 유사한 것으로 이해하는 견해와 일맥 상통한다.

해설 ① 구성요건모델설(일치설)로 옳다.
② × : ~ (3줄) 인정하는 견해(예외모델)에 따르면, 甲의 실행의 착수는 인정되지 않지만(∵ 실행행위시에 실행의 착수가 있다고 봄) 예비죄의 처벌규정이 있는 경우에는 예비죄로 처벌될 수 있다.
③ 구성요건모델설(일치설)로 옳다(∵ 술을 마시는 원인행위시에 실행의 착수가 인정됨).
④ 구성요건모델설(일치설)로 옳다.

Answer 09. ②

10 다음 중 책임에 대한 설명으로 옳지 않은 것은 모두 몇 개인가?(다툼이 있는 경우 판례에 의함)

21. 해경간부

> ㉠ 심신상실자란 심신장애로 인하여 사물을 변별할 능력이 없거나 의사를 결정할 능력이 결여된 자를 말한다.
> ㉡ 책임이 반드시 불법을 전제로 하여야 성립하는 것은 아니다.
> ㉢ 형법 제10조 제3항은 고의에 의한 원인에 있어서 자유로운 행위만이 아니라 과실에 의한 원인에 있어서 자유로운 행위에도 적용된다는 것이 판례의 입장이다.
> ㉣ 책임능력을 형벌능력으로 이해하는 견해는 상습범을 책임무능력자로 평가하는 결점이 있다.
> ㉤ 도의적 책임론은 책임능력을 형벌능력으로 파악하나 사회적 책임론은 책임능력을 범죄능력이라고 한다.
> ㉥ 피고인이 심각한 충동조절장애에 빠져 절도 범행을 저지른 것으로 의심된다고 하더라도 자신의 충동을 억제하지 못하여 범죄를 저지르게 되는 현상은 정상인에게서도 얼마든지 찾아볼 수 있는 일이므로, 형의 감면사유인 심신장애에 해당하지 아니한다.

① 1개 　　　② 2개 　　　③ 3개 　　　④ 4개

해설 ㉠ ○ : 제10조 제1항　㉡ × : ~ 성립하는 것이다〔∵ 불법(구성요건해당성 ○, 위법성 ○)이 인정됨을 전제로 책임 여부를 따짐〕.　㉢ ○ : 대판 1992.7.28, 92도999
㉣ ○ : 동 견해에 의하면 상습범은 형벌적응능력이 없으므로 책임무능력자로 평가하는 결점이 있다.
㉤ × : 도의적 책임론(책임능력 = 범죄능력), 사회적 책임론(책임능력 = 형벌능력)
㉥ × : 원칙적으로 충동조절장애와 같은 성격적 결함(도벽성)은 정상인에게서도 얼마든지 찾아볼 수 있으므로 형의 감면사유인 심신장애에 해당하지 않으나, 그것이 매우 심각하여 원래의 의미의 정신병을 가진 사람과 동등하다고 평가할 수 있다든지 또는 다른 심신장애사유와 경합된 경우에는 심신장애를 인정할 수 있다(대판 1995.2.24, 94도3163).

11 책임능력에 관한 설명 중 옳은 것(○)과 옳지 않은 것(×)을 올바르게 조합한 것은?(다툼이 있는 경우 판례에 의함)

21. 변호사시험

> ㉠ 형법 제10조에 규정된 심신장애의 유무 및 정도에 관한 법원의 판단은 전문감정인의 의견에 기속된다.
> ㉡ 사춘기 이전의 소아들을 상대로 한 성행위를 중심으로 성적 흥분을 강하게 일으키는 공상, 성적 충동, 성적 행동이 반복되어 나타나는 소아기호증과 같은 질환이 있다는 사정은 그 자체만으로 형의 감면사유인 심신장애에 해당한다.
> ㉢ 음주운전을 할 의사를 가지고 음주만취한 후 운전을 결행하여 교통사고를 일으켰다면 음주시에 교통사고를 일으킬 위험성을 예견하였는데도 자의로 심신장애를 야기한 경우에 해당하므로 심신장애로 인한 감경 등을 할 수 없다.
> ㉣ 대마초 흡연 시에 이미 범행을 예견하고 자의로 심신장애를 야기한 경우, 그로 인해 그 범행 시에 의사결정능력이 없거나 미약했다면 심신장애로 인한 감경 등을 할 수 있다.

 Answer　10. ③　11. ④

㉺ 반사회적 인격장애 혹은 기타 성격적 결함에 기하여 자신의 충동을 억제하지 못하여 범죄를 저지르는 경우, 특별한 사정이 없는 한 이와 같은 자에 대해서는 자신의 충동을 억제하고 법을 준수하도록 요구할 수 없다.

① ㉠(×), ㉡(○), ㉢(×), ㉣(○), ㉤(×)
② ㉠(×), ㉡(×), ㉢(○), ㉣(○), ㉤(×)
③ ㉠(×), ㉡(×), ㉢(×), ㉣(×), ㉤(○)
④ ㉠(×), ㉡(×), ㉢(○), ㉣(×), ㉤(×)
⑤ ㉠(○), ㉡(○), ㉢(○), ㉣(○), ㉤(×)

해설 ㉠ × : ~ 기속되어야 하는 것은 아니다(대판 1999.1.26, 98도3812).
㉡ × : ~ 해당하지 않는다(대판 2007.2.8, 2006도7900).
㉢ ○ : 대판 1992.7.28, 92도999
㉣ × : ~ 감경 등을 할 수 없다(대판 1996.6.11, 96도857).
㉤ × : 인격장애 혹은 기타 성격적 결함에 기하여 자신의 충동을 억제하지 못하여 범죄를 저지르게 되는 현상은 정상인에게서도 얼마든지 찾아볼 수 있는 일로서, 특별한 사정이 없는 한 이와 같은 성격적 결함을 가진 자에 대하여 자신의 충동을 억제하고 법을 준수하도록 요구하는 것이 기대할 수 없는 행위를 요구하는 것이라고 할 수 없다(대판 2016.2.19, 2015도12980).

12 책임에 대한 설명 중 옳은 것만을 모두 고른 것은?(다툼이 있는 경우 판례에 의함) 23. 경찰간부

㉠ 책임비난의 근거를 행위자의 자유의사에서 찾는 도의적 책임론은 행위자책임을 형벌권 행사의 근거로 보기 때문에 책임무능력자에 대한 보안처분 부과를 옹호한다.
㉡ 사회적 책임론은 과거에 잘못 형성된 행위자의 성격에서 책임의 근거를 찾으므로 범죄는 행위자의 소질과 환경에 의해 결정된다고 이해한다.
㉢ 행위 당시 18세였던 甲이 제1심에서 부정기형을 선고받은 후 항소심 선고 이전에 19세에 도달한 경우, 항소심 법원은 甲에 대하여 정기형을 선고하여야 한다.
㉣ 형법 제10조에 규정된 심신장애는 정신병 또는 비정상적 정신상태와 같은 정신적 장애가 있는 외에 정신적 장애로 말미암아 사물에 대한 변별능력과 그에 따른 행위통제능력이 결여되거나 감소되었음을 요하므로 정신적 장애가 있는 자라고 하여도 범행 당시 정상적인 사물변별능력이나 행위통제능력이 있었다면 심신장애로 볼 수 없다.
㉤ 음주습벽이 있는 甲이 음주운전을 할 의사를 가지고 음주만취하여 심신상실 상태에서 운전을 결행하여 부주의로 보행자 A를 충격하여 현장에서 즉사시키고 도주하였다면, 이는 음주시에 교통사고를 일으킬 위험성을 예견하였는데도 자의로 심신장애를 야기한 경우에 해당하므로 甲에 대한 형사처벌이 가능하다.
㉥ 원인에 있어서 자유로운 행위에 관한 형법 제10조 제3항은 원인행위시 심신장애 상태에서 위법행위로 나아갈 예견가능성이 없었던 경우에도 적용된다.

① ㉠, ㉢, ㉣, ㉺ 　　　　② ㉡, ㉣, ㉤, ㉺
③ ㉢, ㉣, ㉤, ㉺ 　　　　④ ㉡, ㉢, ㉣, ㉤

> [해설] ㉠ × : ~ (1줄) 도의적 책임론은 행위(행위자 ×)책임을 형벌권 행사의 근거로 보기 때문에 책임무능력자에 대한 보안처분 부과를 옹호한다.
> ㉡ ○ : 옳다. ㉢ ○ : 대판 2008.10.23, 2008도8090
> ㉣ ○ : 대판 1992.8.18, 92도1425 ㉤ ○ : 대판 1992.7.28, 92도999
> ㉺ × : ~ (1줄) 심신장애 상태에서 위험의 발생을 예견할 수 있었는데도 자의로 심신장애를 야기한 경우에도 적용된다(대판 1992.7.28, 92도999 ∴ 예견가능성이 없었던 경우에는 적용 ×).

13 **책임에 관한 설명으로 가장 적절하지 않은 것은?**(다툼이 있는 경우 판례에 의함)　　　23. 순경 2차

① 형법 제10조 제2항에 따르면 심신장애로 인하여 사물을 변별할 능력이나 의사를 결정할 능력이 미약한 사람의 행위는 형을 감경할 수 있다.

② 형법 제10조에 규정된 심신장애는 생물학적 요소로서 정신병 또는 비정상적 정신 상태와 같은 정신적 장애가 있는 외에 심리학적 요소로서 이와 같은 정신적 장애로 말미암아 사물에 대한 변별능력과 그에 따른 행위통제능력이 결여되거나 감소되었음을 요하므로, 정신적 장애가 있는 자라고 하여도 범행 당시 정상적인 사물변별능력이나 행위통제능력이 있었다면 심신장애로 볼 수 없다.

③ 형법 제10조 제1항 및 동조 제2항에 규정된 심신장애의 유무 및 정도의 판단은 법률적 판단으로서 반드시 전문감정인의 의견에 기속되어야 하는 것은 아니고, 정신분열증의 종류와 정도, 범행의 동기, 경위, 수단과 태양, 범행 전후의 피고인의 행동, 반성의 정도 등 여러 사정을 종합하여 법원이 독자적으로 판단할 수 있다.

④ 원인에 있어서 자유로운 행위에 관한 형법 제10조 제3항은 원인행위시 심신장애 상태에서 위법행위로 나아갈 예견가능성이 없었던 경우에도 적용된다.

> [해설] ① 옳다(제10조 제2항). ② 대판 1992.8.18, 92도1425 ③ 대판 1999.1.26, 98도3812
> ④ × : ~ (1줄) 심신장애 상태에서 위험의 발생을 예견할 수 있었는데도 자의로 심신장애를 야기한 경우에도 적용된다(대판 1992.7.28, 92도999 ∴ 예견가능성이 없었던 경우에는 적용 ×).

14 **책임능력에 대한 설명으로 옳지 않은 것은?**(다툼이 있는 경우 판례에 의함)　　　24. 7급 검찰

① 피고인이 범행 당시 심신장애 상태에 있었는지 여부를 판단함에는 반드시 전문가의 감정을 거쳐야 하는 것은 아니고, 법원이 범행의 경위, 수단, 범행 전후의 피고인의 행동 등을 종합하여 이를 판단하여도 위법이 아니다.

② 법원은 피고인의 심신장애가 의심되는 경우, 피고인의 정신장애의 내용 및 그 정도 등에 관하여 정신의로 하여금 감정을 하게 한 다음, 그 감정 결과를 중요한 참고자료로 삼아 범행 당시의 심신상실 여부를 경험칙에 비추어 규범적으로 판단하여 그 당시 심신상실의 상태에 있었던 것으로 인정된다면 무죄를 선고하여야 한다.

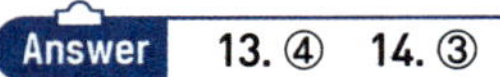

③ 피고인의 병력, 피고인에 대한 정신감정 결과 등에 비추어 피고인의 각 범행이 매우 심각한 충동조절장애와 같은 성격적 결함으로 인하여 심신장애 상태에서 순간적으로 저지른 것일 가능성이 나타난 경우라도, 법원이 객관적 정신감정기관을 통하여 자세한 정신감정을 다시 실시하는 등의 방법으로 심신장애 여부를 심리하지 아니한 채 독자적으로 판단하였다고 하여 위법이라 할 것은 아니다.

④ 피고인이 사고 당시 심신미약 상태에 있었다고 하더라도 자신의 차를 운전하여 술집에 가서 술을 마신 후 운전을 하다가 교통사고를 일으켰다면, 이는 피고인이 음주할 때 교통사고를 일으킬 수 있다는 위험성을 예견하고도 자의로 심신장애를 야기한 경우에 해당하여 심신미약으로 인한 형의 감경을 할 수 없다.

> [해설] ① 대판 2018.9.13, 2018도7658 ② 대판 1998.4.10, 98도549
> ③ × : ~ (3줄) 가능성이 나타난 경우, 법원이 객관적 정신감정기관을 통하여 자세한 정신감정을 다시 실시하는 등의 방법으로 심신장애 여부를 심리하지 아니한 것은 위법하다(대판 2006.10.13, 2006도5360).
> ④ 대판 1992.7.28, 92도999

15 책임능력에 관한 설명으로 가장 적절하지 않은 것은?(다툼이 있는 경우 판례에 의함) 　26. 경찰승진

① 피고인의 정신상태가 정신분열증세와 방화에 대한 억제하기 어려운 충동으로 말미암아 사물을 변별하거나 의사를 결정할 능력이 미약한 상태에서 불과 6일간에 여덟차례에 걸친 연속된 방화를 감행하였더라도, 피고인을 심신미약자로 인정하고 형법 제10조 제2항을 적용할 수는 없다.

② 형법 제10조에 규정된 심신장애는 생물학적 요소로서 정신병 또는 비정상적 정신상태와 같은 정신적 장애가 있는 외에 심리학적 요소로서 이와 같은 정신적 장애로 말미암아 사물에 대한 변별능력과 그에 따른 행위통제능력이 결여되거나 감소되었음을 요하므로, 정신적 장애가 있는 자라고 하여도 범행 당시 정상적인 사물변별능력이나 행위통제능력이 있었다면 심신장애로 볼 수 없다.

③ 피고인이 음주운전을 할 의사를 가지고 음주만취한 후 운전을 결행하여 교통사고를 일으켰다면 피고인은 음주시에 교통사고를 일으킬 위험성을 예견하였는데도 자의로 심신장애를 야기한 경우에 해당하므로 형법 제10조 제3항에 의하여 심신장애로 인한 감경 등을 할 수 없다.

④ 무생물인 옷 등을 성적 각성과 희열의 자극제로 믿고 성적 흥분을 고취시키는 데 쓰는 '성주물성애증'이라는 정신질환이 있다는 사정만으로 절도 범행에 대한 심신장애에 해당한다고 볼 수 없다.

> [해설] ① × : ~ (3줄) 연속된 방화를 감행하였다면, 피고인을 심신미약자로 인정하고 형법 제10조 제2항을 적용할 수는 있다(대판 1984.2.28, 83도3007).
> ② 대판 2018.9.13, 2018도7658
> ③ 대판 1992.7.28, 92도999
> ④ 대판 2013.1.24, 2012도12689

제3절 위법성의 인식

① 범죄성립에 있어서 위법의 인식은 그 범죄사실이 사회정의와 조리에 어긋난다는 것을 인식하는 것으로서 족하고 구체적인 해당 법조문까지 인식할 것을 요하는 것은 아니다(대판 1987.3.24, 86도2673). 19. 법원직, 22. 해경간부, 24. 해경경위, 25. 9급 검찰 · 마약수사 · 철도경찰 · 7급 검찰

② 자기의 행위가 공동사회의 질서(법규범)에 반하여 허용되지 않는다는 것을 알면서도 범죄를 결의하였다는 것에 대한 비난이 가능하기 때문에 위법성의 인식은 책임비난의 핵심이 된다.

③ 위법성의 인식은 범죄체계론상 어디에 속하며 어떤 법적 효과가 있는가에 대해 다음과 같이 견해가 대립한다.

위법성의 인식에 관한 학설 총정리

24. 9급 검찰 · 마약수사 · 철도경찰, 25. 경위공채

학 설		내용과 비판
위법성인식 불요설		범죄의 성립에는 구성요건적 사실의 인식만 있으면 되고 그 위법성의 인식은 불필요하다는 견해이다. 즉, 고의성립에 위법성 인식이 필요치 않으며 따라서 법률의 착오는 고의를 조각하지 않는다는 입장이다.
고의설		• 고의를 책임요소로 이해하고, 고의의 내용으로서 구성요건에 해당하는 객관적 사실의 인식 이외에 다시 위법성의 인식 또는 그 인식의 가능성이 필요하다는 견해이다(인과적 행위론). • 위법성의 인식이 없으면 고의가 조각되며, 이때 회피가능성이 있는 경우에 과실범의 처벌규정이 있으면 과실범으로 처벌될 뿐이다.
	엄격 고의설	• 책임요소로서의 고의가 성립하기 위해서는 범죄사실의 인식 이외에 현실적인 위법성의 인식이 필요하다는 견해로 사실의 착오와 법률의 착오의 법적 효과(과실범으로 처벌)가 같아진다. • **비판** : 도의심이 박약한 자 · 확신범 · 상습범 · 격정범 등은 위법성의 인식이 없으므로 고의가 조각되고, 과실범처벌규정이 없으면 처벌하지 못한다는 중대한 형사정책적 결함이 있다.
	제한적 고의설	• 위법성의 현실적 인식은 필요없으나 적어도 위법성인식가능성은 필요하다는 견해이다. • 위법성의 인식가능성(위법성의 불인식에 과실)이 있으면 고의범이 된다.
책임설		• 위법성의 인식을 고의와 독립된 책임요소로 보는 견해이다(목적적 행위론). • 위법성의 인식이 결여되면 금지착오의 문제로서 고의와는 관계없이 회피가능성에 따라 책임을 조각 또는 감경한다.
	엄격 책임설	모든 위법성조각사유에 관한 착오를 금지착오(법률의 착오)로 본다.
	제한적 책임설 (다수설)	• **위법성조각사유의 전제사실에 관한 착오(예 오상방위)** : 구성요건적 착오와 동일한 법적 효과를 인정하자는 견해이다. 따라서 이 경우에 고의책임은 조각되고 과실범의 처벌규정이 있는 때에만 과실범으로 처벌된다. • **위법성조각사유의 존재 그 자체나 허용한계에 관한 착오** : 금지착오로 본다.

관련판례 1

"법률의 착오가 범의(고의)를 조각한다."(대판 1970.9.22, 70도1206) ⇨ 고의설의 입장

PART
02

제4절 법률의 착오(위법성의 착오, 금지의 착오)

> **제16조【법률의 착오】** 자기의 행위가 법령에 의하여 죄가 되지 아니하는 것으로 오인한 행위는 그 오인에 정당한 이유가 있는 때에 한하여 벌하지 아니한다(처벌한다 ×). 20. 해경승진, 24. 순경 2차, 25. 해경경사

1 의 의

법률의 착오라 함은 행위자가 구성요건적 사실(범죄사실)에 대한 인식은 있었으나 착오로 그 사실의 위법성을 인식하지 못한 경우(제16조 '자기의 행위가 법령에 의하여 죄가 되지 아니한 것으로 오인한 경우')를 말한다. 즉, 행위자가 어떤 행위를 하는가는 알고 있었으나 착오로 그것이 금지되어 있음을 알지 못한 경우를 말한다. 이런 의미에서 법률의 착오를 위법성의 착오 또는 금지의 착오라고도 한다.

Q **환각범**(반전된 금지의 착오, 위법성의 적극적 착오)
행위자가 위법하지 않은 행위(처벌되지 않는 행위 ⇨ 처벌법규가 존재 ×)를 위법한 행위(처벌되는 행위)라고 오인(처벌법규가 존재한다고 오인)한 경우를 말한다〔예 동성애(처벌규정 ×)를 하면서 죄가 된다고 오인(위법성 인식 ○)한 경우 ⇨ 불가벌〕. 19. 9급 검찰·마약수사, 20. 경찰승진·순경 2차, 25. 변호사시험

2 법률의 착오의 유형

유 형		내 용
직접적 착오 (금지규범의 착오)		행위자가 자기의 행위에 직접적으로 적용되는 금지규범 그 자체를 인식하지 못하고 자신의 행위가 허용되는 것으로 오인한 경우
	법률의 부지 (금지규범의 존재에 관한 착오)	형벌법규의 존재 자체를 알지 못하여 자기행위의 위법성을 인식하지 못한 경우 예 도박죄의 처벌규정을 모르는 외국인의 도박행위
	효력의 착오 (금지규범의 효력에 관한 착오)	특정한 형벌 법규의 규정이 헌법 등 상위규범에 위반되어 효력이 없다고 오인하고 그러한 금지규정에 위반하여 행위한 경우 ⇨ 금지의 착오(판례) 예 형법의 어떤 규정이 위헌이기 때문에 효력이 없다고 오인한 경우
	포섭의 착오 (금지규범의 효력 범위에 관한 착오)	구성요건적 사실은 인식하고 있었으나 행위자가 그 금지규범의 법적 의미에 대해 착오를 일으켜(금지규범을 너무 좁게 해석하여) 자신의 행위가 법적으로 허용된다고 믿은 경우 예 1. 학교장이 교육상 양귀비를 심은 경우 2. 존속살인죄의 존속에는 양부는 포함되지 않는다고 오신한 경우 3. 재물에는 동물이 포함되지 않는다고 오신한 경우

간접적 착오(허용규범의 착오) : 위법성조각사유의 착오		행위자가 금지된 것은 인식하였으나 구체적인 경우에 위법성조각사유(허용규범)의 존재나 한계를 오인하여 자기의 행위가 허용된다고 판단한 경우
	위법성조각사유의 **존재**에 대한 착오 (허용규범의 착오)	법이 인정하고 있지 아니한 위법성조각사유를 존재하는 것으로 행위자가 오신한 경우 ⇨ 금지착오 13. 경찰승진 예 남편이 부인에 대한 징계권이 있는 줄 잘못 알고 부인에게 체벌을 가한 경우
	위법성조각사유의 **한계**에 관한 착오 (허용한계의 착오)	행위자가 위법성을 조각하는 행위상황은 바로 알았으나 그에게 허용된 한계를 초과한 경우 ⇨ 금지착오 20. 경찰승진, 24. 순경 2차, 25. 경위공채 예 사인이 현행범인을 체포하면서 그 범인을 자기 집 안에 24시간까지 감금할 수 있다고 오인하고 감금한 경우
	위법성조각사유의 **전제사실**에 관한 착오 (객관적 정당화 상황의 착오)	행위자가 객관적으로 존재하지 않는 위법성조각사유의 객관적 전제사실이 존재한다고 착오로 잘못 믿고 위법성조각사유에 해당하는 행위(정당방위, 긴급피난, 자구행위 등)를 한 경우 예 <u>오상방위 · 오상피난 · 오상자구행위</u> ↳ (전보배달부를 강도로 오인하고 상해를 입힌 경우)

Q 위법성조각사유의 전제사실에 관한 착오(허용구성요건의 착오)

위법성조각사유의 객관적 전제조건에 관한 착오, 객관적 정당화 상황의 착오

예 심야에 전보배달부를 강도로 오인하여 방위행위를 한 결과 상해를 입힌 경우(오상방위)에 형법상 어떻게 취급할 것인가? 23. 7급 검찰, 24. 해경승진 · 철도경찰 · 경위공채 · 순경 1차, 25. 변호사시험 · 순경 2차 · 해경경위 · 해경 2차 · 경대편입, 26. 경찰승진

학 설	내 용
엄격고의설	책임요소인 고의조각 ⇨ 과실범 문제〔오인에 정당한 이유 ×(과실 ○) ⇨ 과실범 ○, 오인에 정당한 이유 ○(과실 ×) ⇨ 책임조각 ∴ 무죄〕
소극적 구성요건 표지(요소)이론	위법성조각사유는 소극적 구성요건요소가 되므로 위법성을 조각하는 행위상황에 대한 착오는 당연히 구성요건적 착오가 되어 고의를 조각한다. 단지 과실범 성립 여부만 남는다〔오인에 정당한 이유 ×(과실 ○) ⇨ 과실범 ○, 오인에 정당한 이유 ○(과실 ×) ⇨ 과실범 × ⇨ 무죄〕.
제한적 책임설	• **유추적용 제한적 책임설** : 사실의 착오 유추적용 ⇨ 고의조각, 과실범 문제 • **법효과제한적 책임설**(다수설) : 불법(구성요건)고의 인정, 책임고의 조각 ⇨ 과실범 문제
엄격책임설	법률의 착오(금지의 착오)에 해당(고의 인정) ⇨ 책임조각 문제〔오인에 정당한 이유 ×(과실 ○) ⇨ 고의범 ○(과실범 ×), 오인에 정당한 이유 ○(과실 ×) ⇨ 책임조각 ⇨ 무죄〕

예 • 甲은 乙이 담력을 시험하기 위해 장난감 권총을 내밀자 생명의 위험을 느끼고 총을 쏘아 乙을 살해한 경우 甲의 죄책은?(오인에 과실 ○, 오인에 정당한 이유 ×)

　┌ 엄격고의설, 소극적 구성요건표지이론, 제한적 책임설 ⇨ 과실치사죄

　└ 엄격책임설 ⇨ 살인죄(고의범) ○

• 심야에 늦게 귀가한 남편을 강도로 오인하고 폭행한 경우(오인에 과실 ○, 오인에 정당한 이유 ×)

　┌ 엄격고의설, 소극적 구성요건표지이론, 제한적 책임설 ⇨ 과실폭행죄의 처벌규정이 없으므로 무죄

　└ 엄격책임설 ⇨ 폭행죄(고의범) ○

관련판례

1. 명예훼손죄의 특별한 위법성조각사유를 규정한 형법 제310조의 요소 중 사실의 진실성에 대한 착오가 있는 경우, 다수설은 이 경우를 위법성조각사유의 전제사실에 관한 착오문제로 보지만, 판례에 의하면 "적시된 사실이 진실한 것이라는 증명이 없더라도 행위자가 진실한 것으로 믿었고 또 그렇게 믿을 만한 상당한 이유가 있는 경우에는 위법성이 없다(대판 2007.12.14, 2006도2074)."고 판시함으로써 위법성이 조각될 수 있다. 17. 9급 검찰·경찰승진, 25. 철도경찰

2. 중대장의 지시에 따라 관사를 지키고 있던 당번병인 피고인이 중대장의 처가 마중 나오라는 지시를 정당한 명령으로 오인하고 관사를 무단이탈하였는데 당번병으로서의 그 임무범위 내에 속하는 일로 오인하고, 그 오인에 정당한 이유가 있는 경우에는 위법성이 없다(대판 1986.10.28, 86도1406 ∵ 위법성조각사유의 전제사실에 대한 착오에 대해 판례는 위법성조각설의 입장임). 20. 순경 1차, 21. 해경승진·7급 검찰

3. 甲은 관장 乙이 운영하는 복싱클럽에 회원등록을 하였던 자로서 등록을 취소하는 문제로 乙로부터 질책을 들은 다음 약 1시간이 지난 후 다시 복싱클럽을 찾아와 乙에게 항의하는 과정에서 乙이 甲의 멱살을 잡아당기거나 바닥에 넘어뜨린 후 목을 조르는 등 乙과 甲이 뒤엉켜 몸싸움을 벌였는데, 코치인 피고인이 이를 지켜보던 중 甲이 왼손을 주머니에 넣어 불상의 물건을 꺼내 움켜쥐자, 호신용 작은 칼 같은 흉기를 꺼내는 것으로 생각하고 甲의 왼손 주먹을 강제로 펴게 함으로써 甲에게 손가락 골절상을 입혔다. 그런데 甲이 주머니에서 꺼내어 움켜쥐고 있던 물건은 휴대용 녹음기였다. ⇨ 위법성조각사유의 전제사실에 관한 착오 ⇨ 그 오인에 정당한 이유 ○ ⇨ 위법성조각 ○(대판 2023.11.2, 2023도10768 ∴ 상해죄 ×) 24. 순경 1차

4. 형법 제16조에서 자기가 행한 행위가 법령에 의하여 죄가 되지 아니한 것으로 오인한 행위는 그 오인에 정당한 이유가 있는 때에 한하여 벌하지 아니한다고 규정하고 있으므로, 공무집행방해죄에서 공무집행의 적법성에 관한 피고인의 잘못된 법적 평가로 인하여 자신의 행위가 금지되지 않는다고 오인한 경우에는 그 오인에 정당한 이유가 있는지를 살펴보아야 한다〔대판 2024.7.25, 2023도16951 ∴ 공무집행이 적법한데도 위법하다고 오인한 경우에 형법 제16조(법률의 착오)가 적용된다. ▶ 주의 : 위법성조각사유의 전제사실에 대한 착오가 아님〕. 25. 순경 1차

3 형법 제16조의 해석

형법 제16조의 법률착오는 단순한 법률의 부지(행위자가 자기의 행위와 관련된 금지규범을 알지 못한 경우)가 아니라(∴ 단순한 법률의 부지의 경우는 형법 제16조의 적용대상 ×), 일반적으로 범죄가 되는 행위이지만 자기의 특수한 경우에는(사회평균인의 시각에서 ×) 법령에 의하여 허용된 행위로서 죄가 되지 아니한다고 그릇 인식하고 그와 같이 그릇 인식함에 정당한 이유가 있는 경우에는 벌하지 않는다는 뜻이다(대판 1995.8.25, 95도1351). 20. 9급 철도경찰, 22. 해경간부·순경 1차, 23. 순경 2차·해경 3차, 24. 경찰간부·변호사시험·경찰승진, 25. 경위공채·법원직·7급 검찰

● **단순한 법률의 부지로 본 경우** ⇨ **법률의 착오에 해당** × ⇨ **범죄 성립** ○

1. 일본 영주권을 가진 재일교포가 영리를 목적으로 관세물품을 구입한 것이 아니라거나 국내 입국시 관세신고를 하지 않아도 되는 것으로 착오한 경우(대판 2007.5.11, 2006도1993). 21. 해경 2차, 24. 경찰승진·해경승진·7급 검찰, 25. 해경경사

2. 건축법상 허가대상인줄 모르고 허가 없이 근린시설 건축물을 교회로 용도변경한 경우(대판 1991. 10.11, 91도1566) 14. 법원행시, 22. 9급 검찰·마약수사·철도경찰

   ▶ **유사판례** : 건물의 임차인이 건축법의 관계 규정을 알지 못하여 임차건물을 자동차정비공장으로 사용하는 것이 건축법상의 무단용도변경 행위에 해당한다는 것을 모르고 사용을 계속한 경우(대판 1995.8.25, 95도1351) 13. 법원직, 15. 순경 3차

3. 디스코클럽사장이 경찰당국의 단속대상(18세 미만자와 고등학생)에서 제외된 만 18세 이상의 고등학생이 아닌 미성년자나 대학생은 출입이 허용되는 것으로 알고 출입시키고 주류를 판매한 행위(대판 1985.4.9, 85도25) 10. 9급 검찰, 14. 법원행시

4. 타인이 허가를 얻어 벌채하고 남아있던 잔존목을 위법인 줄 모르고 허가 없이 벌채한 경우(대판 1986.6.24, 86도810) 10. 9급 검찰

5. 국토이용관리법상 거래허가대상인 줄 모르고 당국의 허가를 받지 아니하고 거래계약규제구역으로 지정·고시된 지역 안에 위치한 토지를 매수한 경우(대판 1992.4.24, 92도245) 04. 경찰승진

6. 동해시청 앞 잔디광장이 옥외장소에 해당함을 모르고 노조집단행위를 한 경우(대판 2006.2.10, 2005도3490) 14. 9급 철도경찰

7. 자신의 범행이 구 부동산소유권 이전등기 등에 관한 특별조치법에 위반되는지를 몰랐다고 하더라도 이는 단순한 법률의 부지에 불과하며 형법 제16조의 법률의 착오에 해당하지 않는다(대판 1990.10.30, 90도1126). 24. 9급 검찰·마약수사·철도경찰

---

(1) 자기의 행위가 법령에 의하여 죄가 되지 아니한 것으로 오인한 행위

이는 착오로 인하여 위법성을 인식하지 못한 행위를 의미한다. 여기서 오인에는 법률의 부지도 포함한다는 것이 통설이나, 판례는 법률의 부지는 위법성의 착오에 해당되지 않는다고 일관하고 있다.

(2) 정당한 이유

판례는 구체적인 경우의 제반사정에 비추어 죄가 되지 않는다고 오인하고 그 오인에 과실이 없는 때에 한해 정당한 이유가 있는 것으로 해석하거나(대판 1983.2.22, 81도2763), 정당한 이유가 있는지 여부는 행위자에게 자기 행위의 위법의 가능성에 대해 심사숙고하거나 조회할 수 있는 계기가 있어 자신(일반인 ×)의 지적능력을 다하여 이를 회피하기 위한 진지한 노력을 다하였더라면 스스로의 행위에 대하여 위법성을 인식할 수 있는 가능성이 있었음에도 이를 다하지 못한 결과 자기 행위의 위법성을 인식하지 못한 것인지 여부에 따라 판단하여야 할 것이고, 이러한 위법성의 인식에 필요한 노력의 정도는(일반인의 입장에서 판단 ×) 구체적인 행위정황과 행위자 개인의 인

식능력 그리고 행위자가 속한 사회집단에 따라 달리 평가되어야 한다(대판 2006.3.24, 2005도3717 ; 대판 2009.10.22, 2009도7436). 21. 9급 검찰, 22. 해경간부·해경 2차, 23. 경찰승진, 24. 경찰간부·경력채용·순경 2차, 25. 변호사시험·경대편입·순경 1차·9급 검찰·마약수사·철도경찰·7급 검찰

관련판례

I. 담당공무원·관할관청·상급관청·법률전문가의 의견을 신뢰한 경우

• 법률의 착오에 정당한 이유가 있는 경우

1. 허가를 담당하는 공무원이 허가를 요하지 않는다고 잘못 알려주어 이를 믿고 행위한 경우

   예 ① 허가를 담당한 공무원이 허가를 요하지 않는다고 잘못 알려주어 이를 믿고 채광작업을 위하여 허가를 받지 않고 산림을 훼손한 경우(대판 1993.9.14, 92도1560) 15. 경찰승진, 16. 7급 검찰

   ② 산림훼손허가를 받으러 군청 산림과에 갔으나 관광지 조성승인이 났으니 산림훼손허가를 받을 필요가 없다는 담당공무원의 말을 듣고, 군수 명의의 산림법배제확인서까지 받아 산림훼손행위를 한 경우(대판 1992.5.22, 91도2525) 14. 법원행시

   ③ 행정청의 허가를 받아야 하는데도 담당공무원이 허가를 요하지 않는다고 잘못 알려주어 이를 믿었기 때문에 허가를 받지 않은 경우(대판 1995.7.11, 94도1814 : 산업기술연수자로 입국하는 외국인의 입국절차를 대행하는 사업의 허가에 관한 것) 17. 법원직·7급 검찰, 24. 경찰승진, 25. 경대편입·9급 검찰·마약수사·철도경찰

2. 광역시의회 의원이 선거구민들에게 의정보고서를 배부하기에 앞서 미리 관할 선거관리위원회 소속 공무원들에게 자문을 구하고 그들의 지적에 따라 수정한 의정보고서를 배부한 경우(대판 2005.6.10, 2005도835) 21. 7급 검찰, 23. 해경승진·해경 3차, 24. 9급 검찰·마약수사·철도경찰, 25. 경대편입, 26. 경찰승진

   ▶ **비교판례** : 변호사 자격을 가진 국회의원이 낙천대상자로 선정된 사유에 대한 해명을 넘어 다른 동료의원들이나 네티즌의 낙천대상자 선정이 부당하다는 취지의 반론을 담은 의정보고서를 발간하는 과정에서 보좌관을 통하여 선거관리위원회 직원에게 문의하여 답변받은 결과 선거법규에 저촉되지 않는다고 오인한 경우(대판 2006.3.24, 2005도3717) ⇨ 정당한 이유 × 18. 7급 검찰, 19. 경찰승진, 21. 경력채용, 22. 경찰간부·9급 검찰·마약수사·철도경찰, 23. 해경승진

3. 비디오물감상실업자가 자신의 비디오물감상실에 18세 이상 19세 미만의 청소년을 출입시킨 행위가 관련 법률(구 음반·비디오물 및 게임물에 관한 법률 : 18세 미만 출입금지, 관할부서의 행정지도 : 만 18세 미만의 연소자 출입금지 표시를 출입구에 부착하라)에 의하여 허용된다고 믿은 경우(대판 2002.5.17, 2001도4077) 16. 7급 검찰·철도경찰, 18. 경력채용, 25. 해경 2차

4. 범행과 동일한 성질의 행위(십전대보초를 제조·광고한 행위)에 대하여 검찰의 혐의없음 결정을 받은 적이 있어서 죄가 되지 않는다고 판단한 경우(이전에 검찰의 '혐의 없음' 결정을 받은 피고인이 가감 삼십전대보초를 판매한 경우)(대판 1995.8.25, 95도717) 18. 7급 검찰, 20. 해경승진, 22. 경찰간부·경찰승진, 25. 해경 1차

5. 한국교통사고상담센터의 직원이 교통부장관이 승인한 수수료를 받고 사고피해자의 위임하에 사고회사와의 사이에 화해의 중재·알선을 한 경우(대판 1975.3.25, 74도2882) 15. 경찰간부, 25. 해경경위

6. 장의물품 도매업자가 가정의례에 관한 법률상의 영업허가를 얻고자 서울시장에게 신청하였으나, 장의사영업허가를 받은 상인에게 납품하는 행위는 영업허가가 필요없다고 하여 영업허가가 반려된 것을 믿고 허가 없이 영업한 경우(대판 1989.2.28, 88도1141) 15. 사시, 17. 경찰승진

7. 기부를 전제로 한 시설물의 축조 이외에는 국유지상에 건물을 신축할 수 없음에도 불구하고 담당공무원에게 문의한 결과 국유재산을 불하받지 못하게 되면 건물을 즉시 철거하겠다는 각서를 제출하면 된다는 답변을 듣고 건축허가를 받고 건물을 신축한 경우(대판 1993.10.12, 93도1888) 12. 9급 철도경찰, 15. 경찰간부

8. 관할 공무원과 변호사에게 확인하여 자기의 채권이 긴급명령에 의해 신고해야 할 기업사채에 해당되지 않는다고 믿고 신고를 하지 않은 경우(대판 1976.1.13, 74도3680) 19. 경찰간부

9. 변리사의 감정결과(타인의 상품과 피고인의 상품이 유사하지 않다는 것)와 특허국의 등록사정을 믿고 발가락 5개의 양말을 제조·판매한 경우(대판 1982.1.19, 81도646) 16. 경찰승진, 22. 해경간부

10. 초등학교장이 도교육위원회의 지시에 따라 교과내용으로 되어 있는 양귀비를 교과식물로 비치하려고 교무실 앞 화단에 심은 행위(대판 1972.3.31, 72도64) 13. 경찰승진, 18. 경력채용

11. 부대장의 허가를 받아 부대 내에서 유류를 저장하는 것이 죄가 되지 않는 것으로 오인한 경우(대판 1971.10.12, 71도1356) 10. 경찰승진, 11. 순경

12. 서울시의 공문과 구청의 질의회신을 믿고 미숫가루 제조행위에는 별도의 허가가 필요하지 않다고 믿고 허가 없이 이를 제조한 경우, 쌀과자를 만들면서 구청에 질의한 결과 양곡관리법이나 식품위생법 위반은 아니라고 회신을 받고 쌀과자를 만들어 판매한 경우(대판 1983.2.22, 81도2763 ; 대판 1995.7.11, 94도1814) 03. 입시

● 법률의 착오에 정당한 이유가 없는 경우

1. 부동산중개업협회의 자문을 통하여 인원수의 제한 없이 중개보조원을 채용하는 것이 허용되는 것으로 믿고 제한인원을 초과하여 채용한 경우(대판 2000.8.18, 2000도2943 : 정당한 이유 × 범의 ○) 17. 법원직·순경 1차, 18. 7급·9급 검찰, 25. 경력채용

2. 민원사무 담당공무원에게 탐정사업이 인허가 또는 등록사항이 아니라는 말을 듣고 세무서에 탐정업 및 심부름대행업에 관한 사업자등록을 한 후 신용조사업법이 금지하는 소재탐지나 사생활조사 등을 한 경우(대판 1994.8.26, 94도780) 15. 사시·순경 2차, 17. 경찰간부, 25. 경력채용

3. 23년 경력의 형사가 검사의 수사지휘대로만 하면 모두 적법할 것이라 믿고 허위공문서를 작성한 행위(대판 1995.11.10, 95도2088) 20. 경찰승진, 21. 경력채용, 24. 해경승진

4. 변리사로부터 타인의 등록상표가 효력이 없다는 자문과 감정을 받고 유사한 상표를 사용한 경우(대판 1995.7.28, 95도702), 고소인의 상표권을 침해하지 않는다는 변리사의 회답과 감정결과를 믿었고 또 특허청이 피고인들의 상표출원을 받아들여 등록까지 해 준 경우(대판 1998.10.13, 97도3377) 13. 7급 검찰, 21. 경찰간부, 24. 해경승진

5. 중국 국적 선박을 구입한 피고인이 외환은행 담당자의 안내에 따라 매도인인 중국 해운회사에 선박을 임대하여 받기로 한 용선료를 재정경제부장관에게 미리 신고하지 아니하고 선박 매매대금과 상계함으로써 구 외국환거래법을 위반한 사안에서, 자신의 행위가 죄가 되지 아니하는 것으로 오인한 경우(대판 2011.7.14, 2011도2136) 15. 경찰간부·순경 3차, 17. 순경 1차

6. 숙박업자가 숙박업소에서 위성방송수신장치를 이용하여 수신한 외국의 음란한 위성방송 프로그램을 투숙객 등에게 제공한 경우, 그가 이전에 유사한 행위로 '혐의없음' 처분을 받은 전력이 있다거나 일정한 시청차단장치를 설치하였다는 등의 사정이 있었던 경우(대판 2010.7.15, 2008도11679) 15. 사시, 23. 경찰승진

7. 사안을 달리하는 사건에 관한 대법원 판례에 비추어 자신의 행위가 적법하다고 오인한 때(대판 1995.7.28, 95도1081) 17. 경찰간부, 20. 9급 철도경찰

8. 유선비디오방송은 허가대상이 되지 않는다는 정통부장관의 회신을 믿고 허가 없이 유선비디오방송 설비를 설치한 경우(대판 1989.2.14, 87도1860) 15. 경찰간부 · 순경 3차

9. 무선설비기기 수입업자가 무선설비의 납품처 직원으로부터 형식등록이 필요없다는 취지의 답변을 듣고, 이미 무선설비의 형식승인을 받은 다른 수입업자가 있음을 이용하여 동일한 제품을 법에서 정한 형식승인 없이 수입 · 판매한 경우(대판 2009.6.11, 2008도10373) 17. 7급 검찰, 19. 경찰간부, 26. 경찰승진

10. 한국간행물윤리위원회나 정보통신윤리위원회가 만화에 대하여 심의하여 음란성 등을 이유로 청소년유해매체물로 판정하였을 뿐 더 나아가 시정요구를 하거나 관계기관에 형사처벌 또는 행정처분을 요청하지 않았기 때문에 피고인들의 행위가 죄가 되지 아니하는 것으로 오인한 경우(대판 2006.4.28, 2003도4128) 14. 순경 1차, 16. 7급 검찰 · 철도경찰

11. 변호사 등에게 문의하여 자문을 받고 압류물을 집행관의 승인 없이 관할구역 밖으로 옮긴 경우(대판 1992.5.26, 91도894) 17. 경찰간부, 24. 경찰승진, 25. 해경 2차

12. 가처분결정으로 직무집행정지 중인 자가 변호사의 조언을 받아 종단의 보관금을 소송비용으로 지출 품의서에 결재 후 지급한 경우(대판 1990.10.16, 90도1604) 22. 9급 검찰 · 마약수사 · 철도경찰, 23. 해경 3차, 25. 경대편입, 26. 경찰승진

13. 무혐의 처분에 대하여 곧바로 고소인의 항고가 받아들여져 재기수사명령에 따라 재수사되어 기소에 이르게 된 이상, 무혐의 처분일 이후에 이루어진 행위에 대하여 죄가 되지 않는다고 오인한 경우(대판 1995.6.16, 94도1793) 19. 법원행시, 26. 경찰승진

14. 구 건설폐기물의 재활용촉진에 관한 법률 제16조 제1항의 위반행위를 하면서 이를 판단하는 데 직접적인 자료가 되지 않는 환경부의 질의회신을 받은 경우(대판 2009.1.30, 2008도8607) 18. 7급 검찰, 22. 해경간부 · 해경 2차

15. 도시 및 주거환경정비법 제124조 제4항은 '조합원'이 정비사업 관련 자료의 열람 · 복사를 요청한 경우에 특별한 사정이 없는 한 조합임원은 열람 · 복사를 허용할 의무를 부담하고 이를 위반하여 열람 · 복사를 허용하지 않는 경우에는 형사처벌의 대상이며, 여기에는 신축건물 동호수배정결과도 포함된다. 하지만 정비사업조합의 '조합원'이자 '감사'인 사람이 신축건물의 동호수 자료를 열람요청 하였음에도 조합임원인 피고인은 조합의 자문변호사가 신축건물의 동호수는 공개하지 않는 것이 좋겠다고 한 답변을 듣고 자신의 행위가 죄가 되지 않는다고 오인한 경우(대판 2021.2.10, 2019도18700 ∵ 자문변호사 개인의 독자적 견해에 불과함) 22. 경찰간부

16. 장애인복지법상의 보장구제조허가를 가진 자가 정형외과용 교정장치인 다리교정기는 의료용구에 해당되지 않고 보장구라고 스스로 판단하여 다리교정기를 제조한 경우(대판 1995.12.26, 95도2188) 13. 순경 2차

17. 식품위생법의 규정에 의하여 즉석판매제조가공 영업을 허가받은 자가 의약품의 일종인 '녹동달오리 골드'를 제조한 경우(대판 2004.1.15, 2001도1429) 14. 순경 1차

18. 한국무도교육협회의 정관에 따라 무도교습소를 운영하였고, 위 협회가 소속회원을 교육함에 있어서는 학원설립인가를 받을 필요가 없다고 한 검찰의 무혐의결정내용을 통지받고 인가 없이 교습소를 운영한 경우(대판 1992.8.18, 92도1140)

19. 건축업면허 없이 시공할 수 없는 건축공사를 감독관청의 주선으로 타인의 건설업면허를 대여받아 그 명의로 시공한 경우(대판 1987.12.22, 86도1175)

20. 관할 환경청이 특정폐기물 수집·운반차량증을 발급해 주었으므로 무허가업자로부터 운반차량과 운전사를 임차하는 형식으로 폐기물 처리를 위탁한 경우(대판 1998.6.23, 97도1189)

21. 서로 배치되는 동일관청의 수 개의 답변·회신이 있는 경우에 최신의 것이 아닌 이전의 회신만을 믿고 행위한 경우(대판 1992.11.27, 92도1477)

22. 보건사회부장관의 고시와 미승인오락기구를 당국에 등록하고 사용기간을 일정기간 받은 때에는 처벌대상이 아니라는 보건복지부장관의 회신을 믿고 전기용품안전관리법에 위반하여 제조된 형식승인을 받지 않은 전자오락기구를 사용한 경우(대판 1991.8.27, 91도1523)

23. 법률 위반 행위 중간에 일시적으로 판례에 따라 그 행위가 처벌대상이 되지 않는 것으로 해석되었던 적이 있었다고 하더라도 그것만으로 자신의 행위가 처벌되지 않는 것으로 믿은 데에 정당한 이유가 있다고 할 수 없다(대판 2021.11.25, 2021도10903). 23. 경찰승진, 24. 경찰간부·변호사시험, 25. 순경 1차·9급 검찰·마약수사·철도경찰·7급 검찰·해경경위·해경 2차·경대편입

24. 甲이 니코틴 용액 제조의 경우에도 담배제조업 허가를 받아야 하는지를 담배 담당 주무부서에 문의하여 답변을 받아 허가사항임을 충분히 인식하였고, 자신이 제조한 것과 같은 니코틴 용액을 제조한 A주식회사의 무허가 담배제조로 인한 담배사업법 위반죄에 관하여 검사의 불기소결정이 담배사업법 개정 이전에 있었던 경우, 담배사업법 이 금지하는 무허가 담배제조행위의 위법성을 인식하지 못한 데 정당한 사유가 있다고 보기 어렵다(대판 2018.9.28, 2018도9828). 24. 순경 2차

25. 피고인이 선거관리위원회에 단순히 피고인이 억울하게 연고도 없는 지역으로 전출발령을 받은 것에 대하여 동료나 지인에게 구두답변을 대신하여 그 경위를 기재한 유인물을 교부하는 경우에 선거법에 저촉되는지 여부를 질의한 것이고, 선거관리위원회가 회신한 내용도 그러한 행위는 선거법의 적용대상이 아니거나 선거법상 후보자 비방행위에 해당하지 않는다는 것에 불과하다면, 피고인이 선거관리위원회에 질의 내지 자문을 한 후 위와 같은 유인물을 배부하였다고 하더라도, 그 사유만으로 피고인의 범행이 형법 제16조에서 말하는 '그 오인에 정당한 이유가 있는 때'에 해당한다고 할 수 없다(대판 2002.1.25, 2000도1696). 24. 법원행시

II. 행위자 스스로의 판단에 의하여 허용된다고 오인한 경우

● 법률의 착오에 정당한 이유가 있는 경우

1. 이복동생 이름으로 군복무 중 휴가시, 위 동생이 군복무 중임을 알았고, 다른 사람의 이름으로 군생활을 할 필요가 없다고 생각하여 귀대하지 않은 경우(대판 1974.7.23, 74도1399) 15. 경찰간부, 25. 해경경위

2. 주민등록지를 이전한 자가 이미 같은 주소에 향토예비군대원 신고가 되어 있으므로 재차 동일 주소에 대원신고를 할 필요가 없다고 생각하여 이를 행하지 아니한 경우(대판 1974.11.12, 74도2676 : 법률의 착오 ⇨ 범의조각) 11. 순경

3. 민사소송법 기타 공법의 해석을 잘못하여 가압류의 효력이 없어진 것으로 착오하였거나 또는 봉인 등을 손상 또는 효력을 해할 권리가 있다고 오신한 경우(대판 1970.9.22, 70도1206 : 법률의 착오 ⇨ 범의조각) 25. 해경경사

▶ **비교판례** : 공무원이 직무상 실시한 봉인 등의 표시가 절차상 하자가 있어 법률상 효력이 없다고 믿고 손상, 은닉 기타의 방법으로 그 효용을 해한 경우 ⇨ 정당한 이유 ×(대판 2000.4.21, 99도5563 ∴ 공무상 표시무효죄) 19. 경찰간부, 20. 해경승진

● 법률의 착오에 정당한 이유가 없는 경우

1. 부동산중개업자가 아파트분양권의 매매를 중개하면서 중개수수료 산정에 관한 지방자치단체의 조례를 잘못 해석하여 법에서 허용하는 금액을 초과한 중개수수료를 수수한 경우(대판 2005.5.27, 2004도62 : 정당한 이유 ×, 범의 ○) 17. 경찰간부 · 7급 검찰, 21. 해경승진, 22. 법원직, 24. 9급 검찰 · 마약수사 · 철도경찰, 25. 해경 1차

2. 정부공인의 체육종목인 '활법'의 사회체육지도자 자격증을 취득한 자가 무면허의료행위(척추교정시술행위)를 한 경우(대판 2002.5.10, 2000도2807) 11. 9급 검찰, 15. 경찰승진

   ▶ **유사판례** : 자격기본법에 의한 민간자격관리자로부터 대체의학자격증을 수여받은 자가 사업자등록을 한 후 침술원을 개설하여 자신의 행위가 무면허의료행위에 해당되지 아니한다고 믿고 체침을 시술한 경우(대판 2003.5.13, 2003도939) 16. 경찰간부, 18. 경찰승진, 22. 해경간부 · 해경 2차

3. 사립학교인 甲외국인학교 경영자인 피고인이 甲학교의 교비회계에 속하는 수입을 수회에 걸쳐 乙외국인학교에 대여하였다고 하여 사립학교법 위반으로 기소된 경우, 피고인이 외국인으로서 국어에 능숙하지 못하였다거나 학교운영위원회에서 자금 대여 안건을 보고하였다는 것만으로는 제16조의 정당한 이유가 없다(대판 2017.3.15, 2014도12773). 21. 경찰간부, 22. 경찰승진, 25. 경력채용

4. 긴급명령이 시행된지 오래되지 않아 비밀보장의무의 내용에 관해 확립된 규정이나 관계기관의 유권해석 및 금융관행이 확립되어 있지 아니하므로 금융거래의 내용을 공개한 경우(대판 1997.6.27, 95도1964) 12. 경찰승진, 19. 경찰간부

5. 피고인이 과거 지방선거에서 이 사건 홍보물과 같은 내용의 선거홍보물을 사용하였지만 처벌받지 않아 이 사건 홍보물의 내용이 구 공직선거법에 위반됨을 알지 못한 경우(대판 2006.3.10, 2005도6316) 12. 9급 철도경찰, 16. 경찰간부

6. 증뢰를 하면서 관행으로 생각하고 죄가 되지 않는다고 믿는 경우(대판 1995.6.30, 94도1017)

   ▶ **유사판례** : ① 지방자치단체장이 관행적으로 간담회를 열어 업무추진비 지출 형식으로 참석자들에게 음식물을 제공해온 경우(대판 2007.11.16, 2007도7205), 16. 9급 검찰 · 마약수사, 17. 순경 1차 ② 사격연맹 사무국장이 종전부터 이어져 내려온 관행에 따라 선수등록업무를 처리한 경우(대판 2003.7.25, 2002도6006), ③ 실질적으로는 한 사람에게 대출금이 귀속됨에도 다른 사람의 명의를 빌려 그들 사이에 형식적으로만 공동투자약정을 맺고 동일인 한도를 초과하는 대출을 받는, 이른바 '사업자쪼개기' 방식의 대출이 관행적으로 이루어져 온 만큼 죄가 되지 않는다고 인식하고 상호저축은행에서 대출을 받은 경우(대판 2010.4.29, 2009도13868), 17. 경찰간부, 21. 경력채용

   ④ 사법경찰관직무취급을 하는 자가 참고인의 진술 내용을 피의자의 그것과 일치시키기 위해, 이미 적법하게 작성된 참고인진술조서를 찢어 버리고 진술인의 진술도 듣지 않고 그 내용을 일치시킨 새로운 진술조서를 작성한 경우, 그것이 수사기록의 체계화를 위하여 관례상 늘 있는 일이어서 적법한 것이라고 믿었다고 할지라도 그렇게 오인함에 정당한 이유가 있다고 볼 수 없다(대판 1978.6.27, 76도2196). 24. 9급 검찰 · 마약수사 · 철도경찰

7. 파업이 예고된 상태에서 사용자 측 교섭위원이 직원들을 상대로 설명회를 개최하려고 지역 사업소에 드착하자 노동조합의 간부인 甲이 '사용자 측에서 조합원들이 파업을 못하게 할 의도로 특별교육을 시킨다'고 스스로 판단한 뒤, 교육장 안으로 들어가지 못하게 몸으로 가로막아 설명회 개최를 저지한 행위가 죄가 되지 아니한다고 오인한 경우(대판 2013.1.10, 2011도15497) 21. 경력채용

8. 정기간행물의 등록을 강제하는 법률규정이 있다는 것을 몰랐고 또 간행물이 발행될 당시뿐만 아니라 그 발행이 중단되고 오랜 기간이 지난 다음에도 이에 대하여 문제가 제기된 바 없었던 경우(대판 1994.12.9, 93도3223) 21. 경찰간부

9. 다취전문 간호사가 의사의 구체적인 지시없이 독자적으로 마취약제와 양을 결정하고 마취액을 직접 주사하여 척수마취를 시행하는 행위를 유권해석에 따라 의료법규에 의해 허용된다고 오인한 경우(대 판 2010.3.25, 2008도590 ∴ 무면허의료행위 ○) 22. 경찰간부

10. 제약회사에서 쓰는 아편을 구해주어도 죄가 되지 않는다고 믿고 생아편을 수수한 경우(대판 1983. 9.13, 83도1927) 15. 경찰승진, 24. 해경승진

11. 수사처리의 관례상 일부 상치된 내용을 일치시키기 위하여 적법하게 작성된 참고인 진술조서를 찢어 버리고 진술인의 진술도 듣지 아니하고 그 내용을 일치시킨 새로운 진술조서를 작성한 경우(대판 1978.6.27, 76도2196) 14. 경찰승진, 25. 해경경사

12. 사람이 죽으면 당국에 신고한 후에 매장해야 함을 몰랐기 때문에 신고 없이 매장한 경우(대판 1979. 8.28, 79도1671) 14. 법원행시

13. 학생회의 동의가 있어 그 침입이 위법하지 않다고 믿고 학생회관에 들어간 경우(대판 1995.4.14, 95도 12 ∴ 학생회관의 관리권은 그 대학 당국에 귀속됨 ∴ 주거침입죄 ○) 14. 법원행시

14. 운전교습용 비디오카메라 장치의 특허권자에게 대가를 지불하고 사용승낙을 받은 이상 불법운전교 육을 해도 처벌받지 않는다고 생각한 경우(대판 2006.1.13, 2005도8873) 10. 9급 검찰, 14. 법원행시

15. 임대업자가 임차인으로 하여금 계약상의 의무이행을 강요하기 위한 수단으로 계약서의 조항을 근거 로 임차물에 대하여 일방적으로 단전·단수조치를 함에 있어 자신의 행위가 죄가 되지 않는다고 오인하더라도, 특별한 사정이 없는 한 그 오인에는 정당한 이유가 있다고 볼 수는 없다(대판 2006.4.27, 2005도8074). 14. 7급 검찰·철도경찰

16. 도의회의원 선거에 출마하려는 자가 비전문가인 스스로의 사고에 의하여 기부행위금지기간에 기부 행위 등의 사전선거운동을 하는 것이 의례적인 행위로 합법이라고 판단하고 사전선거운동을 한 경우 (대판 1996.5.10, 96도620) 09. 경찰승진

   ▶ 유사판례 : 도의회의원으로 출마하려는 농협협동조합장이 의례적인 행위로 합법이라 판단하고 조 합자금으로 노인대학을 운영하면서 관광을 제공하고 자신의 주관하에 그 행사를 시행한 것처럼 인사를 경우(대판 1996.5.10, 96도620)

17. 일반음식점 영업허가를 받은 자가 실제로는 주로 주류를 조리판매하는 영업을 하더라도 일반음식점 영업허가를 받은 이상 청소년보호법의 규정에 저촉되지 않는다고 믿고 19세 미만의 청소년을 고용한 경우(대판 2004.2.12, 2003도6282)

18. 초등학교 교사인 피고인이 13세 미만인 아동·청소년들로 하여금 성적인 호기심을 갖도록 하고 이를 이용하여 성적 행위를 한 것이 죄가 되지 않는다고 오인한 데에 정당한 이유가 있다고 볼 수 없다(대판 2015.2.12, 2014도11501 ∴ 미성년자의제강간죄 ○).

19. 체육지도자 자격증을 취득하고 당국의 인가를 받아 체육관을 운영하면서 일종의 의료시술행위를 하는 것이 죄가 되지 않는다고 믿은 경우(대판 1995.4.7, 94도1325)
20. 주택관리사보자격만이 있는 자에게 아파트의 관리업무를 수행하도록 하여도 법 위반이 되는지를 공무원에게 질의를 한 후(공무원은 법에 위반되지 않는다는 확실한 답변 ×) 아파트의 관리업무를 수행한 경우(대판 2003.4.11, 2003도451)
21. 병원에 설치된 장례의식에 필요한 각종 부대시설을 임차한 후 장례식장도 병원의 부속용도에 해당하므로 용도변경의 제한을 받지 않는다고 믿고, 의료시설(병원) 및 근린생활시설(음식점)로 사용승인을 받아 '장례예식장, 일반한식'으로 영업신고 및 사업자등록을 마친 경우(대판 2005.9.29, 2005도4592) 25. 경력채용

---

(3) 벌하지 아니한다.

법률의 착오에 정당한 이유가 있는 때에는 책임이 조각되어 범죄가 성립하지 않으므로 벌하지 아니한다(책임설 : 다수설).

확인학습 (다툼이 있는 경우 판례에 의함)

www.pmg.co.kr

1 범죄의 성립에서 위법성에 대한 인식은 범죄사실이 사회정의와 조리에 어긋난다는 것을 인식하는 것뿐만 아니라 구체적인 해당 법조문까지 인식하여야 한다. (　　)

16. 경찰승진, 19. 법원직, 22. 해경간부, 25. 9급 검찰·마약수사·7급 검찰

2 甲이 경찰관 A의 직무집행에 저항하기 위하여 A를 폭행한다는 사실 자체는 인식하였지만 법적 평가를 잘못하여 A의 적법한 직무집행이 위법하다고 오인한 경우, 甲에게 위법성 조각사유의 전제사실에 대한 착오가 있었다고 볼 수는 없다. (　　)

25. 순경 1차

3 명예훼손죄에 있어서 적시된 사실이 진실한 것이라는 증명이 없더라도 행위자가 그 사실을 진실한 것으로 믿었고 또 그렇게 믿을 만한 상당한 이유가 있는 경우에는 위법성이 없다고 보아야 한다. (　　)

17. 9급 검찰·경찰승진, 25. 철도경찰

4 행위자가 자기의 행위와 관련된 금지규범을 알지 못한 경우도 그 부지에 정당한 이유가 있는 경우에는 벌하지 않는다. (　　)

22. 순경 1차, 23. 순경 2차, 24. 변호사시험·경찰승진, 25. 경위공채·법원직·7급 검찰

5 일본 영주권을 가진 재일교포가 영리를 목적으로 관세물품을 구입한 것이 아니라거나 국내 입국시 관세신고를 하지 않아도 되는 것으로 착오한 경우 정당한 이유가 있다. (　　)

16. 순경 1차, 21. 해경 2차·7급 검찰, 24. 경찰승진·해경승진, 25. 해경경사

6 위법성의 인식에 필요한 노력의 정도는 일반인의 입장에서 판단되어야 하며, 구체적인 행위정황과 행위자 개인의 인식능력 그리고 행위자가 속한 사회집단에 따라 달리 평가되어서는 안 된다. (　　)

21. 9급 검찰, 22. 해경 2차, 23. 경찰승진, 24. 경찰간부·경력채용·순경 2차,
25. 변호사시험·경대편입·순경 1차·7급 검찰

7 허가를 담당하는 공무원이 허가를 요하지 않는 것으로 잘못 알려주어 이를 믿고 허가를 받지 않았더라도, 이는 법률의 부지로서 허가를 받지 않아도 죄가 되지 않는 것으로 착오를 일으킨 데에 정당한 이유가 있다고 말할 수 없다. (　　)

17. 법원직·7급 검찰, 24. 경찰승진, 25. 경대편입

8 비디오물감상실업자가 관할구청의 행정지도('만 18세 미만의 연소자 출입금지'표시 부착) 등을 믿고 18세 이상 19세 미만의 청소년을 자신의 비디오물감상실에 출입시켜도 처벌받지 않는다고 생각한 경우 정당한 이유가 있는 법률의 착오에 해당한다. (　　)

16. 7급 검찰·철도경찰, 18. 경력채용, 25. 해경 2차

9 숙박업자가 자신이 운영하는 숙박업소에서 위성방송 수신장치를 이용하여 수신한 외국의 음란한 위성방송 프로그램을 투숙객 등에게 제공한 경우 그 이전에 그와 유사한 행위로 '혐의 없음' 처분을 받은 전력이 있거나 일정한 시청차단장치를 설치하였다면 형법 제16조의 정당한 이유가 인정된다. (　　)

15. 사시, 23. 경찰승진

Answer ▶ 1. ✕　2. ○　3. ○　4. ✕　5. ✕　6. ✕　7. ✕　8. ○　9. ✕

10 한의사가 검찰의 '혐의 없음' 결정을 믿고 약사법에 위반되는 가감삼십전대보초를 제조·판매한 경우와 관련하여 판례는 법률의 착오에서의 정당한 이유를 인정하였다. (　　)

18. 7급 검찰, 20. 해경승진, 22. 경찰간부·경찰승진, 25. 해경 1차

11 '타인의 상품과 피고인의 상품이 유사하지 않다.'라는 변리사의 감정결과와 특허국의 등록사정을 믿고 발가락 5개의 양말을 제조·판매한 경우 형법 제16조에 해당하여 벌할 수 없다. (　　)

16. 경찰승진, 22. 해경간부

12 광역시의회 의원이 선거구민들에게 의정보고서를 배부하기에 앞서 미리 관할 선거관리위원회 소속 공무원들에게 자문을 구하고 그들의 지적에 따라 수정한 의정보고서를 배부하면서 그 행위가 관계 법령에 위반되지 않는다고 믿었다면 이는 위법성을 인식하지 못한 데에 정당한 이유가 있는 경우에 해당하지 않는다. (　　)

21. 7급 검찰, 23. 해경승진·해경 3차, 24. 9급 검찰·마약수사·철도경찰, 25. 경대편입, 26. 경찰승진

13 변호사 자격을 가진 국회의원 甲이 선거에 영향을 미칠 수 있는 내용이 포함된 의정보고서를 발간하는 과정에서 보좌관을 통해 관할 선거관리위원회 직원에게 구두로 문의하여 답변을 받은 결과 그 의정보고서를 발간하는 것이 선거법규에 저촉되지 않는다고 오인한 경우, 형법 제16조의 정당한 이유가 인정되지 않는다. (　　)　　19. 경찰승진, 21. 경력채용, 22. 경찰간부·해경간부, 23. 해경승진

14 민원사무 담당공무원에게 탐정업이 인허가 또는 등록사항이 아니라는 말을 듣고 신용조사업법이 금지하는 소재탐지나 사생활조사 등을 한 경우 판례에 의하면 형법 제16조의 정당한 이유가 있다. (　　)　　14. 순경 1차, 15. 사시·순경 2차, 17. 경찰간부

15 변호사에게 자문을 받고 압류물을 집행관의 승인 없이 관할구역 밖으로 옮기는 행위가 허용되는 행위로 생각하고 이와 같은 행위를 하였더라도, 이러한 오인에는 정당한 이유가 인정되지 않는다. (　　)

17. 경찰간부, 24. 경찰승진, 25. 해경 2차

16 가처분결정으로 직무집행정지 중에 있던 종단대표자가 종단소유의 보관금을 소송비용으로 사용함에 있어 변호사의 조언이 있었다는 것만으로 보관금인출사용행위가 법률의 착오에 의한 것이라 할 수 없다. (　　)　　22. 9급 검찰·마약수사·철도경찰, 23. 해경 3차, 25. 경대편입, 26. 경찰승진

17 외국인학교 경영자인 甲이 학교의 교비회계에 속하는 자금을 다른 외국인학교에 대여함으로써 사립학교법을 위반한 경우, 甲이 외국인으로서 국어에 능숙하지 못하였고 학교운영위원회에서 자금대여 안건을 보고한 사실이 있었다면, 비록 그와 같은 대여행위가 적법한지에 관하여 관할 도교육청의 담당공무원에게 정확한 정보를 제공하고 회신을 받거나 법률전문가에게 자문을 구하는 등의 조치를 취하지 않았더라도 형법 제16조에 따라 처벌되지 않는다. (　　)

21. 경찰간부, 22. 경찰승진, 25. 경력채용

18 20여 년간 사법경찰관으로 근무한 자가 검사의 수사지휘를 받았으니 허위로 수사기록을 작성해도 된다고 생각하고 수사기록에 허위의 내용을 수록한 경우 법률의 착오에 정당한 이유가 있다. (　　)　　13. 법원직·7급 검찰, 20. 경찰승진, 21. 경력채용, 24. 해경승진

Answer ▶　　10. ○　　11. ○　　12. ×　　13. ○　　14. ×　　15. ○　　16. ○　　17. ×　　18. ×

19 부동산중개업자가 부동산중개업협회의 자문을 통하여 인원수의 제한없이 중개보조원을 채용하는 것이 허용되는 것으로 믿고서 제한인원을 초과하여 중개보조원을 채용함으로써 부동산중개업법 위반에 이르게 된 경우 판례에 의하면 형법 제16조의 정당한 이유가 있다. (　　)

17. 경찰간부 · 법원직 · 순경 1차, 18. 7급 · 9급 검찰, 20. 9급 철도경찰, 25. 경력채용

20 생활용품 제조자가 자신이 제작한 물통의 상표가 타인의 상표권을 침해하지 않는다는 변리사의 자문과 감정을 믿고 그 상표를 사용함으로써 상표법상의 위반행위를 한 경우 법률의 착오에 정당한 이유가 있다. (　　)

13. 7급 검찰, 21. 경찰간부, 24. 해경승진

21 중국 국적 선박을 구입한 피고인이 외환은행 담당자의 안내에 따라 매도인인 중국해운회사에 선박을 임대하여 받기로 한 용선료를 재정경제부장관에게 미리 신고하지 아니하고 선박 매매대금과 상계함으로써 구 외국환거래법을 위반한 경우 법률의 착오에 정당한 이유가 없다. (　　)

15. 경찰간부 · 순경 3차, 17. 순경 1차

22 공무원이 그 직무에 관하여 실시한 봉인 등의 표시를 손상 또는 은닉 기타의 방법으로 그 효용을 해함에 있어서 그 봉인 등의 표시가 법률상 효력이 없다고 믿은 경우 법률의 착오에 정당한 이유가 있다. (　　)

15. 순경 1차, 19. 경찰간부, 20. 해경승진

23 법률위반행위 중간에 일시적으로 판례에 따라 그 행위가 처벌대상이 되지 않는 것으로 해석되었던 적이 있었던 경우에는 행위자가 자신의 행위가 처벌되지 않는 것으로 믿은 데에 형법 제16조의 '오인에 정당한 이유'가 있다. (　　)

23. 경찰승진 · 9급 검찰 · 마약수사 · 철도경찰, 24. 경찰간부 · 변호사시험,
25. 경대편입 · 순경 1차 · 7급 검찰 · 해경경위 · 해경 2차

24 마약취급면허가 없는 자가 제약회사에 근무한다는 자로부터 마약이 없어 약을 제조하지 못하니 구해달라는 거짓 부탁을 받고 제약회사에서 쓰는 마약은 구해 주어도 죄가 되지 아니하는 것으로 믿고 생아편을 구해 주었다 하더라도 오인에 정당한 이유가 있는 경우라고 볼 수 없다. (　　)

13. 7급 검찰, 15. 경찰승진, 24. 해경승진

25 자격기본법에 의한 민간자격관리자로부터 대체의학자격증을 수여받은 자가 사업자등록을 한 후 침술원을 개설하였다고 한다면, 자신의 행위가 무면허 의료행위에 해당되지 아니하여 죄가 되지 않는다고 믿은 데에 정당한 사유가 있었다고 볼 수 있다. (　　)

16. 경찰간부, 18. 경찰승진, 22. 해경간부 · 해경 2차

26 부동산중개업자가 아파트 분양권의 매매를 중개하면서 중개수수료 산정에 관한 지방자치단체의 조례를 잘못 해석하여 법에서 허용하는 금액을 초과한 중개수수료를 수수한 경우 정당한 이유가 있는 법률의 착오에 해당한다. (　　)

17. 경찰간부 · 7급 검찰, 21. 해경승진, 22. 법원직, 24. 9급 검찰 · 철도경찰, 25. 해경 1차

Answer ▶ **19.** × **20.** × **21.** ○ **22.** × **23.** × **24.** ○ **25.** × **26.** ×

01 위법성 인식과 법률의 착오에 대한 설명으로 옳은 것은?(다툼이 있는 경우 판례에 의함)

21. 9급 검찰·마약수사·철도경찰

① 위법성 인식의 체계적 지위에 관한 학설 중 고의설에 따르면 법률의 착오와 사실의 착오 모두 고의가 조각된다.

② 위법성 인식에 필요한 노력의 정도는 행위자 개인의 인식능력의 문제이므로 행위자가 속한 사회집단에 따라 달리 평가되어서는 안 된다.

③ 형법 제16조의 법률의 착오는 처벌규정의 존재를 인식하지 못한 법률의 부지뿐만 아니라 일반적으로 범죄가 되는 행위이지만 자기의 특수한 경우에는 법령에 의하여 허용되는 행위로 오인한 경우를 말한다.

④ 형법 제16조에 따르면 법률의 착오에 있어서 오인에 정당한 이유가 있으면 벌하지 않으며 정당한 이유가 없는 경우에는 형을 감경할 수 있다.

해설 ① ○ : 고의설은 고의가 성립하기 위해서는 범죄사실의 인식과 위법성의 인식이 필요하다는 견해로 사실의 착오(범죄사실에 관한 착오)와 법률의 착오(위법성에 관한 착오) 모두 고의가 조각된다.
② × : 위법성의 인식에 필요한 노력의 정도는(일반인의 입장에서 판단 ×) 구체적인 행위정황과 행위자 개인의 인식능력 그리고 행위자가 속한 사회집단에 따라 달리 평가되어야 한다(대판 2006.3.24, 2005도3717).
③ × : ~ (1줄) 못한 법률의 부지가 아니라, 일반적으로 범죄가 되는 행위이지만 자기의 특수한 경우에는 법령에 의하여 허용되는 행위로 오인한 경우를 말한다(대판 2009.5.28, 2008도11857).
④ × : ~ 없는 경우에는 처벌된다(대판 2006.3.24, 2005도3717).

02 위법성인식에 관한 설명으로 옳지 않은 것은 모두 몇 개인가?(다툼이 있는 경우 판례에 의함)

25. 경위공채

> ㉠ 위법성 인식의 체계적 지위에 관한 엄격책임설은 목적적 행위론자에 의하여 주장되며, 위법성에 관한 모든 착오는 금지착오라고 보기 때문에 위법성조각사유의 전제사실에 관한 착오도 법률의 착오에 해당한다.
>
> ㉡ 위법성 인식의 체계적 지위에 관한 제한적 고의설은 고의 성립에 필요한 위법성인식은 반드시 현실적 인식일 필요는 없고, 인식가능성만 있으면 고의가 성립된다고 본다.
>
> ㉢ 위법성인식에 관한 간접적 착오로서 위법성조각사유의 법적 한계에 대한 착오는 형법 제16조에 의하여 그 오인에 정당한 이유가 있는 때에 한하여 벌하지 아니한다.
>
> ㉣ 형법 제16조의 법률의 착오는 단순히 법률의 부지를 말하는 것이 아니고, 일반적으로 범죄가 되는 경우이지만 자기의 특수한 경우에는 법령에 의하여 허용된 행위로서 죄가 되지 아니한다고 그릇 인식함에 정당한 이유가 있는 경우에는 벌하지 않는다는 취지이므로, 법률의 부지인 경우에는 형법 제16조의 '그 오인에 정당한 이유가 있는 때'에 해당한다고 할 수 없다.

Answer　01. ①　02. ①

① 없 음　　　　② 1개　　　　③ 2개　　　　④ 3개

해설　㉠ 옳다. ㉡ 옳다. ㉢ 옳다(∵ 위법성조각사유의 법적 한계에 대한 착오는 법률의 착오에 해당함).
㉣ 대판 1995.8.25, 95도1351

03 다음 사례와 학설에 관한 설명으로 가장 적절한 것은?　　　　23. 순경 2차

〈사 례〉 甲이 야간에 자신의 방에 들어오는 룸메이트를 강도로 오인하고 상해의 고의는 없이 방어
할 의사로 그를 폭행하였는데 강도로 오인한 과실이 회피 가능하였을 경우

〈학 설〉
(가) 범죄를 불법과 책임의 두 단계로 나누어, 위법성조각사유의 요건을 소극적 구성요건요소로
이해하는 이론으로서 위 사례는 구성요건적 착오의 문제로 이해하는 견해
(나) 위법성의 인식을 고의의 요소가 아닌 독자적인 책임요소로 파악하는 이론으로서, 위 사례는
금지착오의 문제로 이해하는 견해
(다) 위법성조각사유의 전제사실은 구성요건적 사실과 유사하다는 점을 전제로 하여, 위 사례는
구성요건적 착오 규정을 유추적용 해야 하는 것으로 이해하는 견해
(라) 고의의 이중적 지위를 전제로 하여, 위 사례는 구성요건적 고의는 인정되나 책임고의가 탈락
되어 결국 구성요건적 착오와 법효과적으로 동일한 것으로 이해하는 견해

① (가)와 (다)에 따르면 甲에게는 폭행죄가 성립한다.
② (나)와 (라)에 따르면 甲에게는 상해죄가 성립한다.
③ (나)와 (다)에 따르면 甲에게는 과실치상죄가 성립한다.
④ (가)와 (라)에 따르면 甲은 처벌되지 않는다.

해설　사례는 위법성조각사유 전제사실에 관한 착오(오상방위)문제임(▶ 주의 : 상해의 고의 없이 폭행에
그쳤으므로 상해죄나 과실치상죄는 문제되지 않음).
(가) 소극적 구성요건 표지(요소)이론 (다) 유추적용 제한적 책임설 : 甲에게는 폭행죄의 고의가 부정되고 오
인에 과실이 인정되나 과실폭행죄의 처벌규정이 없으므로 불가벌이다. ∴ ① × ③ × ④ ○
(나) 엄격책임설 : 오인에 과실이 있으므로 폭행죄(고의범)가 성립한다. ∴ ② × ③ ×
(라) 법효과제한적 책임설 : 甲에게는 과실범이 문제되나 과실폭행죄의 처벌규정이 없으므로 불가벌이다.
∴ ② × ④ ○

04 위법성조각사유의 전제사실에 대한 착오의 설명으로 가장 적절한 것은?(다툼이 있는 경우 판례에 의함)
　　　　21. 경찰승진

① 엄격책임설에 의하면 위법성조각사유의 전제사실에 대한 착오의 경우 형법 제13조를 직접
적용함으로써 고의범의 성립이 부정되고 과실이 있는 경우 과실범으로 처벌한다.
② 위법성조각사유의 요건을 총체적 불법구성요건의 소극적 표지로 이해하는 소극적 구성요건
표지이론에 의하면 위법성조각사유의 전제사실에 대한 착오를 고의범으로 처벌한다.

Answer　**03.** ④　**04.** ③

③ 고의설과 법효과제한책임설은 위법성조각사유의 전제사실에 대한 착오의 법적 효과에 있어 동일한 결론을 취한다.

④ 유추적용설에 의하면 위법성조각사유의 전제사실에 대한 착오의 경우 형법 제13조를 유추적 용함으로써 구성요건적 고의는 인정되지만 책임고의를 부정하여 고의범의 성립을 부정한다.

해설 ① × : ~ 착오의 경우 법률의 착오에 해당한다고 보아 고의(불법고의, 구성요건적 고의)는 인정되고, 오인함에 정당한 이유가 없는 경우에는 고의범으로 처벌되며, 정당한 이유가 있는 경우에는 책임이 조각되어 범죄가 성립하지 않는다.
② × : ~ 착오를 과실범(고의범 ×)으로 처벌한다.
③ ○ : 둘다 과실범으로 처벌하므로 결론은 동일하다.
④ × : ~ (2줄) 구성요건적 고의가 부정되어 과실범으로 처벌한다. 구성요건적 고의는 인정되지만 책임고의를 부정하여 고의범의 성립을 부정하는 견해는 법효과제한적 책임설이다.

05 위법성조각사유의 전제사실에 관한 착오와 관련된 설명으로 가장 적절하지 않은 것은? 25. 경찰승진

① "현재의 부당한 침해"라는 정당방위 상황이 객관적으로 존재하지 않음에도 불구하고 행위자가 그 상황이 존재하는 것으로 잘못 알고 방위행위를 한 경우 이를 법률의 착오로 보고 오인에 정당한 이유가 있으면 책임이 조각된다고 보는 견해는 엄격책임설이다.

② 甲이 자신이 운영하는 가게에 온 손님인 A를 강도로 오인하고 방어할 의사로 A를 폭행하였는데 강도로 오인한 과실이 회피 가능한 경우 법효과제한책임설에 따르면 甲은 처벌되지 아니한다.

③ 甲이 A와 B가 장난치는 것을 보고 A가 일방적으로 B를 강제추행하는 것으로 오인한 나머지 B를 돕고자 A를 때려 상해를 입힌 경우 엄격책임설은 甲의 오인에 정당한 이유가 있다면 상해죄의 구성요건에 해당하나 책임이 부정되어 상해죄는 성립하지 않는다는 입장을 취하고 있다.

④ 법효과제한책임설은 위법성조각사유의 전제사실에 관한 착오에 빠진 자를 교사하여 죄를 범하게 한 교사자를 교사범으로 처벌할 수 없다는 점에서 비판을 받는다.

해설 ① 옳다.
② 옳다〔∵ 법효과제한책임설 : 불법(구성요건)고의 인정, 책임고의 조각 ⇨ 과실범 문제 ⇨ 강도죄는 과실범 처벌규정이 없으므로 불가벌〕.
③ 옳다.
④ × : ~ 처벌할 수 있다〔∵ 법효과제한적 책임설에 따르면 위법성조각사유의 전제사실의 착오에 빠진 자의 행위는 구성요건에 해당하고(구성요건 고의 인정) 위법하나 책임고의가 조각될 뿐이므로 제한적 종속형식에 따르면 교사자를 교사범으로 처벌할 수 있다〕.

Answer　05. ④

06 (가)~(라)는 甲이 밤에 연락 없이 자신의 집을 방문한 이웃을 강도로 오인하여 상해를 입힌 사례와 관련한 견해이다. 이에 대한 설명으로 옳지 않은 것은?　23. 7급 검찰

> (가) "위법성의 인식은 고의와 구별되는 책임의 독자적인 요소인데, 이 사례는 행위자가 구성요건 사실은 인식하였지만 자기 행위의 위법성을 인식하지 못한 경우에 해당한다."
> (나) "이 사례와 관련하여 甲이 위법성조각사유의 전제사실의 부존재를 인식하는 것 역시 구성요건에 해당한다."
> (다) "이 사례는 구성요건 착오는 아니지만 구성요건 착오와 유사한 경우이니, 구성요건 착오 규정을 적용하여 행위자에게 고의책임을 인정하지 않아야 한다."
> (라) "이 사례의 경우 구성요건 고의는 인정되지만, 책임 고의가 부정된다."

① (가)견해에 의하면, 甲의 오인에 정당한 이유가 없다면 甲은 상해의 고의범으로 처벌된다.
② (나)견해에 의하면, 甲은 구성요건 착오에 해당하여 상해의 고의가 조각된다.
③ (다)견해에 의하면, 甲에 대해 상해의 과실범의 성립을 검토할 수 있다.
④ (라)견해에 의하면, 甲은 상해의 고의범으로 처벌되지만 그 책임이 감경된다.

해설 사례는 위법성조각사유 전제사실에 관한 착오(오상방위)문제임.
① (가)견해(엄격책임설) : 옳다.
② (나)견해(소극적 구성요건요소이론) : 옳다.
③ (다)견해(유추적용제한적 책임설) : 옳다.
④ (라)견해(법효과제한적 책임설) : 甲의 요인에 정당한 이유가 있다면 상해의 고의는 인정되나 책임이 조각(감경 ×)되어 무죄이다.

07 다음 사례에 대하여 위법성 인식의 체계적 지위에 관한 학설의 설명으로 가장 적절한 것은?　24. 순경 1차

> A는 관장 B가 운영하는 복싱클럽에 회원등록을 한 후 등록을 취소하는 문제로 B로부터 질책을 들은 다음 약 1시간이 지나 다시 복싱클럽을 찾아와 B에게 항의를 하였다. 그 과정에서 A와 B가 서로 멱살을 잡아당기거나 뒤엉켜 몸싸움을 벌였다. 이를 지켜보던 코치 甲은 A가 왼손을 주머니에 넣어 특정한 물건을 꺼내 움켜 쥐자, 조금만 주의를 기울였으면 흉기가 아니라는 것을 알 수 있었음에도 불구하고 B를 찌르기 위해 흉기를 꺼낸다고 오인하여 A를 다치게 해서라도 이를 막고자 A의 왼손을 때려 손가락 골절상을 입혔다. 그러나 A가 움켜쥔 물건은 휴대용 녹음기로 밝혀졌다.

① 엄격고의설에 따르면 甲에게는 A에 대한 상해죄의 고의가 인정된다.
② 제한고의설에 따르면 甲이 현실적으로 자신의 행위가 위법하다고 인식하지 못했지만 위법성을 인식할 가능성이 있었기에 甲에게는 A에 대한 과실치상죄가 성립한다.
③ 엄격책임설에 따르면 甲에게는 A에 대한 상해죄의 고의가 조각된다.
④ 법효과제한책임설에 따르면 甲에게는 A에 대한 과실치상죄가 성립한다.

Answer　06. ④　07. ④

[해설] 사례는 위법성조각사유의 전제사실에 관한 착오(오상방위)에 관련된 것으로 판례는 오인에 정당한 이유가 있다고 보아 위법성이 없다(판례 : 위법성조각설의 입장임)고 판시함(대판 2023.11.2, 2023도10768 ∴ 상해죄 ×).

▶ **주의** : BOX 사례의 경우에는 오인에 정당한 이유가 없음〔∵ (4줄) 조금만 주의를 기울였으면 흉기가 아니라는 것을 알 수 있었음에도 불구하고 B를 찌르기 위해 흉기를 꺼낸다고 오인〕.
① × : 엄격고의설 ⇨ 상해죄의 책임고의 조각(∴ 상해죄 ×, 과실치상죄 ○)
② × : 제한적 고의설 ⇨ 위법성을 인식할 가능성만 있어도 고의범이 된다(∴ 상해죄 ○, 과실치상죄 ×).
③ × : 엄격책임설 ⇨ 법률의 착오로 보아 상해죄의 고의는 인정되고, 오인에 정당한 이유가 없어 책임이 조각되지 않는다(∴ 상해죄 ○).
④ ○ : 법효과제한적 책임설 ⇨ 구성요건적 고의는 인정되나, 책임고의가 조각되어 과실치상죄가 성립한다.

08 다음 사례에 관한 설명으로 가장 적절한 것은?(다툼이 있는 경우 판례에 의함) 25. 순경 2차

> 乙은 자신을 공격해 오는 甲을 피하기 위해 인근 주택의 대문을 부수고 안으로 들어갔다. 이때 집주인 丙은 乙을 강도로 오인하고 다시 집 밖으로 밀쳐내어 乙에게 상해를 입혔다. 이때 근처를 지나가던 丁은 평소 자신과 사이가 좋지 않은 甲을 보자 '이 기회에 손을 좀 봐줘야겠다'는 생각으로 甲에게 달려가 주먹을 날려 상해를 입혔다. 이에 겁에 질린 甲은 乙에 대한 공격을 포기하고 달아났다.

① 乙이 대문을 손괴한 행위는 甲의 부당한 공격을 방위하기 위한 행위로서 형법 제21조 정당방위에 해당한다.
② 위법성인식을 고의와 독립된 책임요소로 보는 견해에 의하면, 丙의 오인에 정당한 이유가 있다면 丙이 乙에게 상해를 입힌 행위는 상해의 고의가 인정되나 책임이 조각된다.
③ 丙의 착오를 구성요건적 착오와 유사하게 보는 견해에 의하면, 구성요건 착오 규정을 적용하여 책임고의가 탈락하며, 丙의 오인에 정당한 이유가 없는 경우 과실치상의 죄책을 진다.
④ 丁이 甲에게 상해를 입힌 행위는 결과적으로 乙을 보호한 행위로서 결과불법이 탈락되어 위법성이 조각된다.

[해설] 사례는 위법성조각사유의 전제사실에 관한 착오(오상방위)와 주관적 정당화 요소를 결한 경우(우연방위) 문제이다.
① × : 정당방위 ×, 긴급피난 ○(∵ 乙의 재물손괴행위는 침해와 무관한 제3인 丙의 법익을 침해하는 행위이다.)
② ○ : 위법성인식을 고의와 독립된 책임요소로 보는 견해인 엄격책임설과 법효과제한적 책임설(다수설)에 의하면 타당하다.
③ × : 구성요건적 착오와 유사하게 보는 견해(유추적용 제한적 책임설)에 의하면, (불법·구성요건적) 고의(책임고의 ×)가 탈락(조각)되어 오인에 정당한 이유가 없는 경우 과실치상의 죄책을 진다.
④ × : 丁이 甲에게 상해를 가할 때 방위의사(주관적 정당화 요소)가 없었으므로(우연방위) 결과불법(결과반가치)은 탈락할지라도 행위불법(행위반가치)은 그대로 존재하므로 위법성이 조각되지 않고 불능미수의 성립은 가능하다(다수설).

09 다음 사례에서 甲의 죄책에 관한 설명으로 가장 적절한 것은? 26. 경찰승진

> 〈사 례〉
> 甲은 회식을 마치고 밤길을 걸어서 귀가하던 중 우연히 반대편에서 오는 승용차 쪽을 바라보았다가 창문 밖을 주시하는 운전자 A와 눈이 마주친 후 불길한 예감이 들어 뒤돌아보니 자신의 뒤를 바짝 뒤따르는 정체불명의 B를 발견하게 되었다. A와 B는 강도강간미수 사건 발생지역에서 잠복근무 중이던 경찰관들이었는데, 甲은 A와 B를 노상강도범으로 오인하고 그들로부터 '퍽치기(노상강도)'를 당할까봐 무서워 빠른 걸음으로 걷기 시작했다. 그런데도 B가 계속 뒤따라 오자 강도범을 상대로 정당방위를 한다는 생각하에 상해의 고의로 B를 가격하여 부상을 입혔다.

① 이 사례에서 제한적 책임설 중 구성요건적 착오규정 유추적용설은 고의불법은 인정하나 책임고의를 부정하여 상해죄가 성립하지 않으며 과실범이 문제되는 것으로 본다.

② 이 사례의 착오를 형법 제16조의 법률의 착오로 보는 엄격책임설은 甲의 착오에 정당한 이유가 있는 경우 상해죄의 구성요건적 고의가 조각되어 상해죄가 성립하지 않는 것으로 본다.

③ 이 사례에서 법효과제한적 책임설은 甲에게 상해죄의 구성요건해당성과 위법성은 인정하나 책임은 부정하여, 상해죄는 성립하지 않으며 과실범이 문제되는 것으로 본다.

④ 이 사례에서 소극적 구성요건요소론은 甲의 착오에 정당한 이유가 있는 경우 위법성 인식이 결여되어 상해죄가 성립하지 않는 것으로 본다.

해설 사례는 위법성조각사유 전제사실에 관한 착오(오상방위)임.
① × : ~ (1줄) 유추적용설은 상해죄의 고의가 부정되어 상해죄가 성립하지 않으며 과실범이 문제되는 것으로 본다.
② × : ~ (1줄) 엄격책임설은 甲의 착오에 정당한 이유가 있는 경우 책임이 조각되어 상해죄가 성립하지 않는 것으로 본다.
③ ○ : 옳다.
④ × : ~ (1줄) 정당한 이유가 있는 경우 고의가 조각되어 상해죄가 성립하지 않고, 과실치상죄도 성립하지 않는 것으로 본다.

10 법률의 착오에 대한 설명 중 옳고 그름의 표시(○, ×)가 바르게 된 것은?(다툼이 있는 경우 판례에 의함) 21. 경찰간부

> ㉠ 위법성의 인식에 필요한 노력의 정도는 일반인의 입장에서 판단되어야 하며, 구체적인 행위정황과 행위자 개인의 의사능력 그리고 행위자가 속한 사회집단 등에 따라 다르게 평가될 수 없다.
> ㉡ 정기간행물의 등록을 강제하는 법률규정이 있다는 것을 몰랐고 또 간행물이 발행될 당시뿐만 아니라 그 발행이 중단되고 오랜 기간이 지난 다음에도 이에 대하여 문제가 제기된 바 없었다면, 자신의 간행물 발행행위가 죄가 되지 아니한다고 믿는 데 정당한 이유가 있다고 할 수 있다.
> ㉢ 甲이 변리사로부터 받은 A의 상표권을 침해하지 않는다는 취지의 회답과 감정결과 통보, 특허청의 상표출원등록 등을 근거로 자신의 행위가 상표권을 침해하는 것이 아니라고 믿은 데에는 정당한 이유가 인정되지 않는다.

Answer 09. ③ 10. ③

> ㉣ 사립학교 운영자 甲이 A학교의 교비회계에 속하는 수입을 수회에 걸쳐 B외국인학교에 대여하는 과정에서 관할청의 소속 공무원들이 참석한 A학교 학교운영위원회에서 B학교에 대한 자금대여 안건을 보고하였기 때문에 대여행위가 법률상 죄가 되지 않는 것으로 오인하였다면 그와 같은 그릇된 인식에 정당한 이유가 있다.

① ㉠(×), ㉡(○), ㉢(×), ㉣(×)

② ㉠(○), ㉡(○), ㉢(×), ㉣(×)

③ ㉠(×), ㉡(×), ㉢(○), ㉣(×)

④ ㉠(×), ㉡(×), ㉢(×), ㉣(○)

해설 ㉠ × : 위법성의 인식에 필요한 노력의 정도는 구체적인 행위정황과 행위자 개인의 인식능력 그리고 행위자가 속한 사회집단에 따라 달리 평가되어야 한다(대판 2006.3.24, 2005도3717).
㉡ × : ~ 정당한 이유가 있다고 할 수 없다(대판 1994.12.9, 93도3223).
㉢ ○ : 대판 1998.10.13, 97도3377
㉣ × : ~ 정당한 이유가 없다(대판 2017.3.15, 2014도12773).

11 금지착오에 대한 설명 중 가장 적절한 것은?(다툼이 있는 경우 판례에 의함)

23. 경찰승진

① 위법성의 인식에 필요한 노력의 정도는 행위자 개인의 인식능력과 행위자가 속한 사회집단에 따라 달리 평가되어서는 안 되며, 사회 평균적 일반인의 입장에서 객관적으로 판단되어야 한다.

② 숙박업자가 자신이 운영하는 숙박업소에서 위성방송 수신장치를 이용하여 수신한 외국의 음란한 위성방송 프로그램을 투숙객 등에게 제공한 경우 그 이전에 그와 유사한 행위로 '혐의 없음' 처분을 받은 전력이 있거나 일정한 시청차단장치를 설치하였다면 형법 제16조의 정당한 이유가 인정된다.

③ 법률위반행위 중간에 일시적으로 판례에 따라 그 행위가 처벌대상이 되지 않는 것으로 해석되었던 적이 있었다고 하더라도 그것만으로 자신의 행위가 처벌되지 않는 것으로 믿은 데에 정당한 이유가 있다고 할 수 없다.

④ 처벌규정이 존재함에도 불구하고 행위자가 처벌규정의 존재를 인식하지 못한 법률의 부지의 경우 그 오인에 정당한 이유가 있으면 벌하지 아니한다.

해설 ① × : 위법성의 인식에 필요한 노력의 정도는 구체적인 행위정황과 행위자 개인의 인식능력 그리고 행위자가 속한 사회집단에 따라 달리 평가되어야 한다(대판 2006.3.24, 2005도3717).
② × : ~ (3줄) 설치하였다 하더라도 형법 제16조의 정당한 이유가 없다(대판 2010.7.15, 2008도11679).
③ ○ : 대판 2021.11.25, 2021도10903
④ × : ~ 정당한 이유가 있어도 벌한다(대판 1995.8.25, 95도1351).

Answer 11. ③

12 법률의 착오에 관한 설명으로 옳은 것은 모두 몇 개인가?(다툼이 있는 경우 판례에 의함) 24. 경찰간부

> ㉠ 형법 제16조의 규정은 단순한 법률의 부지를 말하는 것이 아니고, 일반적으로 범죄가 되는 경우이지만 자기의 특수한 경우에는 법령에 의하여 허용된 행위로서 죄가 되지 아니한다고 그릇 인식하고 그와 같이 그릇 인식함에 정당한 이유가 있는 경우에는 벌하지 않는다는 것이다.
> ㉡ 전송의 방법으로 공중송신권을 침해하는 게시물이나 그 게시물이 위치한 웹페이지 등에 연결되는 링크를 한 행위자가, 그 링크 사이트 운영 도중에 일시적으로 판례에 따라 그 행위가 처벌대상이 되지 않는 것으로 해석되었던 적이 있었다 하더라도 그것만으로 자신의 행위가 처벌되지 않는 것으로 믿은 데에 정당한 이유가 없다.
> ㉢ 형법 제16조의 정당한 이유는 행위자에게 자기 행위의 위법 가능성에 대해 심사숙고하거나 조회할 수 있는 계기가 있어 자신의 지적 능력을 다하여 이를 회피하기 위한 진지한 노력을 다하였더라면 스스로의 행위에 대하여 위법성을 인식할 수 있는 가능성이 있었는데도 이를 다하지 못한 결과 자기 행위의 위법성을 인식하지 못한 것인지 여부에 따라 판단해야 한다.
> ㉣ 숙박업소에서 위성방송수신장치를 이용하여 수신한 외국의 음란한 위성방송프로그램을 투숙객 등에게 제공한 행위로 구 풍속영업의 규제에 관한 법률 제3조 제2호 위반행위를 한 피고인이 그 이전에 그와 유사한 행위로 '혐의 없음' 처분을 받은 전력이 있다거나 일정한 시청차단장치를 설치하였다면 형법 제16조의 정당한 이유가 있는 경우에 해당한다.

① 1개   ② 2개   ③ 3개   ④ 4개

해설 ㉠ ○ : 대판 2009.5.28, 2008도11857
㉡ ○ : 대판 2021.11.25, 2021도10903
㉢ ○ : 대판 2006.3.24, 2005도3717
㉣ × : ~ (4줄) 장치를 설치하였다 하더라도 형법 제16조의 정당한 이유가 있는 경우에 해당하지 않는다(대판 2010.7.15, 2008도11679).

13 금지착오에 관한 설명으로 가장 적절하지 않은 것은?(다툼이 있는 경우 판례에 의함) 24. 경찰승진

① 자신의 행위가 사회정의와 조리에 어긋난다는 것을 인식하여도 금지규범에 위반한다는 것을 인식하지 못하였다면 위법성의 인식이 있는 것으로 볼 수 없다.

② 일본 영주권을 가진 재일교포가 국내 입국시 관세신고를 하지 않아도 되는 것으로 착오한 것은 그 오인에 정당한 이유가 있는 경우에 해당하지 않는다.

③ 행정청의 허가가 있어야 함에도 불구하고 허가를 담당하는 공무원이 허가를 요하지 않는 것으로 잘못 알려 주어 이를 믿고 허가를 받지 아니하고 처벌대상의 행위를 한 경우라면, 허가를 받지 않더라도 죄가 되지 않는 것으로 착오를 일으킨 데 대하여 정당한 이유가 있는 경우에 해당한다.

④ 변호사에게 상세한 내용의 문의를 하지는 않았지만 자문을 받은 후 압류물을 집달관의 승인 없이 관할구역 밖으로 옮긴 경우 그 오인에 대해 정당한 이유가 있는 경우에 해당하지 않는다.

해설 ① × : ~ (1줄) 것을 인식하였다면 금지규범에 위반한다는 것을 인식하지 못하였더라도(단순한 법률의 부지) 위법성의 인식이 있는 것으로 볼 수 있다(대판 1987.3.24, 86도2673).
② 대판 2007.5.11, 2006도1993
③ 대판 1995.7.11, 94도1814
④ 대판 1992.5.26, 91도894

14 법률의 착오에 대한 설명으로 옳은 것은?(다툼이 있는 경우 판례에 의함)

24. 9급 검찰 · 마약수사 · 철도경찰

① 자신의 범행이 구 부동산소유권 이전등기 등에 관한 특별조치법에 위반되는지를 몰랐다면, 이는 법률의 부지로 형법 제16조의 법률의 착오에 해당한다.

② 사법경찰관직무취급을 하는 자가 참고인의 진술 내용을 피의자의 그것과 일치시키기 위해, 이미 적법하게 작성된 참고인진술조서를 찢어 버리고 진술인의 진술도 듣지 않고 그 내용을 일치시킨 새로운 진술조서를 만들었더라도, 그것이 수사기록의 체계화를 위하여 관례상 늘 있는 일이어서 적법한 것이라고 믿었다면 그렇게 오인함에 정당한 이유가 있는 때에 해당한다.

③ 부동산중개업자가 아파트 분양권의 매매를 중개하면서 법이 허용하는 금액을 초과한 중개수수료를 수수한 것이 중개수수료 산정에 관한 지방자치단체의 조례를 잘못 해석한 데에 기인한 것이라면, 자신의 행위가 법령에 저촉되지 않는다고 오인함에 정당한 이유가 있는 때에 해당한다.

④ 광역시의회 의원이 선거구민들에게 의정보고서를 배부하기에 앞서 미리 관할 선거관리위원회 소속 공무원들에게 자문을 구하고 그들의 지적에 따라 수정한 의정보고서를 배부한 경우 구 공직선거 및 선거부정방지법에 위반되지 않는다고 오인함에 정당한 이유가 있는 때에 해당한다.

해설 ① × : ~ (1줄) 몰랐다고 하더라도 이는 단순한 법률의 부지에 불과하며 형법 제16조의 법률의 착오에 해당하지 않는다(대판 1990.10.30, 90도1126).
② × : ~ (3줄) 새로운 진술조서를 작성한 경우, 그것이 수사기록의 체계화를 위하여 관례상 늘 있는 일이어서 적법한 것이라고 믿었다고 할지라도 그렇게 오인함에 정당한 이유가 있다고 볼 수 없다(대판 1978.6.27, 76도2196).
③ × : ~ (3줄) 오인함에 정당한 이유가 있는 경우에 해당한다고 볼 수 없다(대판 2000.8.18, 2000도2943).
④ ○ : 대판 2005.6.10, 2005도835

15 형법 제16조(법률의 착오)에 관한 설명으로 가장 적절한 것은?(다툼이 있는 경우 판례에 의함)

24. 순경 2차

① 자기의 행위가 법령에 의하여 죄가 되지 아니하는 것으로 오인한 행위는 그 오인에 정당한 이유가 있는 때에 한하여 형을 감경 또는 면제할 수 있다.

② 사인 甲이 현행범을 체포하면서 자신의 집 창고에 24시간 이상 감금하여도 형사소송법상 허용된다고 위법성조각사유의 허용한계를 오인하는 행위는 금지착오의 유형에 해당하지 않는다.

Answer 14. ④ 15. ④

③ 오인에 정당한 이유가 있는지 여부를 판단하는 과정에서 위법성 인식에 필요한 노력의 정도는 행위 당시의 구체적 상황에 행위자 대신에 법률가나 관련 분야의 전문가가 아닌 사회평균인을 두고 이 평균인의 관점에서 판단해야 하며, 행위자가 속한 사회집단에 따라 달리 평가되면 안 된다.

④ 甲이 니코틴 용액 제조의 경우에도 담배제조업 허가를 받아야 하는지를 담배 담당 주무부서에 문의하여 답변을 받아 허가사항임을 충분히 인식하였고, 자신이 제조한 것과 같은 니코틴 용액을 제조한 A주식회사의 무허가 담배제조로 인한 담배사업법 위반죄에 관하여 검사의 불기소결정이 담배사업법 개정 이전에 있었던 경우, 담배사업법이 금지하는 무허가 담배제조행위의 위법성을 인식하지 못한 데 정당한 사유가 있다고 보기 어렵다.

> **해설** ① × : ~ 한하여 벌하지 아니한다(제16조).
> ② × : ~ 유형에 해당한다(허용한계의 착오).
> ③ × : 위법성의 인식에 필요한 노력의 정도는(사회평균인의 입장에서 판단 ×) 구체적인 행위정황과 행위자 개인의 인식능력 그리고 행위자가 속한 사회집단에 따라 달리 평가되어야 한다(대판 2006.3.24, 2005도3717).
> ④ ○ : 대판 2018.9.28, 2018도9828

16 법률의 착오에 관한 다음 설명 중 옳고 그름의 표시(○, ×)가 바르게 된 것은?(다툼이 있는 경우 판례에 의함)

26. 경찰승진

> ㉠ 검사가 피고인들의 행위에 대하여 범죄혐의 없다고 무혐의 처리하였다가 고소인의 항고를 받아들여 재기수사명령에 의한 재수사 결과 기소에 이른 경우, 피고인들의 행위가 불기소처분 이전부터 저질러졌다면 그 무혐의 처분결정을 믿고 이에 근거하여 이루어진 것이 아님이 명백하나, 무혐의 처분일 이후에 이루어진 행위에 대하여는 그 무혐의 처분에 대하여 곧바로 고소인의 항고가 받아들여져 재기수사명령에 따라 재수사되어 기소에 이르게 되었더라도, 피고인들이 자신들의 행위가 죄가 되지 않는다고 그릇 인식하는 데 정당한 이유가 인정된다.
> ㉡ 무선기기 수입업자가 무선설비의 납품처 직원으로부터 형식등록이 필요 없다는 취지의 답변을 듣고, 이미 무선설비의 형식승인을 받은 다른 수입업자가 있음을 이용하여 동일한 제품을 형식승인 없이 수입·판매한 경우 형법 제16조의 법률의 착오에 정당한 이유가 있다.
> ㉢ 가처분결정으로 직무집행정지 중에 있던 종단대표자가 종단소유의 보관금을 소송비용으로 사용함에 있어 변호사의 조언이 있었다는 것만으로 보관금 인출사용행위가 법률의 착오가 있은 경우에 해당하는 것이라 할 수 없다.
> ㉣ 광역시의회 의원이 선거구민들에게 의정보고서를 배부하기에 앞서 미리 관할 선거관리위원회 소속 공무원들에게 자문을 구하고 그들의 지적에 따라 수정한 의정보고서를 배부한 경우 법률의 착오의 정당한 이유가 인정된다.

① ㉠(○), ㉡(○), ㉢(○), ㉣(×) 　　② ㉠(○), ㉡(×), ㉢(×), ㉣(○)

③ ㉠(×), ㉡(×), ㉢(○), ㉣(○) 　　④ ㉠(×), ㉡(×), ㉢(○), ㉣(×)

해설 ㉠ × : ~ (3줄) 근거하여 이루어진 것이 아님이 명백하고, 무혐의 처분일 이후에 이루어진 행위에 대하여도 그 무혐의 처분에 대하여 곧바로 고소인의 항고가 받아들여져 재기수사명령에 따라 재수사되어 기소에 이르게 된 이상, 피고인들이 자신들의 행위가 죄가 되지 않는다고 그릇 인식하는 데 정당한 이유가 있었다고 할 수 없다(대판 1995.6.16, 94도1793).
㉡ × : ~ (3줄) 법률의 착오에 정당한 이유가 없다(대판 2009.6.11, 2008도10373).
㉢ ○ : 대판 1990.10.16, 90도1604
㉣ ○ : 대판 2005.6.10, 2005도835

17 범죄의 성립요건 중 조각되는 사유가 다른 것은?(다툼이 있는 경우 판례에 의함) 20. 순경 1차

① 피고인이 동거 중인 피해자의 지갑에서 현금을 꺼내 가는 것을 피해자가 현장에서 목격하고도 만류하지 아니한 경우(형법상 절도죄)

② 중대장의 지시에 따라 관사를 지키고 있던 당번병인 피고인이 중대장의 처가 마중 나오라는 지시를 정당한 명령으로 오인하고 관사를 무단이탈하였는데 당번병으로서의 그 임무범위 내에 속하는 일로 오인하고, 그 오인에 정당한 이유가 있는 경우(군형법상 무단이탈죄)

③ 병역법 제88조 제1항은 국방의 의무를 실현하기 위하여 현역입영 또는 소집통지서를 받고도 정당한 사유 없이 이에 응하지 않은 사람을 처벌하는데, 피고인에게 정당한 사유가 있는 경우(병역법상 입영 등 기피죄)

④ 사용자의 직장폐쇄가 정당한 쟁의행위로 인정되지 아니하고 다른 특별한 사정이 없어 근로자가 평소 출입이 허용되는 사업장 안에 들어가는 경우(형법상 주거침입죄)

해설 • **구성요건해당성 조각** : ① 대판 1985.11.26, 85도1487(∵ 피해자의 양해) ③ 대판 2018.11.1, 2016도10912 전원합의체 ④ ~ 들어가는 경우 주거침입죄를 구성하지 아니한다(대판 2002.9.24, 2002도2243).
• **위법성조각** : ② ~ 있는 경우 위법성이 없다(대판 1986.10.28, 86도1406 ∵ 위법성조각사유의 전제사실에 대한 착오에 대해 판례는 위법성조각설의 입장임).

18 다음 사례에 대한 설명으로 옳은 것은?(다툼이 있는 경우 판례에 의함) 23. 7급 검찰

> (가) 甲이 주차된 자동차를 A의 소유인 줄 알고 손괴하였는데, 알고 보니 B의 소유인 경우
> (나) 유흥접객업소의 업주 乙이 청소년의 출입을 금지하는 관련 규정의 존재를 몰라 청소년을 자신의 유흥접객업소에 출입시킨 경우
> (다) 丙이 C의 자동차를 맞히려고 돌을 던졌으나 빗나가 C가 돌에 맞아 다친 경우

① (가)는 주관적 정당화 요소를 결한 사례이며, 판례에 따르면 甲은 재물손괴죄의 불능미수에 해당한다.

② (가)는 구체적 사실의 착오 중 객체의 착오 사례이며, 판례에 따르면 甲에게는 A의 자동차에 대한 손괴미수죄와 B의 자동차에 대한 과실손괴죄의 상상적 경합이 성립하지만, 과실손괴죄의 처벌규정이 없어 손괴미수죄만 인정된다.

Answer 17. ② 18. ④

③ (나)는 법률의 착오 사례이며, 판례에 의하면 乙은 그 오인에 정당한 이유가 있어 책임이 조각된다.

④ (다)는 추상적 사실의 착오 중 방법의 착오로서 추상적 부합설에 의하면 丙에게는 손괴기수죄와 과실치상죄의 상상적 경합이 성립한다.

> **해설** ① × ② × : (가)는 구체적 사실의 착오 중 객체의 착오 사례이며, 판례(법정적 부합설)에 따르면 甲은 B의 자동차에 대한 재물손괴죄(기수)에 해당한다.
> ③ × : (나)는 단순한 법률의 부지의 사례이며, 판례에 의하면 형법 제16조(법률의 착오)의 적용대상이 되지 않아 오인에 정당한 이유가 있어도 벌한다(대판 1995.8.25, 95도1351).
> ④ ○ : 옳다.

19 착오에 관한 설명 중 옳은 것은?(다툼이 있는 경우 판례에 의함) 24. 변호사시험

① 형법 제16조의 법률의 착오는 행위자가 자기의 행위를 금지하는 법규의 존재 자체를 인식하지 못하는 법률의 부지뿐만 아니라, 일반적으로 범죄가 되는 경우이지만 자기의 특수한 경우에는 법령에 의하여 허용된 행위로서 죄가 되지 아니한다고 그릇 인식한 경우를 포함한다.

② 甲이 A를 살해할 의도를 갖고 A와 비슷한 외모의 B를 A로 오인하여 B에게 총을 발사한 결과 B가 사망에 이른 경우, 구체적 부합설에 따르면 甲에게는 A에 대한 살인미수죄와 B에 대한 과실치사죄의 상상적 경합이 성립한다.

③ 법률 위반 행위 중간에 일시적으로 판례에 따라 그 행위가 처벌대상이 되지 않는 것으로 해석되었던 적이 있었던 경우에는 행위자가 자신의 행위가 처벌되지 않는 것으로 믿은 데에 형법 제16조의 '오인에 정당한 이유'가 있다.

④ 甲이 A가 자신의 아버지임을 알아보지 못하고 A를 살해한 경우, 이와 같은 착오는 존속살해의 고의를 조각하지 못한다.

⑤ 관리자에 의해 출입이 통제되는 건조물에 관리자의 현실적인 승낙을 받아 통상적인 출입방법으로 들어간 경우, 승낙의 동기에 착오가 있어 관리자가 행위자의 실제 출입 목적을 알았더라면 출입을 승낙하지 않았을 사정이 있더라도 행위자에게 건조물침입죄가 성립하지 않는다.

> **해설** ① × : ~ (2줄) 법률의 부지가 아니라, 일반적으로 범죄가 되는 경우이지만 자기의 특수한 경우에는 법령에 의하여 허용된 행위로서 죄가 되지 아니한다고 그릇 인식한 경우를 포함한다(대판 2009.5.28, 2008도11857).
> ② × : 구체적 사실의 착오 중 객체의 착오 ⇨ 구체적 부합설 : B에 대한 살인기수죄
> ③ × : ~ '오인에 정당한 이유'가 없다(대판 2021.11.25, 2021도10903).
> ④ × : ~ 고의를 조각한다(대판 1960.10.31, 4293형상491 ∴ 보통살인죄).
> ⑤ ○ : 대판 2022.3.31, 2018도15213

Answer **19. ⑤**

20 혼잡한 놀이동산에서 남성 甲은 여성 A(21세)를 자신의 여자친구로 착각하고 놀라게 할 목적으로 양 팔을 높이 들어 가까이 접근해 뒤에서 갑자기 껴안으려 하였다. 간식을 사 오다 이 광경을 목격한 A의 남자친구 乙은 甲이 A를 성추행하려 한다고 오해하여 다짜고짜 발로 甲의 복부를 1회 가격하여 甲에게 장파열상을 입게 하였다. 이 사례에 관한 설명 중 옳은 것(○)과 옳지 않은 것(×)을 올바르게 조합한 것은?

25. 변호사시험

> ㉠ 甲이 A를 여자친구로 착각하고 껴안으려 한 것은 형법 제15조의 사실의 착오에 해당하여 강제추행죄의 고의가 조각된다.
>
> ㉡ 만약 甲에게 추행의 고의가 인정된다고 하더라도 甲의 팔이 A의 몸에 닿지 않은 경우, 판례에 따르면 강제추행죄에 있어서 실행의 착수로 볼 수 없다.
>
> ㉢ 甲에 대한 乙의 착오를 위법성조각사유의 전제사실에 관한 착오로 보고 엄격책임설에 따라 해결하면, 乙의 행위는 위법성이 인정되고, 다만 형법 제16조의 정당한 이유가 있는 경우에 한하여 책임이 조각된다.
>
> ㉣ 만약 乙의 착오를 이용하여 甲을 폭행하려는 악의의 丙이 있는 경우, 甲에 대한 乙의 폭행행위를 위법성조각사유의 전제사실에 관한 착오로 보고 엄격책임설에 따라 정당한 이유가 없다고 본다면, 丙에게는 간접정범이 성립한다.

① ㉠(○), ㉡(○), ㉢(×), ㉣(○)

② ㉠(○), ㉡(×), ㉢(○), ㉣(×)

③ ㉠(×), ㉡(×), ㉢(○), ㉣(×)

④ ㉠(×), ㉡(○), ㉢(○), ㉣(○)

⑤ ㉠(○), ㉡(×), ㉢(×), ㉣(○)

해설 ㉠ ×: 甲이 A를 여자친구로 착각하고 놀라게 할 목적으로 껴안으려 한 것은 추행의 고의가 없었으므로 형법 제15조의 사실의 착오의 문제는 발생하지 않고, 강제추행죄의 고의가 조각된다.

㉡ ×: 만약 甲에게 추행의 고의가 인정된다면 甲의 팔이 A의 몸에 닿지 않은 경우, 판례에 따르면 강제추행죄에 있어서 실행의 착수로 볼 수 있다(대판 2015.9.10, 2015도6980 ∵ 폭행행위 자체가 추행행위라고 인정되는 '기습추행'의 경우 폭행행위(상대방의 의사에 반하는 유형력의 행사)를 하면 실행의 착수로 볼 수 있음).

㉢ ○: 옳다.

㉣ ×: ~ (2줄) 엄격책임설에 따라 정당한 이유가 없다고 본다면, 乙은 폭행죄가 성립되어 처벌되므로 丙에게는 폭행죄의 교사범(간접정범 ×)이 성립한다.

Answer **20.** ③

제5절 기대가능성

(1) 의 의

적법행위에 대한 기대가능성(위법행위와는 다른 행위를 할 수 있었다는 의미에서, '타행위가능성'이라고도 표현함)을 말한다. 문제는 이러한 기대가능성이 없을 때, 즉 기대불가능성을 이유로 책임이 조각된다는 점에 형법상 중요한 의의가 있다. 규범적 책임론(통설)에서 기대가능성은 적법한 타행위의 가능성으로서 책임비난의 근거가 된다. 12. 변호사시험, 14. 9급 철도경찰

(2) 기대가능성의 판단기준(표준)

기대가능성의 유무를 판단하는 기준으로 행위자표준설, 국가표준설, 평균인표준설(통설·판례)이 있다.

> **관련판례**
>
> 피고인에게 적법행위를 기대할 가능성이 있는지 여부를 판단하기 위해서는 행위 당시의 구체적 상황하에 행위자 대신에 사회적 평균인을 두고 이 평균인의 관점에서 그 기대가능성 유무를 판단해야 한다(대판 2008.10.23, 2005도10101). 18. 변호사시험·9급 검찰·마약수사, 21. 해경승진·해경간부, 22. 철도경찰, 24. 경찰승진·경력채용, 25. 7급 검찰

(3) 기대불가능성으로 인한 책임조각·감경사유

① **형법상의 책임조각·감경사유** 12. 7급 검찰, 17. 9급 검찰 : 현행형법은 기대가능성에 관한 직접적인 명문의 규정을 두고 있지 않으나 총칙과 각칙에서 기대가능성의 결여 또는 감소를 이유로 책임이 조각되거나 감경되는 경우를 다음과 같이 규정하고 있다.

구분	책임조각사유	책임감경사유	책임조각·감경사유
	기대가능성의 결여로 인한 책임조각	기대가능성의 감소를 이유로 한 책임감경	기대가능성의 결여 또는 감소로 인한 책임감경·면제(임의적 감면)
총칙규정	• 강요된 행위(제12조) • 과잉방위의 특수한 경우(제21조 제3항) • 과잉피난의 특수한 경우(제22조 제3항)		• 과잉방위(제21조 제2항) • 과잉피난(제22조 제3항) • 과잉자구행위(제23조 제2항)
각칙규정	• 친족간 범인은닉죄(제151조 제2항) • 친족간 증거인멸죄(제155조 제4항) • 범인 자신의 은닉·증거인멸	• 도주원조죄보다 단순도주죄가 법정형이 경함 • 위조통화행사죄보다 위조통화취득 후 지정행사죄가 법정형이 경함	—

② **초법규적 책임조각사유** : 기대불가능성을 초법규적 책임조각사유로 인정하는 다수설·판례에 의하면 형법에 규정이 없는 일정한 경우에도 기대가능성이 없는 것을 이유로 하여 책임이 조각된다고 한다. 그 예를 들면 다음과 같은 경우가 문제된다.

　㉠ 상관의 구속력 있는 위법한 명령에 따른 행위 ⇨ 위법행위이나 기대가능성이 없어 책임이 조각된다.

　㉡ 생명·신체 이외의 법익에 대한 강요된 행위 ⇨ 제12조에 해당하지 않지만, 기대불가능성으로 인한 초법규적 책임조각사유에 해당한다. 08. 9급 검찰

　㉢ 면책적 긴급피난 ⇨ 사람의 생명은 이익교량할 수 있는 법익이 아니므로 긴급피난에 의해 사람을 살해하는 것은 위법성을 조각할 수 없고, 다만 기대가능성의 유무에 따라 책임에 영향을 준다(예 표류 중인 선원이 아사를 면하기 위해 다른 선원을 살해한 행위). 21. 7급 검찰, 24. 경위공채

관련판례

- **기대가능성이 없어(기대불가능성) 책임이 조각되어 무죄인 경우**
1. 입학시험 응시자가 우연한 기회에 출제될 시험문제를 알게 되어 답을 암기하여 답안지에 기재한 경우(대판 1966.3.22, 65도1164) 19. 경찰간부, 22. 7급 검찰, 25. 9급 검찰·마약수사·철도경찰
2. 사용자가 퇴직금 지급을 위해 최선의 노력을 다하였으나 경영부진으로 인한 자금사정 등으로 도저히 지급기일 내에 퇴직금을 지급할 수 없는 불가피한 사정이 인정되는 경우(대판 2001.2.23, 2001도204) 19. 법원행시, 20. 7급 검찰·순경 2차, 21. 경찰간부, 25. 법원직
   ▶ **유사판례** : 기업이 불황이라는 사유만으로 사용자가 근로자에 대한 임금이나 퇴직금을 체불하는 것은 허용되지 아니하지만, 모든 성의와 노력을 다했어도 임금이나 퇴직금의 체불이나 미불을 방지할 수 없었다는 것이 사회통념상 긍정할 정도가 되어 사용자에게 더 이상의 적법행위를 기대할 수 없거나 불가피한 사정이었음이 인정되는 경우에는 그러한 사유는 근로기준법이나 근로자퇴직급여 보장법에서 정하는 임금 및 퇴직금 등의 기일 내 지급의무 위반죄의 책임조각사유로 된다(대판 2015.2.12, 2014도12753). 20. 변호사시험, 21. 해경 2차, 22. 경찰승진
3. 나이트클럽 주인이 수학여행을 온 대학생 34명 중 일부만의 학생증을 제시받아 성년자임을 확인하고 입장시켰으나 그들 중 1명이 미성년자였던 경우(대판 1987.1.20, 86도874) 20. 순경 2차, 26. 경찰승진
4. 동해방면에서 명태잡이를 하다가 기관고장과 풍랑으로 표류 중 북한괴뢰집단에 함정에 납치되어 북괴지역으로 납북된 후 북괴를 찬양, 고무 또는 이에 동조하고 우리나라로 송환됨에 있어 여러가지 지령을 받아 수락한 경우(대판 1967.10.4, 67도1115) 09. 9급 검찰, 17. 경찰간부
5. 군인인 피고인들이 무장공비의 탈출시간으로 추정되는 시각까지 만 4일 6시간 동안 불과 3시간 또는 5시간의 수면을 취한 상태에서 2시간씩 교대로 수면을 취한 경우, 군형법상 전투준비태만죄에 해당하는 측면이 있다고 하더라도 적법행위의 기대가능성을 인정하거나 비난가능성이 있다고 단정할 수는 없는 것이다(대판 1980.3.11, 80도141). 24. 7급 검찰

- **기대가능성이 없다고 볼 수 없어 범죄가 성립한 경우**
1. 자신의 강도상해 범행을 일관되게 부인하였으나 유죄판결이 확정된 피고인이 별건으로 기소된 공범의 형사사건에서 자신의 범행사실을 부인하는 증언을 한 경우(대판 2008.10.23, 2005도10101 ∴ 위증죄 ○) 20. 법원직, 21. 경찰간부, 24. 7급 검찰, 25. 순경 1차·9급 검찰·마약수사·철도경찰, 26. 변호사시험·경찰승진

2. 직장의 상사가 범법행위를 하는 데 가담한 부하에게 직무상 지휘·복종관계에 있는 경우(대판 2007. 5.11, 2007도1373) 22. 해경간부, 23. 변호사시험·해경승진, 24. 경찰승진, 25. 7급 검찰

3. 비서가 주종관계에 있는 상사의 지시에 따라 좌천될 것이 두려워 공무원에게 뇌물을 공여한 경우(대판 1983.3.8, 82도2873). 17. 경찰간부, 21. 해경승진, 22. 해경 2차·7급 검찰, 25. 9급 검찰·마약수사·철도경찰

4. 선서한 증인이 증언거부권을 고지받고도 증언거부권을 포기하고 허위의 진술을 한 경우 적법행위에 대한 기대가능성이 없다고 할 수 없어 위증죄가 성립한다(대판 2010.1.21, 2008도942 전원합의체). 10. 경찰승진·9급 검찰, 24. 7급 검찰, 25. 변호사시험

5. 영업정지처분에 대한 집행정지 결정은 피고인이 제기한 영업정지처분 취소사건의 본안판결 선고시까지 그 처분의 효력을 정지한 것으로서 행정청의 처분의 위법성을 확정적으로 선언하지도 않았으므로, 위 집행정지 신청이 잠정적으로 받아들여졌다는 사정만으로는 적법행위의 기대가능성이 없다고 볼 수 없다(대판 2010.11.11, 2007도8645). 19. 9급 검찰·마약수사·철도경찰, 20. 7급 검찰, 21. 경찰간부·해경승진, 26. 경찰승진

6. 교수가 출제교수들로부터 대학원신입생전형시험문제를 제출받아 알게 된 것을 틈타서 그 시험문제를 알려주었고 수험생이 그 답안쪽지를 작성한 다음 이를 답안지에 그대로 베껴 써서 그 정을 모르는 시험감독관에게 제출한 경우(대판 1991.11.12, 91도2211 ∴ 업무방해죄 ○) 21. 경찰간부·해경승진, 22. 해경간부

7. 당국이 피고인이 간부로 있는 전국교직원노동조합이나 기타 단체에 대하여 모든 옥내외 집회를 부당하게 금지하고 있다는 이유만으로 관할경찰서장에게 신고하지 않고 옥외집회를 주최한 경우(대판 1992.8.14, 92도1246) 10. 경찰승진, 14. 사시

8. 통일원장관의 접촉 승인 없이 북한 주민과 접촉한 경우(대판 2003.12.26, 2001도6484) 19. 경찰간부

9. 국가정보기관의 직원이 소속 상관의 중대하고 명백한 위법명령에 따라 범법행위를 한 경우(대판 1980.5.20, 80도306) 13. 9급 철도경찰

10. 단순히 사용자가 경영부진 등으로 자금압박을 받아 임금 및 퇴직금을 지급기일 내에 지급하지 못한 경우(대판 2006.2.9, 2005도9230) 07. 경찰승진, 10. 9급 검찰

11. 선거기간 중 지구당의 대표자가 당직회의를 마치고 난 후 음식점에서 지구당 회의에 참석한 당직자와 일반당원에게 술과 음식을 제공한 경우(대판 1998.6.9, 97도856) 11. 경찰승진

12. 토지거래 신고지역으로 지정된 구역 안에 있는 토지를 매수한 자가 미등기 전매하면서 국토이용관리법 소정의 신고를 하지 않은 경우(대판 1990.10.30, 90도1798) 08. 법원행시

13. 탄약창고의 보초가 상급자들이 창고 내에서 포탄피를 절취하는 현장을 목격하고도 그들이 상급자들이라는 이유로 제지하지 않고 묵인하였다(대판 1966.7.26, 66도914). 10. 경찰승진

14. 불법 건축물이라는 이유로 일반음식점 영업신고의 접수가 거부되었고, 이전에 무신고 영업행위로 형사처벌까지 받았음에도 계속하여 일반음식점 영업행위를 한 경우(대판 2009.4.23, 2008도6829) 10. 경찰승진, 20. 7급 검찰

15. 판매하려는 기름이 직장상사가 불법제조한 기름이라는 사실을 알면서 판매한 경우(대판 1986.5.27, 86도614)

16. 처자식이 생활고로 행방불명이 되었다하여 귀대하지 않은 경우(군무이탈죄 : 대판 1969.12.23, 69도2084)

17. 의사가 임신부의 청원에 못이겨 임신중절수술을 한 경우(대판 1985.6.11, 84도1958)

18. 안전기획부의 상사의 명령에 따라 부하직원이 대통령선거에서 특정후보에게 불리한 여론을 조성하기 위하여 허위사실을 담은 책자를 발간·배포한 경우(대판 1999.4.23, 99도636)

19. 피고인에게 적법행위를 기대할 가능성이 있는지 여부를 판단하기 위하여는 행위 당시의 구체적인 상황하에 행위자 대신 사회적 평균인을 두고 이 평균인의 관점에서 그 기대가능성 유무를 판단하여야 하므로, 기자가 취재원과 하던 전화통화를 끊지 않던 중 전화기 너머로 들리는 다른 대화를 녹음한 경우에 불법녹음을 하지 아니할 기대가능성이 있다고 볼 수 있다(대판 2016.5.12, 2013도15616). 24. 법원행시

20. 병원 중환자실에 입원해 있던 부친이 피고인을 찾아서 급히 가야한다는 사유만으로 피고인이 음주·무면허운전을 하지 않을 기대가능성이 없었다고 볼 수 없다(대판 2008.2.28, 2008도470). 24. 법원행시

21. 담배제조업 허가 없이 전자장치를 이용해 흡입할 수 있는 '니코틴이 포함된 용액'을 만드는 경우 담배사업법의 위임을 받은 기획재정부가 전자담배제조업에 관한 허가기준을 마련하지 않고 있으나, 궐련담배제조업에 관한 허가기준은 이미 마련되어 있는 상황에서 담배제조업 관련 법령의 허가기준을 준수하거나 허가기준이 새롭게 마련될 때까지 법 준수를 요구하는 것이 죄형법정주의 원칙에 위반된다거나 기대가능성이 없는 행위를 처벌하는 것이어서 위법하다고 보기 어렵다(대판 2018.9.28, 2018도9828). 21. 경위공채, 22. 순경 2차, 26. 경찰승진

(4) 강요된 행위

> 제12조【강요된 행위】 저항할 수 없는 폭력이나 자기 또는 친족(타인 ×)의 생명·신체(재산 ×, 명예 ×)에 대한 위해를 방어할 방법이 없는 협박에 의하여 강요된 행위는 벌하지 아니한다. 18. 변호사시험, 19. 법원행시, 21. 경찰간부·해경간부·해경승진·해경 2차, 23. 7급 검찰

① **의의** : 강요된 행위란 저항할 수 없는 폭력이나 자기 또는 친족의 생명·신체에 대한 위해를 방어할 방법이 없는 협박에 의하여 강요된 행위를 말하며, 이러한 강요된 행위는 적법행위에 대한 기대가능성이 없다는 이유로 책임이 조각되어 벌하지 아니한다고 형법 제12조에 규정하고 있다. 10. 사시, 12. 변호사시험

② **요 건**

　㉠ **저항할 수 없는 폭력** : 저항할 수 없는 폭력이란 상대방(피강요자)의 항거를 억압할 수 있을 정도의 유형력 행사를 말한다. 폭력은 물리적(절대적) 폭력과 심리적(강제적·의사적) 폭력으로 구분할 수 있는데 강요된 행위에서 말하는 저항할 수 없는 폭력은 물리적 폭력이 아닌 심리적(강제적·의사적) 폭력만을 말한다(통설·판례). 11. 경찰승진, 20. 순경 2차

　㉡ **자기 또는 친족의 생명·신체에 대한 위해를 방어할 방법이 없는 협박**

　　ⓐ **협박** : 상대방으로 하여금 공포심(외포심)을 일으키게 할 만한 해악(위해)을 가할 것을 통고(고지)하는 것을 말한다. 그러나 반드시 명시적·외형적이거나 유형적인 협박일 필요는 없다(대판 1968.11.26, 68도1309). 10. 사시

　　ⓑ **협박의 정도** : 상대방을 현실로 외포하게 하여 어느 정도 의사결정 내지 행동의 자유가 침해될 것을 요한다.

ⓒ 위해의 대상 : 자기 또는 친족(타인 ×)의 생명·신체에 국한된다. 13. 경찰승진, 19. 법원행시

ⓓ 방어할 방법이 없을 것 : 달리 위해를 저지하거나 피할 수 없고, 강요자가 강요한 행위(범죄)를 행하는 것이 위해를 피하기 위한 유일한 방법이어야 한다는 것을 의미한다(보충성 필요).

ⓒ **강요된 행위** : 강요된 행위란 폭력이나 협박에 의하여 피강요자의 의사결정이나 행동의 자유가 침해되어 강요자가 요구하는 일정한 행위를 하는 것을 말한다.

관련판례

형법 제12조에서 말하는 강요된 행위는 저항할 수 없는 폭력이나 생명, 신체에 위해를 가하겠다는 협박 등 다른 사람의 강요에 의하여 이루어진 행위를 의미하는데, 여기서 저항할 수 없는 폭력은 심리적 의미에 있어서 육체적으로 어떤 행위를 절대적으로 하지 아니할 수 없게 하는 경우와 윤리적 의미에 있어서 강압된 경우를 말하고, 협박이란 자기 또는 친족의 생명, 신체에 대한 위해를 달리 막을 방법이 없는 협박을 말하며, 강요라 함은 피강요자의 자유스런 의사결정을 하지 못하게 하면서 특정한 행위를 하게 하는 것을 말하는 것이다(대판 1983.12.13, 83도2276). 19. 순경 1차, 21. 경찰간부·법원직, 22. 변호사시험·해경 2차, 23. 9급 검찰·마약수사·철도경찰, 24. 경찰승진, 25. 7급 검찰

● **강요된 행위에 해당된다고 본 경우**

1. 18세의 소년이 취직시켜 준다는 꼬임에 빠져 도일 후 조총련간부의 감시·감금하에 강요에 못이겨 공산주의자가 되어 북한에 갈 것을 서약한 행위(대판 1972.5.9, 71도1178) 09. 9급 검찰, 21. 해경간부

2. 기관고장과 풍랑으로 표류 중 납북되어 북한을 찬양·고무·동조하고 송환될 때 지령을 받고 수락한 경우(대판 1967.10.4, 67도1115) 22. 해경간부

3. 남편의 계속적인 구타에 못이겨 처가 허위내용(간통사실을 폭로하겠다고 협박당하여 돈을 주었다는 내용)의 고소장을 작성하여 제출한 경우(대판 1983.12.13, 83도2276 : 처는 무고죄의 구성요건에 해당하고 위법하나 강요된 행위로 책임조각, 남편은 강요죄와 무고죄의 간접정범)

● **강요된 행위에 해당되지 않는다고 본 경우**

1. 성장교육과정을 통하여 형성된 관념이나 확신으로 인하여 행위자의 의사결정이 사실상 강제된 상태에서 한 테러행위(대판 1990.3.27, 89도1670) : KAL 폭파범 김현희 사건 21. 경찰간부·해경승진, 22. 순경 1차·해경 2차, 23. 변호사시험·9급 검찰·마약수사·철도경찰, 25. 7급 검찰

2. 공무원이 상관의 고문행위와 같은 중대하고도 위법한 명령에 따른 행위(대판 1988.2.23, 87도2358) : 박종철군 고문치사 사건 13. 9급 철도경찰, 19. 9급 검찰·마약수사, 21. 경찰간부

3. 자초한 강제상태가 야기된 경우〔자의로 북한에 탈출한 이상 그 구성원과의 회합은 예측가능(대판 1973.1.30, 72도2585), 월선조업을 하다가 납북되었다가 돌아온 경험이 있는 자가 납치될 것을 예상하면서 월선조업을 하다가 납치되어 한 제보(대판 1971.2.23, 70도2629), 단신 월북하여 조선노동당에 가입하고 남파되어 간첩행위를 한 경우(대판 1958.9.26, 4291형상352)〕 21. 9급 검찰, 22. 해경 2차, 23. 9급 검찰·마약수사·철도경찰

4. 상사의 지시에 따라 군용물을 불법매각한 경우(대판 1983.12.13, 83도2276) 09. 9급 검찰

③ 효 과

피강요자	피강요자의 강요된 행위는 적법행위에 대한 기대가능성이 없어 책임이 조각되므로 "벌하지 아니한다."(제12조) 즉, 무죄이다.
강요자	강요자는 처벌되지 않는 자(피강요자)를 이용하여 범죄를 실행한 것이므로 강요된 범죄행위의 간접정범으로 처벌된다(통설). 제한적 종속형식에 의하더라도 강요자의 의사지배가 인정되므로 역시 간접정범이 된다. 또한 강요죄도 성립가능하다(상상적 경합).

ㄱ) 강요된 행위는 구성요건에 해당하고 위법하나 책임이 조각될 뿐이므로, 강요된 행위에 대해 상대방은 정당방위를 할 수 있다. 08. 9급 검찰, 11. 경찰승진 · 사시

ㄴ) 강요의 수단인 폭력 또는 협박과 강요된 행위 사이에 인과관계가 없을 경우에는 피강요자의 책임이 조각되지 않고 피강요자가 강요자와 공범이 될 수 있다. 11. 경찰승진, 14. 9급 철도경찰

01 적법행위에 대한 기대가능성 법리의 구체화로 볼 수 없는 것은?(다툼이 있는 경우 판례에 의함)

17. 9급 검찰 · 마약수사 · 철도경찰

① 위조통화취득 후 지정행사죄의 법정형이 위조통화행사죄보다 현저히 낮은 것
② 야간 기타 불안스러운 상태하에서 공포, 경악, 흥분 또는 당황으로 인한 과잉방위를 벌하지 아니하는 것
③ 도주죄의 법정형이 도주원조죄보다 현저히 낮은 것
④ 사회통념상 허용될 만한 소극적 저항행위를 처벌하지 않는 것

해설 ①③ 기대가능성 감소를 이유로 한 책임감경
② 기대가능성의 결여 또는 감소로 인한 책임감경 · 면제
④ 사회상규에 위배되지 않아(정당행위 ○) 위법성이 조각되는 경우(판례)

02 강요된 행위에 대한 설명으로 옳은 것은?(다툼이 있는 경우 판례에 의함)   21. 경찰간부
① 친족의 명예에 위해를 가하겠다는 협박을 받아 자유로운 의사결정을 하지 않은 경우에는 강요된 행위에 해당한다.
② 형법 제12조가 말하는 '저항할 수 없는 폭력'은 심리적 의미에 있어서 어떤 행위를 절대적으로 하지 아니할 수 없게 하는 경우와 윤리적 의미에 있어서 강압된 경우를 말한다.
③ 상관의 명령에 절대 복종하여야 한다는 것이 불문율로 되어 있다면 중대하고 명백하게 위법인 명령에 따르는 행위라도 이는 강요된 행위로 인정되어 적법행위에 대한 기대가능성이 없는 경우에 해당한다.
④ 형법 제12조에서 말하는 강요된 행위는 어떤 사람의 성장 교육과정을 통하여 형성된 내재적인 관념 내지 확신으로 인하여 행위자 스스로의 의사결정이 사실상 강제되는 결과를 낳게 하는 경우도 포함한다.

해설 ① × : 친족의 생명 · 신체(명예 ×)에 위해를 가하겠다는 협박을 받아 자유로운 의사결정을 하지 않은 경우에는 강요된 행위에 해당한다(제12조). ② ○ : 대판 1983.12.13, 83도2276
③ × : 강요된 행위 × ⇨ 기대가능성이 없는 경우 ×(대판 1988.2.23, 87도2358)
④ × : ~ 경우는 포함되지 않는다(대판 1990.3.27, 89도1670).

03 기대가능성에 대한 설명으로 가장 적절하지 않은 것은?(다툼이 있는 경우 판례에 의함)   21. 경찰승진
① 피고인에게 적법행위를 기대할 가능성이 있는지 여부를 판단하기 위하여는 행위 당시의 구체적인 상황하에 행위자 대신에 사회적 평균인을 두고 이 평균인의 관점에서 그 기대가능성 유무를 판단하여야 한다.

Answer   01. ④   02. ②   03. ③

② 형법 제12조 소정의 '저항할 수 없는 폭력'은 심리적인 의미에 있어서 육체적으로 어떤 행위를 절대적으로 할 수밖에 없게 하는 경우와 윤리적 의미에서 강압된 경우를 의미한다.

③ 이미 유죄의 확정판결을 받은 피고인이라도 자신의 형사사건에서 시종일관 범행을 부인하였다면, 그 피고인이 별건으로 기소된 공범의 형사사건에서 증인으로 진술하는 경우 자기부죄거부의 권리에 입각하여 그 피고인에게 사실대로 진술할 것을 기대할 수는 없다.

④ 직장 상사의 지시로 인하여 그 부하가 범법행위에 가담한 경우 비록 직무상 지휘·복종관계가 인정된다고 하더라도 그것 때문에 범법행위에 가담하지 않을 기대가능성이 부정된다고 볼 수는 없다.

> 해설 ① 대판 2008.10.23, 2005도10101 ② 대판 1983.12.13, 83도2276
> ③ × : ~ (3줄) 사실대로 진술할 기대가능성이 없다고 할 수 없다(대판 2008.10.23, 2005도10101).
> ④ 대판 2007.5.11, 2007도1373

04 강요된 행위에 관한 설명 중 가장 적절하지 않은 것은?(다툼이 있는 경우 판례에 의함) 23. 순경 1차

① 형법 제12조의 '저항할 수 없는 폭력'은 심리적인 의미에 있어서 육체적으로 어떤 행위를 절대적으로 하지 않을 수 없게 하는 행위와 윤리적 의미에 있어서 강압된 경우를 말한다.

② 형법 제12조의 '협박'이란 자기 또는 친족의 생명, 신체에 대한 위해를 달리 막을 방법이 없는 협박을 말한다.

③ 어떤 사람의 성장교육과정을 통하여 형성된 내재적인 관념 내지 확신으로 인하여 행위자 스스로의 의사결정이 사실상 강제되는 결과를 낳게 하는 경우도 형법 제12조의 강요된 행위에 포함된다.

④ 행위자의 강요와 피강요자의 강요된 행위 사이에는 인과관계가 요구되며, 피강요자의 강요된 행위는 적법행위의 기대가능성이 없기 때문에 책임이 조각되어 범죄가 성립하지 않는다.

> 해설 ① 대판 1983.12.13, 83도2276 ② 대판 1983.12.13, 83도2276
> ③ × : ~ (2줄) 하는 경우는 형법 제12조의 강요된 행위에 포함되지 않는다(대판 1990.3.27, 89도1670).
> ④ 타당하다.

05 기대가능성에 관한 설명으로 옳지 않은 것을 모두 고른 것은?(다툼이 있는 경우 판례에 의함)

24. 경찰승진

> ⊙ 직장의 상사가 범법행위를 하는 데 가담한 부하에게 직무상 지휘 복종관계에 있다 하여 범법행위에 가담하지 않을 기대가능성이 없다고 할 수 없다.
> ⓒ 병역법 제88조 제1항은 현역입영 등의 통지서를 받고도 정당한 사유 없이 이에 응하지 않은 사람을 처벌하는데 여기에서 정당한 사유는 구성요건해당성을 조각하는 사유가 아니라 책임조각사유인 기대불가능성을 의미한다.

ⓒ 자기 또는 친족의 생명, 신체, 재산에 대한 위해를 방어할 방법이 없는 협박에 의하여 강요된 행위는 형법 제12조에 따라 벌하지 아니하며, 이때의 강요라 함은 피강요자의 자유스러운 의사결정을 하지 못하게 하면서 특정한 행위를 하게 하는 것을 말한다.

ⓓ 기대가능성은 행위자에 대한 비난가능성을 판단하기 위한 것이므로 양심상의 결정에 반한 행위를 기대할 가능성이 있는지 여부를 판단하기 위해서는, 행위 당시의 구체적 상황하에 사회적 평균인이 아니라 행위자를 두고 이 행위자의 관점에서 기대가능성 유무를 판단하여야 한다.

① ㄱ, ㄴ ② ㄴ, ㄹ ③ ㄷ, ㄹ ④ ㄴ, ㄷ, ㄹ

해설 ㄱ ○ : 대판 2007.5.11, 2007도1373

ㄴ × : ~ (2줄) 정당한 사유는 구성요건해당성을 조각하는 사유이다. 이는 형법상 위법성조각사유인 정당행위나 책임조각사유인 기대불가능성과는 구별된다(대판 2018.11.1, 2016도10912 전원합의체).

ㄷ × : 자기 또는 친족의 생명, 신체(재산 ×)에 대한 위해를 방어할 방법이 없는 협박에 의하여 강요된 행위는 형법 제12조에 따라 벌하지 아니하며, 이때의 강요라 함은 피강요자의 자유스러운 의사결정을 하지 못하게 하면서 특정한 행위를 하게 하는 것을 말한다(대판 1983.12.13, 83도2276).

ㄹ × : ~ (2줄) 상황하에 행위자 대신에 사회적 평균인을 두고 이 평균인의 관점에서 기대가능성 유무를 판단하여야 한다(대판 2008.10.23, 2005도10101).

06 기대가능성과 강요된 행위에 대한 설명으로 옳지 않은 것은?(다툼이 있는 경우 판례에 의함)

25. 7급 검찰

① 형법 제12조에서 '저항할 수 없는 폭력'은 심리적 의미에 있어서 육체적으로 어떤 행위를 절대적으로 하지 아니할 수 없게 하는 경우와 윤리적 의미에 있어서 강압된 경우를 말한다.

② 피고인에게 적법행위를 기대할 가능성이 있는지 여부를 판단하기 위해서는 행위 당시의 구체적인 상황하에 사회적 평균인 대신에 행위자를 두고 이 행위자의 관점에서 그 기대가능성 유무를 판단하여야 한다.

③ 형법 제12조에서 말하는 강요된 행위가 어떤 사람의 성장교육과정을 통하여 형성된 내재적인 관념 내지 확신으로 인하여 행위자 스스로의 의사결정이 사실상 강제되는 결과를 낳게 하는 경우까지 의미한다고 볼 수 없다.

④ 직장 상사의 범법행위에 가담한 부하에 대하여 직무상 지휘·복종관계에 있다는 이유만으로 범법행위에 가담하지 않을 기대가능성이 없다고는 할 수 없다.

해설 ① 대판 1983.12.13, 83도2276

② × : ~ (2줄) 상황하에 행위자 대신에 사회적 평균인을 두고 이 평균인의 관점에서 그 기대가능성 유무를 판단하여야 한다(대판 2008.10.23, 2005도10101).

③ 대판 1990.3.27, 89도1670

④ 대판 2007.5.11, 2007도1373

Answer 06. ②

07 기대가능성에 관한 설명으로 가장 적절하지 않은 것은?(다툼이 있는 경우 판례에 의함) 26. 경찰승진

① 자신의 강도상해 범행을 일관되게 부인하였으나 유죄판결이 확정된 피고인이 별건으로 기소된 공범의 형사사건에서 자신의 범행사실을 부인하는 증언을 한 경우, 피고인에게 사실대로 진술할 것이라는 기대가능성이 있으므로 위증죄가 성립한다.

② 영업정지처분에 대한 집행정지 신청이 잠정적으로 받아들여졌다는 사정만으로는, 구 음반·비디오물 및 게임물에 관한 법률 위반(2006. 4. 28. 법률 제7943호로 폐지)으로 기소된 피고인에게 적법행위의 기대가능성이 없다고 볼 수는 없다.

③ 수학여행을 온 대학교 3학년생 34명이 지도교수의 인솔하에 피고인 경영의 나이트클럽에 찾아와 단체입장을 원하므로 그들 중 일부만의 학생증을 제시받아 확인하여 본즉 그들이 모두 같은 대학교 같은 학과 소속의 3학년 학생들로서 성년자임이 틀림없어 나머지 학생들의 연령을 개별적, 기계적으로 일일이 증명서로 확인하지 아니하고 그들의 단체입장을 허용함으로써 그들 중에 섞여 있던 미성년자 1인을 업소에 출입시킨 결과가 된 경우 적법행위의 기대가능성이 인정되지 않는다.

④ 담배제조업 허가 없이 전자장치를 이용해 흡입할 수 있는 '니코틴이 포함된 용액'을 만든 경우, 담배사업법의 위임을 받은 기획재정부가 전자담배제조업에 관한 허가기준을 마련하지 않고 있다면, 궐련담배제조업에 관한 허가기준은 이미 마련되어 있더라도, 담배제조업 관련 법령의 허가기준을 준수하거나 허가기준이 새롭게 마련될 때까지 법 준수를 요구하는 것은 죄형법정주의 원칙에 위반되거나 기대가능성이 없는 행위를 처벌하는 것이어서 위법하다.

해설 ① 대판 2008.10.23, 2005도10101

② 대판 2010.11.11, 2007도8645

③ 대판 1987.1.20, 86도874

④ × : ~ (3줄) 하지 않고 있으나, 궐련담배제조업에 관한 허가기준은 이미 마련되어 있는 상황에서 담배제조업 관련 법령의 허가기준을 준수하거나 허가기준이 새롭게 마련될 때까지 법 준수를 요구하는 것이 죄형법정주의 원칙에 위반되거나 기대가능성이 없는 행위를 처벌하는 것이어서 위법하다고 보기 어렵다(대판 2018.9.28, 2018도9828).

Answer 07. ④

01 책임에 대한 설명으로 가장 적절한 것은?(다툼이 있는 경우 판례에 의함)　　　22. 경찰승진

① 자신의 강도상해 범행을 일관되게 부인하였으나 유죄판결이 확정된 甲이 별건으로 기소된 공범의 형사사건에서 유죄가 확정된 자신의 범행사실을 부인하는 증언을 한 경우, 甲에게 사실대로 진술할 기대가능성이 없어 위증죄가 성립하지 않는다.

② 심신장애로 인하여 사물을 변별할 능력이나 의사를 결정할 능력이 미약한 자의 행위는 형을 감경한다.

③ 모든 성의와 노력을 다했어도 임금이나 퇴직금의 체불이나 미불을 방지할 수 없었다는 것이 사회통념상 긍정할 정도가 되어 사용자에게 더 이상의 적법행위를 기대할 수 없거나 불가피한 사정이었음이 인정되는 경우, 그러한 사유는 근로기준법이나 근로자퇴직급여보장법에서 정하는 임금 및 퇴직금 등의 기일 내 지급의무 위반죄의 책임조각사유가 된다.

④ 사춘기 이전의 소아들을 상대로 한 성행위를 중심으로 성적 흥분을 강하게 일으키는 공상, 성적 충동, 성적 행동이 반복되어 나타나는 소아기호증과 같은 질환이 있다는 사정은 그 자체만으로 형의 감면사유인 심신장애에 해당한다.

> 해설　① × : 기대가능성 ○ ⇨ 위증죄 ○(대판 2008.10.23, 2005도10101)
> ② × : ~ 형을 감경할 수 있다(제10조 제2항).
> ③ ○ : 대판 2015.2.12, 2014도12753
> ④ × : ~ 심신장애에 해당하지 않는다(대판 2007.2.8, 2006도7900).

02 범죄의 성립에 관한 설명으로 가장 적절한 것은?(다툼이 있는 경우 판례에 의함)　　　22. 순경 1차

① 성장교육과정을 통하여 형성된 내재적인 관념 내지 확신으로 인하여 행위자 스스로의 의사결정이 사실상 강제된 상태에서 행한 행위도 형법 제12조에 정한 강요된 행위에 해당한다.

② 자신의 행위가 위법함을 인식하지 못한 이유가 단순한 법률의 부지로 인한 경우라 하더라도 그 오인에 정당한 이유가 있는 경우에 한하여 책임이 조각된다.

③ 음주운전을 할 의사를 가지고 음주만취한 후 운전을 결행하여 교통사고를 일으킨 경우는 음주시에 교통사고를 일으킬 위험성을 예견하였는데도 자의로 심신장애를 야기한 경우에 해당하므로 과실에 의한 원인에 있어서 자유로운 행위에 해당한다.

④ 법률의 착오와 관련하여 위법성의 인식에 필요한 노력의 정도는 행위자 개인의 인식능력이 기준이 되는 것이므로, 행위자가 어떤 사회집단에 소속되어 있는가는 고려할 필요가 없다.

> 해설　① × : 강요된 행위 ×(대판 1990.3.27, 89도1670)
> ② × : 단순한 법률의 부지 ⇨ 법률의 착오(제16조)×(대판 2009.5.28, 2008도11857)
> ③ ○ : 대판 1992.7.28, 92도999

Answer　01. ③　02. ③

④ × : 위법성의 인식에 필요한 노력의 정도는 구체적인 행위정황과 행위자 개인의 인식능력 그리고 행위자가 속한 사회집단에 따라 달리 평가되어야 한다(대판 2006.3.24, 2005도3717).

03 책임에 관한 설명 중 옳지 않은 것은?(다툼이 있는 경우 판례에 의함) 23. 변호사시험

① 성격적 결함을 가진 자에 대하여 자신의 충동을 억제하고 법을 준수하도록 하는 것이 기대할 수 없는 행위를 요구하는 것이라고 할 수 없으므로, 특단의 사정이 없는 한 충동조절장애와 같은 성격적 결함은 원칙적으로 형의 감면사유인 심신장애에 해당하지 않는다.

② 자신의 차를 운전하여 술집에 가서 음주상태에서 교통사고를 일으킬 수 있다는 위험성을 예견하고도 술을 마신 후 심신미약 상태에서 운전을 하다가 교통사고를 일으킨 경우, 심신미약으로 인한 형의 감경을 할 수 없다.

③ 법률 위반 행위 중간에 일시적으로 판례에 따라 그 행위가 처벌대상이 되지 않는 것으로 해석되었던 적이 있었다고 하더라도 그것만으로 자신의 행위가 처벌되지 않는 것으로 믿은 데 정당한 이유가 있다고 할 수 없다.

④ 직장의 상사가 범법행위를 하는 데 가담한 부하가 그 상사와 직무상 지휘·복종관계에 있는 경우, 그 부하에게는 상사의 범법행위에 가담하지 않을 기대가능성이 없다.

⑤ 자신의 범행을 일관되게 부인하였으나 강도상해로 유죄판결이 확정된 甲이 위 강도상해의 공범으로 기소된 乙의 형사사건에서 자신의 범행사실을 부인하는 증언을 한 경우, 행위 당시의 구체적인 상황하에 행위자 대신에 사회적 평균인을 두고 이 평균인의 관점에서 볼 때 甲에게 사실대로 진술할 기대가능성이 있다.

해설 ① 대판 2009.2.26, 2008도9857

② 대판 1992.7.28, 92도999

③ 대판 2021.11.25, 2021도10903

④ × : ~ 기대가능성이 없다고 볼 수 없다(대판 2007.5.11, 2007도1373).

⑤ 대판 2008.10.23, 2005도10101

04 다음 설명 중 옳지 않은 것은 모두 몇 개인가?(다툼이 있는 경우 판례에 의함) 24. 법원행시

㉠ 듣거나 말하는 데 모두 장애가 있는 사람의 행위에 대하여는 그 형을 감경 또는 면제할 수 있다.

㉡ 10세 미만의 자는 범죄행위를 하더라도 어떠한 형사적인 처분이나 소년법상 제재로부터도 면책된다.

㉢ 피고인에게 적법행위를 기대할 가능성이 있는지 여부를 판단하기 위하여는 행위 당시의 구체적인 상황하에 행위자 대신 사회적 평균인을 두고 이 평균인의 관점에서 그 기대가능성 유무를 판단하여야 하므로, 기자가 취재원과 하던 전화통화를 끊지 않던 중 전화기 너머로 들리는 다른 대화를 녹음한 경우에 불법녹음을 하지 아니할 기대가능성이 있다고 볼 수 있다.

㉣ 병원 중환자실에 입원해 있던 부친이 피고인을 찾아서 급히 가야 한다는 사유만으로 피고인이 음주·무면허운전을 하지 않을 기대가능성이 없었다고 볼 수 없다.

 03. ④ 04. ②

> ㉤ 소년에 대한 형의 임의적 감경을 규정한 소년법 제60조 제2항의 소년이라 함은 특별한 정함이 없는 한 소년법 제2조에서 말하는 소년을 의미한다고 할 것이고, 이는 심판의 조건이므로 범행시뿐만 아니라 심판시까지 계속되어야 한다고 보아야 하므로, 피고인이 범행시에 소년이었다고 하더라도 사실심 판결 선고 당시 이미 성년이 되었다면 소년법 제60조 제2항이 적용될 수 없다.

① 없 음　　　　　② 1개　　　　　③ 2개
④ 3개　　　　　⑤ 4개

[해설] ㉠ × : ~ 대하여는 형을 감경(면제 ×)한다(제11조).
㉡ ○ : 옳다(제9조).
㉢ ○ : 대판 2016.5.12, 2013도15616
㉣ ○ : 대판 2008.2.28, 2008도470
㉤ ○ : 대판 2000.8.18, 2000도2704

05 다음 설명 중 옳지 않은 것은?(다툼이 있는 경우 판례에 의함)　　　25. 변호사시험

① 피고인 자신이 직접 형사처분이나 징계처분을 받게 될 것을 두려워한 나머지 자기의 이익을 위하여 그 증거가 될 자료를 인멸하였다면 그 행위가 동시에 다른 공범자의 형사사건이나 징계사건에 관한 증거를 인멸한 결과가 된다고 하더라도 이를 증거인멸죄로 다스릴 수 없다.

② 피고인이 음주운전을 할 의사를 가지고 술에 만취한 후 운전을 결행하여 교통사고를 일으켰다면 피고인은 음주시에 교통사고를 일으킬 위험성을 예견하였는데도 자의로 심신장애를 야기한 경우에 해당하므로, 형법 제10조 제3항에 의하여 심신장애로 인한 감경 등을 할 수 없다.

③ 선서한 증인이 증언거부권을 고지받고도 증언거부권을 행사하지 않고 허위의 진술을 한 경우, 적법행위의 기대가능성이 없다고 할 수 없으므로 위증죄의 처벌을 면할 수 없다.

④ 형법 제16조의 '정당한 이유' 심사는 행위자에게 자기 행위의 위법가능성에 대해 심사숙고하거나 조회할 수 있는 계기가 있어 자신의 지적능력을 다하여 이를 회피하기 위한 진지한 노력을 다하였을 것을 전제로 하고, 이때 필요한 노력의 정도는 구체적인 행위정황과 행위자 개인의 인식능력은 고려하되 행위자가 속한 사회집단에 따라 달리 평가할 것은 아니다.

⑤ 정신적 장애가 있는 자라고 하여도 범행 당시 정상적인 사물판별능력이나 행위통제능력이 있었다면 형법 제10조에 규정된 심신장애에 해당한다고 볼 수 없다.

[해설] ① 대판 1995.9.29, 94도2608
② 대판 1992.7.28, 92도999
③ 대판 2010.1.21, 2008도942 전원합의체
④ × : ~ (4줄) 행위자 개인의 인식능력, 그리고 행위자가 속한 사회집단에 따라 달리 평가되어야 한다(대판 2009.10.22, 2009도7436).
⑤ 대판 1992.8.18, 92도1425

Answer　05. ④

06 책임에 관한 설명 중 옳은 것을 모두 고른 것은?(다툼이 있는 경우 판례에 의함)   26. 변호사시험

> ㉠ 규범적 책임론은 행위자유를 부정하는 결정주의, 예방적 책임론은 행위자유를 긍정하는 비결정주의에 근거를 두고 있다.
>
> ㉡ 자신의 범행을 일관되게 부인하였으나 유죄판결이 확정된 사람은 별건으로 기소된 공범의 형사사건에서 자신의 범행을 사실대로 진술할 것이라는 기대가능성이 있다고 볼 수 없으므로, 자신의 범행을 부인하는 허위의 증언을 하더라도 위증죄가 성립하지 않는다.
>
> ㉢ 법률 위반 행위 중간에 일시적으로라도 판례에 따라 그 행위가 처벌대상이 되지 않는 것으로 해석된 적이 있었다면, 이를 조회한 행위자로서는 자신의 행위가 처벌되지 않는 것으로 믿은 데에 정당한 이유가 있어 책임이 조각된다.
>
> ㉣ 음주운전을 할 의사를 가지고 음주만취한 후 운전을 결행하여 교통사고를 일으켰다면, 음주시에 교통사고를 일으킬 위험성을 예견하였는데도 자의로 심신장애를 야기한 경우에 해당하므로 심신장애로 인한 감경 등을 할 수 없다.
>
> ㉤ 형법 제10조의 심신장애는 생물학적 요소로서 정신병 또는 비정상적 정신상태와 같은 정신적 장애와 함께 심리학적 요소로서 이와 같은 정신적 장애로 말미암아 사물에 대한 변별능력과 그에 따른 행위통제능력이 결여되거나 감소되었음을 필요로 한다.

① ㉠, ㉡   ② ㉠, ㉣   ③ ㉡, ㉢
④ ㉢, ㉤   ⑤ ㉣, ㉤

해설 ㉠ × : 사회적 책임론은 행위자유를 부정하는 결정주의, 도의적 책임론은 행위자유를 긍정하는 비결정주의에 근거를 두고 있다.

㉡ × : ~ (2줄) 기대가능성이 없다고 볼 수 없으므로, 자신의 범행을 부인하는 허위의 증언을 한 경우 위증죄가 성립한다(대판 2008.10.23, 2005도10101).

㉢ × : ~ (2줄) 해석된 적이 있었다고 하더라도 그것만으로 자신의 행위가 처벌되지 않는 것으로 믿은 데에 정당한 이유가 있다고 할 수 없다(대판 2021.11.25, 2021도10903).

㉣ ○ : 대판 1992.7.28, 92도999

㉤ ○ : 대판 2018.9.13, 2018도7658

Answer 06. ⑤

공편저자 약력·저서

조충환

· 중앙대학교 법학박사(형사법전공)
現 · 교재집필 및 연구
前 · 박문각 경찰승진 형사소송법 대표교수
  · 중앙대·울산대 출강
  · 노량진 남부경찰학원 대표강사
  · 노량진 남부행정고시학원 대표강사
  · 노량진 한교경찰학원 대표강사
  · 노량진 베리타스경찰학원 대표강사
  · 법무부 출간 교정지 출제위원
  · 경찰청 인터넷방송 초빙교수

주요저서

· SPA 형법
· SPA 형사소송법
· 객관식 테마 형법
· 객관식 테마 형사소송법
· ALL THAT 올댓 형사법 형법 총론
· ALL THAT 올댓 형사법 형법 각론
· ALL THAT 올댓 형사법 수사·증거
· 수사경과 대비 형사법능력평가
· COPSPA 경찰 형법
· COPSPA 경찰 형사소송법
· 3+3 형법
· 3+3 형사소송법
· 논문 다수

상훈

· 중앙대 강의평가 우수강사 총장 표창(3회)
· 모범강사 전국학원연합회 회장표창

양 건

現 · 박문각 경찰승진 형법 대표교수
  · 공무원저널 형사법 판례교실 집필위원
  · 법률저널 경찰·교정직 집필위원
前 · 조이에듀경찰학원 형법 대표강사
  · 신림동 태학관 법정연구회 강의
  · 종로행정고시학원 경찰승진 형법 대표강사
  · 중앙경찰고시학원 형법 대표강사
  · 경찰승진특강
  · 노량진 한교경찰학원 대표강사(형법)
  · 노량진 베리타스경찰학원 대표강사(형법)

주요저서

· SPA 형법
· SPA 형사소송법
· 객관식 테마 형법
· 객관식 테마 형사소송법
· ALL THAT 올댓 형사법 형법 총론
· ALL THAT 올댓 형사법 형법 각론
· ALL THAT 올댓 형사법 수사·증거
· 수사경과 대비 형사법능력평가
· COPSPA 경찰 형법
· COPSPA 경찰 형사소송법
· 3+3 형법
· 3+3 형사소송법

SPA

2027 전면 개정판

조충환·양건

형법총론 Ⅰ

초판인쇄 : 2026년 3월 5일
초판발행 : 2026년 3월 10일
편   저 : 조충환·양건
발 행 인 : 박 용
발 행 처 : (주)박문각출판
등   록 : 2015. 4. 29. 제2019-000137호
주   소 : 06654 서울시 서초구 효령로 283 서경 B/D
전   화 : (02) 6466-7202
팩   스 : (02) 584-2927

저자와의 협의하에 인지생략

정가 40,000원
ISBN 979-11-7519-749-7
ISBN 979-11-7519-748-0(총론세트)

개정 형법·최신 판례 및 기출문제 완벽 반영

경찰승진·채용·간부 / 해경승진·채용·간부
법원직·검찰직·승진 / 철도경찰·마약수사

조충환·양건

형법총론 Ⅱ

조충환·양건 편저

2027
전면
개정판

동영상강의 www.pmg.co.kr

2027 SPA 형법 전면개정판을 출간하면서

2년 만에 출간한 이번 전면개정판은 다음을 반영하였습니다.

1. 형법 일부개정
친족상도례(제328조와 제365조 전면개정〈2025.12.31.〉), 사기(컴퓨터 등 사용사기, 준사기)죄
〈법정형 개정 2025.12.31.〉, 공중협박죄(제116조의 2)와 공공장소 흉기소지죄(제116조의 3) 신설
〈2025.4.8.〉

2. 기출문제
2026년 기출문제(변호사시험, 경찰승진)와 2025년 기출문제[변호사시험, 경대편입, 경찰승진, 경위
공채, 형사법능력평가(수사경과), 경력채용, 순경 1차·2차, 해양경찰(경위공채, 경사·경위승진, 경
장채용, 순경 1차·2차), 법원직(9급 서기보), 9급 검찰·마약수사·철도경찰, 7급 검찰]까지

3. 대법원판례
최근 판례(2026.1.1.대법원 판례공보 및 미간행)까지

다음과 같은 사안에 중점을 두었습니다.

첫째, 본문
개별 법조문의 단순한 암기가 아니라 도표 등으로 정리하였으며, 이론 문제는 이해하기 쉬운 사례를
들어 총론에서 완벽하게 대비할 수 있도록 하였고, 판례는 최근 출제경향에 맞추어 수정·교체·추가·
삭제하였다.

둘째, 확인학습(OX문제)
최근 7개년[2020년~2026년(변호사시험, 경찰승진)] 기출문제를 중심으로 출제비중이 높은 것 위주
로 교체·추가·삭제하였다.

셋째, 객관식문제(기출문제)
최근 7개년[2020년~2026년(변호사시험, 경찰승진)] 기출문제를 전부 비교·분석하여 교체·추가·삭
제하였다.

넷째, 중요도와 시간 절약 및 정답 찾기

본문(법조문, 이론, 판례)에서 사안마다 키워드와 기출표기를 색처리하여 중요도를 파악하기 쉽고 반복학습시 시간을 줄이도록 하였으며, 출제시 틀리게 표현된 것들을 "(~×)"로 정리해 두었다.

다섯째, 반복학습

본문 ⇨ 확인학습(OX문제) ⇨ 기출문제의 3단계 방식으로 공부하여, 1회독시 3회독 이상의 반복학습 효과를 노렸다.

SPA 형법으로 단권화하여 반복학습 하신다면 본 교재 한 권만으로도 어느 시험에서나 고득점으로 합격·승진하는 데 아무런 지장이 없을 것입니다.
애독자 여러분께 진심으로 감사드리며, 절실한 마음으로 초지일관하시어 우수한 성적으로 합격·승진 하시길 간절히 기원합니다.

2026. 3.
공편저자 조충환·양건

형법총론 I

Part 01 서 론

Part 02 범죄론

형법총론 **II**

CONTENTS 이 책의 **차례**

 본장은 어느 시험에서나 형법 각칙 중 가장 출제빈도가 높은 분야이며, 최근에는 갈수록 그 비중이 높아지고 있다. 9가지 재산범죄 중 어느 것 하나 중요하지 않은 것이 없으므로 철저한 이해와 반복학습이 필요하다. 특히 최근에는 판례와 관련된 문제가 집중적으로 출제되고 있으므로 본서에서도 최신 판례까지 반영하여 전면개정하였으므로 반복학습하면 좋은 결과가 나올 것이다.

제1절 범죄의 실현단계

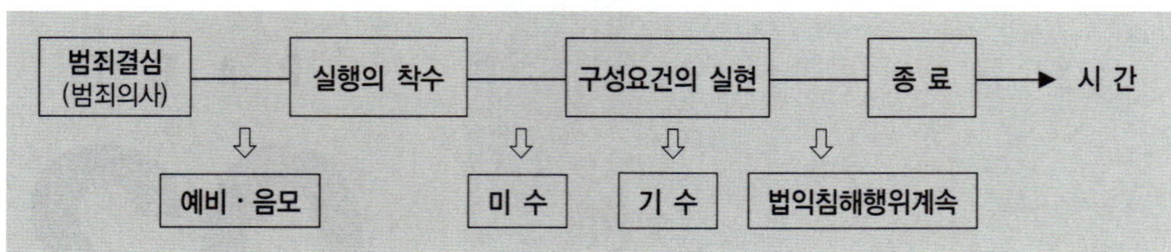

(1) 범죄의 결심단계

일정한 범죄행위를 하려고 하는 결심 내지 범죄실현의사(범죄의사)로부터 범죄는 시작된다. 그러나 범죄의사가 개인의 심리과정(마음 속)에 머물고 있는 한 형법이 간섭할 수도 없고 간섭해서도 안 된다. 즉, "누구든지 생각하는 것만으로써는 처벌되지 아니한다."

예 원수를 죽이겠노라고 마음 속으로 결심한 경우

(2) 예비·음모단계

그러한 범죄의사가 외부에 표시되나 아직 실행의 착수에 이르지 아니한 단계가 예비·음모단계이다.

예 비	특정범죄를 실현할 목적으로 행하여지는 외부적 준비행위로서 아직 실행의 착수에 이르지 아니한 일체의 행위를 말한다. 예 그 원수를 죽이기 위해 청계천에서 러시아제 권총을 구입한 경우
음 모	특정범죄를 실현할 목적으로 2인 이상이 범죄를 모의하는 심적 준비행위로서 아직 실행의 착수에 이르지 않는 경우를 말한다. 예 그 원수를 죽이기 위해 친구와 같이 범행을 모의한 경우

Key Point

- 예비·음모는 위와 같이 개념상 구별되나, 현행형법상 동일하게 취급하므로 구별의 실익이 없다.
- 우리 형법은 고의·기수범을 원칙적으로 처벌하므로 예비·음모는 원칙적으로 처벌되지 않고 법률에 처벌규정이 있는 범죄에 한해 예외적으로 처벌되고(제28조), 법정형이 직접 규정되어 있다.
  - 예 살인죄를 범할 목적으로 예비 또는 음모한 자는 10년 이하의 징역(법정형)에 처한다(제255조).

(3) 미수단계

범죄의 실행에 착수하였으나 ① 그 행위를 종료하지 못했거나 ② 행위는 종료하였으나 결과가 발생하지 아니한 경우를 미수라 한다. 즉, 실행에 착수하여 범죄가 완성되기 전까지를 말한다.

⑩ 그 원수를 향해 총을 겨누었으나(실행의 착수) 총을 발사하지 않았거나, 총을 발사하였으나 빗맞아 상처만 입힌 경우

Key Point

- 미수는 실행에 착수한 점에서 예비·음모와 구별되고, 범죄가 완성되지 않은 점에서 기수와 구별된다. 따라서 결과가 발생하면 어떤 종류의 미수도 논할 실익이 없다.
- 미수 역시 원칙적으로 처벌되지 않고 법률에 처벌규정이 있는 경우에만 처벌되나(제29조), 예비·음모와 달리 법정형이 직접 규정되어 있지 않다.
  ⑩ 살인죄의 미수범은 처벌한다(제254조). ⇨ 살인죄의 법정형(사형, 무기 또는 5년 이상의 징역)에서 장애미수는 임의적 감경(형을 감경할 수 있다 ; 제25조), 중지미수는 필요적 감면(형을 감경 또는 면제한다 ; 제26조), 불능미수는 임의적 감면(형을 감경 또는 면제할 수 있다 ; 제27조)한다.

(4) 기 수

범죄의 실행에 착수하여 범죄를 완성한 경우, 즉 범죄구성요건의 모든 요소를 충족한 경우(이를 구성요건의 충족이라 함)가 기수이다. 형법상 기수를 처벌하는 것이 원칙이므로 형법 총칙상 기수 처벌에 관한 명문규정을 두고 있지 않고(∵ 너무나 당연하기 때문) 형법 각칙의 구성요건은 기수를 규정하고 있다(⑩ 살인죄의 경우 '사람을 살해한 자는 …').

⑩ 원수를 죽이기 위해 총을 발사하여 원수를 살해한 경우

(5) 종 료

대부분의 범죄는 기수가 되면 끝나나(⑩ 즉시범) 계속범이나 상태범에 있어서는 범죄가 기수가 된 후에도 법익침해행위가 계속되는 경우가 있다. 이런 경우에 보호법익에 대한 침해행위가 실질적으로 끝난 경우를 종료라고 한다.

⑩ 감금죄의 경우 피해자가 감금되어 어느 정도의 시간이 지나면 감금죄는 기수가 되나, 그 피해자가 감금되어 있는 동안에는 법익침해가 계속되고 피해자가 석방된 때 비로소 범죄는 종료된다.

Key Point 기수와 종료의 구별의 실익 17. 9급 검찰·마약수사·철도경찰

- 기수 이후에는 교사가 불가능하나, 기수 이후 종료 이전까지 종범성립은 가능하다.
- 기수 이후 종료 이전에 정당방위나 긴급피난이 가능하다(∵ 침해의 현재성이 인정되므로).
- 공소시효는 범행의 종료시부터 진행한다(형사소송법 제252조 제1항).
- 기수 이후 종료 이전에 가중적 구성요건 실현이 가능하다(⑩ 감금된 자가 사망한 경우 ⇨ 감금치사죄 가능).

제2절 예비·음모죄

> **제28조【음모, 예비】** 범죄의 음모 또는 예비행위가 실행의 착수에 이르지 아니한 때에는 법률에 특별한 규정이 없는 한 벌하지 아니한다. 14. 법원직, 18. 법원행시

1 예비와 음모의 의의 및 구별

(1) 의 의

① **예비** : 특정범죄를 실현하기 위한 외부적 준비행위로서 아직 실행의 착수에 이르지 아니한 행위를 말한다.

② **음모** : 2인 이상이 특정한 범죄를 실행할 목적으로 모의(합의)하는 것을 말한다. 즉, 이때 합의가 있다고 하기 위하여는 단순히 범죄결심을 외부에 표시·전달한 것으로는 부족하고, 객관적으로 보아 특정한 범죄(내란죄)의 실행을 위한 준비행위라는 것이 명백히 인식되고, 그 합의에 실질적인 위험성이 인정될 때 음모죄(내란음모죄)가 성립한다(대판 1999.11.12, 99도3801 ; 대판 2015.1.22, 2014도10978 전원합의체). 18. 법원행시, 19. 철도경찰, 20. 해경승진, 21. 경찰승진·법원직, 24. 변호사시험, 25. 7급 검찰

(2) 예비와 음모의 구별

예비와 음모는 실행의 착수 이전의 행위라는 점에서 같은데, 양자를 개념상 어떻게 구별할 것인가에 대해 다음과 같이 견해가 대립한다.

① 음모는 예비에 선행하는 범죄발전의 한 단계라는 견해(대판 1986.6.24, 86도437)

② 음모는 심리적 준비행위이고, 예비는 그 이외의 준비행위로서 양자간에 시간적 전후관계는 없다고 보는 견해(다수설)

그러나 예비와 음모를 개념상 위와 같이 구별하지만, 형법상 예비와 음모는 항상 나란히 함께 규정되어 있고 법정형도 동일하다는 점에서 구별의 실익이 없다.

2 예비죄의 법적 성격

예비죄는 기본범죄와 어떠한 관계에 있으며 또한 예비행위의 실행행위성을 인정할 수 있는가가 예비죄의 법적 성격으로 논의된다.

(1) 기본범죄에 대한 관계

발현형태설 (구성요건의 수정형식설 : 다수설·판례)	예비죄는 독립된 범죄유형이 아니라 기본범죄의 수정적 구성요건에 불과하므로 기본범죄의 발현형태에 지나지 않는다는 견해이다. 형법은 예비죄의 처벌이 가져올 범죄의 구성요건을 부당하게 유추 내지 확장 해석하는 것을 금지하고 있기 때문에 형법 각칙의 예비죄를 처단하는 규정을 바로 독립된 구성요건 개념에 포함시킬 수는 없다고 하는 것이 죄형법정주의의 원칙에 합당한 해석이다(대판 1976.5.25, 75도1549). 18. 7급 검찰, 21. 경찰승진, 22. 9급 철도경찰, 23. 경찰간부·경력채용
독립범죄설 (독립된 구성요건설)	예비죄는 형사정책상 중요한 것들만을 선별하여 처벌하고 있는 것으로 보아 그 자체가 일정한 불법유형성을 가지므로 기본범죄와는 독립된 범죄라는 견해이다.

(2) 예비죄의 실행행위성

독립된 범죄설		예비죄의 실행행위성을 당연히 인정한다.
발현 형태설	**긍정설(다수설)**	예비죄도 수정적 구성요건인 이상 실행행위성을 인정할 수 있다.
	부정설	실행행위는 기본범죄에 대한 정범의 실행에 한정되므로 실행의 착수 이전의 예비행위에는 실행행위성이 없다고 한다.

3 예비죄의 성립요건

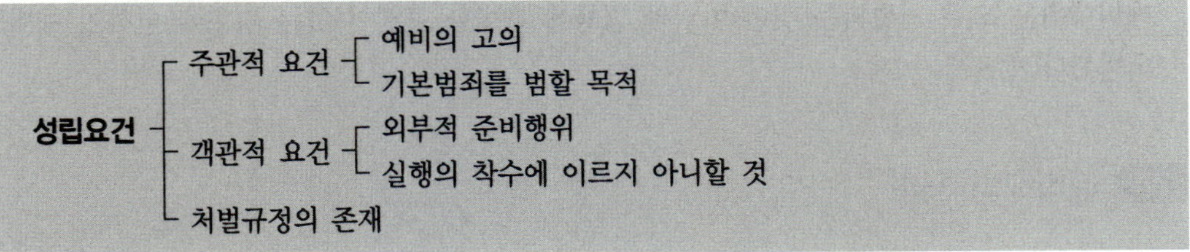

(1) 주관적 요건

① **예비의 고의** : 예비죄가 성립하기 위해서는 고의가 있어야 한다. 따라서 과실에 의한 예비죄나 과실범의 예비죄는 성립할 여지가 없다. 13. 사시, 15. 경찰간부

② **기본범죄를 범할 목적** : 예비죄의 주관적 요건으로 고의 이외에 기본범죄를 범할 목적이 있어야 한다(예비죄는 전부 다 목적범임).

관련판례

강도예비·음모죄가 성립하기 위해서는 예비·음모 행위자에게 미필적으로라도 '강도'를 할 목적이 있음이 인정되어야 하고 그에 이르지 않고 단순히 '준강도'할 목적이 있음에 그치는 경우에는 강도예비·음모죄로 처벌할 수 없다(대판 2006.9.14, 2004도6432 예 절도행위가 발각되었을 경우에 등산용 칼로 위협하여 체포를 면탈하겠다는 의도를 가지고 이를 구입한 경우 ⇨ 강도예비죄 ×). 21. 법원직·경찰간부·경력채용, 22. 경찰승진, 23. 법원행시, 24. 7급 검찰, 25. 변호사시험·경위공채·해경경위

(2) 객관적 요건

① **외부적 준비행위** : 예비행위는 특정한 범죄실현을 목적으로 하는 외부적 준비행위로서 기본범죄의 실현에 객관적으로 적합한 행위이어야 한다. 따라서 단순한 범행의 결심이나 의사표시, 내심의 준비행위는 예비가 아니다.

> **관련판례**
>
> 살인예비죄가 성립하기 위하여는 살인죄를 범할 목적 외에도 살인의 준비에 관한 고의가 있어야 하며, 나아가 실행의 착수까지에는 이르지 아니하는 살인죄의 실현을 위한 준비행위가 있어야 한다. 여기서의 준비행위는 물적인 것에 한정되지 아니하며 특별한 정형이 있는 것도 아니지만, 단순히 범행의 의사 또는 계획만으로는 그것이 있다고 할 수 없고 객관적으로 보아서 살인죄의 실현에 실질적으로 기여할 수 있는 외적 행위를 필요로 한다(대판 2009.10.29, 2009도7150 **예** 甲이 사람을 살해하기 위해 乙을 고용하여 대금지급을 약속하는 등 모의한 행위 ⇨ 살인예비죄 ○). 21. 변호사시험, 23. 경찰간부 · 법원행시 · 해경승진 · 9급 철도경찰, 25. 7급 검찰

② **실행의 착수에 이르지 아니할 것** : 예비죄가 성립되기 위해서는 예비행위가 실행의 착수에 이르지 않아야 한다. 만약에 실행의 착수로 나아가면 예비가 아니라 미수단계로 넘어가 예비는 미수 내지 기수에 흡수되어 예비죄를 따로 논의할 여지가 없게 된다. 15. 경찰간부

(3) 처벌규정의 존재

예비행위는 모두 처벌되는 것이 아니라 법률에 특별한 규정이 있는 경우에 한하여 예비죄로 처벌된다(제28조).

4 예비죄의 처벌

우리 형법 제28조는 예비 · 음모는 원칙적으로 처벌되지 않고, 예외적으로 각칙에 특별규정이 있는 경우에 한하여 처벌된다고 규정하고 있다. 22. 9급 철도경찰

① 각칙에 처벌규정이 있는 경우에도 기본범죄의 법정형보다 감경된 형으로 규정되어 있다.

② 예비 · 음모행위가 그 목적한 죄의 실행에 이르기 전에 자수하면 그 형을 감경 또는 면제한다(필요적 감면)고 규정되어 있는 범죄도 있다.

> **예** 내란 · 내란목적살인죄(제90조), 외환의 죄(제101조), 외국에 대한 사전죄(제111조 제3항), 폭발물사용죄(제120조 제1항), 폭발성물건파열죄 · 현주건조물 등 방화죄 · 공용건조물방화죄 · 타인소유일반건조물 등 방화죄(제175조), 통화위조 · 변조죄(제213조) 09. 순경

> **관련판례**
>
> 예비 · 음모를 처벌한다고 규정하고 있으나 그 형에 관하여 따로 규정하고 있지 않은 이상 본범이나 미수범에 준하여 처벌한다고 해석함은 죄형법정주의 원칙에 반한다(즉, 처벌할 수 없다. 대판 1977.6.28, 77도251). 21. 법원행시 · 법원직, 22. 9급 철도경찰, 23. 경찰간부 · 해경승진

형법상 예비 · 음모 · 선동 · 선전의 처벌규정 총정리

17. 변호사시험 · 경찰승진, 21. 해경간부 · 해경승진 · 경력채용, 24. 법원행시 · 순경 2차, 25. 해경경위

구 분	법 익	형법 규정〔주의 : ×(처벌규정 없음)〕
예 비 · 음 모	개인적 법익	• 살인죄, 존속살해죄(제250조), 위계 · 위력에 의한 촉탁 · 승낙살인죄(제253조)(촉탁 · 승낙에 의한 살인죄 ⇨ ×) • 약취 · 유인 및 인신매매의 죄(제296조 : 미성년자 약취 · 유인죄 등) • 강도죄〔강도죄 이외의 재산범죄(절도죄, 횡령 · 배임죄, 사기 · 공갈죄, 장물 · 손괴죄) ⇨ ×〕 • 강간죄, 유사강간죄, 준강간죄, 의제강간 · 강제추행죄, 강간 등 상해죄(제305조의3)〔▶ 주의 : 강제추행죄, 준강제추행죄, 미성년자 등에 대한 간음죄, 업무상 위력 등에 의한 간음죄, 강간 등 치상죄 ⇨ ×, 특수강제추행죄(성폭력처벌법) ⇨ ○〕 ▶ 주의 : 협박죄, 상해죄, 폭행죄, 감금죄, 인질강요죄 등 ⇨ ×
	국가적 법익	• 외국에 대한 사전죄(제111조)(▶ 주의 : 중립명령위반죄 ⇨ ×) • 도주원조죄(제147조)(▶ 주의 : 도주죄, 특수도주죄 ⇨ ×) • 간수자의 도주원조죄(제148조)
	사회적 법익	• 방화죄와 일수죄(현주건조물, 공용건조물, 타인소유일반건조물 ▶ 주의 : 일반물건, 자기소유일반건조물 ⇨ ×) • 기차 · 선박 등의 교통방해죄, 기차 등의 전복죄(제191조, 일반교통방해죄 ×) • 음용수 · 수도음용수 유해물 혼입죄, 수도불통죄 • 폭발성물건파열죄(제172조 제1항), 가스 · 전기 등 방류죄(제172조), 가스 · 전기 등 공급방해죄(제173조) • 각종 위조 · 변조죄(통화, 유가증권, 인지 · 우표), 자격모용에 의한 유가증권작성죄 ▶ 주의 : 문서위조 · 변조죄, 허위유가증권작성죄, 통화유사물제조죄, 소인말소죄 ⇨ ×
예비 · 음모 · 선동	사회적 법익	폭발물사용죄(제119조)
예비 · 음모 · 선동 · 선전	국가적 법익	• 내란죄(제87조), 내란목적살인죄(제88조) • 외환의 죄(외환유치죄, 여적죄, 모병이적죄, 시설제공이적죄, 시설파괴이적죄, 물건제공이적죄, 간첩죄, 일반이적죄 : 제92조~제99조) • 국기에 관한 죄, 국교에 관한 죄(외국에 대한 사전죄 ○, 중립명령위반죄 ×) ⇨ × ▶ 주의 : 외환의 죄 중에서 전시군수계약불이행죄 ⇨ ×, 공안을 해하는 죄(범죄단체조직죄, 소요죄, 다중불해산죄, 공무원자격사칭죄 등) ⇨ ×, (위계에 의한) 공무집행방해죄 ⇨ ×

Q 기도된 교사

1. **효과 없는 교사**〔교사를 받은 자(피교사자)가 범죄의 실행을 승낙하고 실행의 착수에 이르지 아니한 때 ; 제31조 제2항〕 : 교사자와 피교사자를 예비 · 음모에 준하여 처벌 17. 9급 검찰 · 마약수사, 22. 순경 1차

2. **실패한 교사**〔교사를 받은 자(피교사자)가 범죄의 실행을 승낙하지 아니한 때 ; 제31조 제3항〕 : 교사자(피교사자 ×)를 예비 · 음모에 준하여 처벌 14. 법원행시, 22. 순경 1차

5 관련문제

(1) 예비의 중지

① **의의** : 예비의 중지란 이미 예비행위를 시작한 자가 예비행위를 자의로 중지하거나 실행의 착수를 포기하는 것을 말한다.

② **중지범규정**(제26조 : 필요적 감면)**의 준용문제**

부정설 (소극설 : 판례)	중지범은 범죄의 실행에 착수한 후 자의로 그 행위를 중지한 때를 말하는 것이므로, 실행의 착수가 있기 전인 예비·음모의 행위를 처벌하는 경우에 있어서는 중지범의 관념을 인정할 수 없다(대판 1999.4.9, 99도424). 22. 경찰승진·해경간부·해경 2차, 23. 해경승진·경찰간부·9급 철도경찰·경력채용, 24. 7급 검찰·법원행시, 25. 변호사시험·경위공채
긍정설 (적극설 : 다수설)	예비의 형이 중지미수의 형보다 무거운 때에는 형의 균형상 중지미수의 규정을 준용해야 한다는 견해이다.

(2) 예비죄의 공범

부정설 (판례· 다수설)	종범이 처벌되기 위해서는 정범의 실행의 착수가 있는 경우에만 가능하고, 정범이 실행의 착수에 이르지 아니한 예비의 단계에 그친 경우에는 이에 가공한 행위가 예비의 공동정범이 되는 경우를 제외하고는, 예비행위와 종범행위는 무정형·무한정한 것이므로 예비죄의 종범을 처벌하는 때에는 처벌이 부당하게 확대될 염려가 있다는 이유를 들어 예비죄의 종범의 성립을 부정한다(대판 1979.11.27, 79도2201). 22. 경찰승진·순경 1차, 23. 해경승진·9급 철도경찰·경력채용, 24. 변호사시험·7급 검찰·순경 2차, 25. 해경경위 ▶ **주의** 1. 방조범(종범)은 정범의 실행행위 중에 이를 방조하는 경우뿐만 아니라, 실행의 착수 전에 장래의 실행행위를 예상하고 이를 용이하게 하는 행위를 하여 방조한 경우에도 정범이 그 실행행위에 나아갔다면 성립한다(대판 1997.4.17, 96도3377). 23. 경찰간부, 25. 해경경위 2. 종범은 정범의 실행행위 중에 이를 방조하는 경우뿐만 아니라, 실행 착수 전에 장래의 실행행위를 예상하고 이를 용이하게 하는 것을 말한다. 따라서 정범의 범죄종료 후의 이른바 사후방조를 종범이라고 볼 수는 없다(대판 2009.6.11, 2009도1518). 20. 법원직
긍정설	예비행위의 실행행위성이 인정되고, 정범이 예비죄로 처벌되는 이상 공범종속성설에 의해 예비죄의 종범성립도 인정된다는 견해이다.

관련판례

1. 살인의사로 총을 구입하는 甲에게 자금을 제공한 乙은 甲에게 살인예비죄가 인정되더라도 살인예비죄의 방조범으로 처벌될 수는 없다(대판 1976.5.29, 75도1549). 17. 9급 철도경찰
2. 보험사기를 준비하기 위한 타인의 보험계약 체결 과정에서 甲이 피보험자를 가장하는 등으로 이를 도운 행위는 그 사기 범행을 위한 예비행위에 대한 방조의 여지가 있을 뿐이라 할 것이고, 甲의 행위는 그 후 정범이 실행행위에 나아갔다면 정범에 대한 방조가 될 수 있다(대판 2013.11.14, 2013도7494). 18. 7급 검찰

관련판례

1. 통화를 위조하기 위해 필름원판과 인화지를 만든 경우 ⇨ 통화위조예비죄(대판 1966.12.6, 66도1317 ∵ 통화위조의 실행착수 ×) 17. 순경 2차, 18. 경찰승진
   ▶ **유사판례** : 종량제 쓰레기봉투에 인쇄할 시장 명의의 문안이 새겨진 필름을 제조하는 행위에 그친 경우에는 아직 위 시장 명의의 공문서인 종량제 쓰레기봉투를 위조하는 범행의 실행의 착수에 이르지 아니한 것으로서 공문서위조죄가 성립하지 아니한다(대판 2007.2.23, 2005도7430 ∵ 준비단계에 불과한 것으로 무죄임). 17. 7급 검찰 · 철도경찰, 20. 해경 3차, 24. 9급 철도경찰

2. 사병 2인이 수회에 걸쳐 "총을 훔쳐 전역 후 은행이나 현금수송차량을 털어 한탕하자"는 말을 나눈 경우 ⇨ 강도음모죄 ×(대판 1999.11.12, 99도3801 ∵ 범죄실행의 합의에 실질적인 위험성이 인정 ×, 막연한 범죄의사의 표명에 불과) 10. 경찰승진, 18. 경찰간부

3. 관세를 포탈할 목적으로 수입물품의 수량과 가격이 낮게 기재된 계약서를 첨부하여 수입예정 물량 전부에 대한 과세가격 사전심사를 신청함으로써 이에 따른 과세가격 사전심사서를 미리 받아 두는 경우 관세포탈죄의 예비에 해당한다(대판 1999.4.9, 99도424). 16. 사시, 21. 경력채용
   ▶ **비교판례** : 관세를 포탈할 범의를 가지고 선박을 이용하여 물품을 영해 내에 반입한 경우에는 관세포탈죄의 실행의 착수가 있었다고 할 것이고, 선박에 적재한 화물을 양육하는 행위 또는 그에 밀접한 행위가 있음을 요하지 아니한다(대판 1984.7.24, 84도832). 22. 해경간부 · 해경 2차, 24. 해경승진

4. 살인에 쓰려고 흉기를 준비했더라도 살해할 대상자가 확정되지 않는 한 ⇨ 살인예비죄 ×(대판 1959.9.1, 4292형상387) 20. 법원직, 23. 9급 철도경찰

5. 피고인이 본범이 절취한 차량이라는 정을 알면서도 본범 등으로부터 그들이 위 차량을 이용하여 강도를 하려 함에 있어 차량을 운전해 달라는 부탁을 받고 위 차량을 운전해 준 경우 ⇨ 강도예비죄와 장물운반죄의 상상적 경합(대판 1999.3.26, 98도3030) 17. 순경 2차, 23. 법원행시

6. 일본으로 밀항하고자 도항비로 100만엔을 주기로 약속한 후 밀항을 포기한 경우에는 밀항의 음모에 불과한 것으로 예비정도에는 이르지 아니하였다(대판 1986.6.24, 86도437). 10. 경찰승진, 14. 법원직 ⇨ 무죄(밀항단속법은 예비만 처벌하고 음모는 불벌)

7. 甲이 통행인으로부터 현금을 강취하려고 범행도구인 칼을 휴대하고 심야에 인적이 드문 주택가를 배회한 행위 ⇨ 강도예비죄 ○(대판 1948.8.17, 4281형상80) 14. 사시

8. 가짜 군인이 군인복장을 갖추고 위조신분증을 항상 휴대하고 배회한 경우(대판 1956.11.2, 4289형상240 : 위조공문서행사죄는 예비에 불과) 09. 7급 검찰

9. 특정범죄 가중처벌 등에 관한 법률 제5조의 4 제3항 상습강도죄의 범인이 강도예비를 하였다가 실행의 착수에 이르지 아니한 경우에는 강도예비행위가 상습강도죄에 흡수된다(대판 1999.4.9, 99도424). 09. 법원행시 · 7급 검찰

10. 북한공작원들과의 사전 연락 아래 민중당의 방북을 추진하면서 통일부에 방북신청을 한 경우(대판 1993.10.8, 93도1951 ∵ 국가보안법 제6조의 탈출죄의 예비에 해당)

11. 무면허로 물품을 수입하기로 공모하고, 일본국으로부터 수입된 물품이 부산항에 반입되어 보세창고에 장치되게 한 경우, 무면허수입예비죄에 해당한다(대판 1990.6.8, 90도707). 24. 해경승진, 25. 해경경사

1 음모란 2인 이상의 자 사이에 성립한 범죄실행의 합의를 말하는 것으로, 단순히 범죄결심을 외부에 표시·전달한 것으로는 부족하고 객관적으로 보아 특정한 범죄의 실행을 위한 준비행위라는 것이 명백히 인식되고 그 합의에 실질적인 위험성이 인정될 때에 비로소 음모죄가 성립한다. ( )
19. 9급 철도경찰, 21. 경찰승진·법원직, 24. 변호사시험, 25. 7급 검찰

2 형법 각칙의 예비죄를 처단하는 규정을 바로 독립된 구성요건 개념에 포함시킬 수는 없다고 하는 것이 죄형법정주의에 부합한다. ( ) 18. 7급 검찰, 21. 경찰승진, 22. 9급 철도경찰, 23. 경찰간부·경력채용

3 강도예비·음모죄가 성립하기 위해서는 예비·음모 행위자에게 미필적으로라도 '강도'를 할 목적이 있음이 인정되어야 하고 그에 이르지 않고 단순히 '준강도'할 목적이 있음에 그치는 경우에는 강도예비·음모죄로 처벌할 수 없다. ( )
21. 경찰간부·법원직·7급 검찰, 22. 경찰승진, 23. 법원행시, 24. 7급 검찰, 25. 변호사시험·경위공채·해경경위

4 법률에 예비·음모와 미수는 처벌한다고 규정하면서 동 예비·음모의 형에 관하여 별도의 규정이 없다면, 이는 미수범에 준하여 처벌할 수 있다고 해석될 뿐이지 본범에 준하여 처벌할 수 있다고 해석할 수는 없다. ( ) 21. 법원행시·법원직, 22. 9급 철도경찰, 23. 경찰간부·해경승진

5 중지범은 범죄의 실행에 착수한 후 자의로 그 행위를 중지한 때를 말하는 것인데 실행의 착수가 있기 전인 예비·음모의 행위를 처벌하는 경우에 있어서도 중지범의 관념은 인정할 수 있다. ( ) 22. 경찰승진, 23. 경찰간부·철도경찰, 24. 7급 검찰, 25. 변호사시험·경위공채

6 정범이 실행의 착수에 이르지 아니한 예비단계에 그친 경우 이에 가공한 행위에 대해 예비의 공동정범뿐만 아니라 종범으로도 처벌할 수 있다. ( )
22. 경찰승진·순경 1차, 23. 법원행시·철도경찰·경력채용, 24. 변호사시험·7급 검찰·순경 2차, 25. 해경경위

7 강제추행죄, 인질강요죄, 중립명령위반죄, 특수도주죄, 일반물건방화죄, 허위유가증권작성죄, 공문서위조죄, 통화유사물제조죄, 소인말소죄, 전시군수계약불이행죄, (위계에 의한) 공무집행방해죄, 일반교통방해죄 등은 예비·음모를 처벌하지 않는다. ( )
17. 변호사시험·경찰승진, 21. 해경간부·경력채용, 24. 법원행시·순경 2차, 25. 해경경위

8 위계에 의한 살인죄, 미성년자 약취·유인죄, 강도죄, 강간죄, 의제강간·강제추행죄, 도주원조죄, 현주건조물방화죄, 기차교통방해죄, 수도불통죄, 통화위조죄, 유가증권위조죄, 자격모용에 의한 유가증권작성죄, 인지·우표변조죄, 내란목적살인죄, 간첩죄, 일반이적죄, 폭발물사용죄 등은 예비·음모를 처벌한다. ( )
17. 변호사시험·경찰승진, 21. 해경간부·경력채용, 24. 법원행시·순경 2차, 25. 해경경위

Answer ▶ 1. ○ 2. ○ 3. ○ 4. × 5. × 6. × 7. ○ 8. ○

01 범죄의 예비에 대한 설명으로 옳은 것은?(다툼이 있는 경우 판례에 의함)　　　22. 9급 철도경찰

① 형법의 규정에 따르면 범죄의 예비행위가 실행의 착수에 이르지 아니할 때에도 원칙적으로 처벌의 대상이 된다.

② 예비죄를 처벌하는 규정을 독립된 구성요건 개념에 포함시킬 수는 없다고 보는 것은 죄형법정주의의 원칙에 합치하지 않는다.

③ 살인예비죄가 성립하기 위하여는 살인죄를 범할 목적이 있어야 하지만 살인의 준비에 관한 고의까지 요하는 것은 아니다.

④ 범죄의 예비는 이를 처벌한다는 취지와 그 형을 함께 규정하고 있을 때에만 처벌할 수 있다.

> 해설　① × : 우리 형법 제28조는 예비·음모는 원칙적으로 처벌되지 않고, 예외적으로 각칙에 특별규정이 있는 경우에 한하여 처벌된다고 규정하고 있다.
> ② × : 형법은 예비죄의 처벌이 가져올 범죄의 구성요건을 부당하게 유추 내지 확장 해석하는 것을 금지하고 있기 때문에 형법 각칙의 예비죄를 처단하는 규정을 바로 독립된 구성요건 개념에 포함시킬 수는 없다고 하는 것이 죄형법정주의의 원칙에 합당한 해석이다(대판 1976.5.25, 75도1549).
> ③ × : ~ 범할 목적 외에도 살인의 준비에 관한 고의가 있어야 한다(대판 2009.10.29, 2009도7150).
> ④ ○ : 예비·음모를 처벌한다고 규정하고 있으나 그 형에 관하여 따로 규정하고 있지 않은 이상 본범이나 미수범에 준하여 처벌한다고 해석함은 죄형법정주의 원칙에 반한다(즉, 처벌할 수 없다. 대판 1977.6.28, 77도251).

02 예비죄에 대한 설명으로 옳은 것은?(다툼이 있는 경우 판례에 의함)　　　20. 7급 검찰

① 甲이 절도 범행이 발각되었을 경우 체포를 면탈하는 데 도움이 될 수 있을 것이라는 정도의 생각에서 등산용 칼을 휴대하고 있던 중에 붙잡힌 경우, 甲에게 강도예비죄가 성립한다.

② 甲은 강도를 하려고 흉기를 구하던 乙에게 자신이 가지고 있던 전자충격기를 건네주었는데 乙이 실행행위로 나아가지 않은 경우, 甲에게 乙의 강도예비죄에 대한 방조범이 성립한다.

③ 甲이 자신을 배신한 A를 살해하려고 사냥용 총을 구입한 직후 스스로 후회하고 총을 폐기한 경우, 甲에게 살인죄의 중지미수 규정이 준용될 수 있다.

④ 甲이 A를 살해하기 위하여 乙, 丙 등을 고용하면서 그들에게 대가의 지급을 약속한 경우, 甲에게는 살인예비죄가 성립한다.

> 해설　① × : 강도예비죄 ×(대판 2006.9.14, 2004도6432)
> ② × : 강도예비죄의 종범(방조범) ×〔대판 1979.5.22, 79도552 ∵ 정범(乙)이 실행의 착수에 이르지 못한 경우 ⇨ 강도예비죄의 종범 ×〕
> ③ × : 예비죄에 중지미수 규정 준용 ×(대판 1999.4.9, 99도424)
> ④ ○ : 대판 2009.10.29, 2009도7150

Answer　01. ④　02. ④

03 범죄 실현단계에 대한 설명으로 옳지 않은 것은?(다툼이 있는 경우 판례에 의함)

① 부동산 이중양도에 있어서 매도인이 제2차 매수인으로부터 계약금만을 지급받고 중도금을 수령한 바 없다면 배임죄의 실행의 착수가 있었다고 볼 수 없다.

② 절도를 준비하면서 뜻하지 않게 절도 범행이 발각되었을 때 체포를 면탈하는 데 도움이 될 수 있을 것이라고 생각하며 칼을 휴대하고 있었더라도 강도예비죄가 성립하지 않는다.

③ 중지범은 범죄의 실행에 착수한 후 자의로 그 행위를 중지한 때를 말하는 것이고 실행의 착수가 있기 전인 예비·음모의 행위를 처벌하는 경우에 있어서 중지범의 관념은 이를 인정할 수 없다.

④ 살인예비죄가 성립하기 위하여는 살인죄를 범할 목적과 살인의 준비에 관한 고의가 있어야 할 뿐만 아니라 나아가 실행의 착수까지에는 이르지 아니하는 살인죄의 실현을 위한 준비행위가 있어야 하는데, 이 준비행위는 물적인 것에 한정되지 않고 특별한 정형이 있는 것이 아니므로 준비행위는 단순한 범행의 의사 또는 계획만으로도 인정된다.

> 해설 ① 대판 2003.3.25, 2002도7134 ② 대판 2006.9.14, 2004도6432 ③ 대판 1999.4.9, 99도424
> ④ × : ~ (4줄) 계획만으로는 그것이 있다고 할 수 없고, 객관적으로 보아서 살인죄의 실현에 실질적으로 기여할 수 있는 외적 행위를 필요로 한다(대판 2009.10.29, 2009도7150).

04 예비·음모죄에 대한 설명으로 가장 적절하지 않은 것은?(다툼이 있는 경우 판례에 의함)

① 예비행위를 자의로 중지한 경우 중지미수에 관한 형법 제26조가 준용된다.

② 형법 제28조는 예비죄의 처벌이 가져올 범죄의 구성요건을 부당하게 유추 내지 확장해석하는 것을 금지하고 있기 때문에 형법 각칙의 예비죄를 처단하는 규정을 바로 독립된 구성요건 개념에 포함시킬 수는 없다.

③ 판례는 예비죄의 공동정범 성립이 가능하다는 입장이다.

④ 내란음모죄에 해당하는 합의가 있다고 하기 위해서는 단순히 내란에 관한 범죄결심을 외부에 표시·전달하는 것만으로는 부족하고 객관적으로 내란범죄의 실행을 위한 합의라는 것이 명백히 인정되고, 그러한 합의에 실질적인 위험성이 인정되어야 한다.

> 해설 ① × : ~ 준용되지 않는다(대판 1999.4.9, 99도424). ② 대판 1976.5.25, 75도1549
> ③ 대판 1979.11.27, 79도2201 ④ 대판 2015.1.22, 2014도10978 전원합의체

05 예비·음모에 대한 설명으로 가장 적절하지 않은 것은?(다툼이 있는 경우 판례에 의함)

① 강도예비·음모죄가 성립하기 위해서는 예비·음모 행위자에게 미필적으로라도 '강도'를 할 목적이 있음이 인정되어야 하고, 그에 이르지 않고 단순히 '준강도'할 목적이 있음에 그치는 경우에는 강도예비·음모죄로 처벌할 수 없다.

② 형법상 폭발물사용죄와 미성년자약취·유인죄는 예비·음모의 처벌규정을 두고 있다.

Answer   **03.** ④   **04.** ①   **05.** ③

③ 피고인이 본범이 절취한 차량이라는 정을 알면서도 본범 등으로부터 그들이 위 차량을 이용하여 강도를 하려 함에 있어 차량을 운전해 달라는 부탁을 받고 위 차량을 운전해 준 경우, 피고인은 강도예비와 아울러 장물운반의 고의를 가지고 위와 같은 행위를 하였다고는 볼 수 없다.

④ 피고인이 행사할 목적으로 미리 준비한 물건들과 옵세트인쇄기를 사용하여 한국은행권 100원권을 사진찍어 그 필름 원판 7매와 이를 확대하여 현상한 인화지 7매를 만들었음에 그쳤다면 아직 통화위조의 착수에는 이르지 아니하였고 그 준비단계에 불과하다.

[해설] ① 대판 2006.9.14, 2004도6432

② 제120조, 제296조

③ × : ~ (3줄) 행위를 하였다고 봄이 상당하다(대판 1999.3.26, 98도3030 ∴ 강도예비죄와 장물운반죄의 상상적 경합).

④ 대판 1966.12.6, 66도1317

06 형법상 예비죄에 대한 설명 중 옳지 않은 것만을 모두 고른 것은?(다툼이 있는 경우 판례에 의함)

23. 경찰간부

> ㉠ 형법 각칙의 예비죄를 처단하는 규정을 바로 독립된 구성요건 개념에 포함시킬 수는 없다고 하는 것이 죄형법정주의에 부합한다.
> ㉡ 예비와 미수는 각각 형법 각칙에 처벌규정이 있는 경우에만 처벌할 수 있지만 구체적인 법정형까지 규정될 필요는 없다.
> ㉢ 예비죄를 처벌하는 범죄의 예비단계에서 자의로 중지를 하였다면, 예비죄의 중지미수가 성립한다.
> ㉣ 살인예비죄가 성립하기 위하여는 살인죄를 범할 목적이 있어야 할 뿐만 아니라 살인의 준비에 관한 고의도 있어야 한다.
> ㉤ 정범의 실행 착수 전에 장래의 실행행위를 예상하고 이를 용이하게 하는 행위를 하여 방조한 경우, 정범이 실행의 착수에 이르지 못했다면 방조자는 종범이 성립되지 않지만 정범이 그 실행행위로 나아갔다면 종범이 성립한다.

① ㉠, ㉡   ② ㉡, ㉢   ③ ㉠, ㉢, ㉤   ④ ㉢, ㉣, ㉤

[해설] ㉠ ○ : 대판 1976.5.25, 75도1549

㉡ × : ~ 처벌할 수 있고, 미수는 구체적인 법정형까지 규정될 필요는 없으나 예비는 구체적인 법정형까지 규정되어 있어야 한다(대판 1977.6.28, 77도251 참조).

㉢ × : ~ 성립될 수 없다(대판 1999.4.9, 99도424).

㉣ ○ : 대판 2009.10.29, 2009도7150

㉤ ○ : 대판 1997.4.17, 96도3377

Answer 06. ②

07 다음 설명 중 옳지 않은 것을 모두 고른 것은?(다툼이 있는 경우 판례에 의함)   24. 순경 2차

> ⊙ 甲은 乙이 A를 살해할 것을 예상하고 이를 도와주기 위해 칼을 빌려주었지만, 乙이 실행의 착수에 나아가지 않은 경우 甲은 살인예비죄의 방조범이 성립한다.
> ⊙ 甲이 타인의 사망을 보험사고로 하는 생명보험계약을 체결함에 있어 제3자가 피보험자인 것처럼 가장하여 체결하는 과정에서 고의로 보험사고를 일으키려는 의도를 가지고 보험계약을 체결하는 경우 甲의 행위는 보험사기의 예비행위에 해당한다.
> ⊙ 甲이 A(23세)를 강제추행할 목적으로 범행 장소를 답사하는 등 예비행위를 한 경우 강제추행의 예비죄로 처벌된다
> ⊙ 甲이 A를 살해하기 위하여 치사량에 필요한 독극물 100g을 모으던 중 양심의 가책을 느껴 자의로 중지한 경우 甲은 살인예비죄의 중지미수가 성립한다.

① ㉠, ㉡   ② ㉠, ㉢, ㉣
③ ㉡, ㉢, ㉣   ④ ㉠, ㉡, ㉢, ㉣

> 해설 ㉠ × : 살인예비죄의 방조범 ×(대판 1979.11.27, 79도2201)
> ㉡ × : ~ (3줄) 보험사기의 실행의 착수가 인정된다(대판 2013.11.14, 2013도7494 ∵ 보험사고의 우연성과 같은 보험의 본질을 해칠 정도라고 볼 수 있는 특별한 사정이 있는 경우임).
> ㉢ × : 의제강제추행죄(13세 미만) ⇨ 예비·음모 처벌 ○(제305조의 3), 강제추행죄(23세) ⇨ 예비·음모 처벌 ×
> ㉣ × : 살인예비죄의 중지미수 ×(대판 1999.4.9, 99도424)

08 예비, 음모에 관한 설명 중 가장 옳지 않은 것은?(다툼이 있는 경우 판례에 의함)   24. 법원행시

① 은행강도 범행으로 강취할 돈을 송금받을 계좌를 개설한 것만으로는 범죄수익은닉의 규제 및 처벌 등에 관한 법률 제3조 제1항 제3호에서 정한 범죄수익 등의 은닉에 관한 죄의 실행에 착수한 것으로 볼 수 없다.

② 도주원조의 죄를 범할 목적으로 예비 또는 음모한 자는 3년 이하의 징역에 처한다.

③ 타인의 사망을 보험사고로 하는 생명보험계약을 체결함에 있어 제3자가 피보험자인 것처럼 가장하여 체결하는 등으로 그 유효요건이 갖추어지지 못한 경우에도, 특별한 사정이 없는 한, 그와 같이 하자 있는 보험계약을 체결한 행위만으로는 미필적으로라도 보험금을 편취하려는 의사에 의한 기망행위의 실행에 착수한 것으로 볼 것은 아니다.

④ 준강제추행의 죄를 범할 목적으로 예비 또는 음모한 사람은 3년 이하의 징역에 처한다.

⑤ 중지범은 범죄의 실행에 착수한 후 자의로 그 행위를 중지한 때를 말하는 것이고 실행의 착수가 있기 전인 예비음모의 행위를 처벌하는 경우에 있어서 중지범의 관념은 인정할 수 없다.

> 해설 ① 대판 2007.1.11, 2006도5288
> ② 제150조 ③ 대판 2013.11.14, 2013도7494
> ④ × : 준강간죄의 예비·음모는 처벌 ○, 준강제추행죄의 예비·음모는 처벌 ×(제305조의 3)
> ⑤ 대판 1999.4.9, 99도424

Answer   07. ④   08. ④

PART
02

제3절　미수범의 일반이론

(1) 의 의

미수범이란 행위자가 범죄의 실행에 착수하여 행위를 종료하지 못하였거나(착수미수) 종료했더라도 결과가 발생하지 아니한 경우(실행미수)를 말한다(제25조 제1항).

① 미수범은 실행의 착수 이후에만 가능하다는 점에서 실행의 착수 이전 단계인 예비·음모와 구별되며, 범죄가 완성되지 않은 점에서 기수와 구별된다.

② 범죄의 객관적 구성요건요소 중 일부를 충족하지 못하였다면 기수범으로는 처벌할 수 없으나, 각칙의 해당 죄에서 미수범 처벌규정을 둔 경우 미수범으로 처벌할 수 있다(형법 제29조)(대판 2025.3.20, 2023도10405 전원합의체).

(2) 미수범처벌의 근거

구 분	객관설	주관설	절충설(인상설)
미수범의 처벌근거	행위객체 내지 보호법익에 대한 위험	범죄의사 내지 법 적대적 의사	범죄인상 내지 법동요의 인상
이론적 근거	객관주의 범죄론	주관주의 범죄론	객관주의＋주관주의
미수범의 불법	결과반가치	행위반가치	결과반가치＋행위반가치
미수범의 처벌	예외적 처벌(필요적 감경)	기수범과 동일	임의적 감경
불능범의 처벌	처벌 ×	처벌 ○	처벌 ×

(3) 형법상 미수범의 처벌

제29조【미수범의 처벌】 미수범을 처벌할 죄는 각칙의 해당 죄에서 정한다.

형법 제8조는 "본법 총칙은 타법령에 정한 죄에 적용한다. 단 그 법령에 특별한 규정이 있는 때에는 예외로 한다."라고 규정하고 있고, 형법 제29조는 "미수범을 처벌할 죄는 각칙의 해당 죄에서 정한다."라고 규정한다. 따라서 형법 각칙의 해당 죄 또는 특별형벌법규에서 미수범 처벌규정을 둔 경우 미수범으로 처벌할 수 있다(대판 2025.9.11, 2025도11062).

미수의 종류에 따라 다음과 같이 처벌에 차이가 있다.

- 장애미수 ⇨ 임의적 감경(제25조 제2항)
- 중지미수 ⇨ 필요적 감면(제26조)
- 불능미수 ⇨ 임의적 감면(제27조)

형법상 미수가 처벌되는 범죄의 총정리

구 분	범죄의 종류
개인적 법익에 대한 죄	• 살인의 죄(살인죄, 존속살해죄, 촉탁·승낙살인죄, 위계·위력에 의한 살인죄) 15. 경찰간부, 17. 순경 1차, 21. 해경 2차 • 상해·존속상해죄(▶ **주의** : 폭행·존속폭행죄, 중상해·존속중상해죄 ⇨ ×) 15. 경찰승진·경찰간부 • 체포와 감금의 죄 15. 경찰간부·순경 3차, 21. 해경승진 • 협박의 죄 15. 경찰간부, 21. 해경승진, 25. 해경경위공채 • 약취·유인 및 인신매매의 죄 • 강간과 추행의 죄(강간, 강제추행, 준강간, 준강제추행) • 주거침입의 죄(주거침입·퇴거불응죄, 주거·신체수색죄) 11. 법원행시, 13. 순경 3차 • 권리행사를 방해하는 죄(강요죄, 인질강요죄, 인질상해죄, 인질살해죄, 점유강취·준점유강취죄) • 재산죄(절도·강도죄, 사기·공갈죄, 횡령·배임죄, 손괴죄)(▶ **주의** : 장물죄, 점유이탈물횡령죄, 권리행사방해죄, 강제집행면탈죄, 경계침범죄, 부당이득죄 ⇨ ×) 14. 경찰승진, 15. 순경 3차, 17. 순경 1차, 22. 해경 2차, 23. 해경승진, 25. 해경경위공채
사회적 법익에 대한 죄	• 교통방해죄 • 통화에 관한 죄(▶ **주의** : 위조통화취득 후 지정행사죄 ⇨ ×) • 유가증권·우표·인지에 관한 죄(▶ **주의** : 소인말소죄 ⇨ ×) • 문서에 관한 죄(▶ **주의** : 사문서부정행사죄 ⇨ ×) 17. 순경 1차, 22. 해경 2차, 25. 해경경위공채 • 인장에 관한 죄(사인위조죄) 17. 순경 1차, 21. 해경 2차, 25. 해경경위공채 • 아편에 관한 죄(▶ **주의** : 아편 등 소지죄 ⇨ ×) • 폭발물사용죄 • 음용수에 관한 죄 • 일수와 수리에 관한 죄(▶ **주의** : 자기소유일반건조물일수죄 ⇨ ×) • 방화의 죄(현주건조물·공용건조물·타인소유 일반건조물 등의 방화, 폭발성물건파열죄, 가스·전기 등 방류죄, 가스·전기 등 공급방해죄)(▶ **주의** : 자기소유일반건조물방화죄, 일반물건방화죄, 진화방해죄 ⇨ ×) 12. 경찰승진·순경 3차, 25. 해경경위공채
국가적 법익에 대한 죄	• 내란의 죄 • 외환의 죄 • 외국에 대한 사전죄(▶ **주의** : 나머지 국교에 관한 죄 ⇨ ×) • 직권남용(불법)체포·감금죄〔▶ **주의** : 이 이외의 공무원의 직무에 관한 죄(뇌물죄, 직무유기죄, 직권남용권리행사방해죄 등) ⇨ ×〕 17. 순경 1차, 22. 해경 2차, 25. 해경경위공채 • 공무방해에 관한 죄(공무상 비밀표시무효죄, 부동산강제집행효용침해죄, 공용서류 등 무효죄, 공용물파괴죄, 공무상 보관물무효죄 ⇨ ○, 공무집행방해죄 ⇨ ×) 17. 경찰간부, 22. 해경 2차, 23. 해경승진 • 도주·집합명령위반죄, 특수도주죄, 도주원조죄, 간수자의 도주원조죄(▶ **주의** : 범인은닉죄, 위증죄, 증거인멸죄, 무고죄 ⇨ ×) 15. 경찰승진, 17. 순경 1차, 21. 해경 2차

Q 주의 : 형법상 미수범처벌규정이 없는 범죄(과실범, 대부분의 결과적 가중범, 예비·음모죄 ⇨ ×)

1. 형식범(폭행·존속폭행죄, 무고죄, 위증죄, 유기죄, 모욕죄, 명예훼손죄, 신용훼손죄, 업무방해죄, 비밀침해죄, 상습도박죄) 10. 순경, 15. 경찰승진
2. 공무집행방해죄, 범인은닉죄, 증거인멸죄
3. 공안을 해하는 죄(범죄단체조직죄, 소요죄, 다중불해산죄, 공무원자격사칭죄) 25. 해경경위공채
4. 진정부작위범(다중불해산죄, 전시군수계약불이행죄, 전시공수계약불이행죄)
   - 퇴거불응죄와 집합명령위반죄는 진정부작위범이지만 미수범처벌규정이 있다(제322조).
   - 부진정부작위범은 미수를 인정할 수 있다.
5. 재산죄 중 장물에 관한 죄, 점유이탈물횡령죄, 권리행사방해죄, 경계침범죄, 강제집행면탈죄
6. 낙태죄, 유기·학대죄, 성풍속에 관한 죄(공연음란죄 등), 도박과 복표에 관한 죄
7. 형법상 미수범처벌규정이 있는 결과적 가중범 : 현주건조물일수치사상죄, 인질치사상죄, 강도치사상죄, 해상강도치사상죄 17. 순경 1차, 18. 경찰승진, 22. 해경 2차, 23. 해경승진

(4) 형법상 미수범의 체계

- **현실적 결과 발생** ────────────▶ 기 수
- **현실적 결과 불발생**
  - **사실상(현실적) 결과발생 가능**
    - 자의에 의한 중지(자의성 ○) ⇨ 중지미수(제26조)(필요적 감면)
    - 장애에 의한 미수(자의성 ×) ⇨ 장애미수(협의의 미수, 제25조)(임의적 감경)
  - **수단과 대상의 착오로 인한 원시적 결과발생 불가능**
    - 행위의 위험성(결과발생의 가능성) ○ ⇨ 불능미수(제27조)(임의적 감면)
    - 행위의 위험성(결과발생의 가능성) × ⇨ 불능범(불벌)

제4절 장애미수

> **제25조 【미수범】** ① 범죄의 실행에 착수하여 행위를 종료하지 못하였거나 결과가 발생하지 아니한 때에는 미수범으로 처벌한다.
> ② 미수범의 형은 기수범보다 감경할 수 있다.

(1) 의 의

장애미수란 행위자의 의사에 반하여 외부적 장애로 범죄를 완성하지 못한 경우, 즉 범죄의 실행에 착수하여 행위를 종료하지 못하였거나(이를 '착수미수'라 함) 결과가 발생하지 아니한 경우(이를 '실행미수'라 함)를 말한다.

- **例** • **착수미수** : 살해의 의사로 총을 발사하려는 순간 타인의 방해로 발사하지 못한 경우
  - **실행미수** : 살해의 의사로 총을 발사하였으나 빗나가거나 상해만 입힌 경우

(2) 성립요건

미수범의 성립요건으로는 ① 주관적 구성요건과 ② 객관적 구성요건(실행의 착수 및 범죄의 미완성)이 필요하다.

① **주관적 구성요건** : 미수범도 기수범과 마찬가지로 주관적 구성요건요소로서의 고의와 특수한 주관적 구성요건요소를 필요로 하는 범죄에서 그러한 요소(예 절도죄에 있어서 '불법영득의사', 목적범의 '목적')가 있어야 한다. 18. 변호사시험, 24. 경대편입

> **Key Point**
>
> • 고의는 언제나 기수의 고의(범죄완성에 대한 인식과 의사)이어야 한다. 따라서 미수범의 고의도 기수의 고의이어야 하므로 미수의 고의(처음부터 미수에 그치겠다는 인식과 의사)는 처벌되지 않는다(함정수사). 예 결과발생이 불가능함을 인식하고 실행에 착수한 경우 위험성이 있더라도 불능미수 성립 × 14. 변호사시험, 18. 경찰승진
> • 과실범은 고의가 없고, 또한 과실범은 전부 결과범이므로 과실범의 미수는 인정되지 않는다. 우리 형법상 과실범의 미수를 처벌하는 규정도 존재하지 않는다.

② **실행의 착수** : 미수범이 성립하려면 객관적 요건으로서 실행의 착수가 있어야 한다. 실행의 착수란 범죄실행의 개시를 말하며, 이는 예비·음모와 미수의 구별기준이 된다.

③ **범죄의 미완성** : 미수가 성립하려면 실행에 착수한 행위를 종료하지 못하였거나(착수미수), 행위는 종료하였으나 결과가 발생하지 않아야 한다(실행미수). 22. 순경 1차, 24. 경대편입

    ㉠ 장애미수(협의의 미수)는 행위자가 예견하지 못했던 의외의 외부적 장애에 의한 범죄의 미완성이란 점에서 자의로 인한 범죄의 미완성인 중지미수와 구별된다.

    ㉡ 형법은 착수미수와 실행미수를 동일하게 처벌한다.

    ㉢ 착수미수와 실행미수의 구별의 실익은 중지미수에 해당하는가를 결정하는 데 있다. 즉, 실행행위가 종료되지 아니한(착수미수) 시점에 있어서는 행위자가 실행행위를 자의적으로 중지하면 중지미수가 되나 실행행위가 종료된 시점(실행미수)에 있어서는 행위자가 적극적이고도 진지한 태도로 결과의 발생을 방지해야만 중지미수가 된다.

(3) 처 벌

미수범은 각 본조(형법 각칙)에 미수범을 처벌하는 특별규정이 있는 경우에만 처벌되고(제29조), 12. 9급 검찰 (장애)미수범의 형은 기수범보다 감경할 수 있다(임의적 감경 : 제25조 제2항 ∴ 기수범의 형과 동일하게 처벌할 수 있다). 18. 순경 2차, 21. 순경 1차, 22. 9급 철도경찰

(4) 관련문제

① **형식범(거동범)의 미수** : 구성요건상 결과의 발생을 요하지 않는 거동범은 구성요건에 해당하는 행위가 있으면 바로 범죄가 완성(기수)됨으로 범죄의 미완성을 요건으로 하는 미수란 생각할 수 없다.

② **과실범의 미수** : 미수범의 주관적 성립요건으로 고의를 요하며 또한 과실범은 모두 결과범이므로 과실범의 미수는 존재할 수 없으며, 현행법상 과실범의 미수를 처벌하는 규정도 없다. 15. 변호사시험, 24. 경대편입, 25. 9급 철도경찰

③ **부작위범의 미수**

진정 부작위범	부작위가 있으면 즉시 범죄가 완성되는 형식범으로 미수란 있을 수 없다. 다만, 우리 형법에는 퇴거불응죄와 집합명령위반죄의 미수처벌규정을 두고 있다. 12. 7급 검찰
부진정 부작위범	보호법익에 대한 급박하고 구체적인 위험이 있음에도 불구하고 부작위로 나아가 위험이 증대될 때 실행의 착수가 있다고 보아 미수범의 성립을 인정한다.

(5) 실행의 착수시기에 관한 학설과 판례 24. 경찰간부 · 해경간부

① **형식적 객관설** : 행위자가 구성요건에 해당하는 행위 또는 그 행위의 일부가 시작되었을 때 실행의 착수가 있다는 견해로 실행의 착수시기를 인정하는 시점이 너무 늦어져 미수의 범위가 좁아진다는 비판이 있다.

> 예 야간주거침입절도죄의 범의를 가지고 야간에 타인 주거의 출입문을 열려고 출입문을 당긴 때 실행의 착수 인정 가능(대판 2006.9.14, 2006도2824)

② **실질적 객관설** : 구성요건의 보호법익을 기준으로 하여 법익에 대한 직접적 위험을 발생시킨 객관적 행위시점에서 실행의 착수가 있다는 견해로 법익침해의 '직접적 위험'이라는 기준이 모호하다는 비판이 있다.

> 예 소매치기의 경우 피해자의 양복주머니에서 금품을 절취하려고 손을 뻗어 양복주머니 겉을 더듬은 때 실행의 착수 인정 가능(대판 1984.12.11, 84도2524)

③ **주관설** : 범죄란 범죄적 의사의 표현이므로 범죄의사를 명백하게 인정할 수 있는 외부적 행위가 있을 때 또는 범의의 비약적 표동이 있을 때 실행의 착수가 있다는 견해로 가벌적 미수의 범위가 지나치게 확대될 수 있다. 24. 해경경장

> 예 관세포탈의 범의를 가지고 선박을 이용하여 물품을 영해 내에 반입하는 때 실행의 착수 인정 가능(대판 1984.7.24, 84도832), 간첩의 목적으로 외국 또는 북한에서 국내에 침투 또는 월남하는 때 실행의 착수 인정 가능(대판 1984.9.11, 84도1381)

④ **주관적(개별적) 객관설** : 행위자의 전체적 범행계획에 비추어 구성요건실현에 대한 직접적 행위가 있을 때 실행의 착수가 있다는 견해로 실행의 착수에 관한 객관설과 주관설의 단점을 제거하고 양설을 타협하기 위해 제시된 절충적인 견해이다.

관련판례

● **실행의 착수시기**

1. **절도죄** : 타인의 재물에 대한 '사실상의 지배'를 침해하는 데 밀접한 행위가 개시된 경우(대판 1986. 12.23, 86도2256) ⇨ 밀접행위설 · 물색행위시설(실질적 객관설)

   ① 소매치기가 금품을 절취하려고 타인의 호주머니에 손을 뻗쳐 그 겉을 더듬은 경우(대판 1984.12. 11, 84도2524) 20. 9급 검찰 · 마약수사 · 철도경찰, 23. 해경 3차

② 범인들이 마당에 들어가 그중 1명이 구리를 찾기 위해 담에 붙어 걸어가다가 붙잡힌 경우(대판 1989.9.12, 89도1153) 16. 경찰간부 · 경찰승진

③ 자동차 안에 있는 물건(밍크코트)을 훔치려고 공범이 망을 보는 사이에 앞문을 열려고 손잡이를 잡아당기다가 피해자에게 발각된 경우(대판 1986.12.23, 86도2256) 17. 법원직, 26. 경찰승진

▶ **유사판례** : 야간에 손전등과 노끈을 이용하여 도로에 주차된 차량의 문을 열고 현금을 훔치기로 마음먹고, 차량의 문이 잠겨 있는지 확인하기 위해 양손으로 운전석 문의 손잡이를 잡고 열려고 하던 중 경찰관에게 발각된 경우(대판 2009.9.24, 2009도5595) 17. 7급 검찰 · 철도경찰

④ 피고인이 ㉠ 주간에 피해자의 주택에 침입하여 절취할 재물을 찾으려고 신발을 신은 채 거실을 통하여 안방으로 들어가 여기저기를 둘러보고는 절취할 재물을 찾지 못하고 다시 거실로 나와서 두리번거리고 있다가 피해자에게 발각된 경우, ㉡ 甲이 금품을 훔칠 목적으로 A의 집에 담을 넘어 침입한 후 부엌에서 금품을 물색하던 중 발각되어 도주한 경우(대판 2003.6.24, 2003도1985 ; 대판 1987.1.20, 86도2199 ∵ 야간이 아닌 주간에 절도의 목적으로 다른 사람의 주거에 침입하여 절취할 재물의 물색행위를 시작하는 등 그에 대한 사실상의 지배를 침해하는 데에 밀접한 행위를 개시하면 절도죄의 실행에 착수한 것으로 보아야 한다.) 18. 법원행시, 24. 경력채용 · 해경경위 · 순경 1차

▶ **비교판례** : 실행의 착수가 부정되는 경우

㉠ 길에 세워 놓은 자동차 안에 있는 물건을 훔칠 생각으로 유리창을 통해 그 내부를 손전등으로 살펴보다가 체포된 경우(대판 1985.4.23, 85도464), 20. 경찰승진 · 법원직 · 7급 검찰, 22. 변호사시험 · 해경 3차, 25. 해경 1차 ㉡ 잘 아는 피해자에게 전화채권을 사주겠다며 골목길로 유인하여 돈을 절취하려고 기회를 엿본 행위(대판 1983.3.8, 82도2944), 16. 경찰간부 · 경찰승진 ㉢ 甲이 소를 흥정하고 있는 피해자의 뒤에 접근하여 자신의 가방으로 돈이 들어 있는 피해자의 주머니를 스치면서 지나간 행위(대판 1986.11.11, 86도1109), 16. 경찰간부 · 경찰승진, 19. 7급 검찰 ㉣ 주간에 절도의 목적으로 타인의 집 현관을 통하여 그 집 마루 위에 올라서서 창고문 쪽으로 향하다가 피해자에게 발각, 체포된 경우(대판 1986.10.28, 86도1753), ㉤ 주간에 절도의 목적으로 주거에 침입하기 위하여 부엌문에 시정된 열쇠고리의 장식을 뜯는 경우(대판 1989.2.28, 88도1165) ➪ 절도죄의 실행의 착수 × ➪ 절도죄의 예비 ➪ 처벌 ×, ㉥ 절도죄의 실행의 착수시기는 재물에 대한 타인의 사실상의 지배를 침해하는 데에 밀접한 행위를 개시한 때라고 보아야 하므로, 야간이 아닌 주간에 절도의 목적으로 타인의 주거에 침입하였다고 하여도 아직 절취할 물건의 물색행위를 시작하기 전이라면 주거침입죄만 성립할 뿐 절도죄의 실행에 착수한 것으로 볼 수 없다(대판 1992.9.8, 92도1650). 20. 순경 2차, 21. 법원행시, 22. 9급 검찰 · 마약수사 · 순경 1차, 24. 해경간부 · 해경승진

⑤ 절취목적으로 고속버스 선반 위에 놓인 손가방의 한쪽 걸쇠를 연 경우(대판 1983.10.25, 83도2432) 20. 해경승진

2. **주거침입죄** : 주거침입죄의 실행의 착수는 주거자, 관리자, 점유자 등의 의사에 반하여 주거나 관리하는 건조물 등에 들어가는 행위 즉, 구성요건의 일부를 실현하는 행위까지 요구하는 것은 아니고, 범죄구성요건의 실현에 이르는 현실적 위험성을 포함하는 행위를 개시하는 것으로 족하다(대판 2006.9.14, 2006도2824). 17. 경찰승진, 20. 9급 검찰 · 마약수사 · 철도경찰

① 침입 대상인 아파트에 사람이 있는지 확인하기 위해 초인종을 누른 행위만으로는 주거침입죄의 실행의 착수에 해당하지 아니한다(대판 2008.4.10, 2008도1464). 16. 7급 검찰 · 철도경찰, 20. 경찰승진, 24. 9급 철도경찰

② 주거침입죄의 범의로써 주거로 들어가는 문의 시정장치를 부수거나 문을 여는 등 침입을 위한 구체적 행위를 시작하였다면 주거침입죄의 실행의 착수가 인정된다(대판 1995.9.15, 94도2561). 16. 순경 1차, 20. 경찰승진

3. **야간주거침입절도죄** : 야간에 주거에 침입시 ○(물색행위시 ×, 주간에 주거에 침입시 ×)

① 야간에 아파트에 침입하여 물건을 훔칠 의도하에 아파트의 베란다 철제난간까지 올라가 유리창문을 열려고 시도한 경우(대판 2003.10.24, 2003도4417) 17. 9급 검찰·법원행시, 20. 해경승진, 23. 경찰승진, 24. 해경경장, 25. 법원직

▶ **비교판례** : 야간에 다세대주택에 침입하여 물건을 절취하기 위하여 가스배관을 타고 오르다가 순찰 중이던 경찰관에게 발각되어 그냥 뛰어내린 경우 ⇨ 실행의 착수 ×(대판 2008.3.27, 2008도917) 18. 경찰간부, 19. 변호사시험·법원행시, 24. 경찰승진

② 야간에 타인의 재물을 절취할 목적으로 출입문이 열려 있으면 안으로 들어가겠다는 의사 아래 출입문을 당겨보는 행위(대판 2006.9.14, 2006도2824) 18. 9급 철도경찰, 20. 7급 검찰, 23. 해경승진

③ 주간에 사람의 주거 등에 침입하여 야간에 타인의 재물을 절취한 경우 형법 제330조의 야간주거침입절도죄가 성립하지 않는다(대판 2011.4.14, 2011도300). 16. 순경 2차, 20. 9급 검찰

④ 야간에 절도목적으로 상점 울타리를 침입하여 점포 문틈에 드라이버를 넣고 비틀어 부수려 한 경우(대판 1972.6.27, 72도1028)

⑤ 야간주거침입절도죄는 야간에 이루어지는 주거침입행위의 위험성에 주목하여 그러한 행위를 수반한 절도를 가중처벌하는 것으로서, 야간에 타인의 재물을 절취할 목적으로 사람의 주거에 침입한 경우에는 주거침입 단계에서 이미 야간주거침입절도죄의 실행에 착수한 것이라고 보아야 한다. 야간주거침입절도죄는 주거침입죄와 절도죄의 결합범으로서 시간적으로 주거침입행위가 선행되는 것이므로 그 실행의 착수시점인 주거침입이 이루어질 때 절도의 고의가 있어야 한다. 야간에 주거침입행위가 있은 후 비로소 절도의 고의가 생겼다면 주거침입죄와 절도죄의 경합범이 될 수 있을지언정 야간주거침입절도죄는 성립하지 않는다(대판 2025.1.9, 2022도5573). 26. 변호사시험

4. **특수절도죄**

① 제331조 제1항(손괴 후 야간주거침입절도죄) : 야간에 건조물의 일부를 손괴한 때〔대판 1977.7.26, 77도1802 **예** 두 사람이 공모 합동하여 야간에 타인의 재물을 절취하려고 한 사람은 망을 보고 다른 한 사람은 도구를 가지고 출입문의 자물쇠를 떼어낸 경우(대판 1986.7.8, 86도843), 야간에 절도의 목적으로 출입문에 장치된 자물통 고리를 절단하고 출입문을 손괴한 뒤 집안으로 침입하려다가 발각된 경우(대판 1986.9.9, 86도1273)〕 16. 변호사시험·경찰간부, 20. 7급 검찰, 21. 해경간부

② 제331조 제2항(합동절도) : 주거침입시 ×, 물색행위시 ○〔**예** ① 피고인들이 낮에 아파트 출입문 시정장치를 손괴하다가 발각되어 도주한 경우, 형법 제331조 제2항의 특수절도의 실행의 착수가 있었다고 볼 수 없다(대판 2009.12.24, 2009도9667 ∵ 합동절도의 실행의 착수시기 : 물색행위시 ○). 17. 법원행시, 18. 9급 철도경찰, 20. 경찰간부, 21. 해경승진, 24. 경찰승진 ② 피고인이 아파트 신축공사 현장 안에 있는 건축자재 등을 훔칠 생각으로 공범과 함께 위 공사현장 안으로 들어간 후 창문을 통하여 신축 중인 아파트의 지하실 안쪽을 살핀 행위는 특수절도죄의 실행의 착수에 해당하지 않는다(대판 2010.4.29, 2009도14554).〕 19. 7급 검찰

5. **강간죄** : 강간죄는 사람을 강간하기 위하여 피해자의 항거를 불능하게 하거나 현저히 곤란하게 할
   정도의 폭행 또는 협박을 개시한 때에 그 실행의 착수가 있다고 보아야 할 것이지(실제로 폭행·협
   박에 의해 피해자의 항거가 불능하게 되거나 현저히 곤란하게 되었을 때가 아님 : 대판 2000.6.9, 2000
   도1253 ; 대판 1990.5.25, 90도607), 21. 법원행시 실제 간음행위가 시작되어야만 그 실행의 착수가 있다
   고 볼 것은 아니다. 유사강간죄의 경우도 이와 같다(대판 2021.8.12, 2020도17796). 25. 경찰승진

   ① 강간을 목적으로 피해자가 자고 있는 안방에 들어가서 피해자의 가슴과 엉덩이를 더듬은 경우
   ▷ 실행의 착수 ×(대판 1990.5.25, 90도607) 18. 경찰간부·법원직, 23. 법원행시

   ② 새벽 4시경에 강간을 하려고 방문을 열어주지 않으면 문을 부수고 들어갈 듯이 하자, 피해자가
   들어오면 창문으로 뛰어내리겠다고 하는데도 베란다를 통하여 창문으로 침입하려 하는 것 ▷ 실행
   의 착수 ○(대판 1991.4.9, 91도288)

   ③ 잠을 자고 있는 피해자의 옷을 벗기고 자신의 바지를 내린 상태에서 피해자의 음부 등을 만지는
   행위 ▷ 준강간죄(제299조 : 심신상실 상태를 이용하여 간음한 경우)의 실행의 착수 ○(대판 2000.
   1.14, 99도5187) 18. 법원행시, 23. 경찰승진

   ④ 준강간죄에서 실행의 착수시기는 피해자의 심신상실 또는 항거불능의 상태를 이용하여 간음을
   할 의도를 가지고 간음의 수단이라고 할 수 있는 행동을 시작한 때로 보아야 한다〔대판 2019.2.14,
   2018도19295 **예** 피고인이 피해자 甲(여, 18세)과 성관계를 할 의사로 술에 취하여 모텔 침대에
   잠들어 있는 甲의 속바지를 벗기다가 甲이 깨어나자 중단한 경우 ▷ 준강간죄의 미수(아동·청소년
   의 성보호에 관한 법률 위반) ○〕. 22. 경력채용, 25. 7급 검찰

   ⑤ 주거침입강간죄는 사람의 주거 등을 침입한 자가 피해자를 간음한 경우에 성립하는 것으로서,
   주거침입죄를 범한 후에 사람을 강간하는 행위를 하여야 하는 일종의 신분범이고, 선후가 바뀌어
   강간죄를 범한 자가 그 피해자의 주거에 침입한 경우에는 이에 해당하지 않고 강간죄와 주거침입죄
   의 실체적 경합범이 된다. 그 실행의 착수시기는 주거침입 행위 후 강간죄의 실행행위에 나아간
   때이다(주거침입 행위를 한 때 ×)(대판 2021.8.12, 2020도17796). 22. 법원행시, 24. 해경간부

6. **강제추행죄** : 추행의 고의로 상대방의 의사에 반하는 유형력의 행사, 즉 폭행행위를 하여 실행행위에
   착수하였으나 추행의 결과에 이르지 못한 때에는 강제추행미수죄가 성립하며, 이러한 법리는 폭행행위
   자체가 추행행위라고 인정되는 이른바 '기습추행'의 경우에도 마찬가지로 적용된다(대판 2015.9.10,
   2015도6980 **예** 피고인이 피해자 A를 추행하기 위하여 뒤따라가다가 외진 곳에서 가까이 접근하여
   껴안으려 하였으나, A가 뒤돌아보면서 소리치자 그 상태로 몇 초 동안 쳐다보다가 다시 오던 길로
   되돌아간 경우, 피고인의 팔이 A의 몸에 닿지 않았지만 양팔을 높이 들어 갑자기 뒤에서 껴안으려고
   하는 것만으로도 강제추행죄의 실행의 착수가 있다고 볼 수 있다). 20. 경찰간부·해경승진, 21. 7급 검찰,
   24. 9급 철도경찰·해경경위, 25. 변호사시험·경대편입

7. **사기죄**
   ① 피담보채권인 공사대금 채권을 실제와 달리 허위로 크게 부풀려 유치권에 의한 경매를 신청할
   경우 정당한 채권액에 의하여 경매를 신청한 경우보다 더 많은 배당금을 받을 수도 있으므로,
   불능범에 해당한다고 볼 수 없고, 소송사기죄의 실행의 착수에 해당한다(대판 2012.11.15, 2012도
   9603). 17. 순경 1차, 19. 경찰간부·경찰승진, 21. 7급 검찰

▶ **비교판례** : 부동산 경매절차에서 피고인들이 허위의 공사대금채권을 근거로 유치권 신고를 한 경우, 소송사기의 실행의 착수가 있다고 볼 수 없다(대판 2009.9.2, 2009도5900 ∵ 사례의 경우 입찰물건명세서에 '유치권신고 있음'이라는 사실만을 기재할 뿐, 법원의 판단대상이 아니므로, 법원을 기망한 것이 아님). 20. 경찰간부, 22. 7급 검찰, 25. 해경경사

② 타인의 사망을 보험사고로 하는 생명보험계약을 체결함에 있어 제3자가 피보험자인 것처럼 가장하여 체결하는 등으로 그 유효 요건이 갖추어지지 못한 경우에, 보험사고의 우연성과 같은 보험의 본질을 해칠 정도라고 볼 수 있는 특별한 사정이 없는 한, 그와 같이 하자 있는 보험계약을 체결한 행위만으로 미필적으로라도 보험금을 편취하려는 의사에 의한 기망행위의 실행에 착수한 것으로 볼 것은 아니다(대판 2013.11.14, 2013도7494 ∵ 위와 같은 특별한 사정이 있는 경우에는 실행의 착수가 인정된다). 21. 법원직, 22. 경찰승진, 24. 법원행시 · 9급 철도경찰 · 순경 2차

③ 사기도박에서 사기적인 방법으로 도금을 편취하려는 자가 상대방에게 도박에 참여할 것을 권유하는 때에 실행의 착수가 있다(대판 2011.1.13, 2010도9330). 17. 법원직 · 9급 검찰, 21. 법원행시 · 경력채용, 24. 경찰승진 · 해경승진, 25. 7급 검찰

④ 태풍피해 복구보조금 지원절차의 전제가 된 피해신고만 하고 지원신청을 하지 않은 경우 ⇨ 사기미수죄 ×(대판 1999.3.12, 98도3443 ∵ 사기죄의 예비 ○, 실행의 착수 ×) ⇨ 무죄, 장애인단체의 지회장이 지방자치단체로부터 보조금을 더 많이 지원받기 위하여 허위의 보조금 정산보고서를 제출한 경우에는 보조금 편취범행인 사기죄의 실행에 착수한 것으로 보기 어렵다(대판 2003.6.13, 2003도1279 ∵ 사기죄의 예비 ○, 실행의 착수 ×). ⇨ 무죄 16. 9급 철도경찰, 20. 법원직, 21. 경찰간부, 23. 해경 3차

⑤ 장해보상지급청구권자에게 보상금을 찾아주겠다고 거짓말을 하여 동인을 보상금 지급기관까지 유인한 것 ⇨ 사기죄의 실행의 착수 ×(대판 1980.5.13, 78도2259) 14. 7급 검찰

⑥ 소송사기 : 원고의 경우 ⇨ 소송에서 주장하는 권리가 존재하지 않는 사실을 알고 있으면서도 법원을 기망한다는 인식을 가지고 소를 제기한 때(대판 1993.9.14, 93도915), 피고의 경우 ⇨ 적극적인 방법으로 법원을 기망할 의사를 가지고 허위내용의 서류를 증거로 제출하거나 그에 따른 주장을 담은 답변서나 준비서면을 제출한 때(대판 1998.2.27, 97도2786) 18. 순경 2차, 19. 경찰간부 · 경찰승진 법원을 기망하여 유리한 판결을 얻어내고 상대방으로부터 재물이나 재산상 이익을 취득하려고 소송을 제기하였다가 법원으로부터 유리한 판결을 받지 못하고 소송이 종료됨으로써 미수에 그친 경우, 소송사기미수죄에 있어서 범죄행위의 종료시기는 소송이 종료된 때이다(대판 2000.2.11, 99도4459). 13. 경찰승진, 20. 9급 철도경찰

⑦ 법원을 기망하여 자기에게 유리한 판결을 얻고자 소송을 제기한 자가 상대방의 주소를 허위로 기재하여 소송을 제기함으로써 그 허위주소로 소송서류가 송달되어 그로 인하여 상대방 아닌 다른 사람이 그 서류를 받아 소송을 진행한 경우 소송사기죄의 실행의 착수가 인정된다(대판 2006. 11.10, 2006도5811 ∵ 피고에게 소장이 송달되지 않아도 실행의 착수가 인정됨). 16. 7급 검찰 · 철도경찰, 21. 경찰간부, 24. 9급 검찰 · 마약수사 · 철도경찰

⑧ 가압류는 강제집행의 보전방법에 불과하고 그 기초가 되는 허위의 채권에 의하여 실제로 청구의 의사표시를 한 것이라고 할 수 없으므로 소의 제기 없이 가압류신청을 한 것만으로는 사기죄의 실행에 착수한 것이라고 할 수 없다(대판 1982.10.26, 82도1529). 16. 순경 2차, 17. 순경 1차, 18. 경찰간부, 23. 경찰승진 · 해경 3차, 24. 해경승진, 25. 9급 철도경찰 · 해경경사

⑨ 강제집행절차를 통한 소송사기에서 실행의 착수시기 ⇨ 집행절차의 개시신청을 한 때 또는 진행 중인 집행절차에 배당신청을 한 때, 부동산에 관한 소유권이전등기청구권에 대한 강제집행절차에서, 소송사기의 실행의 착수시기 ⇨ 허위 채권에 기한 공정증서를 집행권원으로 하여 채무자의 소유권이전등기청구권에 대하여 압류신청을 한 때(대판 2015.2.12, 2014도10086) 18. 경찰간부 · 순경 3차, 22. 7급 검찰, 23. 순경 1차, 25. 경찰승진 · 해경경위 · 경대편입

⑩ 진정한 임차권자가 아니면서 허위의 임대차계약서를 법원에 제출하여 임차권등기명령을 신청하면 그로써 소송사기의 실행행위에 착수한 것으로 보아야 하고, 나아가 그 임차보증금 반환채권에 관하여 현실적으로 청구의 의사표시를 하여야만 사기죄의 실행의 착수가 있다고 볼 것은 아니다 (대판 2012.5.24, 2010도12732). 16. 법원행시, 21. 경찰간부

⑪ 허위의 증거를 이용하지 않은 채 허위의 내용을 기재하여 지급명령을 신청한 단계에서는 상대방의 이의신청으로 지급명령은 이의의 범위 안에서 그 효력을 잃게 되더라도 지급명령을 신청한 때 소를 제기한 것으로 보게 되므로 소송사기죄에 있어서 실행에 착수하였다고 볼 수 있다(대판 2004.6.24, 2002도4151). 05. 법원행시, 06. 경찰승진

⑫ 피고인 또는 그와 공모한 자가 자신이 토지의 소유자라고 허위의 주장을 하면서 소유권보존등기 명의자를 상대로 보존등기의 말소를 구하는 소송을 제기한 경우 소송사기의 실행행위에 착수한 것이다(대판 2006.4.7, 2005도9858 전원합의체). 07. 순경

8. 배임죄

① 부동산의 이중양도에 있어서 부동산의 매도인인 甲이 제1차 매수인인 乙로부터 계약금 및 중도금 명목의 금원을 교부받은 후 제2차 매수인인 丙에게 부동산을 매도하기로 하고 계약금과 중도금을 지급받은 경우(대판 1983.10.11, 83도2057 ∴ 제2차 매수인에게 계약금만을 지급받은 뒤 더 이상의 계약이행에 나아가지 않는 경우 ⇨ 실행의 착수 × : 대판 2003.3.25, 2002도7134) 20. 9급 검찰, 21. 해경간부 · 경찰간부, 23. 법원행시, 24. 해경승진, 25. 경위공채 · 7급 검찰

▶ 유사판례 : 양수인에게 무허가건물 인도의무를 부담하는 양도인이 중도금 또는 잔금까지 수령한 상태에서 양수인의 의사에 반하여 제3자에게 그 무허가건물을 이중으로 양도하고 중도금까지 수령한 경우 ⇨ 배임죄의 실행의 착수 ○(대판 2005.10.28, 2005도5713 ∴ 부동산의 이중매매) 17. 법원행시

② 타인의 사무를 처리하는 자가 배임의 범의로, 임무에 위배한 행위를 개시한 때 배임죄의 실행에 착수한 것으로 볼 수 있으며, 그 임무위배행위가 사법상 무효라 하더라도 실행의 착수가 있다고 볼 수 있다(대판 2017.9.21, 2014도9960). 21. 법원행시, 23. 순경 1차

③ 업무상 배임죄에서 부작위를 실행의 착수로 볼 수 있기 위해서는 작위의무가 이행되지 않으면 사무처리의 임무를 부여한 사람이 재산권을 행사할 수 없으리라고 객관적으로 예견되는 등으로 구성요건적 결과발생의 위험이 구체화한 상황에서 부작위가 이루어져야 하고, 행위자는 부작위 당시 자신에게 주어진 임무를 위반한다는 점과 그 부작위로 인해 손해가 발생할 위험이 있다는 점을 인식하였어야 한다(대판 2021.5.27, 2020도15529). 22. 법원행시, 23. 순경 1차, 24. 경찰승진

9. 공갈죄 : 공갈죄의 수단인 협박은 사람의 의사결정의 자유를 제한하거나 의사실행의 자유를 방해할 정도로 겁을 먹게 할 만한 해악을 고지하는 것을 말한다. 이러한 해악의 고지가 비록 정당한 권리의 실현 수단으로 사용된 경우라 하여도 그 권리실현의 수단 · 방법이 사회통념상 허용되는 정도나 범위

를 넘는다면 공갈죄의 실행에 착수한 것으로 보아야 한다(대판 2019.2.14, 2018도19493). 21. 순경 1차, 22. 해경간부, 25. 법원직

10. **살인죄** : 살해하기 위하여 낫을 들고 피해자에게 접근한 때(대판 1986.2.25, 85도2773), 18. 9급 철도경찰, 22. 9급 검찰·마약수사·철도경찰 소속 중대장을 살해 보복할 목적으로 수류탄의 안전핀을 빼고 그 사무실로 들어간 때(대판 1970.6.30, 70도861)

11. **강도살인죄** : 강도살인미수죄의 성립에는 살해행위가 미수에 그쳤으면 족하고 강취행위의 미수·기수를 불문한다(대판 1973.5.30, 73도847).

12. **간첩죄** : 간첩목적으로(국가기밀을 탐지·모집하기 위하여) 대한민국 지배지역 내에 잠입·침투상륙한 때(대판 1984.9.11, 84도1381 : 주관설) 15. 경찰승진, 18. 경찰간부, 25. 해경경위·7급 검찰

13. **방화죄** : 불이 방화목적물 내지 도화물체에 점화된 때(대판 1960.7.22, 4239형상213 : 형식적 객관설) ⇨ 현주건조물에 방화하기 위해 비현주건조물에 방화한 때, 거주하는 가옥의 일부로 된 축사에 방화한 때(대판 1967.8.29, 67도925), 방화의 의사로 뿌린 휘발유가 인화성이 강한 상태로 주택주변과 피해자의 몸에 적지 않게 살포되어 있는 사정을 알면서도 라이터를 켜 불꽃을 일으킴으로써 피해자의 몸에 불이 붙은 경우(대판 2002.3.26, 2001도6641) 15. 경찰승진, 18. 순경 1차, 23. 해경승진, 25. 법원직

14. 위장결혼의 당사자 및 브로커와 공모한 피고인이 허위로 결혼사진을 찍고 혼인신고에 필요한 서류를 준비하여 위장결혼의 당사자에게 건네준 것만으로는 공전자기록 등 부실기재죄의 실행에 착수한 것으로 볼 수 없다(대판 2009.9.24, 2009도4998 ∵ 공전자기록 등 부실기재죄의 실행의 착수시기는 공무원에 대하여 허위의 신고를 하는 때임). 18. 순경 1차·3차, 19. 경찰간부, 20. 해경승진, 23. 경찰승진, 24. 해경경장, 25. 해경경위

15. 甲이 히로뽕 제조원료 구입비를 乙에게 제공하였는데 乙이 그로써 구입할 원료를 물색 중 적발된 경우 히로뽕 제조에 착수하였다고 볼 수 없다(대판 1983.11.22, 83도2590). 17. 순경 1차

  ▶ **유사판례** : 필로폰을 매수하려는 자에게서 필로폰을 구해 달라는 부탁과 함께 돈을 지급받았다고 하더라도, 당시 필로폰을 소지 또는 입수한 상태에 있었다는 등 매매행위에 근접·밀착한 상태에서 대금을 지급받은 것이 아니라 단순히 필로폰을 구해 달라는 부탁과 함께 대금 명목으로 돈을 지급 받은 것에 불과한 경우에는 필로폰 매매행위의 실행의 착수에 이른 것이라고 볼 수 없다(대판 2015.3.20, 2014도16920). 18. 순경 1차·3차, 21. 7급 검찰, 22. 법원행시·경찰승진, 24. 해경경위

  ▶ **비교판례** : 마약류를 소지 또는 입수하였거나 그것이 가능한 상태에 있었고, 甲이 그러한 상태에 있는 乙에게 그 매매대금을 송금하였다는 사실만으로 甲이 마약류 매수행위에 근접·밀착하는 행위를 하였다고 볼 수 있으므로 대마 또는 향정신성의약품 매매행위의 실행의 착수를 인정할 수 있다(대판 2020.7.9, 2020도2893). 21. 경력채용

16. 병역법은 '병역의무를 기피하거나 감면받을 목적으로 도망가거나 행방을 감춘 경우 또는 신체를 손상하거나 속임수를 쓴' 경우를 처벌의 대상으로 하고 있는바, 입영대상자가 병역면제처분을 받을 목적으로 병원으로부터 허위의 병사용 진단서를 발급받았다면 이로써 그 죄의 실행에 착수한 것으로 볼 수 없다〔대판 2005.10.13, 2005도2200 ∵ 병역을 기피할 목적으로 사위의 방법으로 발급받은 병사용 진단서를 관할 병무청에 제출하거나 징병검사장에 출석하여 사위(속임수)의 방법으로 신체검사를 받는 등의 행위에까지 이르지 않았다면 병역법 제86조에서 규정하고 있는 사위행위의 실행에 이르렀다고 할 수 없다〕. 22. 7급 검찰, 23. 경찰승진, 24. 해경경장, 25. 해경 1차

17. 부정경쟁방지 및 영업비밀보호에 관한 법률 제18조 제2항의 영업비밀부정사용죄에 있어서는 행위자가(당해 영업비밀과 관계된 영업활동에 이용·활용할 의사로) 그 영업활동에 근접한 시기에 영업비밀을 열람하는 행위나(영업비밀이 전자파일의 형태인 경우) 저장의 단계를 넘어서 해당 전자파일을 실행하는 행위를 하였다면 그 실행의 착수가 있다(대판 2009.10.15, 2008도9433). 13. 순경 2차, 17. 순경 1차

18. 피고인이 외화를 반출하기 위하여 일화 400만엔이 들어 있는 휴대용 가방을 가지고 보안검색대에 나아가지 않은 채 공항 내에서 탑승을 기다리고 있던 중에 체포되었다면, 외국환거래법 위반죄의 실행의 착수가 있다고 볼 수 없다(대판 2001.7.27, 2000도4298). 22. 경찰승진, 23. 법원행시·순경 2차

19. 체포죄는 계속범으로서 체포의 행위에 확실히 사람의 신체의 자유를 구속한다고 인정할 수 있을 정도의 시간적 계속이 있어야 하나, 체포의 고의로써 타인의 신체적 활동의 자유를 현실적으로 침해하는 행위를 개시한 때(예 팔을 잡아당기거나 등을 미는 등의 방법으로 끌고 간 때) 체포죄의 실행에 착수하였다고 볼 것이다(대판 2018.2.28, 2017도21249). 22. 법원행시·9급 검찰·마약수사·철도경찰

20. 법률사무의 수임에 관하여 당사자를 특정 변호사에게 소개한 후 그 대가로 금품을 수수하면 변호사법 제109조 제2호, 제34조 제1항을 위반하는 죄가 성립하는바, 소개의 대가로 금품을 받을 고의를 가지고 변호사에게 소개를 하면 실행의 착수를 인정할 수 있다(대판 2006.4.7, 2005도9858 전원합의체). 21. 경력채용

21. 은행강도 범행으로 강취할 돈을 송금받을 계좌를 개설한 것만으로는 범죄수익 등의 은닉에 관한 죄의 실행에 착수한 것으로 볼 수 없다(대판 2007.1.11, 2006도5288). 10. 9급 검찰, 24. 법원행시

22. 북한과의 범민족단합대회추진을 위한 예비회담을 하기 위하여 판문점을 향하여 출발하려 하였다면 국가보안법상 회합예비죄에 해당하고 회합죄의 실행에 착수하였다고 볼 수 없다(대판 1990.8.28, 90도1217). 06. 사시

23. 비지정문화재를 국외로 반출하는 행위에 근접·밀착하는 행위가 행해진 때 ⇨ 비지정문화재의 수출미수죄 성립〔따라서 수출할 사람에게 비지정문화재를 판매하려다가 가격절충이 되지 않아 계약이 성사되지 못하였다면 비지정문화재수출미수죄가 성립하지 아니한다(대판 1999.11.26, 99도2461) : 실질적 객관설(밀접행위설)〕 06. 경찰승진

24. 로렉스 손목시계 1개를 출국 당시 차고 나간 신변 휴대품인 양 손목에 차고 이를 세관에 신고하지 아니하고 몰래 반입하려는 의사로 위 시계를 손목에 찬 채 다른 물품이 들어 있는 가방을 세관 검사대에 올려놓았다면 관세포탈죄의 실행의 착수가 있는 것이다(대판 1987.11.24, 87도1571). 25. 해경경사

25. 국제우편 등을 통하여 향정신성의약품을 수입하는 경우에는 국내에 거주하는 사람이 수신인으로 명시되어 발신국의 우체국 등에 향정신성의약품이 들어 있는 우편물을 제출할 때에 범죄의 실행에 착수하였다고 볼 수 있다(대판 2019.5.16, 2019도97). 23. 순경 1차, 24. 해경경위, 25. 해경 1차, 26. 경찰승진

26. 범인이 피해자를 촬영하기 위하여 육안 또는 캠코더의 줌 기능을 이용하여 피해자가 있는지 여부를 탐색하다가 피해자를 발견하지 못하고 촬영을 포기한 경우에는 촬영을 위한 준비행위에 불과하여 성폭력범죄의 처벌 등에 관한 특례법 위반(카메라 등 이용촬영)죄의 실행에 착수한 것으로 볼 수 없다. 이에 반하여 범인이 카메라 기능이 설치된 휴대전화를 피해자의 치마 밑으로 들이밀거나, 피해자가 용변을 보고 있는 화장실 칸 밑 공간 사이로 집어넣는 등 카메라 등 이용 촬영 범행에 밀접한 행위를 개시한 경우에는 성폭력처벌법 위반(카메라 등 이용촬영)죄의 실행에 착수하였다고 볼 수 있다(대판 2021.3.25, 2021도749). 22. 법원행시, 25. 경찰승진·경대편입, 26. 변호사시험

● **실행의 기수시기**

1. 일반적으로 사람에게 공포심을 일으킬 수 있는 정도의 해악의 고지가 상대방에게 도달하여 상대방이 그 의미를 인식했지만 현실적으로 공포심을 일으키지 않은 경우 ⇨ 협박죄 기수(미수 ×, 대판 2006. 4.7, 2005도9858 전원합의체) 18. 경찰승진, 20. 해경승진·9급 철도경찰, 21. 경찰간부

2. 형법 제335조에서 준강도를 강도죄의 예에 따라 처벌하는 취지는, 강도죄와 준강도죄의 구성요건인 재물탈취와 폭행·협박 사이에 시간적 순서상 전후의 차이가 있을 뿐 실질적으로 위법성이 같다고 보기 때문에 취지와 본질을 달리 한다고 볼 수 없으므로, 준강도죄의 기수 여부는 절도행위의 기수 여부를 기준으로 하여 판단하여야 하며, 이와는 달리 폭행 또는 협박이 종료되었는가 하는 점에 따라 결정할 것이 아니다(대판 2004.11.18, 2004도5074 전원합의체 **예** 양주를 절취할 목적으로 주점에 들어가 양주를 담고 있던 중 피해자가 들어오는 소리에 이를 두고 도망가려다가 피해자에게 붙잡혀 체포를 면탈하기 위해 폭행을 가한 경우 ⇨ 준강도죄의 미수범 ○, 기수범 ×). 20. 7급 검찰, 23. 변호사시험, 24. 해경간부·경력채용·순경 1차, 26. 경찰승진

3. 주거침입의 고의로 야간에 타인의 집 창문을 열고 집 안으로 얼굴을 들이밀어 사실상의 주거의 평온을 해한 경우 ⇨ 주거침입죄 기수(미수 ×, 대판 1995.9.15, 94도2561 전원합의체) 15. 순경 1차, 18. 법원직, 20. 9급 철도경찰

4. 금융기관 직원이 전산단말기를 이용하여 다른 공범들이 지정한 특정계좌에 돈이 입금된 것처럼 허위의 정보를 입력하는 방법으로 위 계좌로 입금되도록 한 경우, 그 후 그러한 입금이 취소되어 현실적으로 인출되지 못한 경우 ⇨ 컴퓨터사용사기죄 기수(미수 ×, 대판 2006.9.14, 2006도4127) 18. 순경 1차, 21. 경찰간부, 26. 경찰승진

5. 특수강간이 미수에 그쳤다 하더라도 그로 인하여 피해자가 상해를 입었으면 특수강간치상죄가 성립하고, 특수강간의 죄를 범한 자가 피해자에 대하여 상해의 고의를 가지고 피해자에게 상해를 입히려다가 미수에 그친 경우에는 특수강간상해죄의 미수범으로 처벌된다(대판 2008.4.24, 2007도10058). **예** ① 위험한 물건인 전자충격기를 피해자의 허리에 대고 피해자를 폭행하여 강간하려다가 미수에 그치고 피해자에게 약 2주간의 치료를 요하는 안면부 좌상 등의 상해를 입힌 경우, 성폭력범죄의 처벌 등에 관한 특례법상 특수강간치상죄의 기수범(미수범 ×)이 성립한다). 20. 순경 2차, 22. 경찰간부·9급 검찰·마약수사·철도경찰, 23. 변호사시험, 24. 해경승진

　② 강도치상죄(결과적 가중범)와 동일하게 강도상해죄(결과범)도 강도가 미수에 그쳤더라도 상해가 발생하면 강도상해죄(기수)가 된다(대판 1969.3.18, 69도154). 22. 순경 1차

6. 경찰서에 허위 내용의 고소장을 우송하였고 그 고소장이 도달하였다면 수사에 착수하기 전에 그 고소장을 다시 반환받았다고 하더라도 무고죄의 기수가 된다(대판 1985.2.8, 84도2215). 16. 7급 검찰·경찰승진, 19. 9급 검찰·마약수사·철도경찰, 23. 순경 2차, 24. 경력채용

7. ① 회사의 대표이사가 대표권을 남용하여 회사 명의의 약속어음을 발행한 사실을 상대방이 알았거나 알 수 있었을 때에 해당하여 약속어음 발행이 무효(회사가 상대방에 대하여 채무부담 ×)라 하더라도 그 어음이 실제로 제3자에게 유통되었다면 배임죄의 기수범이 되고(∵ 약속어음 발행의 경우 어음법상 발행인은 종전의 소지인에 대한 인적 관계로 인한 항변으로써 소지인에게 대항하지 못함. ∴ 회사로서는 어음채무를 부담할 위험이 구체적·현실적으로 발생), 유통되지 않았다면 배임미수죄(∵ 손해발생이나 실해발생의 위험 ×)이다(대판 2017.7.20, 2014도1104 전원합의체). 18. 법원행시·순경 3차, 20. 법원직, 21. 경찰간부·7급 검찰·순경 2차, 25. 변호사시험

② 상대방이 대표권 남용 사실을 알지 못한 경우 : 그 의무부담행위가 회사에 대하여 유효 ⇨ 회사의 채무발생(이행의무 부담) 자체로 현실적인 손해 또는 재산상 실해발생의 위험 ○ ⇨ 그 채무가 현실적으로 이행되기 전이라도 배임죄의 기수 ○(대판 2017.7.20, 2014도1104 전원합의체) 22. 변호사시험

8. 대금을 결제하기 위하여, 절취한 타인의 신용카드를 제시하고 신용카드회사의 승인까지 받았으나 매출전표에 서명한 사실이 없고 도난카드임이 밝혀져 최종적으로 매출취소로 거래가 종결되었다면 여신전문금융업법상 신용카드부정사용의 미수행위에 해당하나, 여신전문금융업법에 위와 같은 미수행위를 처벌하는 규정이 없어 무죄이다(대판 2008.2.14, 2007도8767). 16. 경찰간부, 18. 변호사시험

9. 위조사문서행사죄는 상대방이 위조된 문서의 내용을 실제로 인식할 필요 없이 상대방으로 하여금 위조된 문서를 인식할 수 있는 상태에 둠으로써 기수가 된다(대판 2005.1.28, 2004도4663). 15. 법원행시, 17. 경찰승진

10. 甲이 카메라폰으로 피해여성의 치마 속 신체 부위를 동영상 촬영 중 경찰에게 발각되어 저장버튼을 누르지 않고 촬영을 종료하였다면 성폭력범죄의 처벌 등에 관한 특례법상 카메라 등 이용 촬영죄의 기수이다(대판 2011.6.9, 2010도10677). 18. 순경 1차, 23. 법원행시 · 순경 2차, 26. 변호사시험

11. 야간에 아무도 없는 카페 내실에 침입하여 장식장 안에 들어 있던 정기적금통장 등을 꺼내 들고 카페로 나오던 중 발각되어 돌려준 경우 ⇨ 야간주거침입절도죄의 기수범(대판 1991.4.23, 91도476) 14. 변호사시험, 20. 7급 검찰

12. 부동산에 대한 공갈죄는 그 부동산에 관하여 소유권이전등기를 경료받거나 또는 인도를 받은 때에 기수로 되는 것이고, 소유권이전등기에 필요한 서류를 교부받은 때에 기수로 되어 그 범행이 완료되는 것은 아니다(대판 1992.9.14, 92도1506). 15. 법원직, 19. 수사경과, 20. 경찰승진, 24. 경찰간부

13. 도박장소 등 개설죄는 영리의 목적으로 도박을 하는 장소나 공간을 개설하면 기수에 이르고, 실제로 도박이 행하여져야 기수가 되는 것은 아니다(대판 2009.12.10, 2008도5282). 11. 법원직, 22. 경찰승진

14. 피해자들을 공갈하여 피해자들로 하여금 지정한 예금구좌에 돈을 입금케 한 이상, 위 돈은 범인이 자유로이 처분할 수 있는 상태에 놓인 것으로서 공갈죄는 이미 기수에 이르렀다 할 것이다(대판 1985.9.24, 85도1687). 15. 사시

▶ **유사판례** : 甲이 타인의 명의를 빌려 예금계좌를 개설한 후 통장과 도장은 명의인에게 보관시키고 자신은 위 계좌의 현금인출카드를 소지한 채 명의인을 기망하여 위 계좌로 돈을 송금하게 하였지만 그 돈을 인출하지 않고 있던 중 명의인이 이를 인출한 경우, 甲은 사기죄의 기수가 된다(대판 2003.7.25, 2003도2252 ∵ 송금받은 돈을 자신의 지배하에 두게 되어 편취행위는 기수에 이르렀다). 11. 법원직, 21. 9급 검찰 · 마약수사 · 철도경찰

15. ① 회사직원이 재직 중에 영업비밀 또는 영업상 주요한 자산을 경쟁업체에 유출하거나 스스로의 이익을 위하여 이용할 목적으로 무단으로 반출하였다면 유출 또는 반출시에 업무상 배임죄의 기수가 된다(대판 2017.6.29, 2017도3808). 17. 순경 2차

② 회사직원이 영업비밀 등을 적법하게 반출하여 반출행위가 업무상 배임죄에 해당하지 않는 경우라도, 퇴사시에 영업비밀 등을 회사에 반환하거나 폐기할 의무가 있음에도 경쟁업체에 유출하거나 스스로의 이익을 위하여 이용할 목적으로 이를 반환하거나 폐기하지 아니하였다면, 이러한 행위 역시 퇴사시에 업무상 배임죄의 기수가 된다(대판 2017.6.29, 2017도3808). 17. 순경 2차

16. 공무원이 뇌물로 투기적 사업에 참여할 기회를 제공받은 경우, 뇌물수수죄의 기수시기는 투기적 사업에 참여하는 행위가 종료된 때로 보아야 한다(대판 2002.11.26, 2002도3539). 17. 순경 2차

17. 다가구용 단독주택인 빌라의 잠기지 않은 대문을 몰래 열고 들어가 공용 계단으로 빌라 3층까지 올라갔다가 1층으로 내려온 경우 ⇨ 주거침입죄의 기수(미수 ×, 대판 2009.8.20, 2009도3452) 15. 순경 1차, 18. 9급 철도경찰, 19. 경찰간부

18. 타인의 사무를 처리하는 자가 배임의 범의로, 즉 임무에 위배하는 행위를 한다는 점과 이로 인하여 자기 또는 제3자가 이익을 취득하여 본인에게 손해를 가한다는 점에 대한 인식이나 의사를 가지고 임무에 위배한 행위를 개시한 때 배임죄의 실행에 착수한 것이고, 이러한 행위로 인하여 자기 또는 제3자가 이익을 취득하여 본인에게 손해를 가한 때 배임죄는 기수가 된다(대판 2017.9.21, 2014도 9960). 18. 법원행시

19. 甲이 미성년자 A를 약취하여 돈을 요구하였으나 A의 부모가 가난한 사실을 알고 A를 돌려보냈다면 甲의 행위는 특정범죄 가중처벌 등에 관한 법률상 재물요구죄의 기수에 해당한다(대판 1978.7.25, 78도1418 ∴ 甲의 행위 ⇨ 중지미수 ×). 16. 사시, 24. 해경순경

20. 피해자의 해외도피를 방지하기 위하여 피해자를 협박하고 이에 피해자가 겁을 먹고 있는 상태를 이용하여 피해자 소유의 여권을 교부하게 함으로써 피해자가 그의 여권을 강제회수 당하였다면 강요 죄의 기수가 성립한다(대판 1993.7.27, 93도901). 19. 경찰간부, 25. 해경경위

21. 저작권 침해 게시물을 인터넷 웹사이트 서버 등에 업로드하여 공중의 구성원이 개별적으로 선택한 시간 과 장소에서 접근할 수 있도록 이용에 제공하면, 공중에게 침해 게시물을 실제로 송신하지 않더라도 저작권법상 공중송신권 침해는 기수에 이른다(대판 2021.9.9, 2017도19025 전원합의체). 22. 순경 1차

22. 마약류 관리에 관한 법률에서 정한 향정신성의약품 수입행위로 인한 위해 발생의 위험은 향정신성의 약품의 양륙 또는 지상반입에 의하여 발생하고 그 의약품을 선박이나 항공기로부터 양륙 또는 지상에 반입함으로써 기수에 달한다(대판 2019.5.16, 2019도97).

23. 甲이 A로부터 위탁받아 식재·관리하여 오던 나무들을 A 모르게 제3자에게 매도하는 계약을 체결하 고 그 제3자로부터 계약금을 수령한 상태에서 A에게 적발되어 위 계약이 더 이행되지 아니하고 무위로 그쳤다면, 甲에게는 횡령미수죄가 성립한다(대판 2012.8.17, 2011도9113). 15. 사시, 18. 수사경과, 23. 변호사시험

24. 법정에서 선서한 증인이 일단 기억에 반하는 허위의 진술을 하였다가 그 신문이 끝나기 전에 그 진술을 철회·시정한 경우에는 위증이 되지 아니한다(대판 1984.3.27, 83도2583 ∵ 증인신문절차가 종료된 때에 위증죄는 기수에 달함). 21. 수사경과, 24. 경찰승진, 25. 9급 검찰·마약수사·철도경찰

25. 아동 성적 학대죄의 행위자는 인터넷 등 정보통신망을 이용하거나 휴대전화 등 통신매체를 통하여 아동에게 성적 수치심을 주는 성희롱성 또는 음란한 말이나 글, 영상 등을 도달하게 하는 방법으로도 아동에 대한 성적 학대 범행을 저지를 수 있다. 이 경우 해당 아동이 성적 수치심을 주는 성희롱성 또는 음란한 말이나 글, 영상 등을 직접 접하거나 인식한 경우뿐만 아니라 객관적으로 이를 접하거나 인식할 수 있는 상태에 이르렀다면, 아동 성적 학대죄의 기수가 성립한다(대판 2025.7.18, 2025도3890 예 피고인이 휴대전화를 이용하여 8세 여아 甲에게 2회에 걸쳐 피고인의 성기 사진이 포함된 메시지 를 전송함으로써 甲에게 성적 수치심을 주는 성희롱 등의 성적 학대를 한 경우, 甲의 어머니가 피고인 의 메시지를 차단하여 甲이 실제로 확인하지 못한 메시지는 甲의 휴대전화 '차단된 메시지보관함'에 저장되어 甲이 언제든지 그 메시지에 손쉽게 접근하거나 인식할 수 있는 상태에 이르렀으므로, 기수 가 성립한다).

1 상해죄, 감금죄, 협박죄, 주거침입죄, 퇴거불응죄, 횡령죄, 손괴죄, 공문서·사문서·유가증권위조죄, 사인위조죄, 현주건조물방화죄, 불법체포죄, 공무상 비밀표시무효죄, 공무상 보관물무효죄, 도주죄, 특수도주죄 등은 미수범 처벌규정이 있다. (　　)

17. 순경 1차, 21. 해경승진·해경 2차, 24. 법원행시·순경 2차, 25. 해경경위

2 중상해죄, 폭행죄, 장물죄, 점유이탈물횡령죄, 강제집행면탈죄, 사문서부정행사죄, 타인소유일반물건방화죄, 진화방해죄, 직무유기죄, 공무집행방해죄, 위증죄, 증거인멸죄, 무고죄, 명예훼손죄, 유기죄, 범죄단체조직죄, 상습도박죄 등은 미수범 처벌규정이 없다. (　　)

17. 순경 1차, 21. 해경승진·해경 2차, 24. 법원행시·순경 2차, 25. 해경경위

3 형법에는 과실범의 미수를 처벌하는 규정이 존재한다. (　　)

15. 변호사시험, 24. 경대편입, 25. 9급 철도경찰

※ 판례에 의할 때 (　　)범죄의 실행의 착수를 인정한 경우(○)와 불인정한 경우(×)를 ○, ×로 표기하시오. (4～35)

4 소매치기가 금품을 절취하려고 타인의 호주머니에 손을 뻗쳐 그 겉을 더듬은 경우(절도죄) (　　)

16. 경찰승진, 20. 9급 검찰·마약수사··찰, 23. 해경 3차

5 길에 세워 놓은 자동차 안에 있는 물건을 훔칠 생각으로 유리창을 통해 그 내부를 손전등으로 살펴보다가 체포된 경우(절도죄) (　　)

20. 경찰승진·법원직·7급 검찰, 22. 변호사시험·해경 3차, 25. 해경 1차

6 침입 대상인 아파트에 사람이 있는지 확인하기 위해 초인종을 누른 행위(주거침입죄) (　　)

16. 7급 검찰, 20. 경찰승진, 24. 9급 철도경찰

7 야간에 아파트에 침입하여 물건을 훔칠 의도하에 아파트의 베란다 철제난간까지 올라가 유리창문을 열려고 시도한 경우(야간주거침입절도죄) (　　)

17. 9급 검찰, 20. 해경승진, 23. 경찰승진, 24. 해경경장, 25. 법원직

8 야간에 다세대주택에 침입하여 물건을 절취하기 위하여 가스배관을 타고 오르다가 순찰 중이던 경찰관에게 발각되어 그냥 뛰어내린 경우(야간주거침입절도죄) (　　)

18. 경찰간부, 19. 변호사시험, 24. 경찰승진

9 야간에 타인의 재물을 절취할 목적으로 출입문이 열려 있으면 안으로 들어가겠다는 의사 아래 출입문을 당겨보는 행위(야간주거침입절도죄) (　　)

16. 법원행시, 18. 9급 철도경찰, 20. 7급 검찰, 23. 해경승진

10 주간에 사람의 주거 등에 침입하여 야간에 타인의 재물을 절취한 경우(야간주거침입절도죄) (　　)

16. 순경 2차, 20. 9급 검찰

Answer ▶ 1. ○　2. ○　3. ×　4. ○　5. ×　6. ×　7. ○　8. ×　9. ○　10. ×

11 두 사람이 공모 합동하여 야간에 타인의 재물을 절취하려고 한 사람은 망을 보고 다른 한 사람은 도구를 가지고 출입문의 자물쇠를 떼어낸 경우(제331조 제1항 특수절도죄) (   )

16. 변호사시험·경찰간부, 20. 7급 검찰, 21. 해경간부

12 피고인들이 낮에 아파트 출입문 시정장치를 손괴하다가 발각되어 도주한 경우(제331조 제2항 특수절도죄) (   )   16. 변호사시험, 17. 법원행시, 18. 법원직·9급 철도경찰, 20. 경찰간부, 24. 경찰승진

13 실제로 폭행·협박에 의해 피해자의 항거가 불능하게 되거나 현저히 곤란하게 되었을 때(강간죄) (   )

16. 9급 철도경찰, 21. 법원행시

14 강간을 목적으로 피해자가 자고 있는 안방에 들어가서 피해자의 가슴과 엉덩이를 더듬은 경우 (강간죄) (   )   18. 경찰간부·법원직, 20. 경찰승진, 23. 법원행시

15 피고인이 혼자 걸어가는 피해자 甲(여, 17세)을 발견하고 가까이 접근하여 껴안으려 하였으나, 甲이 뒤돌아보면서 소리치자 되돌아간 경우(강제추행죄) (   )

20. 경찰간부·해경승진, 21. 7급 검찰, 24. 9급 철도경찰, 25. 변호사시험·경대편입

16 장애인단체의 지회장이 지방자치단체로부터 보조금을 더 많이 지원받기 위하여 허위의 보조금 정산보고서를 제출한 경우(사기죄) (   )   16. 9급 철도경찰, 20. 법원직, 21. 경찰간부, 23. 해경 3차

17 피고인이 외화를 반출하기 위하여 일화 400만엔이 들어 있는 휴대용 가방을 가지고 보안검색대에 나아가지 않은 채 공항 내에서 탑승을 기다리고 있던 중에 체포된 경우(외국환거래법 위반죄) (   )   14. 변호사시험, 22. 경찰승진, 23. 법원행시·순경 2차

18 사기도박에서 사기적인 방법으로 도금을 편취하려는 자가 상대방에게 도박에 참여할 것을 권유 하는 때(사기죄) (   )   17. 법원직·9급 검찰, 21. 경력채용, 24. 해경승진·경찰승진, 25. 7급 검찰

19 법원을 기망하여 자기에게 유리한 판결을 얻고자 소송을 제기한 자가 상대방의 주소를 허위로 기재하여 소송을 제기한 경우(소송사기죄) (   )   16. 7급 검찰, 18. 순경 2차, 19. 경찰승진, 21. 경찰간부

20 소의 제기 없이 허위의 채권을 비보전권리로 삼아 가압류신청을 한 것(소송사기죄) (   )

17. 순경 1차, 18. 경찰간부, 23. 해경 3차, 24. 해경승진, 25. 9급 철도경찰·해경경사

21 타인의 사망을 보험사고로 하는 생명보험계약을 체결함에 있어 제3자가 피보험자인 것처럼 가 장하여 체결하는 등으로 그 유효요건이 갖추어지지 못한 경우, 보험사고의 우연성과 같은 보험 의 본질을 해칠 정도라고 볼 수 있는 특별한 사정이 없더라도, 그와 같이 하자 있는 보험계약을 체결한 행위는 보험금을 편취하려는 의사에 의한 기망행위의 실행에 착수한 것으로 볼 수 있다. (   )   19. 경찰간부, 21. 법원직·해경간부, 22. 경찰승진, 24. 9급 철도경찰·순경 2차

22 피담보채권인 공사대금 채권을 실제와 달리 허위로 크게 부풀려 유치권에 의한 경매를 신청할 경우(소송사기죄) (   )   17. 순경 1차, 19. 경찰간부·경찰승진, 21. 7급 검찰

Answer ▶ 11. ○   12. ×   13. ×   14. ×   15. ○   16. ×   17. ×   18. ○   19. ○   20. ×   21. ×
22. ○

23 허위채권에 기한 공정증서를 집행권원으로 하여 채무자의 소유권이전등기청구권에 대하여 압류 신청을 한 경우(소송사기죄) (   )

14. 경찰간부 · 순경 3차, 22. 7급 검찰, 23. 순경 1차, 25. 경찰승진 · 해경경위 · 경대편입

24 부동산의 이중양도에 있어서 부동산의 매도인인 甲이 제1차 매수인인 乙로부터 계약금 및 중도금 명목의 금원을 교부받은 후 제2차 매수인에게 계약금만을 지급받은 뒤 더 이상의 계약이행에 나아가지 않는 경우(배임죄) (   ) 20. 9급 검찰, 21. 경찰간부 · 해경간부, 24. 해경승진, 25. 경위공채 · 7급 검찰

25 업무상 배임죄에서 타인과의 신뢰관계에서 일정한 임무에 따라 사무를 처리할 법적 의무가 있는 자가 그 상황에서 당연히 할 것이 법적으로 요구되는 행위를 하지 않은 경우(업무상 배임죄) (   )

22. 법원행시, 23. 순경 1차, 24. 경찰승진, 25. 법원직

26 간첩목적으로(국가기밀을 탐지 · 모집하기 위하여) 대한민국 지배지역 내에 잠입 · 침투상륙한 때(간첩죄) (   )

15. 경찰승진, 18. 경찰간부, 25. 해경경위 · 7급 검찰

27 방화의 의사로 뿌린 휘발유가 인화성이 강한 상태로 주택주변과 피해자의 몸에 적지 않게 살포되어 있는 사정을 알면서도 라이터를 켜 불꽃을 일으킴으로써 피해자의 몸에 불이 붙은 경우(현주건조물방화죄) (   )

15. 경찰승진, 18. 순경 1차, 23. 해경승진, 25. 법원직

28 위장결혼의 당사자 및 브로커와 공모한 피고인이 허위로 결혼사진을 찍고 혼인신고에 필요한 서류를 준비하여 위장결혼의 당사자에게 건네준 때(공전자기록부실기재죄) (   )

18. 순경 1차 · 3차, 19. 경찰간부, 20. 해경승진, 23. 경찰승진, 24. 해경경장, 25. 해경경위

29 필로폰을 매수하려는 자에게서 필로폰을 구해 달라는 부탁과 함께 돈을 지급받았다고 하더라도, 당시 필로폰을 소지 또는 입수한 상태에 있었거나 그것이 가능하였다는 등 매매행위에 근접밀착한 상태에서 대금을 지급받은 것이 아니라 단순히 필로폰을 구해달라는 부탁과 함께 대금명목으로 돈을 지급 받은 것에 불과한 경우에는 필로폰 매매행위의 실행의 착수에 이르렀다고 볼 수 없다. (   )

18. 순경 1차 · 3차, 21. 7급 검찰, 22. 법원행시 · 경찰승진, 24. 해경경위

30 입영대상자가 병역면제처분을 받을 목적으로 병원으로부터 허위의 병사용 진단서를 발급받은 경우(병역법 위반죄) (   )

22. 7급 검찰, 23. 경찰승진, 24. 해경경장, 25. 해경 1차

31 甲이 乙로부터 국제우편을 통해 향정신성의약품을 수입하는 경우, 필로폰을 받을 국내 주소를 알려주었으나 乙이 필로폰이 들어 있는 우편물을 발신국의 우체국에 제출하지 않은 경우(향정신성의약품수입죄) (   )

23. 순경 1차, 24. 해경경위, 25. 해경 1차, 26. 경찰승진

32 甲이 피해자를 촬영하기 위하여 육안 또는 캠코더의 줌 기능을 이용하여 피해자가 있는지 여부를 탐색하다가 피해자를 발견하지 못하고 촬영을 포기한 경우(카메라이용촬영죄) (   )

22. 법원행시, 25. 경찰승진 · 경대편입

Answer ▶ 23. ○   24. ×   25. ○   26. ○   27. ○   28. ×   29. ○   30. ×   31. ×   32. ×

※ 판례에 의할 때 ( )범죄의 기수를 인정한 경우(○)와 불인정한 경우(×)를 ○, ×로 표기하시오. (37~45)

33 일반적으로 사람에게 공포심을 일으킬 수 있는 정도의 해악의 고지가 상대방에게 도달하여 상대방이 그 의미를 인식했지만 현실적으로 공포심을 일으키지 않은 경우(협박죄) (   )

18. 경찰승진, 20. 해경승진 · 9급 철도경찰, 21. 경찰간부

34 주거침입의 고의로 야간에 타인의 집 창문을 열고 집 안으로 얼굴을 들이밀어 사실상의 주거의 평온을 해한 경우(주거침입죄) (   )

15. 순경 1차, 18. 법원직, 20. 9급 철도경찰

35 금융기관 직원이 전산단말기를 이용하여 다른 공범들이 지정한 특정계좌에 돈이 입금된 것처럼 허위의 정보를 입력하는 방법으로 위 계좌로 입금되도록 한 경우, 그 후 그러한 입금이 취소되어 현실적으로 인출되지 못한 경우(컴퓨터사용사기죄) (   )

18. 순경 1차, 21. 경찰간부, 26. 경찰승진

36 절도미수범이 체포를 면탈할 목적으로 폭행한 행위(준강도죄) (   )

18. 법원직, 20. 7급 검찰, 23. 변호사시험 · 경찰승진, 24. 해경간부 · 경력채용 · 순경 1차

37 타인을 협박하여 부동산에 관한 소유권이전등기에 필요한 서류를 교부받은 때(공갈죄) (   )

15. 법원직, 19. 수사경과, 20. 경찰승진, 24. 경찰간부

38 위험한 물건인 전자충격기를 피해자의 허리에 대고 피해자를 폭행하여 강간하려다가 미수에 그치고 피해자에게 상해를 입힌 경우(특수강간치상죄) (   )

20. 순경 2차, 22. 경찰간부 · 9급 검찰 · 마약수사 · 철도경찰, 23. 변호사시험, 24. 해경승진

39 영리의 목적으로 도박을 하는 장소나 공간을 개설하였으나, 실제로 도박이 행하여지지 않는 경우(도박장소 등 개설죄) (   )

15. 경찰간부, 18. 수사경과, 22. 경찰승진 · 순경 2차

40 甲이 카메라폰으로 피해여성의 치마 속 신체 부위를 동영상 촬영 중 경찰에게 발각되어 저장버튼을 누르지 않고 촬영을 종료한 경우(카메라 이용 촬영죄) (   )

16. 사시, 18. 순경 1차, 23. 법원행시 · 순경 2차, 26. 변호사시험

41 甲이 허위내용의 고소장을 경찰관에게 제출하였다가 그 경찰관으로부터 고소장의 내용만으로는 범죄 혐의가 없는 것이라 하므로 그 고소장을 되돌려 받은 경우(무고죄) (   )

16. 경찰승진 · 7급 검찰, 19. 9급 검찰 · 마약수사 · 철도경찰, 23. 순경 2차, 24. 경력채용

42 주식회사의 대표이사가 대표권을 남용하는 등 그 임무에 위배하여 약속어음을 발행하였는데 그 약속어음의 발행이 무효일 뿐만 아니라 유통되지도 않은 경우(배임죄) (   )

18. 법원행시 · 순경 3차, 20. 법원직, 21. 경찰간부 · 7급 검찰 · 순경 2차, 25. 변호사시험

43 법정에서 선서한 증인이 일단 기억에 반하는 허위의 진술을 하였다가 그 신문이 끝나기 전에 그 진술을 철회 · 시정한 경우(위증죄) (   )

19. 법원직, 21. 수사경과, 24. 경찰승진 · 순경 1차, 25. 9급 검찰 · 마약수사 · 철도경찰

Answer ▸ 33. ○ 34. ○ 35. ○ 36. × 37. × 38. ○ 39. ○ 40. ○ 41. ○ 42. × 43. ×

01 실행의 착수에 관한 설명 중 옳지 않은 것으로 짝지은 것은?(다툼이 있는 경우 판례에 의함)

18. 경찰간부

> ㉠ 야간에 다세대주택에 침입하여 물건을 절취하기 위하여 가스 배관을 타고 오르다가 순찰 중이던 경찰관에게 발각되어 그냥 뛰어내린 경우 야간주거침입절도죄의 실행의 착수가 있다.
> ㉡ 가압류는 강제집행의 보전방법에 불과한 것이어서 허위의 채권을 피보전권리로 삼아 가압류를 하였다고 하더라도 본안소송을 제기하지 아니하였다면 사기죄의 실행에 착수가 없다.
> ㉢ 간첩의 목적으로 외국 또는 북한에서 국내에 침투 또는 월남하는 경우에는 기밀탐지가 가능한 국내에 침투 상륙함으로써 간첩죄의 실행의 착수가 있다.
> ㉣ 허위채권에 기한 공정증서를 집행권원으로 하여 채무자의 소유권이전등기청구권에 대하여 압류신청을 한 것만으로는 소송사기의 실행에 착수한 것으로 볼 수 없다.
> ㉤ 甲이 강간할 목적으로 乙의 집에 침입해 안방에 들어가 누워 자고 있는 乙의 가슴과 엉덩이를 만지면서 간음을 기도하였다면 실행의 착수가 있다.
> ㉥ 부동산 이중양도에 있어서 매도인이 제2차 매수인으로부터 계약금만을 지급받고 중도금을 수령한 바 없다면 배임죄의 실행의 착수가 있었다고 볼 수 없다.

① ㉠, ㉡, ㉤   ② ㉡, ㉢, ㉥   ③ ㉠, ㉣, ㉤   ④ ㉡, ㉣, ㉥

해설 ㉠ × : 실행의 착수 ×(대판 2008.3.27, 2008도917)
㉡ ○ : 대판 1988.9.13, 88도55
㉢ ○ : 대판 1984.9.11, 84도1381
㉣ × : 실행의 착수 ○(대판 2015.2.12, 2014도10086)
㉤ × : 실행의 착수 ×(대판 1990.5.25, 90도607)
㉥ ○ : 대판 2003.3.25, 2002도7134

02 실행의 착수에 관한 설명으로 가장 옳은 것은?(다툼이 있는 경우 판례에 의함)

20. 경찰간부, 21. 해경승진

① 예비·음모 후 실행의 착수로 나아가기를 자의로 포기한 경우 중지범 규정을 유추적용 할 수 있다.
② 2인 이상이 합동하여 주간에 피해자의 아파트 출입문 시정 장치를 손괴하다가 발각되어 도주한 경우 형법 제331조 제2항 특수절도죄의 실행의 착수가 인정된다.
③ 이른바 '기습추행'의 경우 피고인의 팔이 피해자의 몸에 닿지 않았더라도 양팔을 높이 들어 갑자기 뒤에서 껴안으려고 한 경우 강제추행죄의 실행의 착수가 인정된다.
④ 범죄수익은닉의 규제 및 처벌 등에 관한 법률상 범죄수익 등의 은닉에 관한 죄의 경우, 강도 범행을 통해 강취할 돈을 송금받기 위해 계좌를 개설한 때 실행의 착수가 인정된다.

Answer 01. ③ 02. ③

[해설] ① × : 중지범 규정 유추적용 ×(대판 1999.4.9, 99도424)
② × : 2인 이상이 합동하여 주간에 절도의 목적으로 타인의 주거에 침입하였으나 아직 절취할 물건의 물색행위를 시작하기 전이라면 형법 제331조 제2항의 특수절도죄의 실행에 착수한 것은 아니다(대판 2009.12.24, 2009도9667). ③ ○ : 대판 2015.9.10, 2015도6980 ④ × : 실행의 착수 ×(대판 2007.1.11, 2006도5288)

03 실행의 착수에 대한 설명 중 가장 적절하지 않은 것은?(다툼이 있는 경우 판례에 의함) **21. 경력채용**

① 사기죄는 편취의 의사로 기망행위를 개시한 때에 실행에 착수한 것으로 보아야 하므로, 사기도박에서도 사기적인 방법으로 도금을 편취하려고 하는 자가 상대방에게 도박에 참가할 것을 권유하는 등의 행위를 개시하였다면 실행의 착수를 인정할 수 있다.

② 甲이 A의 팔을 잡아당기거나 등을 미는 등의 방법으로 A를 끌고 가 그 신체적 활동의 자유를 침해하는 행위를 개시하였다면 체포죄의 실행의 착수를 인정할 수 있다.

③ 법률사무의 수임에 관하여 당사자를 특정 변호사에게 소개한 후 그 대가로 금품을 수수하면 변호사법 제109조 제2호, 제34조 제1항을 위반하는 죄가 성립하는바, 소개의 대가로 금품을 받을 고의를 가지고 변호사에게 소개를 하면 실행의 착수를 인정할 수 있다.

④ 마약류를 소지 또는 입수하였거나 그것이 가능한 상태에 있었고, 甲이 그러한 상태에 있는 乙에게 그 매매대금을 송금하였다는 사실만으로 甲이 마약류 매수행위에 근접·밀착하는 행위를 하였다고 볼 수 없으므로 대마 또는 향정신성의약품 매매행위의 실행의 착수를 인정할 수 없다.

[해설] ① 대판 2011.1.13, 2010도9330 ② 대판 2018.2.28, 2017도21249
③ 대판 2006.4.7, 2005도9858 전원합의체
④ × : ~ (3줄) 볼 수 있으므로 대마 또는 향정신성의약품 매매행위의 실행의 착수를 인정할 수 있다(대판 2020.7.9, 2020도2893).

04 실행의 착수에 대한 설명으로 옳은 것만을 모두 고르면?(다툼이 있는 경우 판례에 의함) **21.7급 검찰**

> ㉠ 사기도박에서 사기적인 방법으로 도금을 편취하려고 하는 자가 상대방에게 도박에 참가할 것을 권유하는 등 기망행위를 개시한 때에 사기죄의 실행의 착수가 인정된다.
> ㉡ 甲이 A를 발견하고 접근하여 껴안으려 하였으나 A가 뒤돌아보면서 소리치자 몇 초 동안 쳐다보다가 되돌아간 경우, 甲이 A를 껴안으려고 하였을 때 강제추행죄의 실행의 착수가 인정된다.
> ㉢ 필로폰을 매수하려는 자에게서 필로폰을 구해 달라는 부탁과 함께 돈을 지급받았다고 하더라도, 당시 필로폰을 소지 또는 입수한 상태에 있었거나 그것이 가능하였다는 등 매매행위에 근접·밀착한 상태에서 대금을 지급받은 것이 아니라 단순히 필로폰을 구해 달라는 부탁과 함께 대금 명목으로 돈을 지급받은 것에 불과한 경우에는 필로폰 매매행위의 실행의 착수에 이른 것이라고 볼 수 없다.
> ㉣ 피담보채권인 공사대금 채권을 실제와 달리 허위로 부풀려 유치권에 의한 경매를 신청한 경우에는 소송사기죄의 실행의 착수가 인정되지 않는다.

① ㉠, ㉢   ② ㉡, ㉣   ③ ㉠, ㉡, ㉢   ④ ㉠, ㉡, ㉢, ㉣

해설 ㉠ ○ : 대판 2011.1.13, 2010도9330
㉡ ○ : 대판 2015.9.10, 2015도6980 ㉢ ○ : 대판 2015.3.20, 2014도16920
㉣ × : ~ 실행의 착수가 인정된다(대판 2012.11.15, 2012도9603).

05 실행의 착수에 대한 설명으로 가장 적절한 것은?(다툼이 있는 경우 판례에 의함)　　　22. 경찰승진

① 업무상 배임죄에서 부작위를 실행의 착수로 볼 수 있기 위해서는 작위의무가 이행되지 않으면 사무처리의 임무를 부여한 사람이 재산권을 행사할 수 없으리라고 객관적으로 예견되는 등으로 구성요건적 결과발생의 위험이 구체화한 상황에서 부작위가 이루어져야 한다.

② 구 외국환거래법에서 규정하는 신고를 하지 아니하거나 허위로 신고하고 지급수단·귀금속 또는 증권을 수출하는 행위는 지급수단 등을 국외로 반출하기 위한 행위에 근접·밀착하는 행위가 행하여진 때에 그 실행의 착수가 있으므로, 공항 내에서 보안 검색대에 나아가지 않은 채 휴대용 가방 안에 해당물건을 가지고 탑승을 기다리던 중에 발각되었다면 이미 실행의 착수가 있는 것으로 볼 수 있다.

③ 타인의 사망을 보험사고로 하는 생명보험계약을 체결함에 있어 제3자가 피보험자인 것처럼 가장하여 체결하는 등으로 그 유효요건이 갖추어지지 못한 경우, 보험사고의 우연성과 같은 보험의 본질을 해칠 정도라고 볼 수 있는 특별한 사정이 없더라도, 그와 같이 하자 있는 보험계약을 체결한 행위는 보험금을 편취하려는 의사에 의한 기망행위의 실행에 착수한 것으로 볼 수 있다.

④ 정범의 실행의 착수 전에 장래의 실행행위를 예상하고 이를 용이하게 하는 행위를 하여 방조한 경우에도 정범이 그 실행행위에 나아갔다면 종범이 성립하지만, 정범이 실행의 착수에 이르지 못한 경우 방조자는 예비죄의 종범으로 처벌된다.

해설 ① ○ : 대판 2021.5.27, 2020도15529 ② × : ~ 볼 수 없다(대판 2001.7.27, 2000도4298).
③ × : ~ (3줄) 특별한 사정이 없는 한, 그와 같이 하자 있는 보험계약을 체결한 행위는 보험금을 편취하려는 의사에 의한 기망행위의 실행에 착수한 것으로 볼 수 없다(대판 2013.11.14, 2013도7494).
④ × : 예비죄의 종범 ×(대판 1979.11.27, 79도2201)

06 실행의 착수에 관한 설명 중 가장 옳지 않은 것은?(다툼이 있는 경우 판례에 의함)　　　22. 법원행시

① 체포죄는 사람의 신체에 대하여 직접적이고 현실적인 구속을 가하여 신체활동의 자유를 박탈하는 죄로서 그 실행의 착수시기는 체포의 고의로 타인의 신체적 활동의 자유를 현실적으로 침해하는 행위를 개시한 때이다.

② 필로폰을 매수하려는 자로부터 필로폰을 구해 달라는 부탁과 함께 금전을 지급받았다고 하더라도, 당시 피고인이 필로폰을 소지 또는 입수한 상태에 있었거나 그것이 가능하였다는 등 매매행위에 근접·밀착한 상태에서 그 대금을 지급받은 것이 아니라 단순히 필로폰을 구해 달라는 부탁과 함께 대금 명목으로 금전을 지급받은 것에 불과한 경우에는 필로폰 매매행위의 실행의 착수에 이른 것이라고 볼 수 없다.

Answer　05. ①　06. ⑤

③ 피고인의 팔이 피해자의 몸에 닿지는 않았다 하더라도 양팔을 높이 들어 갑자기 뒤에서 피해자를 껴안으려는 행위는 피해자의 의사에 반하는 유형력의 행사로서 폭행행위에 해당하고, 그때에 이른바 '기습추행'에 관한 실행의 착수가 있다고 볼 수 있다.

④ 범인이 피해자를 촬영하기 위하여 육안 또는 캠코더의 줌 기능을 이용하여 피해자가 있는지 여부를 탐색하다가 피해자를 발견하지 못하고 촬영을 포기한 경우에는 촬영을 위한 준비행위에 불과하여 성폭력범죄의 처벌 등에 관한 특례법 위반(카메라 등 이용촬영)죄의 실행에 착수한 것으로 볼 수 없다.

⑤ 업무상 배임죄는 부작위에 의해서도 성립할 수 있는데, 이때 행위자는 부작위 당시 자신에게 주어진 임무를 위반한다는 점만 인식하면 족하고, 그 부작위로 인해 손해가 발생할 위험이 있다는 점을 인식할 필요는 없다.

해설 ① 대판 2018.2.28, 2017도21249 ② 대판 2015.3.20, 2014도16920 ③ 대판 2015.9.10, 2015도6980
④ 범인이 피해자를 촬영하기 위하여 육안 또는 캠코더의 줌 기능을 이용하여 피해자가 있는지 여부를 탐색하다가 피해자를 발견하지 못하고 촬영을 포기한 경우에는 촬영을 위한 준비행위에 불과하여 성폭력처벌법 위반(카메라 등 이용촬영)죄의 실행에 착수한 것으로 볼 수 없다. 이에 반하여 범인이 카메라 기능이 설치된 휴대전화를 피해자의 치마 밑으로 들이밀거나, 피해자가 용변을 보고 있는 화장실 칸 밑 공간 사이로 집어 넣는 등 카메라 등 이용 촬영 범행에 밀접한 행위를 개시한 경우에는 성폭력처벌법 위반(카메라 등 이용촬영)죄의 실행에 착수하였다고 볼 수 있다(대판 2021.3.25, 2021도749).
⑤ × : ~ (2줄) 임무를 위반한다는 점과 그 부작위로 인해 손해가 발생할 위험이 있다는 점을 인식하였어야 한다(대판 2021.5.27, 2020도15529).

07 실행의 착수에 대한 설명으로 옳은 것을 모두 고른 것은?(다툼이 있는 경우 판례에 의함) 23. 경찰승진

> ㉠ 야간에 아파트에 침입하여 물건을 훔칠 의도하에 아파트의 베란다 철제난간까지 올라가 유리 창문을 열려고 시도한 경우 야간주거침입절도죄의 실행에 착수하였다.
> ㉡ 甲이 잠을 자고 있는 피해자 A의 옷을 벗긴 후 자신의 바지를 내린 상태에서 A의 음부 등을 만지고 자신의 성기를 A의 음부에 삽입하려고 하였으나 A가 몸을 뒤척이고 비트는 등 잠에서 깨어 거부하는 듯한 기색을 보이자 더 이상 간음행위에 나아가는 것을 포기한 경우 준강간 죄의 실행에 착수하였다.
> ㉢ 위장결혼의 당사자 및 브로커와 공모한 甲이 허위로 결혼사진을 찍고 혼인신고에 필요한 서류를 준비하여 위장결혼의 당사자에게 건네준 것만으로는 공전자기록 등 부실기재죄의 실행에 착수한 것으로 볼 수 없다.
> ㉣ 입영대상자가 병역면제처분을 받을 목적으로 병원으로부터 허위의 병사용 진단서를 발급받은 경우 구 병역법 제86조 사위행위의 실행에 착수하였다.
> ㉤ 허위의 채권을 피보전권리로 삼아 가압류를 한 경우 그 채권에 관하여 현실적으로 청구의 의사표시를 한 것이라고 볼 수 있으므로, 본안소송을 제기하지 아니한 채 가압류를 한 경우에도 사기죄의 실행에 착수하였다.

① ㉠, ㉡, ㉢　　　② ㉠, ㉡, ㉤　　　③ ㉠, ㉢, ㉣　　　④ ㉡, ㉣, ㉤

해설 ㉠ ○ : 대판 2003.10.24, 2003도4417
㉡ ○ : 대판 2000.1.14, 99도5187
㉢ ○ : 대판 2009.9.24, 2009도4998
㉣ × : ~ 실행에 착수한 것으로 볼 수 없다(대판 2005.10.13, 2005도2200).
㉤ × : 가압류는 강제집행의 보전방법에 불과하고 그 기초가 되는 허위의 채권에 의하여 실제로 청구의 의사표시를 한 것이라고 할 수 없으므로 소의 제기 없이 가압류신청을 한 것만으로는 사기죄의 실행에 착수한 것이라고 할 수 없다(대판 1982.10.26, 82도1529).

08 실행의 착수에 관한 설명 중 가장 적절하지 않은 것은?(다툼이 있는 경우 판례에 의함) 23. 순경 1차

① 소유권이전등기청구권에 대한 압류는 강제집행절차를 위한 일련의 시작행위라고 할 수 있으므로, 허위 채권에 기한 공정증서를 집행권원으로 하여 채무자의 소유권이전등기청구권에 대하여 압류신청을 한 시점에 소송사기의 실행에 착수하였다고 볼 수 있다.

② 배임죄는 임무에 위배하는 행위를 한다는 점과 이로 인하여 자기 또는 제3자가 이익을 취득하여 본인에게 손해를 가한다는 점에 대한 인식이나 의사를 가지고 임무에 위배한 행위를 개시한 때 실행에 착수하였다고 볼 수 있다.

③ 업무상 배임죄에서 부작위를 실행의 착수로 볼 수 있기 위해서는 작위의무가 이행되지 않으면 사무처리의 임무를 부여한 사람이 재산권을 행사할 수 없으리라고 객관적으로 예견되는 등으로 구성요건적 결과발생의 위험이 구체화한 상황에서 부작위가 이루어져야 하고, 행위자는 부작위 당시 자신에게 주어진 임무를 위반한다는 점과 그 부작위로 인해 손해가 발생할 위험이 있다는 점을 인식하였어야 한다.

④ 甲이 乙로부터 국제우편을 통해 향정신성의약품을 수입하는 경우, 필로폰을 받을 국내 주소를 알려주었으나 乙이 필로폰이 들어 있는 우편물을 발신국의 우체국에 제출하지 않았다고 하더라도 甲의 이러한 행위는 향정신성의약품 수입행위의 실행에 착수하였다고 볼 수 있다.

해설 ① 대판 2015.2.12, 2014도10086
② 대판 2017.9.21, 2014도9960
③ 대판 2021.5.27, 2020도15529
④ × : 국제우편 등을 통하여 향정신성의약품을 수입하는 경우에는 국내에 거주하는 사람이 수신인으로 명시되어 발신국의 우체국 등에 향정신성의약품이 들어 있는 우편물을 제출할 때에 범죄의 실행에 착수하였다고 볼 수 있다(대판 2019.5.16, 2019도97).

09 실행의 착수에 대한 설명으로 옳은 것은?(다툼이 있는 경우 판례에 의함) 24. 9급 철도경찰

① 침입 대상인 주택에 사람이 있는지를 확인하기 위해 그 집의 초인종을 누른 행위는 주거의 사실상 평온을 침해할 객관적 위험성을 포함하므로 주거침입죄의 실행의 착수가 인정된다.

② 피고인이 종량제 쓰레기봉투에 시장(市長) 명의의 문안을 인쇄하기 위하여 동판 제작 이전 단계에서 필름을 제조한 경우 공문서위조죄의 실행의 착수가 인정된다.

③ 타인의 사망을 보험사고로 하는 생명보험계약을 체결함에 있어 제3자가 피보험자인 것처럼 가장하여 체결하는 등으로 그 유효요건이 갖추어지지 못한 경우에도 보험사고의 구체적 발생 가능성을 예견할 만한 사정을 인식하고 있었다는 등의 특별한 사정이 있다면, 하자 있는 보험계약을 체결한 행위는 보험금을 편취하려는 의사에 의한 기망행위의 실행에 착수한 것으로 볼 수 있다.

④ 밤에 혼자 걸어가는 피해자를 발견하고 뒤따라가다가 가까이 접근하여 껴안으려 하였으나, 피해자가 뒤돌아보면서 소리치자 그 상태로 몇 초 동안 쳐다보다가 다시 오던 길로 되돌아갔다면, 피해자의 항거를 곤란하게 하는 정도의 폭행이나 협박이 있었다고 보기 어려워 강제추행죄의 실행의 착수가 있었다고 볼 수 없다.

> **해설** ① × : ~ (2줄) 객관적 위험성을 포함하는 것으로 볼 수 없어 주거침입죄의 실행의 착수가 인정되지 않는다(대판 2008.4.10, 2008도1464).
> ② × : ~ 실행의 착수가 인정되지 않는다(대판 2007.2.23, 2005도7430 ∵ 필름 제조행위는 준비단계에 불과한 것임).
> ③ ○ : 대판 2013.11.14, 2013도7494
> ④ × : ~ (3줄) 되돌아간 경우 피해자의 의사에 반하는 유형력의 행사로서 폭행행위에 해당하며, 폭행행위 자체가 추행행위라고 인정되는 '기습추행'에 관한 강제추행죄의 실행의 착수가 있다고 볼 수 있다(대판 2015.9.10, 2015도6980).

10 실행의 착수에 관한 설명으로 가장 적절하지 않은 것은?(다툼이 있는 경우 판례에 의함) 25. 경찰승진

① 유사강간죄의 실행의 착수는 폭행 또는 협박에 의해 실제로 피해자의 항거가 불가능하게 되거나 현저히 곤란하게 되었을 때 인정되는 것이지 간음행위까지 착수해야 하는 것은 아니다.

② 甲이 피해자를 촬영하기 위하여 육안 또는 캠코더의 줌 기능을 이용하여 피해자가 있는지 여부를 탐색하다가 피해자를 발견하지 못하고 촬영을 포기한 경우 성폭력범죄의 처벌 등에 관한 특례법상 카메라 등 이용촬영죄의 실행에 착수한 것으로 볼 수 없다.

③ 허위채권에 기한 공정증서를 집행권원으로 하여 채무자의 소유권이전등기청구권에 대하여 압류신청을 한 경우 소송사기의 실행에 착수한 것으로 볼 수 있다.

④ 甲이 카메라 기능이 설치된 휴대전화를 피해자가 용변을 보고 있는 화장실 칸 밑 공간 사이로 집어넣는 등 카메라 등 이용촬영 범행에 밀접한 행위를 개시한 경우에는 성폭력범죄의 처벌 등에 관한 특례법상 카메라 등 이용촬영죄의 실행에 착수하였다고 볼 수 있다.

> **해설** ① × : 강간죄는 사람을 강간하기 위하여 피해자의 항거를 불능하게 하거나 현저히 곤란하게 할 정도의 폭행 또는 협박을 개시한 때에 그 실행의 착수가 있다고 보아야 할 것이지(실제로 폭행·협박에 의해 피해자의 항거가 불능하게 되거나 현저히 곤란하게 되었을 때가 아님), 실제 간음행위가 시작되어야만 그 실행의 착수가 있다고 볼 것은 아니다. 유사강간죄의 경우도 이와 같다(대판 2021.8.12, 2020도17796).
> ② 대판 2021.3.25, 2021도749
> ③ 대판 2015.2.12, 2014도10086
> ④ 대판 2021.3.25, 2021도749

Answer **10.** ①

11 실행의 착수에 대한 설명으로 가장 옳은 것은?(다툼이 있는 경우 판례에 의함)　25. 해경 1차

① 입영대상자가 병역면제처분을 받을 목적으로 병원으로부터 허위의 병사용 진단서를 발급받은 경우 구 병역법 제86조 사위행위의 실행의 착수가 있었다 할 것이다.

② 관세를 포탈할 범의를 가지고 선박을 이용하여 물품을 영해 내에 반입한 경우에는 관세포탈죄의 실행의 착수가 있었다고 할 것이다.

③ 甲이 乙로부터 국제우편을 통해 향정신성의약품을 수입하는 경우 필로폰을 받을 국내 주소를 알려주었으나 乙이 필로폰이 들어 있는 우편물을 발신국의 우체국에 제출하지 않았다고 하더라도 甲의 이러한 행위는 향정신성의약품 수입행위의 실행에 착수하였다고 볼 수 있다.

④ 길가에 세워져 있는 자동차 안의 금품을 절취하기 위하여 손전등으로 유리창을 통해 자동차의 내부를 비추어 보다가 발각되었다면, 절도죄의 실행의 착수를 인정하기 어려워 절도미수죄로 처벌할 수 없으나 절도예비죄로는 처벌할 수 있다.

> 해설 ① × : 실행의 착수 ×(대판 2005.10.13, 2005도2200)
> ② ○ : 관세를 포탈할 범의를 가지고 선박을 이용하여 물품을 영해내에 반입한 때에는 관세포탈죄의 실행의 착수가 있었다고 할 것이고, 선박에 적재한 화물을 양육하는 행위 또는 그에 밀접한 행위가 있음을 요하지 아니한다고 할 것이다(대판 1984.7.24, 84도832).
> ③ × : 국제우편 등을 통하여 향정신성의약품을 수입하는 경우에는 국내에 거주하는 사람이 수신인으로 명시되어 발신국의 우체국 등에 향정신성의약품이 들어 있는 우편물을 제출할 때에 범죄의 실행에 착수하였다고 볼 수 있다(대판 2019.5.16, 2019도97).
> ④ × : 절도죄의 실행의 착수 ×(대판 1985.4.23, 85도464) ⇨ 절도죄의 예비 ⇨ 절도예비죄 처벌규정 ×

12 실행의 착수에 대한 설명으로 옳지 않은 것은?(다툼이 있는 경우 판례에 의함)　25. 7급 검찰

① 부동산의 매도인이 제1차 매수인으로부터 계약금 및 중도금 명목의 금원을 교부받은 후 제2차 매수인에게 같은 부동산을 매도하기로 하고 계약금을 지급받았다면 중도금 수령 등 더 이상의 계약 이행에 나아가지 않았더라도 배임죄의 실행의 착수가 있었다고 볼 수 있다.

② 간첩의 목적으로 외국 또는 북한에서 국내에 침투 또는 월남하는 경우에는 기밀탐지가 가능한 국내에 침투 상륙함으로써 간첩죄의 실행의 착수가 있다.

③ 사기죄는 편취의 의사로 기망행위를 개시한 때에 실행에 착수한 것으로 보아야 하므로, 사기도박에서도 사기적인 방법으로 도금을 편취하려고 하는 자가 상대방에게 도박에 참가할 것을 권유하는 등 기망행위를 개시한 때에 실행의 착수가 있는 것으로 보아야 한다.

④ 준강간죄에서 실행의 착수 시기는 피해자의 심신상실 또는 항거불능의 상태를 이용하여 간음을 할 의도를 가지고 간음의 수단이라고 할 수 있는 행동을 시작한 때로 보아야 한다.

> 해설 ① × : ~ (2줄) 매도하기로 하고 계약금만을 지급받은 뒤 더 이상의 계약 이행에 나아가지 않았다면 배임죄의 실행의 착수가 있었다고 볼 수 없다(대판 2003.3.25, 2002도7134).
> ② 대판 1984.9.11, 84도1381　③ 대판 2011.1.13, 2010도9330
> ④ 대판 2019.2.14, 2018도19295

Answer　**11.** ②　**12.** ①

13 미수·기수에 대한 설명으로 옳은 것은?(다툼이 있는 경우 판례에 의함) 19. 9급 검찰·마약수사

① 허위 내용의 고소장을 경찰관에게 제출하였다면 무고죄는 기수에 이르고 그 후 고소장을 되돌려 받았더라도 무고죄의 성립에는 영향이 없다.

② 피해자를 살해하려고 낫을 들고 피해자에게 다가서려고 하였으나 제3자가 이를 제지하여 피해자가 그 틈을 타서 도망함으로써 살인의 목적을 이루지 못했다면 살인미수죄로 처벌할 수 없다.

③ 강도의 기회에 강간의 결과가 발생하였더라도 강도가 기수에 이르지 못하였다면 강도강간의 미수에 불과하다.

④ 준강도죄의 기수 또는 미수는 구성요건적 행위인 폭행 또는 협박이 종료되었는가의 여부에 따라 결정된다.

[해설] ① ○ : 대판 1985.2.8, 84도2215(∵ 무고죄 기수시기 : 허위의 신고가 당해 공무소 또는 공무원에 도달한 때)
② × : 살인미수죄 ○(대판 1986.2.25, 85도2773)
③ × : 강도강간의 기수 ○(∵ 본죄의 미수·기수는 강간의 미수·기수에 따라 결정됨. 강도의 미수·기수는 불문)
④ × : 준강도죄의 미수·기수는 폭행 또는 협박이 종료되었는가의 여부가 아니라 절도행위의 기수 여부를 기준으로 판단하여야 한다(대판 2004.11.18, 2004도5074 전원합의체).

14 괄호 안의 범죄의 미수범이 성립하는 것만을 모두 고르면?(다툼이 있는 경우 판례에 의함) 20. 7급 검찰

> ㉠ 야간에 아무도 없는 카페 내실에 침입하여 장식장 안에 들어 있던 정기적금통장 등을 꺼내들고 카페로 나오던 중 발각되어 돌려준 경우(야간주거침입절도죄)
> ㉡ 야간에 타인의 재물을 절취할 목적으로 타인의 주거에 침입하였다가 발각된 경우(야간주거침입절도죄)
> ㉢ 야간에 절도의 목적으로 출입문에 장치된 자물통 고리를 절단하고 출입문을 손괴한 뒤 집안으로 침입하려다가 발각된 경우(특수절도죄)
> ㉣ 노상에 세워 놓은 자동차 안에 있는 물건을 훔칠 생각으로 자동차의 유리창을 통하여 그 내부를 손전등으로 비추어 보다가 체포된 경우(절도죄)
> ㉤ 주점에 침입하여 양주를 바구니에 담고 있던 중 종업원이 들어오는 소리를 듣고서 양주를 그대로 둔 채 출입문을 열고 나오다가 체포를 면탈할 목적으로 종업원의 오른손을 깨무는 등 폭행한 경우(준강도죄)

① ㉠, ㉤   ② ㉠, ㉢, ㉤   ③ ㉡, ㉢, ㉣   ④ ㉡, ㉢, ㉤

[해설] • **미수범** ○ : ㉡ 대판 1970.4.24, 70도507 ㉢ 대판 1986.9.9, 86도1273 ㉤ 대판 2004.11.18, 2004도5074 전원합의체
• **미수범** × : ㉠ 야간주거침입절도죄의 기수범(대판 1991.4.23, 91도476) ㉣ 무죄(대판 1985.4.23, 85도464 ∵ 절도죄의 실행의 착수 ×)

Answer **13.** ① **14.** ④

15 미수범의 성립에 대한 설명으로 옳은 것은?(다툼이 있는 경우 판례에 의함)　　20. 9급 **철도경찰**

① 일반적으로 사람으로 하여금 공포심을 일으키게 하기에 충분한 해악을 고지하여 상대방이 그 의미를 인식하였지만 현실적으로 공포심을 일으키지 않은 경우 – 협박죄의 미수범

② 신체의 일부만 주거 안으로 들어갔지만 사실상의 주거의 평온을 해할 수 있는 정도에 이른 경우 – 주거침입죄의 미수범

③ 법원을 기망하여 유리한 판결을 얻어 내고 이에 터잡아 상대방으로부터 재물이나 재산상 이익을 취득하려고 소송을 제기하였지만 패소판결이 확정되는 등 유리한 판결을 받지 못하고 소송이 종료된 경우 – 사기죄의 미수범

④ 노상에 세워져 있는 자동차 안의 물건을 훔칠 생각으로 자동차의 유리창을 통하여 그 내부를 손전등으로 비추어 본 경우 – 절도죄의 미수범

> **해설**　① × : 협박죄의 기수범(대판 2006.4.7, 2005도9858 전원합의체)
> ② × : 주거침입죄의 기수범(대판 1995.9.15, 94도2561 전원합의체)
> ③ ○ : 대판 2000.2.11, 99도4459
> ④ × : 절도죄의 미수범 ×(대판 1985.4.23, 85도464 ∵ 실행의 착수 ×)

16 실행의 착수 또는 기수시기에 대한 설명으로 옳은 것은?(다툼이 있는 경우 판례에 의함)　　21. **경찰간부**

① 장애인단체의 지회장이 지방자치단체로부터 다음 해의 보조금을 더 많이 지원받기 위하여 지원금 지원결정의 참고자료로 이용되는 허위의 보조금 정산보고서를 제출한 경우에는 보조금 편취범행의 실행에 착수한 것으로 보기 어렵다.

② 금융기관 직원이 전산단말기를 이용하여 다른 공범들이 지정한 특정 계좌에 돈이 입금된 것처럼 허위의 정보를 입력하는 방법으로 위 계좌로 입금되도록 한 경우, 그 후 그러한 입금이 취소되어 현실적으로 인출하지 못한 경우에는 컴퓨터 등 사용사기미수죄에 해당한다.

③ 진정한 임차권자가 아니면서 허위의 임대차계약서를 법원에 제출하여 임차권등기명령을 신청한 것만으로는 소송사기의 실행행위에 착수한 것으로 볼 수 없고, 나아가 그 임차보증금 반환채권에 관하여 현실적으로 청구의 의사표시를 하여야 사기죄의 실행의 착수가 있다고 볼 것이다.

④ 법원을 기망하여 자기에게 유리한 판결을 얻고자 소송을 제기한 자가 상대방의 주소를 허위로 기재하여 소송을 제기함으로써 그 허위주소로 소송서류가 송달되어 그로 인하여 상대방 아닌 다른 사람이 그 서류를 받아 소송을 진행한 경우 소송사기죄의 실행의 착수가 인정되지 않는다.

> **해설**　① ○ : 대판 2003.6.13, 2003도1279
> ② × : 지문의 경우 컴퓨터 등 사용사기죄의 기수(대판 2006.9.14, 2006도4127)
> ③ × : 진정한 임차권자가 아니면서 허위의 임대차계약서를 법원에 제출하여 임차권등기명령을 신청하면 그로써 소송사기의 실행행위에 착수한 것으로 보아야 하고, 나아가 그 임차보증금 반환채권에 관하여 현실적으로 청구의 의사표시를 하여야만 사기죄의 실행의 착수가 있다고 볼 것은 아니다(대판 2012.5.24, 2010도12732).
> ④ × : ~ 실행의 착수가 인정된다(대판 2006.11.10, 2006도5811).

Answer　**15.** ③　**16.** ①

17 **미수에 관한 설명으로 가장 적절하지 않은 것은?**(다툼이 있는 경우 판례에 의함)　　26. 경찰승진

① 강도죄와 준강도죄는 그 취지와 본질을 달리한다고 보아야 하며, 준강도죄의 주체는 절도이고 여기에는 기수는 물론 형법상 처벌규정이 있는 미수도 포함되는 것이지만, 준강도죄의 기수·미수의 구별은 구성요건적 행위인 폭행 또는 협박이 종료되었는가 하는 점에 따라 결정된다.

② 甲이 피해자 소유 자동차 안에 들어 있는 밍크코트를 발견하고 이를 절취할 생각으로 공범이 차 옆에서 망을 보는 사이 차 오른쪽 앞문을 열려고 앞문손잡이를 잡아당기다가 피해자에게 발각되었다면 절도의 실행에 착수하였다고 봄이 상당하다.

③ 금융기관 직원이 전산단말기를 이용하여 다른 공범들이 지정한 특정계좌에 돈이 입금된 것처럼 허위의 정보를 입력하는 방법으로 당해 계좌로 입금되도록 한 경우, 그 후 그러한 입금이 취소되어 현실적으로 인출되지 못하였다고 하더라도 이미 성립한 컴퓨터 등 사용사기죄에 영향이 없다.

④ 甲이 乙에게 국제우편으로 필로폰을 받을 국내 주소를 알려주었다고 하더라도 乙이 필로폰이 들어 있는 우편물을 발신국의 우체국 등에 제출하였다는 사실이 밝혀지지 않은 이상 甲의 이러한 행위는 향정신성의약품 수입의 예비행위라고 볼 수 있을지언정 이를 가지고 향정신성의약품 수입행위의 실행에 착수하였다고 할 수는 없다.

해설 ① × : 강도죄와 준강도죄는 그 취지와 본질을 달리한다고 볼 수 없어, 준강도죄의 주체는 절도이고 여기에는 기수는 물론 형법상 처벌규정이 있는 미수도 포함되므로, 준강도죄의 미수·기수는 폭행 또는 협박이 종료되었는가의 여부가 아니라 절도행위의 기수 여부를 기준으로 판단하여야 한다(대판 2004.11.18, 2004도5074 전원합의체).
② 대판 1986.12.23, 86도2256
③ 대판 2006.9.14, 2006도4127
④ 대판 2019.5.16, 2019도97

Answer 17. ①

제5절 중지미수

> **제26조【중지범】** 범인이 실행에 착수한 행위를 자의로 중지하거나 그 행위로 인한 결과의 발생을 자의로 방지한 경우에는 형을 감경하거나 면제한다. 22. 법원행시, 24. 경력채용

1 의 의

중지미수 또는 중지범이란 범죄의 실행에 착수한 자가 그 범죄가 완성되기 전에 자의로 그 행위를 중지하거나 그 행위로 인한 결과발생을 방지한 경우를 말한다(제26조). 12. 순경 1차, 22. 철도경찰

2 법적 성격

통상의 미수범(장애미수)은 임의적 감경사유(제25조 제2항)로 하면서 중지미수는 필요적 감면사유(제26조)로 하여 보다 관대하게 처벌하는 이유에 대해 중지미수에 대한 형의 면제는 형사정책설에 의하고, 형의 감경은 책임감소설에 의하여 설명하는 견해(결합설)가 다수설이다.

3 성립요건

(I) **자의성**(중지미수와 장애미수를 구별하는 기준)

관련판례 1

> 중지미수는 범죄의 실행행위에 착수하고 그 범죄가 완수되기 전에 자기의 자유로운 의사에 따라 범죄의 실행행위를 중지하는 것으로서 장애미수와 대칭되는 개념이나, 중지미수와 장애미수는 범죄의 미수가 자의에 의한 중지냐 또는 어떤 장애에 의한 미수이냐에 따라 구분하여야 하고, 특히 자의에 의한 중지 중에서도 일반 사회통념상 장애에 의한 미수라고 보여지는 경우를 제외하고는 중지미수로 본다(대판 1985.11.12, 85도2002). 20. 변호사시험, 22. 경찰간부 · 해경간부, 23. 9급 철도경찰, 24. 경대편입, 25. 7급 검찰 · 해경경사

• **중지미수** : 사회통념상 범죄실행(완수)에 장애가 되는 사정이 없는 경우

피해자를 강간하려다 피해자의 다음번에 만나 친해지면 응해주겠다는 취지의 간곡한 부탁으로 인하여 그 목적을 이루지 못한 후 피해자를 자신의 차로 집에까지 데려다 준 경우(대판 1993.10.12, 93도1851) 16. 사시 · 9급 검찰, 18. 경찰간부, 21. 9급 검찰, 24. 법원직, 25. 해경경사 · 해경경위

• **장애미수** : 사회통념상 범죄실행(완수)에 장애가 되는 사정이 있는 경우

1. 두려움('발각의 두려움', '겁이 나서')으로 인하여 중단한 때 ⇨ 자의성 × ⇨ 중지미수 ×

　① 장롱 안에 있는 옷가지에 불을 놓아 건물을 소훼하려 하였으나 불길이 치솟는 것을 보고 겁이 나서 물을 부어 불을 끈 경우(대판 1997.6.13, 97도957) 18. 순경 1차, 19. 경찰간부, 22. 경력채용, 23. 변호사시험 · 9급 철도경찰, 24. 법원직, 25. 경찰승진 · 해경경사 · 해경경위

② 피고인이 피해자를 살해하려고 그의 목 부위와 왼쪽 가슴 부위를 칼로 수회 찔렀으나 피해자의 가슴 부위에서 많은 피가 흘러나오는 것을 발견하고 겁을 먹고 그만 둔 경우(대판 1999.4.13, 99도640)
20. 순경 2차, 21. 경찰간부, 23. 경찰승진·9급 철도경찰, 24. 법원직·경위공채, 25. 해경경사·해경경위

③ 피고인이 甲에게 위조한 예금통장 사본 등을 보여주면서 외국회사에서 투자금을 받았다고 거짓말하며 자금 대여를 요청하였으나, 이를 의심한 甲이 그 입금 여부의 확인을 요청하여 甲과 함께 은행에 가던 중 은행 입구에서 갑자기 피고인이 차용을 포기하고 돌아간 경우(대판 2011.11.10, 2011도10539) 16. 변호사시험, 24. 9급 검찰·마약수사·철도경찰, 25. 경찰승진·순경 1차·경대편입

④ 범행 당일 세관직원들이 범행장소 주변에 잠복근무를 하고 있는 것을 본 피고인이 발각을 두려워한 나머지 자신이 분담한 실행행위를 못한 경우(대판 1986.1.21, 85도2339) 16. 법원직, 21. 순경 1차

⑤ 원료불량으로 인한 제조상의 애로, 제품의 판로문제, 범행탄로시의 처벌공포, 다른 피고인의 포악성 등으로 인하여 히로뽕 제조를 단념한 경우(대판 1985.11.12, 85도2002) 03. 입시

2. 피고인이 피해자를 강간하려고 하였으나 피해자가 시장에 간 남편이 곧 돌아온다고 하면서 임신 중이라고 말하자 강간행위의 실행을 중지하고 도주한 경우(대판 1993.4.13, 93도347) 19. 경찰간부, 23. 9급 철도경찰, 24. 법원직, 25. 해경경위

3. 강간하려고 폭행하였으나 피해자가 수술한지 얼마되지 않아 배가 아프다면서 애원하자 강간행위를 그만 둔 경우(대판 1992.7.28, 92도917) 17. 법원행시, 20. 법원직, 21. 경찰승진, 24. 순경 1차

4. 피고인이 기밀탐지 임무를 부여받고 대한민국에 입국하여 기밀을 탐지·수집 중 경찰관이 피고인의 행적을 탐문하고 갔다는 말을 전해듣고 지령사항 수행을 보류하고 있던 중 체포된 경우(대판 1984. 9.11, 84도1381) 16. 사시, 18. 경찰간부, 19. 경력채용

---

(2) 범죄의 미완성(실행행위의 중지 또는 결과발생의 방지)

중지미수는 행위자가 객관적으로 실행에 착수한 행위를 자의로 실행행위의 종료 전에 중지하거나〔착수미수의 중지(착수중지)〕이미 종료된 실행행위로 인한 결과의 발생을 방지해야〔실행미수의 중지(실행중지)〕성립한다.

① **착수중지**(착수미수의 중지) : 착수중지란 실행에 착수한 행위를 실행행위의 종료 전에 자의로 중지한 경우를 말한다. 즉, 행위의 계속을 포기하는 부작위에 의하여 중지미수가 되는 경우가 착수미수의 중지범이다.

② **실행중지**(실행미수의 중지) : 실행중지란 실행행위는 종료하였으나 행위자가 자의로 그 결과의 발생을 방지하는 것을 말한다. 실행미수가 중지범으로 인정되기 위해서는 단순히 행위의 계속을 포기하는 것으로 족하지 않고 행위자가 자의에 의하여 결과의 발생을 방지할 것이 요구된다(대판 1986.3.11, 85도2831). 18. 변호사시험, 24. 경위공채

 예 甲은 乙을 살해하려고 독약을 먹였으나 곧 후회하여 해독제를 먹여 소생시킨 경우

 ㉠ 결과발생 방지행위는 행위자 자신이 직접 해야 하는 것이 원칙이나 타인의 도움을 받아 결과발생이 방지되어도 무방하다(예 의사의 도움으로 결과발생 방지). 다만, 이 경우에도 행위자 자신이 결과발생을 방지한 것과 동일하게 평가받을 수 있을 정도의 행위자의 진지한 노력이 있어야 한다. 03. 사시, 16. 경찰간부

ⓛ 실행중지가 되려면 현실적으로 결과발생이 없어야 한다. 따라서 행위자가 진지한 노력을 다했음에도 불구하고 결과가 발생하면 중지미수는 성립되지 않고 기수책임을 진다.

관련판례

1. 타인의 재물을 공유하는 자가 공유자의 승낙을 받지 않고 공유대지를 담보로 제공하고 가등기를 경료하였으나, 그 후 가등기를 말소한 경우 ⇨ 중지미수 ×(대판 1978.11.28, 78도2175 ∵ 횡령죄의 기수) 16. 법원직, 18. 경찰간부, 21. 해경승진, 22. 경찰승진, 25. 경력채용
2. 甲이 미성년자 A를 약취하여 돈을 요구하였으나 A의 부모가 가난한 사실을 알고 A를 돌려보냈다면 甲의 행위는 특정범죄 가중처벌 등에 관한 법률상 재물요구죄의 중지미수에 해당하지 않는다(대판 1978.7.25, 78도1418 ∵ 재물요구죄의 기수). 16. 사시
3. 대마 2상자를 사가지고 돌아오던 중 장사를 다시 하게 되면 인생을 망치게 된다는 생각이 들어 이를 불태운 경우 ⇨ 중지미수 ×(대판 1983.12.27, 83도2629 ∵ 대마매매죄의 기수) 22. 경력채용

(3) 인과관계

방지행위와 결과의 불발생 사이에는 인과관계가 있어야 하므로, 행위자의 방지행위가 아닌 다른 원인에 의하여 결과가 발생하지 않을 경우에는 중지미수가 성립될 수 없고, 장애미수(결과발생이 가능)나 불능미수(처음부터 결과발생이 불가능)가 성립한다. 25. 변호사시험

4 처 벌

중지미수는 형법 각칙에 특별한 규정이 있는 경우에만 처벌하되(제29조), 그 형을 감경 또는 면제한다(필요적 감면 : 제26조). 형법은 착수중지와 실행중지의 구별 없이 동일하게 처벌한다.

5 관련문제

(1) 예비의 중지

예비·음모의 행위를 처벌하는 경우에 있어서 중지범의 관념을 인정할 수 없다(대판 1999.4.9, 99도424). 18. 경찰간부, 21. 변호사시험·순경 1차, 24. 해경간부·순경 2차, 25. 9급 검찰·마약수사·철도경찰

(2) 공범과 중지미수

공범(공동정범, 간접정범, 교사범·종범)이 중지미수가 되기 위해서는 결과가 발생하지 않아야 하며, 공범 중 1인에 의한 중지미수의 법적 효과는 자의로 실행행위를 중지하거나 결과발생을 방지한 자에게만 미치고 다른 공범은 장애미수가 된다(대판 1986.3.11, 85도2831). 15. 사시, 16. 변호사시험, 24. 7급 검찰·해경순경

Q 공동정범의 중지미수 : 다른 공범자 전원의 실행행위를 중지하게 하거나 모든 결과발생을 완전히 방지해야만 자의로 중지한 자에게 중지미수가 성립한다(그 이외의 자는 장애미수가 된다. ∵ 책임개별화원칙). 따라서 1인이 중지하였더라도 다른 자에 의해 결과가 발생하면 중지한 자에게도 중지미수범이 성립되지 않는다(∵ 공동정범 ⇨ 일부실행 · 전부책임). 20. 경찰간부, 21. 변호사시험 · 해경간부 · 해경승진, 24. 경대편입

관련판례

1. 2인이 범행을 공모하여 실행에 착수한 후 그중 한 사람이 자의로 중지한 경우, 다른 공범의 범행을 중지하게 하지 아니한 이상 범의를 철회, 포기한 자에 대하여도 중지미수가 인정되지 않는다(대판 1969.2.25, 68도1676). 21. 9급 검찰 · 마약수사, 23. 법원직, 24. 7급 검찰, 25. 순경 2차

2. 甲과 乙이 A를 강간하기로 공모하여 A를 강제로 텐트에 끌고 들어가 甲이 먼저 A의 반항을 억압한 후 1회 간음하고, 이어 乙이 A를 강간하려 하였으나 A가 애걸하여 그만 둔 경우, 乙은 중지미수에 해당하지 않는다(대판 2005.2.25, 2004도8259 ∵ 성폭력범죄의 처벌 등에 관한 특례법상의 특수강간죄의 기수). 18. 순경 1차, 19. 법원직, 22. 경력채용, 25. 경찰승진 · 9급 검찰 · 마약수사 · 철도경찰

3. 甲은 乙과 함께 丙이 경영하는 사무실의 금품을 절취하기로 공모한 후 甲은 그 부근 포장마차에 있고 乙은 사무실의 열려진 출입문을 통하여 안으로 들어가 물건을 물색하고 있는 동안 甲은 자신의 범행전력 등을 생각하여 가책을 느낀 나머지 丙에게 乙의 침입사실을 알려 丙과 함께 乙을 체포한 경우 ⇨ 甲 : 특수절도의 중지미수 乙 : 특수절도의 장애미수(대판 1986.3.11, 85도2831) 18. 경찰간부, 25. 경찰승진 · 9급 검찰 · 마약수사 · 철도경찰

4. 중지미수에 관한 형법 제26조는 그 적용을 배제하는 명문규정이 없는 이상 상습절도에 관한 구 특정범죄 가중처벌 등에 관한 법률 제5조의 4 제1항 위반의 죄에도 그대로 적용된다(대판 1986.3.11, 85도2831). 24. 7급 검찰

01 다음 중 중지미수는 모두 몇 개인가?(다툼이 있는 경우 판례에 의함) 13. 법원행시, 16. 사시

> ㉠ 피고인이 甲에게 위조한 예금통장 사본 등을 보여주면서 외국회사에서 투자금을 받았다고 거짓말하며 자금 대여를 요청하였으나, 이를 의심한 甲이 그 입금 여부의 확인을 요청하여 甲과 함께 은행에 가던 중 은행 입구에서 갑자기 피고인이 차용을 포기하고 돌아간 경우
> ㉡ 피고인이 장롱 안에 있는 옷가지에 불을 놓아 건물을 소훼하려 하였으나 불길이 치솟는 것을 보고 겁이 나서 물을 부어 불을 끈 경우
> ㉢ 피고인이 피해자를 살해하려고 그의 복부를 주방용 가위로 힘껏 찔렀으나 피해자가 입에서 피를 흘리는 것을 보고 놀란 나머지 범행현장에서 자고 있던 甲을 깨워서 甲으로 하여금 119에 신고하여 피해자를 병원에 후송하게 하고 피고인은 체포될 것이 두려워서 도망을 친 경우
> ㉣ 피고인이 피해자를 강간하려다 피해자의 다음번에 만나 친해지면 응해주겠다는 취지의 간곡한 부탁으로 인하여 그 목적을 이루지 못한 후 피해자를 자신의 차로 집에까지 데려다 준 경우
> ㉤ 피고인이 피해자를 살해하려고 그의 목 부위와 왼쪽 가슴 부위를 칼로 수회 찔렀으나 피해자의 가슴 부위에서 많은 피가 흘러나오는 것을 발견하고 겁을 먹고 그만 둔 경우
> ㉥ 타인의 재물을 공유하는 자가 공유자의 승낙을 받지 않고 공유대지를 담보로 제공하고 가등기하였다가 그 가등기를 말소한 경우
> ㉦ 피고인이 기밀탐지의 목적으로 대한민국에 입국하여 기밀을 탐지 수집하던 중 경찰관이 피고인의 행적을 탐문하고 갔다는 말을 전해 듣고 지령사항 수행을 중지한 경우

① 1개   ② 2개   ③ 3개   ④ 4개

해설 • **중지미수 ○** : ㉣ 대판 1993.10.12, 93도1851
  • **중지미수 ×** : ㉠ 대판 2011.11.10, 2011도10539 ㉡ 대판 1997.6.13, 97도957 ㉢ 두려움 때문에 중단한 것 ⇨ 중지미수 ×(99도640 참조), 甲으로 하여금 119에 신고하여 피해자를 병원으로 후송하게한 경우 ⇨ 피고인의 진지한 노력에 의한 결과방지 × ⇨ 중지미수 × ㉤ 대판 1999.4.13, 99도640 ㉥ 대판 1978.11.28, 78도2175 ㉦ 대판 1984.9.11, 84도1381

02 중지미수에 있어서 자의성이 인정되는 경우는?(다툼이 있는 경우 판례에 의함) 16. 9급 검찰 · 마약수사

① 甲은 강간의 실행에 착수하였으나 A가 다음에 만나서 친해지면 응해 주겠다는 취지로 간곡하게 부탁을 하자 실행을 중지한 경우
② 甲은 강간의 실행에 착수하였으나 A가 시장에 간 남편이 곧 돌아올 것이고 자신이 현재 임신 중이라고 말하자 실행을 중지한 경우
③ 甲은 A를 살해하려고 A의 목과 왼쪽 가슴을 칼로 수회 찔렀으나 A의 가슴에서 피가 많이 흘러나오는 것을 보고 겁이 나서 실행을 중지한 경우

Answer **01.** ① **02.** ①

④ 甲은 A의 주택을 불태우려고 주택 안의 장롱에 있던 의류에 불을 놓았으나 불길이 치솟는 것을 보고 겁이 나서 물을 부어 불을 끈 경우

> 해설 • **자의성** ○(중지미수 ○) : ① 대판 1993.10.12, 93도1851
> • **자의성** ×(장애미수 ○) : ② 대판 1993.4.13, 93도347 ③ 대판 1999.4.13, 99도640 ④ 대판 1997.6.13, 97도957

03 중지미수에 관한 다음 설명 중 가장 옳은 것은?(다툼이 있는 경우 판례에 의함) 19. 법원직

① 甲과 乙이 A를 강간하기로 공모하여 A를 강제로 텐트에 끌고 들어가 甲이 먼저 A의 반항을 억압한 후 1회 간음하고, 이어 乙이 A를 강간하려 하였으나 A가 애걸하여 그만 둔 경우, 乙은 중지미수에 해당한다.

② 살해의 의사로 피해자를 칼로 수회 찔렀으나, 많은 피가 흘러나오는 것을 보고 겁을 먹고 그만 둔 경우 중지미수에 해당한다.

③ 방화 후 불길이 치솟는 것을 보고 겁이 나서 불을 끈 경우 중지미수에 해당한다.

④ 강도가 강간하려고 하였으나 다음에 만나 친해지면 응해 주겠다는 피해자의 간곡한 부탁에 따라 강간행위의 실행을 중지한 경우 중지미수에 해당한다.

> 해설 • **중지미수** ○ : ④ 대판 1993.10.12, 93도1851
> • **중지미수** × : ① 대판 2005.2.25, 2004도8259 ② 대판 1999.4.13, 99도640 ③ 대판 1997.6.13, 97도957

04 중지미수에 대한 설명으로 옳지 않은 것은?(다툼이 있는 경우 판례에 의함) 24. 7급 검찰

① 다른 공범의 범행을 중지하게 하지 아니하여 그 공범이 범행에 나아간 이상 자신의 범의를 철회·포기하여도 중지미수가 인정될 수 없다.

② 공범 중 1인에 의한 중지미수의 법적 효과는 자의로 실행행위를 중지하거나 결과발생을 방지한 자에게만 미치고 다른 공범은 장애미수가 된다.

③ 중지미수에 관한 형법 제26조는 그 적용을 배제하는 명문규정이 없는 이상 상습절도에 관한 구 특정범죄 가중처벌 등에 관한 법률 제5조의 4 제1항 위반의 죄에도 그대로 적용된다.

④ 미성년자를 약취·유인한 자가 그 피해자를 안전한 장소로 풀어준 경우 스스로 범죄를 중단하였다는 점에서 중지미수와 유사한 평가가 가능하고, 중지미수와 동일한 법적 효과가 부여된다.

> 해설 ① 대판 1969.2.25, 68도1676
> ② 대판 1986.3.11, 85도2831
> ③ 대판 1986.3.11, 85도2831
> ④ × : ~ (1줄) 장소로 풀어준 경우 미성년자약취·유인죄가(기수)가 성립하고(∴ 중지미수 ×), 다만 그 형을 감경할 수 있다(제295조의 2).

05 미수에 대한 설명으로 옳은 것만을 모두 고르면?(다툼이 있는 경우 판례에 의함)

25. 9급 검찰 · 마약수사 · 철도경찰

> ㉠ 법정에서 선서한 증인이 일단 기억에 반하는 허위의 진술을 하였다가 그 신문이 끝나기 전에 그 진술을 철회 · 시정한 경우에는 중지미수에 해당하므로 형을 감경하거나 면제한다.
>
> ㉡ 甲이 자신의 범행 전력 등을 생각하여 가책을 느낀 나머지 스스로 결의를 바꾸어 다른 공범자 乙의 침입 사실을 알려 그를 체포하게 하여 야간주거침입절도의 범행을 중지하게 한 경우, 甲에 대해서는 형을 감경하거나 면제하나, 乙에 대해서는 형을 감경할 수 없다.
>
> ㉢ 甲이 乙과 합동하여 피해자 A를 텐트 안으로 끌고 간 후 乙, 甲의 순으로 성관계를 하기로 하고 甲은 위 텐트 밖으로 나와 주변에서 망을 보고 乙은 A의 옷을 모두 벗기고 A의 반항을 억압한 후 A를 1회 간음하여 강간하고, 이어 甲이 위 텐트 안으로 들어가 A를 강간하려 하였으나 A가 반항을 하며 강간을 하지 말아 달라고 사정을 하여 강간을 하지 않은 경우 甲이 강간행위에 나아가지 않았다 하더라도 중지미수에 해당하지는 않는다.
>
> ㉣ 중지범은 범죄의 실행에 착수한 후 자의로 그 행위를 중지한 때를 말하는 것이고 실행의 착수가 있기 전인 예비 · 음모의 행위를 처벌하는 경우에 있어서 중지범의 관념은 이를 인정할 수 없다.

① ㉠, ㉡　　　　② ㉠, ㉢　　　　③ ㉡, ㉣　　　　④ ㉢, ㉣

해설 ㉠ × : ~ (2줄) 경우에는 위증이 되지 아니한다(대판 1984.3.27, 83도2583 ∵ 증인신문절차가 종료된 때에 위증죄는 기수에 달함).

㉡ × : ~ (3줄) 형을 감경하거나 면제하나, 乙에 대해서는 형을 감경할 수 있다(대판 1986.3.11, 85도2831 ∵ 甲 ⇨ 중지미수, 乙 ⇨ 장애미수).

㉢ ○ : 대판 2005.2.25, 2004도8259(∵ 성폭력특례법상의 특수강간죄의 기수)

㉣ ○ : 대판 1999.4.9, 99도424

Answer 05. ④

제6절 불능미수

> **제27조【불능범】** 실행의 수단 또는 대상의 착오로 인하여 결과의 발생이 불가능하더라도 위험성이 있는 때에는 처벌한다. 단, 형을 감경 또는 면제할 수 있다. 22. 해경간부·해경 2차, 23. 해경승진·법원직

1 서 설

불능미수란 범죄의사로 실행행위를 하였으나 처음부터 실행의 수단 또는 대상의 착오로 인하여 결과발생은 불가능하나 위험성이 있어 미수범으로 처벌되는 경우를 말한다(제27조).

2 성립요건

(1) 수단의 착오

수단의 착오란 설탕에 살인력이 있다고 믿고 설탕을 먹여 살해하려고 하는 경우처럼 행위자가 선택한 수단(설탕)으로는 결과발생(사람의 사망)이 불가능한 경우, 즉 '수단의 불가능성'을 말한다.

(2) 대상의 착오

대상의 착오란 죽은 사람을 살아 있는 사람으로 오인하여 총을 발사한 것처럼 행위자가 범죄의 객체로서 인식했던 대상(살아 있는 사람)이 사실상 범죄의 객체가 될 수 없어(죽은 사람) 결과발생이 불가능한 경우, 즉 '객체의 불가능'을 말한다.

🔔 주체의 착오(진정신분범의 신분이 있는 것으로 오인한 경우)로 인해 결과발생이 불가능한 경우 ⇨ 형법상 명문의 규정 ×(불능미수 ×), 불가벌적 환각범 ○(통설) 17. 9급 철도경찰, 19. 변호사시험, 20. 경찰간부, 23. 해경승진

관련판례

1. 대판 2019.3.28, 2018도16002 전원합의체
   ① 불능미수는 행위자에게 범죄의사가 있고 실행의 착수라고 볼 수 있는 행위가 있지만 실행의 수단이나 대상의 착오로 처음부터 구성요건이 충족될 가능성이 없는 경우이다. 다만 결과적으로 구성요건의 충족은 불가능하지만, 그 행위의 위험성이 있으면 불능미수로 처벌한다. 불능미수는 행위자가 실제로 존재하지 않는 사실을 존재한다고 오인하였다는 측면에서 존재하는 사실을 인식하지 못한 사실의 착오와 다르다. 20. 변호사시험·법원행시, 22. 경찰승진, 25. 순경 1차·2차
   ② 장애미수 또는 중지미수는 범죄의 실행에 착수할 당시 실행행위를 놓고 판단하였을 때 행위자가 의도한 범죄의 기수가 성립할 가능성이 있었으므로 처음부터 기수가 될 가능성이 객관적으로 배제되는 불능미수와 구별된다. 19. 순경 2차, 20. 경찰간부·변호사시험
   ③ 불능미수범에서 말하는 '실행의 수단 또는 대상의 착오'는 행위자가 시도한 행위방법 또는 행위객체로는 결과의 발생이 처음부터 불가능하다는 것을 의미한다. 그리고 '결과발생의 불가능'은 실행

의 수단 또는 대상의 원시적 불가능성으로 인하여 범죄가 기수에 이를 수 없는 것을 의미한다.
20. 경찰승진, 22. 9급 검찰·마약수사·철도경찰, 23. 경력채용, 24. 9급 철도경찰, 25. 변호사시험·7급 검찰

2. 불능미수란 행위자에게 범죄의사가 있고 실행의 착수라고 볼 수 있는 행위가 있더라도 실행의 수단이나 대상의 착오로 처음부터 결과발생 또는 법익침해의 가능성이 없지만, 다만 그 행위의 위험성 때문에 미수범으로 처벌하는 경우를 말한다. 여기에서 '결과의 발생이 불가능'하다는 것은 범죄행위의 성질상 어떠한 경우에도 구성요건의 실현이 불가능하다는 것을 의미한다(대판 2025.9.11, 2025도11062). 25. 변호사시험·7급 검찰

(3) 위험성(불능범과 불능미수의 구별기준)

위험성이 있으면 불능미수로 처벌되고, 위험성이 없으면 불능범으로 처벌되지 아니한다.

위험성 판단기준 17. 경찰간부, 20. 순경 1차

학 설	내 용	사 례
구객관설 (절대적 불능·상대적 불능 구별설) : 판례	• 결과발생이 어떠한 경우에도 개념적으로 불가능한 절대적 불능 ⇨ 불능범(위험성 ×) • 결과발생이 일반적으로는 가능하지만 구체적·특수한 경우에만 불가능한 상대적 불능 ⇨ 불능미수(위험성 ○)	• 시체에 대한 살인행위 　⇨ 객체의 절대적 불능(위험성 ×) • 방탄복을 입은 자에 대한 살인행위 　⇨ 객체의 상대적 불능(위험성 ○) • 독살의 의사로 설탕을 먹인 경우 　⇨ 수단의 절대적 불능(위험성 ×) • 치사량 미달의 독약을 먹인 경우 　⇨ 수단의 상대적 불능(위험성 ○)
법률적 불능·사실적 불능설	• 법률적 불능 ⇨ 불능범 • 사실적 불능 ⇨ 불능미수	법률적 불능은 절대적 불능, 사실적 불능은 상대적 불능으로 이해
구체적 위험설 (신객관설)	행위 당시에 행위자가 인식한 사정과 일반인이 인식할 수 있었던 사정을 기초로 일반인(통찰력 있는 사람)의 관점에서 객관적·사후적으로 구체적 위험성이 있는가를 판단하는 견해이다.	시체를 살아 있는 사람으로 오인하여 살해하려고 한 경우 • 일반인도 살아 있는 것으로 안 경우 　⇨ 불능미수 • 일반인은 시체임을 알고 있었던 경우 ⇨ 불능범
추상적 위험설 (법질서에 대한 위험설, 주관적 위험설, 주관적 객관설) : 다수설·판례	위험성은 행위 당시에 피고인이 인식한 사정(일반인이 인식할 수 있었던 사정 ×)을 놓고 일반인이 객관적으로 판단하여 결과발생의 가능성이 있는지 여부를 따져야 한다(대판 2019.3.28, 2018도16002 전원합의체). 22. 경찰간부·해경간부, 23. 경찰승진·경력채용, 25. 변호사시험	① 시체를 살아 있는 사람으로 오인하고 살해하려고 한 경우 ⇨ 불능미수 ② 설탕을 독약으로 오인하고 먹여 살해하려고 한 경우 ⇨ 불능미수 ③ 설탕으로도 사람을 살해할 수 있다고 믿고서 설탕을 먹인 경우 ⇨ 불능범
주관설	범죄의사를 표현하는 구성요건 실현행위가 있는 이상 결과발생이 객관적으로 불가능하더라도 항상 위험성이 있다고 보는 견해이다.	불능범의 개념을 부정한다. 미신범 이외에는 원칙적으로 불능범을 부정하며 모두 미수범으로 처벌된다. 21. 해경간부

관련판례

1. 피고인이 피해자가 심신상실 또는 항거불능의 상태에 있다고 인식하고 그러한 상태를 이용하여 간음할 의사로 피해자를 간음하였으나 피해자가 실제로는 심신상실 또는 항거불능의 상태에 있지 않은 경우, 준강간죄의 불능미수에 해당한다(대판 2019.3.28, 2018도16002 전원합의체 ∵ 추상적 위험성설 : 피고인이 행위 당시에 인식한 사정을 놓고 일반인이 객관적으로 판단하였을 때 준강간의 결과가 발생할 위험성이 있음). 20. 법원직·법원행시, 21. 경찰승진, 22. 경찰간부, 23. 9급 철도경찰, 24. 변호사시험, 25. 순경 1차·경위공채·경력채용·경대편입

2. 소송비용을 편취할 의사로 소송비용의 지급을 구하는 손해배상청구의 소를 제기하였다고 하더라도 이는 객관적으로 소송비용의 청구방법에 관한 법률적 지식을 가진 일반인의 판단으로 보아 결과발생의 가능성이 없어 위험성이 인정되지 않아 사기죄의 불능범에 해당한다(대판 2005.12.8, 2005도8105). 21. 순경 1차, 22. 9급 검찰, 23. 경찰승진·법원직·9급 철도경찰·순경 2차, 24. 해경승진·7급 검찰, 25. 변호사시험·경위공채

3. 부동산을 편취할 의사로 이미 사망한 자에 대하여 소유권이전등기청구의 소를 제기하여 승소판결을 받는다고 하더라도 판결의 효력이 해당 임야의 재산상속인에게 미칠 수 없으므로 사기죄를 구성한다고 할 수 없다(대판 2002.1.11, 2000도1881 ∴ 사기죄의 불능미수 ×, 사기죄의 불능범). 15. 사시, 18. 경찰승진, 19. 경찰간부, 24. 9급 철도경찰

4. 일정량 이상을 먹으면 사람이 사망에 이를 수도 있는 '초우뿌리' 또는 '부자' 달인 물을 피해자에게 마시게 하여 피해자를 살해하려고 하였으나 피해자가 이를 토해버림으로써 미수에 그친 행위는 불능범이 아닌 살인미수죄가 성립한다(대판 2007.7.26, 2007도3687). 18. 법원행시·9급 철도경찰, 23. 변호사시험·경력채용

5. 치사량 미달의 독약으로 사람을 살해하려고 한 경우(대판 1984.2.28, 83도3331 : 요구르트병에 치사량 미달의 농약을 넣은 사건), 히로뽕 제조를 시도하였으나 기술부족으로 완제품을 제조하지 못한 경우(대판 1985.3.26, 85도206) ⇨ 결과발생의 위험이 절대 불능 × ⇨ (불능)미수범 ○(구 객관설의 입장) 17. 경찰간부·9급 검찰·철도경찰, 19. 법원행시, 23. 해경승진, 24. 7급 검찰

6. 이미 배당금을 수령할 권리를 가진 임차인이 경매배당금을 편취할 의사로 임대차계약서상의 임차인 명의를 처로 변경하여 경매법원에 배당요구를 한 경우 ⇨ 사기죄의 불능범으로서 무죄(대판 2002.2.8, 2001도6669) 16. 법원직, 20. 법원행시, 25. 경력채용

7. 피해자를 독살하려 하였으나 피해자가 토함으로써 그 목적을 이루지 못한 경우에는, 피고인이 사용한 독의 양이 치사량 미달이어서 결과발생이 불가능한 경우도 있을 것이므로 불능미수에 해당하는지 가려야 한다(대판 1984.2.14, 83도2967). 18. 법원행시, 24. 7급 검찰

8. 소매치기가 피해자의 주머니에 손을 넣어 금품을 절취하려 한 경우 비록 그 주머니 속에 금품이 들어있지 않았었다 하더라도 그러한 행위는 절도라는 결과발생의 위험성을 충분히 내포하고 있으므로 이는 절도미수에 해당한다(대판 1986.11.25, 86도2090). 15. 순경 1차, 25. 순경 2차

9. 권총에 탄환을 장전하여 발사하였으나 탄환이 불량하여 불발된 경우 ⇨ 불능미수 ○, 불능범 ×(대판 1954.1.30, 4286형상103) 16. 법원직, 21. 해경승진

10. 히로뽕제조를 위해 에페트린에 빙초산을 혼합한 행위가 불능범이 아니라고 인정하려면 행위 당시에 행위자가 인식한 사정을 놓고 객관적으로 제약방법을 아는 과학적 일반인의 판단으로 보아 결과발생의 가능성이 있어야 한다(대판 1978.3.28, 77도4049 ⇨ 추상적 위험설 입장). 12. 9급 검찰

3 처 벌

불능미수도 미수범의 일종이므로 형법 각칙에 처벌규정이 있는 때에만 처벌되며(제29조), 불능미수는 사실상(객관적으로) 결과발생은 불가능하지만 위험성이 있으므로 형을 감경 또는 면제할 수 있다(임의적 감면사유 : 제27조). 17. 경찰간부, 18. 경찰승진, 21. 순경 1차, 22. 9급 철도경찰

01 다음 사례에서 불능미수의 학설에 관한 설명으로 가장 적절하지 않은 것은? 20.순경 1차, 23.해경승진

> 甲은 평소 맘에 들지 않던 乙이 동네 벤치에 누워있는 것을 발견하고 살해하기 위해 총을 발사하였다. 그러나 乙은 甲이 총을 발사하기 전에 이미 심장마비로 사망한 상태였다.

① 구객관설(절대적 불능·상대적 불능 구별설)에 의하면 결과발생이 어떠한 경우에도 개념적으로 불가능하여 위험성이 인정되지 않는다.

② 구체적 위험설에 의하면 일반인이 乙을 살아 있는 것으로 오인한 경우뿐만 아니라 乙을 사망한 것으로 인식한 경우에도 행위자 甲의 인식이 우선시되므로 위험성이 인정된다.

③ 추상적 위험설에 의하면 甲은 乙을 살아 있는 사람으로 인식하고 있었으므로 위험성이 인정된다.

④ 주관설에 의하면 위 사례의 경우 위험성이 인정된다.

해설 ①③④ 타당하다. ② × : 구체적 위험설은 행위 당시에 행위자가 인식한 사정과 일반인이 인식할 수 있었던 사정을 기초로 일반적 경험법칙(통찰력 있는 사람)의 관점에서 사후판단을 하여 구체적 위험성이 있는가를 판단하는 견해이다. 사례의 경우 일반인도 乙이 살아 있는 것으로 오인한 경우에는 위험성이 인정되나, 일반인이 乙을 사망한 것으로 인식한 경우에는 위험성을 부정한다.

02 불능미수에 관한 설명으로 가장 적절하지 않은 것은?(다툼이 있는 경우 판례에 의함) 19.순경 2차

① 불능미수는 행위자가 실제로 존재하지 않는 사실을 존재한다고 오인하였다는 측면에서 존재하는 사실을 인식하지 못한 사실의 착오와 다르다.

② 장애미수 또는 중지미수는 범죄의 실행에 착수할 당시 실행행위를 놓고 판단하였을 때 행위자가 의도한 범죄의 기수가 성립할 가능성이 있었으므로 처음부터 기수가 될 가능성이 객관적으로 배제되는 불능미수와 구별된다.

③ '결과발생의 불가능'은 실행의 수단 또는 대상의 원시적 불가능성으로 인하여 범죄가 기수에 이를 수 없는 것을 의미한다.

④ 준강간죄가 성립하기 위해서는 피해자의 '심신상실 또는 항거 불능의 상태를 현실적으로 이용'할 필요는 없고, 피해자가 사실상 심신상실 또는 항거불능 상태에 있기만 하면 족하며 피고인이 이를 알고 있을 필요도 없다.

해설 ① ○ ② ○ ③ ○ : 대판 2019.3.28, 2018도16002 전원합의체
④ × : 형법은 폭행 또는 협박의 방법이 아닌 심신상실 또는 항거불능의 상태를 이용하여 간음한 행위를 강간죄에 준하여 처벌하고 있으므로, 준강간의 고의는 피해자가 심신상실 또는 항거불능의 상태에 있다는 것과 그러한 상태를 이용하여 간음한다는 구성요건적 결과발생의 가능성을 인식하고 그러한 위험을 용인하는 내심의 의사를 말한다(대판 2019.3.28, 2018도16002 전원합의체).

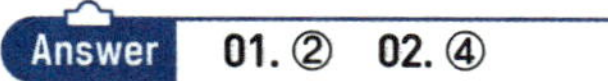

Answer 01. ② 02. ④

03 형법상 착오에 관한 설명으로 옳지 않은 것은?(다툼이 있는 경우 판례에 의함)　　25. 경위공채

① 피해자의 촉탁 또는 승낙이 없음에도 불구하고 있다고 오인하여 살해한 경우 형법 제15조 제1항을 적용하는 견해에 의하면 촉탁·승낙 살인죄가 성립한다.

② 사망한 자로 오인하고 허위의 사실을 적시하여 명예를 훼손하고자 하였으나 생존자인 경우에 형법 제15조 제1항을 적용하는 견해에 의하면 사자명예훼손죄가 성립한다.

③ 19세 이상의 사람이 16세 미만의 사람이라고 오인하고 동의를 얻어 간음행위를 하였으나 사실은 16세 이상의 사람인 경우 구성요건 착오 중 사실의 착오에 해당하므로 미성년자의제강간죄가 성립하지 아니한다.

④ 피해자가 술에 만취한 나머지 심신상실 또는 항거불능의 상태에 있다고 오인하고 그러한 상태를 이용하여 간음하였으나 실제로는 피해자가 심신상실 또는 항거불능의 상태에 있지 않은 경우에는 준강간죄의 불능미수가 성립한다.

> 해설　①② 옳다.
>
> ③ × : 16세 이상의 사람은 제305조 제2항(미성년자의제강간죄)의 객체(13세 이상 16세 미만)가 되는 것이 불가능하므로 '위험성'의 인정 여부에 따라 불능미수 또는 불능범에 해당한다.
>
> ④ 대판 2019.3.28, 2018도16002 전원합의체

04 다음 중 甲의 행위와 미수(불가벌적 불능범 포함)의 연결이 바르게 된 것을 모두 고른 것은?(다툼이 있는 경우 판례에 의함)　　21. 경찰승진

> ㉠ 소송비용을 편취할 의사로 민사소송법상 소송비용의 지급을 구하는 손해배상청구의 소를 제기한 甲의 행위 － 형법 제347조 사기죄의 불능미수
>
> ㉡ 甲은 피해자가 심신상실 또는 항거불능의 상태에 있다고 인식하고 그러한 상태를 이용하여 간음할 의사로 피해자를 간음하였으나 피해자가 실제로는 심신상실 또는 항거불능의 상태에 있지 않은 경우, 甲의 행위 － 형법 제299조 준강간죄의 불가벌적 불능범
>
> ㉢ 피해자를 살해하기 위해 그의 목 부위와 왼쪽 가슴 부위를 칼로 수 회 찔렀으나 피해자의 가슴 부위에서 많은 피가 흘러나오는 것을 발견하고 겁을 먹고 범행을 그만둔 甲의 행위 － 형법 제250조 살인죄의 중지미수
>
> ㉣ 강도행위 중에 피해자를 강간하려고 작은 방으로 끌고가 팬티를 강제로 벗기고 음부를 만지자 피해자가 수술한 지 얼마 안되어 배가 아프다면서 애원하는 바람에 강간을 그만 둔 甲의 행위 － 형법 제339조 강도강간죄의 장애미수

① ㉠, ㉡, ㉣　　　② ㉠, ㉢　　　③ ㉡, ㉢　　　④ ㉣

> 해설　㉠ × : 사기죄의 불능미수 ×, 불능범 ○(대판 2005.12.8, 2005도8105)
>
> ㉡ × : 준강간죄의 불능미수 ○, 불능범 ×(대판 2019.3.28, 2018도16002 전원합의체)
>
> ㉢ × : 살인죄의 장애미수 ○, 중지미수 ×(대판 1999.4.13, 99도640)
>
> ㉣ ○ : 대판 1992.7.28, 92도917

Answer　03. ③　04. ④

05 **다음 설명 중 옳은 것은 모두 몇 개인가?**(다툼이 있는 경우 판례에 의함) 20. 경찰간부

> ㉠ 주체의 착오로 인해 결과발생이 불가능한 경우에도 불능미수가 성립될 수 있는지에 대해서는 형법상 명문의 규정이 없다.
> ㉡ 장애미수 또는 중지미수는 범죄의 실행에 착수할 당시 실행행위를 놓고 판단하였을 때 행위자가 의도한 범죄의 기수가 성립할 가능성이 있었으므로 처음부터 기수가 될 가능성이 객관적으로 배제되는 불능미수와 구별된다.
> ㉢ 임대인과 소액 임대차계약을 체결한 임차인이 임차건물에 거주하기는 하였으나 그의 처만이 전입신고를 마친 후에 경매절차에서 배당을 받기 위하여 임대차계약서상의 임차인 명의를 처로 변경하여 경매법원에 배당요구를 한 경우 불능범에 해당한다.
> ㉣ 피고인이 피해자가 심신상실 또는 항거불능의 상태에 있다고 인식하고 그러한 상태를 이용하여 간음할 의사로 피해자를 간음하였으나 피해자가 실제로는 심신상실 또는 항거불능의 상태에 있지 않은 경우, 준강간죄의 불능미수에 해당한다.
> ㉤ 일반적으로 공범이 자신의 행위를 중지한 것만으로는 중지 미수가 성립하지 않지만, 다른 공범 또는 정범의 행위를 중단시키기 위하거나 결과발생을 저지하기 위한 진지한 노력이 있었을 경우에는 비록 결과가 발생하였다고 할지라도 그 공범에게는 예외적으로 중지미수가 성립될 수 있다.

① 1개 ② 2개 ③ 3개 ④ 4개

> **해설** ㉠ ○ : 형법은 실행의 수단 또는 대상의 착오로(실행의 주체의 착오 ×) ~ 있다(제27조).
> ㉡ ○ : 대판 2019.3.28, 2018도16002 전원합의체
> ㉢ ○ : 대판 2002.2.8, 2001도6669
> ㉣ ○ : 대판 2019.3.28, 2018도16002 전원합의체
> ㉤ × : 결과발생 ⇨ 중지미수 ×

06 **불능미수에 대한 설명으로 옳은 것은?**(다툼이 있는 경우 판례에 의함) 24. 7급 검찰

① 불능미수 성립요건인 위험성 판단은 일반인이 행위 당시에 인식한 사정을 놓고 이것이 객관적으로 일반인의 판단으로 보아 결과발생의 가능성이 있느냐를 따져야 한다.
② 농약을 탄 배추국을 먹여 피해자를 살해하고자 하였으나 이를 먹던 피해자가 국물을 토함으로써 미수에 그친 경우, 법원으로서는 불능미수 성립 여부에 대해서도 판단하여야 한다.
③ 소송비용을 편취할 의사로 소송비용의 지급을 구하는 손해배상청구의 소를 제기한 경우, 이러한 소의 제기는 일반인의 판단으로 보아 결과발생의 가능성이 있어 사기죄의 불능미수에 해당한다.
④ 염산에페트린 및 수종의 약품을 교반하여 히로뽕 제조를 시도하였으나 약품배합 미숙으로 완제품을 제조하지 못한 경우, 이는 그 성질상 결과발생의 위험성이 없어 습관성의약품제조죄의 불능범에 해당한다.

Answer 05. ④ 06. ②

해설 ① × : ~ (1줄) 판단은 피고인(일반인 ×)이 행위 당시에 인식한 사정을 놓고 이것이 객관적으로 일반인의 판단으로 보아 결과발생의 가능성이 있느냐를 따져야 한다(대판 2019.3.28, 2018도16002 전원합의체)

② ○ : 대판 1984.2.14, 83도2967

③ × : ~ (2줄) 결과발생의 가능성이 없어 사기죄의 불능범(불능미수 ×)에 해당한다(대판 2005.12.8, 2005도8105).

④ × : ~ (2줄) 결과발생의 위험성이 있어 습관성의약품제조죄의 불능미수(불능범 ×)에 해당한다(대판 1985.3.26, 85도206).

07 형법 제27조(불능범)에 관한 설명 중 옳은 것은?(다툼이 있는 경우 판례에 의함) **25. 변호사시험**

① 간통이 형사처벌된다고 착오하고 간통행위를 한 경우는 불능범에 해당한다.

② 결과발생의 불가능은 범죄행위의 성질상 어떠한 경우에도 구성요건의 실현이 불가능하다는 것을 의미하는 것은 아니다.

③ 위험성은 행위 당시에 행위자가 인식한 사정과 일반인이 인식할 수 있었던 사정을 기초로 일반적 경험법칙에 따라 객관적·사후적으로 판단한다.

④ 소송비용을 편취할 의사로 소송비용의 지급을 구하는 손해배상청구의 소를 제기한 경우 소송사기죄의 불능미수가 성립한다.

⑤ 甲이 살인의 고의로 乙에게 치사량의 독약을 복용시키려 하였으나 착오로 치사량에 현저히 미달하는 양의 독약을 복용시킨 다음 후회하여 乙에게 해독제를 먹인 경우, 방지행위와 결과 불발생 사이에 인과관계를 요하는 견해에 따르면 살인죄의 불능미수가 성립한다.

해설 ① × : ~ 경우는 환각범(반전된 금지의 착오, 위법성의 적극적 착오)에 해당한다.

② × : ~ 불가능하다는 것을 의미한다(대판 2019.5.16, 2019도97).

③ × : 위험성은 행위 당시에 피고인이 인식한 사정(일반인이 인식할 수 있었던 사정 ×)을 놓고 일반인이 객관적으로 판단하여 결과발생의 가능성이 있는지 여부를 따져야 한다(대판 2019.3.28, 2018도16002 전원합의체).

④ × : ~ 소송사기죄의 불능범(불능미수 ×)에 해당한다(대판 2005.12.8, 2005도8105).

⑤ ○ : 방지행위(해독제를 먹인 경우)와 결과(사망)의 불발생 사이에 인과관계가 있어야 중지미수가 성립할 수 있으므로, 방지행위가 아닌 다른 원인(치사량에 현저히 미달하는 양의 독약을 복용)에 의하여 결과(사망)가 발생하지 않은 ⑤의 경우 살인죄의 중지미수가 아닌 불능미수(결과의 발생이 처음부터 불가능)가 성립한다.

Answer **07. ⑤**

01 다음 설명 중 옳은 것만을 모두 고르면?(다툼이 있는 경우 판례에 의함) 21. 9급 철도경찰

㉠ 장애미수와 중지미수는 범죄실행에 착수할 당시 실행행위를 놓고 판단하였을 때 행위자가 의도한 범죄의 기수가 성립할 가능성이 있었으므로, 처음부터 기수가 될 가능성이 객관적으로 배제되는 불능미수와 구별된다.

㉡ 예비행위를 자의로 중지한 경우 예비의 형이 중지미수의 형보다 무거운 때에는 중지미수의 규정을 준용할 수 있다.

㉢ 사람을 약취·유인한 자가 인질을 안전한 장소로 풀어준 때와 같이 예외적인 경우에는 범죄가 기수에 이른 후에도 형법 총칙상 중지미수의 규정을 준용한다.

㉣ 범죄의 실행에 착수하였으나 피해자의 간곡한 부탁으로 인하여 그 목적을 이루지 못하고 자기의 자유로운 의사에 따라 범죄의 실행을 중지한 경우에는 중지미수에 해당한다.

① ㉠, ㉡   ② ㉠, ㉣   ③ ㉡, ㉢   ④ ㉢, ㉣

해설　㉠ ○ : 대판 2019.3.28, 2018도16002 전원합의체
㉡ × : ~ 준용할 수 없다(대판 1999.4.9, 99도424).
㉢ × : 사람을 약취·유인한 자가 인질을 안전한 장소로 풀어준 때에는 그 형을 감경할 수 있으나(제295조의 2), 범죄가 기수에 이른 후에는 형법 총칙상 중지미수의 규정을 준용할 수 없다.
㉣ ○ : 대판 1993.10.12, 93도1851

02 미수 및 예비죄에 관한 설명 중 옳지 않은 것을 모두 고른 것은?(다툼이 있는 경우 판례에 의함)
21. 변호사시험

㉠ 중지범은 범죄의 실행에 착수한 후 자의로 그 행위를 중지한 때를 말하는 것이므로 실행의 착수가 있기 전인 예비의 중지범은 인정할 수 없다.

㉡ 공동정범 중 1인의 자의에 의한 실행중지만으로는 그의 중지미수를 인정할 수 없으며, 공동정범 전원의 실행행위를 중지시키거나 모든 결과발생을 완전히 방지한 때 공동정범 전체의 중지미수가 인정된다.

㉢ 정범이 예비단계에 그친 경우, 이를 방조한 자도 예비죄의 종범으로 처벌된다.

㉣ 살인예비죄가 성립하기 위하여 살인죄를 범할 목적 이외에 살인의 준비에 관한 고의가 있어야 하는 것은 아니다.

㉤ 가벌적 불능미수와 불가벌적 불능범의 구별 기준인 '위험성'은 행위 당시에 행위자가 인식한 사정 및 일반인이 인식할 수 있었던 사정을 기초로 일반적 경험법칙에 따라 사후 판단한다.

① ㉠, ㉡, ㉢   ② ㉠, ㉢, ㉣   ③ ㉡, ㉢, ㉣
④ ㉡, ㉣, ㉤   ⑤ ㉡, ㉢, ㉣, ㉤

Answer　01. ②　02. ⑤

해설 ㉠ ○ : 대판 1999.4.9, 99도424
㉡ × : ~ (2줄) 방지한 때 자의로 중지한 자에게는 중지미수가 인정되지만 다른 공동정범은 장애미수가 된다.
㉢ × : 예비죄의 공동정범 ○, 예비죄의 종범 ×(대판 1979.11.27, 79도2201)
㉣ × : ~ 고의가 있어야 한다(대판 2009.10.29, 2009도7150). ㉤ × : ~ 행위자가 인식한 사정(일반인이 인식할 수 있었던 사정 ×)을 기초로 일반인이 객관적으로 판단하여 결과발생의 가능성이 있는지 여부를 따져야 한다(대판 2019.3.28, 2018도16002 전원합의체 ; 추상적 위험설). ㉥ 지문은 구체적 위험설 입장임.

03 미수에 대한 설명으로 가장 적절한 것은?(다툼이 있는 경우 판례에 의함)　　　　22. 경찰승진

① 불능미수의 성립요건인 '위험성'은 피고인이 행위 당시에 인식한 사정과 일반인이 인식할 수 있었던 사정을 놓고 일반인이 객관적으로 판단하여 결과발생의 가능성이 있는지 여부를 따져야 한다.
② 불능미수에서 '결과의 발생이 불가능'하다는 것은 범죄행위의 성질상 그 어떠한 경우에도 구성요건의 실현이 불가능하다는 것을 의미한다.
③ 예비·음모의 행위를 한 후 실행의 착수로 나아가기 전에 자의로 중지한 경우에는 예비·음모죄의 중지미수를 인정할 수 있다.
④ 타인의 재물을 공유하는 자가 공유자의 승낙을 받지 않고 공유대지를 담보에 제공하고 가등기를 경료한 후 자의로 가등기를 말소하였다면 이는 횡령죄의 중지미수에 해당한다.

해설 ① × : ~ 위험성은 피고인이 행위 당시에 인식한 사정(일반인이 인식할 수 있었던 사정 ×)을 놓고 일반인이 객관적으로 판단하여 결과발생의 가능성이 있는지 여부를 따져야 한다(대판 2019.3.28, 2018도16002 전원합의체 ○). ② ○ : 대판 2019.3.29, 2018도16002 전원합의체
③ × : ~ 인정할 수 없다(대판 1999.4.9, 99도424).
④ × : ~ 횡령죄의 기수에 이른다(대판 1978.11.28, 78도2175).

04 예비와 미수에 관한 설명으로 옳은 것은 모두 몇 개인가?(다툼이 있는 경우 판례에 의함) 22. 순경 1차

㉠ 미수범이란 행위를 종료했더라도 결과가 발생하지 아니한 경우를 말하는 것이므로 결과가 발생한 경우에는 미수범이 성립할 여지가 없다.
㉡ 강도치상죄와는 달리 강도상해죄는 강도가 미수에 그쳤다면 상해가 발생하였어도 강도상해죄의 미수에 해당한다.
㉢ 대법원은 예비죄의 실행행위성을 긍정하는 입장에 서 있으므로 예비죄의 공동정범뿐만 아니라 예비죄에 대한 종범의 성립도 긍정한다.
㉣ 저작권 침해 게시물을 인터넷 웹사이트 서버 등에 업로드하여 공중의 구성원이 개별적으로 선택한 시간과 장소에서 접근할 수 있도록 이용에 제공하였더라도 공중에게 침해 게시물을 실제로 송신하지 않았다면 저작권법상 공중송신권 침해는 기수에 이르지 않는다.
㉤ 교사를 받은 자가 범죄의 실행 자체를 승낙하지 아니하거나 실행을 승낙하고 실행의 착수에 이르지 않은 경우, 교사자는 예비음모에 준하여 처벌된다.

Answer　03. ②　04. ①

① 1개　　　　② 2개　　　　③ 3개　　　　④ 4개

[해설] ㉠ × : 결과가 발생하더라도 행위와 결과 사이의 인과관계가 인정되지 않는 경우에는 미수범이 성립할 여지가 있다.
㉡ × : 강도치상죄(결과적 가중범)와 동일하게 강도상해죄(결과범)도 강도가 미수에 그쳤더라도 상해가 발생하면 강도상해죄(기수)가 된다(대판 1969.3.18, 69도154).
㉢ × : 예비죄의 공동정범 ○, 예비죄에 대한 종범 ×(대판 1979.11.27, 79도2201)
㉣ × : ~ (2줄) 이용에 제공하면, 공중에게 침해 게시물을 실제로 송신하지 않더라도 저작권법상 공중송신권 침해는 기수에 이른다(대판 2021.9.9, 2017도19025 전원합의체).
㉤ ○ : 실패한 교사(제31조 제3항), 효과 없는 교사(제31조 제2항)

05 미수에 대한 설명 중 가장 적절한 것은?(다툼이 있는 경우 판례에 의함)　　23. 경찰승진

① 준강도죄의 기수 여부는 구성요건적 행위인 폭행 또는 협박이 종료되었는가의 여부에 따라 결정된다.

② 소송비용을 이미 송금받았음에도 불구하고 소송비용을 편취할 의사로 소송비용의 지급을 구하는 손해배상청구의 소를 제기한 경우 사기죄의 불능범에 해당한다.

③ 피해자를 살해하려고 그의 목 부위와 왼쪽 가슴 부위를 칼로 수회 찔렀으나 피해자의 가슴 부위에서 많은 피가 흘러나오는 것을 발견하고 겁을 먹고 그만 둔 경우 살인죄의 중지미수에 해당한다.

④ 불능범과 구별되는 불능미수의 성립요건인 '위험성'은 행위 당시 행위자가 인식한 사정과 일반인이 인식할 수 있었던 사정을 기초로 일반적 경험법칙에 따라 객관적·사후적으로 판단하여야 한다.

[해설] ① × : ~ 종료되었는가의 여부가 아니라 절도행위의 기수 여부에 따라 결정된다(대판 2004.11.18, 2004도5074 전원합의체).
② ○ : 대판 2005.12.8, 2005도8105
③ × : ~ 살인죄의 장애미수(중지미수 ×)에 해당한다(대판 1999.4.13, 99도640).
④ × : ~ 위험성은 피고인이 행위 당시에 인식한 사정(일반인이 인식할 수 있었던 사정 ×)을 놓고 일반인이 객관적으로 판단하여 결과발생의 가능성이 있는지 여부를 따져야 한다(대판 2019.3.28, 2018도16002 전원합의체).

06 다음 중 가장 적절한 것은?(다툼이 있는 경우 판례에 의함)　　23. 순경 2차

① 甲이 허위내용의 고소장을 경찰관에게 제출하였다가 그 경찰관으로부터 고소장의 내용만으로는 범죄 혐의가 없는 것이라 하므로 그 고소장을 되돌려 받은 때에는 형법 제156조에 따른 무고죄의 장애미수에 해당한다.

② 甲이 소송비용을 편취할 의사로 소송비용의 지급을 구하는 손해배상청구의 소를 제기하였다가 담당 판사로부터 소송비용의 확정은 소송비용액 확정절차를 통해 하라는 권유를 받고 위 소를 취하한 때에는 형법 제347조에 따른 사기죄의 불능미수에 해당한다.

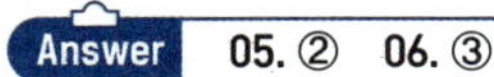

③ 甲이 외국환 수출의 신고를 하지 않은 채 일화를 국외로 반출하기 위해, 일화 400만엔이든 휴대용 가방을 가지고 보안검색대에 나아가지 않은 채 공항 내에서 탑승을 기다리고 있던 중에 체포되었다면 일화 400만 엔의 반출에 대해서는 실행의 착수가 있다고 볼 수 없다.

④ 甲이 A의 뒤에 서서 카메라폰으로 치마 속 신체 부위를 일정한 시간 동안 촬영하다가 경찰관에게 발각되어 저장버튼을 누르지 않고 촬영을 종료하였다면 구 성폭력범죄의 처벌 및 피해자 보호 등에 관한 법률 제14조의 2 제1항에 따른 카메라 등 이용촬영죄의 장애미수에 해당한다.

해설   ① × : 무고죄의 기수범(장애미수 ×)(대판 1985.2.8, 84도2215)
② × : 사기죄의 불능범(불능미수 ×)(대판 2005.12.8, 2005도8105)
③ ○ : 대판 2001.7.27, 2000도4298
④ × : 카메라 등 이용촬영죄의 기수범(장애미수 ×)(대판 2011.6.9, 2010도10677)

07 **미수에 대한 설명으로 옳은 것은?**(다툼이 있는 경우 판례에 의함)   24. 9급 검찰 · 마약수사 · 철도경찰

① 甲이 A에게 위조한 통장 사본 등을 보여 주면서 투자금을 받았다고 거짓말하며 자금 대여를 요청하였으나 A와 함께 그 입금 여부를 확인하기 위해 은행에 가던 중 범행이 발각될 것이 두려워 차용을 포기하고 돌아간 경우, 사기죄의 중지미수가 성립한다.

② 甲이 A가 심신상실 또는 항거불능의 상태에 있다고 인식하고 그러한 상태를 이용하여 간음할 의사로 A를 간음하였으나 실제로는 A가 심신상실 또는 항거불능의 상태에 있지 않았다면 甲에게 준강간죄의 장애미수가 성립한다.

③ 강도가 재물강취의 뜻을 재물의 부재로 이루지 못한 채 미수에 그쳤고 그 자리에서 항거불능의 상태에 빠진 피해자를 간음할 것을 결의하고 실행에 착수했으나 역시 미수에 그친 경우, 반항을 억압하기 위한 폭행으로 피해자에게 상해를 입혔다면 강도강간미수죄와 강도치상죄가 성립하고 양 죄는 상상적 경합관계에 있다.

④ 甲이 소송에서 주장하는 권리가 존재하지 않는 사실을 알고 있으면서도 법원을 기망한다는 인식을 가지고 소를 제기하였지만, 상대방의 주소를 허위로 기재함으로써 소장의 유효한 송달이 되지 않는 경우 소송사기의 실행의 착수가 인정되지 않는다.

해설   ① × : 중지미수 ×, 장애미수 ○(대판 2011.11.10, 2011도10539)
② × : 장애미수 ×, 불능미수 ○(대판 2019.3.28, 2018도16002 전원합의체)
③ ○ : 대판 1988.6.28, 88도820
④ × : ~ 소송사기의 실행의 착수가 인정된다(대판 2006.11.10, 2006도5811).

Answer   07. ③

08 미수에 관한 설명으로 가장 적절하지 않은 것은?(다툼이 있는 경우 판례에 의함)　　24. 순경 1차

① 甲은 A가 술에 만취하여 심신상실 또는 항거불능의 상태에 있다고 인식하고 그러한 상태를 이용하여 간음할 의사로 A를 간음하였으나, 실제로는 A가 심신상실 또는 항거불능의 상태에 있지 않았던 경우, 甲에게는 준강간죄의 불능미수가 성립한다.

② 甲은 A가 운영하는 주점에서 양주를 절취할 목적으로 야간에 그 주점의 잠금장치를 뜯고 침입하여 주점 내 진열장에 있던 양주를 미리 준비한 바구니에 담던 중, A가 주점으로 돌아오는 소리가 들려 양주를 주점에 그대로 둔 채 도망가다가 A에게 붙잡히자 체포를 면탈하기 위해 A를 폭행한 경우, 甲에게는 준강도죄의 미수범이 성립한다.

③ 甲이 금품을 훔칠 목적으로 A의 집에 담을 넘어 침입한 후 부엌에서 금품을 물색하던 중 발각되어 도주한 경우, 甲에게는 절도죄의 실행의 착수가 인정되지 않는다.

④ 甲이 A를 강간하려고 속옷을 강제로 벗기고 음부를 만지던 중 A가 수술한 지 얼마 되지 않아 배가 아프다면서 애원하는 바람에 간음행위를 중단한 경우, 甲에게는 중지미수의 성립요건인 '자의성'이 인정되지 않는다.

> [해설] ① 대판 2019.3.28, 2018도16002 전원합의체
> ② 대판 2004.11.18, 2004도5074 전원합의체
> ③ × : ~ 실행의 착수가 인정된다(대판 1987.1.20, 86도2199).
> ④ 대판 1992.7.28, 92도917

09 미수범에 관한 설명으로 가장 적절하지 않은 것은?(다툼이 있는 경우 판례에 의함)　　25. 순경 1차

① 준강간의 고의로 실행에 착수하였는데 피해자가 실제 항거불능 상태에 있지 않아 구성요건적 결과 발생이 처음부터 불가능하였으나, 그러한 결과 발생의 위험성이 인정되는 경우, 이러한 행위는 준강간죄의 불능미수에 해당한다.

② 甲이 A에게 위조한 예금통장 사본 등을 보여주면서 외국회사에서 투자금을 받았다고 거짓말하며 자금 대여를 요청하였으나, A와 함께 그 입금 여부를 확인하기 위해 은행에 가던 중 범행이 발각될 것이 두려워 은행 입구에서 차용을 포기하고 돌아간 경우, 이를 자의에 의한 사기죄의 중지미수로 볼 수는 없다.

③ 불능범과 구별되는 불능미수의 성립요건인 '위험성'은 행위자가 행위 당시에 인식한 사정을 놓고 일반인이 객관적으로 판단하여 결과 발생의 가능성이 있는지 여부를 따져야 한다.

④ 형법 제27조에서 규정하고 있는 불능미수는 실행의 수단이나 대상의 착오로 처음부터 구성요건이 충족될 가능성이 없는 경우이므로, 실행의 착수로 볼 수 있는 행위가 있어야 하는 것은 아니다.

> [해설] ①③ 대판 2019.3.28, 2018도16002 전원합의체 ② 대판 2011.11.10, 2011도10539
> ④ × : 불능미수는 행위자에게 범죄의사가 있고 실행의 착수라고 볼 수 있는 행위가 있지만 실행의 수단이나 대상의 착오로 처음부터 구성요건이 충족될 가능성이 없는 경우이다(대판 2019.3.28, 2018도16002 전원합의체).

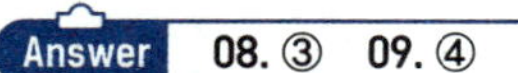

10 미수에 관한 설명으로 가장 적절하지 않은 것은?(다툼이 있는 경우 판례에 의함)　　25. 순경 2차

① 불능미수는 행위자에게 범죄의사가 있고 실행의 착수라고 볼 수 있는 행위가 있지만 실행의 수단이나 대상의 착오로 처음부터 구성요건이 충족될 가능성이 없는 경우이다. 다만 결과적으로 구성요건의 충족은 불가능하지만, 그 행위의 위험성이 있으면 불능미수로 처벌한다.

② 소매치기가 피해자의 주머니에 손을 넣어 금품을 절취하려 한 경우 비록 그 주머니속에 금품이 들어있지 않았다 하더라도 절도라는 결과발생의 위험성을 충분히 내포하고 있으므로 이는 절도미수에 해당한다.

③ 공동정범자 중 1인이 자의로 자기가 다른 공범의 범행을 중지하게 하지 아니한 채 자기만의 범의를 철회·포기한 경우 중지미수에 해당하지 않는다.

④ 소송비용 명목의 돈을 편취하기 위해 소송비용의 지급을 구하는 손해배상금 청구의 소를 제기하였다가 담당 판사로부터 소송비용의 확정은 소송비용액 확정절차를 통하여 하라는 권유를 받고 위 소를 취하한 경우, 사기죄와 관련하여 결과발생의 가능성은 부정되나 소의 제기를 통한 실행의 착수와 결과발생의 위험성이 인정되므로 사기죄의 불능미수에 해당한다.

[해설] ① 대판 2019.3.28, 2018도16002 전원합의체

② 대판 1986.11.25, 86도2090

③ 대판 1969.2.25, 68도1676

④ × : ~ (3줄) 결과발생의 가능성이 없어 위험성이 인정되지 않는다고 할 것이므로 (소송)사기죄의 불능범(불능미수 ×)에 해당한다(대판 2005.12.8, 2005도8105).

Answer　10. ④

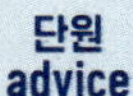
단원 advice 본장에서는 대향범·공동정범과 관련된 판례들이 출제비중이 가장 높고, 교사범과 종범 및 간접정범과 관련된 판례들이 그 뒤를 이으며, 공범과 신분을 비롯한 종합문제가 출제되고 있다.

제1절 공범의 의의

1 범죄참가 형태

> • **단독범** : 1인이 단독으로 범죄를 실행하는 것(단독정범)
> • **광의의 공범** ┌ 공동정범(수인이 공동하여 범죄를 실행하는 것), 간접정범(타인을 이용하여 간접적으로 범죄를 실행하는 것)
> └ 협의의 공범(가담범) : 교사범〔타인(정범)을 교사하여 범죄를 실행하게 하는 것〕, 종범〔타인(정범)의 범죄를 방조하는 것〕

Q 입법형식 : 단일정범체계(구성요건 실현에 기여한 자들을 모두 정범으로 간주하고 양형의 단계에서 범죄기여도에 따라 형량을 정하는 방식 : 가벌성의 확대를 초래한다는 비판이 있음), 정범·공범분리형식〔정범과 공범을 분리하여 규정하는 방식 : 우리 형법 총칙상의 공범규정(제2장 제3절 공범)〕 21. 해경간부, 25. 경찰승진

2 임의적 공범과 필요적 공범

(1) **임의적 공범**(형법 총칙상의 공범) : 1인이 단독으로 실행할 수 있는 범죄를 2인 이상이 협력하여 실현하는 경우(**예** 공동정범, 간접정범, 교사범, 종범)

(2) **필요적 공범** : 구성요건 자체가 처음부터 2인 이상이 참가해서만 실행할 수 있고, 1인이 단독으로는 실행이 불가능하도록 규정된 공범형태

① **집합범** : 다수의 행위자가 동일목표를 향하여 공동으로 작용함으로써 성립하는 범죄〔**예** 다수인에게 동일한 법정형이 규정된 경우(소요죄, 다중불해산죄), 다수인에게 서로 다른 법정형이 규정된 경우(내란죄), 합동범(특수절도죄, 특수강도죄, 특수도주죄)〕 24. 해경간부, 26. 경찰승진

② **대향범** : 범죄성립상 2인 이상이 서로 대향적 행위를 통하여 동일목표를 지향하는 범죄형태

㉠ **동일한 법정형이 규정된 경우** : 도박죄, 인신매매죄, 아동혹사죄 15. 변호사시험, 17. 경찰간부, 23. 해경승진, 26. 경찰승진

㉡ **서로 다른 법정형이 규정된 경우** : 수뢰죄와 증뢰죄, 배임수재죄와 배임증재죄, 도주죄와 도주원조죄 13. 법원행시, 23. 해경승진, 26. 경찰승진

    © **일방만이 처벌되는 경우** : 음화판매죄, 범인은닉죄, 촉탁 · 승낙살인죄, 자살교사 · 방조죄, 음행매개죄 24. 해경간부, 26. 경찰승진

관련판례

필요적 공범(대향범)의 경우 반드시 가담자 모두 범죄가 성립되거나 같이 처벌받아야 하는 것은 아니다.

1. 뇌물공여죄가 성립되기 위하여서는 뇌물을 공여하는 행위와 상대방 측에서 금전적으로 가치가 있는 그 물품 등을 받아들이는 행위(부작위 포함)가 필요할 뿐이지 반드시 상대방 측에서 뇌물수수죄가 성립되어야만 한다는 것은 아니다(대판 1987.12.22, 87도1699). 17. 경찰간부, 18. 법원행시, 20. 경찰승진 · 7급 검찰, 21. 해경간부, 23. 해경승진

2. 필요적 공범(대향범)이라는 것은 법률상 범죄의 실행이 다수인의 협력을 필요로 하는 것을 가리키는 것으로서 이러한 범죄의 성립에는 행위의 공동을 필요로 하는 것에 불과하고 반드시 협력자 전부가 책임이 있음을 필요로 하는 것은 아니므로, 오로지 공무원을 함정에 빠뜨릴 의사로 직무와 관련되었다는 형식을 빌려 그 공무원에게 금품을 공여한 경우에도 공무원이 그 금품을 직무와 관련하여 수수한다는 의사를 가지고 받아들이면 뇌물수수죄가 성립한다(대판 2008.3.13, 2007도10804). 15. 순경 3차, 16. 법원행시, 22. 변호사시험, 23. 경찰간부, 24. 경찰승진

3. 정치자금을 기부한 자와 기부받은 자는 이른바 대향범(對向犯)인 필요적 공범관계에 있다. 이러한 공범관계는 행위자들이 서로 대향적 행위를 하는 것을 전제로 하는데, 각자의 행위가 범죄구성요건에 해당하면 그에 따른 처벌을 받을 뿐이고 반드시 협력자 전부에게 범죄가 성립해야 하는 것은 아니다. 정치자금을 기부하는 자의 범죄가 성립하지 않더라도 정치자금을 기부받는 자가 정치자금법이 정하지 않은 방법으로 정치자금을 제공받는다는 의사를 가지고 받으면 정치자금부정수수죄가 성립한다(대판 2017.11.14, 2017도3449). 18. 경찰승진, 22. 해경간부, 24. 9급 검찰 · 마약수사 · 철도경찰

4. 배임수재죄와 배임증재죄는 통상 필요적 공범의 관계에 있기는 하나 이것은 반드시 수재자와 증재자가 같이 처벌받아야 하는 것을 의미하는 것은 아니고 증재자에게는 정당한 업무에 속하는 청탁이라도 수재자에게는 부정한 청탁이 될 수도 있는 것이다(대판 1991.1.15, 90도2257). 10. 경찰승진, 15. 순경 3차 재물을 공여하는 자가 부정한 청탁을 하였다 하더라도 그 청탁을 받아들임이 없이 그 청탁과는 관계 없이 금품을 받은 경우에는 배임수재죄는 성립하지 아니한다(대판 1982.7.13, 82도874). 09. 경찰승진

5. 형사소송법(제253조 제2항)은 공범 사이의 처벌에 형평을 기하기 위하여 공범 중 1인에 대한 공소의 제기로 다른 공범자에 대하여도 공소시효가 정지되도록 규정하고 있는데, 여기에서 말하는 '공범'에는 뇌물공여죄와 뇌물수수죄 사이와 같은 대향범 관계에 있는 자는 포함되지 않는다(대판 2015.2.12, 2012도4842). 16. 법원행시, 22. 변호사시험, 23. 법원직

③ **총칙상 공범규정의 적용 여부**

    ▽ **내부 참가자의 경우** : 뇌물공여죄와 뇌물수수죄 사이와 같은 이른바 대향범 관계에 있는 자는 강학상으로는 필요적 공범이라고 불리고 있으나, 서로 대향된 행위의 존재를 필요로 할 뿐 각자 자신의 구성요건을 실현하고 별도의 형벌규정에 따라 처벌되는 것이어서, 2인 이상이 가공하여 공동의 구성요건을 실현하는 공범관계에 있는 자와는 본질적으로 다르며, 대향범 관계에 있는 자 사이에서는 각자 상대방의 범행에 대하여 형법 총칙의 공범규정이 적용되지 아니한다(대판 2015.2.12, 2012도4842). 24. 9급 검찰 · 철도경찰, 25. 경위공채, 26. 경찰승진

관련판례 1

1. 2인 이상의 서로 대향된 행위의 존재를 필요로 하는 대향범에 대하여는 공범에 관한 형법 총칙 규정을 적용할 수 없다(대판 2007.10.25, 2007도6712). 15. 사시, 16. 9급 검찰·마약수사

 이러한 법리는 해당 처벌규정의 구성요건 자체에서 2인 이상의 서로 대향적 행위의 존재를 필요로 하는 필요적 공범인 대향범을 전제로 한다. 구성요건상으로는 단독으로 실행할 수 있는 형식으로 되어 있는데 단지 구성요건이 대향범의 형태로 실행되는 경우에도 대향범에 관한 법리가 적용된다고 볼 수는 없다. 23. 법원직, 24. 변호사시험·법원행시·경력채용, 26. 경찰승진 따라서 마약거래방지법 제7조 제1항에서 정한 '불법수익 등의 출처 또는 귀속관계를 숨기거나 가장하는 행위'는 처벌규정의 구성요건 자체에서 2인 이상의 서로 대향된 행위의 존재를 필요로 하지 않으므로 정범의 이러한 행위에 가담하는 행위에는 형법 총칙의 공범 규정이 적용된다(대판 2022.6.30, 2020도7866).

2. 뇌물수수죄는 필요적 공범으로서 형법 총칙의 공범이 아니므로, 형법 제30조(공동정범)를 따로 적용하여야 하는 것이 아니다(대판 1971.3.9, 70도2536). 09. 경찰승진

3. 대향범의 경우 일방만을 처벌하는 경우에 있어서 처벌되지 않는 자의 가담행위 ⇨ 공범 ×

 ① 변호사가 변호사 아닌 자에게 고용되어 법률사무소의 개설·운영에 관여하는 행위가 일반적인 형법 총칙상의 공모, 교사 또는 방조에 해당된다고 하더라도 변호사를 변호사 아닌 자의 공범(변호사법 위반죄의 공범)으로서 처벌할 수는 없다(대판 2004.10.28, 2004도3994 ∵ 이런 경우 변호사법에서 변호사 아닌 자를 처벌할 뿐 고용된 변호사는 처벌 ×). 16. 9급 검찰·마약수사, 17. 경찰간부, 18. 7급 검찰, 20. 법원직·순경 1차, 23. 해경승진, 24. 경찰승진

 ② 형법 제127조는 공무원 또는 공무원이었던 자가 법령에 의한 직무상 비밀을 누설하는 행위만을 처벌하고 있을 뿐, 직무상 비밀을 누설받은 상대방을 처벌하는 규정이 없는 점에 비추어 볼 때, 직무상 비밀을 누설받은 자에 대하여는 공범에 관한 형법 총칙 규정이 적용될 수 없다(대판 2009. 6.23, 2009도544). 17. 순경 1차·2차·법원직, 19. 경찰간부·변호사시험, 20. 경찰승진, 22. 해경간부, 24. 9급 검찰·마약수사·철도경찰, 25. 9급 철도경찰

 ▶ 유사판례

 1. 변호사 사무실 직원인 피고인 甲이 법원공무원인 피고인 乙에게 부탁하여, 수사 중인 사건의 체포영장 발부자 53명의 명단을 누설받은 경우(대판 2011.4.28, 2009도3642) ⇨ 甲 : 무죄(∵ 피고인 乙이 직무상 비밀을 누설한 행위와 피고인 甲이 이를 누설받은 행위는 대향범 관계에 있으므로 공범에 관한 형법 총칙 규정이 적용×⇨공무상 비밀누설죄의 교사범×), 乙 : 공무상 비밀누설죄의 정범 15. 변호사시험, 17. 경찰간부, 18. 법원직·9급 검찰·철도경찰, 21. 해경간부, 23. 법원행시

 2. 세무사법의 직무상 비밀누설죄는 세무사 등이 직무상 비밀을 타인에게 누설하는 경우에 성립하는 범죄로, 세무사와 공모하여 세무사로부터 직무상 비밀(임대사업자 등의 인적 사항, 사업자소재지가 기재된 서면)을 전달받은 세무사 등이 아닌 자는 해당 세무사법위반죄의 공동정범에 해당하지 않는다(대판 2007.10.25, 2007도6712). 17. 법원행시, 18. 7급 검찰, 20. 경찰승진, 23. 해경승진

 3. 정보통신망인 국세청의 홈텍스시스템이나 자료상 연계분석시스템 등에 접근권한이 있는 세무공무원 甲이 위 시스템에 접속하여 과세정보자료를 취득한 후 乙에게 전달한 경우(대판 2017. 6.19, 2017도4240) ⇨ 甲 : 무죄(∵ 정보통신망을 이용하여 부정한 수단 또는 방법으로 과세정보자료를 취득하였다고 보기 어렵고, 위와 같이 취득한 과세정보자료를 유출하더라도 정보통신망

에 의하여 처리·보관 또는 전송되는 타인의 비밀을 누설하는 경우에 해당한다고 보기 어렵다),
乙 : 공동정범 ×(대향범 관계에 있으므로 공동정범으로 처벌할 수 없다.)

③ 매도, 매수와 같이 2인 이상의 서로 대향된 행위의 존재를 필요로 하는 관계에 있어서는 매도인에게 따로 처벌규정이 없는 이상 매도인의 매도행위는 그와 대향적 행위의 존재를 필요로 하는 상대방의 매수범행에 대하여 공범이나 방조범관계가 성립되지 아니한다(대판 2001.12.28, 2001도5158). 17. 변호사시험, 21. 법원직, 23. 해경승진, 24. 경찰승진

④ 의사가 직접 환자를 진찰하지 않고 처방전을 작성하여 교부한 행위와 대향범 관계에 있는 '처방전을 교부받은 행위'에 대하여 공범에 관한 형법 총칙 규정을 적용할 수 없다(대판 2011.10.13, 2011도6287 ∴ 의사 : 의료법 위반죄, 의사와 공모하거나 교사하여 처방전을 교부받은 자 : 무죄). 18. 경찰승진·변호사시험, 22. 해경간부

⑤ 종업원 소유 화물차를 자신의 가스배달업무에 제공하는 대가로 임금을 포함하여 매월 일정 금원을 지급하였다면, 자가용화물자동차를 유상으로 화물운송에 제공하는 행위를 처벌하는 구 화물자동차운수사업법위반죄의 공동정범이 성립하지 않는다(대판 2011.4.14, 2008도6693 ∴ 자가용화물자동차를 유상으로 화물운송용에 제공하거나 임대한 자만을 처벌함). 18. 법원행시

⑥ 공인중개사법 처벌규정들이 중개행위를 처벌 대상으로 삼고 있을 뿐이므로, 중개의뢰인의 중개의뢰행위를 중개업자의 중개행위와 동일시하여 중개행위에 관한 공동정범 행위로 처벌할 수도 없다(대판 2013.6.27, 2013도3246).

⑦ '노동조합 및 노동관계조정법'에서 쟁의행위 기간 중 그 쟁의행위로 중단된 업무의 수행을 위하여 당해 사업과 관계없는 자를 채용 또는 대체하는 사용자만을 처벌할 뿐이므로, 사용자에게 채용 또는 대체되는 자의 행위에 대하여는 일반적인 형법 총칙상의 공범 규정을 적용하여 공동정범, 교사범 또는 방조범으로 처벌할 수 없다(대판 2020.6.11, 2016도3048). 24. 9급 검찰·마약수사·철도경찰

▶ **비교판례** : '재화 또는 용역을 공급하는 자가 허위의 매출처별 세금계산서합계표를 정부에 제출하는 행위'와 '재화 또는 용역을 공급받는 자가 허위의 매입처별 세금계산서합계표를 정부에 제출하는 행위'는 서로 대향된 행위의 존재를 필요로 하는 대향범의 관계에 있다고 할 수는 없으므로, 설령 재화 또는 용역을 공급받는 자가 이를 공급하는 자의 허위 매출처별 세금계산서합계표 제출행위에 가담하였다면 그 가담 정도에 따라 그 범행의 공동정범이나 교사범 또는 종범이 될 수 있다(대판 2014.12.11, 2014도11515). 21. 법원행시

ⓛ **외부 가담자의 경우**

ⓐ **집합범의 경우** : 집합범의 경우 구성원 아닌 자의 공동정범은 인정할 수 없으나 교사·방조의 규정은 적용된다고 보는 견해가 다수설이다.

ⓑ **대향범의 경우** : ⓘ 대향범의 경우 외부에서 각 대향자에게 관여하는 자에게는 총칙상의 공범규정이 적용된다. 따라서 대향범의 경우에는 교사와 방조는 물론 공동정범에 관한 규정도 적용된다. 20. 순경 1차 ⓘⓘ 필요적 공범이 진정신분범인 때에는 신분 없는 외부 관여자에게는 형법 제33조 본문이 적용되어 공범이 성립할 수 있다. 25. 경위공채 ⓘⓘⓘ 다만, 처벌되지 아니하는 대향자에 대한 관여행위는 공범규정이 적용되지 않는다(**에** 음화를 매수하라고 교사한 경우 ⇨ 교사범 ×)

관련판례

금품 등을 공여한 자에게 따로 처벌규정이 없는 이상, 그 공여행위는 그와 대향적 행위의 존재를 필요로 하는 상대방의 범행에 대하여 공범관계가 성립되지 아니하고, 오로지 금품 등을 공여한 자의 행위에 대하여만 관여하여 그 공여행위를 교사하거나 방조한 행위도 상대방의 범행에 대하여 공범관계가 성립되지 아니한다(대판 2014.1.16, 2013도6969). 16. 법원행시, 21. 경찰승진·해경 2차, 22. 변호사시험

3 정범과 공범의 구별

정범에는 단독정범, 공동정범, 동시범, 간접정범이 있다. 이들 정범과 공범(협의의 공범)인 교사범, 종범을 어떻게 구분할 것인가?

(1) 정범의 개념

공범(교사범, 종범)은 정범을 전제로 하는 개념이므로 정범의 개념이 밝혀지면 반사적으로 공범의 개념은 밝혀질 수 있다. 따라서 정범과 공범의 구별 문제는 정범의 개념을 밝히는 것이 우선되어야 한다. 이를 정범개념의 우위성이라고 한다.

구 분	제한적 정범개념이론	확장적 정범개념이론
정범의 개념	구성요건에 해당하는 행위를 스스로 행한 자만이 정범이고, 구성요건 이외의 행위에 의하여 결과에 조건을 준 자는 정범이 될 수 없다는 견해이다.	인과관계론의 조건설을 기초로 하여 구성 요건적 결과발생에 조건을 준 자는 구성요건 해당행위의 여부를 불문하고 모두 정범이 된다는 견해이다.
정범과 공범의 구별기준	객관설과 결합한다. 왜냐하면 구성요건 행위인가 아닌가는 객관적으로 구별되기 때문이다. 14. 사시, 20. 해경 1차	주관설과 결합한다. 왜냐하면 모든 조건은 동가치적이어서 객관적으로 구별이 불가능하므로 행위자의 주관적인 의사에 따라 구별할 수밖에 없기 때문이다.
공범 (교사범· 종범)의 처벌규정	원래 정범만이 가벌적이며 공범은 구성요건에 규정된 처벌대상이 아님에도 불구하고 형법이 교사범·종범에 대한 처벌규정을 둔 것은 구성요건 밖의 행위에까지 가벌성을 확장한 형벌확장사유가 된다. 20. 해경 1차, 21. 순경 2차	교사범·종범도 원래 정범에 해당되어 정범으로 처벌되어야 하나 형법이 공범규정을 두어 특별취급하는 것은 정범의 처벌범위를 축소하는 처벌축소사유가 된다.
공 헌	정범과 공범을 분명하게 구별해 줌으로써 죄형법정주의에 부합한다.	간접정범의 정범성 인정을 쉽게 설명할 수 있다. 05. 사시
비 판	구성요건 해당행위를 스스로 행하지 아니한 간접정범의 정범성을 인정할 수 없어 간접정범은 정범이 아닌 결과가 된다. 12. 경찰승진, 21. 순경 2차	정범개념의 지나친 확대로 죄형법정주의에 반하며, 교사범과 종범의 특별규정을 둔 형법의 태도와도 일치하지 않는다.

(2) 정범과 공범의 구별기준

① **객관설** : 제한적 정범개념 이론에 기초

형식적 객관설	구성요건에 해당하는 행위를 직접 실행한 자가 정범이고, 실행행위 이외의 방법으로 조건을 제공한 자가 공범이라는 견해로 간접정범을 정범으로 인정하기 어렵다. 21. 순경 2차
실질적 객관설	인과관계론의 원인설을 기초로 하여 결과발생에 원인을 준 자가 정범이고 단순한 조건을 준 자는 공범이라는 견해이다.

② **주관설** : 확장적 정범개념 이론에 기초(조건설 기초)

고의설 (의사설)	정범의사(자기의 범죄를 실현하고자 하는 의사)로 행위한 자가 정범이고 공범의사(타인의 범죄를 야기하거나 촉진할 의사)로 행위한 자는 공범이라는 견해이다. 21. 순경 2차
이익설 (목적설)	자기의 이익이나 목적을 위해서 행위한 자가 정범이고 타인의 이익(목적)을 위해 행위한 자는 공범이라는 견해이다. 21. 순경 2차

③ **행위지배설**(다수설) : 행위지배란 자기의 의사에 의하여 실행행위의 진행을 조종·장악·지배하는 것을 말한다. 이러한 행위지배가 있으면 정범이고, 자신의 행위지배에 의하지 않고 타인의 범죄행위를 야기하거나 촉진시킨 자는 공범이라는 견해이다.

  ㉠ **실행지배** : 직접정범(단독정범)은 스스로 구성요건에 해당하는 행위를 직접실행하여 행위 자체를 지배하므로 언제나 정범이 된다. 12. 순경 1차

  ㉡ **의사지배** : 타인을 도구로 이용하여 범죄를 실행하는 간접정범에 있어서는 이용자(간접정범)가 우월적 의사와 인식으로 피이용자의 행위를 지배(즉, 의사지배)하므로 간접정범은 정범이 된다. 21. 순경 2차

  ㉢ **기능적 행위지배** : 공동의 결의에 의하여 분업적으로 구성요건을 실현함으로써 성립하는 공동정범은 각자가 역할분담에 따라 전체 범행계획의 실현에 기능적으로 필요불가분한 행위에 기여함으로 정범이 된다.

관련판례

공동정범의 본질은 분업적 역할분담에 의한 기능적 행위지배에 있으므로 공동정범은 공동의사에 의한 기능적 행위지배가 있음에 반하여 종범은 그 행위지배가 없는 점에서 양자가 구별된다(대판 1989.4.11, 88도1247). 12. 순경 1차, 18. 변호사시험

4 공범의 종속성

위에서와 같이 정범과 공범을 구별할 때 ① 공범(교사범과 종범)은 정범에 종속하여 성립하는가 아니면 독립하여 성립하는가의 문제(즉, 공범종속설과 공범독립성설)와 ② 판례·다수설의 입장인 공범종속설을 따를 때 정범이 어느 정도의 범죄 성립요건을 갖추었을 때 공범이 성립할 수 있는가의 문제(즉, 종속성의 정도)가 공범의 종속성에 관한 문제이다.

(1) 종속성의 유무 : 공범종속성설과 공범독립성설 15. 사시

구 분	공범종속성설(통설·판례)	공범독립성설
의 의	공범이 성립하려면 정범(피교사자나 피방조자)의 실행행위가 있어야 한다는 것으로 공범의 성립은 정범의 성립에 종속한다는 견해이다. 08. 사시	공범행위(교사행위·방조행위)는 그 자체가 반사회적인 범죄실행행위로서의 실질을 가지므로 정범의 실행행위가 없더라도 공범은 정범의 성립 여부와 관계없이 독립하여 성립한다는 견해이다.
논 거	범죄의 중점을 객관적·외부적인 행위에 두는 객관주의 범죄론(구파)의 공범이론이다.	범죄를 반사회적 성격의 징표로 보는 주관주의 범죄론(신파)의 공범이론이다.
공범의 미수 (제31조 제2항· 제3항)	공범은 정범의 실행행위가 있어야 종속적으로 성립되므로 정범의 행위가 미수(즉, 실행의 착수 이후)로 된 때에만 공범도 미수로 처벌된다. • 따라서 미수범(정범이 미수에 그친 경우)의 공범(예 미수의 교사)은 성립될 수 있으나 공범의 미수(예 교사의 미수, 교사행위 자체가 미수에 그쳐 정범이 실행행위로 나아가지 않는 경우)는 성립되지 아니한다. • 기도된 교사(제31조 제2항 효과 없는 교사와 제31조 제3항 실패한 교사)는 공범의 미수를 처벌하는 것으로 특별규정(예외규정)으로 본다. 19. 경찰간부, 25. 경찰승진	교사행위·방조행위 그 자체가 범죄 실행행위이므로 정범이 실행에 착수하지 않더라도 공범의 미수가 가능하다. 25. 순경 1차 • 따라서 미수범의 공범과 공범의 미수가 모두 가능하다. • 제31조 제2항·제3항은 공범의 미수를 처벌한 것으로 공범독립성설의 근거이자 당연규정이라고 본다. 20. 해경 1차, 21. 해경간부
간접정범 (제34조 제1항)	정범(피이용자 ; 피교사자나 피방조자)이 성립하지 않거나 처벌되지 않는 경우에 공범(이용자)도 처벌되지 않으므로 이용자를 처벌하기 위하여 간접정범의 개념을 인정하여 간접정범은 공범이 아니라 정범이다. 12. 경찰승진, 22. 경력채용	공범행위(교사·방조행위) 자체로 공범은 성립하고 처벌되므로 이용자는 정범이 아니라 공범이다. 즉, 간접정범은 정범이 아니라 공범이므로 간접정범의 개념을 부정한다.
공범과 신분 (제33조)	신분의 연대성을 규정한 제33조 본문을 당연규정으로 본다.	제33조 본문은 예외 규정이고 신분의 개별성을 규정한 제33조 단서가 원칙 규정이라고 본다. 08. 사시
자살관여죄 (제252조 제2항)	자살이 범죄가 아님에도 불구하고 교사·방조자를 처벌하는 것은 공범종속성에 대한 예외로서 제252조 제2항을 특별규정으로 본다.	자살자의 처벌 여부와 관계없이 교사·방조자를 처벌하는 것은 공범독립성에 기초한 당연규정으로 제252조 제2항을 공범독립성설의 유력한 근거로 본다. 22. 경력채용
결 어	형법 제31조 제1항이 '타인을 교사하여 죄를 범하게 한 자'라고 규정하고, 제32조 제1항은 '타인의 범죄를 방조한 자'라고 규정한 점으로 보아 공범은 정범을 전제하고 있으며, 교사의 미수(제31조 제2항·제3항)를 미수범으로 처벌하지 않고 예비·음모에 준해 처벌한 것 등으로 보아 공범종속성설이 타당하다(통설·판례).	

> **관련판례**
>
> 1. 교사범이 성립하기 위해서는 교사자의 교사행위와 정범의 실행행위가 있어야 하는 것이므로, 정범의 성립은 교사범의 구성요건의 일부를 형성하고 교사범이 성립함에는 정범의 범죄행위가 인정되는 것이 그 전제요건이 된다(대판 2000.2.25, 99도1252). 14. 경찰승진, 16. 9급 검찰·마약수사·법원행시, 21. 7급 검찰, 22. 해경간부
> 2. 정범의 성립은 교사범·방조범의 구성요건의 일부를 형성하고 교사범·종범이 성립함에는 먼저 정범의 범죄행위가 인정되는 것이 그 전제요건이 되는 것은 공범의 종속성에 연유하는 당연한 귀결이다(대판 1981.11.24, 81도2422). 22. 7급 검찰, 25. 경찰승진
> 3. 종범의 범죄는 정범의 범죄에 종속하여 성립하는 것이므로 사기방조죄는 정범인 본범의 사기 또는 사기미수의 증명이 없으면 사기방조죄도 그 증명이 없음에 돌아간다(대판 1970.3.10, 69도2492).

(2) 종속성의 정도

공범의 종속성을 인정할 경우, 공범이 성립하기 위해서는 정범이 어느 정도까지 범죄 성립요건을 갖추어야 하는가.

학 설	내 용
최소한 종속형식	정범의 행위가 구성요건에 해당하기만 하면 그 행위가 위법·유책하지 않은 경우에도 공범이 성립한다는 종속형식이다. 이에 의하면 적법행위(위법하지 않은 행위)를 교사한 경우 정범은 처벌할 수 없는데 공범은 처벌되는 결과가 되어 부당하다. 예 폭행의 고의로 친권자를 교사하여 미성년자를 징계하도록 한 경우 ⇨ 친권자(정범)는 무죄(∵ 위법성 ×), 교사자는 폭행죄의 교사범
제한적 종속형식 (다수설)	정범의 행위가 구성요건에 해당하고 위법하면 공범이 성립하고 정범의 행위가 책임성까지 있어야 할 필요는 없다는 종속형식이다. 이에 의하면 책임무능력자를 교사한 경우 교사자는 공범(교사범)이 된다. 17. 변호사시험, 21. 순경 1차, 22. 경력채용 예 12세의 어린이에게 절도행위를 시켰을 경우 ⇨ 절도죄의 교사범
극단적 종속형식	정범의 행위가 구성요건에 해당하고 위법·유책해야만, 즉 범죄의 성립요건을 완전히 구비해야만 공범이 성립한다는 종속형식이다. 이에 의하면 책임무능력자를 교사한 경우 교사자는 공범(교사범)이 될 수 없고 간접정범이 된다. 19. 경찰간부·순경 2차, 22. 경력채용, 25. 경찰승진·순경 1차 예 13세 된 중학생을 부추겨 학교 실험실에 있는 물건을 절취해 오도록 한 경우 ⇨ 절도죄의 교사범 ×, 절도죄의 간접정범
초(최)극단 종속형식 (확장적 종속형식)	정범의 행위가 구성요건에 해당하고 위법·유책할 뿐만 아니라 가벌성의 조건까지 모두 갖추어야 공범이 성립한다는 종속형식이다. 이에 의하면 정범자의 신분관계로 인하여 형이 가중·감경되는 것까지 공범의 성립에 영향을 미치므로 타당하지 않다. 예 17세 된 고등학생에게 그의 父의 돈을 훔치도록 교사한 경우 ⇨ 절도죄의 교사범 ×, 절도죄의 간접정범 08·11. 사시

🔔 위에서 보듯이 공범의 종속성이 완화될수록 공범의 성립범위가 넓어져 간접정범은 공범 속에 흡수된다.

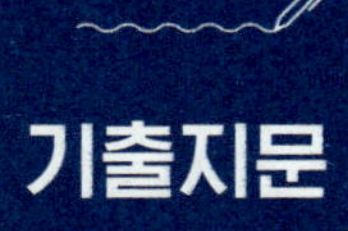

확인학습(다툼이 있는 경우 판례에 의함)

www.pmg.co.kr

1 뇌물공여죄가 성립되기 위하여서는 뇌물을 공여하는 행위와 상대방 측에서 금전적으로 가치가 있는 그 물품 등을 받아들이는 행위(부작위 포함)가 필요하고 나아가 상대방 측에서 뇌물수수죄가 성립되어야 한다. (   )
17. 경찰간부, 18. 법원행시, 20. 경찰승진·7급 검찰, 21. 해경간부, 23. 해경승진

2 공무원을 함정에 빠뜨릴 의사로 직무와 관련되었다는 형식을 빌려 그 공무원에게 금품을 공여한 경우에도 공무원이 그 금품을 직무와 관련하여 수수한다는 의사를 가지고 받아들이면 뇌물수수죄가 성립한다. (   )
16. 법원행시, 22. 변호사시험, 23. 경찰간부, 24. 경찰승진

3 대향범에 대하여 공범에 관한 형법총칙 규정이 적용될 수 없으나, 이러한 법리가 구성요건상으로는 단독으로 실행할 수 있는 형식으로 되어 있는데 단지 구성요건이 대향범의 형태로 실행되는 경우에는 적용되지 않는다. (   )
23. 법원직, 24. 변호사시험·경력채용, 26. 경찰승진

4 변호사가 변호사 아닌 자에게 고용되어 법률사무소를 개설·운영하는 행위에 관여한 행위가 형법 총칙상의 교사, 방조에 해당될 경우 변호사를 변호사법 위반죄의 공범으로 처벌할 수 있다. (   )
17. 경찰간부, 18. 7급 검찰, 20. 법원직·순경 1차, 23. 해경승진, 24. 경찰승진

5 형법 제127조는 공무원 또는 공무원이었던 자가 법령에 의한 직무상 비밀을 누설하는 행위만을 처벌하고 있으므로 직무상 비밀을 누설받은 자에 대하여는 공범에 관한 형법 총칙 규정이 적용될 수 없다. (   )
19. 경찰간부·변호사시험, 20. 경찰승진, 22. 해경간부, 24. 9급 검찰·마약수사, 25. 9급 철도경찰

6 변호사 사무실 직원인 피고인 甲이 법원공무원인 피고인 乙에게 부탁하여, 수사 중인 사건의 체포영장 발부자 53명의 명단을 누설받은 경우 공무상 비밀누설교사죄에 해당한다. (   )
17. 경찰간부, 18. 법원직·9급 검찰·철도경찰, 21. 해경간부, 23. 법원행시

7 매도, 매수와 같이 2인 이상의 서로 대향된 행위의 존재를 필요로 하는 관계에 있어서는 매도인에게 따로 처벌규정이 없는 이상 매도인의 매도행위는 그와 대향적 행위의 존재를 필요로 하는 상대방의 매수범행에 대하여 공범이나 방조범관계가 성립되지 아니한다. (   )
17. 변호사시험, 21. 법원직, 23. 해경승진, 24. 경찰승진

8 금품 등을 공여한 자에게 따로 처벌규정이 없더라도 금품 등을 공여한 자의 행위에만 관여하여 그 공여행위를 교사하거나 방조한 행위는 금품을 수수한 상대방의 범행에 대해서는 공범관계가 성립한다. (   )
15. 법원행시·9급 철도경찰, 21. 경찰승진·해경 2차, 22. 변호사시험

9 정범의 성립은 교사범, 방조범의 구성요건의 일부를 형성하고 교사범, 방조범이 성립함에는 먼저 정범의 범죄행위가 인정되는 것이 그 전제요건이 되는 것은 공범의 종속성에 연유하는 당연한 귀결이다. (   )
20. 9급 철도경찰, 22. 7급 검찰·해경간부, 25. 경찰승진

10 종속의 정도에 대한 극단종속형식에 따르면, 14세 미만자를 부추겨 교회에 있는 시계를 절취해 오도록 한 자는 절도죄의 공범이 아니라 간접정범이 될 수 있을 뿐이다. (   )
18. 경찰간부·순경 2차, 22. 경력채용, 25. 경찰승진·순경 1차

Answer → 1. × 2. ○ 3. ○ 4. × 5. ○ 6. × 7. ○ 8. × 9. ○ 10. ○

01 가담형태에 관한 설명으로 가장 적절한 것은?(다툼이 있는 경우 판례에 의함)　　　25. 경찰승진

① 형법은 범죄구성요건을 실현하는 데에 어떤 형태로든 기여한 자 모두를 정범으로 인정하는 단일정범체계를 취한다.

② 가담자들이 공동의 목표를 위하여 의사방향이 일치된 형태로 범죄를 실현하도록 되어 있는 범죄구성요건인 집단범의 경우 각 가담자에 대하여는 가담 정도와 상관없이 동일한 법정형이 부과된다.

③ 필요적 공범이 성립하기 위해서는 행위를 공동으로 할 뿐만 아니라 관여자 모두의 행위가 범죄로 성립되어야 한다.

④ 대향범에 대하여 공범에 관한 형법총칙 규정이 적용될 수 없으나, 이러한 법리가 구성요건상으로는 단독으로 실행할 수 있는 형식으로 되어 있는데 단지 구성요건이 대향범의 형태로 실행되는 경우에는 적용되지 않는다.

해설　① × : 형법은 단일정범체계가 아니라 정범·공범분리형식을 취하고 있다(제2장 제3절 공범).
② × : ~ (2줄) 집단범(집합범)의 경우 다수인에게 동일한 법정형이 규정된 경우(소요죄, 다중불해산죄)와 서로 다른 법정형이 규정된 경우(내란죄)가 있다. ③ × : 필요적 공범(대향범)이 성립하기 위해서 관여자 모두의 행위가 범죄로 성립되어야 하는 것은 아니다(∵ 일방만이 처벌되는 경우 : 음화판매죄, 범인은닉죄, 음행매개죄 등). ④ ○ : 대판 2022.6.30, 2020도7866

02 필요적 공범에 관한 설명으로 가장 적절하지 않은 것은?(다툼이 있는 경우 판례에 의함)　　　26. 경찰승진

① 집합범은 다수인이 동일한 방향에서 같은 목표를 향하여 공동으로 작용하는 범죄로 행위자 전원의 법정형이 모두 같은 경우와 행위자의 지위·역할 등에 따라 법정형이 다른 경우가 있다.

② 뇌물공여죄와 뇌물수수죄 사이와 같은 이른바 대향범 관계에 있는 자는 강학상으로는 필요적 공범이라고 불리고 있으나, 서로 대향된 행위의 존재를 필요로 할 뿐 각자 자신의 구성요건을 실현하고 별도의 형벌규정에 따라 처벌되는 것이어서, 2인 이상이 가공하여 공동의 구성요건을 실현하는 공범관계에 있는 자와는 본질적으로 다르지만, 대향범 관계에 있는 자 사이에서는 각자 상대방의 범행에 대하여 형법 총칙의 공범규정이 적용된다.

③ 대향범은 2인 이상의 대향적 협력에 의하여 성립하는 범죄로 대향자의 법정형이 같은 경우와 대향자의 법정형이 다른 경우, 대향자의 일방만을 처벌하는 경우가 있다.

④ 2인 이상의 서로 대향된 행위의 존재를 필요로 하는 대향범에 대하여 공범에 관한 형법 총칙 규정이 적용될 수 없다는 이러한 법리는 해당 처벌규정의 구성요건 자체에서 2인 이상의 서로 대향적 행위의 존재를 필요로 하는 필요적 공범인 대향범을 전제로 하므로 구성요건상으로는 단독으로 실행할 수 있는 형식으로 되어 있는데 단지 구성요건이 대향범의 형태로 실행되는 경우에도 대향범에 관한 법리가 적용된다고 볼 수는 없다.

Answer　01. ④　02. ②

해설 ① ○ : 행위자 전원의 법정형이 모두 같은 경우(소요죄, 다중불해산죄), 행위자의 지위·역할 등에 따라 법정형이 다른 경우(내란죄)
② × : ~ (4줄) 본질적으로 다르며, 대향범 관계에 있는 자 사이에서는 각자 상대방의 범행에 대하여 형법 총칙의 공범규정이 적용되지 아니한다(대판 2015.2.12, 2012도4842).
③ ○ : 법정형이 같은 경우(도박죄, 인신매매죄 등), 법정형이 다른 경우(수뢰죄와 증뢰죄 등), 일방만을 처벌하는 경우(음화판매죄, 음행매개죄 등)
④ ○ : 대판 2022.6.30, 2020도7866

03 필요적 공범에 대한 설명 중 가장 적절한 것은?(다툼이 있는 경우 판례에 의함)   20. 경찰승진
① 필요적 공범인 뇌물공여죄와 뇌물수수죄가 성립하기 위해서는 반드시 관여된 자 모두의 행위가 범죄로 성립되어야 하므로 일방에게 뇌물공여죄가 성립하려면 상대방 측에서 뇌물수수죄가 성립되어야 한다.
② 공무원이 직무상 비밀을 누설한 경우 형법 제127조의 공무상 비밀누설죄로 처벌이 되며, 그 대향범인 비밀누설을 받은 자는 형법 총칙의 공범규정이 적용되어 공무상 비밀누설죄의 공범이 된다.
③ 변호사 甲이 변호사 아닌 자에게 고용되어 법률사무소를 개설·운영하는 행위에 관여한 행위가 형법 총칙의 교사 방조에 해당할 경우 변호사 甲을 구 변호사법 제109조 제2호, 제34조 제4항 위반죄의 공범으로 처벌할 수 있다.
④ 甲이 세무사의 사무직원으로부터 그가 직무상 보관하고 있던 임대사업자 등의 인적사항, 사업자소재지가 기재된 서면을 교부받은 경우 구 세무사법상 직무상 비밀누설죄의 공동정범에 해당하지 않는다.

해설 ① × : ~ (2줄) 범죄로 성립되어야 하는 것은 아니므로 일방에게 뇌물공여죄가 성립하려면 상대방 측에서 뇌물수수죄가 성립되어야 하는 것은 아니다(대판 1987.12.22, 87도1699).
② × : 형법 총칙의 공범규정 적용 × ⇨ 공무상 비밀누설죄의 공범 ×(대판 2009.6.23, 2009도544)
③ × : ~ 공범으로 처벌 ×(대판 2004.10.28, 2004도3994)
④ ○ : 대판 2007.10.25, 2007도6712

04 필요적 공범에 관한 설명으로 옳지 않은 것은?(다툼이 있는 경우 판례에 의함)   25. 경위공채
① 필요적 공범의 내부에서 직접 관여한 자에게는 형법 총칙상의 임의적 공범규정이 적용될 여지는 없다.
② 필요적 공범의 외부에서 관여하는 자에게는 형법 총칙상의 공범규정이 적용되나, 필요적 공범이 진정신분범인 때에는 신분 없는 외부 관여자는 공범이 성립할 수 없다.
③ 매도, 매수와 같이 2인 이상의 서로 대향된 행위의 존재를 필요로 하는 관계에 있어서는 공범이나 방조범에 관한 형법총칙 규정의 적용이 있을 수 없고, 따라서 매도인에게 따로 처벌규정이 없는 이상 매도인의 매도행위는 그와 대향적 행위의 존재를 필요로 하는 상대방의 매수범행에 대하여 공범이나 방조범 관계가 성립되지 아니한다.

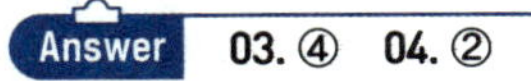

④ 3인 이상이 합동절도의 범행을 공모한 후 적어도 2인 이상의 범인이 현장에서 시간적·장소적으로 협동관계를 이루어 절도의 실행행위를 분담한 경우, 그 공모에는 참여하였으나 현장에서 절도의 실행행위를 직접 분담하지 아니한 다른 범인에 대하여도 정범성의 표지를 갖추고 있다고 보여지는 한, 합동절도의 공동정범의 성립을 인정할 수 있다.

해설 ① 대판 2015.2.12, 2012도4842
② × : ~ (1줄) 공범규정이 적용되며, 필요적 공범이 진정신분범인 때에는 신분 없는 외부 관여자에게는 형법 제33조 본문이 적용되어 공범이 성립할 수 있다.
③ 대판 2001.12.28, 2001도5178
④ 대판 1998.5.21, 98도321 전원합의체

05 다음 중 공범에 대한 설명으로 옳은 것은 모두 몇 개인가?
14. 9급 검찰·철도경찰, 20. 해경 1차

㉠ 제한적 정범개념에 의하면 교사·방조범에 대한 처벌규정은 가벌성을 확장한 형벌확장사유가 되며, 정범과 공범의 구별에 관한 주관설과 결합된다.
㉡ 확장적 정범개념에 의하면 정범과 공범의 구별은 원칙적으로 필요로 하지 않고, 단일정범개념으로 충분하다.
㉢ 단일정범개념에 대해서는 가벌성의 확대를 초래한다는 비판이 있다.
㉣ 제한적 정범개념에 의하면 공범규정은 형벌제한사유가 된다.
㉤ 공범종속성설은 유력한 근거로 이른바 '기도된 교사'를 규정한 형법 제31조 제2항과 제3항을 든다.

① 1개 ② 2개 ③ 3개 ④ 4개

해설 ㉠ × : ~ (2절) 되며, 정범과 공범의 구별에 관한 객관설(주관설 ×)과 결합된다.
㉡ ○ : 옳다. ㉢ ○ : 옳다.
㉣ × : ~ 형벌확장(제한 ×)사유가 된다.
㉤ × : 공범독립성설(공범종속성설 ×)은 유력한 근거로 이른바 '기도된 교사'를 규정한 형법 제31조 제2항과 제3항을 든다.

06 ㉠부터 ㉤까지는 정범과 공범의 구별에 관한 학설에 대한 설명이다. 옳고 그름의 표시(○, ×)가 바르게 된 것은?
21. 순경 2차

㉠ '구성요건상의 실행행위의 전부 또는 일부를 스스로 하는 자'를 정범, '구성요건적 행위 이외의 행위로써 구성요건실현에 기여하는 자'를 공범으로 보는 형식적 객관설에 따르면, 간접정범을 정범으로 인정하기 어렵다.
㉡ '스스로 구성요건상의 정형적 행위를 한 자'만을 정범으로 이해하는 제한적 정범개념에 따르면, 형법 제31조, 제32조는 형벌확장사유로서 정범 이외에 특별히 공범의 처벌을 인정하는 규정이다.

Answer 05. ② 06. ③

ⓒ '정범자의 의사로 행위한 자'는 정범, '공범자의 의사로 행위한 자'는 공범이라는 의사설에 따르면, 청부살인업자는 구성요건적 행위를 스스로 모두 수행하기에 항상 정범이 된다.

ⓔ '자기 자신의 이익을 위한 목적으로 행위한 자'는 정범, '타인의 이익을 위한 목적으로 행위한 자'는 공범이라는 이익설에 따르면, 제3자를 위하여 강도행위를 한 자는 공범이 된다.

ⓜ 행위지배설에 따르면, 이용자가 자신의 우월한 지위에 의하여 피이용자를 수중에 두고 도구처럼 그의 의사를 조종(지배)하여 그로 하여금 범죄를 행하게 하면 행위지배가 인정되어 정범이 된다.

① ㉠(×), ㉡(○), ㉢(×), ㉣(○), ㉤(×)

② ㉠(○), ㉡(×), ㉢(○), ㉣(○), ㉤(○)

③ ㉠(○), ㉡(○), ㉢(×), ㉣(○), ㉤(○)

④ ㉠(○), ㉡(○), ㉢(×), ㉣(×), ㉤(○)

해설 ㉠ ○ : 옳다(∵ 간접정범은 실행행위의 전부 또는 일부를 스스로 하는 자가 아님).

㉡ ○ : 옳다〔∵ 교사범, 종범은 스스로 구성요건상의 정형적 행위를 한 자가 아님에도 불구하고 제31조(교사범), 제32조(종범)로 처벌됨〕.

㉢ × : 의사설에 따르면 청부살인업자가 정범자의 의사(자기의 범죄로 실현하고자 하는 의사)로 행위한 경우에는 정범이 되나, 살인을 청부한 자의 공범자의 의사(타인의 범죄에 가담할 의사)로 행위한 경우에는 정범이 아닌 공범이 된다.

㉣ ○ : 옳다〔∵ 제3자를 위하여 강도행위를 한 자는 '타인(제3자)의 이익을 위한 목적으로 행위한 자'임〕.

㉤ ○ : 옳다〔직접정범(단독정범) ⇨ 실행지배, 간접정범 ⇨ 의사지배(㉤), 공동정범 ⇨ 기능적 행위지배〕.

07 공범의 종속성에 관한 설명으로 가장 적절하지 않은 것은?(다툼이 있는 경우 판례에 의함)

25. 경위공채

① 정범의 성립은 교사범, 방조범의 구성요건의 일부를 형성하고 교사범, 방조범이 성립함에는 먼저 정범의 범죄행위가 인정되는 것이 그 전제요건이 되는 것은 공범의 종속성에 연유하는 당연한 귀결이다.

② 종범은 정범의 실행행위 중에 이를 방조하는 경우는 물론이고 실행의 착수 전에 장래의 실행행위를 예상하고 이를 용이하게 하는 행위를 하여 방조한 경우에도 정범이 그 실행행위에 나아갔다면 성립한다.

③ 공범종속성설에 따르면, 형법상 효과 없는 교사(제31조 제2항)와 실패한 교사(제31조 제3항)는 공범의 미수를 처벌하는 것으로 당연규정이라 이해한다.

④ 종속의 정도에 대한 극단종속형식에 따르면, 14세 미만자를 부추겨 교회에 있는 시계를 절취해 오도록 한 자는 절도죄의 공범이 아니라 간접정범이 될 수 있을 뿐이다.

해설 ① 대판 1981.11.24, 81도2422 ② 대판 1997.4.17, 96도3377

③ × : ~ 것으로 예외규정(특별규정)이라 이해한다.

④ 옳다.

Answer **07. ③**

제2절　공동정범

> **제30조【공동정범】** 2인 이상이 공동하여 죄를 범한 때에는 각자를 그 죄의 정범으로 처벌한다.

1 의의 및 본질

공동정범이란 단독으로 범할 수 있는 범죄를 2인 이상이 공동하여 범한 경우를 말한다. 공동정범의 본질이 무엇인가에 대하여 종래부터 범죄공동설(수인이 공동하여 1개의 특정한 범죄를 행하는 것)과 행위공동설(수인이 행위를 공동으로 하여 각자 자기의 범죄를 실행하는 것)이 대립하고 있다.

관련판례

형법 제30조에서 정한 '2인 이상이 공동하여 죄를 범한 때'의 '죄'에는 고의범뿐만 아니라 과실범도 포함되는 것이므로 과실범의 경우에도 공동정범이 성립할 수 있으나, 의사의 연락이나 주의의무 위반에 대한 공동의 인식이 없었다면 '공동하여' 죄를 범하였다고 볼 수 없으므로, 과실범의 공동정범이 성립한다고 볼 수 없다(대판 2024.12.26, 2024도1856). 25. 순경 2차 · 경대편입

🔔 범죄공동설에 따르면, 과실범의 공동정범이나 고의범과 과실범의 공동정범이 인정되지 않는다. 15. 사시, 24. 순경 1차

2 성립요건

관련판례

공동정범이 성립하기 위하여는 주관적 요건인 공동가공의 의사와 객관적 요건인 공동의사에 의한 기능적 행위지배를 통한 범죄의 실행사실이 필요하다. 공동가공의 의사는 타인범행을 인식하고 이를 제재하지 아니하거나 용인한 것만으로는 부족하고 공동의 의사로 특정한 범죄행위를 하기 위하여 일체가 되어 서로 다른 사람의 행위를 이용하여 자기의 의사를 실행에 옮기는 것을 내용으로 하는 것이어야 한다(대판 2001.11.9, 2001도4792). 21. 경찰승진, 23. 해경승진 · 해경 3차, 24. 변호사시험 · 경력채용 · 순경 2차, 25. 법원직 · 9급 검찰 · 마약수사 · 철도경찰

(1) **주관적 요건** : 공동실행의 의사(공동가공의 의사, 공모, 공동의사)

관련판례

● **공동가공의 의사가 있다고 보지 않는 경우** ⇨ **공동정범** ×
1. 피해자 일행을 한 사람씩 나누어 강간하자는 동료들의 제의에 아무런 대답도 하지 않고 따라다니다가 자신의 강간 상대방으로 남겨진 사람에게 신체적 접촉도 시도 않고 다른 일행이 인근 숲속에서 강간을 마칠 때까지 이야기만 나눈 경우(대판 2003.3.28, 2002도7477) 23. 경찰승진, 24. 해경승진 · 경위공채

2. 전자제품(캠코더) 등을 밀수입해 올 테니 팔아달라는 제의를 받고 승낙한 경우(대판 2000.4.7, 2000도 576) 11. 경찰승진, 18. 경찰간부

3. "오토바이를 훔쳐오면 내가 사 주겠다."고 말한 경우(대판 1997.9.30, 97도1940), "황소를 훔쳐오면 문제없이 팔아주겠다."고 말한 것(대판 1975.2.25, 74도2228) 13. 9급 검찰 · 마약수사 · 철도경찰

4. 회사의 고문이었던 피고인이 대표이사로부터 회사의 금원으로 사건을 무마하겠다는 보고를 받고도 아무런 말도 없이 창밖만 쳐다보았는데, 대표이사는 피고인이 동의한 것으로 알고 회사 돈을 제3자에게 준 경우(대판 1999.9.17, 99도2889) 21. 해경승진

5. 하나의 범죄행위에 관여한 여러 사람 중 한 명인 피고인이 자신의 행위가 범죄에 이용된다는 사실을 모르고 그 행위에 나아간 경우에는 그 피고인에게 고의가 없어서 죄책을 물을 수 없다(대판 2024.12.12, 2024도10141).

Key Point

따라서 공동실행의 의사가 전혀 없는 동시범이나 어느 일방에게만 있는 편면적 공동정범은 공동정범이 아니다.

- 동시범 : 2인 이상이 죄를 범했어도 공동실행의 의사가 없으므로 공동정범은 성립할 수 없고 각자를 미수범으로 처벌한다(제19조). ⇨ 후술 '**5** 동시범' 참조
- 편면적 공동정범 : 공동가공의사는 행위자 상호간에 있어야 하며, 일방의 가공의사만으로는 공동정범이 성립하지 않는다(대판 1985.5.14, 84도2118). ⇨ 편면적 공동정범 부정, 동시범 또는 종범의 성립이 문제될 뿐임. 15. 순경 3차, 21. 순경 2차, 23. 경찰승진 · 법원행시 · 해경 3차

① **의사연락의 방법** : 의사의 연락방법은 명시적이든 묵시적이든 불문하며(대판 1987.10.13, 87도 1240), 공동행위자 전원이 일정한 장소에 모여 직접 모의할 것을 요하지도 않는다. 따라서 직접적이든 간접적이든(릴레이식 · 연쇄적) 불문한다(대판 1985.8.20, 83도2575).

관련판례

2인 이상이 범죄에 공동가공하는 공범관계에서 공모는 법률상 어떤 정형을 요구하는 것이 아니고, 2인 이상이 공모하여 범죄에 공동가공하여 범죄를 실현하려는 의사의 결합만 있으면 충분하다. 비록 전체의 모의과정이 없더라도 여러 사람 사이에 순차적으로 또는 암묵적으로 의사의 결합이 이루어지면 공모관계가 성립하고, 이러한 공모가 이루어진 이상 실행행위에 직접 관여하지 아니한 자라도 다른 공범자의 행위에 대하여 공동정범으로서 형사책임을 진다. 사기의 공모공동정범이 그 기망방법을 구체적으로 몰랐다고 하더라도 공모관계를 부정할 수 없다. 이러한 공모관계를 인정하기 위해서는 엄격한 증명이 요구되지만, 피고인이 범죄의 주관적 요소인 공모관계를 부인하는 경우에는 사물의 성질상 이와 상당한 관련성이 있는 간접사실 또는 정황사실을 증명하는 방법으로 이를 증명할 수밖에 없다(대판 2018.4.19, 2017도14322 전원합의체 21. 변호사시험, 22. 해경간부, 23. 경찰간부, 25. 순경 2차, 26. 경찰승진 예 사기의 공모 공동정범이 그 기망방법을 구체적으로 몰랐다고 하더라도 공모관계를 부정할 수 없다 ; 대판 2013.8.23, 2013도5080). 21. 경찰간부 · 순경 1차, 22. 9급 검찰 · 마약수사 · 철도경찰 · 해경간부, 24. 경찰승진

범인 전원이 동일일시, 동일장소에서 모의하지 아니하고 순차적으로 범의의 연락이 이루어짐으로써 그 범의내용에 대하여 포괄적 또는 개별적 의사의 연락이나 인식이 있었다면 범인 전원의 공모관계가

있다(대판 1988.6.14, 88도592). 18. 경찰승진·9급 검찰·마약수사·철도경찰, 21. 변호사시험

이와 같은 공모에 대하여는 직접증거가 없더라도 정황사실과 경험법칙에 의하여 이를 인정할 수 있고, 상명하복 관계에 있는 자들 사이에 있어서도 범행에 공동가공한 이상 공동정범이 성립하는 데 아무런 지장이 없는 것이다(대판 2012.1.27, 2010도10739). 15. 9급 검찰·마약수사·철도경찰, 21. 변호사시험, 22. 해경간부, 23. 해경승진, 24. 경찰승진

• 공모관계를 인정한 경우 ⇨ 공동정범 ○

1. 이른바 딱지어음을 발행하여 매매한 이상 사기의 실행행위에 직접 관여하지 아니하였다고 하더라도 공동정범으로서의 책임을 면하지 못하고, 딱지어음의 전전유통경로나 중간 소지인들 및 그 기망방법을 구체적으로 몰랐다고 하더라도 공모관계를 부정할 수는 없다(대판 1997.9.12, 97도1706). 15. 순경 2차·9급 검찰·마약수사·철도경찰, 17. 순경 1차, 22. 해경간부

2. 입시부정행위를 지시한 자가 부정행위의 방법으로서 사정위원들의 업무를 방해할 것을 특정하거나 명시하여 지시하지 않았더라도 업무방해죄의 공동정범에 해당한다(대판 1994.3.8, 93도3154 **예** 사립대학 이사장인 甲은 대학의 간부인 乙에게 지시하여 乙의 주도하에 편입학 부정행위 및 입학시험 점수 날조 등의 방법으로 일부학생을 부정입학 시킨 경우, 甲도 업무방해죄의 공모공동정범이 성립된다). 10. 9급 검찰, 11. 경찰승진

3. 허위작성된 유가증권을 피교부자가 그것을 유통하게 한다는 사실을 인식하고 교부한 때에는 허위작성유가증권행사죄에 해당하고, 행사할 의사가 분명한 자에게 교부하여 그가 이를 행사한 때에는 허위작성유가증권행사죄의 공동정범이 성립된다(대판 1995.9.29, 95도803). 26. 경찰승진

4. 전화 등 전기통신수단을 이용한 금융사기 조직범죄(이하 '보이스피싱'이라 한다)에서 현금수거책의 공모사실이나 범의는 다른 공범과 순차적으로 또는 암묵적으로 상통함으로써 범죄에 공동가공하여 범죄를 실현하려는 의사가 결합되어 피해자의 현금을 수거한다는 사실을 인식하는 것으로 족하다. 이러한 인식은 미필적인 것으로도 충분하고 전체 보이스피싱 범행방법이나 내용까지 구체적으로 인식할 것을 요하지는 않는다(대판 2024.12.12, 2024도10141). 26. 경찰승진

---

② **의사연락의 성립시기** : 의사연락은 미리 공모하여 사전(행위 이전)에 있었음을 요하지 않으며, 공동의사의 성립시기에 따라 다음과 같이 구별된다.

- **공모공동정범(예모공동정범)** : 공동실행의 의사(의사의 연락)가 실행행위 이전에 성립한 경우로 실행행위를 분담하지 않는 자의 공동정범 인정 여부가 문제된다.
- **우연적 공동정범** : 공동실행의 의사(공동의 범행결의)가 실행행위시에 성립한 경우를 말한다(공동정범이 성립하기 위하여는 반드시 공범자 간에 사전에 모의가 있어야 하는 것은 아니며, 우연히 만난 자리에서 서로 협력하여 공동의 범의를 실현하려는 의사가 암묵적으로 상통하여 범행에 공동가공하더라도 공동정범은 성립된다 : 대판 1984.12.26, 82도1373). 20. 경찰승진, 21. 변호사시험·경찰간부, 22. 9급 검찰·마약수사·철도경찰, 23. 해경승진·7급 검찰·순경 2차, 25. 해경경위
- **승계적 공동정범** : 공동실행의 의사가 실행행위 도중, 즉 실행행위의 일부 종료 후 그 기수 이전에 성립한 경우를 말한다.

③ **승계적 공동정범** : 선행행위자가 실행에 착수한 후에 후행가담자가 공동가담의 의사를 가지고 선행행위자의 행위에 가담한 경우에도 공동정범이 성립한다(통설·판례).

　㉠ **공동의사 성립시기** : 선행자와 후행자 사이에 공동의사가 성립할 수 있는 시기에 대해 선행자의 범죄기수시까지라는 견해와 종료시까지라는 견해가 대립된다. 판례는 즉시범과 상태범(**例** 횡령죄, 배임죄, 공갈죄 등)의 경우에는 기수시까지, 계속범(**例** 범인도피죄 등)의 경우에는 기수 이후 범죄종료시까지 가능하다고 한다.

관련판례

1. 회사직원이 영업비밀을 경쟁업체에 유출하거나 스스로의 이익을 위하여 이용할 목적으로 무단으로 반출한 때 업무상 배임죄의 기수에 이르렀다고 할 것이고, 그 이후에 위 직원과 접촉하여 영업비밀을 취득하려고 한 자는 업무상 배임죄의 공동정범이 될 수 없다(대판 2003.10.30, 2003도4382). 15. 9급 검찰·마약수사·철도경찰, 18. 경찰간부, 22. 해경간부, 23. 경찰승진, 24. 해경승진·순경 2차

2. 공범자가 공갈행위의 실행에 착수한 후 그 범행을 인식하면서 그와 공동의 범의를 가지고 그 후의 공갈행위를 계속하여 재물의 교부나 재산상 이익의 취득에 이른 때에는 공갈죄의 공동정범이 성립한다(대판 1997.2.14, 96도1959). 17. 법원행시, 18. 순경 2차, 25. 해경경위공채

3. 공범자의 범인도피행위 도중에 그 범행을 인식하면서 그와 공동의 범의를 가지고 기왕의 범인도피상태를 이용하여 스스로 범인도피행위를 계속한 경우에는 범인도피죄의 공동정범(종범 ×)이 성립하고, 이는 공범자의 범행을 방조한 종범의 경우도 마찬가지이다(대판 2012.8.30, 2012도6027). 14. 경찰승진, 21. 경찰간부, 24. 순경 2차

4. 실행행위가 종료함과 동시에 범죄가 기수에 이르는 이른바 '즉시범'에서는 범죄가 기수에 이르기 이전에 가담하는 경우에만 공동정범이 성립하고 범죄가 기수에 이른 이후에는 공동정범이 성립될 수 없다(대판 1953.8.4, 4286형상20). 17. 9급 검찰·마약수사·철도경찰

5. 유사기관 설립·설치로 인한 공직선거법 위반죄는 공직선거법에서 금지하는 유사기관을 설립·설치한 때에 성립함과 동시에 완성되는 즉시범이므로, 설립·설치 이후에 관여한 행위는 유사기관 설립·설치로 인한 공직선거법 위반죄의 공동정범으로 처벌할 수 없다(대판 2024.12.12, 2024도7642). 25. 경대편입

㉡ **후행가담자의 책임범위** : 후행자는 선행자의 행위를 포함한 전체 범죄에 대한 공동정범이 된다는 견해와, 후행자는 자기가 개입한 이후의 행위에 대해서만 공동정범의 책임을 진다는 견해(판례)가 있다.

관련판례

1. 포괄일죄의 범행 도중에 공동정범으로 범행에 가담한 자는 비록 그가 그 범행에 가담할 때에 이미 이루어진 종전의 범행을 알았다 하더라도 그 가담 이후(이전 ×)의 범행에 대하여만 공동정범으로 책임을 진다(대판 2007.11.15, 2007도6336). 18. 7급 검찰, 21. 경찰간부·순경 2차, 23. 경찰승진, 24. 해경승진·순경 1차 25. 9급 검찰·마약수사·철도경찰·해경 2차

2. 연속된 히로뽕제조행위 도중에 공동정범으로 범행에 가담한 자는 비록 그가 그 범행에 가담할 때에 이미 이루어진 종전의 범행을 알았다 하더라도 그 가담 이후의 범행에 대하여만 공동정범으로 책임을 지는 것이다(대판 1982.6.8, 82도884). 16. 경찰간부, 18. 순경 2차, 25. 경찰승진

④ 과실범의 공동정범

관련판례

> 형법 제30조에 '공동하여 죄를 범한 때'의 '죄'라 함은 고의범, 과실범을 불문하므로 두 사람 이상이 어떠한 과실행위를 서로의 의사연락하에 이룩하여 범죄가 되는 결과를 발생케 한 것이라면 과실범의 공동정범이 성립된다〔대판 1979.8.21, 79도1249 ∵ 판례는 행위공동설(범죄공동설 ×) 입장에서 과실범의 공동정범 인정〕. 20. 9급 검찰, 23. 법원행시 · 법원직 · 해경 3차, 24. 경력채용, 25. 순경 1차 · 법원직 · 해경경위공채

1. 성수대교가 붕괴하여 자동차들이 한강에 추락하고 승객들이 사망 · 부상한 사건에서 피고인들(트러스 제작책임자, 건설공사감독자, 감독공무원)의 과실(불량시공, 감독 및 유지 · 관리 소홀)이 합쳐져서 사고의 원인이 되었으며, 피고인들은 성수대교를 안전하게 건축되도록 한다는 공동목표와 의사연락이 있었으므로 업무상 과실치사상죄, 업무상 과실일반교통방해죄, 업무상 과실자동차추락죄 등의 공동정범이 성립한다(대판 1997.11.28, 97도1740). 16. 법원행시, 22. 경찰승진, 24. 해경승진

2. 차량운전행위를 살펴보고 잘못된 점이 있으면 이를 지적하여 교정해 주려고 운전자의 부탁으로 차량의 조수석에 동승하였는데 운행 중 사고가 난 경우 주도적 지위에서(CII 전문적인 운전교습자가 피교습자에 대해 차량운행에 관해 모든 지시를 하는 경우) 동차량을 운행할 의도가 있었다거나 실제로 그 같은 운행을 하였다고 보기 어려우므로 과실범의 공동정범의 죄책을 물을 수 없다(대판 1984.3.13, 82도3136). 13. 9급 철도경찰, 16. 법원행시, 24. 경찰승진

3. 공동의 과실이 경합되어 화재가 발생한 경우에 적어도 각 과실이 화재의 발생에 대하여 하나의 조건이 된 이상은 그 공동적 원인을 제공한 각자에 대하여 실화죄의 죄책을 물어야 한다(대판 1983.5.10, 82도2279). 16. 법원행시

4. 예인선 정기용선자의 현장소장 甲은 사고의 위험성이 높은 시점에 출항을 강행할 것을 지시하였고, 예인선 선장 乙은 甲의 지시에 따라 사고의 위험성이 높은 시점에 출항하는 등 무리하게 예인선을 운항한 결과 예인되던 선박에 적재된 물건이 해상에 추락하여 선박교통을 방해한 경우, 甲과 乙은 업무상 과실일반교통방해죄의 공동정범이 성립한다(대판 2009.6.11, 2008도11784). 22. 7급 검찰 · 순경 2차, 24. 해경승진

5. 트럭 운전사 乙은 甲과 함께 트럭에 짐을 싣고 운전을 하던 중 경찰관 A의 검문을 위한 정차 신호에 따라 정차하던 중에 甲이 검문을 피할 목적으로 "그대로 가자."라고 말하였고, 乙이 그대로 달려 A를 치어 사망에 이르게 한 경우 ⇨ 업무상 과실치사죄의 공동정범(대판 1962.3.29, 4294형상598 ∵ 행위공동설의 입장에서 과실범의 공동정범 인정) 24. 경위공채

(2) 객관적 요건

① **공동실행의 사실**(공동가공의 사실) : 공동정범이 성립하기 위하여는 공동가공의 의사 이외에 공동의사에 의한 기능적 행위지배를 통한 범죄의 실행사실이 필요하다.

　㉠ 공동정범 각자가 구성요건 전부를 실행한 경우는 물론, 구성요건 일부를 실행한 경우에도 행위기여가 인정되어 공동정범이 성립한다(일부실행·전부책임).

관련판례

1. 다른 공범자가 강간하고 있는 동안 피해자가 반항 못하도록 입을 막고 주먹으로 얼굴을 때린 경우 ⇨ 강간죄의 공동정범(대판 1984.6.12, 84도780) 15. 경찰간부

2. 강도범행 후 다른 공범자가 신고를 막기 위해 피해자를 옆방으로 끌고가 강간할 때에 피해자의 자녀들을 감시한 경우 ⇨ 강도강간죄의 공동정범(대판 1986.1.21, 85도2411) 12. 법원행시

　㉡ 또한 구성요건에 해당하는 행위가 아니더라도 전체적으로 볼 때 범죄를 실현하는 데 불가결한 기능적 역할분담을 한 경우에는 공동실행의 행위기여가 인정되어 공동정범이 성립한다(공모에 의한 범죄의 공동실행은 모든 공범자가 스스로 범죄의 구성요건을 실현하는 것을 전제로 하지 아니하고, 그 실현행위를 하는 공범자에게 그 행위결정을 강화하도록 협력하는 것으로도 가능하다 : 대판 2006.12.22, 2006도1623). 16. 순경 2차, 20. 해경승진, 21. 경찰승진

관련판례

1. 업무상 배임죄의 실행으로 인하여 이익을 얻게 되는 수익자 또는 그와 밀접한 관련이 있는 제3자를 배임의 실행행위자와 공동정범으로 인정하기 위하여는 실행행위자의 행위가 피해자 본인에 대한 배임행위에 해당한다는 것을 알면서도 소극적으로 그 배임행위에 편승하여 이익을 취득한 것만으로는 부족하고, 실행행위자의 배임행위를 교사하거나 또는 배임행위의 전 과정에 관여하는 등으로 배임행위에 적극 가담할 것을 필요로 한다(대판 2007.4.12, 2007도1033). 19. 경찰간부·경찰승진, 23. 해경승진, 25. 순경 1차·해경경위공채

2. 乙이 위조된 부동산임대차계약서를 담보로 제공하고 A로부터 돈을 빌려 편취할 것을 계획하면서 甲에게 미리 전화를 하여 임대인 행세를 하여달라고 부탁하였고, 甲은 그 사정을 잘 알면서도 임대인인 것처럼 행세하여 전세금액 등을 확인한 경우 甲에게 위조사문서행사죄의 공동정범(방조범 ×)이 성립한다(대판 2010.1.28, 2009도10139 ∵ 기능적 행위지배의 공동정범 요건을 갖추었음). 12. 순경 2차, 18. 7급 검찰, 25. 경대편입

3. 부하들이 흉기를 들고 싸움을 하고 있는 도중에 폭력단체의 두목급 수괴 甲이 사건 현장에서 "전부 죽여 버리라."고 고함을 치자, 그 부하들이 피해자들을 난자하여 사망케 한 경우 ⇨ 살인죄의 공동정범(대판 1987.10.13, 87도1240) 09. 9급 검찰, 16. 경찰승진

4. 특수강도의 범행을 모의한 후 범행실행에 가담하지 아니하고 강취해 온 장물의 처분을 알선만 한 경우 ⇨ 특수강도죄의 공동정범(대판 1983.2.22, 82도3103 ∵ 장물알선죄 ×) 19. 9급 철도경찰, 25. 경력채용

5. 화염병과 돌맹이들을 진압 경찰관을 향하여 무차별 던지는 시위 현장에 적극 참여하여 돌맹이를 던지는 등의 행위로 다른 사람의 화염병 투척을 용이하게 한 경우 비록 자신이 직접 화염병 투척의 행위는 하지 아니하였다 하더라도 그 화염병 투척(사용)의 공동정범이 된다(대판 1992.3.31, 91도3279). 05. 9급 검찰

6. 피고인들이 업무방해죄를 범할 의사 없이 광고중단 압박운동에 참여한 사람들을 자신들의 위력 행사에 이용한 행위는 이른바 간접정범을 통하여 그 범행을 실행한 것으로 보아야 할 것이고, 피고인들의 경우 위와 같은 간접정범 형태의 범행에 대하여도 주관적 요건으로서 공모와 객관적 요건으로서 기능적 행위지배가 인정되는 이상 공동정범으로서의 죄책을 면할 수 없다(대판 2013.3.14, 2010도410).

ⓒ 부작위범 사이의 공동정범은 다수의 부작위범에게 공통된 의무가 부여되고 있고 그 의무를 공통으로 이행할 수 있을 때에만 성립한다(대판 2008.3.27, 2008도89). 15. 순경 3차, 17. 변호사시험, 22. 법원행시

　　예 주권상장법인의 주식 등 대량보유·변동·변경 보고의무 위반으로 인한 자본시장법 위반죄는 구성요건이 부작위에 의해서만 실현될 수 있는 진정부작위범에 해당한다. 진정부작위범인 주식 등 대량보유·변동·변경 보고의무 위반으로 인한 자본시장법 위반죄의 공동정범은 그 의무가 수인에게 공통으로 부여되어 있는데도 수인이 공모하여 전원이 그 의무를 이행하지 않았을 때 성립할 수 있다(대판 2022.1.13, 2021도11110). 22. 순경 1차

ⓓ 범죄의 실행에 가담한 사람이라고 할지라도 그가 공동의 의사에 따라 다른 공범자를 이용하여 실현하려는 행위가 자신에게는 범죄를 구성하지 않는다면, 특별한 사정이 없는 한 공동정범의 죄책을 진다고 할 수 없다(대판 2017.4.26, 2013도12592 **예** 자기 자신을 무고하기로 제3자와 공모하고 이에 따라 무고행위에 가담하였더라도 이는 자기 자신에게는 무고죄의 구성요건에 해당하지 않아 범죄가 성립할 수 없는 행위를 실현하고자 한 것에 지나지 않아 무고죄의 공동정범으로 처벌할 수 없다). 17. 법원행시, 18. 순경 3차, 19. 7급 검찰, 20. 경찰간부, 25. 순경 1차·해경 2차

ⓔ 공동정범 중 어느 한 사람이 실행행위를 직접 개시한 순간부터 공동정범 모두에 대해 실행의 착수를 인정한다.

ⓕ 피고인 자신이 직접 형사처분을 받게 될 것을 두려워한 나머지 자기의 이익을 위하여 그 증거가 될 자료를 은닉하였다면 증거은닉죄에 해당하지 않고, 제3자와 공동하여 그러한 행위를 하였다고 하더라도 마찬가지이다(대판 2018.10.25, 2015도1000 ∴ 증거은닉죄의 공동정범 ×). 22. 법원행시, 23. 경찰간부

② **공모공동정범**

　ⓐ 공모공동정범이란 2인 이상의 자가 공모하여 그 공모자 가운데 일부만이 범죄의 실행에 나아간 때에 실행행위를 하지 않은 공모자에게도 공동정범이 성립한다는 이론을 말한다.

관련판례

1. 공모자 중 일부가 구성요건적 행위 중 일부를 직접 분담하여 실행하지 않은 경우라 할지라도 전체 범죄에 있어서 그가 차지하는 지위, 역할이나 범죄 경과에 대한 지배 내지 장악력 등을 종합해 볼 때, 단순한 공모자에 그치는 것이 아니라 범죄에 대한 본질적 기여를 통한 기능적 행위지배가 존재

하는 것으로 인정된다면, 이른바 공모공동정범으로서의 죄책을 면할 수 없는 것이다(대판 2009.2.12, 2008도6551 예 타인의 시세조종을 통한 주가조작 범행과 관련하여, 자기 명의의 증권계좌와 자금을 교부하였을 뿐만 아니라 적극적으로 투자자 등을 유치·관리한 사람에게 증권거래법 제188조의 4 위반죄의 공모공동정범의 죄책을 인정 ○). 22. 변호사시험, 23. 해경승진, 24. 9급 검찰·마약수사·철도경찰·법원직, 25. 경위공채·해경경위

▶ **비교판례** : 전국노점상연합회가 주관한 도로행진시위에 단순 가담자인 甲이 다른 시위 참가자들과 시위 중 경찰관 등에 대한 특수공무집행방해 행위로 체포된 경우 체포된 이후에 이루어진 다른 시위참가자들의 범행에 대해서는 공모공동정범의 죄책을 인정할 수 없다(대판 2009.6.23, 2009도 2994 ∵ 본질적 기여를 통한 기능적 행위지배 ×). 19. 경찰승진, 23. 해경승진, 25. 경력채용

2. 건설회사의 유일한 지배자인 甲이 회사 대표의 지위에서 장기간에 걸쳐 건설공사 현장소장들의 뇌물공여행위를 보고받고 이를 확인·결재하는 등의 방법으로 위 행위에 관여하였다면, 비록 사전에 구체적인 대상 및 액수를 정하여 뇌물공여를 지시하지 않았다고 하더라도 공모공동정범의 죄책이 인정된다(대판 2010.7.15, 2010도3544 ∵ 기능적 행위지배 ○). 18. 경찰간부·경찰승진, 19. 7급 검찰, 25. 경력채용

3. 공모자들이 그 공모한 범행을 수행하는 도중에 파생적인 범행 하나하나에 대해 개별적인 의사연락이 없었다 하더라도 부수적인 다른 범죄가 파생되리라고 충분히 예상되었다면 그 범행 전부에 대해 공모와 기능적 행위지배가 있다고 보아야 한다(대판 2011.1.27, 2010도11030). 20. 법원행시, 21. 변호사시험, 23. 해경승진, 24. 순경 2차

4. 자동차 명의신탁관계에서 제3자가 명의수탁자로부터 승용차를 가져가 매도할 것을 허락받고 인감증명 등을 교부받아 위 승용차를 명의신탁자 몰래 가져간 경우, 위 제3자와 명의수탁자의 공모·가공에 의한 절도죄의 공모공동정범이 성립한다(대판 2007.1.11, 2006도4498). 18. 7급 검찰, 19. 9급 철도경찰

5. 교통방해를 유발한 집회에 참가한 경우 참가 당시 이미 다른 참가자들에 의해 교통의 흐름이 차단된 상태였더라도 그들과 암묵적·순차적으로 공모하여 교통방해의 위법상태를 지속시켰다고 평가할 수 있다면 일반교통방해죄가 성립한다(대판 2018.5.11, 2017도9146 ∵ 일반교통방해죄는 계속범으로 교통방해의 상태가 계속되는 한 위법상태는 계속 존재함. ∴ 일반교통방해죄의 공모공동정범 ○). 19. 변호사시험·7급 검찰·9급 철도경찰·경찰승진, 20. 법원행시

6. 뇌물수수의 공범자들 사이에 직무와 관련하여 금품이나 이익을 수수하기로 하는 명시적 또는 암묵적 공모관계가 성립하고 공모 내용에 따라 공범자 중 1인이 금품이나 이익을 수수하였다면 수수한 금품이나 이익 전부에 관하여 뇌물수수죄의 공모공동정범이 성립할 수 있다(대판 2014.12.24, 2014도10199). 17. 7급 검찰, 20. 경찰간부

▶ **비교판례** : 공무원인 공범자들이 국가자금을 횡령하여 그 횡령범행으로 취득한 돈을 공범자끼리 수수한 행위가 공동정범들 사이의 범행에 의하여 취득한 돈을 공모에 따라 내부적으로 분배한 것에 지나지 않는다면 그 돈의 수수행위에 관하여 별도로 뇌물죄가 성립하는 것은 아니다(대판 2019.11.28, 2019도11766). 20. 법원행시, 22. 변호사시험

7. 의사가 간호사에게 의료행위의 실시를 개별적으로 지시하거나 위임한 적이 없음에도 간호사가 그의 주도 아래 전반적인 의료행위의 실시 여부를 결정하고 간호사에 의한 의료행위의 실시과정에도 의사가 지시·관여하지 아니한 경우, 의사가 이러한 방식으로 의료행위가 실시되는 데 간호사와 함께 공모하여 그 공동의사에 의한 기능적 행위지배가 있었다면, 의사도 무면허의료행위의 공동정범으로서의 죄책을 진다(대판 2012.5.10, 2010도5964). 13. 경찰승진, 16. 변호사시험

8. 건설노동조합의 조합원들이 조합의 상급단체 간부 甲의 지시에 따라 건조물 침입, 업무방해, 손괴, 폭행 등 범죄행위를 하였다면 위 조합의 상급단체 간부인 甲도 이들 범행에 대한 공모공동정범이 성립한다(대판 2007.4.26, 2007도428). 10. 9급 검찰, 21. 변호사시험

9. 수인이 상해를 공모했으나 실행행위를 분담한 공모자 중 일부가 피해자를 상해하여 사망하게 한 경우에 사무실에서 대기 중인 자는 상해치사죄의 공동정범에 해당한다(대판 1991.10.11, 91도1755). 21. 순경 2차

10. 배임증재의 공모공동정범이 다른 공모공동정범에 의하여 수재자에게 재물 또는 재산상 이익이 제공 되는 방법을 구체적으로 몰랐다고 하더라도 공모관계를 부정할 수 없다(대판 2015.7.23, 2015도3080). 17. 순경 2차, 25. 순경 1차

11. 공모공동정범이 성립되려면 두 사람 이상이 공동의 의사로 특정한 범죄행위를 하기 위하여 일체가 되어 서로가 다른 사람의 행위를 이용하여 각자 자기의 의사를 실행에 옮기는 것을 내용으로 하는 모의를 하여(공동의사주체설) 그에 따라 범죄를 실행한 사실이 인정되어야 하고, 이와 같이 공모에 참여한 사실이 인정되는 이상 직접 실행행위에 관여하지 아니했더라도 다른 사람의 행위를 자기의사 의 수단으로 하여 범죄를 하였다는 점(간접정범유사설)에서 자기가 직접 실행행위를 분담한 경우와 형사책임의 성립에 차이를 둘 이유가 없다(대판 1988.4.12, 87도2368). 12. 순경 1차, 13. 경찰승진

12. 피고인이 공문서 위조행위 자체에는 관여한 바 없다고 하더라도 타인에게 위조를 부탁하여 의사연락 이 되고 그로 하여금 범행을 하게 하였다면 공모공동정범에 의한 공문서위조죄가 성립된다(대판 1980.5.27, 80도907). 24. 법원행시

13. 국가정보원의 원장 피고인 甲, 3차장 피고인 乙, 심리전단장 피고인 丙이 심리전단 산하 사이버팀 직원들과 공모하여 인터넷 게시글과 댓글 작성, 찬반클릭, 트윗과 리트윗 행위 등의 사이버 활동을 한 경우, 피고인들이 실행행위자인 사이버팀 직원들과 순차 공모하여 범행에 대한 기능적 행위지배를 함으로써 범행에 가담하였으므로, 피고인들에게 구 국가정보원법 위반죄와 구 공직선거법 위반죄의 공모공동정범이 성립된다(대판 2018.4.19, 2017도14322 전원합의체).

ⓛ 공모공동정범에 있어서 다른 공모자가 실행행위에 이르기 전에 그 공모관계에서 이탈한 때에는 이탈 이후의 다른 공모자의 행위에 대해 공동정범이 성립하지 않으며 그 이탈의 표시는 반드시 명시적일 필요가 없다(대판 1986.1.21, 85도2371). 20. 7급 검찰·해경승진, 23. 해경 3차, 24. 9급 검찰·마약수사, 25. 경찰승진·순경 2차 그러나 다른 공모자가 이미 실행에 착수한 이후에 는 그 공모관계에서 이탈하였더라도 공동정범이 성립하며(대판 1984.1.31, 83도2941), 23. 해경 3차 다른 공범자에 의해 그 범죄가 기수에 이른 때에는 그 범죄의 기수로 처벌받지(대판 2002.8.27, 2001도513) 중지미수가 되지 않는다. 10. 7급 검찰

관련판례 1

1. 공모관계에서의 이탈은 공모자가 공모에 의하여 담당한 기능적 행위지배를 해소하는 것이 필요하므 로 공모자가 공모에 주도적으로 참여하여 다른 공모자의 실행에 영향을 미친 때에는 범행을 저지하기 위하여 적극적으로 노력하는 등 실행에 미친 영향력을 제거하지 아니하는 한 공모관계에서 이탈하였 다고 할 수 없다(대판 2008.4.10, 2008도1274). 20. 경찰승진·해경승진·7급 검찰, 22. 해경간부·순경 1차, 23. 경력채용·순경 2차, 25. 변호사시험·9급 검찰·마약수사·철도경찰·해경경사

예 ① 다른 공모자들과 강도 모의를 주도한 피고인이, 다른 공모자들이 피해자를 뒤쫓아 가자 단지 "어?"라고만 하고 더 이상 만류하지 아니하여 공모자들이 강도상해의 범행을 한 경우 ⇨ 강도상해죄의 공동정범 ○(대판 2008.4.10, 2008도1274) 16. 사시 · 경찰승진, 22. 해경간부, 24. 경위공채

② 甲은 乙과 공모하여 가출 청소년 丙(여, 16세)에게 낙태수술비를 벌도록 해 주겠다고 유인하였고, 乙로 하여금 丙의 성매매 홍보용 나체사진을 찍도록 하였으며, 丙이 중도에 약속을 어길 경우 민형사상 책임을 진다는 각서를 작성하도록 한 후, 甲이 별건으로 체포되어 구치소에 수감 중인 동안 丙이 乙의 관리 아래 성매매를 계속하여 丙, 乙 및 甲의 처 등이 나누어 사용한 경우 ⇨ 공모관계 이탈 ×(대판 2010.9.9, 2010도6924) 18. 경찰간부, 19. 경찰승진, 20. 7급 검찰, 23. 해경승진, 25. 해경경사

③ 해적 甲, 乙이 두목의 사전지시에 따라 선원들을 윙브리지로 세워 해군의 위협사격을 받게 함으로써 '인간방패'로 사용한 경우, 甲이 사전모의는 하였지만 선원들을 윙브리지로 내몰았을 당시 총을 버리고 도망갔다고 하더라도 공모관계에서 이탈한 것으로 볼 수 없다(대판 2011. 12.22, 2011도12927). 18. 법원행시, 20. 경찰간부, 21. 해경간부, 23. 해경 3차

④ 처(妻)가 구속된 남편을 대행하여 그의 지시를 받아 회사를 운영하면서 조세범처벌법상의 조세포탈행위를 하다가 협의이혼한 후 처(妻) 혼자 회사를 경영하였더라도 이혼 전 남편의 영향력이 제거되지 않아 조세포탈행위가 계속되었다면 남편은 협의이혼 후에도 여전히 공동정범으로서 책임을 진다(대판 2008.7.24, 2007도4310). 16. 사시, 24. 경찰승진, 25. 해경경사

2. 실행의 착수 전 공모관계이탈 ⇨ 공동정범 ×

① 피고인은 살해모의에는 가담하였으나 다른 공모자들이 실행행위에 이르기 전에 그 공모관계에서 이탈하였다면 피고인이 위 공모관계에서 이탈한 이후의 다른 공모자의 행위에 관하여는 공동정범으로서의 책임을 지지 않는다〔대판 1986.1.21, 85도2371 **예** 행동대원 甲, 乙, 丙은 조직의 두목으로부터 지시를 받고 상대조직 행동대장 A를 살해하기로 공모하였으나, 甲은 쇠파이프 등을 들고 차량에 탑승하던 중 사태의 심각성을 실감하고 범행에 휘말리기 싫어서 조용히 혼자 빠져나와 택시를 타고 집으로 갔다. 이후 乙과 丙이 공모한 대로 A의 사무실로 가서 A를 살해한 경우 ⇨ 살인죄의 공동정범 ×(대판 1996.1.26, 94도2654 ∵ 다른 조직원들이 범행에 이르기 전에 그 공모관계에서 이탈한 것임)〕. 13. 사시 21. 순경 2차, 24. 경위공채

② 甲 · 乙 · 丙이 창고에 몰래 들어가 피혁을 훔치기로 약속하였으나 甲은 절취할 마음이 내키지 아니하고 처벌이 두려워 만나기로 한 시간에 약속장소로 가지 아니하고 乙 · 丙은 甲을 기다리다가 그들끼리 모의된 범행을 결행하기로 하여 乙은 창고 앞에서 망을 보고 丙은 창고에 침입하여 가죽 약 1만평을 절취한 경우 ⇨ 甲 : 특수절도의 공동정범 ×, 절도죄의 공동정범 ×(∵ 실행행위에 이르기 이전에 그 공모관계로부터 이탈), 乙 · 丙 : 특수절도죄(대판 1989.3.14, 88도837) 09. 순경

3. 실행의 착수 후 공모관계이탈 ⇨ 공동정범 ○

① 피고인이 포괄일죄의 관계에 있는 범행의 일부를 실행한 후 공범관계에서 이탈하였으나 다른 공범자에 의하여 나머지 범행이 이루어진 경우, 피고인이 관여하지 않은 부분에 대하여도 공동정범으로서의 죄책을 부담한다(대판 2011.1.13, 2010도9927). 18. 순경 3차, 22. 경찰승진, 23. 법원직 · 7급 검찰 · 해경 3차, 24. 해경승진, 25. 순경 2차 · 9급 검찰 · 마약수사 · 철도경찰

예 피고인이 투자금융회사에 입사하여 공범들과 공모한 다음 시세조정행위의 일부를 실행한 후 甲회사로부터 해고를 당하여 공범관계로부터 이탈하였고, 다른 공범들이 그 이후의 나머지 시세

　　조정행위를 계속한 경우, 그 이후 나머지 공범들이 행한 시세조정행위에 대하여도 공동정범으로서의 죄책을 부담한다(대판 2011.1.13, 2010도9927). 20. 법원행시 · 7급 검찰, 22. 순경 2차, 25. 경력채용 · 해경경사

② 금품을 강취할 것을 공모하고 다른 공범자들이 집에 침입한 후 상해를 가하고 금품을 강취하는 동안 망을 보기로 한 피고인이 망을 보지 않고 담배를 사러 간 경우(다른 공범자들이 강도상해죄를 범함) ⇨ 강도상해죄의 공동정범(대판 1984.1.31, 83도2941 ∵ 행위자 상호간에 범죄의 실행을 공모하였다면, 다른 공모자가 이미 실행에 착수한 이후에는 그 공모관계에서 이탈하였다고 하더라도 공동정범의 책임을 면할 수 없다.) 12. 법원행시, 25. 해경 2차

3 처 벌

(1) 일부실행 · 전부책임

공동정범은 각자를 그 죄의 정범으로 처벌한다(제30조). 15. 경찰승진

① 여기서 각자를 정범으로 처벌한다는 것은 법정형이 동일하다는 의미일 뿐 구체적인 처단형이나 선고형은 각자 다를 수 있다. 21. 9급 검찰, 25. 해경경위

② 즉, 책임조각사유와 인적 처벌조각사유, 형의 가중 · 감경사유 등은 그 사유가 존재하는 자에게만 적용된다(책임개별화 원칙). 21. 9급 검찰

③ 공동정범에 있어서 인과관계는 공동정범자 각자의 행위와 결과 사이에서 개별적으로 확정되는 것이 아니라, 공동정범자 전원의 행위와 발생한 결과를 종합적 · 전체적으로 고려하여 확정된다(예 甲과 乙이 공동으로 丙을 살해하고자 발포하였는데, 丙이 누구의 총에 맞아 사망했는지 판명되지 아니한 경우 또는 甲의 총에 맞아 사망한 것으로 판명된 경우 모두 甲과 乙은 살인죄의 기수범으로 처벌된다). 22. 경찰승진

(2) 결과적 가중범과 공동정범

관련판례

1. 결과적 가중범인 상해치사죄의 공동정범은 폭행 기타의 신체침해 행위를 공동으로 할 의사가 있으면 성립되고 결과를 공동으로 할 의사는 필요 없으며, 여러 사람이 상해의 범의로 범행 중 한 사람이 중한 상해를 가하여 피해자가 사망에 이르게 된 경우 나머지 사람들은 사망의 결과를 예견할 수 없는 때가 아닌 한 상해치사의 죄책을 면할 수 없다(대판 2000.5.12, 2000도745). 15. 경찰간부, 16. 순경 1차, 20. 9급 검찰 · 마약수사 · 철도경찰, 25. 법원직 · 해경경위공채 · 해경 2차

2. 합동강도의 공범자 중 1인이 강도의 기회에 피해자를 살해한 경우, 다른 공모자가 살인의 공모를 하지 아니하였다고 하여도 그 살인행위나 치사의 결과를 예견할 수 없었던 경우가 아니면 강도치사죄(강도살인죄 ×)의 죄책을 면할 수 없다(대판 1991.11.12, 91도2156). 16. 변호사시험 · 경찰간부, 23. 9급 검찰 · 마약수사 · 철도경찰

▶ **비교판례**: 甲이 乙과 공모한 대로 칼을 들고 강도를 하기 위하여 A의 집에 들어가 칼을 휘둘러 A에게 상해를 가한 이상 대문 밖에서 망을 본 乙이 구체적으로 상해를 가할 것까지 공모하지 않았다 하더라도 乙은 상해의 결과에 대하여도 공범으로서의 책임을 면할 수 없다(대판 1998.4.14, 98도356 ∴ 강도상해죄의 공동정범 ○, 강도치상죄의 공동정범 ×). 12. 변호사시험, 22. 경찰승진

⑶ **공동정범과 신분** : 후술하는 제6절 공범과 신분 참조

비신분자는 단독으로 진정신분범의 정범이 될 수 없으나 신분자와 공동하여서 진정신분범의 공동정범이 될 수 있다(제33조 본문).

관련판례

1. 의료인일지라도 의료인 아닌 자의 의료행위에 공모하여 가공하면 무면허의료행위의 공동정범으로서의 책임을 진다(대판 1986.2.11, 85도448). 18. 순경 3차 · 철도경찰, 20. 7급 검찰, 21. 순경 1차, 25. 해경경위

2. 신분관계가 없는 사람이 신분관계로 인하여 성립될 범죄에 가공한 경우, 신분관계가 없는 사람에게 공동가공의 의사와 이에 기초한 기능적 행위지배를 통한 범죄의 실행이라는 주관적 · 객관적 요건이 충족되면 공동정범으로 처벌된다(대판 2019.8.29, 2018도2738 전원합의체 **예** 비공무원이 공무원과 공동가공의 의사와 이를 기초로 한 기능적 행위지배를 통하여 공무원의 직무에 관하여 뇌물을 수수하는 범죄를 실행하였다면 공무원이 직접 뇌물을 받은 것과 동일하게 평가할 수 있으므로 공무원과 비공무원에게 뇌물수수죄의 공동정범이 성립한다). 21. 경력채용, 23. 변호사시험 · 순경 2차, 24. 법원행시 · 9급 검찰 · 마약수사 · 철도경찰

신분이 없는 자라고 하더라도 전체 범죄에서 그가 차지하는 지위, 역할이나 범죄 경과에 대한 지배 또는 장악력 등을 종합해 볼 때 범죄에 대한 본질적 기여를 통한 기능적 행위지배가 존재한다고 인정된다면 공동정범으로서의 죄책을 면할 수 없다(대판 2025.9.4, 2025도4431 **예** 가상자산사업자의 영업에 관하여 자신의 독자적인 권한이 없이 상급자의 지시에 의하여 단순히 노무제공을 한 직원이나 보조자에 그치는 것이 아니라, 가상자산사업자의 영업활동에 지배적으로 관여한 것으로 볼 수 있다면, 미신고 가상자산거래 영업으로 인한 구 특정금융거래정보의 보고 및 이용 등에 관한 법률위반죄에 대한 본질적 기여를 통한 기능적 행위지배를 인정할 수 있으므로, 그러한 관여자 역시 공동가공의 의사가 인정되는 한 구 특정금융정보법 위반의 공동정범으로서 죄책을 진다).

3. 물건의 소유자가 아닌 사람은 형법 제33조 본문에 따라 소유자의 권리행사방해 범행에 가담한 경우에 한하여 그의 공범이 될 수 있을 뿐이다. 그러나 권리행사방해죄의 공범으로 기소된 물건의 소유자에게 고의가 없는 등으로 범죄가 성립하지 않는다면 공동정범이 성립할 여지가 없다(대판 2017.5.30, 2017도4578). 18. 7급 검찰, 20. 변호사시험 · 경찰간부

4. 공직선거법상의 각 기부행위의 주체로 인정되지 아니하는 자가 기부행위의 주체자 등과 공모하여 기부행위를 하였다 하더라도 그 신분에 따라 각 해당법조로 처벌하여야지 기부행위 주체자에 해당하는 법조 위반의 공동정범으로 처벌할 수는 없다(대판 2008.3.13, 2007도9507). 11. 경찰승진, 12. 순경 3차

(4) 공동정범의 미수

① 공동정범의 미수는 공동정범자의 모든 행위를 종합하여 볼 때 범죄를 완성하지 못한 경우에 가능하다. 따라서 공동정범의 1인의 행위가 미수에 그치더라도 다른 자에 의하여 범죄가 완성(즉, 기수에 이르면)된 때에는 공동정범의 전원이 기수의 책임을 진다.

② 공동정범의 전원이 중지하지 않는 한 그중 1인의 중지만으로는 중지미수가 되지 않는다. 중지범이 다른 공동자까지 중지시켜 결과가 발생하지 않는 경우 스스로 중지한 자는 중지미수로 다른 공동정범은 장애미수로 처벌된다.

관련판례 1

1. 위조약속어음인 정을 알고 그것을 행사할 의사가 있는 자임을 알면서 그 위조약속어음을 교부하였다면 후에 이를 다시 회수하려고 노력하였다 하더라도 위 자가 이를 행사하였다면 피고인은 위 자와 위조약속어음의 행사죄와 사기죄의 공동정범에 해당한다(대판 1970.2.10, 69도2070).

2. 甲은 乙과 함께 丙이 경영하는 사무실의 금품을 절취하기로 공모하여, 甲은 그 부근 포장마차에 있고 乙은 위 사무실의 열려진 출입문을 통하여 안으로 들어가 물건을 물색하고 있는 동안 甲은 자신의 범행전력 등을 생각하여 가책을 느낀 나머지 스스로 결의를 바꾸어 丙에게 乙의 침입사실을 알려 그와 함께 乙을 체포하게 한 경우 ⇨ 甲 : 중지미수, 乙 : 장애미수(대판 1986.3.11, 85도2831)

(5) 공동정범과 착오

① **구체적 사실의 착오** : 사실의 착오(구성요건적 착오)에 관한 일반이론을 그대로 적용한다.

② **추상적 사실의 착오**

ㄱ **질적 초과의 경우** : 실제로 행위를 한 자가 공모한 내용과 질적으로 다른 내용의 결과발생을 야기한 경우에는 다른 공모자들은 책임을 지지 않는다.

관련판례 1

1. 甲과 乙이 A를 강도하기로 공모하였음에도 불구하고 乙이 공모한 내용과 전혀 다른 강도강간을 한 경우, 공모사실(강도)과 발생사실(강간)이 전혀 별개의 구성요건에 속하는 질적 초과의 경우로서 그 초과부분에 대해서는 공동정범이 성립하지 않으므로, 甲에게는 강도강간죄의 공동정범이 성립하지 않고 특수강도죄(제334조)만 성립한다(대판 1988.9.13, 88도1114). 21. 7급 검찰, 22. 순경 1차

2. 강도를 모의한 공동정범 중 1인이 강도범행의 실행행위 중 강간을 한 경우, 이를 예견할 수 없었던 다른 공모자는 강도의 공동정범만 인정될 뿐 강도강간의 공동정범이 인정될 수는 없다(대판 1982. 10.26, 82도1818). 23. 7급 검찰

ㄴ **양적 초과의 경우** : 원칙적으로 공모한 내용과 중첩되는 부분에 대해서만 각 가담자의 공동정범이 인정된다.

관련판례

甲·乙·丙은 등산용 칼을 이용하여 강도를 하기로 공모한 후 甲은 차 안에서 망을 보고, 乙과 丙은 차에서 내려 행인 A로부터 금품을 강취하려는 중 우연히 범행현장을 목격하게 된 B를 丙이 소지하고 있던 등산용 칼로 찔러 살해한 경우 ⇨ 丙 : 강도살인죄, 甲·乙 : 강도치사죄(대판 1990.11.27, 90도2262 ∵ 甲·乙은 丙이 강도살인행위에 이를 것을 예상하지 못하였다고 할 수 없음)

▶ **비교판례** : 甲과 乙 등 4인은 A회사 사무실에 들어가 금품을 강취하기로 공모하고, 1인을 제외하고 전원이 과도 또는 쇠파이프 등을 휴대하고 사무실에 침입한 후, 甲 등은 사무실의 금고를 강취하고 그 사이에 乙은 숙직직원 丙을 감시하다가 丙이 외부로 연락을 취하려 하자 乙이 소지하고 있던 쇠파이프로 丙을 강타하여 살해한 경우 ⇨ 수인이 합동하여 강도를 한 경우 1인이 강취하는 과정에서 간수자를 강타, 사망케 한 때에는 나머지 범인도 이를 예기하지 못한 것으로 볼 수 없는 경우에는 강도살인죄의 죄책을 면할 수 없다(대판 1984.2.28, 83도3162 ∵ 강도살인죄의 공동정범).

4 합동범

합동범이란 구성요건상 "2인 이상이 합동하여 …"라고 규정된 범죄를 말한다. 즉, 2인 이상이 합동하여 죄를 범한 경우에 법정형이 형법에 별도로 규정되어 가중처벌되는 범죄이다. 12. 7급 검찰

① 합동범으로 형법에 특수도주죄(제146조)·특수절도죄(제331조 제2항)·특수강도죄(제334조 제2항)가 있고, 성폭력특별법에 특수강간·특수강제추행·특수준강간 등이 있다. 11. 경찰승진, 22. 9급 검찰·마약수사·철도경찰

② 합동범은 공동정범과 비슷하므로 합동범의 본질이 문제된다. 즉, 합동범의 '합동'과 공동정범의 '공동'과의 관계에 있어서 합동이 무엇을 의미하느냐에 관해 견해의 대립이 있다.

　㉠ **현장설**(다수설·판례 : 합동<공동) : 합동은 공동보다는 좁은 의미로 합동이란 시간적·장소적 협동을 의미한다고 보는 견해이다.

관련판례

1. 합동범이 성립하기 위하여는 주관적(객관적 ×) 요건으로서의 공모와 객관적(주관적 ×) 요건으로서의 실행행위의 분담이 있어야 하나, 그 공모는 법률상 어떠한 정형을 요구하는 것이 아니어서 공범자 상호간에 직접 또는 간접으로 범죄의 공동가공의사가 암묵리에 서로 상통하면 되고, 사전에 반드시 어떠한 모의과정이 있어야 하는 것도 아니어서 범의 내용에 대하여 포괄적 또는 개별적인 의사연락이나 인식이 있었다면 공모관계가 성립하며, 그 실행행위는 시간적으로나 장소적으로 협동관계에 있다고 볼 수 있는 사정이 있으면 되는 것이다(대판 2012.6.28, 2012도2631). 21. 경찰간부·해경승진, 23. 9급 검찰·마약수사·철도경찰, 25. 경찰승진

2. 대법원은 망을 본 경우(대판 1986.7.8, 86도843)는 물론 범행현장 부근에서 자신이 운전하는 차량 내에 대기한 경우(대판 1988.9.13, 88도1197)와 가까운 곳에 대기하고 있다가 절취품을 같이 가지고

나온 경우(대판 1996.3.22, 96도313)는 시간적·장소적 협동관계에 있다고 보아 합동범(특수절도)이 성립한다고 한다. 18. 순경 2차, 22. 경찰승진

3. 甲, 乙, 丙은 사전 모의에 따라 피해자들을 야산으로 유인한 다음 암묵적 합의에 따라 각자 마음에 드는 피해자들을 데리고 불과 100m 이내의 거리에 있는 곳으로 흩어져 동시 또는 순차적으로 피해자들을 각각 강간하였다면, 각 강간의 실행행위도 시간적으로나 장소적으로 협동관계에 있었다고 보아 특수강간죄가 성립한다(대판 2004.8.20, 2004도2870). 14. 변호사시험, 20. 순경 2차

4. 폭력행위 등 처벌에 관한 법률 제2조 제2항 제1호의 '2명 이상이 공동하여 폭행의 죄를 범한 때'란 수인 사이에 공범관계가 존재하고, 수인이 동일 장소에서 동일 기회에 상호 다른 자의 범행을 인식하고 이를 이용하여 폭행의 범행을 한 경우임을 요한다. 따라서 폭행 실행범과의 공모사실이 인정되더라도 그와 공동하여 범행에 가담하였거나 범행장소에 있었다고 인정되지 아니하는 경우에는 공동하여 죄를 범한 때에 해당하지 않고, 여러 사람이 공동하여 범행을 공모하였다면 그중 2인 이상(1인 ×)이 범행장소에서 실제 범죄의 실행에 이르렀어야 나머지 공모자에게도 공모공동정범이 성립할 수 있을 뿐이다(대판 2023.8.31, 2023도6355). 19. 변호사시험, 24. 법원행시

5. 甲은 乙, 丙과 함께 택시강도를 하기로 모의하였는데, 甲은 乙과 丙이 피해자 A에 대해 폭행에 착수하기도 전에 겁을 먹고 미리 현장에서 도주해 버렸고 그 후 乙과 丙은 폭행에 저항하는 A를 격분하여 살해하고 택시에 있던 현금 8만원을 강취한 경우 ⇨ 甲은 특수강도의 합동범 ×〔∵ 乙과 丙이 폭행에 착수하기 전에 겁을 먹고 미리 현장에서 도주 ⇨ 피고인들(乙과 丙)과의 사이에 강도의 실행행위를 분담한 협동관계 ×〕, 乙과 丙은 강도살인죄의 공동정범 ○(대판 1985.3.26, 84도2956) 23. 9급 검찰·마약수사·철도경찰, 24. 경찰승진

ⓛ **판례** : "합동절도의 공모에는 참여하였으나 현장에서 실행행위를 직접 분담하지 아니한 자도 그가 현장에서 절도 범행을 실행한 2인 이상의 범인의 행위를 자기 의사의 수단으로 하여 합동절도의 범행을 하였다고 평가할 수 있는 정범성의 표지를 갖추고 있다면 합동절도의 공동정범이 된다. 25. 변호사시험·경위공채 그러므로 합동절도에서도 공동정범과 교사범·종범의 구별기준은 일반원칙에 따라야 하고, 그 결과 범행현장에 존재하지 아니한 범인도 공동정범이 될 수 있으며, 반대로 상황에 따라서는 장소적으로 협동한 범인도 방조만 한 경우에는 종범으로 처벌될 수도 있다."(대판 1998.5.21, 98도321 전원합의체)고 하였다.
15. 사시·경찰간부, 22. 해경간부·경찰승진, 23. 경력채용, 25. 9급 검찰·마약수사·철도경찰

관련판례

乙·丙과 A회사의 사무실 금고에서 현금을 절취할 것을 공모한 甲이 乙과 丙에게 범행도구를 구입하여 제공해 주었을 뿐만 아니라 乙과 丙이 사무실에서 현금을 절취하는 동안 범행장소가 보이지 않는 멀리 떨어진 곳에서 기다렸다가 절취한 현금을 운반한 경우, 甲은 乙·丙의 합동절도의 공동정범(종범 ×)의 죄책을 진다(대판 2011.5.13, 2011도2021). 13. 변호사시험·9급 검찰·철도경찰, 18. 경찰승진

---

5 동시범(독립행위의 경합)

> **제19조【독립행위의 경합】** 동시 또는 이시의 독립행위가 경합한 경우에 그 결과발생의 원인된 행위가 판명되지 아니한 때에는 각 행위를 미수범으로 처벌한다. 21. 9급 검찰

(1) 의 의

동시범이란 2인 이상의 행위자(정범)가 의사의 연락(공동의 의사) 없이 동시 또는 이시(근접한 시간적 전후관계)에 동일한 객체에 대해 각자 범죄를 실행하여 구성요건적 결과를 실현한 경우를 말한다. 형법 제19조에서 말하는 독립행위의 경합이 바로 동시범이다. 즉, 동시범은 단독범이 병존·경합한 경우이다(독립행위의 경합). 예 甲과 乙은 각자 별개의 살인의 의사로 동시에 丙에게 발포하였는데 丙이 탄환 일방에 명중되어 사망한 경우

(2) 성립요건

① 2인 이상의 실행행위가 있어야 한다. 따라서 예비행위는 제19조의 적용대상이 아니다.
② 행위자 사이에 의사의 연락이 없어야 한다(공범관계에 있어 공동가공의 의사 ○ ⇨ 동시범 ×, 공동정범 ○ ; 대판 1985.12.10, 85도1892). 24. 순경 2차 이 점에서 공동정범이나 합동범과 구별된다. 따라서 1인의 행위가 종료되기 이전(실행 도중)에 의사연락이 되어 공동실행하는 경우는 승계적 공동정범이지 동시범이 아니다. 20. 변호사시험, 21. 해경 1차·경력채용, 22. 순경 1차
③ 행위객체는 동일해야 한다. 즉, 2인 이상의 행위가 동일 객체에 향한 것이어야 한다.
④ 2인 이상의 행위가 시간적(제19조 '동시 또는 이시')·장소적으로 반드시 동일할 필요는 없다.
⑤ 결과발생의 원인된 행위가 판명되지 않아야 한다.

(3) 효 과

① **원인된 행위가 판명된 경우** : 각 행위자는 독립하여 자기책임의 한도 내에서 그 원인행위에 따라 처벌된다. 예 의사의 연락 없이 甲과 乙은 살해의 고의로 丙을 향해 총탄을 발사한 결과 甲이 쏜 총탄은 스쳐 지나가고 乙이 쏜 총탄에 심장이 맞아 丙이 사망한 경우 ⇨ 甲은 살인미수범, 乙은 살인기수범
② **원인된 행위가 판명되지 않은 경우** : 각 행위자는 발생된 결과에 대해서 미수범으로 처벌된다(제19조). 예 甲과 乙이 각자 별개의 살인의사로 이시에 丙에게 발포하였는데 丙은 탄환 일방에 명중되어 사망하였으나 누가 쏜 탄환에 맞은 것인지 불분명한 경우 ⇨ 甲·乙 모두 살인미수죄

(4) 동시범의 특례(상해죄의 동시범)

> **제263조【동시범】** 독립행위가 경합하여 상해의 결과를 발생하게 한 경우에 있어서 원인된 행위가 판명되지 아니한 때에는 공동정범의 예에 의한다. 21. 해경승진

① **의의** : 형법 제19조에서 동시범은 "각 행위의 미수범으로 처벌한다."고 규정하고 있으나 상해의 동시범은 제263조에서 "공동정범의 예에 의한다."고 규정하여 예외를 인정하고 있다.

② **법적 성질**(거증책임전환설 ; 다수설) : 제263조는 검사의 거증책임 부담원칙의 예외로서 피고인에게 자기의 행위로 인하여 상해의 결과가 발생하지 않았음을 증명할 거증책임을 지우는 것이라는 견해이다. 19. 9급 검찰 · 마약수사 · 철도경찰

③ **효 과**

　㉠ **원인된 행위가 판명된 경우** : 각 행위자는 독립하여 그 원인행위에 따라 처벌된다.

　　예 甲과 乙이 의사의 연락 없이 상해의 고의로 동시에 丙에게 돌을 던졌으나 甲의 돌에 맞아 丙은 상해를 입었으나 乙의 돌은 빗나간 경우 ⇨ 甲은 상해기수, 乙은 상해미수 20. 변호사시험, 21. 해경 1차 · 순경 2차, 22. 경찰승진, 25. 변호사시험

　㉡ **원인된 행위가 판명되지 아니한 경우** : 공동정범의 예에 의한다(제263조). 이는 공동정범으로 처벌된다는 것이 아니고, 각자를 제19조에 의해 미수범으로 처벌하는 것이 아니라 제30조에 의해 정범(기수범)으로 처벌한다는 의미이다. 22. 순경 1차, 25. 변호사시험

　　예 위의 예에서 丙이 상해를 입었으나 누구의 돌에 맞았는지 판명되지 아니한 경우 ⇨ 甲 · 乙은 각자 상해죄로 처벌됨.

④ **적용범위** : 형법 제263조의 동시범은 상해죄와 폭행죄에 관한 특별규정이므로 상해죄와 폭행치상죄에 당연히 적용되며, 상해치사죄와 폭행치사죄에도 적용되나, 보호법익을 달리하는 강간치상죄나 강도치상죄에는 적용되지 않는다(판례).

관련판례

1. 시간적 차이가 있는 독립된 상해행위나 폭행행위가 경합하여 사망의 결과가 일어나고 그 사망의 원인된 행위가 판명되지 않은 경우에는 공동정범의 예에 의하여 처벌할 것이다(대판 2000.7.28, 2000도2466). 20. 변호사시험 · 9급 검찰 · 마약수사 · 철도경찰, 21. 해경 1차 · 7급 검찰, 24. 순경 2차

2. 강간치상죄에 대하여는 상해죄의 동시범 처벌에 관한 특례를 인정한 형법 제263조가 적용되지 아니한다(대판 1984.4.24, 84도372). 19. 9급 검찰 · 마약수사 · 철도경찰, 21. 법원행시, 22. 순경 1차, 24. 순경 2차

3. 상해죄에 있어서의 동시범은 두 사람 이상이 가해행위를 하여 상해의 결과를 가져올 경우에 그 상해가 어느 사람의 가해행위로 인한 것인지가 분명치 않다면 가해자 모두를 공동정범으로 본다는 것이므로 가해행위를 한 것 자체가 분명치 않은 사람에 대하여는 동시범으로 다스릴 수 없다(대판 1984.5.15, 84도488). 19. 순경 2차, 21. 법원행시 · 순경 1차, 25. 경찰승진

4. 고의행위이든 과실행위이든 행위를 공동으로 할 의사가 있어 공동정범이 성립한다면, 독립행위의 경합문제는 제기될 여지가 없다(대판 1997.11.28, 97도1740). 12. 사시

1 형법 제30조에서 정한 '2인 이상이 공동하여 죄를 범한 때'의 '죄'에는 고의범뿐만 아니라 과실범도 포함되는 것이므로 과실범의 경우에도 공동정범이 성립할 수 있으나, 의사의 연락이나 주의의무 위반에 대한 공동의 인식이 없었다면 '공동하여' 죄를 범하였다고 볼 수 없으므로, 과실범의 공동정범이 성립한다고 볼 수 없다. (   )
25. 순경 2차 · 경대편입

2 공동정범의 주관적 요건에 해당되는 공동가공의 의사는 타인의 범행을 인식하면서도 그것을 제지하지 않고 용인하는 것만으로는 부족하고 공동의 의사로 특정한 범죄행위를 하기 위해 일체가 되어 서로 다른 사람의 행위를 이용해서 자기의 의사를 실행에 옮기는 것이어야 한다. (   )
21. 경찰승진, 23. 해경승진, 24. 변호사시험 · 경력채용 · 순경 2차, 25. 법원직 · 9급 검찰 · 마약수사 · 철도경찰

3 피해자 일행을 한 사람씩 나누어 강간하자는 피고인 일행의 제의에 아무런 대답도 하지 않고 따라 다니다가 자신의 강간 상대방으로 남겨진 甲에게 일체의 신체적 접촉도 시도하지 않은 채 다른 일행이 인근 숲 속에서 강간을 마칠 때까지 甲과 함께 이야기만 나누었더라도, 다른 일행이 甲 외 피해자들을 강간하려는 것을 보고도 이를 제지하지 아니하고 용인하였다면, 공모공동정범으로서의 죄책을 면할 수 없다. (   )
16. 순경 2차, 23. 경찰승진, 24. 해경승진 · 경위공채

4 공동정범은 행위자 상호간에 범죄행위를 공동으로 한다는 공동가공의 의사를 가지고 범죄를 공동실행하는 경우에 성립하는데, 그 공동가공의 의사는 행위자 일방의 가공의사만으로도 인정될 수 있다. (   )
15. 순경 3차, 16. 7급 검찰, 21. 순경 2차, 23. 경찰승진 · 법원행시 · 해경 3차

5 사기의 공모공동정범은 순차적 암묵적으로 상통하여 그 의사의 결합이 이루어지면 공모관계가 성립하지만, 이러한 공모가 이루어졌다 하더라도 실행행위에 직접 관여하지 아니하여 기망방법을 구체적으로 몰랐다면 공모관계는 부정된다. (   )
21. 경찰간부 · 순경 1차, 22. 9급 검찰 · 마약수사 · 철도경찰, 24. 경찰승진, 25. 순경 2차

6 상명하복 관계에 있는 자들이 범행에 공동 가공한 경우 특수교사 방조범(형법 제34조 제2항)이 성립할 수 있으나 공동정범은 인정될 수 없다. (   )
21. 변호사시험, 22. 해경간부, 23. 해경승진, 24. 경찰승진

7 딱지어음을 발행하였으나 딱지어음의 전전유통경로, 중간소지인들, 기망방법을 구체적으로 몰랐던 경우에는 사기죄의 공모관계를 인정할 수 없다. (   )
15. 순경 2차 · 9급 검찰 · 마약수사 · 철도경찰, 17. 순경 1차, 22. 해경간부

8 공동정범이 성립하기 위하여 반드시 공범자 간 사전모의가 있어야 하는 것은 아니며, 우연히 만난 자리에서 서로 협력하여 공동의 범의를 실현하려는 의사가 암묵적으로 상통하여 범행에 공동가공하더라도 공동정범은 성립된다. (   )
20. 경찰승진, 21. 변호사시험 · 경찰간부, 22. 9급 검찰 · 철도경찰, 23. 7급 검찰 · 순경 2차, 25. 해경경위

Answer ▶ 1. ○   2. ○   3. ×   4. ×   5. ×   6. ×   7. ×   8. ○

9 포괄일죄의 범행 도중에 공동정범으로 범행에 가담한 자는 그가 그 범행에 가담할 때에 이미 이루어진 종전의 범행을 알았다면 그 가담 이후는 물론 가담 이전의 범행에 대하여도 공동정범으로서 책임을 진다. ( ) 18. 7급 검찰, 21. 경찰간부 · 순경 2차, 23. 경찰승진, 24. 해경승진 · 순경 1차

10 甲은 전자회사직원 乙이 영업비밀을 경쟁업체에 유출하기 위하여 무단 반출하였다는 사실을 알고 몇 개월 후 乙에게 접근하여 영업비밀을 취득하려고 하였다면 업무상 배임죄의 공동정범이 된다. ( ) 18. 경찰간부, 22. 해경간부, 23. 경찰승진, 24. 해경승진 · 순경 2차

11 공범자의 범인도피행위 도중에 그 범행을 인식하면서 그와 공동의 범의를 가지고 기왕의 범인도피상태를 이용하여 스스로 범인도피행위를 계속한 자는 범인도피죄의 공동정범이 성립한다. ( ) 14. 법원행시 · 경찰승진, 21. 경찰간부, 23. 순경 2차

12 형법 제30조에 '공동하여 죄를 범한 때'의 '죄'라 함은 고의범, 과실범을 불문하므로 두 사람 이상이 어떠한 과실행위를 서로의 의사연락하에 이룩하여 범죄가 되는 결과를 발생케 한 것이라면 과실범의 공동정범이 성립된다. ( ) 22. 경찰승진, 23. 법원행시 · 법원직 · 해경 3차, 25. 순경 1차 · 법원직

13 자기 자신을 무고하기로 제3자와 공모하고 이에 따라 무고행위에 가담하였더라도 무고죄의 공동정범으로 처벌할 수 없다. ( ) 18. 순경 3차, 19. 7급 검찰, 20. 경찰간부, 25. 순경 1차 · 해경 2차

14 공모에 의한 범죄의 공동실행은 모든 공범자가 스스로 범죄의 구성요건을 실현하는 것을 전제로 하지 아니하고, 그 실현행위를 하는 공범자에게 그 행위결정을 강화하도록 협력하는 것으로도 가능하다. ( ) 16. 순경 2차, 20. 해경승진, 21. 경찰승진

15 업무상 배임죄로 이익을 얻는 수익자 또는 그와 밀접한 관련이 있는 제3자를 배임의 실행행위자와 공동정범으로 인정하기 위해서는 실행행위자의 행위가 피해자 본인에 대한 배임행위에 해당한다는 것을 알면서도 소극적으로 배임행위에 편승하여 이익을 취득한 것만으로는 부족하고, 실행행위자의 배임행위를 교사하거나 또는 배임행위의 전 과정에 관여하는 등으로 배임행위에 적극 가담할 것이 필요하다. ( ) 19. 경찰간부 · 경찰승진, 23. 해경승진, 25. 순경 1차 · 해경경위공채

16 공모자가 공모공동정범으로 인정되기 위해서는 그가 단순히 공모자에 그치는 것이 아니라 범죄에 대한 본질적 기여를 통한 기능적 행위지배가 존재하여야 한다. ( ) 22. 변호사시험, 23. 해경승진, 24. 9급 검찰 · 마약수사 · 철도경찰 · 법원직, 25. 경위공채 · 해경경위

17 건설 관련 회사의 유일한 지배자가 회사 대표의 지위에서 장기간에 걸쳐 건설공사 현장소장들의 뇌물공여행위를 보고받고 이를 확인 · 결재하는 등의 방법으로 위 뇌물공여행위에 관여한 경우, 비록 사전에 구체적인 대상 및 액수를 정하여 뇌물공여를 지시하지 아니하였더라도 뇌물죄의 공동정범의 죄책을 진다. ( ) 16. 사시, 18. 경찰간부 · 경찰승진, 19. 7급 검찰, 25. 경력채용

18 공모자들이 그 공모한 범행을 수행하는 도중에 파생적인 범행 하나하나에 대해 개별적인 의사연락이 없었다 하더라도 부수적인 다른 범죄가 파생되리라고 충분히 예상되었다면 그 범행 전부에 대해 공모와 기능적 행위지배가 있다고 보아야 한다. ( ) 21. 변호사시험, 23. 해경승진, 24. 순경 2차

Answer ▸ 9. × 10. × 11. ○ 12. ○ 13. ○ 14. ○ 15. ○ 16. ○ 17. ○ 18. ○

19 공모자 중의 어떤 사람이 다른 공모자가 실행행위에 이르기 전에 그 공모관계에서 이탈한 때에는 그 이후의 다른 공모자의 행위에 관하여 공동정범으로서의 책임은 지지 않는다고 할 것이나, 그 이탈의 표시는 명시적이어야 한다. (　)

20. 7급 검찰, 23. 해경 3차, 24. 9급 검찰·마약수사, 25. 경찰승진·순경 2차

20 공모공동정범에 있어서 공모자 중의 1인이 다른 공모자가 실행행위에 이르기 전에 공모자가 공모에 주도적으로 참여하여 다른 공모자의 실행에 영향을 미친 때에는 범행을 저지하기 위하여 적극적으로 노력하는 등 실행에 미친 영향력을 제거하지 아니하는 한 공모관계에서 이탈하였다고 할 수 없다. (　)　　20. 경찰승진, 22. 해경간부·순경 1차, 23. 경력채용·순경 2차, 25. 변호사시험·9급 검찰

21 피고인이 포괄일죄의 관계에 있는 범행의 일부를 실행한 후 공범관계에서 이탈하였으나 다른 공범자에 의하여 나머지 범행이 이루어진 경우, 피고인이 관여하지 않은 부분에 대하여도 공동정범으로서의 죄책을 부담한다. (　)

18. 순경 3차, 22. 경찰승진, 23. 법원직·7급 검찰, 24. 해경승진, 25. 9급 검찰·마약수사·철도경찰·순경 2차

22 결과적 가중범의 공동정범이 인정되기 위해서는 행위를 공동으로 할 의사 외에 결과를 공동으로 할 의사도 필요하다. (　)　　16. 순경 1차, 20. 9급 검찰·철도경찰, 25. 법원직·해경 2차

23 비신분자가 신분관계로 인하여 성립될 범죄에 가공한 경우, 비신분자에게 공동가공의 의사와 이에 기초한 기능적 행위지배를 통해 범죄의 실행이라는 주관적·객관적 요건이 충족되면 신분자와 공동정범이 성립한다. (　)　　21. 경력채용, 23. 변호사시험·순경 2차, 25. 9급 검찰·마약수사·철도경찰

24 합동범이 성립하기 위한 주관적 요건으로서 공모는 법률상 어떠한 정형을 요구하는 것이 아니어서 공범자 상호간에 직접 또는 간접으로 범죄의 공동가공의사가 암묵리에 서로 상통하면 되지만, 적어도 그 모의과정은 사전에 있어야 한다. (　)

21. 경찰간부·해경승진, 23. 9급 검찰·마약수사·철도경찰, 25. 경찰승진

25 3인이 합동절도의 범행을 공모한 후 그 가운데 2인이 범행현장에서 시간적·장소적으로 협동관계를 이루어 절도의 실행행위를 분담해서 절도범행을 한 경우에, 절도의 실행행위를 직접 분담하지 않은 1인은 단순절도의 공동정범이 될 수 있을 뿐이고 합동절도의 공동정범이 될 수는 없다. (　)　　16. 사시·순경 1차, 22. 해경간부·경찰승진, 25. 9급 검찰·철도경찰·경력채용

26 판례에 의하면 시간적 차이가 있는 독립된 상해행위나 폭행행위가 경합하여 사망의 결과가 일어나고 그 사망의 원인된 행위가 판명되지 않은 경우에는 동시범으로 처벌할 수 없다. (　)

20. 변호사시험·9급 검찰·마약수사·철도경찰, 21. 해경 1차·7급 검찰, 24. 순경 2차

27 상해죄의 동시범 특례(형법 제263조)는 상해의 결과가 발생하였으나 그 상해가 어느 사람의 가해행위로 인한 것인지가 분명치 않은 경우뿐만 아니라 가해행위를 한 것 자체가 분명치 않은 경우에도 적용된다. (　)　　14. 경찰간부, 19. 순경 2차, 21. 법원행시·순경 1차, 25. 경찰승진

Answer ▸　19. ✕　20. ○　21. ○　22. ✕　23. ○　24. ✕　25. ✕　26. ✕　27. ✕

01 공동정범에 대한 설명 중 가장 적절한 것은?(다툼이 있는 경우 판례에 의함)   23. 경찰승진

① 공동가공의 의사는 공동행위자 상호간에 있어야 하며 행위자 일방의 가공의사만으로는 공동정범 관계가 성립할 수 없다.

② 甲이 피해자 일행을 한 사람씩 나누어 강간하자는 일행들의 제의에 아무런 대답도 하지 않고 따라 다니다가 자신의 강간 상대방으로 남겨진 A에게 일체의 신체적 접촉도 시도하지 않은 채 다른 일행이 인근 숲 속에서 강간을 마칠 때까지 A와 함께 이야기만 나눈 경우 강간죄의 공동정범이 성립한다.

③ 회사직원이 영업비밀을 경쟁업체에 유출하거나 스스로의 이익을 위하여 이용할 목적으로 무단으로 반출한 때 업무상 배임죄의 기수에 이르렀으며, 그 이후에 위 직원과 접촉하여 영업비밀을 취득하려고 한 자는 업무상 배임죄의 공동정범이 된다.

④ 포괄일죄의 범행 도중에 공동정범으로 범행에 가담한 자가 그 범행에 가담할 때에 이미 이루어진 종전의 범행을 알았다면 가담 이후의 범행뿐만 아니라 가담 이전의 범행에 대하여도 공동정범으로 책임을 진다.

> 해설   ① ○ : 대판 1985.5.14, 84도2118
> ② × : 강간죄의 공동정범 ×(대판 2003.3.28, 2002도7477 ∵ 공동가공의 의사 ×)
> ③ × : ~ 공동정범이 될 수 없다(대판 2003.10.30, 2003도4382).
> ④ × : 포괄일죄의 범행 도중에 공동정범으로 범행에 가담한 자는 비록 그가 그 범행에 가담할 때에 이미 이루어진 종전의 범행을 알았다 하더라도 그 가담 이후(이전 ×)의 범행에 대하여만 공동정범으로 책임을 진다(대판 2007.11.15, 2007도6336).

02 공동정범에 관한 설명 중 옳은 것을 모두 고른 것은?(다툼이 있는 경우 판례에 의함)

21. 변호사시험, 22. 해경간부, 23. 해경승진

> ㉠ 상명하복관계에 있는 자들이 범행에 공동가공한 경우, 특수교사·방조범(형법 제34조 제2항)이 성립할 수 있으나 공동정범은 인정될 수 없다.
> ㉡ 공모자에게 범죄에 대한 본질적 기여를 통한 기능적 행위지배가 인정된다면 공모공동정범으로서의 죄책을 물을 수 있다.
> ㉢ 공모자들이 그 공모한 범행을 수행하거나 목적 달성을 위해 나아가는 도중에 부수적인 다른 범죄가 파생되리라고 예상하거나 충분히 예상할 수 있는데도 그 가능성을 외면한 채 이를 방지하기에 족한 합리적 조치를 취하지 않고 공모한 범행에 나아갔다가 결국 그와 같이 예상된 범행들이 발생한 경우, 그 파생적인 범행 하나하나에 대하여 개별적 의사연락이 없었다면 그 범행 전부에 대한 기능적 행위지배가 존재한다고 볼 수 없다.

Answer   **01.** ①   **02.** ③

⑼ 공범관계에 있어서 공모는 법률상 어떤 정형을 요구하는 것이 아니므로, 이러한 공모관계를 인정하기 위하여 엄격한 증명이 요구되지는 않는다.
⑽ 공동정범이 성립하기 위하여 반드시 공범자 간 사전모의가 있어야 하는 것은 아니며, 우연히 만난 자리에서 서로 협력하여 공동의 범의를 실현하려는 의사가 암묵적으로 상통하여 범행에 공동가공하더라도 공동정범은 성립된다.

① ㉠, ㉡   ② ㉡, ㉢   ③ ㉡, ㉣

④ ㉢, ㉣, ㉤   ⑤ ㉠, ㉡, ㉢, ㉤

해설 ㉠ × : 공모에 대하여는 직접증거가 없더라도 정황사실과 경험법칙에 의하여 이를 인정할 수 있고, 상명하복 관계에 있는 자들 사이에 있어서도 범행에 공동가공한 이상 공동정범이 성립하는 데 아무런 지장이 없는 것이다(대판 2012.1.27, 2010도10739).
㉡ ○ : 대판 2009.2.12, 2008도6551
㉢ × : ~ (4줄) 의사연락이 없었다 하더라도 그 범행 전부에 대한 기능적 행위지배가 존재한다고 볼 수 있다(대판 2011.1.27, 2010도11030).
㉣ × : 대판 2018.4.19, 2017도14322 전원합의체(∵ 2인 이상이 범죄에 공동가공하는 공범관계에서 공모는 법률상 어떤 정형을 요구하는 것이 아니고 2인 이상이 공모하여 범죄에 공동가공하여 범죄를 실현하려는 의사의 결합만 있으면 충분하다. 비록 전체의 모의과정이 없더라도 여러 사람 사이에 순차적으로 또는 암묵적으로 의사의 결합이 이루어지면 공모관계가 성립한다. 이러한 공모관계를 인정하기 위해서는 엄격한 증명이 요구되지만, 피고인이 범죄의 주관적 요소인 공모관계를 부인하는 경우에는 사물의 성질상 이와 상당한 관련성이 있는 간접사실 또는 정황사실을 증명하는 방법으로 이를 증명할 수밖에 없다.)
㉤ ○ : 대판 1984.12.26, 82도1373

03 공모관계 이탈 및 공범관계 이탈에 대한 설명으로 옳지 않은 것은?(다툼이 있는 경우 판례에 의함)
20. 7급 검찰, 25. 해경경사

① 공모자가 공모에 주도적으로 참여하여 다른 공모자의 실행에 영향을 미친 때에는 범행을 저지하기 위하여 적극적으로 노력하는 등 실행에 미친 영향력을 제거하지 아니하는 한 공모관계에서 이탈하였다고 할 수 없다.
② 단순공모자 중의 어떤 사람이 다른 공모자가 실행행위에 이르기 전에 그 공모관계에서 이탈한 때에는 그 이후의 다른 공모자의 행위에 관하여 공동정범으로서의 책임은 지지 않는다고 할 것이고, 그 이탈의 표시는 반드시 명시적임을 요하지 않는다.
③ 피고인이 공범과 함께 가출청소년에게 성매매를 하도록 한 후 피고인이 별건으로 구속된 상태에서 공범들이 그 청소년에게 계속 성매매를 하게 한 경우, 구속 이후 범행에 대하여는 피고인의 실질적인 행위지배가 인정되지 않으므로 피고인에게는 공동정범의 죄책이 인정되지 않는다.
④ 피고인이 공범들과 주식시세조종의 목적으로 허위매수주문, 통정매매행위 등을 반복적으로 행하다가 회사를 퇴사하는 등의 사정으로 공범관계에서 이탈하였으나 다른 공범에 의하여 포괄일죄 관계에 있는 나머지 범행이 이루어진 경우, 피고인은 자신이 관여하지 않은 부분에 대하여도 죄책을 부담한다.

Answer **03.** ③

해설 ① 대판 2008.4.10, 2008도1274
② 대판 1986.1.21, 85도2371
③ × : 공동정범 ○(대판 2010.9.9, 2010도6924 ∵ 공모관계 이탈 × ⇨ 실질적인 행위지배가 인정됨)
④ 대판 2011.1.13, 2010도9927

04 공동정범에 대한 설명으로 가장 적절하지 않은 것은?(다툼이 있는 경우 판례에 의함)   21. 순경 2차

① 甲이 A를 살해하고자 A의 음료수 잔에 치사량의 독약을 넣고 사라진 후 그 사실을 알고 있는 乙이 독자적으로 A를 확실히 살해하고자 한번 더 치사량의 독약을 넣어 A가 이를 마시고 사망한 경우, 甲과 乙은 상호간에 의사의 연락이 없어 공동정범이 성립되지 아니한다.

② 甲이 강도살인의 의사로 먼저 A를 살해한 직후 마침 그곳을 지나가던 乙이 이를 보고 甲의 양해 하에 절취의 의사로 참가하여 甲은 A의 지갑과 현금을, 乙은 A의 시계와 금반지를 가져간 경우, 승계적 공동정범을 인정하더라도 乙은 살인에 대한 책임은 지지 아니한다.

③ 행동대원 甲, 乙, 丙은 조직의 두목으로부터 지시를 받고 상대조직 행동대장 A를 살해하기로 공모하였으나, 甲은 쇠파이프 등을 들고 차량에 탑승하던 중 사태의 심각성을 실감하고 범행에 휘말리기 싫어서 조용히 혼자 빠져나와 택시를 타고 집으로 갔다. 이후 乙과 丙이 공모한 대로 A의 사무실로 가서 A를 살해한 경우, 甲에게는 살인죄의 공동정범이 성립한다.

④ 조직의 보스 甲은 부하인 乙과 반대조직의 보스 A를 살해하기로 공모하고, 甲은 자신의 사무실에서 진행 상황을 실시간으로 보고 받고 乙이 A의 사무실로 가서 A를 살해한 경우, 공모공동정범을 인정하는 견해에 따르면 甲에게는 살인죄의 공동정범이 성립한다.

해설 ① ○ : 공동가공의사는 행위자 상호간에 있어야 하며, 일방의 가공의사만으로는 공동정범이 성립하지 않는다(대판 1985.5.14, 84도2118 ∵ 편면적 공동정범 부정). 따라서 상호간에 의사의 연락이 없어 공동정범이 성립되지 않고 동시범 또는 종범(∵ 편면적 종범은 인정됨)의 성립이 문제될 뿐이다.
② ○ : 이른바 '승계적 공동정범'의 경우 비록 그 범행에 가담할 때에 이미 종전의 범행(살인)을 알았다 하더라도 자신(乙)이 가담하기 이전에 타인(甲)이 행한 부분(살인)에는 죄책을 지지 않는다(대판 2007.11.15, 2007도6336).
③ × : 살인죄의 공동정범 ×(대판 1996.1.26, 94도2654 ∵ 다른 조직원들이 범행에 이르기 전에 그 공모관계에서 이탈한 것임)
④ ○ : 공모가 이루어진 이상 실행행위에 직접 관여하지 아니한 자에게도 다른 공모자의 행위에 대하여 공동정범으로서 형사책임을 진다(대판 1991.10.11, 91도1755).

05 공동정범에 대한 설명으로 옳은 것은?(다툼이 있는 경우 판례에 의함)   21. 9급 철도경찰

① 다른 공모자가 실행에 착수한 이후에 그 공범관계에서 이탈한 공모자는 자신이 관여하지 않은 부분에 대하여 공동정범으로서 죄책을 부담하지 않는다.

② 공동정범은 범행에서의 역할이나 개별적 양형참작사유에도 불구하고 각자를 정범으로서 동일한 선고형으로 벌한다.

Answer 04. ③   05. ③

③ 공동실행의 의사는 범죄행위시에 존재하면 족하고 반드시 사전에 공모함을 요하지 아니한다.

④ 공동정범 가운데 1인이 공모한 내용과 질적으로 다른 내용의 결과발생을 야기한 경우 다른 공동정범은 그 범행에 대한 과실범의 책임을 진다.

[해설] ① × : ~ 죄책을 부담한다(대판 2011.1.13, 2010도9927).

② × : 각자를 정범으로 처벌한다는 것은 법정형이 동일하다는 의미일 뿐 구체적인 처단형이나 선고형은 각자 다를 수 있다. 즉, 책임조각사유와 인적 처벌조각사유, 형의 가중·감경사유 등은 그 사유가 존재하는 자에게만 적용된다.

③ ○ : 대판 1984.12.26, 82도1373

④ × : ~ (1줄) 야기한 경우(추상적 사실의 착오 중 질적 착오) 실행자는 그 범행의 단독정범이 되고 다른 공동정범은 그 범행에 대한 책임을 지지 않는다.

06 다음 사례 중 甲에게 괄호 범죄의 공동정범이 성립하는 것은 모두 몇 개인가?(다툼이 있는 경우 판례에 의함)

24. 경위공채

> ㉠ 甲은 피해자들을 한 사람씩 나누어 강간하자는 乙과 丙의 제의에 아무런 대답도 하지 않고 따라다니다가 자신의 강간 상대방으로 남겨진 A에게 일체의 신체적 접촉도 시도하지 않은 채 乙과 丙이 인근 숲속에서 강간을 마칠 때까지 A와 이야기만 나누었다. (특수강간죄)
>
> ㉡ 甲과 乙, 丙은 A를 납치한 후 팔다리를 묶어 저수지에 던져 살해하기로 공모하였으나, 甲은 A를 납치하기로 한 날 약속된 장소에 나가지 않았다. 乙과 丙은 甲을 기다리다가 시간이 지체되자 계획한 대로 A를 납치하여 팔다리를 묶은 후, 저수지에 던져 살해하였다. (살인죄)
>
> ㉢ 甲은 乙, 丙과 강도상해를 모의하면서 그 모의를 주도하였고, 범행 대상을 물색하다가 다른 공모자들이 강도의 대상을 지목하고 뒤쫓아 가자 "어?"라고만 하고, 비대한 체격 때문에 따라가지 못한 채 범행 현장에서 200m 정도 떨어진 곳에 앉아 있는 동안 乙과 丙은 강도상해의 범행을 하였다. (강도상해죄)
>
> ㉣ 트럭 운전사 乙은 甲과 함께 트럭에 짐을 싣고 운전을 하던 중 경찰관 A의 검문을 위한 정차 신호에 따라 정차하던 중에 甲이 검문을 피할 목적으로 "그대로 가자"라고 말하였고, 乙이 그대로 달려 A를 치어 사망에 이르게 하였다. (업무상 과실치사죄)

① 1개   ② 2개   ③ 3개   ④ 4개

[해설] • **공동정범** ○ : ㉢ 대판 2008.4.10, 2008도1274(∵ 甲은 공모관계에서 이탈 ×) ㉣ 대판 1962.3.29, 4294형상598(∵ 행위공동설의 입장에서 과실범의 공동정범 인정)

• **공동정범** × : ㉠ 대판 2000.4.7, 2000도576(∵ 주관적 요건인 공동가공의사 ×) ㉡ 대판 1986.1.21, 85도2371[∵ 甲은 살해모의에는 가담하였으나 다른 공모자들이 실행행위에 이르기 전에 그 공모관계에서 이탈하였다면 피고인이 위 공모관계에서 이탈한 이후의 다른 공모자들(乙과 丙)행위에 관하여는 공동정범으로서의 책임을 지지 않는다.]

Answer   06. ②

07 공동정범에 관한 설명으로 가장 적절한 것은?(다툼이 있는 경우 판례에 의함)   25. 경력채용

① 피고인 甲은 A투자금융회사에 입사하여 다른 공범들과 특정 회사 주식의 시세조종 주문을 내기로 공모한 다음 시세조종행위의 일부를 실행한 후 A투자금융회사로부터 해고를 당하여 공범관계로부터 이탈하였고, 다른 공범들이 그 이후의 나머지 시세조종행위를 계속한 경우, 피고인 甲은 해고되어 퇴사함으로써 기존의 공모관계에서 이탈한 것이므로 피고인 甲이 다른 공범들의 범죄실행을 저지하지 않았더라도 그 이후 나머지 공범들이 행한 시세조종행위에 대하여는 공동정범으로서의 죄책을 부담하지 않는다.

② 피고인 甲은 나머지 피고인들과 특수강도를 공모하기는 하였으나 범행의 실행에 가담하지 아니하고 나머지 피고인들이 강취해 온 장물의 처분을 알선만 한 경우, 피고인 甲은 특수강도의 공동정범이 아닌 장물알선죄로 의율해야 한다.

③ 전국○○총연합회가 주관한 도로행진시위에 참가한 피고인 甲이 다른 시위 참가자들과 함께 경찰관 등에 대한 특수공무집행방해 행위를 하던 중 체포된 경우, 단순 가담자인 피고인 甲에게 체포된 이후에 이루어진 다른 시위 참가자들의 범행에 대하여는 공모공동정범의 죄책을 인정할 수 없다.

④ 건설 관련 회사의 유일한 지배자인 회사 대표 甲이 장기간에 걸쳐 건설공사 현장소장들의 뇌물공여행위를 보고받고 이를 확인·결재하는 등의 방법으로 뇌물공여행위에 관여한 경우, 甲이 사전에 구체적인 대상 및 액수를 정하여 뇌물공여를 지시하지 아니하였다면 뇌물공여의 공모공동정범으로 볼 수 없다.

> **해설** ① × : ~ (3줄) 계속한 경우, 피고인이 다른 공범들의 범죄실행을 저지하지 않은 이상 그 이후 나머지 공범들이 행한 시세조종행위에 대하여도 공동정범으로서의 죄책을 부담한다(대판 2011.1.13, 2010도9927).
> ② × : ~ (2줄) 특수강도의 공동정범이 된다 할 것이므로 장물알선죄로 의율할 것이 아니다(대판 1983.2.22, 82도3130).
> ③ ○ : 대판 2009.6.23, 2009도2994(∵ 본질적 기여를 통한 기능적 행위지배 ×)
> ④ × : ~ (3줄) 지시하지 않았다고 하더라도 그 핵심적 경과를 계획적으로 조종하거나 촉진하는 등으로 기능적 행위지배를 하였다고 보아 공모공동정범의 죄책을 인정하여야 한다(대판 2010.7.15, 2010도3544).

08 수인이 범행에 가담한 형태에 대한 설명으로 옳은 것은?(다툼이 있는 경우 판례에 의함)   18. 7급 검찰

① 甲이 乙과 공동으로 A의 권리행사를 방해한 혐의로 기소되었으나 물건의 소유자인 乙에게 고의가 없는 등으로 범죄가 성립하지 않는 경우라도, 甲에게는 권리행사방해죄의 공동정범이 성립될 수 있다.

② 乙이 위조된 부동산임대차계약서를 담보로 제공하고 A로부터 돈을 빌려 편취할 것을 계획하면서 甲에게 미리 전화를 하여 임대인 행세를 하여달라고 부탁하였고, 甲은 그 사정을 잘 알면서도 임대인인 것처럼 행세하여 전세금액 등을 확인한 경우 甲에게 위조사문서행사죄의 방조범이 성립한다.

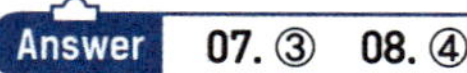

③ 乙의 포괄일죄의 범행 도중에 공동정범으로 범행에 가담한 甲이 그 범행에 가담할 때에 이미 이루어진 종전의 범행을 알았던 경우 甲은 가담 이전의 범행에 대하여도 공동정범으로 책임을 진다.

④ 피해자 A가 승용차를 구입하고, 다만 장애인에 대한 면세 혜택 등의 적용을 받기 위해 甲의 어머니인 乙의 명의를 빌려 등록하였는데, 甲이 乙로부터 승용차를 가져가 매도할 것을 허락받고 乙의 인감증명 등을 교부받은 뒤 甲이 승용차를 피해자 A 몰래 가져간 경우 甲과 乙에게는 절도죄의 공모공동정범이 성립한다.

> [해설] ① × : 물건의 소유자가 아닌 사람은 형법 제33조 본문에 따라 소유자의 권리행사방해 범행에 가담한 경우에 한하여 그의 공범이 될 수 있을 뿐이다. 그러나 권리행사방해죄의 공범으로 기소된 물건의 소유자에게 고의가 없는 등으로 범죄가 성립하지 않는다면 공동정범이 성립할 여지가 없다(대판 2017.5.30, 2017도4578).
> ② × : 위조사문서행사죄의 공동정범 ○(방조범 ×)(대판 2010.1.28, 2009도10139 ∵ 기능적 행위지배의 공동정범 요건을 갖추었음)
> ③ × : 가담 이후(가담 이전 ×)의 범행에 대하여만 ~ 진다(대판 2007.11.15, 2007도6336).
> ④ ○ : 대판 2007.1.11, 2006도4498

09 공동정범에 관한 설명으로 가장 적절하지 않은 것은?(다툼이 있는 경우 판례에 의함)　26. 경찰승진

① 2인 이상이 공모하여 범죄에 공동 가공하는 공범관계에 있어 공모는 법률상 어떤 정형을 요구하는 것이 아니고 공범자 상호간에 직접 또는 간접적으로 범죄의 공동실행에 관한 암묵적인 의사의 연락이 있으면 족한 것으로, 전체의 모의과정이 없었다면 수인 사이에 의사의 연락이 있다는 것만으로는 공동정범을 인정할 수 없다.

② 운전자가 아닌 동승자가 교통사고 후 운전자와 공모하여 운전자의 도주행위에 가담하였다 하더라도, 동승자에게 과실범의 공동정범의 책임을 물을 수 있는 특별한 경우가 아닌 한, 특정범죄 가중처벌 등에 관한 법률위반죄(도주차량)의 공동정범으로 처벌할 수는 없다.

③ 허위작성된 유가증권을 피교부자가 그것을 유통하게 한다는 사실을 인식하고 교부한 때에는 허위작성유가증권행사죄에 해당하고, 행사할 의사가 분명한 자에게 교부하여 그가 이를 행사한 때에는 허위작성유가증권행사죄의 공동정범이 성립된다.

④ 보이스피싱범죄에서 현금수거책의 공모사실이나 범의는 다른 공범과 순차적으로 또는 암묵적으로 상통함으로써 범죄에 공동가공하여 범죄를 실현하려는 의사가 결합되어 피해자의 현금을 수거한다는 사실을 인식하는 것으로 족하고, 이러한 인식은 미필적인 것으로도 충분하고 전체 보이스피싱 범행방법이나 내용까지 구체적으로 인식할 것을 요하지는 않는다.

> [해설] ① × : ~ (3줄) 전체의 모의과정이 없더라도 수인 사이에 의사의 결합이 이루어지면 공동정범을 인정할 수 있다(대판 2018.4.19, 2017도14322 전원합의체).
> ② 대판 2007.7.26, 2007도2919
> ③ 대판 1995.9.29, 95도803
> ④ 대판 2024.12.12, 2024도10141

Answer　09. ①

10 공동정범에 관한 설명으로 가장 적절한 것은?(다툼이 있는 경우 판례에 의함) 25. 순경 1차

① 형법 제30조에서 정한 '2인 이상이 공동하여 죄를 범한 때'에는 고의범만 포함되고, 과실범은 포함되지 않는다.

② 자기 자신을 무고하기로 제3자와 공모하고 이에 따라 무고행위에 가담한 경우, 자기 자신에게는 무고죄의 구성요건에 해당하지 않아 범죄가 성립할 수 없는 행위를 실현한 것일지라도 무고죄의 공동정범이 성립한다.

③ 공모자 중 구성요건행위를 직접 분담하여 실행하지 아니한 사람도 공동가공의 의사와 그 공동의사에 의한 기능적 행위지배를 통한 범죄실행이라는 주관적·객관적 요건을 충족한다면 공모공동정범으로서의 죄책을 지므로, 배임증재의 공모공동정범이 다른 공모공동정범에 의하여 수재자에게 재물 또는 재산상 이익이 제공되는 방법을 구체적으로 몰랐다고 하더라도 공모관계를 부정할 수 없다.

④ 업무상 배임죄의 실행으로 인하여 이익을 얻게 되는 수익자 또는 그와 밀접한 관련이 있는 제3자를 배임의 실행행위자에 대한 공동정범으로 인정하기 위하여는, 실행행위자의 행위가 피해자 본인에 대한 배임행위에 해당한다는 점을 인식하는 것으로 족하고, 실행행위자의 배임행위를 교사하거나 또는 배임행위의 전 과정에 관여하는 등으로 배임행위에 적극 가담할 것을 필요로 하지 않는다.

> **해설** ① × : 형법 제30조에 '공동하여 죄를 범한 때'의 '죄'라 함은 고의범, 과실범을 불문하므로 두 사람 이상이 어떠한 과실행위를 서로의 의사연락하에 이룩하여 범죄가 되는 결과를 발생케 한 것이라면 과실범의 공동정범이 성립된다(대판 1979.8.21, 79도1249).
> ② × : 자기 자신을 무고하기로 제3자와 공모하고 이에 따라 무고행위에 가담하였더라도 이는 자기 자신에게는 무고죄의 구성요건에 해당하지 않아 범죄가 성립할 수 없는 행위를 실현하고자 한 것에 지나지 않아 무고죄의 공동정범으로 처벌할 수 없다(대판 2017.4.26, 2013도12592).
> ③ ○ : 대판 2015.7.23, 2015도3080
> ④ × : ~ (3줄) 해당한다는 것을 알면서도 소극적으로 그 배임행위에 편승하여 이익을 취득한 것만으로는 부족하고, 실행행위자의 배임행위를 교사하거나 또는 배임행위의 전 과정에 관여하는 등으로 배임행위에 적극 가담할 것을 필요로 한다(대판 2007.4.12, 2007도1033).

11 합동범에 대한 설명으로 가장 적절한 것은?(다툼이 있는 경우 판례에 의함) 22. 경찰승진

① 甲이 乙과 공모한 대로 칼을 들고 강도를 하기 위하여 A의 집에 들어가 칼을 휘둘러 A에게 상해를 가한 이상 대문 밖에서 망을 본 乙이 구체적으로 상해를 가할 것까지 공모하지 않았다 하더라도 乙은 상해의 결과에 대하여도 공범으로서의 책임을 면할 수 없다.

② 甲이 乙 및 丙과 택시강도를 하기로 모의를 하였다면, 乙과 丙이 피해자에 대한 폭행에 착수하기 전에 겁을 먹고 미리 현장에서 도주해 버렸더라도 특수강도의 합동범이 성립한다.

③ 3인 이상의 범인이 절도의 범행을 공모한 후 적어도 2인 이상의 범인이 시간적·장소적으로 협동관계를 이루어 절도의 실행행위를 분담하여 절도범행을 한 경우, 현장에서 실행행위를 직접 분담하지 않은 가담자는 합동절도의 공동정범도 될 수 없다.

 **Answer** 10. ③ 11. ①

④ 甲은 乙, 丙과 실행행위의 분담을 공모하고, 乙과 丙의 절취행위 장소 부근에서 甲 자신이 운전하는 차량 내에 대기한 경우, 甲에게는 합동절도가 성립할 수 없다.

[해설] ① ○ : 대판 1998.4.14, 98도356(∵ 강도상해죄의 공동정범 ○, 강도치상죄의 공동정범 ×)
② × : 특수강도의 합동범 ×(대판 1985.3.26, 84도2956)
③ × : ~ 될 수 있다(대판 1998.5.21, 98도321 전원합의체).
④ × : ~ 성립할 수 있다(대판 1988.9.13, 88도1197).

12 **합동범에 대한 설명으로 옳지 않은 것은?**(다툼이 있는 경우 판례에 의함)
23. 9급 검찰 · 마약수사 · 철도경찰

① 합동강도의 공범자 중 1인이 강도의 기회에 피해자를 살해한 경우, 다른 공모자가 살인의 공모를 하지 아니하였다고 하여도 그 살인행위나 치사의 결과를 예견할 수 없었던 경우가 아니면 강도치사죄의 죄책을 면할 수 없다.
② 피고인이 다른 피고인들과 택시강도를 하기로 모의한 일이 있다고 하여도 다른 피고인들이 피해자에 대한 폭행에 착수하기 전에 겁을 먹고 미리 현장에서 도주해 버린 것이라면, 피고인을 특수강도의 합동범으로 다스릴 수는 없다.
③ 합동절도에서도 공동정범과 교사범 · 종범의 구별기준은 일반원칙에 따라야 하고, 그 결과 범행현장에 존재하지 아니한 범인도 공동정범이 될 수 있으며, 상황에 따라서는 장소적으로 협동한 범인도 방조만 한 경우에는 종범으로 처벌될 수도 있다.
④ 합동범이 성립하기 위한 주관적 요건으로서 공모는 법률상 어떠한 정형을 요구하는 것이 아니어서 공범자 상호간에 직접 또는 간접으로 범죄의 공동가공의사가 암묵리에 서로 상통하면 되지만, 적어도 그 모의과정은 사전에 있어야 한다.

[해설] ① 대판 1991.11.12, 91도2156 ② 대판 1985.3.26, 84도2956
③ 대판 1998.5.21, 98도321 전원합의체 ④ × : ~ (3줄) 상통하면 되고, 사전에 반드시 어떠한 모의과정이 있어야 하는 것도 아니어서 범의 내용에 대하여 포괄적 또는 개별적인 의사연락이나 인식이 있었다면 공모관계가 성립한다(대판 2012.6.28, 2012도2631).

13 **동시범에 관한 설명으로 옳은 것은 모두 몇 개인가?**(다툼이 있는 경우 판례에 의함) 22. 순경 1차

㉠ 시간적 차이가 있는 독립행위가 경합한 경우, 그 결과발생의 원인된 행위가 판명되지 아니한 때에 형법 제263조가 적용되는 경우를 제외하고는 형법 제19조가 적용된다.
㉡ 독립행위가 경합하여 상해의 결과를 발생하게 한 경우에 있어서 원인된 행위가 판명되지 아니한 때에는 각 행위자를 미수범으로 처벌한다.
㉢ 형법 제263조의 동시범은 강간치상죄에는 적용할 수 없다.
㉣ A가 甲으로부터 폭행을 당하고 얼마 후 함께 A를 폭행하자는 甲의 연락을 받고 달려 온 乙로부터 다시 폭행을 당하고 사망하였으나 사망의 원인행위가 판명되지 않았다면, 형법 제263조가 적용되어 甲과 乙은 폭행치사죄의 공동정범의 예에 의하여 처벌된다.

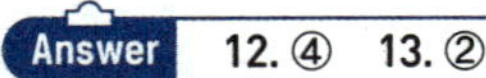

① 1개   ② 2개   ③ 3개   ④ 4개

해설 ㉠ ○ : 옳다.
㉡ × : ~ 각 행위자를 공동정범(제30조)의 예에 따라 정범(기수범)으로 처벌한다(제263조).
㉢ ○ : 대판 1984.4.24, 84도372
㉣ × : 공동가공의 의사가 있었으므로(∵ 연락하여 함께 폭행할 것을 제안) 승계적 공동정범의 문제이지 동시범의 문제는 제기될 여지가 없어(∵ 제263조 적용 ×) 사망의 원인된 행위가 판명되지 않았다 하더라도 폭행치사죄의 공동정범의 죄책을 진다.

14 형법 제19조(독립행위의 경합)와 제263조(동시범)에 관한 설명으로 가장 적절하지 않은 것은?(다툼이 있는 경우 판례에 의함)   24. 순경 2차

① 2인 이상이 상호의사의 연락이 없이 동시에 범죄구성요건에 해당하는 행위를 하였을 때에는 원칙적으로 각인에 대하여 그 죄를 논하여야 하나, 상호의사의 연락이 있어 공동정범이 성립한다면, 독립행위경합 등의 문제는 아예 제기될 여지가 없다.

② 독립행위가 경합하더라도 결과발생의 원인이 분명한 경우, 결과와 인과관계가 인정되는 행위를 한 행위자는 의도한 범죄의 기수범이 되고, 결과와 인과관계가 판명되지 않는 행위를 한 행위자는 그 죄의 미수범 또는 무죄가 된다.

③ 형법 제263조의 동시범은 상해와 폭행죄에 관한 특별규정으로서 동 규정은 그 보호법익을 달리하는 강간치상죄에는 적용할 수 없다.

④ 형법 제263조의 동시범은 '상해의 결과'를 발생하게 한 경우에 적용되기 때문에 시간적 차이가 있는 독립된 상해행위나 폭행행위가 경합하여 사망의 결과가 일어나고 그 사망의 원인된 행위가 판명되지 않은 경우에는 동 규정을 적용할 수 없다.

해설 ① 대판 1985.12.10, 85도1892
② 옳다. ③ 대판 1984.4.24, 84도372
④ × : ~ (3줄) 동 규정을 적용할 수 있다(대판 2000.7.28, 2000도2466 ∵ 공동정범의 예에 의하여 처벌할 것이다).

15 공동정범에 관한 설명으로 가장 적절한 것은?(다툼이 있는 경우 판례에 의함)   24. 경찰승진

① 상명하복 관계에 있는 자들이 범행에 공동가공한 경우 특수교사 방조범(형법 제34조 제2항)이 성립할 수 있으나 공동정범은 인정될 수 없다.

② 사기죄의 실행행위에 직접 관여하지 아니한 사람도 공모관계가 인정되면 공모공동정범이 성립할 수 있지만, 공모자 중 사기의 기망방법을 구체적으로 몰랐던 자는 공모관계가 부정된다.

③ 처(妻) 乙이 구속된 남편 甲을 대행하여 甲의 지시를 받아 회사를 운영하면서 조세범 처벌법상 조세포탈행위를 하다가 협의이혼한 후, 乙 혼자 회사를 경영하였더라도 이혼 전 甲의 영향력이 제거되지 않아 조세포탈행위가 계속되었다면, 甲은 협의이혼 후에도 여전히 乙의 조세범 처벌법 위반죄에 대하여 공동정범으로서 책임을 진다.

Answer 14. ④ 15. ③

④ 甲은 乙, 丙과 함께 택시강도를 하기로 모의하였는데, 甲은 乙과 丙이 피해자 A에 대해 폭행에 착수하기도 전에 겁을 먹고 미리 현장에서 도주해 버렸고 그 후 乙과 丙은 폭행에 저항하는 A를 격분하여 살해하고 택시에 있던 현금 8만원을 강취하였다면, 甲은 특수강도의 합동범, 乙과 丙은 강도살인죄의 공동정범이 성립한다.

해설 ① × : 상명하복 관계에 있는 자들 사이에 있어서도 범행에 공동가공한 이상 공동정범이 성립하는 데 아무런 지장이 없는 것이다(대판 2012.1.27, 2010도10739).
② × : 사기의 공모공동정범이 그 기망방법을 구체적으로 몰랐다고 하더라도 공모관계를 부정할 수 없다(대판 2013.8.23, 2013도5080).
③ ○ : 대판 2008.7.24, 2007도4310
④ × : 甲은 특수강도의 합동범 ×〔∵ 乙과 丙이 폭행에 착수하기 전에 겁을 먹고 미리 현장에서 도주 ⇨ 피고인들(乙과 丙)과의 사이에 강도의 실행행위를 분담한 협동관계 ×〕, 乙과 丙은 강도살인죄의 공동정범 ○ (대판 1985.3.26, 84도2956)

16 공동정범에 대한 설명으로 옳은 것은?(다툼이 있는 경우 판례에 의함) **25. 9급 검찰·마약수사·철도경찰**
① 공동가공의 의사는 타인의 범행을 인식하면서도 이를 제지하지 아니하고 용인하는 것만으로도 인정된다.
② 포괄일죄의 범행 도중에 공동정범으로 범행에 가담한 자가 그 범행에 가담할 때에 이미 이루어진 종전의 범행을 알았다면 전체 범행에 대하여 공동정범으로 책임을 진다.
③ 공모공동정범에 있어서 공모관계에서 이탈이 인정되기 위해서는 공모자가 공모에 의하여 담당한 기능적 행위지배를 해소하는 것이 필요하므로 공모자가 공모에 주도적으로 참여하여 다른 공모자의 실행에 영향을 미친 때에는 범행을 저지하기 위하여 적극적으로 노력하는 등 실행에 미친 영향력을 제거해야 한다.
④ 3인 이상이 합동절도를 모의한 후 2인 이상이 현장에서 범행을 실행한 경우, 직접 실행행위에 가담하지 않은 자는 그가 현장에서 절도 범행을 실행한 2인 이상의 범인의 행위를 자기 의사의 수단으로 하여 합동절도의 범행을 하였다고 평가할 수 있더라도 합동범의 공동정범이 인정되지 아니한다.

해설 ① × : 공동정범에서 주관적 요건인 공동가공의 의사는 타인의 범행을 인식하면서도 이를 제지하지 아니하고 용인하는 것만으로는 부족하고, 공동의 의사로 특정한 범죄행위를 하기 위하여 일체가 되어 서로 다른 사람의 행위를 이용하여 자기의 의사를 실행에 옮기는 것을 내용으로 하여야 한다(대판 2011.11.9, 2001도4792).
② × : 포괄일죄의 범행 도중에 공동정범으로 범행에 가담한 자는 비록 그가 그 범행에 가담할 때에 이미 이루어진 종전의 범행을 알았다 하더라도 그 가담 이후의 범행에 대하여만 공동정범으로 책임을 진다(대판 2007.11.15, 2007도6336).
③ ○ : 대판 2008.4.10, 2008도1274
④ × : ~ (3줄) 평가할 수 있는 정범성의 표지를 갖추고 있다면 합동절도의 공동정범이 인정된다(대판 1998. 9.12, 98도321 전원합의체).

17 공동정범에 관한 설명으로 옳은 것을 모두 고른 것은?(다툼이 있는 경우 판례에 의함)   25. 경찰승진

> ㉠ 공모공동정범에 있어서 그 공모자 중 1인이 다른 공모자가 실행행위에 이르기 전에 그 공모관계에서 이탈한 때에도 그 이후의 다른 공모자의 행위에 관하여 공동정범으로서의 책임을 부담하고 그 이탈의 표시는 명시적일 것을 요한다.
>
> ㉡ 교량이 그 수명을 유지하기 위하여는 건설업자의 완벽한 시공, 감독공무원들의 철저한 제작시공상의 감독 및 유지·관리를 담당하고 있는 공무원들의 철저한 유지·관리라는 조건이 합치되어야 하는 것이므로, 각 단계에 관여한 자는 자신의 과실이 교량붕괴의 원인이 되지 않았다고 하더라도 붕괴에 대한 공동책임을 면할 수 없다.
>
> ㉢ 상해죄에 있어서의 동시범은 두 사람 이상이 가해행위를 하여 상해의 결과를 가져올 경우에 그 상해가 어느 사람의 가해행위로 인한 것인지가 분명치 않다면 가해자 모두를 공동정범으로 본다는 것이므로 가해행위를 한 것 자체가 분명치 않은 사람에 대하여는 동시범으로 다스릴 수 없다.
>
> ㉣ 연속된 제조행위 도중에 공동정범으로 범행에 가담한 자는 그가 그 범행에 가담할 때에 이미 이루어진 종전의 범행을 알았다면, 제조행위 전체가 포괄하여 하나의 죄가 되는 이상 그 가담 이전의 제조행위에 대하여도 유죄를 인정할 수 있다.
>
> ㉤ 합동범이 성립하기 위하여는 주관적 요건으로서의 공모와 객관적 요건으로서의 실행행위의 분담이 있어야 하나, 그 공모는 법률상 어떠한 정형을 요구하는 것이 아니어서 공범자 상호간에 직접 또는 간접으로 범죄의 공동가공의사가 암묵리에 서로 상통하면 되고, 사전에 반드시 어떠한 모의과정이 있어야 하는 것도 아니다.

① ㉠, ㉢   ② ㉡, ㉣   ③ ㉢, ㉤   ④ ㉣, ㉤

해설 ㉠ × : 공모공동정범에 있어서 다른 공모자가 실행행위에 이르기 전에 그 공모관계에서 이탈한 때에는 이탈 이후의 다른 공모자의 행위에 대해 공동정범이 성립하지 않으며 그 이탈의 표시는 반드시 명시적일 필요가 없다(대판 1986.1.21, 85도2371).

㉡ × : ~ (3줄) 각 단계에 관여한 자는 전혀 과실이 없다거나 과실이 있다고 하여도 교량붕괴의 원인이 되지 않았다는 등의 특별한 사정이 있는 경우를 제외하고는 붕괴에 대한 공동책임을 면할 수 없다(대판 1997.11.28, 97도1740).

㉢ ○ : 대판 1984.5.15, 84도488

㉣ × : 연속된 히로뽕제조행위 도중에 공동정범으로 범행에 가담한 자는 비록 그가 그 범행에 가담할 때에 이미 이루어진 종전의 범행을 알았다 하더라도 그 가담 이후의 범행에 대하여만 공동정범으로 책임을 지는 것이다(대판 1982.6.8, 82도884).

㉤ ○ : 대판 2012.6.28, 2012도2631

Answer   17. ③

제3절　간접정범

> **제34조 제1항【간접정범】** 어느 행위로 인하여 처벌되지 아니하는 자 또는 과실범으로 처벌되는 자를 교사 또는 방조하여 범죄행위의 결과를 발생하게 한 자는 교사 또는 방조의 예에 의하여 처벌한다.

1 의 의

간접정범이란 직접정범에 대응하는 정범형태로서 타인을 (생명 있는) 도구로 이용하여 범죄를 실행하는 것을 말한다.

예 정신병자(심신상실자 : 처벌되지 아니한 자)를 충동(사주)하여 방화하게 한다든가 의사가 그 사정을 모르는 간호사(과실범으로 처벌되는 자)에게 독약이 든 주사를 놓게 하여 환자를 살해한 경우

2 간접정범의 본질

간접정범은 타인을 이용한다는 점에서 교사범과 유사하고 행위지배를 한다는 점에서 직접정범과 유사하므로 정범과 공범의 한계에 위치한 경우로서 그 본질이 정범인가, 공범인가가 문제된다.

구분	학 설	내 용
정범설	확장적 정범개념이론	구성요건적 결과발생에 조건을 준 자는 모두 정범이므로 간접정범은 당연히 정범이며 간접정범의 개념을 특별히 인정할 필요가 없다는 견해이다. 08. 사시
	공범종속성설	이 설에 따르면 정범이 성립되어야 종속적으로 공범이 성립되는데, 간접정범에 있어서 피이용자는 직접정범의 물적 도구와 비슷하게 인적 도구에 지나지 않으므로 피이용자가 정범이 될 수는 없다. 따라서 간접정범은 공범이 될 수 없고 정범이라는 견해이다.
공범설	제한적 정범개념이론	구성요건적 행위를 직접 실행한 자만이 정범이므로 간접정범은 정범이 아니라 공범(교사범)이라는 견해이다.
	공범독립성설	자기의 범죄수행을 위해 타인의 행위를 이용하는 모든 경우를 공범으로 본다. 즉, 공범행위(교사·방조행위)가 있는 이상 공범은 성립하므로 간접정범에 있어서 이용자는 정범이 아니라 공범(교사범)이라는 설이다. 21. 해경승진

관련판례

간접정범을 통한 범행에서 피이용자는 간접정범의 의사를 실현하는 수단으로서의 지위를 가질 뿐이므로, 피해자에 대한 사기범행을 실현하는 수단으로서 타인을 기망하여 그를 피해자로부터 편취한 재물이나 재산상 이익을 전달하는 도구로서만 이용한 경우에는 편취의 대상인 재물 또는 재산상 이익에 관하여 피해자에 대한 사기죄가 성립할 뿐 도구로 이용된 타인에 대한 사기죄가 별도로 성립한다고 할 수 없다 (대판 2017.5.31, 2017도3894). 22. 변호사시험, 24. 법원행시, 25. 9급 검찰·마약수사·철도경찰·7급 검찰·경대편입

3 간접정범의 성립요건

형법 제34조 제1항에 의하면 간접정범은, ① 어느 행위로 인하여 처벌되지 아니한 자 또는 과실범으로 처벌되는 자를 ② 교사 또는 방조하여 ③ 범죄행위의 결과를 발생하게 함으로써 성립한다.

(1) 피이용자의 범위 : 어느 행위로 인하여 처벌되지 아니한 자 또는 과실범으로 처벌되는 자

여기서 어느 행위로 처벌되지 아니한 자란 범죄의 3가지 성립요건(즉, 구성요건해당성, 위법성, 책임성) 중 어느 하나라도 없어 범죄가 성립되지 않는 경우를 말한다.

관련판례 1

1. **피이용자의 행위가 객관적 구성요건에 해당하지 않은 경우**(자상 또는 자살을 이용한 경우)

   ① 甲이 A에게 면도칼을 주면서 "네가 네 코를 자르지 않으면 돌로 죽인다."는 등 위협을 하자, 자신의 생명에 위험을 느낀 A가 자신의 생명을 보존하기 위해 위 면도칼로 콧등을 절단하여 중상해를 입은 경우 ⇨ 중상해죄의 간접정범(대판 1970.9.22, 70도1638). 15. 사시, 16. 9급 검찰, 24. 9급 철도경찰

   ② 피고인이 자살의 의미를 이해할 능력이 없고 피고인의 말이라면 무엇이나 복종하는 어린 자식들(7세, 3세)을 함께 죽자고 권유하여 물속에 따라 들어오게 하여 익사하게 한 이상 살인죄의 범의는 있었음이 분명하다(대판 1987.1.20, 86도2395 ∴ 살인죄 ○, 자살교사죄 ×, 위계에 의한 살인죄 ×). 18. 9급 검찰·철도경찰

2. **피이용자의 고의가 조각되는 경우**(고의 없는 도구를 이용한 경우)

   ① 공무원 아닌 자가 관공서에 허위 내용의 증명원을 제출하여 그 내용이 허위인 정을 모르는 담당공무원으로부터 그 증명원 내용과 같은 증명서를 발급받은 경우 공문서위조죄의 간접정범으로 의율할 수는 없다(대판 2001.3.9, 2000도938). 17. 변호사시험, 18. 경찰승진·순경 1차, 25. 순경 2차·해경 1차

   ② 자기에게 유리한 판결을 얻기 위하여 소송상의 주장이 사실과 다름이 객관적으로 명백하거나 증거가 조작되어 있다는 정을 인식하지 못하는 제3자를 이용하여 그로 하여금 소송의 당사자가 되게 하고 법원을 기망하여 소송 상대방의 재물 또는 재산상 이익을 취득하려 하였다면 간접정범의 형태에 의한 소송사기죄가 성립하게 된다(대판 2007.9.6, 2006도3591 예 甲이 존재하지 않는 약정이자에 관한 내용을 부가하여 위조한 乙명의 차용증을 바탕으로 乙에 대한 차용금채권을 丙에게 양도하고, 이러한 사정을 모르는 丙으로 하여금 乙을 상대로 양수금 청구소송을 제기하게 한 경우 甲은 소송사기죄의 간접정범이 된다). 18. 경찰승진, 19. 7급 검찰·철도경찰, 21. 해경 2차, 24. 법원행시, 25. 순경 2차·9급 검찰·마약수사·철도경찰, 26. 변호사시험

   ③ 경찰서 보안과장이 甲의 음주운전을 눈감아주기 위하여 그에 대한 음주운전자 적발보고서를 찢어버리고, 부하로 하여금 일련번호가 동일한 가짜 음주운전 적발보고서에 乙에 대한 음주운전 사실을 기재케 하여 그 정을 모르는 담당 경찰관으로 하여금 주취운전자 음주측정처리부에 乙에 대한 음주운전 사실을 기재하도록 한 경우 ⇨ 허위공문서작성 및 동 행사죄의 간접정범 ○(대판 1996.10.11, 95도1706) 15. 경찰간부, 16. 7급 검찰·철도경찰, 18. 경찰승진

   ④ 회사 경영자가 내막을 알지 못하는 소속 직원들로 하여금 회사 소재지 지역구 국회의원의 담당사무에 대한 청탁과 관련하여 그 국회의원이 사실상 지배·장악하고 있던 후원회에 후원금을 기부하게

한 경우 국회의원에게는 정치자금법 제32조 제3호 위반죄가, 경영자에게는 정치자금법 위반죄의 간접정범이 성립한다(대판 2008.9.11, 2007도7204). 13. 순경 2차, 18. 경찰승진

⑤ 공무원이 아닌 자는 허위공문서작성죄의 간접정범이 될 수 없으나[대판 1976.8.24, 76도151 **예** 공무원 아닌 자가 허위공문서작성의 간접정범일 때에는 형법 제228조(공정증서원본부실기재 죄)의 경우를 제외하고는 이를 처단하지 못하므로 면장의 거주확인증 발급을 위한 허위사실의 신고는 죄가 되지 않는다 : 대판 1971.1.26, 70도2598], 공문서 작성에 있어서 보조직무에 종사하는 공무원이 허위공문서를 기안하여 그 정을 모르는 상사(작성권자)의 결재(서명·날인)를 받아 공문 서를 완성한 경우에는 허위공문서작성죄의 간접정범이 성립한다(대판 1981.7.28, 81도898).
면의 호적계장이 정을 모르는 면장의 결재를 받아 허위내용의 호적부를 작성한 경우 허위공문서작성 죄의 간접정범이 성립한다(대판 1990.10.30, 90도1912). 그러나 결재를 거치지 않고 임의로 허위내용 의 공문서를 완성한 때에는 공문서위조죄가 성립한다(**예** 호적계장인 甲이 행사할 목적으로, A의 부탁으로 면장 모르게 호적계에 보관 중인 면장의 고무인과 직인을 이용하여 인감증명서 용지에 날인하여 A의 인감증명서를 작성한 경우 : 대판 1981.7.28, 81도898, 공문서의 작성권한 없는 사람이 허위공문서를 기안하여 작성권자의 결재를 받지 않았는데도 결재를 받은 것처럼 직인을 보관하는 담당자를 기망하여 작성권자의 직인을 날인하도록 하여 공문서를 완성한 경우 : 대판 2017.5.17, 2016도13912 ⇨ 허위공문서작성죄의 간접정범 ×, 공문서위조죄 ○). 19. 9급 검찰·철도경찰, 22. 경찰간 부, 23. 변호사시험, 24. 해경간부·법원행시·순경 1차, 25. 7급 검찰, 26. 경찰승진

▶ **참고판례** : 공무원 아닌 甲이 공문서의 작성권한이 있는 공무원 乙의 직무를 보좌하는 자인 丙을 교사하여 丙으로 하여금 그 직위를 이용하여 행사할 목적으로 허위의 내용이 기재된 문서 초안 을 그 정을 모르는 乙에게 제출하여 결재하도록 함으로써 乙로 하여금 허위의 공문서를 작성하 게 한 경우 甲은 허위공문서작성죄의 간접정범의 교사범으로서의 죄책을 진다(대판 1992.1.17, 91도2837). 16. 사시, 25. 경찰승진

⑥ 신용카드를 제시받은 상점점원이 그 카드의 금액란을 정정기재하였다 하더라도 그것이 카드소 지인이 위 점원에게 자신이 위 금액을 정정기재 할 수 있는 권리가 있는 양 기망하여 이루어졌다 면 이는 간접정범에 의한 유가증권변조로 봄이 상당하다(대판 1984.11.27, 84도1862). 18. 순경 1차, 21. 해경승진

⑦ 축산업협동조합이 점유하고 있는 A 소유의 창고 패널을 절취할 의사를 가진 甲이 위 조합으로부터 허락을 받지 않은 채 그 정을 모르는 A로 하여금 창고의 패널을 취거하게 하여 영득한 경우 소유자 를 도구로 이용한 절도죄의 간접정범이 성립될 수 있다(대판 2006.9.28, 2006도2963). 15. 경찰간부, 25. 해경 1차

⑧ 보증인이 아닌 자가 허위 보증서 작성의 고의 없는 보증인들을 이용하여 허위의 보증서를 작성하 게 한 경우, 부동산소유권 이전등기 등에 관한 특별조치법 제13조 제1항 제3호에 정한 '허위보증서 작성죄'의 간접정범이 성립한다(대판 2009.12.24, 2009도7815). 13. 법원행시

3. 목적범에서 '목적 없는 도구'를 이용한 경우

① 출판물에 의한 명예훼손죄는 간접정범에 의하여 범하여질 수도 있으므로 타인을 비방할 목적으로 허위의 기사 재료를 그 정을 모르는 기자에게 제공하여 신문 등에 보도되게 한 경우에도 성립할 수 있다(대판 2002.6.28, 2000도3045). 22. 경찰간부·변호사시험·경찰승진, 23. 7급 검찰·순경 2차, 24. 해경 간부, 25. 해경 1차·경대편입

② 비상계엄 전국확대가 국무회의의 의결을 거쳐 대통령이 선포함으로써 외형상 적법하였다고 하더라도, 이는 피고인들에 의하여 국헌문란의 목적을 달성하기 위하여 그러한 목적이 없는 대통령을 이용하여 이루어진 것이므로 피고인들이 간접정범의 방법으로 내란죄를 실행한 것으로 보아야 할 것이다(대판 1997.4.17, 96도3376 전원합의체). 21. 순경 1차, 23. 순경 2차, 26. 변호사시험

4. 위법성이 없는 행위(정당행위)를 이용한 경우

사법경찰관 甲이 乙을 구속하기 위하여 진술조서 등을 허위로 작성한 후 이를 기록에 첨부하여 구속영장을 신청하고, 진술조서 등이 허위로 작성된 정을 모르는 검사와 영장전담판사를 기망하여 구속영장을 발부받은 후 그 영장에 의하여 乙을 구금하였다면 甲에게는 직권남용감금죄의 간접정범이 성립한다(대판 2006.5.25, 2003도3945). 18. 순경 1차, 22. 경찰간부 · 경찰승진, 25. 순경 2차 · 9급 검찰 · 마약수사 · 철도경찰 · 해경경위 · 해경 1차, 26. 변호사시험

Q '정범배후의 정범' 이론

고의의 정범으로 처벌되는 자(구성요건해당성 · 위법성 · 책임이 인정된 자)를 이용한 때에도 간접정범이 성립할 수 있다는 이론이다. 25. 9급 검찰 · 마약수사 · 철도경찰

- **긍정설** : 정범개념의 우위성에 따라 배후자(이용자)에게 우월한 지위에서의 행위지배가 인정될 경우에는 간접정범이 성립할 수 있다는 견해이다.
- **부정설** : 간접정범 피이용자 범위를 명시적으로 규정한 형법 제34조 제1항(어느 행위로 처벌되지 않는 자 또는 과실범으로 처벌되는 자를 이용)의 문언에 반하므로 배후자에게 간접정범을 인정할 수 없다는 견해이다.

---

(2) 이용행위(교사 또는 방조)

여기서 교사 또는 방조의 의미는 교사범이나 종범의 교사 · 방조와 동일한 것이 아니고 단순히 사주 또는 이용한다는 의미이다.

관련판례

1. 처벌되지 아니하는 타인의 행위를 적극적으로 유발하고 이를 이용하여 자신의 범죄를 실현한 자는 형법 제34조 제1항이 정하는 간접정범의 죄책을 지게 되고, 그 과정에서 타인의 의사를 부당하게 억압하여야만 간접정범에 해당하는 것은 아니다(대판 2008.9.11, 2007도7204). 19. 9급 검찰 · 마약수사 · 철도경찰, 22. 순경 2차, 24. 해경간부 · 9급 철도경찰, 25. 7급 검찰 · 해경경위
2. 간접정범을 통한 범행에서 피이용자는 간접정범의 의사를 실현하는 수단으로서의 지위를 가질 뿐이므로 피해자에 대한 사기범행을 실현하는 수단으로서 타인을 기망하여 그를 피해자로부터 편취한 재물이나 재산상 이익을 전달하는 도구로서만 이용한 경우에는 편취의 대상인 재물 또는 재산상 이익에 관하여 피해자에 대한 사기죄가 성립할 뿐 도구로 이용된 타인에 대한 사기죄가 별도로 성립한다고 할 수 없다(대판 2017.5.31, 2017도3894). 22. 경찰간부, 23. 순경 1차, 24. 법원행시 · 해경간부, 26. 경찰승진

---

(3) 간접정범의 실행의 착수시기

① **주관설** : 이용자가 피이용자를 이용하기 시작할 때 실행의 착수가 있다는 견해로, 이용자의 이용의사가 외부로 표현되기만 하면 실행의 착수가 인정되어 미수범의 처벌범위가 확대(축소 ×)될 수 있다. 22. 순경 2차, 25. 해경경위

② **객관설** : 피이용자가 실행행위를 개시할 때 실행의 착수를 인정해야 한다는 견해로, 도구에 불과하여 독립된 실행행위를 인정할 수 없는 피이용자의 행위를 기준으로 한다는 문제가 있다.

③ **이분설** : 피이용자가 선의의 도구인 때에는 이용행위를 개시한 때에, 악의의 도구인 때에는 피이용자의 실행행위가 개시된 때에 실행의 착수가 있다는 견해이다.

④ **개별설** : 이용행위가 법익침해의 위험성을 직접적으로 초래하였거나 이용행위를 완료하여 피이용자의 손에 범행의 실현 여부가 달려 있을 때 실행의 착수가 있다는 견해이다.

(4) 범죄행위의 결과발생

여기서 범죄행위의 결과발생이란 구성요건에 해당하는 사실을 실현하는 것을 말하는 것이지 결과범에 있어서의 결과발생을 의미하는 것은 아니다. 따라서 범죄행위의 결과가 발생하지 않아도 실행의 착수가 있으면 간접정범의 미수로 처벌한다.

4 처 벌

(1) 간접정범의 기수의 처벌

간접정범은 교사 또는 방조의 예에 의하여 처벌한다(제34조 제1항). 18. 변호사시험, 22. 순경 1차 즉, 간접정범의 이용행위가 교사에 해당하는 경우에는 교사범의 예에 따라 정범과 동일한 형으로 처벌되고(제31조 제1항), 방조에 해당하는 경우에는 종범의 예에 따라 정범의 형보다 감경한다(제32조 제2항).

> **관련판례 1**
>
> 간접정범으로 공소가 제기된 공소사실에 대하여 이를 유죄로 인정하면서도 그 법령의 적용에 있어서 이를 공동정범에 해당한다고 보아 이에 해당하는 형법 제30조를 적용한 경우, 그 판결에는 판결 결과에 영향을 미친 위법이 없다(대판 1997.7.11, 97도1180 ∵ 간접정범에 대하여는 어차피 형법 제34조 제1항, 제31조 제1항에 의하여 죄를 실행한 자와 동일한 형으로 처벌하는 것이어서 결국 그 판결에는 판결 결과에 영향을 미친 위법이 있다고 할 수 없다). 13. 법원행시

(2) 특수 교사 · 방조

> **제34조 제2항 【특수한 교사 · 방조에 대한 형의 가중】** 자기의 지휘 · 감독을 받는 자를 교사 또는 방조하여 전항의 결과를 발생하게 한 자는 교사인 때에는 정범에 정한 형의 장기 또는 다액에 그 2분의 1까지 가중하고 방조인 때에는 정범의 형으로 처벌한다. 22. 순경 2차, 25. 해경경위

⑤ 자수범과 간접정범

자수범(**예** 위증죄)이란 타인을 이용하여 범죄를 실현할 수 없고 행위자(정범) 자신이 구성요건적 행위를 직접 실행해야만 범할 수 있는 범죄를 말한다. 따라서 자수범에 대하여는 간접정범이나 공동정범이 성립될 수 없고, 협의의 공범으로 처벌될 수 있을 뿐이다.

관련판례

1. 수표발행인이 아닌 자는 부정수표단속법 제4조의 허위신고죄의 주체가 될 수 없고, 허위신고의 고의 없는 발행인을 이용하여 간접정범의 형태로 허위신고죄를 범할 수도 없다(대판 1992.11.10, 92도1342). 18. 변호사시험, 24. 법원행시 · 순경 1차
   - ▶ **유사판례** : 타인으로부터 명의를 차용하여 수표를 발행한 경우에 명의차용인은 부정수표단속법 제4조가 정한 허위신고죄의 주체가 될 수 없으므로 간접정범의 형태로 허위신고죄를 범할 수 없다 (대판 2003.1.24, 2002도5939). 16. 법원행시
   - ▶ **비교판례** : 타인으로부터 명의를 차용하여 수표를 발행한 자라 하더라도 수표의 발행명의인과 공모하여 부정수표단속법 제4조 소정의 허위신고죄의 주체가 될 수 있다(대판 2007.5.11, 2005도6360 ∵ 제33조의 본문에 의해 공동정범 ○). 08. 경찰승진

2. 甲이 자신의 형사사건을 심리하는 법정에서 범죄현장을 목격하지도 않은 선서무능력자 乙로 하여금 범죄현장을 목격한 것처럼 위증하게 한 경우 ⇨ 증거위조죄 ×(대판 1998.2.10, 97도2961), 위증죄의 교사범 ×〔∵ 선서무능력자 ⇨ 위증죄의 주체 × ⇨ 정범(乙)에게 구성요건해당성 × ⇨ 공범 × : 제한종속형식〕, 위증죄 ⇨ 자수범으로 간접정범 × ∴ 무죄 10. 경찰승진, 11. 사시

3. 강제추행죄는 사람의 성적 자유 내지 성적 자기결정의 자유를 보호하기 위한 죄로서 정범 자신이 직접 범죄를 실행하여야 성립하는 자수범이라고 볼 수 없으므로, 처벌되지 아니하는 타인을 도구로 삼아 피해자를 강제로 추행하는 간접정범의 형태로도 범할 수 있다. 여기서 강제추행에 관한 간접정범의 의사를 실현하는 도구로서의 타인에는 피해자도 포함될 수 있으므로, 피해자를 도구로 삼아 피해자의 신체를 이용하여 추행행위를 한 경우에도 강제추행죄의 간접정범에 해당할 수 있다(대판 2018.2.8, 2016도17733 **예** 피해자들을 협박하여 겁을 먹은 피해자들로 하여금 스스로 가슴 사진, 성기 사진, 가슴을 만지거나 자위하는 동영상 등을 촬영하게 하고 촬영된 사진과 동영상을 전송받은 경우 ⇨ 강제추행죄의 간접정범). 19. 경찰간부 · 9급 검찰 · 순경 1차, 22. 변호사시험, 24. 해경간부, 25. 경찰승진 · 순경 2차 · 7급 검찰
   - ▶ **유사판례** : 피고인이 아동 · 청소년인 피해자를 협박하여 스스로 성적 행위에 해당하는 아동 · 청소년 자신의 행위를 내용으로 하는 화상 · 영상 등을 생성하게 하고 이를 인터넷 사이트 운영자의 서버에 저장시켜 피고인의 휴대전화기에서 재생할 수 있도록 하였다면, 아동 · 청소년이용음란물 제작죄의 간접정범에 해당한다(대판 2018.1.25, 2017도18443). 22. 경찰간부

4. 강요죄는 개인의 의사결정 또는 의사실행의 자유를 보호법익으로 하는 반면, 유사강간죄와 강제추행죄는 사람의 성적 자기결정권 또는 성적 자유를 보호법익으로 하고 있어, 강요죄는 개인적 자유를 침해하는 범죄에 대하여 일반법의 관계에 있으므로, 피해자를 도구로 이용한 간접정범 형태로 유사강간죄나 강제추행죄가 성립하는 경우 별도로 강요죄가 성립하지 않는다(대판 2025.9.4, 2025도9690). 26. 경찰승진

01 간접정범에 대한 설명으로 가장 적절하지 않은 것은?(다툼이 있는 경우 판례에 의함) 22. 경찰승진

① 인신구속에 관한 직무를 행하는 자 또는 이를 보조하는 자가 피해자를 구속하기 위하여 진술조서 등을 허위로 작성한 후 이를 기록에 첨부하여 구속영장을 신청하고, 진술조서 등이 허위로 작성된 정을 모르는 검사와 영장전담판사를 기망하여 구속영장을 발부받은 후 그 영장에 의하여 피해자를 구금한 경우, 직권남용감금죄의 간접정범이 성립한다.

② 공문서의 작성권한이 있는 공무원의 직무를 보좌하는 사람이 그 직위를 이용하여 행사할 목적으로 허위의 내용이 기재된 문서초안을 그 정을 모르는 상사에게 제출하여 결재하도록 하는 등의 방법으로 작성권한이 있는 공무원으로 하여금 허위의 공문서를 작성하게 한 경우, 허위공문서작성죄의 간접정범이 성립한다.

③ 작성권한 있는 공무원의 직무를 보조하는 공무원이 임의로 작성권자의 직인 등을 부정 사용함으로써 공문서를 완성한 경우, 허위공문서작성죄의 간접정범이 성립한다.

④ 타인을 비방할 목적으로 허위의 기사재료를 그 정을 모르는 기자에게 제공하여 신문 등에 보도하게 한 경우, 출판물에 의한 명예훼손죄의 간접정범이 성립할 수 있다.

> **해설** ① 대판 2006.5.25, 2003도3945 ② 대판 1981.7.28, 81도898
> ③ × : 공문서위조죄 ○, 허위공문서작성죄의 간접정범 ×(대판 1981.7.28, 81도898)
> ④ 대판 2002.6.28, 2000도3045

02 간접정범에 관한 설명 중 옳은 것을 모두 고른 것은?(다툼이 있는 경우 판례에 의함) 22. 변호사시험

> ㉠ 甲이 A회사의 전문건설업등록증 등의 이미지 파일을 위조하여 공사 수주에 사용하기 위해 발주업체 직원 B에게 이메일로 송부하여 위조 사실을 모르는 B로 하여금 위 이미지 파일을 출력하게 한 경우, 간접정범을 통한 위조문서행사 범행의 피이용자인 B는 甲과 동일시할 수 있는 자와 마찬가지이므로 甲에게는 위조문서행사죄의 간접정범이 성립하지 아니한다.
>
> ㉡ 甲이 A에 대한 사기범행을 실현하는 수단으로서 B를 기망하여 B를 A로부터 편취한 재물이나 재산상 이익을 전달하는 도구로서만 이용한 경우에는 편취의 대상인 재물 또는 재산상 이익에 관하여 A에 대한 사기죄가 성립할 뿐 도구로 이용된 B에 대한 사기죄가 별도로 성립하는 것은 아니다.
>
> ㉢ 타인을 비방할 목적으로 허위의 기사 재료를 그 정을 모르는 기자에게 제공하여 신문 등에 보도하게 한 경우 출판물에 의한 명예훼손죄의 간접정범이 성립할 수 있다.
>
> ㉣ 강제추행에 관한 간접정범의 의사를 실현하는 도구로서의 타인에는 피해자도 포함될 수 있으므로 피해자를 도구로 삼아 피해자의 신체를 이용하여 추행행위를 한 경우에도 강제추행죄의 간접정범에 해당할 수 있다.

① ㄱ, ㄴ   ② ㄷ, ㄹ   ③ ㄱ, ㄴ, ㄷ

④ ㄴ, ㄷ, ㄹ   ⑤ ㄱ, ㄴ, ㄷ, ㄹ

> **해설** ㄱ ✕ : ~ 이미지 파일을 출력하게 한 경우, 위조문서행사죄가 성립한다(대판 2012.2.23, 2011도14441 ∵ 간접정범을 통한 위조문서행사 범행에 있어 도구로 이용된 자라고 하더라도 문서가 위조된 것임을 알지 못하는 자에게 행사한 경우에는 위조문서행사죄가 성립한다).
> ㄴ ○ : 대판 2017.5.31, 2017도3894
> ㄷ ○ : 대판 2001.6.28, 2000도3045
> ㄹ ○ : 대판 2018.2.8, 2016도17733

03 간접정범에 관한 설명 중 가장 적절하지 않은 것은?(다툼이 있는 경우 판례에 의함)   22. 순경 2차

① 국헌문란의 목적을 달성하기 위해 그러한 목적이 없는 대통령을 이용하여 비상계엄 전국확대조치를 한 것은 간접정범의 방법으로 내란죄를 실행한 것이다.

② 처벌되지 아니하는 타인의 행위를 적극적으로 유발하고 이를 이용하여 자신의 범죄를 실현한 자는 간접정범의 죄책을 지게 되고, 그 과정에서 타인의 의사를 부당하게 억압하여야만 간접정범에 해당하는 것은 아니다.

③ 자기의 지휘·감독을 받는 자를 교사하여 범죄를 실행하게 한 때에는 정범에 정한 형의 장기 또는 다액의 2분의 1까지 가중한다.

④ 간접정범의 실행의 착수시기를 이용자의 이용행위시로 보는 경우, 이용자의 이용의사가 외부로 표현되기만 하면 실행의 착수가 인정되어 미수범의 처벌 범위가 축소될 수 있다.

> **해설** ① 대판 1997.4.17, 96도3376 전원합의체
> ② 대판 2008.9.11, 2007도7204   ③ 제34조 제2항
> ④ ✕ : ~ 처벌범위가 확대(축소 ✕)될 수 있다.

04 간접정범에 대한 설명으로 옳지 않은 것은?(다툼이 있는 경우 판례에 의함)   23. 7급 검찰, 24. 해경간부

① 타인을 비방할 목적으로 허위의 기사 재료를 그 정을 모르는 기자에게 제공하여 신문 등에 보도되게 한 경우, 출판물에 의한 명예훼손죄의 간접정범이 성립할 수 있다.

② 피고인이 피해자를 도구로 삼아 피해자의 신체를 이용하여 추행행위를 한 경우, 강제추행죄의 간접정범에 해당할 수 있다.

③ 처벌되지 아니하는 타인의 행위를 적극적으로 유발하고 이를 이용하여 자신의 범죄를 실현한 자는 형법 제34조 제1항이 정하는 간접정범의 죄책을 지게 되고, 그 과정에서 타인의 의사를 부당하게 억압하여야만 간접정범에 해당하는 것은 아니다.

④ 공문서작성권자의 문서작성을 보조하는 직무에 종사하는 공무원이 허위공문서를 기안하여 작성권자의 결재를 거치지 않고 임의로 작성권자의 직인 등을 부정 사용함으로써 공문서를 완성한 경우, 허위공문서작성죄의 간접정범이 성립한다.

Answer   03. ④   04. ④

해설 ① 대판 2002.6.28, 2000도3045 ② 대판 2018.2.8, 2016도17733 ③ 대판 2008.9.11, 2007도7204
④ × : 보조 공무원이 허위공문서를 기안하여 그 정을 모르는 작성권자의 결재를 받아 공문서를 완성한 때
에는 허위공문서작성죄의 간접정범이 되고, 이러한 결재를 거치지 않고 임의로 허위내용의 공문서를 완성
한 때에는 공문서위조죄가 성립한다(대판 1981.7.28, 81도898).

05 간접정범에 관한 설명으로 가장 적절하지 않은 것은?(다툼이 있는 경우 판례에 의함)　　25. 순경 2차

① 강제추행죄는 정범 자신이 직접 범죄를 실행하여야 하는 자수범이라고 볼 수 없으므로 간접
정범의 형태로도 범할 수 있다.

② 공무원 아닌 자가 관공서에 허위내용의 증명원을 제출하여 그 내용이 허위인 정을 모르는
담당공무원으로부터 그 증명원 내용과 같은 증명서를 발급받은 경우, 공문서위조죄의 간접정
범이 성립한다.

③ 인신구속에 관한 직무를 행하는 자가 피해자를 구속하기 위하여 진술조서 등을 허위로 작성
한 후 이를 기록에 첨부하여 구속영장을 신청하고, 진술조서 등이 허위로 작성된 정을 모르는
검사와 영장전담판사를 기망하여 구속영장을 발부받은 후 그 영장에 의하여 피해자를 구금
하였다면 형법 제124조 제1항의 직권남용감금죄가 성립한다.

④ 자기에게 유리한 판결을 얻기 위하여 소송상의 주장이 사실과 다름이 객관적으로 명백하거
나 증거가 조작되어 있다는 정을 인식하지 못하는 제3자를 이용하여 그로 하여금 소송의 당
사자가 되게 하고 법원을 기망하여 소송 상대방의 재물 또는 재산상 이익을 취득하였다면
간접정범의 형태에 의한 소송사기죄가 성립한다.

해설 ① 대판 2018.2.8, 2016도17733
② × : ~ 성립하지 않는다(대판 2001.3.9, 2000도938).
③ 대판 2006.5.25, 2003도3945 ④ 대판 2007.9.6, 2006도3591

06 간접정범에 관한 설명으로 가장 적절하지 않은 것은?(다툼이 있는 경우 판례에 의함)　　26. 경찰승진

① 피해자를 도구로 이용한 간접정범 형태로 유사강간죄나 강제추행죄가 성립하는 경우 별도로
강요죄가 성립하지 않는다.

② 간접정범은 어느 행위로 인하여 처벌되지 아니하는 자 또는 과실범으로 처벌되는 자를 교사
또는 방조하여 범죄행위의 결과를 발생하게 한 자를 교사 또는 방조의 예에 의하여 처벌하므로
교사의 예에 따라 처벌한다면 정범과 동일한 형으로 처벌되는 것이고, 방조의 예에 따라 처벌한
다면 정범의 형보다 감경하여 처벌하게 되는데, 여기서의 형은 모두 법정형을 의미한다.

③ 간접정범을 통한 범행에서 피이용자는 간접정범의 의사를 실현하는 수단으로서의 지위를 가
지므로 피해자에 대한 사기범행을 실현하는 수단으로서 타인을 기망하여 그를 피해자로부터
편취한 재물이나 재산상 이익을 전달하는 도구로서만 이용한 경우에 편취의 대상인 재물 또
는 재산상 이익에 관하여 피해자에 대한 사기죄가 성립할 뿐만 아니라 도구로 이용된 타인에
대한 사기죄가 별도로 성립한다.

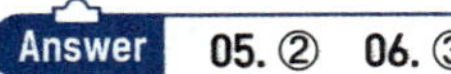

④ 공문서의 작성권한이 있는 공무원의 직무를 보좌하는 사람이 그 직위를 이용하여 행사할 목적으로 허위의 내용이 기재된 문서 초안을 그 정을 모르는 상사에게 제출하여 결재하도록 하는 등의 방법으로 작성권한이 있는 공무원으로 하여금 허위의 공문서를 작성하게 한 경우에는 허위공문서작성죄의 간접정범이 성립한다.

해설 ① 대판 2025.9.4, 2025도9690
② 대판 2015.8.27, 2015도8408
③ × : ~ (4줄) 피해자에 대한 사기죄가 성립할 뿐 도구로 이용된 타인에 대한 사기죄가 별도로 성립하지 않는다(대판 2017.5.31, 2017도3894).
④ 대판 1981.7.28, 81도898

07 간접정범에 관한 설명 중 옳지 않은 것을 모두 고른 것은?(다툼이 있는 경우 판례에 의함)

26. 변호사시험

> ㉠ 정범과 공범의 구별 기준 가운데 행위자의 외부적 행위태양을 중시하는 견해에 비해 행위자의 내면적 의도를 중시하는 견해를 취하는 경우, 간접정범과 교사범을 구별하기 어렵다.
> ㉡ 甲이 위조한 공문서의 이미지 파일을 그 사정을 모르는 A에게 이메일로 송부하여 프린터로 출력하게 함으로써 공문서위조죄의 간접정범을 범한 경우, 피이용자 A에 대한 위 위조공문서 송부행위도 위조공문서행사죄에 해당한다.
> ㉢ 초과주관적 구성요건인 목적을 가진 사람이 고의는 있으나 목적이 없는 사람을 도구로 이용한 경우에도 간접정범이 성립할 수 있다.
> ㉣ 자기에게 유리한 판결을 얻기 위하여 증거를 조작하여 법원에 제출하는 방식으로 법원을 기망하여 승소함으로써 재산상 이익을 취득한 경우, 법원을 피이용자로 한 사기죄의 간접정범이 성립한다.
> ㉤ 인신구속에 관한 직무를 행하는 사람이 피해자를 구속하기 위하여 진술조서 등을 허위로 작성한 후 이를 기록에 첨부하여 구속영장을 신청하고, 그 사정을 모르는 검사와 영장전담판사를 기망하여 구속영장을 발부받아 피해자를 구금하였다면 직권남용감금죄의 간접정범이 성립한다.

① ㉠, ㉢   ② ㉠, ㉣   ③ ㉡, ㉣
④ ㉡, ㉤   ⑤ ㉢, ㉤

해설 ㉠ × : ~ (1줄) 행위태양을 중시하는 견해(객관설 : 구성요건에 해당하는 행위를 직접 실행한 자가 정범이고, 실행행위 이외의 방법으로 조건을 제공한 자는 공범이라는 견해)나 행위자의 내면적 의도를 중시하는 견해(주관설 : 타인의 범죄를 야기하거나 촉진할 의사로 행위한 자는 공범이라는 견해) 둘 다 간접정범과 교사범이 모두 공범이므로 간접정범과 교사범을 구별하기 어렵다.
㉡ ○ : 대판 2012.2.23, 2011도14441
㉢ ○ : 대판 1997.4.17, 96도3376 전원합의체
㉣ × : 자기에게 유리한 판결을 얻기 위해 증거가 조작되어 있다는 점을 알지 못하는 제3자를 이용하여 그를 소송의 당사자가 되게 하고 법원을 기망하여 소송 상대방의 재물을 취득하였다면 간접정범 형태의 소송사기죄가 성립한다(대판 2007.9.6, 2006도3591).
㉤ ○ : 대판 2006.5.25, 2003도3945

 07. ②

08 공동정범과 간접정범에 관한 설명으로 가장 적절하지 않은 것은?(다툼이 있는 경우 판례에 의함)

① 포괄일죄의 범행 도중에 공동정범으로 범행에 가담한 자는 그 가담 이후의 범행에 대해서만 공동정범으로 책임을 지고, 그 가담 이전에 이미 이루어진 종전의 범행을 인식하고 범행에 가담한 경우라도 그 가담 이전의 범행에 대해서는 공동정범으로 책임을 지지 않는다.

② 수표금액의 지급 또는 거래정지처분을 면할 목적으로 금융기관에 허위신고한 자를 처벌하는 구 부정수표단속법 제4조의 허위신고죄와 관련하여, 발행인이 아닌 자는 허위신고의 고의가 없는 발행인을 이용하여 간접정범의 형태로 구 부정수표단속법 제4조의 허위신고죄를 범할 수 없다.

③ 비공무원 甲이 소속 예비군동대 방위병 乙에게 '자신이 예비군훈련에 불참했으나 예비군훈련 참가 확인서를 발급해 달라'는 취지의 부탁을 하자, 확인서 작성권자인 동대장 A의 직무를 보좌하는 乙은 이를 A에게 보고하여 甲의 불참 사실을 모르는 A로부터 甲의 예비군훈련 참가 여부를 확인하여 확인서를 발급하도록 지시받았으나 미리 A의 직인을 찍어 보관하고 있던 용지를 이용하여 확인서를 발급해 준 경우, 甲에게는 허위공문서작성죄의 간접정범의 공범이 성립하지 않는다.

④ 공동정범의 본질에 관한 범죄공동설에 따르면, 고의범과 과실범 상호간에는 공동정범이 인정되지 않는다.

해설 ① 대판 2007.11.15, 2007도6336

② 대판 1992.11.10, 92도1342

③ × : ~ 간접정범의 공범이 성립된다(대판 1992.1.17, 91도2837).

④ 옳다.

Answer 08. ③

제4절 교사범

> **제31조【교사범】** ① 타인을 교사하여 죄를 범하게 한 자는 죄를 실행한 자와 동일한 형(법정형)으로 처벌한다.
> ② 교사를 받은 자가 범죄의 실행을 승낙하고 실행의 착수에 이르지 아니한 때에는 교사자와 피교사자를 음모 또는 예비에 준하여 처벌한다(효과 없는 교사).
> ③ 교사를 받은 자가 범죄의 실행을 승낙하지 아니한 때에도 교사자(피교사자 ×)에 대하여는 전항과 같다(실패한 교사).

1 서 설

① **의의** : 교사범이란 타인을 교사하여 죄를 범하게 한 자, 즉 애당초 범죄를 저지를 의사가 없는 타인(정범)으로 하여금 일정한 범죄를 결의하게 하여 그 죄를 범하게 한 자를 말한다.

> **Key Point**
>
> 이미 범죄의 결의를 가지고 있는 자에 대해서는 교사범이 성립될 수 없다(대판 1991.5.14, 91도542).
> 20. 경찰승진·해경승진, 21. 9급 검찰·마약수사·철도경찰, 25. 해경경사

② **교사행위가 독립된 구성요건으로 규정된 경우** : 음행매개죄(제242조)나 자살관여죄(제252조 제2항)와 같이 교사행위 자체가 형법 각칙에 독립된 범죄로 되어 있는 경우에는 제31조가 적용되지 않는다.

> 예 사람을 교사하여 자살하게 한 경우에 제31조 제1항을 적용하여 구성요건 해당성 없는 자살에 대한 교사가 되어 처벌되지 않는 것이 아니라, 제252조 제2항의 자살관여죄의 실행행위가 되어 자살관여죄로 처벌된다.

2 교사범의 성립요건

교사범이 성립되기 위해서는 다음과 같은 요건을 갖추어야 한다.

- **교사자에 관한 요건** ┬ 교사자의 고의(2중의 고의) ┬ 교사의 고의
  └ 교사자의 교사행위　　　　　　└ 정범의 고의
- **피교사자(정범)에 관한 요건** ┬ 피교사자의 범행결의
  └ 피교사자의 실행행위

(1) 교사자에 관한 요건 : 교사자의 교사행위

교사범이 성립하기 위해서는 교사자의 교사행위가 있어야 하며, 교사자의 교사행위는 교사범의 고의를 전제로 한다.

① **교사자의 고의** : 2중의 고의

교사범이 성립하려면 교사자에게 ㉠ 교사의 고의[피교사자 (정범)에게 범행결의를 갖게 한다는 점에 대한 인식과 의사]와 ㉡ 정범의 고의(정범을 통하여 일정한 구성요건적 결과를 발생시킨다는 점에 대한 인식과 의사)라는 2중의 고의가 필요하다.

㉠ **고의의 내용**

    ⓐ 과실에 의한 교사는 교사의 고의가 없기 때문에 인정되지 않는다(통설). 16. 경찰간부, 20. 경찰승진·해경승진, 21. 해경 1차

    ⓑ 교사자의 고의는 특정성이 있어야 한다. 즉, 특정한 정범(피교사자)과 특정한 범죄에 대한 고의(인식과 의사)여야 한다. 따라서 피교사자는 반드시 특정한 타인이어야 하고, 불특정인에 대한 교사는 범죄의 교사행위가 될 수 없다. 24. 법원직 그러나 피교사자가 구체적으로 누구인가를 알고 있을 필요는 없고 범죄의 일시·장소·실행방법이나 정범의 가벌성에 대한 인식을 요하지 않는다.

    ⓒ 교사자의 고의 중 정범의 고의는 정범을 통하여 교사된 범죄를 완성시킨다는 점에 대한 고의이어야 한다. 즉, 정범을 통해 구성요건적 결과를 실현할 '기수의 고의'이어야 한다.

㉡ **미수의 교사** : 미수의 교사란 교사자가 처음부터 피교사자의 실행행위가 미수에 그칠 것을 예견하면서 교사하는 경우를 말한다. 현행형법상 미수의 교사에 관한 명문규정이 없다.

   예 甲이 A의 금고가 비어 있는 줄 알면서 乙에게 A의 금고에서 보석을 절취하도록 사주한 경우 교사범의 고의는 기수의 고의여야 하므로, 미수의 교사는 교사의 고의가 없어서 교사범이 성립하지 않아 처벌되지 않는다(통설·판례). 18. 9급 철도경찰, 24. 경위공채

② **교사행위** : 애당초 범죄를 저지를 의사가 없는 타인(정범·피교사자)에게 범죄실행의 결의를 갖게 하는 행위를 교사행위라 한다. 따라서 피교사자(정범)가 이미 범행을 결의하고 있을 때에는 교사범은 성립하지 않고 그 교사행위가 범행결의를 강화했을 때에는 종범이 성립할 수 있다.

   예 甲이 乙에게 절도를 교사하자 이미 절도의 의사가 있었던 乙이 甲의 교사에 고무되어 절도를 행한 경우 ⇨ 甲은 절도죄의 교사범 ×, 절도죄의 종범 ○

㉠ **교사행위의 수단·방법** : 교사자의 교사행위는 정범의 범죄를 결의하게 할 수 있는 것이면 그 수단에는 제한이 없으며, 명시적이고 직접적인 방법에 의할 것을 필요로 하지 않는다(대판 2000.2.25, 99도1252). 막연히 "범죄를 하라."거나 "절도를 하라."고 하는 등의 행위만으로는 교사행위가 되기에 부족하다 하겠으나, 타인으로 하여금 일정한 범죄를 실행할 결의를 생기게 하는 행위를 하면 되는 것으로서 교사의 수단방법에 제한이 없다 할 것이므로, 교사범이 성립하기 위하여는 범행의 일시, 장소, 방법 등의 세부적인 사항까지를 특정하여 교사할 필요는 없는 것이고, 정범으로 하여금 일정한 범죄의 실행을 결의할 정도에 이르게 하면 교사범이 성립된다(대판 1991.5.14, 91도542). 15. 경찰승진, 17. 순경 1차, 21. 법원직, 22. 9급 철도경찰·7급 검찰

    ⓛ 교사란 범의를 유발시키는 의식적 행위이므로 부작위나 과실에 의한 교사는 불가능하다 (통설).

       ▶ 부작위범에 대한 교사는 가능하다. 16. 경찰간부, 20. 해경승진, 21. 해경 1차, 22. 해경간부

    ⓒ **교사의 교사** : 교사의 교사에는 다음과 같은 간접교사(甲이 乙에게 丙을 교사하여 범죄를 실행하도록 교사한 경우, 甲이 乙에게 범죄를 교사하였으나 乙이 다시 丙을 교사한 경우)와 연쇄교사 (甲 ⇨ 乙 ⇨ 丙 ⇨ 丁)가 포함된다(다수설·판례). 20. 9급 철도경찰, 21. 해경간부

(2) 피교사자에 대한 요건 : 피교사자(정범)의 실행행위

교사범이 성립하려면 교사행위에 의하여 피교사자(정범)가 범죄를 결의하고 실행행위로 나아가야 한다.

① **피교사자의 범행결의** : 피교사자는 교사에 의하여 비로소 범죄의 실행을 결의하여야 한다. 즉, 교사행위와 피교사자의 결의 사이에는 인과관계가 있어야 한다.

    ㉠ 그러나 교사범의 교사가 정범이 그 죄를 범한 유일한 조건일 필요는 없으므로 교사행위에 의하여 피교사자가 범죄실행을 결의하였다면, 피교사자에게 다른 원인이 있어 범죄를 실행한 경우에도 교사범이 성립한다. 따라서 비록 정범에게 범죄의 습벽이 있어 그 습벽과 함께 교사행위가 원인이 되어 정범이 범죄를 실행한 경우에도 교사범의 성립에 영향이 없다(대판 1991.5.14, 91도542). 16. 9급 검찰·마약수사, 21. 해경간부·해경 1차, 23. 경찰승진·법원행시, 24. 법원직·순경 1차·해경경위, 25. 순경 1차

    ㉡ **과실범에 대한 교사** : 교사에 의한 범행결의라는 심리적 과정이 없는 과실범에 대한 교사는 있을 수 없고, 이 경우에 형법상 간접정범이 된다(제34조 제1항). 14. 사시, 16. 경찰간부, 22. 해경간부

> **♪ Key Point**
>
> 1. 기본범죄의 실행을 결의하고 있는 자에게 중한 형태의 죄를 범하도록 교사한 경우에 전체에 대한 교사행위가 성립할 수 있다(다수설). 예 강도를 결의한 정범에게 흉기를 휴대하여 특수강도를 범하도록 한 경우에 특수강도교사가 된다. 그러나 이미 범죄의 결의를 가지고 있는 자에게 그 결의보다 경미한 죄를 범하도록 교사한 경우에는 교사는 성립되지 않고 방조가 성립할 뿐이다. 13. 7급 검찰, 21. 해경간부
> 2. **편면적 교사** : 피교사자(정범)가 교사받고 있다는 사실을 알지 못하는 경우인 편면적 교사는 인정되지 않는다(∵ 피교사자에게 영향을 미칠 수 없기 때문). 16. 경찰간부, 20. 해경승진, 21. 해경 1차, 22. 해경간부
> 3. 당초의 교사행위에 의하여 형성된 피교사자의 범죄실행의 결의가 더 이상 유지되지 않는 것으로 평가할 수 있다면, 설사 그 후 피교사자가 범죄를 저지르더라도 이는 당초의 교사행위에 의한 것이 아니라 새로운 범죄실행의 결의에 따른 것이므로 교사자는 형법 제31조 제2항(효과 없는 교사)에 의한 죄책을 부담함은 별론으로 하고 형법 제31조 제1항의 교사범으로서의 죄책을 부담하지는 않는다(대판 2012.11.15, 2012도7407). 15. 순경 1차, 21. 해경 1차, 23. 9급 검찰·마약수사·철도경찰

② **피교사자의 실행행위** : 교사범이 성립하기 위해서는 교사자의 교사행위와 정범의 실행행위가 있어야 하는 것이므로, 정범의 성립은 교사범의 구성요건의 일부를 형성하고 교사범이 성립

함에는 정범의 범죄행위가 인정되는 것이 그 전제요건이 된다(대판 2000.2.25, 99도1252). 20. 9급 철도경찰, 21. 해경승진·해경 1차, 23. 경찰승진 다수설·판례인 제한적 종속형식에 의하면 정범의 실행행위는 구성요건에 해당하는 위법한 행위이면 족하며 유책할 필요는 없다. 25. 해경경사

3 교사의 미수

> **제31조【교사범】** ② 교사를 받은 자가 범죄의 실행을 승낙하고 실행의 착수에 이르지 아니한 때에는 교사자와 피교사자를 음모 또는 예비에 준하여 처벌한다.
> ③ 교사를 받은 자가 범죄의 실행을 승낙하지 아니한 때에도 교사자(피교사자 ×)에 대하여는 전항과 같다.

(1) 협의의 교사의 미수

교사자의 교사행위에 의하여 피교사자(정범)가 실행에 착수하였으나 범죄를 완성하지 못하고 미수에 그친 경우를 협의의 교사의 미수라고 한다. 물론 중지미수(중지범)는 자의로 중지한 자에게만 적용된다.

> **예** 甲은 乙에게 丙을 살해할 것을 교사하였는데 乙이 승낙을 하고 살해의사로 丙에게 권총을 발사하려다 후회하고 그만 둔 경우 ⇨ 甲은 살인교사의 장애미수범, 乙은 살인중지범

(2) 기도된 교사 : 실패한 교사＋효과 없는 교사

① **실패한 교사**(제31조 제3항) : 실패한 교사란 교사자가 교사를 하였으나 피교사자(정범)가 범죄의 실행을 승낙하지 아니한 경우를 말하며, 이 경우에 피교사자는 불벌이고 교사자만을 예비·음모에 준하여 처벌한다(제31조 제3항). 따라서 교사한 범죄의 예비·음모를 처벌하는 규정이 있을 때에만 교사자는 처벌받게 된다(제28조). 20. 9급 검찰·철도경찰·경찰승진, 22. 법원직, 23. 경찰간부, 25. 해경경사

> **예** 1. 甲이 乙에게 강도를 교사하였으나 乙이 이를 거절한 경우 ⇨ 甲은 강도예비·음모죄, 乙은 무죄
> 2. 甲이 乙에게 절도를 교사하였으나 乙이 그 교사를 거절한 경우 ⇨ 乙은 무죄, 甲은 실패한 교사로 예비·음모에 준하여 처벌되지만 절도죄의 예비·음모 처벌규정이 없어 결국은 무죄
> 3. 甲은 乙에게 위증을 하라고 설득하였으나 乙이 거절하는 바람에 성사되지 못한 경우 ⇨ 乙은 무죄, 甲도 무죄(∵ 위증죄의 예비·음모처벌규정 ×)
> 4. 甲은 乙에게 丙을 살해해 줄 것을 부탁하였으나 乙이 이를 거절한 경우 ⇨ 甲은 살인죄의 예비·음모죄, 乙은 무죄 22. 경찰승진

② **효과 없는 교사**(제31조 제2항) : 효과 없는 교사란 교사자의 교사에 의하여 피교사자(정범)가 범죄의 실행을 승낙하였으나 실행의 착수에 이르지 아니한 경우를 말하며 이 경우에 교사자와 피교사자를 모두 교사한 범죄의 예비·음모에 준하여 처벌한다(제31조 제2항). 물론 교사한 범죄의 예비·음모를 처벌하는 규정이 있을 때에만 처벌받게 된다(제28조). 25. 해경경사

> **예** 甲이 乙에게 丙의 살해를 교사하였던바 乙은 승낙하였지만 실행의 착수에 이르지 아니한 경우 ⇨ 甲과 乙은 살인의 예비·음모에 준하여 처벌된다. 15. 사시·경찰간부, 16. 순경 1차, 21. 변호사시험·9급 검찰

🔑 Key Point 미수의 교사와 교사의 미수 총정리

1. **미수의 교사** : 애당초 미수에 그칠 것을 예견하면서 교사한 경우 ⇨ 교사자는 불가벌, 피교사자는 미수범으로 처벌
2. **교사의 미수** 18. 변호사시험, 19. 경찰간부, 20. 해경승진, 21. 경찰승진 · 해경간부 · 해경 2차
   - 협의의 교사의 미수 : 피교사자가 실행에 착수했으나 미수에 그친 경우 ⇨ 교사자 · 피교사자 모두 미수범으로 처벌(제29조, 제25조 제1항)
   - 기도된 교사
     - 효과 없는 교사 : 피교사자가 범죄의 실행은 승낙하였으나 실행의 착수에 나아가지 않은 경우 ⇨ 교사자 · 피교사자 모두를 예비 · 음모에 준해 처벌(제31조 제2항)
     - 실패한 교사 : 교사를 하였으나 피교사자가 범죄의 실행을 승낙하지 아니한 경우(제31조 제3항) 또는 이미 범죄의 실행을 피교사자가 결의하고 있었던 경우 ⇨ 교사자를 예비 · 음모에 준해 처벌(제31조 제3항)

④ 교사의 착오

(1) 실행행위에 대한 착오

교사자의 교사내용과 피교사자의 실행행위가 일치하지 않는 경우를 말한다.

착오의 유형		사례와 효과
구체적 사실의 착오		1. **법정적 부합설** : 피교사자의 방법 · 객체의 착오 ⇨ 교사자에게도 방법 · 객체의 착오 2. **구체적 부합설** : 피교사자의 방법 · 객체의 착오 ⇨ 교사자에게는 둘다 방법의 착오 예 甲이 乙에게 A를 살해하라고 교사하였으나 乙이 B를 A로 오인하고 B를 살해한 경우(객체의 착오) ⇨ 법정적 부합설 : B에 대한 살인기수죄의 교사범, 구체적 부합설 : A에 대한 살인미수죄의 교사범과 B에 대한 과실치사죄의 교사범의 상상적 경합 17. 변호사시험, 19. 9급 철도경찰, 22. 순경 1차
추상적 사실의 착오	**피교사자(정범)의 행위가 교사내용보다 적게 실행된 경우**	1. **원칙** : 공범종속성의 원칙상 교사자는 피교사자가 실행한 범위 내에서만 책임을 진다. 예 특수강도를 교사하였으나, 강도를 범한 경우 ⇨ 강도죄의 교사범 2. **예외** : 그러나 교사한 범죄의 예비 · 음모가 처벌되는 경우에는 제31조 제2항의 교사의 미수 중 효과 없는 교사에 해당되어 교사한 범죄의 예비 · 음모와 실행한 범죄의 교사범(공범종속성)의 상상적 경합이 된다. 이때 예비 · 음모의 죄의 형이 중한 때에는 예비 · 음모로 처벌받게 된다. 예 · 강도를 교사하였으나, 절도를 실행한 경우 ⇨ 절도죄의 교사범과 강도의 예비 · 음모와의 상상적 경합 ⇨ 결국 강도 예비 · 음모로 처벌됨 15. 경찰간부, 16. 9급 검찰 · 마약수사 · 철도경찰, 18. 9급 철도경찰, 24. 해경승진 · 해경경위, 25. 해경경사 · 살인을 교사하였으나, 살인의 고의 없이 상해만 실행한 경우 ⇨ 살인의 예비 · 음모와 상해죄의 교사범의 상상적 경합 ⇨ 결국 살인 예비 · 음모로 처벌됨 · 강간을 교사하였으나 강제추행에 그친 경우 ⇨ 강간의 예비 · 음모죄와 음모죄(3년 이하의 징역)와 강제추행죄(10년 이하의 징역)의 교사범의 상상적 경합 ⇨ 결국 강제추행죄의 교사범으로 처벌됨

		1. 실행된 범죄가 교사된 범죄와 전혀 다른 범죄인 경우를 질적 초과라 한다. 이때 교사자에게 교사책임이 없고, 단지 제31조 제2항에 의해 교사한 범죄의 예비·음모에 준하여 처벌될 수 있다.
정범의 행위가 교사 내용을 초과한 경우	질적 초과	**예** • 살인을 교사받고 절도를 행한 경우 ⇨ 살인죄의 예비·음모로 처벌 • 상해를 교사받고 절도를 행한 경우 ⇨ 상해죄의 예비·음모(처벌규정 ×) ⇨ 무죄 • 강도를 교사받고 강간을 범한 경우 ⇨ 강도죄의 예비·음모로 처벌 17. 변호사시험, 18. 9급 철도경찰 • 절도를 교사받고 강간을 범한 경우 ⇨ 절도죄의 예비·음모(처벌규정 ×) ⇨ 무죄 24. 해경승진 2. 질적 차이가 본질적이 아닌 경우에는 양적 초과의 경우와 동일하게 취급한다. ⇨ 교사한 범죄에 대한 교사범이 성립한다. **예** • 사기를 교사하였는데 기망을 근거로 공갈을 한 경우 ⇨ 사기죄의 교사범 • 공갈을 교사하였는데 공갈을 근거로 강도를 범한 경우 ⇨ 공갈죄의 교사범
	양적 초과	1. 실행된 범죄가 교사된 범죄와 구성요건을 달리하나 공통적 요소를 지니고 있되 그 정도를 초과한 경우를 양적 초과라 한다. 이 경우에 실행된 범죄의 초과부분에 대해서는 책임이 없고, 단지 교사한 범죄의 교사범으로 처벌된다. **예** • 절도를 교사했는데 강도를 실행한 경우 ⇨ 절도죄의 교사범 • 상해를 교사했는데 살인을 한 경우 ⇨ 상해죄의 교사범 2. 피교사자(정범)가 교사내용을 초과하여 결과적 가중범을 발생시킨 경우 ⇨ 교사자에게 중한 결과에 대한 과실이 있는 때에 결과적 가중범의 교사범이 성립된다. **예** 상해를 교사하였는데 피교사자가 이를 넘어 살인을 실행한 경우 ⇨ 교사자에게 사망에 대한 예견가능성이 있는 경우에 상해치사죄의 교사범

관련판례

교사자가 피교사자에게 상해 또는 중상해를 교사하였는데 피교사자가 살인을 행한 경우 일반적으로 교사자는 상해죄 또는 중상해죄의 교사범이 되지만 교사자(피교사자 ×)에게 결과(사망)에 대해 과실 내지 예견가능성이 있으면 상해치사죄의 교사범이 될 수 있다(대판 2002.10.25, 2002도4089 **예** 甲이 乙에게 평소 사용하는 칼로 A의 다리를 못 쓰게 하라고 교사하여 乙이 칼로 A의 허벅지 등을 20여 회 힘껏 찔러 과다출혈로 사망에 이른 경우 ⇨ 상해치사죄의 교사범). 20. 9급 철도경찰, 21. 순경 1차, 22. 경찰승진, 23. 법원행시·경력채용·7급 검찰, 24. 해경승진·경위공채, 25. 법원직

(2) 피교사자에 대한 착오

피교사자를 책임능력자로 알았으나 책임무능력자인 경우나 책임무능력자로 알았으나 책임능력자인 경우 간접정범이 아니라(통설) 모두 교사범이 성립한다. 왜냐하면 피교사자의 책임능력에 대한 인식은 교사자의 고의의 내용이 아니기 때문이다. 따라서 이에 대한 착오는 교사범의 고의를 조각하지 않는다.

5 처 벌

① 교사범은 정범과 동일한 형으로 처벌된다(제31조 제1항). 여기서 동일한 형이란 법정형을 말하는 것이지 처단형이나 선고형을 의미하는 것은 아니므로 구체적인 형량에 있어서는 교사범과 정범 사이에 차이가 있을 수 있다. 15. 사시, 16. 순경 1차

② **제34조 제2항**(특수교사) : 자기의 지휘·감독을 받는 자를 교사하여 결과를 발생하게 한 자는 교사인 때에는 정범에 정한 형의 장기 또는 다액에 그 2분의 1까지 가중한다(정범의 형으로 처벌한다 ×). 21. 9급 검찰·마약수사·철도경찰

관련판례

1. • 자기의 형사피고사건에 관한 증거를 인멸(위조, 은닉)하기 위하여 타인을 교사하여 죄를 범하게 한 자는 증거인멸죄(증거위조죄, 증거은닉죄)의 교사범이다(대판 2000.3.24, 99도5275 ; 대판 2011.2.10, 2010도15986 ; 대판 2016.7.29, 2016도5596). 18. 법원직·경찰승진, 20. 경찰간부, 23. 7급 검찰
   • 범인이 자신을 위하여 타인으로 하여금 허위의 자백을 하게 하여 범인도피죄를 범하게 하는 행위는 방어권의 남용으로 범인도피교사죄에 해당하고, 그 타인이 형법 제151조 제2항에 의하여 처벌을 받지 아니하는 친족 또는 동거 가족에 해당하는 경우에도 마찬가지이다(대판 2006.12.7, 2005도3707 예 무면허 운전으로 사고를 낸 사람이 동생을 경찰서에 대신 출두시켜 피의자로 조사받도록 한 행위 ⇨ 범인도피교사죄 ○). 17. 경찰승진, 18. 9급 검찰·철도경찰, 21. 경찰간부·해경간부·해경 1차, 23. 변호사시험
   • 자기의 형사사건에 관하여 타인을 교사하여 위증죄를 범하게 하는 것은 방어권을 남용하는 것으로 위증죄의 교사범이 성립한다(대판 2004.1.27, 2003도5114). 17. 변호사시험, 26. 경찰승진
   • 피무고자의 교사 혹은 방조하에 제3자가 피무고자에 대한 허위의 사실을 신고한 경우 피무고자에게 무고의 교사죄 혹은 방조죄가 성립한다(대판 2008.10.23, 2008도4852). 17. 변호사시험·순경 1차·순경 2차, 19. 법원행시, 22. 법원직, 24. 해경경위
   • 甲이 乙을 모해할 목적으로 丙에게 위증을 교사하였다면, 정범인 丙이 모해의 목적 없이 위증하였더라도 甲은 모해위증교사죄의 죄책을 진다(대판 1994.12.23, 93도1002). 16. 변호사시험, 17. 경찰간부, 18. 경찰승진

2. ① 교사범이란 정범인 피교사자로 하여금 범죄를 결의하게 하여 그 죄를 범하게 한 때에 성립하므로, 교사자의 교사행위에도 불구하고 피교사자가 범행을 승낙하지 아니하거나 피교사자의 범행결의가 교사자의 교사행위에 의하여 생긴 것으로 보기 어려운 경우에는 이른바 실패한 교사로서 형법 제31조 제3항에 의하여 교사자를 음모 또는 예비에 준하여 처벌할 수 있을 뿐이다(대판 2013.9.12, 2012도2744). 21. 법원직·경찰간부, 23. 경찰승진·법원행시·순경 1차

   ② 피교사자가 교사자의 교사행위 당시에는 일응 범행을 승낙하지 아니한 것으로 보여진다 하더라도 이후 그 교사행위에 의하여 범행을 결의한 것으로 인정되는 이상 교사범의 성립에는 영향이 없다(대판 2013.9.12, 2012도2744). 17. 순경 2차, 18. 7급 검찰, 19. 경찰간부, 22. 경찰승진·순경 1차, 23. 법원행시·9급 검찰·마약수사·철도경찰, 24. 해경경위

③ 피고인이 결혼을 전제로 교제하던 甲의 임신 사실을 알고 수회에 걸쳐 낙태를 권유하였다가 거부 당하자, 甲에게 출산 여부는 알아서 하되 아이에 대한 친권을 행사할 의사가 없다고 하면서 낙태할 병원을 물색해 주기도 하였는데, 그 후 甲이 피고인에게 알리지 아니한 채 자신이 알아본 병원에서 낙태시술을 받은 경우, 피고인의 낙태교사행위와 甲의 낙태결의 사이에 인과관계가 단절되는 것은 아니므로 피고인에게 낙태교사죄가 성립한다(대판 2013.9.12, 2012도2744). 15. 법원행시·순경 3차, 17. 경찰승진

3. 교사범이 그 공범관계로부터 이탈하기 위해서는 피교사자가 범죄의 실행행위에 나아가기 전에 교사범에 의하여 형성된 피교사자의 범죄 실행의 결의를 해소하는 것이 필요하다(대판 2012.11.15, 2012도7407 **예** 교사자인 피고인이 피교사자에게 피해자의 불륜관계를 이용하여 공갈할 것을 교사하였는데, 그 후 피교사자가 피해자를 미행하여 동영상을 촬영한 후 그 촬영 결과를 알리자, 피교사자에게 전화를 걸어 돈을 줄테니 동영상을 넘기고 피해자를 공갈하는 것을 단념하라고 만류하였으나 피교사자가 피고인의 제안을 거절하고 동영상을 이용하여 피해자를 공갈한 경우 ⇨ 공갈죄의 교사범 O' ∵ 피고인의 교사행위와 공소외인이 공갈행위 사이에 상당인과관계 인정 O, 피고인이 공범관계에서 이탈 ×). 19. 7급 검찰, 20. 해경승진, 21. 해경간부, 23. 경찰승진, 24. 9급 검찰·마약수사·철도경찰·순경 1차

4. 피해자를 정신차릴 정도로 때려 주라고 한 것은 상해죄의 교사에 해당한다(대판 1997.6.24, 97도1075). 16. 경찰승진, 17. 순경 1차, 21. 법원직

5. 甲이 乙을 교사하여 자기의 형사사건에 관한 증거를 변조하도록 하였더라도, 乙이 甲과 공범관계에 있는 형사사건에 관한 증거를 변조한 것에 해당하여 乙이 증거변조죄로 처벌되지 않는 경우, 증거변조죄의 간접정범은 물론 교사범도 성립하지 않는다(대판 2011.7.14, 2009도13151). 17. 변호사시험, 21. 경찰간부

6. 절도의 습벽이 있던 자에게 드라이버를 사주면서 절도를 하라고 교사한 경우 절도죄의 교사범이다(대판 1991.5.14, 91도542 ∵ 교사범의 교사가 정범이 죄를 범한 유일한 조건일 필요는 없으므로, 교사행위에 의하여 정범이 실행을 결의하게 된 이상 비록 정범에게 범죄의 습벽이 있어 그 습벽과 함께 교사행위가 원인이 되어 정범이 범죄를 실행한 경우에도 교사범이 성립됨). 14. 9급 철도경찰, 16. 경찰승진·사시

7. 치과의사가 환자의 대량유치를 위해 치과기공사들에게 내원환자들에게 진료행위를 하도록 지시하여 동인들이 각 단독으로 전항과 같은 진료행위를 하였다면 무면허의료행위의 교사범에 해당한다(대판 1986.7.8, 86도749). 15. 경찰승진

8. 공범 중 1인이 그 범행에 관한 수사절차에서 참고인 또는 피의자로 조사받으면서 자기의 범행을 구성하는 사실관계에 관하여 허위로 진술하고 허위 자료를 제출하는 것은 자신의 범행에 대한 방어권행사의 범위를 벗어난 것으로 볼 수 없어, 이러한 행위가 다른 공범을 도피하게 하는 결과가 된다고 하더라도 범인도피죄로 처벌할 수 없다. 이때 공범이 이러한 행위를 교사하였더라도 범죄가 될 수 없는 행위를 교사한 것에 불과하여 범인도피교사죄가 성립하지 않는다(대판 2018.8.1, 2015도20396). 20. 변호사시험·경찰승진

9. 의사가 아닌 甲이 丙을 교사하여 丙으로 하여금 의사인 乙과 공모하여 허위진단서를 작성케 한 경우 허위진단서작성죄의 교사범이다(대판 1967.1.24, 66도1586). 11. 경찰승진, 14. 9급 철도경찰

10. 대리응시자를 시험장에 입장하도록 교사한 행위는 주거침입교사죄가 성립된다(대판 1967.12.19, 67도1281). 09. 경찰승진, 21. 법원직

11. 관세법 제198조 제3항은 몰수할 물품의 전부 또는 일부를 몰수할 수 없을 때에는 그 몰수할 수 없는 물품의 범칙 당시의 국내 도매가격에 상당한 금액을 범인으로부터 추징한다라고 규정하고 있는바 여기서 말하는 범인의 범위는 공동정범자뿐만 아니라 종범 또는 교사범도 포함된다(대판 1985.6.25, 85도652). 21. 법원행시

12. (위법한) 함정수사란 본래 범의를 가지고 있지 않는 자에 대해 수사기관이 사술이나 계략 등을 써서 범죄를 유발케 하여 범죄인을 검거하는 수사방식을 말한다(대판 1987.6.9, 87도915). 따라서 범의를 가진 자에게 범행기회를 주거나 범행을 용이하게 한 것에 불과한 경우는 위법한 함정수사라 할 수 없다(대판 1992.10.27, 92도1377). 14. 법원직

13. 甲은 乙에게 절도를 교사하였던바, 乙은 다시 丙을 교사하여 절도케 한 경우 甲은 절도의 교사범이다(대판 1974.1.29, 73도3104). ⇨ 간접교사의 가벌성 인정 05. 법원행시

14. 피고인이 지방행정서기를 교사하여 무허가건물을 허가받은 건축물인 것처럼 가옥대장 등에 등재케 하였다면 허위공문서작성죄의 교사범이 성립한다(대판 1983.12.13, 83도1458). 09. 경찰승진

15. 소년에게 단순히 밥값을 구해 오라고 말한 것이 절도범행을 교사한 것이라고는 볼 수 없다(대판 1984.5.15, 84도418). 08. 경찰승진

16. 피고인이 甲을 시켜서 乙에게 군무를 기피하게 하기 위하여 부대를 이탈하도록 권유하여 乙은 이러한 권유를 받고서 부대를 이탈할 생각이 나서 소속부대를 이탈한 것이라면 피고인은 乙의 군무이탈에 대하여 교사죄의 책임이 있다(대판 1967.3.21, 67도123).

17. 부정임산물의 제재를 업으로 하는 자에게 백송을 도벌하여 해태상자를 만들어 달라고 하면서 도벌자금을 제공한 때에는 산림법 위반죄의 교사가 된다(대판 1969.4.22, 69도255).

01 다음 보기 중 교사범에 대한 설명으로 옳은 것은 모두 몇 개인가? (다툼이 있는 경우 판례에 의함)

25. 해경경사

> ㉠ 甲이 乙에게 A의 자동차를 강취할 것을 교사하였으나 乙이 A의 자동차를 절취한 경우 甲은 절도죄의 교사범으로 처벌된다.
> ㉡ 실패한 교사는 교사자만 예비·음모에 준하여 처벌한다.
> ㉢ 피교사자가 이미 범죄의 결의를 가지고 있는 때에는 교사범이 성립할 여지가 없다.
> ㉣ 자기의 형사사건에 관한 증거를 인멸하기 위하여 타인을 교사하여 죄를 범하게 한 경우 증거인멸교사죄가 성립한다.
> ㉤ 甲이 乙에게 A의 주거에 침입할 것을 교사했는데 乙이 A의 승낙을 얻어 정당하게 주거에 들어간 경우 공범종속성설 중 제한적 종속형식에 의하면 甲은 주거침입죄의 교사범이 성립하지 않는다.
> ㉥ 형법은 '교사'를 실패한 교사와 효과 없는 교사로 나누고 전자의 경우에만 처벌한다.

① 3개 ② 4개 ③ 5개 ④ 6개

해설 ㉠ × : 절도죄의 교사범과 강도예비·음모죄의 상상적 경합 ⇨ 강도예비·음모죄로 처벌
㉡ ○ : 제31조 제3항 ㉢ ○ : 대판 1991.5.14, 91도542
㉣ ○ : 대판 2000.3.24, 99도5275
㉤ ○ : 제한종속형식에 의하면 정범(乙)의 행위가 구성요건에 해당하고 위법성까지 갖추어야 교사범이 성립하는데, 乙의 행위는 애초에 구성요건에도 해당 ×
㉥ × : 형법은 실패한 교사(제31조 제3항)와 효과 없는 교사(제31조 제2항) 둘 다 처벌한다.

02 교사범에 대한 설명으로 옳은 것(○)과 옳지 않은 것(×)을 순서대로 바르게 나열한 것은?(다툼이 있는 경우 판례에 의함)

18. 9급 철도경찰

> ㉠ 미수의 교사는 기수의 고의가 없으므로 교사자의 가벌성은 부인된다.
> ㉡ 교사자가 중상해를 교사하였는데 피교사자가 살인을 실행한 경우 교사자에게 사망의 예견가능성이 있었다면 살인죄의 교사범이 성립한다.
> ㉢ 교사자가 강도를 교사하였는데 피교사자가 강간을 실행한 경우 교사자는 불가벌이 된다.
> ㉣ 교사자가 강간을 교사하였는데 피교사자가 강도를 실행한 경우 교사자는 불가벌이 된다.

① ㉠(○), ㉡(○), ㉢(○), ㉣(×)
② ㉠(×), ㉡(○), ㉢(○), ㉣(○)
③ ㉠(○), ㉡(×), ㉢(×), ㉣(×)
④ ㉠(○), ㉡(×), ㉢(○), ㉣(×)

Answer 01. ② 02. ③

해설 ㉠ ○ : 대판 1987.6.9, 87도915
㉡ × : ~ 있었다면 상해치사죄(살인죄 ×)의 교사범이 될 수 있다(대판 2002.10.25, 2002도4089).
㉢ × : 교사의 착오 중 질적 초과 ⇨ 강도죄의 예비·음모(가벌 : 제343조)
㉣ × : 교사의 착오 중 질적 초과 ⇨ 강간죄의 예비·음모(가벌 : 제305조의 3)

03 甲의 죄책에 관한 설명 중 옳지 않은 것은?(다툼이 있는 경우 판례에 의함) 17. 변호사시험

① 甲이 자기의 형사사건에 관하여 乙을 교사하여 위증죄를 범하게 한 경우, 위증죄의 교사범이 성립한다.

② 甲이 乙을 교사하여 甲 자신이 형사처분을 받을 목적으로 수사기관에 대하여 乙이 甲에 대한 허위의 사실을 신고하도록 한 경우, 무고죄의 교사범이 성립한다.

③ 甲이 乙을 교사하여 자기의 형사사건에 관한 증거를 변조하도록 하였더라도, 乙이 甲과 공범관계에 있는 형사사건에 관한 증거를 변조한 것에 해당하여 乙이 증거변조죄로 처벌되지 않는 경우, 증거변조죄의 간접정범은 물론 교사범도 성립하지 않는다.

④ 공무원이 아닌 甲이 관공서에 허위 내용의 증명원을 제출하여 그 내용이 허위인 정을 모르는 담당 공무원 乙로부터 그 증명원 내용과 같은 증명서를 발급받은 경우, 공문서위조죄의 간접정범이 성립하지 않는다.

⑤ 무면허로 운전하다가 교통사고를 낸 甲이 동거하고 있는 동생 乙을 경찰서에 대신 출석시켜 자신을 위하여 허위의 자백을 하게 하여 범인도피죄를 범하게 한 경우, 범인도피죄의 교사범이 성립하지 않는다.

해설 ① 대판 2004.1.27, 2003도5114 ② 대판 2008.10.23, 2008도4852 ③ 대판 2011.7.14, 2009도13151
④ 대판 2001.3.9, 2000도938 ⑤ × : 범인도피죄의 교사범 ○(대판 2006.12.7, 2005도3707)

04 교사범에 대한 다음 설명 중 가장 옳은 것은?(다툼이 있는 경우 판례에 의함) 18. 법원직

① 자신의 형사사건에 관한 증거은닉 행위는 피고인의 방어권을 인정하는 취지와 상충하여 처벌의 대상이 되지 아니하므로 자신의 형사사건에 관한 증거은닉을 위하여 타인에게 도움을 요청하는 행위는 언제나 증거은닉교사죄로 처벌되지 아니한다.

② 피교사자의 범행결의가 교사자의 교사행위에 의하여 생긴 것으로 보기 어려운 경우에는 실패한 교사로서 교사자를 음모 또는 예비에 준하여 처벌할 수 있을 뿐이다.

③ 교사범의 교사가 정범이 죄를 범한 유일한 조건일 필요는 없으나, 정범에게 범죄의 습벽이 있어 그 습벽과 함께 교사행위가 원인이 되어 정범이 범죄를 실행한 경우에도 교사행위와 정범의 범죄실행 사이에 인과관계가 단절되어 교사범이 성립할 여지가 없다.

④ 변호사 사무실 직원인 피고인 甲이 법원공무원인 피고인 乙에게 부탁하여, 공무상 비밀에 해당하는 수사 중인 사건의 체포영장 발부자 명단을 누설받았다면, 피고인 甲의 행위는 공무상 비밀누설교사죄에 해당한다.

Answer 03. ⑤ 04. ②

해설 ① × : 자신의 형사사건에 관한 증거은닉(인멸)을 위하여 타인에게 도움을 요청하는 행위는 원칙적으로 처벌하지 아니하나, 그것이 방어권의 남용이라고 볼 수 있을 때는 증거은닉(인멸)교사죄로 처벌할 수 있다(대판 2016.7.29, 2016도5596).
② ○ : 대판 2013.9.12, 2012도2744
③ × : 교사범의 교사가 정범이 죄를 범한 유일한 조건일 필요는 없으므로, 교사행위에 의하여 정범이 실행을 결의하게 된 이상 비록 정범에게 범죄의 습벽이 있어 그 습벽과 함께 교사행위가 원인이 되어 정범이 범죄를 실행한 경우에도 교사범의 성립에 영향이 없다(대판 1991.5.14, 91도542).
④ × : 공무상 비밀누설교사죄 ×(대판 2011.4.28, 2009도3642)

05 교사범에 대한 설명으로 옳지 않은 것은?(다툼이 있는 경우 판례에 의함) 21. 9급 철도경찰
① 피교사자가 이미 교사한 범죄와 동일한 범죄의 결의를 가지고 있을 때에는 교사범이 성립할 여지가 없다.
② 甲이 乙에게 A를 살해할 것을 교사하고 乙이 이를 승낙하고도 실행의 착수에 이르지 아니하였다면 甲은 처벌되지 아니한다.
③ 甲이 乙에게 乙의 어머니 물건을 훔치도록 교사한 경우 정범인 乙이 처벌되지 아니하더라도 甲은 절도죄의 교사범으로 처벌된다.
④ 자기의 지휘·감독을 받는 자를 교사하여 범죄행위의 결과를 발생하게 한 때에는 정범에 정한 형의 장기 또는 다액의 2분의 1까지 가중한다.

해설 ① 대판 1991.5.14, 91도542
② × : ~ 甲은 살인의 예비·음모에 준하여 처벌된다(제31조 제2항).
③ 신분관계가 없는 공범에 대하여는 친족상도례의 규정을 적용하지 아니한다(제328조 제3항).
④ 제34조 제2항

06 다음 설명 중 가장 옳은 것은?(다툼이 있는 경우 판례에 의함) 21. 법원직
① 교사범이란 정범인 피교사자로 하여금 범죄를 결의하게 하여 그 죄를 범하게 한 때에 성립하므로, 교사자의 교사행위에도 불구하고 피교사자가 범행을 승낙하지 아니하거나 피교사자의 범행결의가 교사자의 교사행위에 의하여 생긴 것으로 보기 어려운 경우에는 이른바 실패한 교사로서 형법 제31조 제3항에 의하여 교사자를 음모 또는 예비에 준하여 처벌할 수 있을 뿐이다.
② 교사자가 피교사자에게 피해자를 "정신차릴 정도로 때려 주라."고 교사하였다는 사정만으로는 상해에 대한 교사로 보기까지는 어렵다.
③ 막연히 "범죄를 하라."거나 "절도를 하라."고 하는 등의 행위만으로는 교사행위가 되기에 부족하므로, 교사범이 성립하기 위해서는 범행의 일시, 장소, 방법 등의 사항을 특정하여 교사하여야 한다.
④ 대리응시자들의 시험장 입장이 시험관리자의 승낙 또는 그 추정된 의사에 반한 불법침입이라 하더라도, 이와 같은 침입을 교사한 사람에게 주거침입교사죄가 성립된다고 볼 수는 없다.

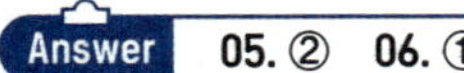

[해설] ① ○ : 대판 2013.9.12, 2012도2744
② × : 교사자가 피교사자에게 피해자를 "정신차릴 정도로 때려 주라."고 교사하였다면 이는 상해에 대한 교사로 봄이 상당하다(대판 1997.6.24, 97도1075).
③ × : ~ (1줄) 되기에 부족하나, 교사범이 성립하기 위해서는 범행의 일시, 장소, 방법 등의 사항을 특정하여 교사할 필요는 없다(대판 1991.5.14, 91도542).
④ × : 대리응시자를 시험장에 입장하도록 교사한 행위는 주거침입교사죄가 성립된다(대판 1967.12.19, 67도1281).

07 다음 중 교사범에 관한 설명으로 옳지 않은 것은 모두 몇 개인가?(다툼이 있는 경우 판례에 의함)

21. 해경간부

> ㉠ 교사를 받은 자가 범죄의 실행을 승낙하고 실행의 착수에 이르지 아니한 때 교사자의 경우 음모 또는 예비에 준하여 처벌한다.
> ㉡ 교사행위에 의하여 피교사자가 범죄 실행을 결의하게 되었다고 하더라도 피교사자에게 다른 원인이 있어 범죄를 실행한 경우에는 교사범이 성립하지 않는다.
> ㉢ 甲은 乙에게 A를 공갈할 것을 교사하였으나, 이후 乙에게 범행에 나아갈 것을 만류하였다. 그럼에도 乙은 甲의 제안을 거절하고 A를 공갈하여 재물을 교부받은 경우, 비록 甲의 만류행위가 있었으나, 乙이 명시적으로 거절하고 당초와 같은 범죄실행의 결의를 그대로 유지한 것이므로 甲이 공범관계에서 이탈한 것으로 볼 수 없다.
> ㉣ 甲이 乙에게 A의 자전거를 절취할 것을 교사했는데 乙은 A의 승낙을 얻어 자전거를 임차한 경우 공범종속성설 중 제한적 종속형식에 의하면 甲은 절도죄의 교사범이 성립하지 않는다.
> ㉤ 甲이 乙에게 허위의 자백을 하게 하여 자신을 도피시킨 경우 범인 자신을 도피시키는 행위는 처벌되지 않으므로 甲을 범인도피죄의 교사범으로 처벌할 수 없다.
> ㉥ 甲은 乙에게 절도를 교사한 후, 乙은 다시 丙을 교사하여 절도의 범행에 나아가게 한 경우 甲은 절도의 교사범에 해당한다.
> ㉦ 甲이 이미 흉기휴대 특수강도를 결심하고 있는 乙을 설득하여 단순강도를 범하도록 한 경우 甲은 단순강도죄의 교사범으로 처벌된다.

① 2개　　　　② 3개　　　　③ 4개　　　　④ 5개

[해설] ㉠ ○ : 제31조 제2항
㉡ × : ~ 성립한다(대판 1991.5.14, 91도542).
㉢ ○ : 대판 2012.11.15, 2012도7407
㉣ ○ : 乙의 행위는 구성요건에 해당하지 않아〔∵ A의 승낙 ⇨ 구성요건해당성 조각(양해)〕 제한적 종속형식에 의하면 甲은 절도죄의 교사범이 성립하지 않는다.
㉤ × : 범인도피죄의 교사범 ○(대판 2000.3.24, 2000도20 ∵ 방어권의 남용 ○)
㉥ ○ : 연쇄교사도 교사범에 해당한다.
㉦ × : 이미 중한 범죄(특수강도)의 결의를 가지고 있는 자에게 그 결의보다 경미한 죄(단순강도)를 범하도록 교사한 경우에는 교사범은 성립되지 않고 방조범이 성립될 뿐이다.

Answer　07. ②

제5절   종범(방조범)

> **제32조【종범】** ① 타인의 범죄를 방조한 자는 종범으로 처벌한다.
> ② 종범의 형은 정범의 형보다 감경한다(감경할 수 있다 ×).

1 의 의

종범이란 타인(정범)의 범죄를 방조한 자를 말하며 방조범이라고도 한다. 이때 정범은 단독정범이든 공동정범이든 불문한다.

Q 형법 각칙에 방조행위가 독립된 구성요건으로 규정된 경우

방조행위 자체가 독립한 범죄유형으로 규정되어 있는 경우에는 그 방조행위가 정범의 실행행위가 되므로 총칙상의 공범이 아니다. 따라서 제32조의 종범규정이 적용되지 않아 필요적 감경의 대상도 아니다. 14. 사시 **예** 간첩방조죄(제98조 제1항), 도주원조죄(제147조), 자살방조죄(제252조 제2항), 아편흡식 등 장소제공죄(제201조 제2항)

관련판례

1. 간첩방조죄는 정범인 간첩죄와 대등한 독립죄로서 간첩죄와 동일한 법정형으로 처단하게 되어 있어 형법 총칙 제32조 소정의 감경대상이 되는 종범과는 그 실질이 달라 종범감경을 할 수 없다(대판 1986.9.23, 86도1429). 21. 법원행시
2. 공동정범은 공동의사에 의한 기능적 행위지배가 있음에 반하여 종범은 그 행위지배가 없는 점에서 양자가 구별된다(대판 1989.4.11, 88도1247). 06. 사시

2 종범의 성립요건

(1) 종범의 방조행위

종범(방조범)이 성립하기 위해서는 종범에게 방조행위가 있어야 하며, 종범의 방조행위는 종범의 고의를 전제로 한다.

① **종범의 고의** : 2중의 고의

관련판례

1. 형법상 방조행위는 정범이 범행을 한다는 정을 알면서 그 실행행위를 용이하게 하는 직접·간접의 행위를 말하므로, 방조범은 정범의 실행을 방조한다는 이른바 방조의 고의와 정범의 행위가 구성요건에 해당하는 행위인 점에 대한 정범의 고의가 있어야 하나, 방조범에 있어서 정범의 고의는 정범에 의하여 실현되는 범죄의 구체적 내용을 인식할 것을 요하는 것은 아니고 미필적 인식 또는 예견으로 족하다(대판 2005.4.29, 2003도6056). 정범이 범하는 범죄의 일시, 장소, 객체 등을 구체적으로 인식할 필요가 없으며, 나아가 정범이 누구인지 확정적으로 인식할 필요도 없다(대판 2007.12.14, 2005도872). 21. 법원직, 22. 해경간부·변호사시험·순경 1차·7급 검찰, 25. 9급 철도경찰·해경경위공채, 26. 경찰승진

2. 초과주관적 위법요소로서 목적범의 목적의 경우 방조범에게도 정범이 어떤 목적으로 행위를 한다는 점에 대한 고의가 있어야 하나, 그 목적의 구체적인 내용까지 인식할 것을 요하는 것은 아니다(대판 2022.10.27, 2020도12563). 23. 순경 1차

3. 방조범에게 요구되는 정범 등의 고의는 정범에 의하여 실현되는 범죄의 구체적 내용을 인식해야 하는 것은 아니고 미필적 인식이나 예견으로 충분하지만, 이는 정범의 범행 등의 불법성에 대한 인식이 필요하다는 점과 모순되지 않는다(대판 2022.6.30, 2020도7866). 24. 변호사시험

ㄱ 방조는 고의에 의한 것이어야 하므로 **과실에 의한 방조**는 불가능하나, **과실범에 대한 방조**는 간접정범으로 처벌될 수 있다(제34조 제1항). 16. 경찰간부, 19. 경찰승진, 20. 해경승진, 21. 해경 1차

ㄴ **미수의 방조** : 종범의 고의 중 정범의 고의는 **기수의 고의**(정범이 범죄를 완성, 즉 구성요건적 결과를 실현한다는 점에 대한 인식과 의사)이어야 한다. 따라서 정범의 행위가 미수에 그칠 것을 알면서 방조하는 경우('미수의 방조')에는 종범이 성립하지 않는다.

ㄷ **편면적 방조** : 종범이 성립하기 위하여 종범(방조자)과 정범(피방조자) 사이에 의사의 연락을 요하지 아니한다. 따라서 **정범이 방조행위를 인식하지 못하는 소위 '편면적 종범'은 인정된다**(통설, 대판 1974.5.28, 74도509 ▶ 주의 : 편면적 종범에서도 정범의 범죄행위 없이 방조범만이 성립될 수 없다). 16. 7급 검찰·철도경찰, 21. 변호사시험, 22. 해경간부

🔑 Key Point

편면적 공동정범, 편면적 교사 ⇨ 부정, 편면적 종범 ⇨ 인정 16. 경찰간부, 21. 해경승진·해경 1차

② **방조행위** : **방조란** 정범의 구체적인 범행준비나 범행사실을 **알고** 그 실행행위를 가능·촉진·용이하게 하는 **지원행위** 또는 정범의 **범죄행위가 종료하기 전에 정범에 의한 법익 침해를 강화·증대시키는** 행위로서, 정범의 범죄 실현과 밀접한 관련이 있는 행위를 말한다(대판 2022. 6.30, 2020도7866).

ㄱ **방조행위의 수단·방법** : 방조의 수단·방법에는 제한이 없다. 형법상 방조행위는 정범이 범행을 한다는 정을 알면서 그 실행행위를 용이하게 하는 직접·간접의 모든 행위를 가리키는 것으로서 그 방조는 **유형적·물질적인 방조**뿐만 아니라 정범에게 범행의 결의를 강화하도록 하는 것과 같은 **무형적·정신적 방조**행위까지도 이에 해당한다(대판 1997.1.24, 96도2427). 또한 형법상 방조는 **작위**에 의하여 정범의 실행을 용이하게 하는 경우는 물론, 법률상(직무상) 정범의 범행을 방지할 의무가 있는 자가 그 범행을 알면서도 방지하지 아니하여 범행을 용이하게 한 때에는 **부작위**에 의한 종범이 성립한다(대판 1996.9.6, 95도2551). 17. 9급 철도경찰, 20. 해경승진, 21. 해경 1차, 22. 변호사시험·해경간부·법원행시·순경 1차

예 백화점에서 검품 등 상품관리를 담당하는 백화점 직원이 자신이 관리하는 백화점 입점점포의 위조상표 부착 상품 판매사실을 알고도 방치한 행위는 부작위에 의한 상표법위반과 부정경쟁방지 및 영업비밀보호에 관한 법률 위반의 방조(공동정범 ×)에 해당한다(대판 1997.3.14, 96도1639). 16. 사시, 21. 경찰간부

ⓛ **방조행위의 시기** : 예비로부터 범행의 실질적 종료시까지 방조가 가능하다. 방조범은 정범의 실행행위 중에 이를 방조하는 경우뿐만 아니라, 실행의 착수 전에 장래의 실행행위를 예상하고 이를 용이하게 하는 행위를 하여 방조한 경우에도 정범이 그 실행행위에 나아갔다면 성립한다(대판 1997.4.17, 96도3377). 17. 경찰간부·순경 2차, 20. 법원직·해경 1차, 23. 9급 검찰·마약수사·철도경찰·7급 검찰, 25. 경찰승진·순경 1차·해경경위공채

관련판례

1. 간호보조원의 무면허진료행위가 있은 후에 이를 의사가 그 환자의 계속진료에 참고하기 위해 작성되는 진료부에 기재하는 행위는 정범의 실행행위 종료 후의 단순한 사후행위에 불과하다고 볼 수는 없으므로 무면허의료행위의 방조에 해당한다(대판 1982.4.27, 82도122). 20. 9급 검찰·마약수사·철도경찰·법원직, 21. 경찰간부, 22. 경찰승진

2. 甲은 보이스피싱 사기 범행에 사용된다는 사정을 알면서도 유령법인 설립, 그 법인 명의 계좌 개설 후 그 접근매체를 乙에게 전달·유통하는 등의 행위(유형적·물질적 방조행위)를 계속하였고, 보이스피싱 조직원의 제안에 따라 이른바 '전달책' 역할을 승낙(무형적·정신적 방조행위)하였다면, 甲은 '전달책'으로서 실행행위를 한 시기에 관계없이 사기죄의 종범에 해당한다(대판 2022.4.14, 2022도649). 23. 순경 2차

Q 사후종범 : 종범은 정범의 실행행위 중에 이를 방조하는 경우뿐만 아니라, 실행 착수 전에 장래의 실행행위를 예상하고 이를 용이하게 하는 것을 말한다. 따라서 정범의 범죄종료 후의 이른바 사후방조를 종범이라고 볼 수는 없다(대판 2009.6.11, 2009도1518). 20. 법원직, 21. 9급 검찰·마약수사·철도경찰, 24. 경력채용

예 • 범인은닉죄(제151조), 증거인멸죄(제155조), 장물에 관한 죄(제362조)
 • 절취해 온 장물을 처분해 준 경우 ⇨ 절도죄의 종범 ×, 장물죄 ○

ⓒ **방조행위의 인과관계** : 방조범은 정범에 종속하여 성립하는 범죄이므로 방조행위와 정범의 범죄 실현 사이에는 인과관계가 필요하다. 방조범이 성립하려면 방조행위가 정범의 범죄 실현과 밀접한 관련이 있고 정범으로 하여금 구체적 위험을 실현시키거나 범죄결과를 발생시킬 기회를 높이는 등으로 정범의 범죄 실현에 현실적인 기여를 하였다고 평가할 수 있어야 한다. 정범의 범죄 실현과 밀접한 관련이 없는 행위를 도와준 데 지나지 않는 경우에는 방조범이 성립하지 않는다(대판 2021.9.16, 2015도12632). 23. 해경간부, 24. 변호사시험·법원직·경력채용, 26. 경찰승진

정범의 실행행위 중에 이를 용이하게 하는 경우뿐만 아니라 정범의 실행착수 전에 장래의 실행행위를 예상하고 이를 용이하게 하는 경우에도 방조행위로서 정범의 실행행위에 대한 인과관계를 인정할 수 있다(대판 2021.9.9, 2017도19025 전원합의체). 19. 7급 검찰, 23. 경찰승진, 24. 9급 검찰·마약수사·철도경찰

관련판례

1. 입영기피를 결심한 자에게 "잘 되겠지, 몸조심해라."고 악수를 나누는 정도의 행위는 입영기피의 범죄의사를 강화시킨 방조행위로 볼 수 없다(대판 1983.4.12, 82도43). 14. 9급 철도경찰, 16. 사시·경찰승진

2. 웨이터가 미성년자를 홀 출입구까지 안내한 행위는 미성년자를 클럽에 출입시킨 행위 또는 그 방조행위로 볼 수 없다(대판 1984.8.21, 84도781 ∵ 미성년자인 여부의 판단과 출입허용 여부는 2층 출입구에서 주인이 결정함). 14. 9급 철도경찰, 16. 경찰승진, 21. 법원행시

3. 간첩이란 정을 알면서 숙식을 제공하거나, 간첩의 심부름으로 안부편지나 사진을 전달하거나, 무전기를 매몰하는 데 망을 보아 준 것만으로는 간첩방조죄가 될 수 없다(대판 1965.8.17, 65도383 ; 대판 1966.7.12, 66도470 ; 대판 1983.4.26, 83도416). 16. 사시, 22. 해경간부, 25. 해경경위공채

4. 피고인이 박사방 운영진의 지시에 따라 4회에 걸쳐 검색어를 입력하고 미션방과 박사방 관련 채널에 검색사실을 올려 인증한 경우 ⇨ 아동·청소년 이용 음란물 배포죄의 방조범 ×(대판 2023.10.18, 2022도15537 ∵ 피고인이 미션방에 참여하여 박사방 운영진의 지시 및 공지 내용을 인식하였다거나 검색어 자체만으로 '아동·청소년 이용 음란물 배포'의 범죄행위를 위한 것임을 알았다고 보기 어려운 이상 방조의 고의는 물론 정범의 고의가 있었다고 단정하기 어렵고, 피고인의 각 행위와 정범의 범죄 실현 사이에 밀접한 관련성 등 인과관계를 인정하거나 피고인의 각 행위가 정범의 범죄 실현에 현실적인 기여를 하였다고 단정하기 어렵다).

5. 철도노조 조합원들이 서울차량사업소에 설치된 높이 15m 가량의 조명탑 중간 대기 장소에 올라가 농성을 하자 철도노조 간부들이 위 농성을 지지하고자 조명탑 아래 천막을 설치하고, 지지집회를 개최하고, 음식물·책 등 乙과 丙이 필요로 하는 물품을 제공하거나 조명탑에 올라가 이들을 위로한 경우, 업무방해죄를 구성한다고 볼 수 없다〔대판 2023.6.29, 2017도9835 ∵ 피고인들(철도노조 간부들)의 행위가 전체적으로 보아 조명탑 점거에 일부 도움이 된 측면이 있었다고 하더라도, 조명탑 본연의 기능을 사용할 수 없게 함으로써 야간 입환 업무를 방해한다는 정범들(철도노조 조합원들)의 범죄에 대한 지원행위 또는 그 법익 침해를 강화·증대시키는 행위로서 정범들의 범죄 실현과 밀접한 관련이 있는 행위에 해당한다고 단정하기 어렵다. 따라서 피고인들의 행위는 방조범의 성립을 인정할 정도로 업무방해 행위와 인과관계가 있다고 볼 수 없다〕.

(2) 정범의 실행행위

종범이 성립하기 위해서는 공범종속성설(다수설·판례)에 따를 때 정범의 실행행위가 있어야 한다.

관련판례

1. 방조죄는 정범의 범죄에 종속하여 성립하는 것으로서 방조의 대상이 되는 정범의 실행행위의 착수가 없는 이상 방조죄만이 독립하여 성립될 수 없다(대판 1979.2.27, 78도3113). 21. 법원행시·9급 검찰

   예 정범이 강도의 예비행위를 할 때 방조행위가 행해졌고 그 후에 정범이 강도의 실행에 착수하지 못했다면 방조자는 강도예비죄의 종범으로 처벌할 수 없다(대판 1976.5.25, 75도1549). 15. 변호사시험, 19. 경찰간부, 20. 9급 검찰·마약수사·철도경찰

2. 병원 원장인 피고인 甲 등이 乙 등에게 허위의 입·퇴원확인서를 작성한 후 교부하여, 乙 등이 보험회사로부터 보험금을 편취하는 것을 방조하였다는 내용으로 기소된 경우, 정범인 乙 등의 범죄가 성립되지 않는 이상 방조범에 불과한 피고인 甲 등의 범죄도 성립될 수 없다(대판 2017.5.31, 2016도12865). 21. 7급 검찰

3. 종범의 범죄는 정범의 범죄에 종속하여 성립하는 것이므로 사기방조죄는 정범인 본범의 사기 또는 사기미수의 증명이 없으면 사기방조죄가 성립할 수 없다(대판 1970.3.10, 69도2492).

4. 인터넷 게임사이트의 온라인게임에서 통용되는 사이버머니를 구입하고자 하는 사람을 유인하여 돈을 받고 위 게임사이트에 접속하여 일부러 패하는 방법으로 사이버머니를 판매한 사람에 대하여, 정범인 위 게임사이트 개설자의 도박개장행위를 인정할 수 없는 이상 종범인 도박개장방조죄도 성립하지 않는다(대판 2007.11.29, 2007도8050). 11. 사시

---

① **피방조자(정범)는 고의범일 것** : 피방조자(정범)의 행위는 고의행위임을 요한다. 즉, 정범은 고의범이어야 하므로 과실범을 방조하는 경우에는 간접정범이 성립한다(제34조 제1항). 22. 해경간부

② **정범의 실행행위** : 다수설(제한적 종속형식)에 따를 때 정범의 실행행위는 구성요건에 해당하고 위법성이 있으면 족하며, 책임성까지 갖출 필요는 없다.

③ **기도된 방조** : 실행의 착수가 없는 기도된 방조(실패한 방조 + 효과 없는 방조)는 교사범(제31조 제2항·제3항)과는 달리 처벌규정이 없어서 처벌할 수 없다. 10. 사시

> **Key Point**
>
> - 기도된 교사(실패한 교사 + 효과 없는 교사) : 예비·음모로 처벌(제31조 제2항·제3항)
> - 기도된 방조(실패한 방조 + 효과 없는 방조) : 불가벌(처벌규정 없음) 16. 경찰간부, 17. 경찰승진, 21. 해경 1차, 22. 해경간부, 24. 경위공채

④ **예비의 방조** : 정범의 행위가 예비단계에 그친 경우에 예비의 종범이 성립할 수 없다.

> **떼** 정범이 실행의 착수에 이르지 아니한 예비의 단계에 그친 경우에는 이에 가공하는 행위가 예비의 공동정범이 될 때를 제외하고는 종범으로 처벌할 수 없다(대판 1976.5.25, 75도1549 **떼** 정범의 강도예비행위를 방조하였으나 정범이 실행의 착수에 이르지 못한 경우 ⇨ 강도예비죄의 종범 ×). 16. 경찰승진, 18. 7급 검찰, 20. 경찰간부·해경 1차, 21. 해경승진, 22. 순경 1차, 25. 9급 철도경찰

3 처벌 : 필요적 감경(임의적 감경 ×)

① 종범의 형은 정범의 형보다 감경한다(제32조 제2항). 여기서 감경한다는 것은 법정형을 정범보다 감경한다는 것이지 선고형을 감경한다는 것이 아니므로, 종범에 대한 선고형이 정범보다 가볍지 않다 하더라도 위법이라 할 수 없다(대판 2015.8.27, 2015도8408). 21. 법원직, 22. 7급 검찰, 25. 9급 철도경찰

② **제34조 제2항**(특수방조) : 자기의 지휘, 감독을 받는 자를 방조하여 범죄의 결과를 발생하게 한 자는 정범의 형으로 처벌한다(정범에 정한 형의 장기 또는 다액에 그 2분의 1까지 가중한 형으로 처벌한다 ×). 15. 변호사시험, 17. 경찰승진, 19. 순경 1차, 20. 경찰간부·해경 1차, 22. 해경간부

4 관련문제

① 종범의 착오

관련판례

방조자의 인식과 정범의 실행행위 사이에 착오가 있고 양자의 구성요건이 다른 경우에는 원칙적으로 방조자의 고의가 조각되는 것이나, 양자의 구성요건이 중첩되는 부분이 있는 경우에는 그 중복되는 한도 내에서는 방조자의 죄책이 인정된다〔대판 1985.2.26, 84도2987 **예** 甲으로서는 정범인 乙이 특정범죄 가중처벌 등에 관한 법률 제6조(관세법위반행위의 가중처벌)에 해당하는 범죄행위를 한 것을 전연 인식하지 못하고 오로지 관세법 제270조에 해당하는 관세포탈 범죄를 방조하는 것으로만 인식하였다면 甲은 구성요건이 중복되는 관세법 제270조의 종범으로서만 처벌되어야 한다〕. 19. 경력채용, 21. 7급 검찰, 24. 법원행시 · 법원직

② **기타** : 종범과 정범 사이에 한 사람 또는 여러 사람의 중간 방조자가 개입하는 간접방조나 연쇄방조도 종범이 된다(방조행위가 정범의 실행에 대하여 간접적이거나 직접적이거나를 가리지 않으며, 간접적으로 정범을 방조하는 경우 방조자에 있어 정범이 누구에 의하여 실행되어지는가를 확지할 필요가 없다 ; 대판 1977.9.28, 76도4133). 12. 변호사시험, 19. 경력채용

관련판례

1. 甲이 사기 범행에 이용되리라는 사정을 알고서도 A에게 자신의 명의로 된 은행 예금계좌의 접근매체를 양도함으로써 A가 B를 속여 B로 하여금 현금을 위 계좌로 송금하게 한 경우, 甲은 사기죄의 방조범이 된다(대판 2017.5.31, 2017도3894). 17. 법원행시, 21. 9급 검찰 · 마약수사

2. 은행지점장 甲이 정범인 부하직원들의 은행에 대한 배임행위를 인식하면서도 이를 방치한 경우 업무상 배임죄의 방조범이 성립한다(대판 1984.11.27, 84도1906). 16. 경찰승진, 21. 9급 검찰 · 마약수사

3. 자신들이 개설한 인터넷 사이트를 통해 회원들로 하여금 음란한 동영상을 게시하도록 하고 다른 회원들로 하여금 이를 다운받을 수 있도록 하는 방법으로 정보통신망을 통한 음란한 영상의 배포 · 전시를 방조한 행위가 단일하고 계속된 범의 아래 일정기간 계속하여 이루어졌고 피해법익도 동일한 경우, 방조행위는 포괄일죄의 관계에 있다(대판 2010.11.25, 2010도1588). 17. 7급 검찰, 19. 경찰승진

4. 제3자뇌물수수죄에서 제3자란 행위자와 공동정범 이외의 사람을 말하고, 교사자나 방조자도 포함될 수 있다. 그러므로 공무원 또는 중재인이 부정한 청탁을 받고 제3자에게 뇌물을 제공하게 하고 제3자가 그러한 공무원 또는 중재인의 범죄행위를 알면서 방조한 경우에는 그에 대한 별도의 처벌규정이 없더라도 방조범에 관한 형법 총칙의 규정이 적용되어 제3자뇌물수수방조죄가 인정될 수 있다(대판 2017.3.15, 2016도19659 **예** 공무원 甲이 부정한 청탁을 받고 물품구매자들로 하여금 乙이 판매하는 물품을 구입하게 하고 그 대금을 丙명의의 계좌 등으로 지급하게 한 경우 ⇨ 甲 : 제3자뇌물수수죄, 乙 : 제3자뇌물수수방조죄). 17. 순경 2차 · 법원행시, 20. 변호사시험, 23. 7급 검찰

5. 인터넷 카페의 대표 甲이 기자회견을 열어 A회사에 대하여 불매운동을 하겠다고 하면서 공갈행위를 하였는데, 위 카페의 회원 乙이 그러한 사정을 알면서도 그 자리에서 지지의 의사로 공감을 표시하거나

甲의 부탁을 받고 사진을 찍어주는 행위는 공갈죄의 방조에 해당한다(대판 2013.4.11, 2010도13774).
16. 사시, 19. 경찰간부, 25. 해경경위공채

6. 의사인 피고인이 입원치료를 받을 필요가 없는 환자들이 보험금 수령을 위하여 입원치료를 받으려고 하는 사실을 알면서도 입원을 허가하여 형식상으로 입원치료를 받도록 한 후 입원확인서를 발급하여 준 경우 ⇨ 사기방조죄 ○(대판 2006.1.12, 2004도6557) 19. 경찰승진

  ▶ **비교판례** : 병원 원장인 甲은 A가 정상적으로 입원한 것으로 작성된 허위의 입·퇴원확인서를 작성한 후 A에게 교부하여 A가 보험회사에 보험금을 청구하여 보험금을 받도록 방조하였더라도, A에 대한 공소장에 있어서 검사가 제출한 증거만으로는 A가 보험금을 부당하게 편취하였다고 인정하기 어려운 경우라면, 甲은 사기죄의 방조범이 성립하지 않는다(대판 2017.5.31, 2016도12865 ∵ 정범인 A의 범죄가 성립되지 않는 이상 甲은 사기죄의 방조범 ×). 21. 7급 검찰

7. 甲과 말다툼을 하던 乙이 '죽고싶다.'고 하며 甲에게 기름을 사오라고 하였고, 그 직후 乙은 甲이 사다 준 휘발유를 뿌리고 불을 붙여 자살했다면, 甲의 행위는 자살방조죄에 해당한다(대판 2010. 4.29, 2010도2328). 14. 경찰간부, 16. 사시

8. 甲은 여당의 유력 정치가인 乙이 기업인들로부터 뇌물을 수수하기 전에 乙과 기업인들의 면담을 주선하였고, 그 후 乙이 기업인들로부터 뇌물을 받았다면 甲은 수뢰죄의 종범에 해당한다(대판 1997.4.17, 96도3377). 18. 경찰간부

9. 교통사고를 낸 甲이 자기 대신 사고운전자로 허위자백한 자신의 처에게 사고발생 경위, 도주 경위 등에 관하여 상세한 정보를 제공함으로써 처로 하여금 심리적으로 안정할 수 있게 한 경우에는 범인도피죄의 방조범이 성립한다(대판 2008.11.13, 2008도7647). 11. 사시

  ▶ **유사판례** : 甲이 허위자백을 하여 진범에 대한 범인도피죄의 기수에 이르고 나서야 비로소 甲의 범행을 인식한 A가 기왕의 범인도피상태를 이용하여 甲이 허위자백을 유지하도록 도운 경우 그 이후 甲이 진범을 밝혔다고 하더라도 A의 범인도피방조죄(범인도피공동정범 ×)는 성립한다 (대판 2012.8.30, 2012도6027 ∵ 정범인 甲에게 결의를 강화하게 한 방조행위로 평가될 수 있음). 17. 법원행시, 20. 해경 1차

10. 1인 회사의 주주가 개인적 거래에 수반하여 법인 소유의 부동산을 담보로 제공한다는 사정을 거래상대방이 알면서 가등기의 설정을 요구하고 그 가등기를 경료받은 경우 거래상대방은 배임행위의 방조범에 해당하지 않는다(대판 2005.10.28, 2005도4915 ∵ 거래상대방이 배임행위를 교사하거나 그 배임행위의 전 과정에 관여하는 등으로 배임행위에 적극 가담한 경우 배임죄의 교사범 또는 공동정범이 될 수 있음은 별론으로 하고, 비록 정범의 행위가 배임행위에 해당한다는 점을 알고 거래에 임하였다는 사정이 있어 외견상 방조행위로 평가될 수 있는 행위가 있었다 할지라도 범죄를 구성할 정도의 위법성은 없다). 18. 경찰간부

11. MP3 파일 공유를 위한 P2P 프로그램인 소리바다 프로그램을 개발하여 이를 무료로 널리 제공하였으며, 그 서버를 설치·운영하면서 프로그램 이용자들이 용이하게 음악 MP3 파일을 다운로드 받은 경우 이용자의 행위는 구 저작권법 제2조 제14호의 복제에 해당하고, 소리바다 서비스 운영자의 행위는 구 저작권법상 복제권 침해행위의 방조에 해당한다(대판 2007.12.14, 2005도872). 13. 경찰간부

12. 운전면허 없는 자에게 승용차를 제공하여 무면허운전을 하게 한 경우 ⇨ 무면허운전죄(도로교통법)의 방조범(대판 2000.8.18, 2000도1914) 11. 경찰승진

13. 축산목장의 관리인이 업무의 지시에 따라 3, 4명의 노무자를 데리고 축사청소 등의 단순노무에 주로 종사하였을 뿐 목장의 경영문제까지는 관여하지 아니하였다면 관리인이 업주의 정화시설설치의무위반 행위에 공모, 가담하였거나 업주의 위와 같은 행위를 방조하였다고 할 수 없다(대판 1990.12.11, 90도2178). 11. 경찰승진

14. 도박하는 자리에서 도금으로 사용하리라는 정을 알면서 채무변제조로 금원을 교부하였다면 도박을 방조한 행위에 해당한다(대판 1970.7.28, 70도1218). 03. 사시

15. 세관원에게 "잘 부탁한다."는 말을 하였다는 사실만으로서는 사위 기타 부정한 방법으로 관세를 포탈하는 범행의 방조행위에 해당된다든가 또는 그 범행의 실행에 착수하였다고 볼 수 없다(대판 1971.8.31, 71도1204). 10. 경찰승진

16. 특정 응시생의 경미한 부정행위를 방조할 의사를 갖고 있는 자의 요구를 받아들여 특정 고사실의 감독관으로 배치하여 준 경우 위계에 의한 공무집행방해죄의 방조범이 성립한다(대판 1996.1.26, 95도2461).

17. 정범이 변호사법 위반행위를 하려 한다는 것을 알면서 자금능력이 있는 사람을 정범에게 소개하고 교섭한 행위는 변호사법 위반행위의 종범에 해당한다(대판 1982.9.14, 80도2566).

18. 전송의 방법으로 공중송신권을 침해하는 게시물이나 그 게시물이 위치한 웹페이지 등에 연결되는 링크를 한 행위자가 정범이 공중송신권을 침해한다는 사실을 충분히 인식하면서 그러한 침해 게시물 등에 연결되는 링크를 인터넷 사이트에 영리적·계속적으로 게시하는 등으로 공중의 구성원이 개별적으로 선택한 시간과 장소에서 침해 게시물에 쉽게 접근할 수 있도록 하는 정도의 링크 행위를 한 경우에는 침해 게시물을 공중의 이용에 제공하는 정범의 범죄를 용이하게 하므로 공중송신권 침해의 방조범이 성립한다(대판 2021.9.9, 2017도19025 전원합의체). 17. 법원행시, 24. 9급 철도경찰

19. 쟁의행위가 업무방해죄에 해당하는 경우 제3자가 그러한 정을 알면서 쟁의행위의 실행을 용이하게 한 경우에는 업무방해방조죄가 성립할 수 있다(대판 2021.9.16, 2015도12632).

20. 정범의 '마약류 불법거래 방지에 관한 특례법'상 '불법수익 등의 은닉 및 가장'범행의 방조범에서 요구되는 '방조의 고의'는 마약매수인이 정범인 마약매도인으로부터 마약을 매수하면서 마약매도인의 요구로 차명계좌에 제3자 명의로 마약 매매대금을 입금하면서 그 행위가 정범의 범행 실행을 방조하는 것으로 불법성이 있다는 것을 인식해야 한다는 것을 뜻한다. 따라서 대마를 매수하면서 매매대금을 대포통장으로 무통장 입금을 한 피고인에게 형법 총칙의 공범 규정이 적용되어 불법수익 등의 은닉 및 가장행위로 인한 마약거래방지법 위반죄의 방조범이 성립된다(대판 2022.6.30, 2020도7866).

01 다음 중 방조에 대한 설명으로 적절한 것은?(다툼이 있는 경우 판례에 의함) 20. 해경 1차

> ㉠ 정범이 실행에 착수하기 전에 방조한 경우에는 그 이후 정범이 실행에 착수하였더라도 방조범이 성립할 수 없다.
> ㉡ 정범의 강도예비행위를 방조하였으나 정범이 실행의 착수에 이르지 못한 경우 방조자는 강도예비죄의 종범에 해당한다.
> ㉢ 방조행위와 정범의 실행행위 사이에 인과관계가 필요하다는 견해는 공범의 처벌근거가 타인의 불법을 야기·촉진시키는 데 있으므로 방조행위가 피방조자의 실행에 아무런 영향을 끼치지 못한 경우에는 처벌근거가 상실된다는 점을 논거로 한다.
> ㉣ 방조행위와 정범의 실행행위 사이에 인과관계가 필요하지 않다는 견해에 따르면, 공범종속설에 따라 기도된 방조의 가벌성을 인정하기 때문에 방조범의 처벌범위가 부당하게 확대된다는 비판이 있다.
> ㉤ 甲이 허위자백을 하여 진범에 대한 범인도피죄의 기수에 이르고 나서야 비로소 甲의 범행을 인식한 A가 기왕의 범인도피상태를 이용하여 甲이 허위자백을 유지하도록 도운 경우 그 이후 甲이 진범을 밝혔다고 하더라도 A의 범인도피방조죄는 성립한다.
> ㉥ 자기의 지휘, 감독을 받는 자를 방조하여 범죄의 결과를 발생하게 한 자는 정범의 형으로 처벌한다.

① ㉡, ㉣, ㉥   ② ㉢, ㉣, ㉥   ③ ㉠, ㉢, ㉤   ④ ㉢, ㉤, ㉥

[해설] ㉠ × : 방조범은 정범의 실행행위 중에 이를 방조하는 경우뿐만 아니라, 실행의 착수 전에 장래의 실행행위를 예상하고 이를 용이하게 하는 행위를 하여 방조한 경우에도 정범이 그 실행행위에 나아갔다면 성립한다(대판 1997.4.17, 96도3377).
㉡ × : 예비죄의 종범 ×(대판 1976.5.25, 75도1549) ㉢ ○ : 적절하다.
㉣ × : ~ (1줄) 따르면, 공범독립성설(공범종속성설 ×)에 따라 기도된 방조의 가벌성을 인정하기 때문에 방조범의 처벌범위가 부당하게 확대된다는 비판이 있다.
㉤ ○ : 대판 2012.8.30, 2012도6027 ㉥ ○ : 제34조 제2항

02 다음 〈보기〉 중 방조범에 대한 설명으로 옳은 것(○)과 옳지 않은 것(×)을 올바르게 조합한 것은?(다툼이 있으면 판례에 의함) 25. 해경경위공채

> ㉠ 정범의 실행의 착수 이전에 장래의 실행행위를 미필적으로나마 예상하고 이를 용이하게 하기 위하여 방조한 경우에도, 그후 정범이 실행행위에 나아갔다면 방조행위는 성립할 수 있다.
> ㉡ 정범이 범행을 한다는 점을 알면서 그 실행행위를 용이하게 한 이상, 정범이 누구에 의하여 실행되어지는가를 확지할 필요는 없다.

Answer 01. ④ 02. ①

ⓒ 제한적 종속형식의 입장에 의하면, 정범의 책임이 조각되는 경우 공범이 성립할 수 없다는 결론에 이른다.
ⓔ 간첩이라는 정을 알면서 숙식을 제공하거나 심부름으로 안부편지를 전달하는 행위를 하고, 무전기를 매몰하는 행위를 도와준 행위는 간첩방조죄에 해당한다.
ⓜ 인터넷카페의 대표 甲이 기자회견을 열어 A회사에 대하여 불매운동을 하겠다고 하면서 공갈행위를 하였는데, 위 카페의 회원 乙이 그러한 사정을 알면서도 그 자리에서 지지의 의사로 공감을 표시하거나, 甲의 부탁을 받고 사진을 찍어주는 행위만으로는 공갈죄의 방조에 해당하지 않는다.

① ㉠(○), ㉡(○), ㉢(×), ㉣(×), ㉤(×)
② ㉠(○), ㉡(○), ㉢(○), ㉣(○), ㉤(×)
③ ㉠(×), ㉡(×), ㉢(○), ㉣(×), ㉤(○)
④ ㉠(×), ㉡(×), ㉢(×), ㉣(○), ㉤(○)

해설 ㉠ ○ : 대판 1997.4.17, 96도3377
㉡ ○ : 대판 1977.9.28, 76도4133
㉢ × : ~ (1줄) 성립할 수 있다는 결론에 이른다(∵ 정범이 구성요건에 해당하고 위법하면 책임이 조각되어도 공범이 성립할 수 있다).
㉣ × : 간첩방조죄 ×(대판 1983.4.26, 83도416 ∵ 국가기밀을 탐지 · 수집하는 간첩행위 그 자체를 원조하여 그 실행을 용이하게 하는 것 ×)
㉤ × : ~ (3줄) 사진을 찍어주는 행위는 공갈죄의 방조에 해당한다(대판 2013.4.11, 2010도13774).

03 방조범에 대한 설명으로 옳지 않은 것은?(다툼이 있는 경우 판례에 의함)

21. 9급 검찰 · 마약수사 · 철도경찰

① 甲이 사기 범행에 이용되리라는 사정을 알고서도 A에게 자신의 명의로 된 은행 예금계좌의 접근매체를 양도함으로써 A가 B를 속여 B로 하여금 현금을 위 계좌로 송금하게 한 경우, 甲은 사기죄의 방조범이 된다.
② 은행지점장 甲이 정범인 부하직원들의 은행에 대한 배임행위를 인식하면서도 이를 방치한 경우 업무상 배임죄의 방조범이 성립한다.
③ 방조죄는 정범의 범죄에 종속하여 성립하는 것으로서, 방조의 대상이 되는 정범의 실행행위의 착수가 없으면 방조죄만 독립하여 성립할 수 없다.
④ 정범의 실행행위 전이나 실행행위 중에 정범을 방조하여 그 실행행위를 용이하게 하는 것뿐만 아니라 정범의 범죄종료 후의 이른바 사후방조도 방조범으로 볼 수 있다.

해설 ① 대판 2017.5.31, 2017도3894 ② 대판 1984.11.27, 84도1906 ③ 대판 1979.2.27, 78도3113
④ × : 종범은 정범의 실행행위 중에 이를 방조하는 경우뿐만 아니라, 실행 착수 전에 장래의 실행행위를 예상하고 이를 용이하게 하는 것을 말한다. 따라서 정범의 범죄종료 후의 이른바 사후방조를 종범이라고 볼 수는 없다(대판 2009.6.11, 2009도1518).

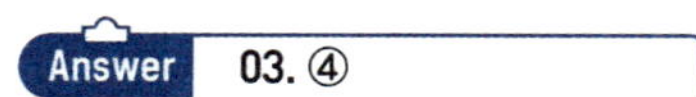
Answer 03. ④

04 종범에 대한 설명으로 옳지 않은 것은?(다툼이 있는 경우 판례에 의함)　　　25. 9급 철도경찰

① 형법 제127조는 공무원 또는 공무원이었던 자가 법령에 의한 직무상 비밀을 누설하는 행위만을 처벌하는데, 이러한 직무상 비밀을 누설받은 상대방에 대하여 공범에 관한 형법총칙 규정을 적용하여 종범으로 처벌할 수 없다.

② 형법 제32조 제2항은 "종범의 형은 정범의 형보다 감경한다."라고 규정하는데, 여기서 감경한다는 것은 선고형을 정범보다 감경한다는 것을 의미한다.

③ 방조는 정범이 범행을 한다는 것을 알면서 그 실행행위를 용이하게 하는 종범의 행위이므로 종범은 정범의 실행을 방조한다는 점과 정범의 행위가 구성요건에 해당한다는 점에 대한 고의가 있어야 한다.

④ 형법 제32조 제1항에서 '타인의 범죄'는 정범이 범죄의 실행에 착수한 경우를 말하는 것이므로 예비의 공동정범이 되는 경우를 제외하고는 종범이 처벌되기 위하여는 정범의 실행착수가 있는 경우에만 가능하다.

> **해설** ① 대판 2009.6.23, 2009도544
> ② × : 종범의 형은 정범의 형보다 감경한다(제32조 제2항). 여기서 감경한다는 것은 법정형을 정범보다 감경한다는 것이지 선고형을 감경한다는 것이 아니므로, 종범에 대한 선고형이 정범보다 가볍지 않다 하더라도 위법이라 할 수 없다(대판 2015.8.27, 2015도8408).
> ③ 대판 2005.4.29, 2003도6056 ④ 대판 1976.5.25, 75도1549

05 교사범과 방조범의 차이점을 설명한 것에 대하여 옳고 그름의 표시(○, ×)가 바르게 된 것은?(다툼이 있는 경우 판례에 의함)　　　16. 경찰간부, 22. 해경간부, 25. 해경경위

> ㉠ 편면적 교사범은 성립할 수 없으나, 편면적 방조범은 성립할 수 있다.
> ㉡ 부작위에 의한 교사범은 성립할 수 없으나, 부작위에 의한 방조범은 성립할 수 있다.
> ㉢ 과실범에 대한 교사범은 성립할 수 있으나, 과실범에 대한 방조범은 성립할 수 없다.
> ㉣ 효과 없는 교사는 교사자와 피교사자 모두가 예비·음모에 준하여 처벌되지만, 효과 없는 방조는 처벌되지 않는다.
> ㉤ 과실에 의한 교사범은 성립할 수 없으나, 과실에 의한 방조범은 성립할 수 있다.

① ㉠(○), ㉡(○), ㉢(×), ㉣(○), ㉤(×)
② ㉠(○), ㉡(×), ㉢(×), ㉣(○), ㉤(×)
③ ㉠(×), ㉡(○), ㉢(×), ㉣(×), ㉤(○)
④ ㉠(○), ㉡(×), ㉢(○), ㉣(○), ㉤(×)

> **해설** ㉠ ○ : 타당하다(대판 1974.5.28, 74도509).
> ㉡ ○ : 타당하다(대판 1984.11.27, 84도1906).
> ㉢ × : 과실범에 대한 교사·방조 ⇨ 간접정범 ○(제34조 제1항)
> ㉣ ○ : 타당하다(효과 없는 교사 : 제31조 제2항, 효과 없는 방조 : 처벌규정 ×).
> ㉤ × : 과실에 대한 교사범·방조범 ×(∵ 교사범·방조범은 교사·방조의 고의가 성립요건의 하나임)

Answer　04. ②　05. ①

06 교사와 방조에 대한 설명으로 가장 적절하지 않은 것은?(다툼이 있는 경우 판례에 의함) 17. 순경 2차

① 종범은 정범이 실행행위에 착수하여 범행을 하는 과정에서 이를 방조한 경우뿐 아니라, 정범의 실행의 착수 이전에 장래의 실행행위를 미필적으로나마 예상하고 이를 용이하게 하기 위하여 방조한 경우에도 그 후 정범이 실행행위에 나아갔다면 성립할 수 있다.

② 공무원 또는 중재인이 부정한 청탁을 받고 제3자에게 뇌물을 제공하게 하고 제3자가 그러한 공무원 또는 중재인의 범죄행위를 알면서 방조한 경우에는 그에 대한 별도의 처벌규정이 없더라도 방조범에 관한 형법 총칙의 규정이 적용되어 제3자뇌물수수방조죄가 인정될 수 있다.

③ 피교사자가 교사자의 교사행위 당시에는 일응 범행을 승낙하지 아니한 것으로 보여진다 하더라도 이후 그 교사행위에 의하여 범행을 결의한 것으로 인정되는 이상 교사범의 성립에는 영향이 없다.

④ 피무고자의 교사·방조하에 제3자가 피무고자에 대한 허위의 사실을 신고한 경우에는 제3자의 행위는 무고죄의 구성요건에 해당하지 않아 무고죄를 구성하지 않고, 제3자를 교사·방조한 피무고자도 교사·방조범으로서의 죄책을 부담하지 않는다.

해설　① 대판 1997.4.17, 96도3377
② 대판 2017.3.15, 2016도19659
③ 대판 2013.9.12, 2012도2744
④ × : ~ (2줄) 무고죄의 구성요건에 해당하여 무고죄를 구성하므로, 제3자를 교사·방조한 피무고자도 교사·방조범으로서의 죄책을 부담한다(대판 2008.10.23, 2008도4852).

07 교사와 방조에 대한 설명 중 옳은 것은 모두 몇 개인가?(다툼이 있는 경우 판례에 의함) 21. 경찰간부

> ㉠ 간호보조원이 무면허 진료를 했다고 하더라도 그 내용을 의사가 진료부에 기재하는 행위는 정범의 실행행위 종료 후의 사후행위에 불과하여 의사는 무면허 진료행위의 방조 책임을 지지 않는다.
>
> ㉡ 교사자의 교사행위에도 불구하고 피교사자가 범행을 승낙하지 아니하거나 피교사자의 범행 결의가 교사자의 교사행위에 의하여 생긴 것으로 보기 어려운 경우에는 교사자를 음모 또는 예비에 준하여 처벌한다.
>
> ㉢ 甲이 무면허운전을 하던 중 교통사고를 내자 동거하던 동생 乙을 경찰서에 대신 출석시키고 자신을 위하여 허위자백을 하게 한 경우, 甲에게 범인도피죄의 교사범의 죄책을 물을 수 없다.
>
> ㉣ 백화점 직원이 자신이 관리하는 점포에 가짜 상표가 새겨진 상품이 진열·판매되는 사실을 발견하고도 적절한 조치를 취하지 않아 계속 판매되도록 방치한 행위는 상표법위반 및 부정경쟁방지법위반행위를 방조한 것에 해당한다.
>
> ㉤ 甲이 고발을 당하자 乙에게 증거를 변조하도록 교사하였는데 乙이 甲과 공범관계에 있는 형사사건의 증거를 변조한 것에 해당하여 乙이 증거변조로 처벌되지 않는 경우, 甲도 증거변조죄의 교사범으로 처벌받지 않는다.

06. ④　07. ③

① 1개　　　　② 2개　　　　③ 3개　　　　④ 4개

해설　㉠ × : 범죄종료 후의 사후행위 ×, 무면허의료행위의 방조 ○(대판 1982.4.27, 82도122)
㉡ ○ : 대판 2013.9.12, 2012도2744
㉢ × : 지문의 경우 범인도피죄의 교사범 ○(대판 2006.12.7, 2005도3707)
㉣ ○ : 대판 1997.3.14, 96도1639
㉤ ○ : 대판 2011.7.14, 2009도13151

08 교사범과 방조범에 관한 설명 중 가장 적절하지 않은 것은?(다툼이 있는 경우 판례에 의함)

23. 순경 1차

① 교사범이란 타인으로 하여금 범죄실행의 결의를 일으키게 하고, 이 결의에 의하여 범죄를 실행하게 함으로써 성립하는 범죄로서 형법 제31조 제1항에 따라 정범과 동일한 형으로 처벌한다.
② 방조범은 정범의 실행행위를 방조한다는 '방조의 고의'와 정범의 행위가 구성요건에 해당하는 행위인 점에 대한 '정범의 고의'를 갖추어야 하며, 목적범의 경우 정범의 목적에 대한 구체적 내용까지 인식할 것을 요한다.
③ 교사자의 교사행위에도 불구하고 피교사자가 범행을 승낙하지 아니하거나 피교사자의 범행 결의가 교사자의 교사행위에 의하여 생긴 것으로 보기 어려운 경우에는 실패한 교사로서 형법 제31조 제3항에 따라 교사자를 예비 음모에 준하여 처벌할 수 있다.
④ 방조범이란 타인의 범죄실행을 방조함으로써 성립하는 범죄이며, 형법 제32조 제2항에 따라 방조범의 형은 정범의 형보다 감경한다.

해설　① 타당하다(대판 1991.5.14, 91도542).
② × : ~ (2줄) 갖추어야 하며, 초과주관적 위법요소로서 목적범의 목적의 경우 방조범에게도 정범이 어떤 목적으로 행위를 한다는 점에 대한 고의가 있어야 하나, 그 목적의 구체적인 내용까지 인식할 것을 요하는 것은 아니다(대판 2022.10.27, 2020도12563).
③ 대판 2013.9.12, 2012도2744　④ 타당하다.

09 교사범과 방조범에 관한 설명으로 가장 적절하지 않은 것은?(다툼이 있는 경우 판례에 의함)

24. 순경 1차

① 교사자의 교사행위에 의해 정범이 범죄의 실행을 결의하게 되었다면, 비록 정범에게 범죄의 습벽이 있어 그 습벽과 함께 교사행위가 원인이 되어 정범이 범죄를 실행하게 되었다고 하더라도 교사범이 성립한다.
② 甲이 乙에게 A의 주거에 침입할 것을 교사하였으나 乙은 A의 승낙을 얻어 정당하게 A의 주거에 들어간 경우, 공범종속성설 중 제한종속형식에 의하면 甲에게는 주거침입죄의 교사범이 성립하지 않는다.
③ 도박의 습벽이 있는 甲이 도박의 습벽이 없는 乙의 도박을 방조한 경우, 甲에게는 상습도박죄의 방조범이 성립한다.

08. ②　09. ④

④ 甲으로부터 A의 불륜관계를 이용해 A를 공갈할 것을 교사받은 乙은 A의 불륜 현장을 촬영한 후 그 사실을 甲에게 알렸으나, 甲이 乙에게 수고비를 줄테니 촬영물을 넘기고 공갈을 단념하라고 만류하였음에도, 乙이 甲의 제안을 명시적으로 거절하고 돈을 주지 않으면 촬영물을 유포하겠다고 A에게 겁을 주어 돈을 받아낸 경우, 甲은 공갈죄의 공범관계에서 이탈한 것으로 볼 수 있다.

해설 ① 대판 1991.5.14, 91도542
② 옳다[∵ 제한종속형식에 의하면 정범(乙)의 행위가 구성요건에 해당하고 위법성까지 갖추어야 교사범이 성립하는데, 乙의 행위는 애초에 구성요건에도 해당 ×].
③ 대판 1984.4.24, 84도195
④ × : ~ 이탈한 것으로 볼 수 없다(대판 2012.11.15, 2012도7407 ∴ 공갈죄의 교사범 ○).

10 교사범 또는 방조범에 관한 설명 중 가장 옳지 않은 것은?(다툼이 있는 경우 판례에 의함) 24. 법원직
① 방조자의 인식과 정범의 실행 간에 착오가 있고 양자의 구성요건을 달리한 경우에는 원칙적으로 방조자의 고의는 조각되는 것이나 그 구성요건이 중첩되는 부분이 있는 경우에는 그 중복되는 한도 내에서는 방조자의 죄책을 인정하여야 한다.
② 방조범이 성립하려면 방조행위가 정범의 범죄 실현과 밀접한 관련이 있고 정범으로 하여금 구체적 위험을 실현시키거나 범죄 결과를 발생시킬 기회를 높이는 등으로 정범의 범죄 실현에 현실적인 기여를 하였다고 평가할 수 있어야 하므로, 정범의 범죄 실현과 밀접한 관련이 없는 행위를 도와준 경우에는 방조범이 성립하지 않는다.
③ 교사행위에 의하여 피교사자가 범죄 실행을 결의하게 된 이상 피교사자에게 다른 원인이 있어 범죄를 실행한 경우에도 교사범의 성립에는 영향이 없다.
④ 피교사자는 반드시 특정한 타인이어야 할 필요는 없고, 불특정인에 대한 교사도 범죄의 교사행위가 될 수 있다.

해설 ① 대판 1985.2.26, 84도2987
② 대판 2021.9.16, 2015도12632
③ 대판 1991.5.14, 91도542
④ × : 교사자의 고의는 특정성이 있어야 한다. 즉, 특정한 정범(피교사자)과 특정한 범죄에 대한 고의(인식과 의사)여야 한다. 따라서 피교사자는 반드시 특정한 타인이어야 하고, 불특정인에 대한 교사는 범죄의 교사행위가 될 수 없다. 그러나 피교사자가 구체적으로 누구인가를 알고 있을 필요는 없고 범죄의 일시·장소·실행방법이나 정범의 가벌성에 대한 인식을 요하지 않는다.

Answer 10. ④

11 교사범과 방조범에 관한 설명으로 가장 적절하지 않은 것은?(다툼이 있는 경우 판례에 의함)

25. 순경 1차

① 공범독립성설에 따르면 교사행위에 대하여 피교사자가 범죄의 실행을 승낙하였지만 실행행위에 나아가지 아니한 경우, 교사자의 미수범 성립을 부정한다.

② 정범의 실행행위가 구성요건에 해당하고 위법·유책한 경우에 공범이 성립될 수 있다고 보는 극단적 종속형식에 따르면 책임무능력자의 위법행위를 교사·방조한 경우에는 교사범이나 방조범이 성립될 수 없다.

③ 교사행위에 의하여 피교사자가 범죄 실행을 결의하게 된 이상 피교사자에게 다른 원인이 있어 범죄를 실행한 경우에도 교사범의 성립에는 영향이 없다.

④ 방조범은 정범의 실행행위 중에 이를 방조하는 경우뿐만 아니라, 실행 착수 전에 장래의 실행행위를 예상하고 이를 용이하게 하는 행위를 하여 그 정범이 실행행위로 나아간 경우에도 성립할 수 있다.

[해설] ① × : 공범독립성설에 따르면 교사행위·방조행위 그 자체가 범죄 실행행위이므로, 교사행위에 대하여 피교사자가 범죄의 실행을 승낙하였지만 실행행위에 나아가지 아니한 경우(효과 없는 교사), 교사자의 미수범 성립을 인정한다.
② 옳다(간접정범이 성립됨).
③ 대판 1991.5.14, 91도542
④ 대판 1997.4.17, 96도3377

12 교사범과 방조범에 관한 설명으로 가장 적절하지 않은 것은?(다툼이 있는 경우 판례에 의함)

26. 경찰승진

① 방조범이 성립하려면 방조행위가 정범의 범죄 실현과 밀접한 관련이 있고 정범으로 하여금 구체적 위험을 실현시키거나 범죄결과를 발생시킬 기회를 높이는 등으로 정범의 범죄 실현에 현실적인 기여를 하였다고 평가할 수 있어야 한다.

② 방조는 정범이 범행을 한다는 것을 알면서 그 실행행위를 용이하게 하는 종범의 행위이므로 종범은 정범의 실행을 방조한다는 방조의 고의와 정범의 행위가 구성요건에 해당한다는 점에 대한 정범의 고의가 있어야 한다.

③ 교사를 받은 자가 범죄의 실행을 승낙하고 실행의 착수에 이르지 아니한 때에는 교사자와 피교사자를 음모 또는 예비에 준하여 처벌한다.

④ 피고인이 자기의 형사사건에 관하여 타인을 교사하여 위증죄를 범하게 하는 것은 형사소송에 있어서의 방어권을 남용하는 것이라고 할 수 없어 교사범의 죄책을 부담하지 않는다.

[해설] ① 대판 2021.9.16, 2015도12632
② 대판 2005.4.29, 2003도6056
③ 제31조 제2항
④ × : ~ (2줄) 방어권을 남용한 것으로 위증죄의 교사범이 성립한다(대판 2004.1.27, 2003도5114).

Answer **11.** ① **12.** ④

제6절 공범과 신분

> **제33조 【공범과 신분】** 신분이 있어야 성립되는 범죄에 신분 없는 사람이 가담한 경우에는 그 신분 없는 사람에게도 제30조부터 제32조까지의 규정을 적용한다(본문). 다만, 신분 때문에 형의 경중이 달라지는 경우에 신분이 없는 사람은 무거운 형으로 벌하지 아니한다(단서).

1 의 의

형법상 '공범과 신분'이란 행위자의 신분이 범죄의 성립이나 형의 가중·감경에 영향을 미치는 경우에 신분 있는 자(신분자)와 신분 없는 자(비신분자)가 공범관계에 있을 때 이를 어떻게 처리할 것인가를 다루는 문제를 말한다.

2 신분의 의의와 종류

(1) 신분의 의의

신분의 개념에 관해 형법상 규정은 없으나, 신분이란 남녀의 성별, 내·외국인의 구별, 친족관계, 공무원의 자격 등 널리 일정한 범죄행위에 대한 범인의 인적 관계인 특수한 지위나 상태를 말한다(대판 1994.12.23, 93도1002). 18. 순경 3차, 21. 경찰승진, 22. 경찰간부, 23. 해경승진·경력채용, 25. 해경경사

Key Point

판례는 모해위증죄(제152조 제2항)의 '모해할 목적'은 범인의 특수한 상태이므로 형법 제33조 단서의 '신분관계로 인하여 형의 경중이 있는 경우'에 해당한다고 하여 목적범의 목적(초과주관적 구성요건요소)을 신분의 개념에 포함시켰다(대판 1994.12.23, 93도1002). 21. 9급 검찰, 22. 경찰간부, 24. 순경 2차, 25. 경찰승진·경위공채

예 모해의 목적을 가진 甲이 이러한 목적이 없는 乙을 교사하여 위증하게 한 경우 ⇨ 乙은 위증죄, 甲은 모해위증교사죄로 처단(∵ 제33조 단서 적용) 19. 순경 1차, 20. 해경 3차·7급 검찰, 23. 경찰승진·경력채용, 24. 변호사시험·법원직, 25. 경위공채·9급 철도경찰

그러나 모해위증죄에서 모해할 목적을 신분관계가 아니라 초과주관적 불법요소로 보면, 공범종속성의 원칙이 적용되어 甲은 단순위증죄의 교사범으로 처벌된다. 15. 사시, 22. 경찰간부

(2) 신분의 분류

일반적으로 신분은 그것이 범죄에 미치는 영향에 따라 구성적 신분(이러한 신분을 필요로 하는 범죄를 진정신분범이라 함)과 가감적 신분(이러한 신분에 의한 범죄를 부진정신분범이라 함)으로 분류한다.

구 분	내 용	구체적인 예
구성적 신분 (진정신분범)	• 일정한 신분이 있어야 범죄가 성립하는 경우 • 신분의 착오는 고의를 조각하며 신분 없는 자는 단독으로 그 범죄의 주체가 되지 못함	수뢰죄의 공무원·중재인, 위증죄의 선서한 증인, 횡령죄의 보관자, 배임죄의 타인의 사무를 처리하는 자 ▶ 기타 : 유기죄, 허위진단서작성죄, 업무상 비밀누설죄, 도주죄
가감적 신분 (부진정신분범)	• 신분이 없어도 범죄는 성립하지만 신분에 의하여 형벌이 가중 또는 감경되는 경우 • 착오는 고의를 조각시킬 수 없고 제15조 제1항에 따라 경한 죄로 처벌한다.	• 존속살해죄의 직계존속 • 업무상 횡령죄의 업무상 보관자 ▶ 기타 : 업무상 배임죄, 업무상 낙태죄, 업무상 과실치사죄

🔔 허위공문서작성죄 및 그 행사죄는 '공무원'만이 그 주체가 될 수 있는 (진정) 신분범이라 할 것이므로, 신분상 공무원이 아님이 분명한 피고인들을 허위공문서작성죄 및 그 행사죄로 처벌하려면 그에 관한 특별규정이 있어야 한다(대판 2009.3.26, 2008도93). 24. 순경 2차

3 공범과 신분(제33조의 해석)

신분범에 있어서 신분자와 비신분자(신분관계가 없는 자)가 공범관계에 있는 경우에 비신분자에게는 어떤 범죄가 성립하며 어떠한 형으로 처벌할 것인가가 문제된다.

(1) 제33조의 본문과 단서의 관계

- **통설** : 제33조의 본문은 진정신분범(성립과 과형의 근거), 단서는 부진정신분범(성립과 과형의 근거)에 관한 규정이라고 본다. 13. 경찰승진, 25. 변호사시험
- **판례·소수설** : 형법 제33조 본문의 신분관계로 인하여 성립될 범죄에는 진정신분범뿐만 아니라 부진정신분범도 포함되며, 단서는 비신분자와 신분자의 과형의 개별화에 관한 규정으로 본다(대판 2018.8.30, 2018도10047). 14. 순경 2차, 20. 경찰승진, 25. 변호사시험

구 분	통 설	판례·소수설
제33조 본문	진정신분범(구성적 신분)의 성립과 과형의 근거	진정신분범·부진정신분범의 성립근거
제33조 단서	부진정신분범(가감적 신분)의 성립과 과형의 근거	부진정신분범의 과형의 근거

(2) 제33조 본문의 해석

신분관계로 인하여 성립될 범죄(진정신분범)에 가공한 행위는 신분관계가 없는 자에게도 전 3조(제30조의 공동정범, 제31조의 교사범, 제32조의 종범)의 규정을 적용한다(제33조 본문).

① **비신분자가 신분자에게 가공한 경우** : 제33조의 본문에 의하여 진정신분범에 가공한 비신분자는 공범(교사범·종범)은 물론 공동정범이 된다.

예 1. 공무원 아닌 자가 공무원을 교사·방조하여 뇌물을 수수하게 한 경우 ⇨ 공무원은 수뢰죄, 공무원 아닌 자는 수뢰죄의 교사범·종범

2. 공무원인 甲이 그의 처 乙과 공동으로 직무에 관련하여 친지의 청탁을 받고 뇌물을 수수한 경우 ⇨ 甲과 乙은 수뢰죄의 공동정범 24. 경위공채, 25. 해경경위공채

관련판례

1. 공무원이 아닌 자는 형법 제228조(공정증서원본 등의 부실기재)의 경우를 제외하고는 허위공문서작성죄의 간접정범으로 처벌할 수 없으나, 공무원과 공동하여 허위공문서작성죄를 범한 때에는 허위공문서작성죄의 공동정범의 죄책을 진다(대판 2006.5.11, 2006도1663). 17. 7급 검찰, 18. 순경 3차, 20. 법원직, 23. 경찰간부·해경승진·경찰승진

2. 대판 2019.8.29, 2018도2738 전원합의체

① 비공무원이 공무원과 공동가공의 의사와 이를 기초로 한 기능적 행위지배를 통하여 공무원의 직무에 관하여 뇌물을 수수하는 범죄를 실행하였다면 공무원이 직접 뇌물을 받은 것과 동일하게 평가할 수 있으므로 공무원과 비공무원에게 뇌물수수죄의 공동정범이 성립한다. 20. 변호사시험·해경승진, 21. 경력채용·순경 1차, 22. 법원행시, 23. 경찰간부, 24. 해경간부·법원직, 25. 경위공채

② 공무원이 뇌물공여자로 하여금 공무원과 뇌물수수죄의 공동정범 관계에 있는 비공무원에게 뇌물을 공여하게 하여 비공무원이 뇌물을 받은 경우 비공무원은 공무원과 함께 뇌물수수죄의 공동정범이 성립하고 제3자뇌물수수죄는 성립하지 않는다. 20. 법원행시·경찰승진·순경 1차, 21. 경력채용

3. 병가 중인 공무원(직무유기죄의 주체 ×)이 다른 공무원의 직무유기죄(진정신분범)에 공모 가담한 경우 ⇨ 직무유기죄의 공동정범 ○(대판 1997.4.22, 95도748 ∵ 제33조 본문) 25. 9급 철도경찰

4. 지방공무원의 신분을 가지지 아니하는 사람도 구 지방공무원법 제58조 제1항을 위반하여 같은 법 제82조에 따라 처벌되는 지방공무원의 범행에 가공한다면 형법 제33조 본문에 의해서 공범으로 처벌받을 수 있다(대판 2012.6.14, 2010도14409 예 지방공무원법 제57조 제2항의 주체인 '공무원'으로 보지 않는 '선거에 의하여 취임한 지방자치단체의 장'의 경우에도 신분관계가 있는 다른 공무원의 범행에 가공한 경우에는 지방공무원법 제82조 제1항, 제57조 제2항 위반죄의 주체가 될 수 있다; 대판 2023.6.1, 2023도3258). 20. 경찰승진, 22. 법원행시

5. 甲은 여당의 유력 정치가인 乙이 기업인들로부터 뇌물을 수수하기 전에 乙과 기업인들의 면담을 주선하였고, 그 후 乙이 기업인들로부터 뇌물을 받았다면 甲은 수뢰죄의 종범에 해당한다(대판 1997.4.17, 96도3377 ∵ 제33조 본문). 18. 경찰간부

6. 피고인이 지방행정서기를 교사하여 무허가 건물을 허가받은 건축물인 것처럼 가옥대장 등에 등재케하여 허위공문서 등을 작성케 한 경우 ⇨ 허위공문서작성죄의 교사범(대판 1983.12.13, 83도1458)

7. 피해아동 甲의 친모인 피고인 乙이 자신과 연인관계인 피고인 丙과 공모하여 甲을 지속적으로 학대함으로써 사망에 이르게 한 경우, 구 아동학대범죄의 처벌 등에 관한 특례법은 보호자가 아동학대범죄를 범하여 그 아동을 사망에 이르게 한 경우를 처벌하는 규정으로 형법 제33조 본문의 '신분관계로 인하여 성립될 범죄'에 해당하므로, 피고인 丙에 대해 형법 제33조 본문에 따라 구 아동학대범죄의 처벌 등에 관한 특례법 위반(아동학대치사)죄의 공동정범이 성립하고 같은 법 제4조에서 정한 형에 따라 과형이 이루어져야 한다(대판 2021.9.16, 2021도5000 ∵ 피고인 丙에 대하여 형법 제33조 단서를 적용하여 형법 제259조 제1항의 상해치사죄에서 정한 형으로 처단한 원심판단에 법리오해의 위법이 있다).

② **신분자가 비신분자에 가공한 경우** : 명문규정이 없다. 이 경우에 신분자가 비신분자를 이용하여 진정신분범을 범한 때에는 처벌되지 않는 자(즉, '신분 없는 고의 있는 도구')를 이용한 간접정범(제34조 제1항)이 성립한다. 24. 경위공채

> 예 1. 공무원이 비공무원을 교사하여 뇌물을 수수하게 한 경우 ⇨ 공무원은 수뢰죄의 간접정범
> 2. 의사가 간호사를 교사하여 허위진단서를 작성하게 한 경우 ⇨ 의사는 허위진단서작성죄의 간접정범

(3) **제33조의 단서의 해석** : 가감적 신분과 공범

단, 신분관계로 인하여 형의 경중이 있는 경우(부진정신분범)에는 중한 형으로 벌하지 아니한다(제33조 단서). 여기서 "중한 형으로 벌하지 아니한다."는 것은 비신분자를 언제나 경한 죄의 형으로 처벌한다는 의미가 아니라, 제33조 단서가 책임개별화원칙과 종속성완화의 원칙을 채택한 것이므로 가중·감경사유는 언제나 신분자에 한하고 비신분자는 통상의 범죄의 형으로 처벌한다는 의미이다.

예 甲과 乙이 공동하여 乙의 부를 살해한 경우 ⇨ 甲은 보통살인죄, 乙은 존속살해죄

관련판례

1. 업무상 타인의 사무를 처리하는 자가 그러한 신분관계가 없는 자와 공모하여 업무상 배임죄를 저질렀다면 그러한 신분관계가 없는 자에 대하여는 형법 제33조 본문에 의하여 업무상 배임죄(단순배임죄 ×)가 성립하고, 형법 제33조 단서에 의하여 단순배임죄(업무상 배임죄 ×)에 정한 형으로 처벌한다(대판 1986.10.28, 86도1517). 20. 경찰간부, 21. 경력채용·순경 1차, 23. 9급 검찰·마약수사·철도경찰, 24. 해경간부·법원직·7급 검찰·순경 2차, 25. 변호사시험·경찰승진·9급 철도경찰·해경경사

2. 타인의 재물을 업무상 보관하는 신분관계가 없는 자가 신분관계가 있는 자와 공모하여 업무상 횡령죄를 저질렀다면 신분관계가 없는 자에 대하여는 형법 제33조 단서에 의하여 단순횡령죄에 정한 형으로 처단하여야 한다(대판 1965.8.24, 65도493). 18. 9급 검찰·철도경찰·순경 3차, 23. 해경승진

   ▶ **비교판례** : 군용물횡령죄에 있어서는 업무상 횡령이던 단순횡령이던 간에 본조에 의하여 그 법정형이 동일하게 되어 양죄 사이에 형의 경중이 없게 되었으므로 법률적용에 있어서 형법 제33조 단서의 적용을 받지 않는다(대판 1965.8.24, 65도493). 09. 경찰승진

3. 비신분자인 아내와 신분자인 아들이 공동하여 아버지를 살해한 경우 비신분자인 아내는 제33조 본문에 따라 존속살해죄의 공동정범이 성립하고, 제33조 단서에 따라 보통살인죄로 처벌된다(대판 1961.8.2, 4294형상284). 20. 경찰승진·순경 1차·해경 3차, 23. 경찰간부·경력채용, 24. 경위공채, 25. 변호사시험

4. 상호신용금고의 임원이 아닌 자가 신분관계 있는 임원과 공모하여 상호신용금고법 위반죄를 저질렀다면 비신분자에게도 상호신용금고법 위반죄가 성립하고, 다만 제33조 단서에 의해 중한 형이 아닌 형법 제355조 제2항(단순배임죄)의 형으로 처벌한다(대판 1997.12.26, 97도2609).

5. 피고인이 국가정보원장 등과 공모하여 국가정보원장 특별사업비에 대한 국고손실 범행을 저질러 그에게 특정범죄 가중처벌 등에 관한 법률 위반(국고 등 손실)죄가 성립한다고 하더라도, 피고인은 회계관계직원 또는 국가정보원장 특별사업비의 업무상 보관자가 아니므로 형법 제355조 제1항의 횡령죄에 정한 형으로 처벌된다(대판 2020.10.29, 2020도3972).

① 비신분자가 신분자에게 가공한 경우

학 설	내용과 사례
통 설	제33조 단서를 부진정신분범의 공범(공동정범·교사범·종범) 성립과 과형에 대한 규정으로 이해한다. **예** • 甲과 乙이 공모하여 乙의 父를 살해한 경우 ⇨ 甲은 보통살인죄의 공동정범, 乙은 존속살해죄의 공동정범 성립 ⇨ 甲은 보통살인죄, 乙은 존속살해죄로 처벌 • 甲이 乙을 교사하여 乙의 父를 살해하게 한 경우 ⇨ 甲은 보통살인죄의 교사범, 乙은 존속살해죄의 정범 성립 ⇨ 甲은 보통살인죄, 乙은 존속살해죄로 처벌
판 례	제33조 본문을 부진정신분범의 공범(공동정범, 교사범, 종범) 성립의 근거로 보고, 그 과형만 단서에 의하여 결정되어야 한다고 본다. **예** • 甲과 乙이 공모하여 乙의 父를 살해한 경우 ⇨ 甲은 존속살해죄의 공동정범, 乙은 존속살해죄의 공동정범 성립(본문) ⇨ 甲은 보통살인죄, 乙은 존속살해죄로 처벌(단서) • 甲이 乙을 교사하여 乙의 父를 살해하게 한 경우 ⇨ 甲은 존속살해죄의 교사범, 乙은 존속살해죄의 정범 성립(본문) ⇨ 甲은 보통살인죄, 乙은 존속살해죄로 처벌(단서) 16. 9급 검찰·마약수사, 22. 경찰승진

② **신분자가 비신분자에게 가공한 경우** : 제33조의 본문은 신분자가 비신분자에게 가공한 경우에는 적용되지 않았으나, 단서는 이 경우에도 적용되어야 한다는 데 이론이 없다.

    예 甲이 乙을 교사하여 甲의 부를 살해하게 한 경우 ⇨ 甲은 존속살해죄의 교사범, 乙은 보통살인죄의 정범

관련판례

1. 형법 제31조 제1항은 협의의 공범의 일종인 교사범이 그 성립과 처벌에 있어서 정범에 종속한다는 일반적인 원칙을 선언한 것에 불과하고, 신분관계로 인하여 형의 경중이 있는 경우에 신분이 있는 자가 신분이 없는 자를 교사하여 죄를 범하게 한 때에는 형법 제33조 단서가 형법 제31조 제1항에 우선하여 적용됨으로써 신분이 있는 교사범이 신분이 없는 정범보다 중하게 처벌된다(대판 1994.12.23, 93도1002). 17. 9급 철도경찰, 18. 법원행시, 21. 경찰간부·법원직, 22. 순경 1차, 24. 7급 검찰·경위공채, 25. 변호사시험·경찰승진

2. 도박의 습벽이 있는 자가 타인의 도박을 방조하면 상습도박방조의 죄(도박방조죄 ×)에 해당하는 것이며, 23. 경력채용, 24. 순경 1차 도박의 습벽이 있는 자가 도박을 하고 또 도박방조를 하였을 경우 상습도박방조의 죄는 무거운 상습도박의 죄에 포괄시켜 1죄로서 처단하여야 한다(대판 1984.4.24, 84도195). 16. 변호사시험, 20. 해경승진·9급 검찰·철도경찰·해경 3차, 21. 순경 1차, 23. 경찰간부, 24. 해경간부·경찰승진

---

(4) **소극적 신분(불구성적 신분 예 무면허의료행위에 있어서 의사)과 공범** : 명문규정 ×

의료인이 비의료인의 의료행위에 가공한 경우 ⇨ 의료인 : 무면허의료행위의 공동정범·교사범·종범 ○ 21. 경력채용

관련판례

1. 의료인일지라도 의료인 아닌 자의 의료행위에 공모하여 가공하면 무면허의료행위의 공동정범으로서의 책임을 진다(대판 1986.2.11, 85도448). 18. 9급 검찰·철도경찰·순경 3차, 20. 법원직·7급 검찰, 21. 순경 1차, 23. 해경승진, 24. 해경간부, 25. 9급 철도경찰

   ▶ **유사판례** : 간호사가 주도적으로 실시한 무면허의료행위에 의사가 간호사와 함께 공모하여 그 공동의사에 의한 기능적 행위지배가 있었다면 의사도 무면허의료행위의 공동정범으로서의 죄책을 진다(대판 2012.5.10, 2010도5964). 25. 해경경사

2. 치과의사가 환자의 대량유치를 위해 치과기공사들에게 진료행위를 지시하여 이들이 단독으로 진료행위를 한 경우 ⇨ 무면허의료행위의 교사범(대판 1986.7.8, 86도749) 21. 변호사시험, 24. 법원직·순경 2차

3. 의료인이 의료인의 자격이 없는 일반인의 의료기관 개설행위에 공모하여 가공한 경우 ⇨ 의료법 위반죄의 공동정범(대판 2001.11.30, 2001도2015) 18. 법원행시, 21. 경찰승진

4. 간호보조원의 무면허진료행위가 있은 후에 이를 의사가 진료부에다 기재한 행위는 정범의 실행행위 종료 후의 단순한 사후행위에 불과하다고 볼 수 없고, 무면허의료행위의 방조에 해당한다(대판 1982.4.27, 82도122). 11. 사시

(5) 기 타

관련판례

1. 공직선거법상의 각 기부행위의 주체로 인정되지 아니하는 자가 기부행위의 주체자 등과 공모하여 기부행위를 하였다 하더라도 그 신분에 따라 각 해당법조로 처벌하여야지 기부행위 주체자에 해당하는 법조 위반의 공동정범으로 처벌할 수는 없다(대판 2008.3.13, 2007도9507). 14. 순경 2차, 17. 경찰승진, 18. 순경 1차

2. 변호사 아닌 자에게 고용되어 법률사무소의 개설·운영에 관여한 변호사의 행위가 일반적인 형법 총칙상의 공모, 교사 또는 방조에 해당된다고 하더라도 변호사를 변호사 아닌 자의 공범으로서 처벌할 수는 없다(대판 2004.10.28, 2004도3994). 20. 7급 검찰·철도경찰·경찰간부, 21. 경찰승진, 24. 순경 2차, 25. 해경경위공채

3. 물건의 소유자가 아닌 사람은 형법 제33조 본문에 따라 소유자의 권리행사방해 범행에 가담한 경우에 한하여 그의 공범이 될 수 있을 뿐이다. 그러나 권리행사방해죄의 공범으로 기소된 물건의 소유자에게 고의가 없는 등으로 범죄가 성립하지 않는다면 공동정범이 성립할 여지가 없다(대판 2017.5.30, 2017도4578). 20. 변호사시험·경찰간부, 23. 9급 검찰·마약수사·철도경찰, 24. 7급 검찰, 25. 해경경사

4. 농업협동조합법 제50조 제2항 소정의 호별방문죄는 '임원이 되고자 하는 자'라는 신분자가 스스로 호별방문을 한 경우만을 처벌하는 것으로 보아야 하고, 비록 신분자가 비신분자와 통모하였거나 신분자가 비신분자를 시켜 방문케 하였다고 하더라도 비신분자만이 호별방문을 한 경우에는 신분자는 물론 비신분자도 같은 죄로 의율하여 처벌할 수는 없다(대판 2003.6.13, 2003도889). 18. 7급 검찰

5. 세무사 자격이 없는 자가 작성하여 온 세무조정계산서에 자기 자신의 기명날인을 한 세무사에 대하여는 형이 보다 가벼운 명의대여 금지규정 위반죄의 적용만이 문제될 뿐이고, 형이 무거운 무자격 세무대리행위의 공동정범이 성립될 여지는 없다(세무사는 명의대여 금지규정 위반죄, 세무사 아닌 자는 세무대리행위에 해당 : 대판 1996.9.24, 96도1278). 15. 법원행시

공범 관련 처벌규정 비교

구 분	처벌 내용
공동정범	각자를 정범으로 처벌한다.
교사범	정범(실행한 자)의 형으로 처벌한다. ▶ **기도된 교사** • 효과 없는 교사 ⇨ 교사자와 피교사자를 음모 또는 예비에 준하여 처벌(교사를 받은 자가 범죄의 실행을 승낙하고 착수에 이르지 아니한 경우) • 실패한 교사 ⇨ 교사자를 음모 또는 예비에 준하여 처벌(교사를 받은 자가 범죄의 실행을 승낙하지 아니한 경우)
종범(방조범)	정범의 형보다 감경한다(필요적 감경).
공범과 신분	부진정신분범(신분관계로 인하여 형의 경중이 있는 경우) ⇨ 비신분자(신분 없는 자)는 중한 형으로 벌하지 아니한다.
간접정범	교사 또는 방조의 예에 의하여 처벌한다.
특수교사	정범에 정한 형의 장기 또는 다액에 그 2분의 1까지 가중처벌한다(자기의 지휘·감독을 받는 자를 교사한 경우).
특수방조	정범의 형으로 처벌한다(자기의 지휘·감독을 받는 자를 방조한 경우).
동시범 (독립행위의 경합)	원인된 행위가 판명되지 아니한 때에 각 행위를 미수범으로 처벌한다. ▶ **예외** : 상해죄 ⇨ 공동정범의 예에 의한다. ⇨ 각자를 정범으로 처벌한다.

인정(긍정) 여부의 대립이 있는 개념들(판례와 다수설에 따름)

구체적인 예	인정(긍정)·처벌할 것인가
편면적 공동정범	부정 ▶ 경우에 따라 동시범 또는 종범
승계적 공동정범	긍정 행위 전체에 대해 공동정범의 책임 부담(다수설) 개입한 이후의 행위에 대해서만 책임 부담(판례)
과실범의 공동정범	긍정(판례), 부정(다수설)
공모공동정범	긍정(판례), 부정(다수설)
간접정범의 미수	간접정범의 미수로 처벌한다(다수설).
과실에 의한 교사	부 정
교사의 미수	처벌규정 있음(제31조 제2항·제3항 : 기도된 교사＝효과 없는 교사＋실패한 교사)
미수의 교사	교사범이 성립하지 않는다(판례·다수설).
편면적 교사	부 정
과실범에 대한 교사	부정 ▶ 간접정범이 된다.
교사의 교사(간접교사·연쇄교사)	긍 정
부작위에 의한 방조	긍정 ▶ 부작위에 의한 교사 ⇨ 부정
사후방조	방조가 아니다. ▶ 사후종범은 종범이 아니라 독립된 범죄이다.
과실에 의한 방조	부 정
미수의 방조	부 정
기도된 방조(방조의 미수)	처벌규정이 없어 벌하지 않는다.
편면적 방조	긍 정
예비의 방조	부 정
종범의 종범(간접방조, 연쇄방조), 교사의 종범, 종범의 교사	긍정 ▶ 모두 다 방조범이다.

01 공범과 신분에 대한 설명 중 가장 적절하지 않은 것은?(다툼이 있는 경우 판례에 의함) 20. 경찰승진

① 형법 제33조 본문의 신분관계로 인하여 성립될 범죄에는 진정신분범뿐만 아니라 부진정신분 범도 포함되며, 단서는 비신분자와 신분자의 과형의 개별화에 관한 규정으로 본다.

② 비신분자인 아내와 신분자인 아들이 공동하여 아버지를 살해한 경우 비신분자인 아내는 존속살해죄가 아닌 보통살인죄로 성립·처벌된다.

③ 공무원이 뇌물공여자로 하여금 공무원과 뇌물수수죄의 공동정범 관계에 있는 비공무원에게 뇌물을 공여하게 하여 비공무원이 뇌물을 받은 경우 비공무원은 공무원과 함께 뇌물수수죄의 공동정범이 성립하고 제3자뇌물수수죄는 성립하지 않는다.

④ 지방공무원의 신분을 가지지 아니하는 사람이 구 지방공무원법에 따라 처벌되는 지방공무원의 범행에 가공한다면 형법 제33조 본문에 의해서 공범으로 처벌받을 수 있다.

해설 ① 대판 2018.8.30, 2018도10047
② × : 제33조 본문에 따라 존속살해죄의 공동정범이 성립하고, 제33조 단서에 따라 보통살인죄로 처벌된다 (대판 1961.8.2, 4294형상284).
③ 대판 2019.8.29, 2018도2738 전원합의체
④ 대판 2012.6.14, 2010도14409

02 공범과 신분에 관한 설명 중 옳은 것은 모두 몇 개인가?(다툼이 있는 경우 판례에 의함) 20. 경찰간부

㉠ 신분관계로 인하여 형의 경중이 있는 경우에 신분이 있는 자가 신분이 없는 자를 교사하여 죄를 범하게 한 때에는 형법 제33조 단서가 형법 제31조 제1항에 우선하여 적용된다.

㉡ 변호사가 변호사 아닌 자에게 고용되어 법률사무소의 개설·운영에 관여하는 행위는 변호사법위반죄의 방조범으로 처벌할 수 없다.

㉢ 업무상의 임무라는 신분관계가 없는 자가 신분관계 있는 자와 공모하여 업무상 배임죄를 범한 경우, 신분관계가 없는 공범에 대하여는 업무상 배임죄가 성립한다.

㉣ 형법 제33조 소정의 이른바 신분관계라 함은 남녀의 성별, 내·외국인의 구별, 친족관계, 공무원인 자격과 같은 관계뿐만 아니라 널리 일정한 범죄행위에 관련된 범인의 인적 관계인 특수한 지위 또는 상태를 지칭하는 것이다.

㉤ 물건의 소유자가 아닌 사람은 형법 제33조 본문에 따라 소유자의 권리행사방해죄의 범행에 가담한 경우에 한하여 그의 공범이 될 수 있을 뿐이다. 그러나 권리행사방해죄의 공범으로 기소된 물건의 소유자에게 고의가 없는 등으로 범죄가 성립하지 않는다면 공동정범이 성립할 여지가 없다.

① 2개   ② 3개   ③ 4개   ④ 5개

01. ② **02.** ④

해설　㉠ ○ : 대판 1994.12.23, 93도1002
㉡ ○ : 대판 2004.10.28, 2004도3994
㉢ ○ : 대판 1986.10.28, 86도1517
㉣ ○ : 대판 1994.12.23, 93도1002
㉤ ○ : 대판 2017.5.30, 2017도4578

03 공범과 신분에 대한 설명으로 옳은 것은?(다툼이 있는 경우 판례에 의함)　　20. 7급 검찰, 21. 경찰승진

① 甲이 A를 모해할 목적으로 그러한 목적이 없는 乙에게 위증을 교사한 경우, 甲은 공범종속성의 원칙에 따라 단순위증죄의 교사범으로 처벌된다.

② 의료인 甲이 의료인 아닌 乙의 무면허의료행위에 공모하여 가공한 경우, 의료인의 신분을 가진 甲을 乙의 의료법위반행위의 공범으로 처벌할 수 없다.

③ 신분관계 없는 甲이 신분관계 있는 乙과 공모하여 업무상 배임죄를 저질렀다면, 甲에게는 형법 제33조 단서에 의하여 단순배임죄가 성립하고 이에 정한 형으로 처벌된다.

④ 변호사 甲이 변호사 아닌 乙에게 고용되어 법률사무소의 개설·운영에 관여한 경우, 이를 처벌하는 규정이 없는 이상 甲을 乙의 변호사법위반행위의 공범으로 처벌할 수 없다.

해설　① × : ~ (1줄) 경우, 甲은 형법 제33조 단서에 따라 모해위증죄의 교사범으로 처벌된다(대판 1994.12.23, 93도1002).
② × : ~ (2줄) 처벌할 수 있다(대판 1986.2.11, 85도448).
③ × : ~ (2줄) 형법 제33조 본문에 의하여 업무상 배임죄가 성립하고, 단서에 의하여 단순배임죄에 정한 형으로 처벌된다(대판 1986.10.28, 86도1517).
④ ○ : 대판 2004.10.28, 2004도3994

04 공범과 신분에 대한 설명 중 옳은 것만을 고른 것은?(다툼이 있는 경우 판례에 의함)　　23. 경찰간부

㉠ 비신분자가 신분관계로 인하여 성립될 범죄에 가공한 경우 비신분자에게 공동가공의 의사와 이에 기초한 기능적 행위지배를 통한 범죄의 실행이라는 주관적·객관적 요건이 충족되면 신분자와 공동정범이 성립한다.
㉡ 甲이 친구 乙과 공모하여 자신의 아버지를 살해한 경우, 乙은 존속살해죄의 공동정범이 성립하나 보통살인죄에 정한 형으로 처단된다.
㉢ 도박의 습벽이 있는 甲이 도박을 하고 또한 도박의 습벽이 없는 A의 도박을 방조한 경우, 甲은 상습도박죄와 도박방조죄가 성립하고 양죄는 실체적 경합관계에 있다.
㉣ 甲이 공무원인 자신의 남편 A에게 채무변제로 받는 돈이라고 속여 A로 하여금 뇌물을 받게 한 경우, 甲은 형법 제33조에 의해 수뢰죄의 간접정범으로 처벌된다.

① ㉠, ㉡　　　　② ㉡, ㉣　　　　③ ㉢, ㉣　　　　④ ㉠, ㉡, ㉣

해설　㉠ ○ : 대판 2019.8.29, 2018도2738 전원합의체
㉡ ○ : 대판 1961.8.2, 4294형상284

Answer　03. ④　04. ①

ⓒ × : 도박의 습벽이 있는 자가 타인의 도박을 방조하면 상습도박방조의 죄에 해당하는 것이며, 도박의 습벽이 있는 자가 도박을 하고 또 도박방조를 하였을 경우 상습도박방조의 죄는 무거운 상습도박의 죄에 포괄시켜 1죄로서 처단하여야 한다(대판 1984.4.24, 84도195).

ⓔ × : 비신분자(수뢰죄에 있어서 공무원이 아닌 자 : 甲)가 진정신분범(수뢰죄에 있어서 공무원 : A)에 가공한 경우 형법 제33조(본문)에 의해 수뢰죄의 공범(교사범·종범)은 물론 공동정범으로 처벌될 수 있으나 간접정범으로 처벌할 수 없다(대판 2006.5.11, 2006도1663 참조).

05 공범과 신분에 대한 설명 중 가장 적절하지 않은 것은?(다툼이 있는 경우 판례에 의함) 23. 경찰승진

① 신분관계라 함은 널리 일정한 범죄행위에 관련된 범인의 인적 관계인 특수한 지위 또는 상태를 지칭하는 것이므로, 고의나 목적과 같이 행위 관련적 요소는 이에 포함되지 않는다.

② 신분관계로 인하여 형의 경중이 있는 경우에 신분이 있는 자가 신분이 없는 자를 교사하여 죄를 범하게 한 때에는 형법 제33조 단서가 형법 제31조 제1항에 우선하여 적용됨으로써 신분이 있는 교사범이 신분이 없는 정범보다 중하게 처벌된다.

③ 공무원 아닌 자가 공무원과 공동하여 허위공문서작성죄를 범한 때에는 허위공문서작성죄의 공동정범이 된다.

④ 업무상 배임죄에 있어서 업무상 임무라는 신분관계가 없는 자가 그러한 신분관계 있는 자와 공모하여 업무상 배임죄를 저지르는 경우 신분관계 없는 공범은 신분범인 업무상 배임죄가 성립하고, 다만 과형에서만 무거운 형이 아닌 단순배임죄의 법정형이 적용된다.

[해설] ① × : ~ (2줄) 지칭하는 것이므로, 행위자와 관련된 요소가 아닌 행위 관련적 요소(고의나 목적)는 이에 포함되지 않는다고 보는 것이 다수설이나, 행위 관련적 요소도 이에 포함된다는 것이 판례의 태도이다 (위증을 한 범인이 형사사건의 피고인 등을 '모해할 목적'을 가지고 있었는가 아니면 그러한 목적이 없었는가 하는 범인의 특수한 상태의 차이에 따라 범인에게 과할 형의 경중을 구별하고 있으므로, 이는 바로 형법 제33조 단서 소정의 "신분관계로 인하여 형의 경중이 있는 경우"에 해당한다 ; 대판 1994.12.23, 93도1002).
② 대판 1994.12.23, 93도1002
③ 대판 2006.5.11, 2006도1663
④ 대판 1986.10.28, 86도1517

06 다음은 공범과 신분에 관한 사례이다. 옳지 않은 것은?(다툼이 있는 경우 판례에 의함) 24. 경위공채

> ㉠ 전업주부인 甲은 공무원인 남편 乙과 공모하여 A로부터 뇌물을 받았다.
> ㉡ 甲은 친구 乙과 공모하여 甲의 직계존속인 아버지 A를 살해하였다.
> ㉢ 공무원인 甲은 전업주부인 乙을 교사하여 A로부터 뇌물을 받았다.
> ㉣ 甲은 친구 乙로 하여금 甲의 직계존속인 아버지 A를 살해하도록 교사하였다.

① ㉠사안에서 甲에게는 형법 제33조 본문이 적용되어 수뢰죄의 공동정범이 성립하고 수뢰죄의 법정형에 따라 처벌된다.

② ㉡사안에서 乙은 형법 제33조 본문에 따라 존속살해죄가 성립하지만, 과형은 제33조 단서가 적용되어 보통살인죄의 형으로 처벌된다.

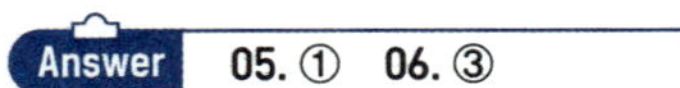

③ ⓒ사안에서 甲은 수뢰죄의 교사범이 성립하고 乙은 형법 제33조 본문이 적용되어 수뢰죄로 처벌된다.

④ ⓔ사안에서 甲과 乙에게는 형법 제33조 단서가 적용되어 각각 존속살해죄의 교사범과 보통 살인죄가 성립한다.

[해설] ① 옳다.

② 옳다(대판 1961.8.2, 4294형상284).

③ × : 진정신분범(수뢰죄)에서 신분자(甲)가 비신분자(乙)를 교사한 경우, 명문규정이 없어 처벌되지 않는 자(乙 : '신분 없는 고의 있는 도구')를 이용한 간접정범(제34조 제1항)이 성립한다.

④ 신분관계로 인하여 형의 경중이 있는 경우(존속살해죄)에 신분이 있는 자가 신분이 없는 자를 교사하여 죄를 범하게 한 때에는 형법 제33조 단서가 형법 제31조 제1항에 우선하여 적용된다(대판 1994.12.23, 93도1002 ∴ 甲 ⇨ 존속살해의 교사범, 乙 ⇨ 보통살인죄).

07 공범과 신분에 관한 설명으로 옳지 않은 것은?(다툼이 있는 경우 판례에 의함)   25. 경위공채

> 공무원 甲은 공무원이 아닌 처 乙과 공동으로 공모 후 직무와 관련하여 뇌물을 수수하였다. 이러한 사실을 A가 고발하려 하자 甲은 A를 모해할 목적으로 이러한 목적이 없는 증인 丙을 교사하여 丙으로 하여금 A의 직권남용에 대한 위증을 하도록 교사하였다.

① 판례는 모해목적위증죄에 관하여 위증을 한 범인이 형사사건의 피고인 등을 '모해할 목적'이라는 일정한 신분이 있어야 범죄가 성립하는 구성적 신분으로 보고 있다.

② 공무원인 甲과 그의 처 乙은 공동가공의 의사와 이를 기초로 한 기능적 행위지배를 통하여 공무원의 직무에 관한 뇌물을 수수하였으므로 수뢰죄의 공동정범이 성립한다.

③ 甲은 '증인'이라는 신분과의 관계에서는 '비신분자가 구성적 신분자의 범죄에 가담한 경우'에 해당하므로 형법 제33조 본문이 적용되어 연대작용으로 증인이 아닌 甲도 증인의 신분을 취득한다.

④ 甲은 '모해목적'이라는 신분과의 관계에서는 '가감적 신분자가 비신분자의 범행에 가담한 경우'에 해당하므로 형법 제33조 단서가 적용되어 개별작용으로 인해 모해위증교사죄로 처단할 수 있다.

[해설] ① × : 형법 제152조 제1항과 제2항은 위증을 한 범인이 형사사건의 피고인 등을 '모해할 목적'을 가지고 있었는가 아니면 그러한 목적이 없었는가 하는 범인의 특수한 상태의 차이에 따라 범인에게 과할 형의 경중을 구별하고 있으므로, 이는 바로 형법 제33조 단서의 "신분 때문에 형의 경중이 달라지는 경우"에 해당한다〔대판 1994.12.23, 93도1002 ∴ 가감적 신분(부진정신분범) ○〕.

② 대판 2019.8.29, 2018도2738 전원합의체

③ 옳다〔∵ 위증죄는 진정신분범이므로 신분의 연대성을 규정한 형법 제33조 본문이 적용되어 선서한 증인(乙)이 아닌 비신분자(甲)에게도 위증죄의 공범(교사범)이 성립한다〕.

④ 대판 1994.12.23, 93도1002

Answer 07. ①

08 공범과 신분에 관한 설명으로 옳은 것을 모두 고른 것은?(다툼이 있는 경우 판례에 의함) 24. 순경 2차

> ㉠ 허위공문서작성죄 및 그 행사죄는 '공무원'만이 그 주체가 될 수 있는 신분범이라 할 것이므로,
> 신분상 공무원이 아님이 분명한 피고인들을 허위공문서작성죄 및 그 행사죄로 처벌하려면 그
> 에 관한 특별규정이 있어야 한다.
> ㉡ 형법 제152조 제1항과 제2항은 위증을 한 범인이 형사사건의 피고인 등을 '모해할 목적'을 가
> 지고 있었는가 아니면 그러한 목적이 없었는가 하는 범인의 특수한 상태의 차이에 따라 범인
> 에게 과할 형의 경중을 구별하고 있으므로, 이는 바로 형법 제33조 단서의 "신분 때문에 형의
> 경중이 달라지는 경우"에 해당한다.
> ㉢ 업무상의 임무라는 신분관계가 없는 자가 신분관계 있는 자와 공모하여 업무상 배임죄를 범
> 한 경우, 신분관계가 없는 공범에 대하여는 형법 제33조 본문에 따라 업무상 배임죄의 공동정
> 범이 성립하고 업무상 배임죄에서 정한 형으로 처단한다.
> ㉣ 치과의사가 환자의 대량유치를 위해 치과기공사들에게 내원 환자들에게 진료행위를 하도록
> 지시하여 그들이 각 단독으로 진료행위를 한 경우 치과의사는 무면허의료행위의 교사범이 성
> 립한다.
> ㉤ 변호사가 변호사 아닌 자에게 고용되어 법률사무소의 개설·운영에 관여하여 변호사법위반
> 죄가 문제된 경우, 변호사의 행위가 형법 총칙상의 공모, 교사 또는 방조에 해당된다고 하더라
> 도 변호사를 변호사 아닌 자의 공범으로 처벌할 수 없다.

① ㉠, ㉢, ㉤
② ㉡, ㉣, ㉤
③ ㉠, ㉡, ㉢, ㉣
④ ㉠, ㉡, ㉣, ㉤

해설 ㉠ ○ : 대판 2009.3.26, 2008도93

㉡ ○ : 대판 1994.12.23, 93도1002

㉢ × : ~ (2줄) 업무상 배임죄의 공동정범이 성립하고, 형법 제33조 단서에 의하여 단순배임죄(업무상 배임죄 ×)에 정한 형으로 처단한다(대판 1986.10.28, 86도1517).

㉣ ○ : 대판 1986.7.8, 86도749

㉤ ○ : 대판 2004.10.28, 2004도3994

Answer 08. ④

01 다음 중 판례가 긍정하는 것만을 모두 고른 것은?　　18. 9급 검찰·마약수사·철도경찰

> ㉠ 편면적 방조에 있어서 공범종속성　　㉡ 예비단계에 있어서 방조범 성립
> ㉢ 합동절도의 공동정범 성립　　㉣ 허위공문서작성죄의 간접정범 성립
> ㉤ 강간치상죄의 동시범특례규정 적용

① ㉠, ㉢, ㉣　　② ㉠, ㉢, ㉤　　③ ㉡, ㉢, ㉣　　④ ㉡, ㉣, ㉤

해설 ・ **판례가 긍정 ○**: ㉠ 편면적 종범에서도 정범의 범죄행위 없이 방조범만이 성립될 수 없다(대판 1974.5.28, 74도509 ∴ 공범종속성 긍정). ㉢ 대판 2011.5.13, 2011도2021 ㉣ 보조공무원이 허위공문서를 기안하여 그 정을 모르는 작성권자의 결재를 받아 공문서를 완성한 경우 허위공문서작성죄의 간접정범이 성립한다(대판 1981.7.28, 81도898).
・ **판례가 긍정 ×**: ㉡ 정범이 실행의 착수에 이르지 아니한 예비의 단계에 그친 경우에는 이에 가공한 행위가 예비의 공동정범이 될 때를 제외하고는 이를 방조범으로 처벌할 수 없다(대판 1976.5.25, 75도1549). ㉤ 강간치상죄에 대하여는 상해죄의 동시범 처벌에 관한 특례를 인정한 형법 제263조가 적용되지 아니한다(대판 1984.4.24, 84도372).

02 대법원 판례가 인정하고 있지 않는 것만을 모두 고르면?　　20. 9급 검찰·마약수사·철도경찰

> ㉠ 예비죄의 중지범　　㉡ 진정결과적 가중범의 공동정범
> ㉢ 부작위범 사이의 공동정범　　㉣ 사후방조로서의 종범
> ㉤ 편면적 종범　　㉥ 예비죄의 공동정범

① ㉠, ㉣　　② ㉠, ㉡, ㉥　　③ ㉠, ㉣, ㉥　　④ ㉡, ㉢, ㉤

해설 ・ **인정 ○**: ㉡ 대판 2000.5.12, 2000도745 ㉢ 대판 2008.3.27, 2008도89 ㉤ 대판 1974.5.28, 74도509 ㉥ 대판 1979.11.27, 79도2201
・ **인정 ×**: ㉠ 대판 1999.4.9, 99도424 ㉣ 대판 2009.6.11, 2009도1518

03 공범에 관한 설명 중 옳은 것은?(다툼이 있는 경우 판례에 의함)　　21. 변호사시험
① 업무상 배임죄에서 업무상 임무라는 신분 관계 없는 甲이 신분 있는 乙과 공모하여 업무상 배임죄를 범한 경우 甲에게는 단순배임죄가 성립한다.
② 2인 이상의 서로 대향된 행위의 존재를 요구하는 관계인 금품 수수에서 금품 공여자에 대한 처벌규정이 없다면, 금품 공여자의 행위에만 관여하여 그 공여 행위를 교사·방조한 자는 금품 수수자의 범행에 대하여 공범이 되지 않는다.
③ 치과의사 甲이 치과의사면허가 없는 치과기공사 乙에게 치과진료행위를 하도록 교사한 경우 甲은 소극적 신분을 이유로 처벌되지 않는다.

Answer　01. ①　02. ①　03. ②

④ 방조범이 성립하기 위하여 방조범과 정범 사이의 의사연락을 요하지는 않지만, 정범이 누구인지와 범행 일시, 장소, 객체 등에 대한 구체적 인식과 이러한 정범의 실행을 방조한다는 인식이 필요하다.

⑤ 甲이 범죄를 교사하였고 피교사자 乙이 실행을 승낙하고도 이후 실행의 착수를 하지 않은 경우 교사자인 甲만 예비·음모에 준하여 처벌된다.

> **해설** ① × : ~ (2줄) 甲에게는 업무상 배임죄(단순배임죄 ×)가 성립한다(대판 1986.10.28, 86도1517).
> ② ○ : 대판 2014.1.16, 2013도6969
> ③ × : ~ (2줄) 甲은 무면허의료행위의 교사범으로 처벌된다(대판 1986.7.8, 86도749).
> ④ × : ~ (1줄) 않지만(편면적 종범 인정 : 대판 1974.5.28, 74도509), 정범이 누구인지와 범행 일시, 장소, 객체 등에 대해 구체적으로 인식할 필요가 없으나(대판 2007.12.14, 2005도872) 정범의 실행을 방조한다는 인식(방조의 고의)은 필요하다(대판 2005.4.29, 2003도6056).
> ⑤ × : ~ (2줄) 甲과 乙 모두 예비·음모에 준하여 처벌한다(효과 없는 교사 : 제31조 제2항).

04 **다음 중 공범에 관한 설명으로 가장 옳지 않은 것은?**(다툼이 있는 경우 판례에 의함)　　21. 해경간부

① 단일정범개념에 대해서는 가벌성의 확대를 초래한다는 비판이 있다.

② 구성요건 행위의 일부를 직접 분담하여 실행하지 않은 공모자에게 공모공동정범으로서의 죄책을 물을 수 있으려면 전체 범죄에서 그가 차지하는 지위나 역할 등에 비추어 범죄에 대한 본질적 기여를 통한 기능적 행위지배가 존재하여야 한다.

③ 甲이 A중공업 직원 乙이 영업비밀인 선박부품 설계도면을 해외로 유출하기 위하여 무단 반출하였다는 사실을 알고 몇 개월 후 乙에게 접근하여 설계도면을 취득하려고 하였다면 업무상 배임죄의 공동정범이 될 수 없다.

④ 甲은 乙에게 A의 도자기를 강취해 올 것을 교사하였고 乙은 이를 승낙하였으나 차일피일 미루고 있는 경우, 甲이 乙을 교사한 행위에 대하여 처벌하는 것은 공범종속성설의 논리적 결과이다.

> **해설** ① 옳다. ② 대판 2009.2.12, 2008도6551 ③ 대판 2003.10.30, 2003도4382
> ④ × : ~ 것은 공범독립성설(공범종속성설 ×)의 논리적 결과이다.

05 **공범의 착오에 대한 설명으로 옳은 것은?**(다툼이 있는 경우 판례에 의함)　　21. 7급 검찰

① 방조자의 인식과 정범의 실행 간에 착오가 있고 양자의 구성요건을 달리한 경우, 그 구성요건이 중첩되는 부분뿐만 아니라 정범의 초과부분에 대해서도 방조자의 죄책을 인정하여야 한다.

② 공범종속성설에 의하면 공범의 가벌성은 교사자 자신의 행위에 의해 결정되기 때문에 교사자의 교사행위가 있는 이상 피교사자의 범죄실행이 없어도 교사한 범죄의 미수범으로 처벌받게 된다.

③ 甲과 乙이 A를 강도하기로 공모하였음에도 불구하고 乙이 공모한 내용과 전혀 다른 강도강간을 한 경우, 직접 실행행위에 관여하지 않았더라도 甲은 강도강간죄의 죄책을 진다.

④ 피교사자가 교사자의 교사내용과 전혀 다른 범죄를 실현한 경우 교사범이 성립하지 않는다는 견해에 따르면, 甲이 乙에게 A에 대한 강간을 교사하였는데 乙이 강도를 한 경우 甲은 강간의 예비·음모에 준하여 처벌된다.

해설 ① × : ~ (2줄) 중첩되는 부분 한도 내에서만 방조자의 죄책이 인정된다(대판 1985.2.26, 84도2987).
② × : 교사범이 성립하기 위해서는 교사자의 교사행위와 정범(피교사자)의 실행행위가 있어야 하는 것이므로, 정범의 성립은 교사범의 구성요건의 일부를 형성하고 교사범이 성립함에는 정범의 범죄행위가 인정되는 것이 그 전제요건이 된다(대판 2000.2.25, 99도1252).
③ × : 공모사실(강도)과 발생사실(강간)이 전혀 별개의 구성요건에 속하는 질적 초과의 경우로서 그 초과부분에 대해서는 공동정범이 성립하지 않으므로, 甲에게는 강도강간죄의 공동정범이 성립하지 않고 특수강도죄(제334조)만 성립한다(대판 1988.9.13, 88도1114).
④ ○ : 교사의 착오 중 질적 초과의 경우로 제31조 제2항에 의해 강간죄의 예비·음모에 준하여 처벌된다.

06 정범 및 공범에 관한 설명으로 가장 적절하지 않은 것은?(다툼이 있는 경우 판례에 의함)
22. 순경 1차

① 공모공동정범에 있어서 공모자가 공모에 주도적으로 참여하여 다른 공모자의 실행에 영향을 미친 때에는 범행을 저지하기 위하여 적극적으로 노력하는 등 실행에 미친 영향력을 제거하지 아니하는 한 공모관계에서 이탈하였다고 할 수 없다.
② 피교사자가 교사자의 교사행위 당시에는 일응 범행을 승낙하지 아니한 것으로 보여진다 하더라도 이후 그 교사행위에 의하여 범행을 결의한 것으로 인정되는 이상 교사범의 성립에는 영향이 없다.
③ 甲이 책임무능력자를 이용하여 범행한 사례에 있어서 공범의 종속정도와 관련하여 제한종속형식설을 취하는 경우, 공범의 우위성에 따라 甲에게는 교사범이 성립하므로 간접정범이 성립할 여지가 없다.
④ 어느 행위로 인하여 과실범으로 처벌되는 자를 교사 또는 방조하여 범죄행위의 결과를 발생하게 한 자는 교사 또는 방조의 예에 의하여 처벌한다.

해설 ① 대판 2008.4.10, 2008도1274 ② 대판 2013.9.12, 2012도2744
③ × : 다수설·판례인 제한종속형식에 의하더라도 정범개념의 우위성에 의하여 고의 있고, 책임 있는 경우에 의사지배가 인정되면 이용자는 간접정범이 될 수 있다. 정범 배후의 정범이론에 따르더라도 간접정범이 될 수 있다. ④ 제34조 제1항

07 甲의 죄책에 관한 설명으로 옳은 것은?(다툼이 있는 경우 판례에 의함)　　22. 7급 검찰
① 乙의 행위가 범죄구성요건에 해당하지만 위법하지 않은 경우, 甲이 乙의 행위를 방조하였더라도 공범의 종속성에 관해 제한종속형식을 취하는 때에는 종범(형법 제32조 제1항)이 성립하지 않는다.
② 甲의 행위가 범죄구성요건에 해당하고 위법하더라도 甲이 듣거나 말하는 데 모두 장애가 있는 사람이라면 甲의 행위에 대해서는 형을 면제한다.

Answer　06. ③　07. ①

③ 甲의 행위가 범죄구성요건에 해당하고 위법하더라도 甲이 심신상실자(형법 제10조 제1항)라면 甲에게 보안처분을 과할 수 없다.

④ 乙의 행위가 범죄구성요건에 해당하지만 위법하지 않은 경우, 乙의 행위를 교사한 甲을 간접정범(형법 제34조 제1항)으로는 처벌할 수 없다.

해설 ① ○ : 제한종속형식설에 따르면 정범(乙)의 행위가 구성요건에 해당하고 위법해야만 공범(甲 : 종범)이 성립하므로 ①은 옳다.
② × : ~ 형을 감경한다(제11조 : 청각 및 언어 장애인).
③ × : 심신상실자는 책임능력이 없어 책임이 조각되나 보안처분은 가능하다(치료감호법에 의한 치료감호처분).
④ × : ~ (1줄) 간접정범으로 처벌할 수 있다(대판 2006.5.25, 2003도3945).

08 공범에 관한 설명 중 옳은 것은?(다툼이 있는 경우 판례에 의함) 23. 변호사시험

① 공무원이 아닌 사람이 공무원과 공동가공의 의사와 이를 기초로 한 기능적 행위지배를 통하여 공무원의 직무에 관하여 뇌물을 수수하는 범죄를 실행하였다 하더라도 공무원이 아닌 사람은 뇌물수수죄의 공동정범이 될 수 없다.

② 모해의 목적을 가진 甲이 모해의 목적이 없는 乙에게 위증을 교사하여 乙이 위증죄를 범한 경우, 공범종속성에 따라 甲에게는 모해위증교사죄가 성립할 수 없다.

③ 공문서 작성권자의 직무를 보조하는 공무원이 그 직위를 이용하여 행사할 목적으로 허위내용의 공문서의 초안을 작성한 후 문서에 기재된 내용의 허위사실을 모르는 작성권자에게 제출하여 결재하도록 하는 방법으로 작성권자로 하여금 허위의 공문서를 작성하게 한 경우, 그 보조공무원에게는 허위공문서작성죄의 간접정범이 성립하지 않는다.

④ 비신분자가 업무상 타인의 사무를 처리하는 자의 배임행위를 교사한 경우, 그 비신분자는 타인의 사무처리자에 해당하지 않으므로 업무상 배임죄의 교사범이 성립하지 않는다.

⑤ 벌금 이상의 형에 해당하는 죄를 범한 甲이 자신의 동거가족 乙에게 자신을 도피시켜 달라고 교사한 경우, 乙이 甲과의 신분관계로 인해 범인도피죄로 처벌될 수 없다 하더라도 甲에게는 범인도피죄의 교사범이 성립한다.

해설 ① × : ~ (2줄) 실행하였다면 공무원이 아닌 사람은 뇌물수수죄의 공동정범이 될 수 있다(대판 2019. 8.29, 2018도2738 전원합의체).
② × : ~ (2줄) 범한 경우, 제33조 단서가 적용되어 모해위증교사죄로 처단할 수 있다(대판 1994.12.23, 93도1002).
③ × : ~ (4줄) 간접정범이 성립한다(대판 1990.10.30, 90도1912).
④ × : ~ (1줄) 교사한 경우, 형법 제33조 본문에 의하여 업무상 배임죄의 교사범이 성립하고, 형법 제33조 단서에 의하여 단순배임죄의 교사범으로 처벌한다(대판 1986.10.28, 86도1517).
⑤ ○ : 대판 2006.12.7, 2005도3707

Answer 08. ⑤

죄수론

단원 advice

수험생들이 어렵게 여기는 부분이다. 그러나 어느 시험에서나 해마다 한 두 문제가 출제되고 있는 실정이다. 특히 최근에는 판례와 관련하여 불가벌적 사후행위, 포괄일죄, 일죄와 수죄의 사례, 상상적 경합과 실체적 경합 및 이들의 종합문제가 출제되고 있다.

제1절 죄수론

(1) 죄수론은 범죄의 수가 1개인가, 여러 개인가의 문제와 이 경우에 어떻게 처벌할 것인가의 법적 취급의 문제를 논하는 이론이다.

① **일죄**(단순일죄)
- 1개의 행위로 1개의 구성요건을 실현하는 경우
  - **예** A가 B에게 단 한 발의 권총을 발사하여 B를 살해한 경우
- 법조경합 : 1개의 행위가 외관상 수개의 구성요건에 해당하는 것처럼 보이나 실질적으로 일죄만을 구성하는 경우
- 포괄일죄 : 수개의 행위가 포괄적으로 1개의 구성요건에 해당하여 일죄를 구성하는 경우

② **수 죄**
- 상상적 경합 : 1개의 행위가 수개의 죄에 해당하는 경우(실질적으로 수죄이나 과형상 일죄)
- (실체적) 경합(경합범) : 수개의 행위가 수개의 죄에 해당하는 경우

관련판례 1

1. 법조경합(상상적 경합 ×)은 1개의 행위가 외관상 수개의 죄의 구성요건에 해당하는 것처럼 보이나 실질적으로 1죄만을 구성하는 경우인 데 반해 상상적 경합(법조경합 ×)은 1개의 행위가 실질적으로 수개의 구성요건을 충족하는 경우로서, 실질적으로 1죄인가 또는 수죄인가는 구성요건적 평가와 보호법익의 측면에서 고찰하여 판단하여야 한다(대판 2011.11.24, 2010도8568). 21. 해경승진, 23. 7급 검찰, 26. 경찰승진
2. 미성년자의제강간죄 · 강제추행죄는 행위시마다 한 개의 범죄가 성립한다(대판 1982.12.14, 82도2442). 19. 법원행시 · 경찰간부, 20. 해경승진

(2) **죄수결정의 기준** 20. 순경 1차, 22. 순경 2차

① **행위표준설** : 행위자의 행위의 수에 의하여 죄수를 결정하는 견해(객관주의 범죄이론)로, 행위가 한 개이면 일죄이고 여러 개이면 수(개의)죄라고 한다.

행위표준설에 의하면 연속범(연속하여 행하여진 수개의 행위가 동종의 범죄에 해당하는 경우)은 수죄이지만, 상상적 경합은 일죄가 된다. 판례는 강간죄(대판 1982.12.14, 82도2442)나 공갈죄(대판 1958.4.11, 4291형상370)의 경우 이 견해를 취하고 있다.

② **법익표준설** : 범죄행위로 침해된 보호법익의 수 또는 결과의 수를 기준으로 죄수를 결정하는 견해(객관주의 범죄이론)로, 전속적 법익(생명, 신체, 자유, 명예)은 법익주체(피해자)마다 1개의 죄가 성립하고, 비전속적 법익(공공의 안전, 재산권)은 공공의 안전의 경우에는 1개의 죄(예 1개의 방화행위로 수개의 건물을 연소시킨 경우 1개의 방화죄 성립)가 성립하고, 재산권의 경우 재산관리에 수에 상응해서 범죄가 성립한다(예 1인이 관리하는 수인의 소유물을 절취한 경우 1개의 절도죄).

법익표준설에 의하면 상상적 경합은 실질상 수죄이지만 제40조에 의하여 처벌상 일죄로 취급된다.

③ **의사표준설** : 범죄의사의 수를 기준으로 죄수를 결정하는 견해(주관주의 범죄이론)로, 상상적 경합이나 연속범도 의사의 단일성이 인정되면 일죄가 된다. 판례는 연속범의 경우 이 견해를 취하고 있다.

④ **구성요건표준설** : 구성요건에 해당하는 횟수를 기준으로 하는 죄수를 결정하는 견해(객관주의 범죄이론)로, 구성요건을 1회 충족하면 일죄이고 수회 해당하면 수죄가 된다.

구성요건표준설에 의하면 수개의 반복된 행위(5회에 걸친 뇌물수수행위)가 동일한 구성요건(수뢰죄)에 해당할 경우에 일죄인가 수죄인가를 판단하기 어렵다.

www.pmg.co.kr

01 죄수(罪數)결정 기준에 관한 다음 설명으로 가장 적절한 것은?(다툼이 있는 경우 판례에 의함)

20. 순경 1차

① 행위표준설은 죄수의 판단을 위한 기본요소를 행위자의 행위에서 구하여 행위가 하나일 때 하나의 죄를, 행위가 다수일 때 수개의 죄를 인정하는 견해로 판례는 연속범의 경우 이 견해를 취하고 있다.

② 법익표준설은 한 사람의 행위자가 실현시킨 범죄실현의 과정에서 몇 개의 보호법익이 침해 또는 위태롭게 되었는가를 기준으로 죄의 개수를 인정하는 견해로 판례는 강간, 공갈죄의 경우 이 견해를 취하고 있다.

③ 의사표준설은 행위자가 실현하려는 범죄의사의 개수에 따라서 죄의 개수를 결정하려는 견해로 행위자에게 1개의 범죄의사가 있으면 1죄를, 수개의 범죄의사가 있으면 수개의 죄를 각각 인정하게 되며, 판례는 연속범의 경우를 제외하고는 원칙적으로 이 견해를 취하고 있다.

④ 구성요건표준설은 구성요건에 해당하는 횟수를 기준으로 죄수를 결정하는 견해로 죄수의 결정은 법률적인 구성요건충족의 문제로 해석하여 구성요건을 1회 충족하면 일죄이고, 수개의 구성요건에 해당하면 수죄를 인정하게 되며, 판례는 조세포탈범의 죄수는 위반사실의 구성요건 충족 횟수를 기준으로 1죄가 성립하는 것이 원칙이라고 하여 이 견해를 따르는 경우도 있다.

해설 ① × : 행위표준설에 의하면 연속범(연속하여 행하여진 수개의 행위가 동종의 범죄에 해당하는 경우)은 수죄이지만, 상상적 경합은 일죄가 된다. 판례는 강간죄(대판 1982.12.14, 82도2442)나 공갈죄(대판 1958.4.11, 4291형상370)의 경우 이 견해를 취하고 있다.
② × : 법익표준설에 의하면 상상적 경합은 실질상은 수죄이지만 처벌상 일죄로 취급하는 것이 된다. 판례는 연속범의 경우를 제외하고는 원칙적으로 이 견해를 취하고 있다.
③ × : 판례는 연속범의 경우 이 견해를 취하고 있다(대판 1982.10.26, 81도1409 ; 대판 1987.5.12, 87도694).
④ ○ : 대판 2001.3.13, 2000도4880

Answer 01. ④

02 (가)와 (나) 사례에 관한 죄수의 기초이론에 따른 설명 중 가장 적절하지 않은 것은? 22. 순경 2차

> (가) 공무원 甲은 직무와 관련하여 乙로부터 매월 1일 100만원씩 10회에 걸쳐 뇌물을 수수하였다.
> (나) 甲이 A를 살해하기 위하여 A의 음료수에 치사량의 독약을 한 번 넣고 가버린 후 그 음료수
>   를 나누어 마신 A와 그의 비서가 사망하였다.

① 자연적 행위표준설에 따르면 (가)는 수죄, (나)는 일죄가 된다.
② 법익표준설에 따르면 (나)는 전속적 법익인 생명을 침해한 것으로 법익주체마다 1개의 죄가
   성립한다.
③ (가)에서 구성요건표준설로는 甲의 10회에 걸친 뇌물수수 행위가 일죄인지, 수죄인지 명확하
   게 결정할 수 없다는 비판이 있다.
④ 의사표준설에 따르면 (가)의 경우 甲이 10회의 뇌물수수 과정에서 단일한 범의를 가졌는지를
   불문하고 일죄가 된다.

해설 ① ○ : (자연적)행위표준설에 따르면 (가)는 수개의 행위(10회)로 수죄, (나)는 1개의 행위(한 번 넣
고)로 일죄가 된다.
② ○ : 법익표준설에 따르면 전속적 법익(생명, 신체, 자유, 명예)은 법익주체(피해자)마다 1개의 죄가 성립
하므로 ②는 옳다.
③ ○ : 구성요건표준설에 대해서는 반복된 행위(甲의 10회에 걸친 뇌물수수 행위)가 동일한 구성요건(수뢰
죄)을 수회 충족한 경우에 일죄인가 수죄인가를 명확하게 결정할 수 없다는 비판이 있다.
④ × : 의사표준설(행위자의 범죄의사의 수를 기준으로 죄수를 결정하는 견해)에 따르면 (가)의 경우(연속
범) 의사의 단일성(단일한 범의)이 인정되어야만 일죄가 된다.

Answer 02. ④

제2절 일 죄

1 의 의

일죄란 범죄행위가 1개의 구성요건에 1회 해당하는 경우를 말한다. 즉, 범죄의 수가 실질적으로 1개인 경우를 말하며, 단순일죄 또는 실질상 일죄라고 한다.

2 법조경합

1개의 행위가 외형상으로는 수개의 구성요건(형벌법규)에 해당하는 것 같지만, 성질상 실제로는 한 구성요건이 다른 구성요건을 배척하여 1개의 구성요건에만 해당되어 단순일죄로 되는 경우를 말한다(외형적 경합, 부진정경합).

관련판례

● 특별관계

> 법조경합의 한 형태인 특별관계란 어느 구성요건이 다른 구성요건의 모든 요소를 포함하는 이외에 다른 요소를 구비하여야 성립하는 경우로서 특별관계에 있어서는 특별법(일반법 ×)의 구성요건을 충족하는 행위는 일반법(특별법 ×)의 구성요건을 충족하지만, 반대로 일반법(특별법 ×)의 구성요건을 충족하는 행위는 특별법(일반법 ×)의 구성요건을 충족하지 못한다(대판 2025.5.15, 2024도16239). 12. 사시, 26. 경찰승진

1. 공기호부정사용죄와 '행사할 목적'이 그 주관적 구성요건이 아닌 자동차관리법 제71조 위반죄(자동차등록번호판부정사용)는 법조경합의 관계(특별법관계)가 아니다(대판 1997.6.27, 97도1085). 12. 법원행시
2. 구 부패방지 및 국민권익위원회의 설치와 운영에 관한 법률위반죄와 공무상 비밀누설죄(형법 제127조)를 비교하면, 전자의 죄는 후자의 죄의 구성요건을 충족하는 외에 추가로 '재물 또는 재산상 이익을 취득하거나 제3자로 하여금 취득'하게 하여야 성립하고, 위 양 죄를 별죄로 보아야 할 만큼 그 보호법익에 차이가 있다고 보기도 어렵다. 즉, 위 양 죄는 법조경합의 한 형태인 특별관계에 있으므로, 공직자가 업무처리 중 알게 된 비밀을 이용하여 재물 또는 재산상 이익을 취득하거나 제3자로 하여금 취득하게 한 경우에는 구 부패방지권익위법 제86조 제1항 위반죄만이 성립하고, 별도로 형법상 공무상 비밀누설죄가 성립하지 않는다고 할 것이다(대판 2025.5.15, 2024도16239).
3. 전기통신금융사기죄는 형법상 사기죄와는 그 입법 목적을 달리하고 있을 뿐만 아니라, 구체적인 구성요건에도 일부 차이가 있어, 전기통신금융사기죄의 구성요건이 사기죄의 구성요건의 모든 요소를 포함하는 외에 다른 요소를 구비하는 경우에 해당하지 않는다. 그렇다면 전기통신금융사기죄의 규정이 사기죄의 규정에 대하여 특별법의 관계에 있다고 볼 수 없고, 이들은 각기 독립된 별개의 구성요건으로서 1개의 행위가 각 구성요건을 충족하는 경우에는 상상적 경합의 관계에 있다고 보아야 한다(대판 2025.7.3, 2025도4969).

4. 강요죄는 개인의 의사결정 또는 의사실행의 자유를 보호법익으로 하는 반면, 유사강간죄와 강제추행죄는 사람의 성적 자기결정권 또는 성적 자유를 보호법익으로 하고 있어, 강요죄는 개인적 자유를 침해하는 범죄에 대하여 일반법의 관계에 있으므로, 피해자를 도구로 이용한 간접정범 형태로 유사강간죄나 강제추행죄가 성립하는 경우 별도로 강요죄가 성립하지 않는다(대판 2025.9.4, 2025도9690). 26. 경찰승진

● 불가벌적 수반행위(흡수관계)

이른바 '불가벌적 수반행위'란 법조경합의 한 형태인 흡수관계에 속하는 것으로서, 행위자가 특정한 죄를 범하면 비록 논리 필연적인 것은 아니지만 일반적·전형적으로 다른 구성요건을 충족하고 이때 그 구성요건의 불법이나 책임 내용이 주된 범죄에 비하여 경미하기 때문에 처벌이 별도로 고려되지 않는 경우를 말한다(대판 2012.10.11, 2012도1895). 16. 순경 2차, 24. 법원행시

1. 불가벌적 수반행위를 인정한 경우
① 강간의 수단으로 사용된 폭행·협박이 형법상의 폭행죄나 협박죄를 구성한다고는 볼 수 없으며, 강간죄와 이들 각 죄는 이른바 법조경합(불가벌적 수반행위)의 관계일 뿐이다(대판 2002.5.16, 2002도51 전원합의체). 12. 사시, 22. 법원행시
  ▶ 유사판례 : 공갈죄의 수단으로서 한 협박은 공갈죄에 흡수될 뿐 별도로 협박죄를 구성하지 않는다(대판 1996.9.24, 96도2151). 21. 9급 검찰·철도경찰
  ▶ 비교판례 : 공갈죄와 도박죄는 그 구성요건과 보호법익을 달리하고 있고, 공갈죄의 성립에 일반적·전형적으로 도박행위를 수반하는 것은 아니며, 도박행위가 공갈죄에 비하여 별도로 고려되지 않을 만큼 경미한 것이라고 할 수도 없으므로, 도박행위가 공갈죄의 수단이 되었다 하여 그 도박행위가 공갈죄에 흡수되어 별도의 범죄를 구성하지 않는다고 할 수 없다(대판 2014.3.13, 2014도212). 15. 법원행시
② 향정신성의약품수수의 죄가 성립되는 경우에는 그 수수행위의 결과로서 그에 당연히 수반되는 향정신성의약품의 소지행위는 수수죄의 불가벌적 수반행위로서 수수죄에 흡수되고 별도의 범죄를 구성하지 않는다(대판 1990.1.25, 89도1211). 11. 9급 검찰
  ▶ 유사판례 : 수인이 각자 구입자금을 갹출하여 향정신성의약품을 매수한 다음 갹출한 금액에 상응하는 향정신성의약품을 분배하기로 공모하여 향정신성의약품을 매매하고 이를 자신이 갹출한 금액에 상응하여 분배한 경우, 향정신성의약품수수죄는 향정신성의약품매매죄에 흡수되어 별도의 범죄를 구성하지 않는다(대판 1998.10.13, 98도2584). 22. 법원행시
③ 음주로 인한 특정범죄 가중처벌 등에 관한 법률 위반(위험운전치사상)죄가 성립하는 때에는 차의 운전자가 형법 제268조의 죄를 범한 것을 내용으로 하는 교통사고처리특례법 위반죄는 그 죄에 흡수되어 별죄를 구성하지 아니한다(대판 2008.12.11, 2008도9182). 12. 7급 검찰
④ 유세품에 대하여 수입면허 없이 수입함으로써 관세를 포탈한 경우 무면허수입죄는 관세포탈죄에 흡수되어 오로지 관세포탈죄만이 성립한다(대판 1984.6.26, 84도782). 09. 법원행시
⑤ 아동·청소년이용음란물을 제작한 자가 그 음란물을 소지하게 되는 경우 청소년성보호법 위반(음란물소지)죄는 청소년성보호법 위반(음란물제작·배포 등)죄에 흡수된다고 봄이 타당하다. 다만, 아동·청소년이용음란물을 제작한 자가 제작에 수반된 소지행위를 벗어나 사회통념상 새로운 소

지가 있었다고 평가할 수 있는 별도의 소지행위를 개시하였다면 이는 청소년성보호법 위반(음란물 제작·배포 등)죄와 별개의 청소년성보호법 위반(음란물소지)죄에 해당한다(대판 2021.7.8, 2021도 2993). 22. 법원행시, 25. 경대편입

⑥ 경범죄처벌법 제3조 제3항 제2호의 거짓신고가 '위계'의 수단·방법·태양의 하나가 된 경우에는 거짓신고로 인한 경범죄처벌법 위반죄가 위계에 의한 공무집행방해죄에 흡수되는 법조경합 관계에 있으므로, 위계에 의한 공무집행방해죄만 성립할 뿐 이와 별도로 거짓신고로 인한 경범죄처벌법 위반죄가 성립하지는 않는다(대판 2022.10.27, 2022도10402).

2. 불가벌적 수반행위를 부정한 경우

① 설령 피해자(택시운전사)에 대한 폭행행위가 동일한 피해자에 대한 업무방해죄의 수단이 되었다고 하더라도 그러한 폭행행위가 이른바 '불가벌적 수반행위'에 해당하여 업무방해죄에 대하여 흡수관계에 있다고 볼 수는 없다(대판 2012.10.11, 2012도1895). 18. 경찰승진, 19. 경찰간부, 20. 7급 검찰, 21. 9급 검찰·순경 2차, 23. 법원직, 24. 해경승진·해경경위, 25. 변호사시험·순경 1차

② 타인의 위탁에 의하여 사무를 처리하는 자가 그 사무처리상 임무에 위배하여 본인을 기망하고 착오에 빠진 본인으로부터 재물을 교부받은 경우에는 배임죄와 사기죄는 법조경합관계가 아니라 상상적 경합관계에 있다(대판 2002.7.18, 2002도669 전원합의체 ∵ 단순배임죄와 사기죄는 그 구성 요건을 달리하는 별개의 범죄이고 형법상으로도 각각 별개의 장에 규정되어 있으므로, 1개의 행위에 관하여 사기죄와 단순배임죄의 각 구성요건이 모두 구비된 때에는 양 죄를 상상적 경합관계로 보아야 한다). 19. 경찰간부, 20. 7급 검찰, 23. 법원직, 24. 법원행시, 25. 해경경사·경대편입

③ 수수한 메스암페타민을 장소를 이동하여 투약하고서 잔량을 은닉하는 방법으로 소지한 경우 ⇨ 향정신성의약품수수죄와 소지죄의 경합범(대판 1999.8.20, 99도1744) 16. 7급 검찰·순경 2차, 18. 법원직, 19. 경찰간부, 23. 경찰승진, 25. 해경경사

④ 형법 제330조에 규정된 야간주거침입절도죄 및 형법 제331조 제1항에 규정된 특수절도(야간손괴침입절도)죄를 제외하고 일반적으로 주거침입은 절도죄의 구성요건이 아니므로 절도범인이 그 범행수단으로 주거침입을 한 경우에 그 주거침입행위는 절도죄에 흡수되지 아니하고 별개로 주거침입죄를 구성하여 절도죄와는 실체적 경합의 관계에 서는 것이 원칙이다. 25. 법원직 그러므로 형법 제332조에 규정된 상습절도죄를 범한 범인이 그 범행의 수단으로 주간에 주거침입을 한 경우 그 주간 주거침입행위는 상습절도죄와 별개로 주거침입죄를 구성한다(대판 2015.10.15, 2015도 8169). 20. 해경 3차, 21. 법원행시, 24. 법원직, 25. 경위공채

> ▶ **비교판례** : 특정범죄 가중처벌 등에 관한 법률 제5조의 4 제6항에 규정된 상습절도 등 죄를 범한 범인이 그 범행 외에 상습적인 절도의 목적으로 주거침입을 하였다가 절도에 이르지 아니하고 주거침입에 그친 경우에도 그것이 절도상습성의 발현이라고 보이는 이상 주거침입행위는 다른 상습절도 등 죄에 흡수되어 위 조문에 규정된 상습절도 등 죄의 1죄만을 구성하고 상습절도 등 죄와 별개로 주거침입죄를 구성하지 않는다(대판 2017.7.11, 2017도4044). 16. 경찰간부, 19. 법원행시, 22. 변호사시험·해경간부, 24. 법원직

⑤ 국회의원 선거에서 정당의 공천을 받게 하여 줄 의사나 능력이 없음에도 이를 해 줄 수 있는 것처럼 기망하여 공천과 관련하여 금품을 받은 경우, 공직선거법상 공천 관련 금품수수죄와 사기죄가 모두 성립하고 양자는 법조경합관계가 아니라 상상적 경합의 관계에 있다(대판 2009.4.23, 2009도 834). 12. 법원행시, 16. 순경 2차

⑥ 피고인의 금지된 야간시위 참가로 인하여 교통이 방해된 경우, 집회 및 시위에 관한 법률위반죄와 일반교통방해죄는 구성요건과 보호법익을 달리하고 집회 및 시위에 관한 법률 위반죄의 성립에 교통방해행위가 일반적·전형적으로 수반되는 것도 아니므로, 양죄는 상상적 경합관계(실체적 경합관계 ×)에 있다(대판 2011.8.25, 2008도10960). 19. 법원행시

⑦ 공직선거법의 선거의 자유방해죄가 성립할 경우 형법의 업무방해죄가 이에 흡수되는 법조경합관계라고 볼 수는 없다(대판 2006.6.15, 2006도1667). 14. 법원행시

⑧ 피고인이 피해자의 주거에 침입하여 강간하려다 미수에 그침과 동시에 자기의 형사사건의 수사 또는 재판과 관련하여 수사단서를 제공하고 진술한 것에 대한 보복 목적으로 그를 폭행한 경우, 특정범죄 가중처벌 등에 관한 법률 위반(보복범죄 등)죄가 성폭력범죄의 처벌 등에 관한 특례법 위반(주거침입강간 등)죄에 흡수되는 법조경합의 관계에 있다고 볼 수 없고 양죄는 상상적 경합관계에 있다(대판 2012.3.15, 2012도544). 14. 사시, 24. 순경 2차

⑨ 폭력행위 등 처벌에 관한 법률상 범죄단체 구성원으로서 활동하는 행위와 집단감금 또는 집단상해 행위는 각각 별개의 범죄구성요건을 충족하는 독립된 행위라고 보아야 할 것이므로, 집단감금 또는 집단상해 행위가 범죄단체활동에 흡수된다고 보아 양자가 단순일죄의 관계에 해당한다고 볼 수 없다(대판 2008.5.29, 2008도1857).

⑩ 피고인이 보이스피싱 사기 범죄단체에 가입한 후 사기범죄의 피해자들로부터 돈을 편취하는 등 그 구성원으로서 활동한 경우, 범죄단체 가입행위 또는 범죄단체 구성원으로서 활동하는 행위와 사기행위는 각각 별개의 범죄구성요건을 충족하는 독립된 행위이고 서로 보호법익도 달라 법조경합 관계로 목적된 범죄인 사기죄만 성립하는 것은 아니다(대판 2017.10.26, 2017도8600). 20. 순경 1차, 21. 경찰승진, 24. 순경 2차

▶ 유사판례

1. '甲이 보이스피싱 범죄를 목적으로 범죄단체를 조직하고, 乙·丙이 이 범죄단체에 가입하였으며, 甲과 乙·丙은 범죄단체 조직 내 역할을 수행하면서 체크카드 등 접근매체를 편취하거나 대량 문자 발송 사이트를 개설하는 등의 방법으로 범죄단체 활동(전기통신금융사기죄를 범한 경우) 을 한 경우에는 실체적 경합범(상상적 경합범 ×) 관계에 있다(대판 2020.12.24, 2020도10814). 22. 법원행시

2. 범죄단체 등에 소속된 조직원이 저지른 폭력행위 등 처벌에 관한 법률 위반(단체 등의 공동강요) 죄 등의 개별적 범행과 폭력행위처벌법 위반(단체 등의 활동)죄는 범행의 목적이나 행위 등 측면에서 일부 중첩되는 부분이 있더라도, 일반적으로 구성요건을 달리하는 별개의 범죄로서 범행의 상대방, 범행 수단 내지 방법, 결과 등이 다를 뿐만 아니라 그 보호법익이 일치한다고 볼 수 없다. 또한 폭력행위처벌법 위반(단체 등의 구성·활동)죄와 위 개별적 범행은 특별한 사정이 없는 한 법률상 1개의 행위로 평가되는 경우로 보기 어려워 상상적 경합이 아닌 실체적 경합관계에 있다고 보아야 한다(대판 2022.9.7, 2022도6993). 23. 순경 2차

> 불가벌적 사후행위란 범죄에 의하여 획득한 위법한 이익 또는 상태를 확보하거나 사용·처분하는 사후행위가 다른 구성요건에 해당하더라도 이미 주된 범죄에 의하여 완전히 평가되었기 때문에 별죄를 구성하지 않는 경우를 말한다[예 절도범이 절취한 물건을 손괴한 행위 ⇨ 절도죄(주된 범죄) 이외에 손괴죄(불가벌적 사후행위)를 구성하지 않는다]. 따라서 사후행위는 주된 범죄와 보호법익을 같이 하거나 그 침해의 양을 초과하지 않아야 한다.
>
> ① 타인의 새로운 법익을 침해해서는 안 된다.
> ② 사후행위가 침해한 피해자의 법익을 초과해서는 안 된다(예 갈취한 재물을 피해자에게 매각·담보 제공하여 돈을 교부받은 경우 ⇨ 공갈죄와 사기죄의 실체적 경합).

관련판례 1

● **불가벌적 사후행위가 인정되는 경우**

1. • 절취한 자기앞수표를 음식대금으로 교부하고 거스름돈을 환불받은 경우(대판 1987.1.20, 86도 1728) ⇨ 절도죄 ○, 사기죄 × 17. 법원직, 20. 순경 2차, 25. 9급 검찰·마약수사·철도경찰
   • 금융기관 발행의 자기앞수표는 그 액면금을 즉시 지급받을 수 있는 점에서 현금에 대신하는 기능을 가지고 있어서, 장물인 자기앞수표를 취득한 후 이를 현금 대신 교부한 행위는 장물취득에 대한 가벌적 평가에 당연히 포함되는 불가벌적 사후행위로서 별도의 범죄를 구성하지 아니한다(대판 1993.11.23, 93도213 ∴ 장물취득죄 ○, 사기죄 ×). 19. 법원직, 21. 변호사시험·해경승진, 24. 7급 검찰, 25. 순경 1차

2. (업무상 과실) 장물보관을 의뢰받고 그 정을 알면서 보관한 후 임의로 처분하는 경우 ⇨ (업무상 과실) 장물보관죄 ○, 횡령죄 ×(대판 2004.4.9, 2003도8219) 19. 9급 검찰·철도경찰, 21. 해경승진, 22. 경찰승진, 24. 변호사시험·법원직·순경 2차

3. 공동상속인 중 1인이 상속재산인 임야를 보관 중 다른 상속인들로부터 매도 후 분배 또는 소유권이전 등기를 요구받고도 그 반환을 거부한 경우 이때 이미 횡령죄가 성립하고, 그 후 그 임야에 관하여 다시 제3자 앞으로 근저당권설정등기를 경료해 준 행위는 불가벌적 사후행위로서 별도의 횡령죄를 구성하지 않는다(대판 2010.2.25, 2010도93 ∵ 일단 횡령을 한 이후에 다시 그 재물을 처분하는 것은 불가벌적 사후행위 ○). 18. 경찰간부·경력채용, 21. 7급 검찰, 24. 법원직·해경경위

   ▶ **유사판례** : 미등기건물의 관리를 위임받아 보관하고 있는 자가 임의로 건물을 자신의 명의로 보존등기를 한(횡령죄 완성) 후, 다시 타인에게 근저당권설정등기를 해 준 경우(불가벌적 사후행위 : 대판 1993.3.9, 92도2999) 19. 법원직, 20. 해경 1차, 21. 해경승진·순경 3차

4. 전기통신금융사기(이른바 보이스피싱 범죄)의 범인이 피해자를 기망하여 피해자의 자금을 사기이용계좌로 송금·이체받으면 사기죄는 기수에 이르고, 그 후 범인이 사기이용계좌에서 현금을 인출한 경우 ⇨ 사기죄 ○, 별도의 횡령죄 ×(대판 2017.5.31, 2017도3894 ∵ 새로운 법익침해 ×, 사기범행에 이용되리라는 사정을 알고서 자신 명의 계좌의 접근매체를 양도함으로써 사기범행을 방조한 종범이 사기이용계좌로 송금된 피해자의 자금을 임의로 인출한 경우에도 동일함) 18. 7급 검찰, 19. 법원행시, 20. 순경 2차, 24. 해경승진·경대편입, 25. 순경 1차

5. 장물죄는 타인(본범)이 불법하게 영득한 재물의 처분에 관여하는 범죄이므로, 자기의 범죄〔정범자 (공동정범과 합동범 포함)에 한정됨〕에 의하여 영득한 물건에 대하여는 성립되지 아니하고 이는 불가 벌적 사후행위에 해당한다고 할 것이지만, 평소 본범과 공동하여 수차 상습으로 절도 등 범행을 함으 로써 실질적인 범죄집단을 이루고 있었던 甲이 본범으로부터 장물을 취득하였다면, 본범이 범한 당해 절도범행에 있어서 정범자(공동정범이나 합동범)로 되지 아니한 이상 이를 자기의 범죄라 할 수 없고, 따라서 甲의 장물취득행위는 불가벌적 사후행위라고 할 수 없다(대판 1986.9.9, 86도1273). 17. 경찰승진, 20. 변호사시험·해경 1차

 ▶ **비교판례** : 횡령을 교사한 후 횡령한 물건을 취득한 경우 ⇨ 횡령교사죄와 장물취득죄의 경합범 (대판 1969.6.24, 69도692) 14. 사시, 20. 법원직, 26. 변호사시험

 ▶ **참고판례** : 장물에 관한 죄에 있어서의 '장물'이라 함은 재산범죄로 인하여 취득한 물건 그 자체를 말하므로, 재산범죄를 저지른 이후에 별도의 재산범죄의 구성요건에 해당하는 사후행위가 있었다 면 비록 그 행위가 불가벌적 사후행위로서 처벌의 대상이 되지 않는다 할지라도 그 사후행위로 인하여 취득한 물건은 재산범죄로 인하여 취득한 물건으로서 장물이 될 수 있다(대판 2004.4.16, 2004도353). 16. 사시, 24. 경찰승진·법원행시·9급 검찰·마약수사

6. 甲주식회사 대표이사인 피고인이 자신의 채권자 乙에게 차용금에 대한 담보로 甲회사 명의 정기예금 에 질권을 설정하여 주었는데, 그 후 乙이 피고인의 동의하에 정기예금 계좌에 입금되어 있던 甲회사 자금을 전액 인출하였다면, 위와 같은 예금인출동의행위는 이미 배임행위로써 이루어진 질권설정행 위의 불가벌적 사후행위에 해당하므로, 배임죄와 별도로 횡령죄까지 성립한다고 볼 수 없다(대판 2012.11.29, 2012도10980). 14. 법원직, 17. 법원행시·순경 3차, 23. 해경승진

7. 약속어음을 할인하여 줄 의사가 없으면서 있는 것처럼 피해자를 기망하여 약속어음을 교부받은 후 이를 피해자에 대한 채권의 변제에 충당한 경우 ⇨ 사기죄 ○, 횡령죄 ×(대판 1983.4.26, 82도3079) 15. 순경 3차, 18. 경찰승진

8. 열차승차권을 절취하여 대금을 역 직원으로부터 환불받은 경우(대판 1975.8.29, 75도1996) ⇨ 절도죄 ○, 사기죄 × 18. 경력채용·순경 1차, 21. 해경승진, 24. 법원직

9. 甲종친회 회장인 피고인이 위조한 종친회 규약 등을 공탁관에게 제출하는 방법으로 甲종친회를 피공탁 자로 하여 공탁된 수용보상금을 출급받아 편취하고, 이를 종친회를 위하여 업무상 보관하던 중 반환을 거부한 경우 ⇨ 사문서위조죄 및 동행사죄, 사기죄(반환을 거부한 행위는 불가벌적 사후행위 ○ ⇨ 별도의 횡령죄 × ; 대판 2015.9.10, 2015도8592) 17. 7급 검찰, 24. 법원행시

10. 타인을 공갈하여 취득한 임야를 매각한 경우 ⇨ 공갈죄 ○, 횡령죄 ×(대판 1986.2.11, 85도2513 ∵ 위탁관계 ×) 17. 법원직, 24. 해경경위

11. 甲이 乙과 공동으로 불하받은 부동산을 丙에게 자의로 매도하여 乙에 대한 배임행위로 처벌받은 후 丙에 대한 소유권이전등기 의무를 지닌 채 다시 丙에 대한 재매도행위는 이미 배임행위로서 이루 어진 甲의 丙에 대한 매도행위의 불가벌적 사후행위이다(대판 1970.11.24, 70도1998). 11. 경찰승진

12. 원목을 절취한 후 합법적으로 생산된 것처럼 관계당국을 기망하여 산림법 소정의 연고권자로 인정 받아 수의계약의 방법으로 이를 매수한 경우, 이는 새로운 법익의 침해가 있는 것이라고 할 수 없고, 상태범인 산림절도죄의 성질상 하나의 불가벌적 사후행위로서 별도로 사기죄가 구성되지 않는다 (대판 1974.10.22, 74도2441). 08. 순경, 09. 경찰승진

13. 관세법에 따른 신고 없이 물품을 수입한 본범이 그 물품에 대한 취득, 양여 등의 행위를 하는 경우 밀수입행위에 의하여 이미 침해되어 버린 것으로 평가되는 적정한 통관절차의 이행과 관세수입의 확보라는 보호법익 외에 새로운 법익의 침해를 수반한다고 보기 어려우므로, 이는 불가벌적 사후행위로서 별개의 범죄를 구성하지 않는다(대판 2008.1.17, 2006도455). 22. 법원행시, 24. 7급 검찰

● 불가벌적 사후행위를 부정하는 경우 ⇨ 일죄 ×, (실체적) 경합범 ○

1. 사람을 살해한 자가 그 사체를 다른 장소로 옮겨 유기하였을 때에는 살인죄와 사체유기죄의 경합범이 성립하고, 사체유기를 불가벌적 사후행위로 볼 수는 없다(대판 1997.7.25, 97도1142). 15. 경찰승진, 17. 법원행시 · 순경 2차, 19. 법원직

2. 자동차를 절취한 후 자동차등록번호판을 떼어내는 행위는 새로운 법익의 침해로 보아야 하므로 위와 같은 번호판을 떼어내는 행위가 절도범행의 불가벌적 사후행위가 되는 것은 아니다(대판 2007.9.6, 2007도4739). 17. 순경 1차, 18. 경찰간부 · 경력채용, 20. 변호사시험 · 7급 검찰, 24. 해경승진, 25. 경대편입

3. 부정한 이익을 얻을 목적으로 타인의 영업비밀이 담긴 CD를 절취하여 그 영업비밀을 부정사용한 경우 절도죄와 별도로 부정경쟁방지 및 영업비밀보호에 관한 법률상 영업비밀부정사용죄가 성립한다 (대판 2008.9.11, 2008도5364 ∵ 부정사용행위가 절도범행의 불가벌적 사후행위 ×). 17. 순경 1차, 18. 법원직 · 법원행시, 21. 해경 2차, 24. 해경승진 · 7급 검찰

4. 부동산 명의신탁의 경우

   ① 종중으로부터 명의신탁받은 부동산을 승낙 없이 제3자에게 근저당권을 설정해 준(횡령죄 완성) 후에 다시 다른 자에게 근저당권을 설정하거나 매도한 경우 ⇨ 별도의 횡령죄 ○, 불가벌적 사후행위 ×(대판 2013.2.21, 2010도10500 전원합의체 예 피해자 甲종중으로부터 토지를 명의신탁받아 보관 중이던 피고인 乙이 개인 채무 변제에 사용할 돈을 차용하기 위해 위 토지에 근저당권을 설정하였는데, 그 후 피고인 乙, 丙이 공모하여 위 토지를 丁에게 매도한 사안에서, 피고인들의 토지 매도행위는 별도의 횡령죄를 구성한다.) 17. 법원행시 · 순경 2차, 18. 9급 검찰 · 순경 3차, 20. 경찰간부, 21. 경찰승진, 25. 변호사시험

   ▶ **비교판례** : 종중으로부터 명의신탁 받아 보관 중이던 토지를 임의로 매각하여 이를 횡령한 후 그 매각대금을 이용하여 다른 토지를 취득하였다가 이를 제3자에게 담보로 제공한 경우 ⇨ 명의신탁 토지에 대한 횡령죄와 별개의 횡령죄 구성 ×(대판 2006.10.13, 2006도4034 ∵ 후의 행위는 횡령한 물건을 처분한 대가로 취득한 물건을 이용한 것에 불과함) 15. 사시

   ② 중간생략등기형 명의신탁의 경우 명의수탁된 부동산에 대한 토지수용보상금의 일부를 소비하고 (횡령죄 ×), 수용되지 않은 나머지 부동산 전체에 대한 반환을 거부한 경우(횡령죄 ×)(대판 2016. 5.19, 2014도6992 전원합의체) 12. 변호사시험, 16. 사시

5. 부동산에 피해자 명의의 근저당권을 설정하여 줄 의사가 없음에도 피해자를 속이고 근저당권설정을 약정하여 금원을 편취한 다음, 그 부동산에 관하여 제3자 명의로 근저당권설정등기를 마친 경우 ⇨ 사기죄 ○, 배임죄 ×(대판 2020.6.18, 2019도14340 전원합의체 ∵ 채무자가 저당권설정계약에 따라 채권자에 대하여 부담하는 저당권을 설정할 의무는 계약에 따라 부담하게 된 채무자 자신의 의무이다. 채무자가 위와 같은 의무를 이행하는 것은 채무자 자신의 사무에 해당할 뿐이므로, 채무자를 채권자에 대한 관계에서 '타인의 사무를 처리하는 자'라고 할 수 없다.) 18. 경력채용, 20. 변호사시험

6. 편취한 약속어음을 그와 같은 사실을 모르는 제3자에게 편취사실을 숨기고 할인받은 경우 그 약속어음을 취득한 제3자가 선의이고 약속어음의 발행인이나 배서인이 어음금을 지급할 의사와 능력이 있었다 하더라도 새로운 사기죄를 구성한다(대판 2005.9.30, 2005도5236). 18. 경찰간부, 19. 경찰승진, 24. 해경경위

7. 주식회사의 대표이사가 타인을 기망하여 회사가 발행하는 신주를 인수하게 한 다음, 그로부터 납입받은 신주인수대금을 보관하던 중 횡령한 행위는 사기죄와는 전혀 다른 새로운 보호법익을 침해하는 행위로서 별죄를 구성한다(대판 2006.10.27, 2004도6503). 18. 법원행시, 20. 법원직, 24. 순경 1차

8. 대표이사가 대표기관으로서 타인을 기망하여 교부받은 금원을 보관 중 소비한 경우 ⇨ 사기죄와 업무상 횡령죄(불가벌적 사후행위 ×)의 경합범(대판 1989.10.24, 89도1605) 11. 경찰승진

   ▶ **유사판례**

   ① 대표이사가 회사의 상가분양 사업을 수행하면서 수분양자들을 기망하여 분양대금을 편취한 후, 사적인 용도로 그 분양대금을 임의로 지출한 행위 ⇨ 사기죄와 횡령죄의 경합범(대판 2005.4.29, 2005도741) 14. 사시, 20. 법원행시

   ② 단체의 대표자 등이 그 단체가 체결한 계약을 이행하는 과정에서 계약의 상대방을 기망하여 교부받은 돈은 그 단체에 귀속되는 것인데, 그 후 단체의 대표자 등이 이를 보관하고 있으면서 횡령하였다면 이는 사기범행과는 침해법익을 달리하므로 횡령죄가 성립하고, 이를 단순한 불가벌적 사후행위로 볼 수는 없다(대판 1989.10.24, 89도1605). 24. 법원행시

9. 신용카드를 절취한 후 이를 사용한 경우 ⇨ 절도죄＋신용카드부정사용죄(부정사용행위가 절도범행의 불가벌적 사후행위 × : 대판 1996.7.12, 96도1181) 14. 법원행시, 16. 경찰간부, 20. 순경 2차

10. 예금통장을 강취(갈취)하고 예금자 명의의 예금청구서를 위조한 다음 이를 은행원에게 제출·행사하여 예금인출금을 교부받은 경우 ⇨ 강도죄(공갈죄), 사문서위조 및 동행사죄와 사기죄의 실체적 경합 (대판 1991.9.10, 91도1722 ; 대판 1979.10.30, 79도489) 15. 순경 2차, 21. 법원행시, 25. 법원직

11. 절취한 대마를 흡입할 목적으로 소지하는 경우 ⇨ 절도죄와 무허가대마소지죄의 경합범(대판 1999. 4.13, 98도3619) 13. 경찰간부, 21. 경력채용

   ▶ **유사판례** : 흡연을 목적으로 매입한 대마를 흡연할 기회를 포착하기 위하여 2일 이상 하의 주머니에 넣고 다닌 경우 대마매매죄와는 별도로 대마소지죄를 구성한다(대판 1990.7.27, 90도543). 17. 순경 1차, 24. 해경승진

12. 법원을 기망하여 승소판결을 받고 그 확정판결에 의하여 소유권이전등기를 경료한 경우 ⇨ 사기죄와 공정증서원본부실기재죄의 실체적 경합(대판 1983.4.26, 83도188) 17. 법원직, 20. 해경승진, 24. 법원행시

13. 채무자가 자신의 부동산에 甲명의로 허위의 금전채권에 기한 담보가등기를 설정하여 강제집행면탈죄가 성립된 후, 그 부동산을 乙에게 양도하여 乙명의로 이루어진 가등기양도 및 본등기를 경료한 행위 ⇨ 불가벌적 사후행위 ×, 별도의 강제집행면탈죄 성립(대판 2008.5.8, 2008도198 ∵ 가등기를 양도하여 본등기를 경료하게 함으로써 소유권을 상실케 하는 행위는 법익침해의 정도가 훨씬 중함) 17. 7급 검찰, 20. 해경 1차

14. 甲주식회사의 대표이사와 실질적 운영자인 피고인들이 공모하여, 자신들이 乙에 대해 부담하는 개인 채무 지급을 위하여 甲회사로 하여금 약속어음을 공동발행하게 하고 위 채무에 대하여 연대보증하게 한(배임죄) 후에 甲회사를 위하여 보관 중인 돈을 임의로 인출하여 乙에게 지급하여 위 채무를 변제한 경우(새로운 법익침해 ○, 배임 범행의 불가벌적 사후행위 ×, 횡령죄 ○) ⇨ 배임죄＋횡령죄 ○ (대판 2011.4.14, 2011도277) 12. 법원직, 20. 법원행시

15. 1인 회사의 주주가 자신의 개인채무를 담보하기 위하여 회사 소유의 부동산에 대하여 근저당권설정 등기를 마쳐 주어 배임죄가 성립한 이후에 그 부동산에 대하여 새로운 담보권을 설정해 주는 행위는 선순위 근저당권의 담보가치를 공제한 나머지 담보가치 상당의 재산상 이익을 침해하는 행위로서 별도의 배임죄가 성립한다(대판 2005.10.28, 2005도4915). 12. 법원행시, 20. 해경 1차

16. 절취한 재물의 처분행위

① 절취한 전당표로 전당포에 가서 기망하여 전당물을 편취한 경우 ⇨ 절도죄＋사기죄(대판 1980. 10.14, 80도2155) 14. 순경 1차

② 절취한 장물을 자기의 소유물인 것처럼 속여서 제3자에게 팔거나 담보로 제공하고 돈을 교부받은 경우 ⇨ 절도죄＋사기죄(대판 1980.11.25, 80도2310) 13. 사시, 17. 경찰간부

17. 회사에 대한 관계에서 타인의 사무를 처리하는 자가 임무에 위배하는 행위로써 회사로 하여금 회사가 펀드 운영사에 지급하여야 할 펀드출자금을 정해진 시점보다 선지급하도록 하여 배임죄를 범한 다음, 그와 같이 선지급된 펀드출자금을 보관하는 자와 공모하여 펀드출자금을 임의로 인출한 후 자신의 투자금으로 사용하기 위하여 임의로 송금하도록 한 행위 ⇨ 배임죄 ○＋횡령죄 ○(대판 2014.12.11, 2014도10036 ∵ 새로운 보호법익 침해 ○) 17. 순경 2차

18. 무역거래자가 외화도피의 목적으로 물품 등의 수입 가격을 조작하는 방법으로 피해은행을 기망하여 피해은행으로 하여금 신용장을 개설하게 한 후 그 신용장대금을 수령한 경우에, 이러한 외화도피 목적의 수입 가격 조작행위는 사기범행과는 별도로 대외무역법 제43조가 보호하는 새로운 법익을 침해한 것으로 보아야 하므로, 위와 같은 수입 가격 조작행위가 사기범행의 불가벌적 사후행위가 되는 것은 아니다(대판 2012.9.27, 2010도16946). 15. 법원행시

19. 유사수신행위의 규제에 관한 법률(이하 '유사수신행위법'이라 한다) 제6조 제1항, 제3조를 위반한 행위는 그 자체가 사기행위에 해당한다거나 사기행위를 반드시 포함한다고 할 수 없고, 유사수신행위법 위반죄가 형법 제347조 제1항의 사기죄와 구성요건을 달리하는 별개의 범죄로서 서로 보호법익이 다른 이상, 유사수신행위를 한 자가 출자자에게 별도의 기망행위를 하여 유사수신행위로 조달받은 자금의 전부 또는 일부를 다시 투자받는 행위는 유사수신행위법 위반죄와 다른 새로운 보호법익을 침해하는 것으로서 유사수신행위법 위반죄의 불가벌적 사후행위가 되는 것이 아니라 별죄인 사기죄를 구성한다(대판 2023.11.16, 2023도12424).

20. 사기죄와 위계에 의한 업무방해죄는 그 구성요건과 보호법익을 달리하고 있고, 사기죄의 성립에 일반적·전형적으로 위계에 의한 업무방해행위가 수반되는 것은 아니므로, 위계에 의한 업무방해행위는 사기죄의 불가벌적 수반행위 또는 불가벌적 사후행위가 되는 것이 아니라 별개의 범죄를 구성한다[대판 2025.9.25, 2024도18174 예 ① 행위자가 대출금 교부를 전후하여 이루어진 일련의 위계행위를 통해 은행의 대출 심사 및 대출금 환수 여부 심사 등에 관한 전반적인 업무를 방해하여 은행의 대출 담당 직원을 기망하고 대출금을 교부받은 경우 ⇨ 사기죄와 위계에 의한 업무방해죄의 실체적 경합, ② 甲회사를 기망하여 임상시험 대금 등을 교부받은 특정경제범죄 가중처벌 등에 관한 법률 위반(사기)죄와 위계로써 甲회사의 신약 개발업무를 방해한 업무방해죄는 별개로 성립하고, 위 각 죄는 실체적 경합관계에 있다(대판 2025.9.11, 2024도1932 ∵ 위계에 의한 업무방해죄 ⇨ 불가벌적 수반행위 ×)].

3 **포괄일죄**

(1) 의 의

포괄일죄라는 것은 일반적으로 각기 따로 존재하는 수개의 행위가 당해 구성요건을 한번 충족하여 본래적으로 일죄라는 것으로 이 수개의 행위가 혹은 흡수되고 혹은 사후행위가 되고 혹은 위법상태가 상당 정도 시간적으로 경과하는 등으로 본래적으로 일죄의 관계가 이루어지는 것이므로 별개의 죄가 따로 성립하지 않음은 물론 과형상의 일죄와도 이 점에서 그 개념 등을 달리하는 것이다(대판 1982.11.23, 82도2201). 10. 사시, 26. 경찰승진

(2) 효 과

포괄일죄는 실질적으로 일죄이므로 실체법상으로나 소송법상으로 일죄로 취급된다.

① 포괄일죄로 된 개개의 범죄행위가 법개정의 전후에 걸쳐서 행해진 경우에는 신·구법의 법정형에 대한 경중을 비교할 필요도 없이 범죄실행 종료시의 법이라고 할 수 있는 신법을 적용하여 포괄일죄로 처단하여야 한다(대판 1994.10.28, 93도1166). 18. 9급 철도경찰, 21. 법원직·해경 2차, 24. 9급 검찰·마약수사·철도경찰, 25. 해경경사, 26. 변호사시험

상습범과 같은 포괄일죄는 그 중간에 별종의 범죄에 대한 확정판결이 끼어 있어도 그 때문에 포괄적 범죄가 둘로 나뉘는 것은 아니라 할 것이고, 또 이 경우에는 그 확정판결 후의 범죄로서 다루어야 할 것이므로, 그 포괄일죄와 판결이 확정된 죄는 형법 제37조 후단에서 정한 경합범 관계에 있다고 할 수 없다(대판 1986.2.25, 85도2767). 18. 9급 철도경찰, 21. 해경승진·법원직·해경 2차, 22. 변호사시험, 24. 7급 검찰 다만, 상습성을 이유로 포괄일죄가 되는 범행의 중간에 동종의 죄(상습범)에 대한 확정판결이 있을 때에는 포괄일죄는 확정판결 전후의 죄로 분리된다(대판 2000.2.11, 99도4797 ▶ **유사판례** : 계속적 혹은 간헐적으로 행해진 통산 8일 이상의 복무이탈행위 중간에 동종의 죄에 관한 확정판결이 있는 경우에는 일련의 복무이탈행위는 그 확정판결 전후로 분리된다 : 대판 2011.3.10, 2010도9317). 10. 법원직, 25. 변호사시험

② 포괄일죄의 범행 도중에 공동정범으로 범행에 가담한 자는 범행에 가담할 때에 종전의 범행을 알았다 하더라도 그 가담 이후의 범행에 대하여만 공동정범으로 책임을 진다(대판 2007.11.15, 2007도6336). 18. 9급 철도경찰, 21. 해경 2차

③ 포괄일죄의 관계에 있는 범행 일부에 대하여 판결이 확정된 경우에는 사실심 판결선고시를 기준으로 그 이전에 이루어진 범행에 대하여는 확정판결의 기판력이 미쳐 면소의 판결을 선고하여야 한다(대판 2020.5.14, 2020도1355 **예** 포괄일죄의 관계에 있는 범행의 일부에 대하여 약식명령이 확정된 경우, 그 약식명령 발령시를 기준으로 그 이전에 이루어진 범행에 대해서는 면소판결을 선고해야 한다). 15. 법원직, 21. 경찰간부, 24. 법원행시

④ 포괄일죄 관계인 범행의 일부에 대하여 확정판결이 있은 후, 그 사실심 판결선고 이전에 이루어진 범행이 포괄일죄의 일부에 해당하고 그와 상상적 경합관계에 있는 다른 죄에도 해당하는

경우, 확정판결의 기판력은 위와 같이 상상적 경합관계에 있는 다른 죄에 대하여도 미친다(대판 2023.6.29, 2020도3705). 26. 변호사시험

⑤ 동일 죄명에 해당하는 수개의 행위를 단일하고 계속된 범의로 일정 기간 계속하여 행하고 그 피해법익도 동일한 경우에는 이들 각 행위를 통틀어 포괄일죄로 처단하여야 하고, 그 경우 공소시효는 최종의 범죄행위가 종료한 때로부터 진행한다(대판 2021.3.11, 2020도12583).

관련판례

> 동일 죄명에 해당하는 수개의 행위 또는 연속된 행위를 ① 단일하고 계속된 범의하에 ② 일정기간 계속하여 행하고 ③ 그 피해법익도 동일한 경우에는 이들 각 행위를 통틀어 포괄일죄로 처단하여야 하지만, 범의의 단일성과 계속성이 인정되지 아니하거나 범행방법 및 장소가 동일하지 않은 경우에는 각 범행은 실체적 경합범에 해당한다(대판 2006.9.8, 2006도3172). 12. 법원직, 24. 법원행시

• **포괄일죄를 인정한 경우**

1. 하나의 사건에 관하여 한번 선서한 증인이 같은 기일에 여러 가지 사실에 관하여 허위의 진술을 한 경우 ⇨ 포괄하여 하나의 위증죄(대판 1998.4.14, 97도3340) 20. 법원행시 · 경찰승진, 24. 순경 1차, 25. 9급 검찰 · 마약수사 · 철도경찰

   같은 심급에서 1회 선서한 이후 그 선서의 효력이 유지된 상태에서 변론기일을 달리하여 수차 증인으로 출석하여 수개의 허위진술을 한 경우 1개의 위증죄가 성립한다(대판 2007.3.15, 2006도9463). 18. 법원직, 21. 경찰간부, 24. 9급 검찰 · 마약수사 · 철도경찰

   ▶ **유사판례** : 하나의 소송 사건에서 동일한 선서하에 수차례에 걸쳐 허위의 감정보고서를 제출하는 경우 ⇨ 포괄하여 1개의 허위감정죄(대판 2000.11.28, 2000도1089). 10. 사시, 19. 법원행시

2. 음주상태로 자동차를 운전하여 가다가 제1차 사고를 내고 그대로 진행하여 제2차 사고를 낸 경우 제1차 사고 당시의 음주운전으로 인한 도로교통법 위반죄는 제2차 사고 당시의 음주운전으로 인한 도로교통법 위반죄와 포괄일죄의 관계에 있다(대판 2007.7.26, 2007도4404). 14. 경찰간부, 20. 법원행시, 22. 해경간부, 23. 경찰승진

3. 뇌물을 여러 차례에 걸쳐 수수함으로써 그 행위가 여러 개이더라도 그것이 단일하고 계속적 범의에 의하여 이루어지고 동일법익을 침해한 때에는 포괄일죄로 처벌함이 상당하다(대판 1985.9.24, 85도1502). 16. 7급 검찰 · 철도경찰, 18. 법원직, 22. 법원행시

   ▶ **유사판례** : 은행장인 피고인이 甲으로부터 정식 이사가 될 수 있도록 도와달라는 부탁을 받고 1년 동안 12회에 걸쳐 그 사례금 명목으로 합계 1억 2,000만원을 교부받은 경우 ⇨ 포괄일죄 ○(대판 2000.6.27, 2000도1155 ∵ 금융기관 임직원이 그 직무에 관하여 여러 차례 금품을 수수한 경우에 그것이 단일하고도 계속된 범의 아래 일정기간 반복하여 이루어진 것이고 그 피해법익도 동일한 경우에는 각 범행을 통틀어 포괄일죄로 볼 것임) 16. 법원행시, 20. 경찰승진, 22. 해경간부

4. 범죄단체를 구성하거나 이에 가입한 자가 더 나아가 구성원으로 활동하는 경우 이는 포괄일죄의 관계에 있다고 봄이 타당하므로, 피고인의 범죄단체 가입의 점에 대한 공소시효는 이와 포괄일죄의 관계에 있는 후행 범죄단체 활동의 범죄행위가 종료한 때로부터 진행한다(대판 2015.9.10, 2015도7081). 17. 경찰간부, 21. 법원행시 · 법원직 · 9급 검찰 · 해경 2차, 23. 해경승진, 25. 해경경사

5. 현금카드소유자를 공갈하여 예금인출 승낙과 함께 카드를 교부받은 후 이를 사용하여 현금자동지급 기에서 예금을 여러번 인출한 경우 ⇨ 포괄하여 하나의 공갈죄(대판 1996.9.20, 95도1728) 13. 사시

   ▶ **비교판례** : 강취한 현금카드를 이용하여 현금자동지급기에서 예금을 인출한 경우(대판 2007.5.10, 2007도1375) ⇨ 강도죄와 절도죄의 실체적 경합 18. 순경 1차, 20. 순경 2차, 21. 변호사시험

6. 수개의 업무상 배임행위가 있더라도 피해법익이 단일하고 범죄의 태양이 동일할 뿐만 아니라 그 수개의 배임행위가 단일한 범의에 기한 일련의 행위라고 볼 수 있을 경우에는 포괄하여 1개의 업무상 배임죄가 성립한다(대판 2004.7.9, 2004도810). 15. 법원직, 17. 경찰간부

7. 사기죄에 있어서 동일한 피해자에 대하여 수회에 걸쳐 기망행위를 하여 금원을 편취한 경우, 그 범의가 단일하고 범행방법이 동일하다면 사기죄의 포괄일죄만이 성립한다(대판 2000.2.11, 99도4862). 18. 법원직, 22. 해경간부

8. 단일하고도 계속된 범의 아래 일정 기간 반복하여 뇌물수수 행위와 부정한 행위가 행하여졌고 그 뇌물수수 행위와 부정한 행위 사이에 인과관계가 인정되며 피해법익도 동일하다면, 최후의 부정한 행위 이후에 저질러진 뇌물수수 행위도 최후의 부정한 행위 이전의 뇌물수수 행위 및 부정한 행위와 함께 수뢰 후 부정처사죄의 포괄일죄가 성립한다(대판 2021.2.4, 2020도12103). 25. 순경 2차

9. 피고인들이 개설한 인터넷사이트를 통해 회원들로 하여금 음란한 동영상을 게시하도록 하고, 다른 회원들로 하여금 이를 다운받을 수 있도록 하는 방법으로 정보통신망을 통한 음란한 영상의 배포, 전시를 방조한 행위가 단일하고 계속된 범의 아래 일정기간 계속하여 이루어졌고 피해법익이 동일하 다면 포괄일죄의 관계에 있다(대판 2010.11.25, 2010도1588). 21. 해경승진, 25. 경력채용

10. 피고인이 수개의 선거비용 항목을 허위기재한 하나의 선거비용 보전청구서를 제출하여 대한민국으 로부터 선거비용을 과다 보전받아 이를 편취하였다면 이는 일죄로 평가되어야 하고, 각 선거비용 항목에 따라 별개의 사기죄가 성립하는 것은 아니다(대판 2017.5.30, 2016도21713). 17. 순경 2차

11. 죽인다고 협박하여 1회 간음하고 200m쯤 가다가 다시 1회 간음한 경우 ⇨ 포괄일죄(접속범 : 대판 1970.9.29, 70도1516) 16. 9급 검찰·마약수사·철도경찰

   ▶ **유사판례** : 동일한 폭행·협박으로 항거가 불가능하거나 현저히 곤란한 상태가 계속되는 상태에 서 수회에 걸쳐서 간음하였고, 피고인의 의사 및 범행 시각과 장소로 보아 하나의 계속된 행위로 볼 수 있는 경우 실체적 경합범이 아니라 단순일죄가 성립할 뿐이다(대판 2002.9.4, 2002도2581). 20. 법원행시

   ▶ **비교판례** : 피해자를 1회 강간하여 상처를 입게 한 후 약 1시간 후에 장소를 옮겨 다시 1회 강간한 경우 ⇨ 강간치상죄와 강간죄의 실체적 경합(대판 1987.5.12, 87도694) 13. 법원직

12. 대금결제할 의사나 능력이 없이 신용카드를 발급받은 후 현금서비스를 받거나 가맹점으로부터 물품 을 구입한 경우 ⇨ 포괄하여 하나의 사기죄(대판 1996.4.9, 95도2466) 03. 사시

13. 영리를 목적으로 무면허 의료행위를 업으로 하는 자가 일부 돈을 받지 아니하고 무면허 의료행위를 한 경우에도 보건범죄단속에 관한 특별조치법 위반죄의 1죄만이 성립하고, 별개로 의료법 위반죄를 구성하지 않는다고 보아야 한다(대판 2010.5.13, 2010도2468).

   ▶ **유사판례** : 영리를 목적으로 무면허 의료행위를 업으로 하는 자가 반복적으로 여러 개의 무면허 의료행위를 단일하고 계속된 범의 아래 일정 기간 계속하여 행하고 그 피해법익도 동일하다면 이들 각 행위를 포괄일죄로 처단하여야 한다(대판 1966.9.20, 66도928). 15. 법원직

14. 살해의 목적으로 동일인에게 일시 장소를 달리하고 수차에 걸쳐 단순한 예비행위를 하거나 또는 공격을 가하였으나 미수에 그치다가 드디어 그 목적을 달성한 경우 ⇨ 포괄하여 살인기수죄 일죄(대판 1965.9.28, 65도695 ∴ 살인예비 내지 미수죄와 기수죄의 경합범 ×) 13. 순경 1차, 23. 경찰간부

15. 사람을 강요해서 지불각서(물품대금을 횡령했다는 자인서)를 쓰게 한 뒤 이를 근거로 돈을 갈취한 경우 ⇨ 포괄하여 공갈죄 일죄(대판 1985.6.25, 84도2083)

16. 약국개설자가 처방전 알선의 대가로 일정기간 동안 동일한 의료기관개설자에게 수회에 걸쳐 금원을 제공한 행위 ⇨ 약사법 위반죄의 포괄일죄(대판 2003.12.26, 2003도6288)

    ▶ **유사판례** : 약국개설자가 아님에도 단일하고 계속된 범의하에 일정기간 계속하여 의약품을 판매하거나 판매의 목적으로 취득함으로써 약사법 제35조 제1항에 위반된 행위를 한 경우 모두 포괄하여 일죄를 구성한다(대판 2001.8.21, 2001도3312).

17. 여러 해 동안 수회에 걸쳐 이루어진 부정의약품 제조·판매행위 등을 포괄일죄에 해당한다고 보는 이상, 그 기간 중 어느 일정 연도의 연간 소매가격이 보건범죄단속법 제3조 제1항 제2호에서 정한 1천만원을 넘은 경우에는 다른 연도의 연간 소매가격이 위 금액에 미달한다고 하더라도 그 전체를 보건범죄단속법 제3조 제1항 제2호 위반의 포괄일죄로 처단함이 타당하다. 이러한 법리는 여러 해 동안 수회에 걸쳐 이루어진 부정의약품 제조·판매행위 등의 연간 소매가격이 모두 1천만원을 넘는 경우에도 마찬가지이다(대판 2021.1.14, 2020도10979). 22. 법원행시, 26. 변호사시험

18. 국가정보원 직원이 동일한 사안에 관한 일련의 직무집행 과정에서 단일하고 계속된 범의로 일정기간 계속하여 저지른 직권남용행위에 대하여는 설령 그 상대방이 수인이라고 하더라도 포괄일죄가 성립할 수 있다고 봄이 타당하다(대판 2021.3.11, 2020도12583). 22. 법원행시, 24. 9급 검찰·마약수사·철도경찰, 24. 경대편입

19. 상습범

    ① 상습범을 별도의 범죄유형으로 처벌하는 규정이 없는 한 각 죄는 원칙적으로 별개의 범죄로서 경합범으로 처단할 것이다(대판 2012.5.10, 2011도12131 예 저작권법은 상습으로 제136조 제1항의 죄를 저지른 경우를 가중처벌한다는 규정을 따로 두고 있지 않으므로, 수회에 걸쳐 제136조 제1항의 죄를 범한 것이 상습성의 발현에 따른 것이라고 하더라도, 이는 원칙적으로 경합범으로 보아야 하는 것이지 하나의 죄로 처벌되는 상습범으로 볼 것은 아니다). 17. 순경 1차, 18. 경찰간부, 20. 변호사시험, 21. 해경승진·해경 1차, 22. 해경간부, 24. 법원행시, 25. 해경경위

    ② 직계존속인 피해자를 폭행하고 상해를 가한 것이 존속에 대한 동일한 폭력습벽의 발현에 의한 것으로 인정되는 경우 상습존속상해죄의 포괄일죄가 성립한다(대판 2003.2.28, 2002도7335). 15. 순경 2차, 17. 9급 철도경찰

        ▶ **유사판례** : 피고인이 상습으로 甲을 폭행하고, 어머니 乙을 존속폭행한 경우, 습벽에 의하여 단순폭행, 존속폭행 범행을 저지른 사실이 인정된다면 상습존속폭행죄만 성립할 여지가 있다(대판 2018.4.24, 2017도10956). 21. 7급 검찰, 22. 법원행시, 26. 변호사시험

    ③ 상습절도의 범행을 한 사람이 그 절도습벽의 발현으로 자동차 등 불법사용의 범행을 함께 저지른 경우 자동차불법사용죄는 상습절도죄와 포괄일죄의 관계에 있다(대판 2002.4.26, 2002도429). 22. 해경간부, 23. 법원행시, 24. 경대편입

    ④ 도박의 습벽이 있는 자가 도박을 하고 또 도박방조를 하였을 경우 상습도박방조의 죄는 무거운 상습도박의 죄에 포괄시켜 1죄로서 처단하여야 한다(대판 1984.4.24, 84도195). 08. 사시

⑤ 상습강도죄를 범한 범인이 그 범행 외에 상습적인 강도의 목적으로 강도예비를 하였다가 강도에 이르지 아니하고 강도예비에 그친 경우 상습강도죄의 1죄만을 구성하고 이 상습강도죄와 별개로 강도예비죄를 구성하지 아니한다(대판 2003.3.28, 2003도665). 08. 사시

⑥ 상해죄 및 폭행죄의 상습범에 관한 형법 제264조에서 말하는 '상습'이란 위 규정에 열거된 상해 내지 폭행행위의 습벽을 말하는 것이므로, 위 규정에 열거되지 아니한 다른 유형의 범죄(예 재물손괴와 주거침입)까지 고려하여 상습성의 유무를 결정하여서는 아니 된다(대판 2018.4.24, 2017도21663).

⑦ 상습사기죄에 있어서의 사기행위의 습벽은 행위자의 사기 습벽의 발현으로 인정되는 한, 동종의 수법에 의한 사기범행의 습벽만을 의미하는 것이 아니라 이종의 수법에 의한 사기 범행을 포괄하는 사기의 습벽도 포함한다(대판 1999.11.26, 99도3929). 24. 경찰승진

⑧ 다수의 피해자에 대하여 각각 기망행위를 하여 각 피해자로부터 재물을 편취한 경우에는 범의가 단일하고 범행방법이 동일하더라도 각 피해자의 피해법익은 독립한 것이므로 이를 포괄일죄로 파악할 수 없고 피해자별로 독립한 사기죄가 성립된다. 다만, 피해자들의 피해법익이 동일하다고 볼 수 있는 사정이 있는 경우에는 이들에 대한 사기죄를 포괄하여 일죄로 볼 수 있다(대판 2023.12.21, 2023도13514 예 피고인이 부부인 피해자 甲과 乙에게 '토지를 매수하여 분필한 후 이를 분해서 원금 및 수익금을 지급하겠다.'면서 기망한 후, 이에 속아 피고인에게 투자하기 위해 공동재산인 건물을 매도하여 돈을 마련한 피해자들로부터 피해자 甲명의 예금계좌에서 1억원, 피해자 乙명의 예금계좌에서 4억 7,500만원, 합계 5억 7,500만원을 송금받아 이를 편취한 경우, 피해자들에 대한 사기죄의 피해법익이 동일하다고 평가될 수 있어 이들에 대한 사기죄가 포괄일죄를 구성한다). 24. 순경 2차, 26. 변호사시험

● **포괄일죄를 부정한 경우**

1. 포괄일죄라 함은 각기 따로 존재하는 수개의 행위가 한개의 구성요건을 한번 충족하는 경우를 말하므로 구성요건을 달리하고 있는 횡령, 배임 등의 행위와 사기의 행위는 포괄1죄를 구성할 수 없다(대판 1988.2.9, 87도58). 15. 사시, 23. 순경 1차, 24. 해경승진

2. ① 무면허운전으로 인한 도로교통법 위반죄에 관해서는 어느 날에 운전을 시작하여 다음 날까지 동일한 기회에 일련의 과정에서 계속 운전을 한 경우 등 특별한 경우를 제외하고는 사회통념상 운전한 날을 기준으로 운전한 날마다 1개의 운전행위가 있다고 보는 것이 상당하므로 운전한 날마다 무면허운전으로 인한 도로교통법 위반의 1죄가 성립한다고 보아야 한다(대판 2022.10.27, 2022도8806). 16. 순경 1차·9급 검찰, 18. 법원행시, 21. 해경 2차, 23. 경찰간부, 24. 7급 검찰, 25. 경찰승진

② 한편 같은 날 무면허운전 행위를 여러 차례 반복한 경우라도 그 범의의 단일성 내지 계속성이 인정되지 않거나 범행 방법 등이 동일하지 않은 경우 각 무면허운전 범행은 실체적 경합관계에 있다고 볼 수 있으나, 23. 법원행시, 24. 순경 1차·9급 검찰·마약수사·철도경찰, 25. 경찰승진 그와 같은 특별한 사정이 없다면 각 무면허운전 행위는 동일 죄명에 해당하는 수개의 동종 행위가 동일한 의사에 의하여 반복되거나 접속·연속하여 행하여진 것으로 봄이 상당하고 그로 인한 피해법익도 동일한 이상, 각 무면허운전 행위를 통틀어 포괄일죄로 처단하여야 한다(대판 2022.10.27, 2022도8806).

3. 비의료인이 의료기관을 개설하여 운영하는 도중 개설자 명의를 다른 의료인 등으로 변경한 경우에는 그 범의가 단일하다거나 범행방법이 종전과 동일하다고 보기 어렵다. 따라서 개설자 명의별로 별개의 범죄가 성립하고 각 죄는 실체적 경합범의 관계에 있다고 보아야 한다(대판 2018.11.29, 2018도10779). 20. 법원행시 · 경찰간부 · 해경 3차, 21. 해경간부 · 9급 검찰 · 철도경찰, 23. 해경승진, 25. 경력채용

4. 1개의 기망행위에 의하여 다수의 피해자로부터 각각 재산상 이익을 편취한 경우 ⇨ 포괄일죄 ×, 상상적 경합 ○(대판 2015.4.23, 2014도16980). 18. 경찰간부, 20. 경찰승진

> ▶ **비교판례**
>
> ① 단일한 범의하에 동일한 방법으로 수인의 피해자에 대하여 각 피해자별로 기망행위를 하여 재물을 편취한 경우 ⇨ 포괄일죄 ×, 사기죄의 실체적 경합범 ○(대판 2003.4.8, 2003도382) 18. 순경 2차, 19. 법원행시, 21. 경찰간부 · 9급 검찰 · 마약수사 · 철도경찰, 23. 해경승진
>
> ② 불특정 다수의 피해자들을 상대로 동일한 방식으로 사기분양을 하여 그들로부터 분양대금을 편취한 경우의 사기죄 ⇨ 포괄일죄 ×, 피해자별로 독립한 사기죄 성립(대판 2005.4.29, 2005도741) 20. 법원행시, 23. 경찰간부

5. 저작재산권 침해행위는 저작권자가 같더라도 저작물별로 침해되는 법익이 다르므로, 각각의 저작물에 대한 침해행위는 원칙적으로 각 별개의 죄를 구성한다. 다만, 단일하고도 계속된 범의 아래 동일한 저작물에 대한 침해행위가 일정기간 반복하여 행하여진 경우에는 포괄하여 하나의 범죄가 성립한다고 볼 수 있다(대판 2012.5.10, 2011도12131). 17. 경찰간부, 18. 순경 3차, 21. 9급 검찰, 23. 해경승진

6. 컴퓨터로 음란 동영상을 제공한 제1범죄행위로 서버컴퓨터가 압수된 이후 다시 장비를 갖추어 동종의 제2범죄행위를 하고 제2범죄행위로 인하여 약식명령을 받아 확정된 사안에서, 피고인에게 범의의 갱신이 있어 제1범죄행위는 약식명령이 확정된 제2범죄행위와 실체적 경합관계에 있다(대판 2005. 9.30, 2005도4051). 14. 경찰간부, 16. 법원행시, 20. 경찰승진

7. 타인의 사무를 처리하는 자가 여러 사람으로부터 각각 부정한 청탁을 받고 그들로부터 각각 금품을 수수한 경우에는 비록 그 청탁이 동종의 것이라고 하더라도 단일하고 계속된 범의 아래 이루어진 범행으로 보기 어려워 그 전체를 포괄일죄로 볼 수 없다(대판 2008.12.11, 2008도6987). 15. 법원직, 17. 경찰승진, 24. 법원행시

8. 같은 해에 3차례에 걸쳐 수입물품의 수입신고를 하면서 과세가격 또는 관세율 등을 허위로 신고하여 수입한 경우 각각의 허위 수입신고시마다 1개의 관세포탈죄가 성립한다(대판 2000.11.10, 99도782). 16. 7급 검찰 · 철도경찰, 19. 경찰간부

9. 작가협회 회원인 甲이 A의 명의를 도용하여 작가협회 교육원장을 비방하는 내용의 호소문을 작성한 후, 이를 작가협회 회원들에게 우편으로 송달한 경우 ⇨ 사문서위조죄와 명예훼손죄의 실체적 경합관계(대판 2009.4.23, 2008도8527) 16. 법원행시, 18. 경찰승진, 24. 해경수사

10. 구 성매매알선 등 행위의 처벌에 관한 법률상의 '영업으로 성매매를 알선한 행위'와 '영업으로 성매매에 제공되는 건물을 제공하는 행위'는 당해 행위 사이에서 각각 포괄일죄를 구성할 뿐, 서로 독립된 가벌적 행위로서 별개의 죄를 구성한다(대판 2011.5.26, 2010도6090). 19. 법원행시, 21. 경찰간부, 24. 해경간부

11. 수개의 등록상표에 대하여 상표법 제93조에서 정한 상표권침해 행위가 계속하여 행하여진 경우에는 각 등록상표 1개마다 포괄하여 1개의 범죄가 성립하므로, 특별한 사정이 없는 한 상표권자 및 표장이 동일하다는 이유로 등록상표를 달리하는 수개의 상표권침해 행위를 포괄하여 하나의 죄가 성립하는 것으로 볼 수 없다(대판 2013.7.25, 2011도12482). 21. 경찰간부

▶ **유사판례**: 수개의 등록상표에 대하여 상표법 제230조의 상표권 침해행위가 계속하여 이루어진 경우에는 등록상표마다 포괄하여 1개의 범죄가 성립한다. 그러나 하나의 유사상표 사용행위로 수개의 등록상표를 동시에 침해하였다면 각각의 상표법 위반죄는 상상적 경합의 관계에 있다(대판 2020.11.12, 2019도11688). 24. 해경경장, 25. 순경 2차

12. 히로뽕 완제품을 제조하고, 그때 함께 만든 액체 히로뽕 반제품을 땅에 묻어 두었다가 약 1년 9개월 후, 이전에 제조를 요구했던 사람이 아닌 다른 사람들의 요구에 따라 그들과 함께 위 반제품으로 완제품을 제조한 경우 ⇨ 포괄일죄 ×, 실체적 경합(대판 1991.2.26, 90도2900) 18. 경찰승진, 22. 해경간부

13. 수개의 업무상 횡령행위라 하더라도 피해법익이 단일하고, 범죄의 태양이 동일하며, 단일 범의의 발현에 기인하는 일련의 행위로 인정되는 경우는 포괄하여 1개의 범죄라고 할 것이지만, 피해자가 수인인 경우는 피해법익이 단일하다고 할 수 없으므로 포괄일죄의 성립을 인정하기 어렵다(대판 2011.2.24, 2010도13801). 16. 9급 검찰 · 마약수사 · 철도경찰

14. 변호사가 아닌 사람이 당사자와 내용을 달리하는 각기 다른 법률사건에 관한 법률사무를 취급하여 저지르는 변호사법 제109조 제1호 위반의 각 범행은 특별한 사정이 없는 한 실체적 경합범이 되는 것이지 포괄일죄가 되는 것이 아니다(대판 2015.1.15, 2011도14198 ∵ 당사자와 내용을 달리하는 법률사건에 관한 법률사무 취급은 각기 별개의 행위임). 16. 법원행시, 25. 경력채용

15. 피고인이 부동산 공유자인 피해자 3명을 상대로 부동산을 매수할 것처럼 행세하며 근저당권을 먼저 설정하여 주면 이를 담보로 매매대금을 마련하여 지급하겠다고 기망하여, 이에 속은 위 피해자들이 공유하는 부동산의 각 공유지분에 관하여 근저당권을 설정하게 함으로써 재산상 이익을 편취한 경우 ⇨ 사기죄의 포괄일죄 ×, 상상적 경합 ○(대판 2015.4.23, 2014도16980) 16. 법원행시

16. 동일한 장소에서 동일한 방법으로 시간적으로 접착된 상황에서 권총으로 처와 자식들에게 각기 실탄 1발씩을 순차로 발사하여 살해한 경우 ⇨ 포괄일죄 ×, 살인죄의 경합범 ○(대판 1991.8.27, 91도1637) 17. 법원직

17. 포괄일죄라 함은 각기 따로 존재하는 수개의 행위가 한개의 구성요건을 한번 충족하는 경우를 말하므로 구성요건을 달리하고 있는 횡령, 배임 등의 행위와 사기의 행위는 포괄1죄를 구성할 수 없다(대판 1988.2.9, 87도58). 15. 사시

18. '가장거래에 의한 사기죄'와 '분식회계에 의한 사기죄'는 범행방법이 동일하지 않아 그 피해자가 동일하더라도 포괄일죄가 성립한다고 할 수 없다(대판 2010.5.27, 2007도10056). 21. 해경승진, 25. 순경 2차

19. 공직선거법 제106조 제1항 소정의 호별방문죄에 있어서 각 집의 방문이 '연속적'인 것으로 인정되기 위해서는 반드시 집집을 중단 없이 방문하여야 하거나 동일한 일시 및 기회에 각 집을 방문하여야 하는 것은 아니지만, 각 방문행위 사이에는 어느 정도의 시간적 근접성이 있어야 할 것이고, 이러한 시간적 근접성이 없다면 '연속적'인 것으로 인정될 수는 없어 포괄일죄가 성립하지 않는다(대판 2007.3.15, 2006도9042 예 甲, 乙, 丙의 집을 각 4개월, 6개월 기간을 두고 방문 ⇨ 포괄일죄 ×). 21. 경찰간부 · 해경승진

20. 피고인이 미성년자를 유인하여 금원을 취득할 마음을 먹고 甲으로 하여금 피해자 丙을 유인토록 하였으나 동인의 거절로 미수에 그치고, 같은 달 2차에 걸쳐 다시 피해자 丙을 유인하였으나 마음이 약해져 각 실행을 중지하여 미수에 그치고, 다음 달 드디어 피해자 丙을 인치, 살해하고 금원을 요구하는 내용의 협박편지를 피해자 丙의 부모에게 전달하여 그 부모로부터 재물을 취득하려 했다면, 이를

각 미수죄와 기수죄의 경합범으로 처벌할 것이다(대판 1983.1.18, 82도2761 ∵ 그 간에 범의의 갱신이 있어 그 간의 범행위 단일한 의사발동에 의한 것 ×) 17. 법원행시

21. 상관으로부터 집총을 하고 군사교육을 받으라는 명령을 수회 받고도 그때마다 이를 거부한 경우에는 그 명령 횟수만큼의 항명죄가 즉시 성립하는 것이지, 집총거부의 의사가 단일하고 계속된 것이며 피해법익이 동일하다고 하여 수회의 명령거부행위에 대하여 하나의 항명죄만 성립한다고 할 수는 없다(대판 1992.9.14, 92도1534). 12. 경찰간부

22. 신용협동조합의 전무가 수개의 거래처로부터 각기 다른 일시에 조합정관상의 1인당 대출한도를 초과하여 대출을 하여 달라는 부탁을 받고 각기 다른 범의하에 부당대출을 하여 수개의 업무상 배임행위를 범한 경우 ⇨ 포괄일죄 ×(대판 1997.9.26, 97도1469) 13. 사시

23. 폐기물관리법 제8조 제2항 위반죄에서 매립장소는 포괄일죄 여부를 판단하는 중요한 기준이 된다(대판 2013.5.24, 2011도95 ∵ 피고인이 7개월여에 걸쳐 2개의 폐기물위탁처리업체로부터 사업장폐기물인 무기성 오니를 공급받아 4곳의 농경지에 불법매립한 경우 그 전체 범행을 포괄일죄로 볼 수 없다).

24. 신고의무 유예기간 동안의 가상자산거래 영업이 범죄행위에 해당하지 아니하는 이상, 그 행위가 신고의무 유예기간 경과 후 성립하는 구 특정금융정보법 제17조 제1항 위반죄와 포괄하여 일죄가 된다고 볼 수도 없다(대판 2025.5.1, 2024도20848).

1 타인의 위탁에 의하여 사무를 처리하는 자가 그 사무처리상 임무에 위배하여 본인을 기망하고 착오에 빠진 본인으로부터 재물을 교부받은 경우에는 배임죄와 사기죄는 법조경합관계가 아니라 상상적 경합관계에 있다. ( )
19. 경찰간부, 20. 7급 검찰, 23. 법원직

2 피해자에 대한 폭행행위가 동일한 피해자에 대한 업무방해죄의 수단이 되었다면, 그러한 폭행행위는 이른바 '불가벌적 수반행위'에 해당하여 업무방해죄에 대하여 흡수관계에 있다. ( )
20. 7급 검찰, 21. 9급 검찰 · 순경 2차, 23. 법원직, 24. 해경승진, 25. 변호사시험 · 순경 1차

3 수수한 메스암페타민을 장소를 이동하여 투약하고서 잔량을 은닉하는 방법으로 소지한 행위는 사회통념상 수수행위와는 독립한 별개의 행위를 구성한다고 보아야 한다. ( )
16. 7급 검찰 · 철도경찰 · 순경 2차, 18. 법원직, 19. 경찰간부, 23. 경찰승진

4 절도범인으로부터 그 정을 알면서 자기앞수표를 교부받아 이를 음식대금으로 지급하고 거스름돈을 환불받은 경우, 새로운 법익 침해가 발생하였기에 장물취득죄와 별도로 사기죄에 해당한다. ( )
19. 법원직, 20. 변호사시험 · 해경승진, 24. 7급 검찰, 25. 순경 1차

5 장물보관을 의뢰받고 그 정을 알면서 보관한 후 임의로 처분하는 행위는 불가벌적 사후행위에 해당한다. ( )
19. 9급 검찰 · 철도경찰, 21. 해경승진, 22. 경찰승진, 24. 변호사시험 · 법원직 · 순경 2차

6 전기통신금융사기(이른바 보이스피싱 범죄)의 범인이 피해자를 기망하여 피해자의 자금을 사기이용계좌로 송금 · 이체받은 후 사기이용계좌에서 현금을 인출한 행위는 사기의 피해자에 대하여 별도의 횡령죄를 구성한다. ( )
18. 7급 검찰, 20. 순경 2차, 24. 해경승진 · 경대편입, 25. 순경 1차

7 공동상속인 중 1인이 상속재산인 임야를 보관 중 다른 상속인들로부터 매도 후 분배 또는 소유권이전등기를 요구받고도 그 반환을 거부한 경우 횡령죄가 성립하고, 그 후 그 임야에 관하여 다시 제3자 앞으로 근저당권설정등기를 경료해 준 행위는 별도의 횡령죄를 구성한다. ( )
18. 경찰간부 · 경력채용, 21. 7급 검찰, 24. 법원직 · 해경경위

8 A종중으로부터 종중 소유의 토지를 명의신탁받아 보관 중이던 甲이 자신의 개인 채무 변제에 사용할 돈을 차용하기 위해 위 토지에 근저당권을 설정하였는데, 그 후 甲 · 乙이 공모하여 위 토지를 丙에게 매도한 행위는 선행 근저당권설정행위 이후에 이루어진 것이어서 불가벌적 사후행위에 해당한다. ( )
20. 경찰간부 · 순경 1차 · 법원직 · 7급 검찰, 21. 경찰승진, 25. 변호사시험

9 자동차를 절취한 후 자동차 등록번호판을 떼어낸 행위는 절도죄의 불가벌적 사후행위에 해당되지 않는다. ( )
17. 순경 1차, 18. 경찰간부 · 경력채용, 20. 변호사시험 · 7급 검찰, 23. 해경승진, 25. 경대편입

10 부정한 이익을 얻을 목적으로 타인의 영업비밀이 담긴 CD를 절취하여 그 영업비밀을 부정사용한 행위는 불가벌적 사후행위에 해당한다. ( )
17. 순경 1차, 18. 법원직, 21. 해경 2차, 23. 해경승진 · 7급 검찰

Answer ▸ 1. ○ 2. ✕ 3. ○ 4. ✕ 5. ○ 6. ✕ 7. ✕ 8. ✕ 9. ○ 10. ✕

11 약속어음을 편취한 후, 이를 숨기고 그 사실을 모르는 제3자로부터 할인받은 경우, 그 어음할인 행위는 별도의 사기죄를 구성한다. (　)
　　　　　　　　　　17. 순경 1차, 18. 경찰간부, 19. 경찰승진, 24. 해경경위

12 신용카드를 절취한 후 이를 사용한 경우, 신용카드의 부정사용행위는 새로운 법익의 침해로 보아야 하고, 절도범행의 불가벌적 사후행위로 볼 수 없다. (　)
　　　　　　　　　　14. 법원행시, 16. 경찰간부, 20. 순경 2차

13 포괄일죄의 중간에 다른 종류의 범죄에 대하여 금고 이상의 형에 처한 확정판결이 끼어 있는 경우 그 포괄일죄는 확정판결 후의 범죄로 다루어야 하므로 판결이 확정된 죄와 사후적 경합범이 되지 않는다. (　)
　　　　　　　　　　18. 9급 철도경찰, 21. 해경승진 · 법원직, 22. 변호사시험, 24. 7급 검찰

14 하나의 사건에 관하여 한번 선서한 증인이 같은 기일에 여러 가지 사실에 관하여 기억에 반하는 허위의 진술을 한 경우에 1개의 위증죄만이 성립한다. (　)
　　　　　　　　　　18. 법원직, 20. 경찰승진, 21. 경찰간부, 24. 순경 1차

15 상습성이 있는 자가 같은 종류의 죄를 반복하여 저질렀다 하더라도 상습범을 별도의 범죄유형으로 처벌하는 규정이 없는 한, 각 죄는 원칙적으로 별개의 범죄로서 경합범으로 처단하여야 한다. (　)
　　　　　　　　　　18. 경찰간부, 20. 변호사시험, 21. 해경승진 · 해경 1차, 22. 해경간부, 25. 해경경위

16 운전면허가 없는 상태에서 여러 날에 걸쳐 무면허운전행위를 반복한 경우 특별한 사정이 없는 한 포괄하여 1개의 도로교통법 위반(무면허운전)죄가 성립한다. (　)
　　　　　　　　　　16. 순경 1차, 18. 법원행시, 20. 7급 검찰, 21. 경찰승진 · 해경 2차, 23. 경찰간부

17 같은 날 무면허운전 행위를 여러 차례 반복한 경우, 그 범의의 단일성 내지 계속성이 인정되지 않거나 범행방법 등이 동일하지 않다면 각 무면허운전 범행은 실체적 경합관계에 있다. (　)
　　　　　　　　　　23. 법원행시, 24. 순경 1차 · 9급 검찰, 25. 경찰승진

18 비의료인이 의료기관을 개설하여 운영하는 도중 의료시설과 의료진을 그 동일성을 상실할 정도로 변경하지 않은 채 단지 개설자 명의만을 다른 의료인 등으로 변경한 경우, 의료기관을 새로 개설하였다고 보기 어려우므로 개설자 명의변경 전후로 의료법위반죄의 포괄일죄로 보아야 한다. (　)
　　　　　　　　　　20. 경찰간부 · 해경 3차, 21. 해경간부 · 9급 검찰 · 철도경찰, 23. 해경승진, 25. 경력채용

19 수인의 피해자에 대하여 각 피해자별로 기망행위를 하여 각각 재물을 편취한 경우에도 그 범의가 단일하고 범행방법이 동일한 경우에는 사기죄의 포괄일죄가 성립한다. (　)
　　　　　　　　　　18. 순경 2차, 19. 법원행시, 21. 경찰간부 · 9급 검찰 · 철도경찰, 23. 해경승진

20 피고인이 강취한 현금카드를 사용하여 현금자동지급기에서 현금을 인출한 행위는 강도죄와는 별도로 절도죄가 성립한다. (　)
　　　　　　　　　　18. 순경 1차, 20. 순경 2차, 21. 변호사시험

Answer ▸　11. ○　12. ○　13. ○　14. ○　15. ○　16. ✕　17. ○　18. ✕　19. ✕　20. ○

01 불가벌적 사후행위에 관한 설명 중 가장 옳지 않은 것은?(다툼이 있는 경우 판례에 의함) 19. 법원직

① 미등기건물의 관리를 위임받아 보관하고 있는 자가 피해자의 승낙 없이 건물을 자신의 명의로 보존등기를 한 때 이미 횡령죄는 완성되고, 이후 근저당권설정등기를 한 행위는 불가벌적 사후행위에 해당한다.

② 사람을 살해한 자가 그 사체를 다른 장소로 옮겨 유기한 행위는 불가벌적 사후행위에 해당하여 별도의 사체유기죄를 구성하지 않는다.

③ 장물인 자기앞수표를 취득한 후 이를 현금 대신 교부한 행위는 장물취득에 대한 가벌적 평가에 당연히 포함되는 불가벌적 사후행위로서 별도의 범죄를 구성하지 아니한다.

④ 업무상 과실로 장물을 보관하고 있던 사람이 이를 제3자에게 처분한 행위는 불가벌적 사후행위에 해당하여 별도로 횡령죄를 구성하지 않는다.

> 해설 ① 대판 1993.3.9, 92도2999
> ② × : 살인죄와 사체유기죄의 경합범(대판 1997.7.25, 97도1142)
> ③ 대판 1993.11.23, 93도213
> ④ 대판 2004.4.9, 2003도8219

02 불가벌적 사후행위에 관한 설명 중 옳지 않은 것은?(다툼이 있는 경우 판례에 의함) 20. 변호사시험

① 재산범죄를 저지른 이후에 별도의 재산범죄의 구성요건에 해당하는 사후행위가 있었다면 비록 그 행위가 불가벌적 사후행위로서 처벌의 대상이 되지 않는다 할지라도 그 사후행위로 인하여 취득한 물건은 재산범죄로 인하여 취득한 물건으로서 장물이 될 수 있다.

② 종중의 부동산을 명의신탁 받아 보관 중인 자가 그 부동산에 근저당권설정등기를 마침으로써 횡령행위가 기수에 이른 후 해당 부동산을 매각함으로써 기존의 근저당권과 관계없이 법익침해의 결과를 발생시켰다면, 특별한 사정이 없는 한 불가벌적 사후행위가 아니라 별도의 횡령죄가 성립한다.

③ 부동산에 피해자 명의의 근저당권을 설정하여 줄 의사가 없음에도 피해자를 속이고 근저당권설정을 약정하여 금원을 편취하고 그 약정이 사기 등을 이유로 취소되지 않은 상황에서 다시 그 부동산에 관하여 제3자 명의로 근저당권설정등기를 마친 경우, 사기죄 이외에 별도의 배임죄가 성립하지 않는다.

④ 평소 본범과 공동하여 수차 상습으로 절도 등 범행을 함으로써 실질적인 범죄집단을 이루고 있었던 甲이 본범으로부터 장물을 취득하였다면, 본범이 범한 당해 절도범행에 있어서 정범자(공동정범이나 합동범)가 되지 아니하더라도 甲의 장물취득행위는 불가벌적 사후행위에 해당한다.

> Answer   01. ②   02. ④

⑤ 자동차를 절취한 후 자동차등록번호판을 떼어내는 자동차관리법위반행위는 절도범행의 불가벌적 사후행위에 해당하지 않는다.

[해설] ① 대판 2004.4.16, 2004도353
② 대판 2013.2.21, 2010도10500 전원합의체
③ 대판 2020.6.18, 2019도14340 전원합의체
④ × : ~ (3줄) 정범자(공동정범이나 합동범)로 되지 아니한 이상 이를 자기의 범죄라 할 수 없고, 따라서 甲의 장물취득행위는 불가벌적 사후행위라고 할 수 없다(대판 1986.9.9, 86도1273).
⑤ 대판 2007.9.6, 2007도4739

03 다음 중 피고인 甲의 불가벌적 사후행위에 해당하는 것으로 가장 옳은 것은?(다툼이 있는 경우 판례에 의함)
23. 해경승진

① A주식회사 대표이사인 피고인 甲이 자신의 채권자 乙에게 차용금에 대한 담보로 A회사 명의 정기예금에 질권을 설정하여 주었는데, 그 후 乙이 피고인 甲의 동의하에 위 정기예금계좌에 입금되어 있던 A회사 자금을 전액 인출한 경우
② 피고인 甲이 흡연할 목적으로 대마를 매입한 후 흡연할 기회를 포착하기 위하여 2일 이상 하의 주머니에 넣고 다님으로써 매입한 대마를 소지한 경우
③ 피고인 甲이 부정한 이익을 얻을 목적으로 타인의 영업비밀이 담긴 CD를 절취하여 그 영업비밀을 부정사용한 경우
④ 피고인 甲이 자동차를 절취한 후, 훔친 자동차의 번호판을 떼어 내 다른 자동차에 임의로 부착하여 운행한 경우

[해설] • 불가벌적 사후행위 ○ : ① 대판 2012.11.29, 2012도10980
• 불가벌적 사후행위 × : ② 대판 1990.7.27, 90도543 ③ 대판 2008.9.11, 2008도5364 ④ 대판 2007. 9.6, 2007도4739

04 죄수에 대한 설명이다. 아래 ㉠부터 ㉣까지의 설명 중 옳고 그름의 표시(○, ×)가 바르게 된 것은?(다툼이 있는 경우 판례에 의함)
22. 경찰승진

㉠ 보이스피싱 범죄의 범인 甲이 A를 기망하여 A의 돈을 사기 이용계좌로 이체받아 인출한 경우 – 사기죄는 성립하나 이체받은 돈의 인출행위는 불가벌적 사후행위로 횡령죄 불성립
㉡ 절도 범인으로부터 장물보관 의뢰를 받은 甲이 이후에 해당 장물을 임의처분한 경우 – 장물보관죄는 성립하나 장물의 임의처분행위는 불가벌적 사후행위로 횡령죄 불성립
㉢ 컴퓨터로 음란 동영상을 제공한 제1범죄행위로 서버컴퓨터가 압수된 이후 다시 장비를 갖추어 동종의 제2범죄행위를 한 경우 – 제1행위(음란 동영상 제공)에 대한 범죄는 성립하나 제2행위(음란 동영상 제공)는 불가벌적 사후행위로 범죄 불성립
㉣ 열차승차권을 절취한 甲이 그 승차권을 자기의 것인 양 속여 창구직원으로부터 환불받은 경우 – 절도죄는 성립하나 기망하여 환불받은 행위는 불가벌적 사후행위로 사기죄 불성립

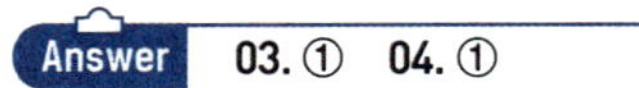

① ㉠(○), ㉡(○), ㉢(×), ㉣(○)　　② ㉠(×), ㉡(○), ㉢(×), ㉣(×)
③ ㉠(○), ㉡(○), ㉢(×), ㉣(×)　　④ ㉠(×), ㉡(×), ㉢(○), ㉣(○)

해설 ㉠ ○ : 대판 2017.5.31, 2017도3894
㉡ ○ : 대판 2004.4.9, 2003도8219
㉢ × : 제1범죄행위와 제2범죄행위는 실체적 경합관계에 있다(대판 2005.9.30, 2005도4051).
㉣ ○ : 대판 1975.8.29, 75도1996

05 불가벌적 사후행위에 관한 설명 중 가장 옳지 않은 것은?(다툼이 있는 경우 판례에 의함)　24. 법원직

① 피고인이 열차승차권을 절취한 후 역직원에게 자기의 소유인 것처럼 속여 현금과 교환한 경우 이를 절도행위의 불가벌적 사후행위로 볼 수 없으므로 별도로 사기죄가 성립한다.

② 절도범인으로부터 장물보관 의뢰를 받은 피고인이 이를 인도받아 보관하고 있다가 임의로 처분한 경우 이는 불가벌적 사후행위에 해당하여 별도로 횡령죄가 성립하지 않는다.

③ 행사의 목적으로 타인의 인장을 위조하고 그 위조한 인장을 사용하여 권리의무 또는 사실증명에 관한 타인의 사문서를 위조한 경우에는 인장위조죄는 사문서위조죄에 흡수되고 따로 인장위조죄가 성립하지 않는다.

④ 공동상속인 중 1인인 피고인이 상속재산인 임야를 보관하던 중 다른 상속인들로부터 임야를 처분하여 상속지분대로 분배를 하거나 상속지분 비율대로 소유권이전등기를 경료해 달라는 요구를 받고도 그 반환을 거부한 후 그 임야에 관하여 제3자 앞으로 근저당권설정등기를 경료해 준 경우 제3자에게 근저당권설정등기를 경료해 준 행위는 불가벌적 사후행위로서 별도의 횡령죄를 구성하지 않는다.

해설 ① × : ~ (1줄) 교환한 경우 이는 절도행위의 불가벌적 사후행위로 볼 수 있어 비록 기망행위가 수반한다 하더라도 절도죄 외에 따로 사기죄가 성립하지 아니한다(대판 1975.8.29, 75도1996).
② 대판 2004.4.9, 2003도8219
③ 대판 1978.9.26, 78도1787
④ 대판 2010.2.25, 2010도93

06 죄수론에 관한 설명으로 가장 적절한 것은?(다툼이 있는 경우 판례에 의함)　25. 순경 1차

① 피해자에 대한 폭행행위가 동일한 피해자에 대한 업무방해죄의 수단이 된 경우, 그 폭행행위는 불가벌적 수반행위에 해당하므로 업무방해죄에 대하여 흡수관계에 있다.

② 사기범행에 이용되리라는 사정을 알고서도 자신 명의 계좌의 접근매체를 양도함으로써 사기범행을 방조한 종범이 사기이용계좌로 송금된 피해자의 돈을 임의로 인출한 경우, 사기방조죄와 별도로 횡령죄에 해당한다.

③ 부동산 관리를 하는 업무자가 건물주로부터 월세임대차계약 체결업무를 위임받고도 임차인들을 속여 전세임대차계약을 체결하고 그 보증금을 편취한 경우, 사기죄와 별도로 업무상 배임죄에 해당한다.

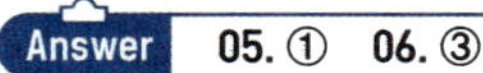

④ 절도범인으로부터 그 정을 알면서 자기앞수표를 교부받아 이를 음식대금으로 지급하고 거스름돈을 환불받은 경우, 새로운 법익 침해가 발생하였기에 장물취득죄와 별도로 사기죄에 해당한다.

해설 ① × : ~ 흡수관계에 있다고 볼 수는 없다(대판 2012.10.11, 2012도1895).
② × : 사기방조죄 ○, 횡령죄 ×(대판 2017.5.31, 2017도3894 ∵ 위탁관계나 신임관계 ×, 새로운 법익침해 × ⇨ 불가벌적 사후행위 ○)
③ ○ : 대판 2010.11.11, 2010도10690(사기죄와 업무상 배임죄의 실체적 경합)
④ × : 장물취득죄 ○, 사기죄 ×(대판 1993.11.23, 93도213 ∵ 새로운 법익 침해 × ⇨ 불가벌적 사후행위 ○)

07 포괄일죄에 관한 설명으로 가장 적절하지 않은 것은?(다툼이 있는 경우 다수설과 판례에 의함)

24. 경찰간부

① 연속범은 개별적인 행위가 범죄의 요소인 구성요건에 해당하고 위법·유책해야 하며, 동일한 법익의 침해가 있어야 성립되므로 피해법익의 동일성에 따라 보호법익을 같이 하는 횡령, 배임 등의 행위와 사기의 행위는 포괄일죄를 구성한다.
② 집합범은 다수의 동종의 행위가 동일한 의사에 의하여 반복될 것이 당해 구성요건에서 당연히 예상되는 범죄를 말하며, 집합범의 종류로는 영업범과 상습범이 있다.
③ 접속범은 동일한 법익에 대하여 수개의 구성요건적 행위가 불가분하게 접속하여 행하여지는 범행형태로 같은 기회에 하나의 행위로 여러 개의 영업비밀을 취득하였다면 이는 일죄로 평가된다.
④ 결합범은 개별적으로 독립된 범죄의 구성요건에 해당하는 수개의 행위가 결합하여 일죄를 구성하는 경우로 결합범 자체는 1개의 범죄완성을 위한 수개 행위의 결합이고, 수개 행위의 불법내용을 함께 평가하는 것이므로 포괄일죄가 된다.

해설 ① × : 포괄일죄라 함은 각기 따로 존재하는 수개의 행위가 한개의 구성요건을 한번 충족하는 경우를 말하므로 구성요건을 달리하고 있는 횡령, 배임 등의 행위와 사기의 행위는 포괄1죄를 구성할 수 없다(대판 1988.2.9, 87도58).
② 대판 2004.7.22, 2004도2390 ③ 대판 2009.4.9, 2006도9022 ④ 옳다.

08 포괄일죄가 성립하는 경우로 가장 적절한 것은?(다툼이 있는 경우 판례에 의함)

18. 경찰승진, 22. 해경간부

① 甲이 계속적으로 무면허로 운전할 의사를 가지고 여러 날에 걸쳐 무면허운전행위를 반복한 경우(어느 날에 운전을 시작하여 다음날까지 동일한 기회에 일련의 과정에서 계속 운전을 한 경우와 같은 특별한 경우 등은 제외함)
② 작가협회 회원인 甲이 A의 명의를 도용하여 작가협회 교육원장을 비방하는 내용의 호소문을 작성한 후, 이를 작가협회 회원들에게 우편으로 송달한 경우

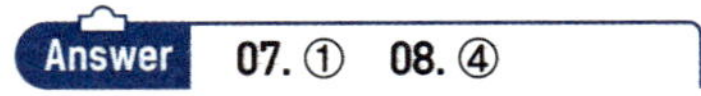

③ 甲이 히로뽕 완제품을 제조하고, 그때 함께 만든 액체 히로뽕 반제품을 땅에 묻어 두었다가 약 1년 9개월 후, 이전에 제조를 요구했던 사람이 아닌 다른 사람들의 요구에 따라 그들과 함께 위 반제품을 완제품으로 제조한 경우

④ 금융기관 임직원인 甲이 그 직무에 관하여 乙로부터 정식 이사가 될 수 있도록 도와달라는 부탁을 받고 1년 동안 12회에 걸쳐 그 사례금 명목으로 합계 1억 2,000만원을 교부받은 경우

해설 • **포괄일죄 ○** : ④ 대판 2000.6.27, 2000도1155
• **포괄일죄 ×** : ① 운전한 날마다 무면허운전죄 1죄 성립(대판 2002.7.23, 2001도6281) ② 사문서위조 죄와 명예훼손죄의 실체적 경합관계(대판 2009.4.23, 2008도8527) ③ 실체적 경합관계(대판 1991. 2.26, 90도2900)

09 **포괄일죄에 대한 설명으로 옳은 것은?**(다툼이 있는 경우 판례에 의함)   21. 경찰간부

① 공직선거법 제106조 제1항이 규정하고 있는 호별방문죄는 집집을 중단 없이 방문하거나 동일한 일시 및 기회에 방문할 것을 요하지 않으므로, 선거운동이라는 단일한 범의하에 수인의 집을 방문한 경우 시간적 근접성 및 연속성에 대한 판단 없이 포괄일죄가 성립한다.

② 단일한 범의하에 동일한 방법으로 수인의 피해자에 대하여 각 피해자별로 기망행위를 하여 재물을 편취한 경우, 사기죄의 포괄일죄가 성립한다.

③ 같은 심급에서 1회 선서한 이후 그 선서의 효력이 유지된 상태에서 변론기일을 달리하여 수차 증인으로 출석하여 수개의 허위진술을 한 경우 1개의 위증죄가 성립한다.

④ 수개의 등록상표에 대하여 상표권 침해행위가 계속된 경우 등록상표를 달리하는 수개의 상표권 침해행위는 포괄하여 하나의 죄가 성립한다.

해설 ① × : 공직선거법 제106조 제1항 소정의 호별방문죄에 있어서 각 집의 방문이 '연속적'인 것으로 인정되기 위해서는 반드시 집집을 중단 없이 방문하여야 하거나 동일한 일시 및 기회에 각 집을 방문하여야 하는 것은 아니지만, 각 방문행위 사이에는 어느 정도의 시간적 근접성이 있어야 할 것이고, 이러한 시간적 근접성이 없다면 '연속적'인 것으로 인정될 수는 없어 포괄일죄가 성립하지 않는다(대판 2007.3.15, 2006도9042).
② × : 포괄일죄 ×, 사기죄의 실체적 경합범 ○(대판 2003.4.8, 2003도382)
③ ○ : 대판 2007.3.15, 2006도9463
④ × : 포괄일죄 ×(대판 2013.7.25, 2011도12482 ∵ 각 등록상표 1개마다 포괄일죄 성립)

10 **포괄일죄에 대한 설명으로 옳은 것은?**(다툼이 있는 경우 판례에 의함)
21. 9급 검찰·마약수사·철도경찰, 23. 해경승진

① 수인의 피해자에 대하여 각 피해자별로 기망행위를 하여 각각 재물을 편취한 경우에도 그 범의가 단일하고 범행방법이 동일한 경우에는 사기죄의 포괄일죄가 성립한다.

② 동일한 저작권자의 여러 개의 저작물에 대한 침해행위가 단일하고 동일한 범의 아래 행하여졌다면 저작권법 위반의 포괄일죄가 성립한다.

Answer   **09.** ③   **10.** ③

③ 폭력행위 등 처벌에 관한 법률 제4조 제1항에서는 그 법에 규정된 범죄행위를 목적으로 하는 단체를 구성하거나 이에 가입하는 행위 또는 구성원으로 활동하는 행위를 처벌하도록 규정하고 있으므로, 범죄단체를 구성하거나 이에 가입한 자가 나아가 구성원으로 활동하는 경우에는 폭력행위 등 처벌에 관한 법률 위반의 포괄일죄가 성립한다.

④ 비의료인이 의료기관을 개설하여 운영하는 도중 개설자 명의를 다른 의료인으로 변경한 경우에는 그 범의가 단일하고 범행방법이 종전과 동일하므로 의료법 위반의 포괄일죄가 성립한다.

[해설] ① × : 포괄일죄 ×, 사기죄의 실체적 경합범 ○(대판 2003.4.8, 2003도382)
② × : 저작재산권 침해행위는 저작권자가 같더라도 저작물별로 침해되는 법익이 다르므로, 각각의 저작물에 대한 침해행위는 원칙적으로 각 별개의 죄를 구성한다. 다만 단일하고도 계속된 범의 아래 동일한 저작물에 대한 침해행위가 일정 기간 반복하여 행하여진 경우에는 포괄하여 하나의 범죄가 성립한다고 볼 수 있다(대판 2012.5.10, 2011도12131).
③ ○ : 대판 2015.9.10, 2015도7081
④ × : 비의료인이 의료기관을 개설하여 운영하는 도중 개설자 명의를 다른 의료인 등으로 변경한 경우에는 그 범의가 단일하다거나 범행방법이 종전과 동일하다고 보기 어렵다. 따라서 개설자 명의별로 별개의 범죄가 성립하고 각 죄는 실체적 경합범의 관계에 있다고 보아야 한다(대판 2018.11.29, 2018도10779).

11 포괄일죄에 대한 설명으로 옳지 않은 것은?(다툼이 있는 경우 판례에 의함)

18. 9급 철도경찰, 21. 해경 2차

① 포괄일죄로 되는 개개의 범죄행위가 '다른 종류의 죄'의 확정판결의 전후에 걸쳐서 행하여진 경우에는 그 죄는 2죄로 분리되지 않고 확정판결 후인 최종의 범죄행위시에 완성되는 것이다.

② 포괄일죄의 범행 도중에 공동정범으로 범행에 가담한 자는 비록 그가 그 범행에 가담할 때에 이미 이루어진 종전의 범행을 알았다 하더라도 그 가담 이후의 범행에 대하여만 공동정범으로 책임을 진다.

③ 포괄일죄로 된 개개의 범죄행위가 법 개정의 전후에 걸쳐서 행하여진 경우에는 신·구법의 법정형에 대한 경중을 비교하여 경한 법을 적용해야 한다.

④ 포괄일죄에 관한 기존 처벌법규에 대하여 그 표현이나 형량과 관련한 개정을 하는 경우가 아니라 애초에 죄가 되지 아니하던 행위를 구성요건의 신설로 포괄일죄의 처벌대상으로 삼는 경우에는 신설된 포괄일죄 처벌법규가 시행되기 이전의 행위에 대하여는 신설된 법규를 적용하여 처벌할 수 없다.

[해설] ① 대판 2003.8.22, 2002도5341
② 대판 2007.11.15, 2007도6336
③ × : ~ 경중을 비교할 필요도 없이 신법을 적용해야 한다(대판 1994.10.28, 93도1166).
④ 대판 2016.1.28, 2015도15669

Answer 11. ③

12 포괄일죄에 대한 설명으로 옳은 것은?(다툼이 있는 경우 판례에 의함) 24. 9급 검찰·마약수사·철도경찰

① 국가정보원 직원이 동일한 사안에 관한 일련의 직무집행 과정에서 단일하고 계속된 범의로 일정 기간 계속하여 저지른 직권남용행위에 대하여는 설령 그 상대방이 수인이라고 하더라도 직권남용권리행사방해죄의 포괄일죄가 성립할 수 있다.

② 행정소송사건의 같은 심급이라도 변론기일을 달리하여 수차 증인으로 나가 수개의 허위진술을 하였다면, 최초에 한 선서의 효력을 유지시킨 후 증언하였다고 하더라도 수개의 위증죄가 성립한다.

③ 같은 날 무면허운전 행위를 여러 차례 반복하였다면 그 범의의 단일성 내지 계속성이 인정되지 않거나 범행 방법 등이 동일하지 않은 경우라도 각 무면허운전 행위를 통틀어 포괄일죄로 처단하여야 한다.

④ 포괄일죄로 되는 개개의 범죄행위가 법 개정의 전후에 걸쳐서 행하여진 경우에는 신·구법의 법정형의 경중을 비교하여 행위자에게 유리한 법을 적용하여 포괄일죄로 처단하여야 한다.

> **해설** ① ○ : 대판 2021.3.11, 2020도12583
> ② × : 같은 심급에서 1회 선서한 이후 그 선서의 효력이 유지된 상태에서 변론기일을 달리하여 수차 증인으로 출석하여 수개의 허위진술을 한 경우 1개의 위증죄가 성립한다(대판 2007.3.15, 2006도9463).
> ③ × : 같은 날 무면허운전 행위를 여러 차례 반복한 경우라도 그 범의의 단일성 내지 계속성이 인정되지 않거나 범행 방법 등이 동일하지 않은 경우 각 무면허운전 범행은 실체적 경합관계에 있다고 볼 수 있으나, 그와 같은 특별한 사정이 없다면 각 무면허운전 행위는 동일 죄명에 해당하는 수개의 동종 행위가 동일한 의사에 의하여 반복되거나 접속·연속하여 행하여진 것으로 봄이 상당하고 그로 인한 피해법익도 동일한 이상, 각 무면허운전 행위를 통틀어 포괄일죄로 처단하여야 한다(대판 2022.10.27, 2022도8806).
> ④ × : 포괄일죄로 된 개개의 범죄행위가 법개정의 전후에 걸쳐서 행해진 경우에는 신·구법의 법정형에 대한 경중을 비교할 필요도 없이 범죄실행 종료시의 법이라고 할 수 있는 신법을 적용하여 포괄일죄로 처단하여야 한다(대판 1994.10.28, 93도1166).

13 죄수에 관한 설명으로 가장 적절하지 않은 것은?(다툼이 있는 경우 판례에 의함) 25. 경력채용

① 피고인은 피해자 A회사와 렌탈(임대차)계약을 체결하고 그로부터 컴퓨터 본체 24대, 모니터 1대를 받아 보관하였고, 피해자 B회사와 리스(임대차)계약을 체결하고 그로부터 컴퓨터 본체 13대, 모니터 41대, 그래픽카드 13개, 마우스 11개를 받아 보관하다가, 같은 날 성명불상의 업체에 이를 한꺼번에 처분하여 횡령한 경우, 피해자들에 대한 각 횡령죄는 상상적 경합의 관계에 있다.

② 변호사가 아닌 사람이 각기 다른 법률사건에 관한 법률사무를 취급하여 저지르는 변호사법 위반의 각 범행은 특별한 사정이 없는 한 포괄일죄가 된다.

③ 비의료인이 의료기관을 개설하여 운영하는 도중 개설자 명의를 다른 의료인 등으로 변경한 경우에는 그 범의가 단일하다거나 범행방법이 종전과 동일하다고 보기 어려우므로 개설자 명의별로 별개의 범죄가 성립하고 각 죄는 실체적 경합범의 관계에 있다.

12. ① **13.** ②

④ 피고인들이, 자신들이 개설한 인터넷 사이트를 통해 회원들로 하여금 음란한 동영상을 게시하도록 하고, 다른 회원들로 하여금 이를 다운받을 수 있도록 하는 방법으로 정보통신망을 통한 음란한 영상의 배포, 전시를 방조한 행위가 단일하고 계속된 범의 아래 일정 기간 계속하여 이루어졌고 피해법익도 동일한 경우, 포괄일죄의 관계에 있다.

해설 ① 대판 2013.10.31, 2013도10020
② × : ~ (2줄) 각 범행은 특별한 사정이 없는 한 실체적 경합범이 되는 것이지 포괄일죄가 되는 것이 아니다(대판 2015.1.15, 2011도14198 ∵ 당사자와 내용을 달리하는 법률사건에 관한 법률사무 취급은 각기 별개의 행위임).
③ 대판 2018.11.29, 2018도10779
④ 대판 2010.11.25, 2010도1588

14 **죄수에 관한 설명으로 가장 적절하지 않은 것은?**(다툼이 있는 경우 판례에 의함)　　25. 순경 2차

① 단일하고도 계속된 범의 아래 일정 기간 반복하여 뇌물수수 행위와 부정한 행위가 행하여졌고 그 뇌물수수 행위와 부정한 행위 사이에 인과관계가 인정되며 피해법익도 동일하다면, 최후의 부정한 행위 이후에 저질러진 뇌물수수 행위도 최후의 부정한 행위 이전의 뇌물수수 행위 및 부정한 행위와 함께 수뢰 후 부정처사죄의 포괄일죄가 성립한다.

② 甲이 乙에게 접근하거나 전화를 건 행위가 스토킹범죄를 구성하는 스토킹행위에 해당하고, 구 스토킹범죄의 처벌 등에 관한 법률(2023. 7. 11. 법률 제19518호로 개정되기 전의 것) 제9조 제1항 제2호, 제3호의 잠정조치를 위반한 행위에도 해당하는 경우, 甲의 행위는 사회관념상 1개의 행위로 성립하는 수개의 죄에 해당하므로 상상적 경합관계에 있다.

③ 수 개의 등록상표에 대하여 상표권 침해행위가 계속하여 이루어진 경우에는 등록상표마다 포괄하여 1개의 범죄가 성립하지만 하나의 유사상표 사용행위로 수 개의 등록상표를 동시에 침해하였다면 각각의 상표법위반죄는 상상적 경합의 관계에 있다.

④ '수출입거래를 가장한 신용장 개설방법에 의한 사기죄'와 '분식회계에 의한 재무제표 및 감사보고서 등을 이용한 사기죄'는 범행방법이 동일하지 않더라도 그 피해자가 동일하므로 포괄일죄가 성립한다.

해설 ① 대판 2021.2.4, 2020도12103
② 대판 2024.9.27, 2024도7832
③ 대판 2020.11.12, 2019도11688
④ × : ~ (2줄) 범행방법이 동일하지 않아 그 피해자가 동일하더라도 포괄일죄가 성립한다고 할 수 없다(대판 2010.5.27, 2007도10056).

Answer　14. ④

15 죄수에 관한 설명 중 옳지 않은 것을 모두 고른 것은?(다툼이 있는 경우 판례에 의함) 26. 변호사시험

㉠ 여러 피해자들에게 단일한 범의와 방법으로 기망행위를 하여 각 피해자로부터 재물을 편취한 경우, 피해자들의 피해법익이 동일하다고 볼 수 있는 때라면 이들에 대한 사기죄의 포괄일죄로 볼 수 있다.

㉡ 상상적 경합은 1개의 행위가 여러 개의 죄에 해당하는 경우인데, 여기서 1개의 행위는 법적 평가를 기초로 하여 사회 관념상 행위가 사물자연의 상태로서 1개로 평가되는 것을 뜻한다.

㉢ 포괄일죄 관계인 범행의 일부에 대하여 확정판결이 있은 후, 그 사실심 판결선고 이전에 이루어진 범행이 포괄일죄의 일부에 해당하고 그와 상상적 경합관계에 있는 다른 죄에도 해당하는 경우, 확정판결의 기판력은 위와 같이 상상적 경합관계에 있는 다른 죄에 대하여도 미친다.

㉣ 타인의 물건을 보관하고 있는 자를 교사하여 자신에게 보관물을 팔아넘기도록 한 행위는 횡령교사죄와 장물취득죄의 상상적 경합범에 해당한다.

㉤ 포괄일죄로 되는 개개의 범죄행위가 법 개정 전후에 걸쳐서 행하여진 경우, 신·구법의 법정형에 대한 경중을 비교한 후 더 경한 법을 적용하여 포괄일죄로 처단하여야 한다.

① ㉠, ㉤　　　　② ㉡, ㉢　　　　③ ㉢, ㉣
④ ㉠, ㉢, ㉣　　　⑤ ㉡, ㉣, ㉤

해설　㉠ ○ : 대판 2023.12.21, 2023도13514
㉡ × : ~ (1줄) 여기서 1개의 행위는 법적 평가를 떠나 사회 관념상 행위가 사물자연의 상태로서 1개로 평가되는 것을 뜻한다(대판 2017.9.21, 2017도11687).
㉢ ○ : 대판 2023.6.29, 2020도3705
㉣ × : ~ (2줄) 장물취득죄의 경합범(상상적 경합범 ×)에 해당한다(대판 1969.6.24, 69도692).
㉤ × : ~ (2줄) 경중을 비교할 필요도 없이 신법을 적용하여 포괄일죄로 처단하여야 한다(대판 1994.10.28, 93도1166).

Answer 15. ⑤

제3절 수 죄

1 상상적 경합(관념적 경합)

> **제40조【상상적 경합】** 한 개의 행위가 여러 개의 죄에 해당하는 경우에는 가장 무거운 죄에 대하여 정한 형으로 처벌한다. 22. 9급 철도경찰

(1) 의 의

상상적 경합이란 1개의 행위가 수개의 죄에 해당하는 경우(제40조)를 말하며 관념적 경합이라고도 한다. 형법은 이 경우 "가장 중한 죄에 정한 형으로 처벌한다."고 규정하고 있다.

(2) 상상적 경합의 요건

상상적 경합이란 1개의 행위가 수개의 죄에 해당하는 경우로 수개의 죄는 이종일 수도 있지만(이종의 상상적 경합 : 서로 다른 둘 이상의 구성요건을 실현) 동종의 죄일 수도 있다(동종의 상상적 경합 : 동일한 구성요건을 2회 이상 실현)(대판 1987.7.21, 87도564). 24. 순경 2차

> **관련판례** 1
>
> 피고인이 단일한 범의로 동일한 장소에서 동일한 방법으로 시간적으로 접착된 상황에서 처와 자식들을 살해하였다고 하더라도 처와 자식들의 머리에 각기 권총 1발씩 순차로 발사하여 살해하였다면, 피해자들의 수에 따라 수개의 살인죄를 구성한다(대판 1991.8.27, 91도1637). 17. 법원직

(3) 상상적 경합의 법적 효과

상상적 경합이 인정되면 수개의 죄 가운데 가장 중한 죄에 정한 형으로 처벌한다(제40조 : 흡수주의). 여기서 가장 중한 형이란 법정형을 의미하며 형의 경중은 형법 제50조에 따라 정한다.

① **형법 제38조 제2항의 준용 여부** : 상상적 경합은 형의 경중을 제50조에 따라 정해야 하므로 경합범에 있어서 징역과 금고를 동종의 형으로 간주하여 징역형으로 처벌하도록 한 형법 제38조 제2항의 규정은 상상적 경합의 경우에 준용될 수 없다(대판 1976.1.27, 75도1543). 08. 9급 검찰

② **형의 경중의 비교방법** : 형의 경중을 비교할 때 중점적 대조주의(중한 형만을 비교하여 대조하는 방법)와 전체적 대조주의(형의 상·하한을 모두 대조하는 방법)가 있다.

상상적 경합은 실질적으로 수죄이므로 전체적 대조주의가 타당하다(통설·판례). 따라서 수죄의 법정형 가운데 상한과 하한이 모두 중한 형에 의하여 처벌해야 한다. 23. 법원행시·순경 1차

예 1. A죄(5년 이하의 징역에 10년 이하의 자격정지를 병과)와 B죄(1년 이상 3년 이하의 징역)가 상상적 경합관계에 있을 때 처단형의 범위 ⇨ 1년 이상 5년 이하의 징역, 10년 이하의 자격정지 병과

2. 상상적 경합관계에 있는 업무상 배임죄와 부정경쟁방지 및 영업비밀보호에 관한 법률위반죄(영업비밀 국외누설)에 대하여 형이 더 무거운 업무상 배임죄에 정한 형으로 처벌하기로 하면서, 징역형과

벌금형을 병과할 수 있도록 규정한 위 특별법에 의하여 벌금형을 병과할 수 있다(대판 2008.12.24, 2008도9169). 18. 법원직, 23. 경찰간부

③ 상상적 경합은 실질적으로 수죄이므로 친고죄의 고소와 공소시효 등은 각 죄별로 따로 논해야 한다.

관련판례

1. 상상적 경합관계에 있는 2개의 죄 가운데 중한 죄가 친고죄로서 고소가 없거나 취소된 때에도 친고죄가 아닌 경한 죄로 처벌할 수 있다(대판 1983.4.26, 83도323 <예> 감금죄와 강간미수죄가 상상적 경합관계에 있는 경우 중한 강간미수죄가 친고죄로서 고소가 취소되었다 하더라도 경한 감금죄에 대하여는 아무런 영향을 미치지 않는다). 12. 경찰승진, 17. 법원직

2. 사기죄와 변호사법 위반죄가 상상적 경합의 관계에 있는 경우 변호사법 위반죄의 공소시효가 완성되었다고 하여 그 죄와 상상적 경합관계에 있는 사기죄의 공소시효까지 완성되는 것은 아니다(대판 2006.12.8, 2006도6356). 상상적 경합관계에 있는 사기죄와 변호사법 위반죄에 대하여 형이 더 무거운 사기죄로 처벌하면서도, 필요적 몰수·추징에 관한 구 변호사법 제116조, 제111조에 의하여 청탁 명목으로 받은 금품 상당액을 추징한 것은 정당하다(대판 2006.1.27, 2005도8704). 12. 경찰승진, 21. 변호사시험, 22. 법원행시

3. 형법 제40조에서 말하는 한 개의 행위란 법적 평가를 떠나 사회관념상 행위가 사물자연의 상태로서 한 개로 평가되는 것을 의미하고, 상상적 경합관계의 경우에는 그중 1죄에 대한 확정판결의 기판력은 다른 죄에 대하여도 미친다(대판 2017.9.21, 2017도11687). 22. 법원행시, 25. 법원직, 26. 변호사시험 따라서 포괄일죄 관계인 범행의 일부에 대하여 판결이 확정되거나 약식명령이 확정되었는데, 그 사실심 판결 선고시 또는 약식명령 발령시를 기준으로 그 이전에 이루어진 범행이 포괄일죄의 일부에 해당할 뿐만 아니라 그와 상상적 경합관계에 있는 다른 죄에도 해당하는 경우에는 확정된 판결 내지 약식명령의 기판력은 위와 같이 상상적 경합관계에 있는 다른 죄에 대하여도 미친다(대판 2023.6.29, 2020도3705).

2 실체적 경합(경합범)

> **제37조【경합범】** 판결이 확정되지 아니한 수개의 죄 또는 금고 이상의 형에 처한 판결이 확정된 죄(판결이 확정된 죄 ×)와 그 판결 확정 전에 범한 죄를 경합범으로 한다. 15. 변호사시험, 16. 법원직, 19. 순경 2차, 22. 법원행시

관련판례

제1조 제2항을 유추적용하여 위 개정법률 시행 당시 법원에 계속 중인 사건 중 위 개정법률 전에 벌금형에 처한 판결이 확정된 경우에도 적용된다(대판 2004.1.27, 2001도3178). 17. 변호사시험

(1) 의 의

경합범(실체적 경합)이란 한 사람에 의해 범해진 ① 판결이 확정되지 아니한 수개의 죄(동시적 경합범) 또는 ② 금고 이상의 형에 처한 판결이 확정된 죄와 그 판결확정 전에 범한 죄(사후적 경합범)를 말한다(제37조).

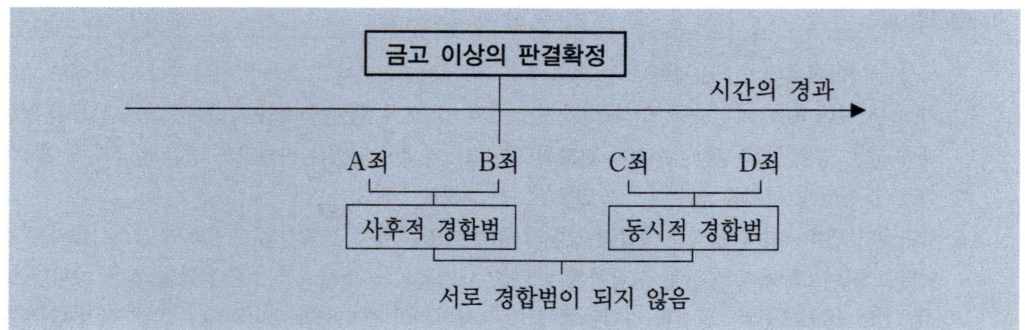

(2) 동시적 경합범의 요건(제37조 전단)

① **수개의 행위로 수개의 죄를 범할 것** : 1개의 행위로 수개의 죄를 범하거나 수개의 행위로 1개의 죄를 범한 때에는 경합범이 될 수 없다.

② **수개의 죄는 모두 판결이 확정되지 않았을 것** : 여기서 판결의 확정이란 상소 등 통상의 불복 절차로써는 다툴 수 없는 상태를 말한다. 따라서 경합범 중 일부가 파기환송되고, 나머지가 확정된 때에는 동시적 경합범이 될 수 없다(대판 1974.10.8, 74도1301). 25. 경찰승진

③ **수개의 죄는 동시에 판결될 수 있는 상태에 있을 것** : 수죄가 하나의 재판에서 같이 판결될 가능성이 있어야 한다. 따라서 수죄는 모두 기소되어 병합심리되어야 한다. 1심에서는 별도로 판결된 수죄일지라도 항소심에서 병합심리할 때에는 동시적 경합범이 된다(대판 1972.5.9, 72도597).

(3) 사후적 경합범의 요건(제37조 후단)

사후적 경합범이란 금고 이상의 형에 처한 판결이 확정된 죄와 그 판결확정 전에 범한 죄를 말한다(∵ 벌금형을 선고한 판결이나 약식명령이 확정된 죄는 제37조 후단의 경합범이 될 수 없다 ; 대판 2017.7.11, 2017도7287). 22. 9급 철도경찰, 24. 7급 검찰

관련판례

금고 이상의 형에 처한 판결확정 전후의 죄는 경합범이 되지 않는다.

1. 금고 이상의 형에 처한 판결확정 전에 저질러진 것으로서 아직 판결을 받지 아니한 죄가 이미 판결이 확정된 죄와 동시에 판결할 수 없었던 경우, 형법 제39조 제1항에 따라 동시에 판결할 경우와 형평을 고려하여 형을 선고하거나 형을 감경 또는 면제할 수 없다(대판 2012.9.27, 2012도9295). 16. 법원직, 19. 경찰간부, 20. 해경승진, 22. 변호사시험, 24. 경찰승진 · 7급 검찰 한편 공직선거법 제18조 제1항 제3호에 규정된 죄와 다른 죄의 경합범에 대하여는 이를 분리 선고하여야 한다(공직선거법 제18조 제3항 전단). 따라서 판결이 확정된 선거범죄와 확정되지 아니한 다른 죄는 동시에 판결할 수 없었던 경우

에 해당하므로 형법 제39조 제1항에 따라 동시에 판결할 경우와의 형평을 고려하여 형을 선고하거나 그 형을 감경 또는 면제할 수 없다(대판 2021.10.14, 2021도8719). 24. 9급 철도경찰

2. 아직 판결을 받지 아니한 수개의 죄가 판결 확정을 전후하여 저질러진 경우 형법 제37조 전단의 경합범 관계가 인정되어 형법 제38조가 적용된다고 볼 수도 없으므로, 판결 확정을 전후한 각각의 범죄에 대하여 별도로 형을 정하여 선고할 수밖에 없다(대판 2014.3.27, 2014도469). 22. 법원행시 · 경력채용, 24. 7급 검찰 25. 경대편입

3. 유죄의 확정판결을 받은 사람이 그 후 별개의 후행범죄를 저질렀는데 유죄의 확정판결에 대하여 재심이 개시된 경우, 후행범죄가 그 재심대상판결에 대한 재심판결 확정 전에 범하여졌다 하더라도 아직 판결을 받지 아니한 후행범죄는 재심심판절차에서 재심대상이 된 선행범죄와 함께 심리하여 동시에 판결할 수 없었으므로 후행범죄와 재심판결이 확정된 선행범죄 사이에는 형법 제37조 후단 경합범이 성립하지 않고, 동시에 판결할 경우와 형평을 고려하여 그 형을 감경 또는 면제할 수 없다(대판 2019.6.20, 2018도20698 전원합의체). 22. 경력채용, 23. 경찰간부 · 7급 검찰, 24. 변호사시험 · 법원행시, 25. 경찰승진 · 경대편입

▶ **유사판례** : 재심의 대상이 된 범죄(이하 '선행범죄'라 한다)에 관한 유죄 확정판결(이하 '재심대상판결'이라 한다)에 대하여 재심이 개시되어 재심판결에서 다시 금고 이상의 형이 확정되었다면, 재심대상판결 이전 범죄는 선행범죄와 형법 제37조 후단의 경합범 관계에 있지만, 재심대상판결 이후 범죄는 선행범죄와 형법 제37조 후단의 경합범 관계에 있지 아니하므로, 재심대상판결 이전 범죄와 재심대상판결 이후 범죄 사이에는 형법 제37조 전단의 경합범(동시적 경합범) 관계가 성립하지 않고, 그 각 범죄에 대해 별도로 형을 정하여 선고하여야 한다(대판 2023.11.16, 2023도10545).

---

① **확정판결의 범위** : 금고 이상의 형에 처한 판결

관련판례

'판결이 확정된 죄'라 함은 수개의 독립된 죄 중의 어느 죄에 대하여 확정판결이 있었던 사실 그 자체를 의미하고, 그 확정판결이 있은 죄의 형집행을 종료하였는지 여부 또는 일반사면으로 형의 선고의 효력이 상실되었는지 여부나(대판 1996.3.8, 95도2114), 집행유예의 선고나 형의 선고유예를 받은 후 유예기간이 경과하여 형의 선고가 실효되었거나 면소된 것으로 간주되었는지 여부는 불문한다(대판 1992.11.24, 92도1417). 18. 경찰승진, 20. 해경승진, 22. 변호사시험 · 경력채용 25. 7급 검찰 따라서 집행유예를 선고한 확정판결에 의한 형의 선고가 형법 제65조에 따라 그 효력을 잃었다 하더라도 확정판결을 받은 죄의 존재가 이에 의하여 소멸되지 않는 이상 형법 제37조 후단에서 정한 '판결이 확정된 죄'에 해당한다고 보아야 한다(대판 2025.5.15, 2025도470). 26. 변호사시험

---

② 포괄일죄로 되는 개개의 범죄행위가 다른 종류의 죄의 확정판결 전후에 걸쳐서 행하여진 경우에는 그 죄는 2죄로 분리되지 않고 확정판결 후인 최종의 범죄행위시에 완성되는 것이다(대판 2003.8.22, 2002도5341 : 결국 양자는 사후적 경합범에 해당하지 않는다는 취지임). 15. 변호사시험

⑷ 동시적 경합범의 처벌

① 흡수주의

> **제38조【경합범과 처벌례】** ① 경합범을 동시에 판결할 때에는 다음 각 호의 구분에 따라 처벌한다.
> 1. 가장 무거운 죄에 대하여 정한 형이 사형, 무기징역, 무기금고인 경우에는 가장 무거운 죄에 대하여 정한 형으로 처벌한다. 24. 법원직

🔔 사형 또는 무기형인 때에 여기에 다른 형을 부과하거나 그 형을 가중하는 것은 의미가 없고 가혹하기 때문에 흡수주의가 적용된다.

② 가중주의

> **제38조【경합범과 처벌례】** ① 경합범을 동시에 판결할 때에는 다음 각 호의 구분에 따라 처벌한다.
> 2. 각 죄에 대하여 정한 형이 사형, 무기징역, 무기금고 외의 같은 종류의 형인 경우에는 가장 무거운 죄에 대하여 정한 형의 장기 또는 다액에 그 2분의 1까지 가중하되 각 죄에 대하여 정한 형의 장기 또는 다액을 합산한 형기 또는 액수를 초과할 수 없다. 다만, 과료와 과료, 몰수와 몰수는 병과할 수 있다. 22. 7급 검찰, 24. 법원직
> 3. 각 죄에 대하여 정한 형이 무기징역, 무기금고 외의 다른 종류의 형인 경우에는 병과한다.
> ② 제1항 각 호의 경우에 징역과 금고는 같은 종류의 형으로 보아 징역형으로 처벌한다. 24. 법원직
> **제42조【징역 또는 금고의 기간】** 징역 또는 금고는 무기 또는 유기로 하고, 유기는 1개월 이상 30년 이하로 한다. 단 유기징역 또는 유기금고에 대하여 형을 가중하는 때에는 50년까지로 한다.

㉠ '동종의 형'이란 형벌의 종류가 같은 것을 말한다(📌 징역과 징역, 벌금과 벌금). 이때 징역과 금고는 동종의 형으로 간주하여 징역형으로 처벌한다(제38조 제2항). 18. 경찰승진, 20. 경찰간부

㉡ 경합범으로 처단할 시 가장 중한 죄 아닌 죄에 정한 형의 단기가 가장 중한 죄에 정한 형의 단기보다 중한 경우에는 형법 제38조 제1항 제2호 본문의 규정 취지에 비추어 그 중한 단기를 하한으로 한다고 새겨야 한다(대판 1985.4.23, 84도2890). 25. 경찰승진

㉢ 여기에서 '가장 중한 죄에 정한 장기 또는 다액의 그 2분의 1까지 가중'한다는 것은 경합범의 각죄에 선택형이 있는 때에 그중에서 처단할 형종을 선택한 후에 선택된 형의 장기 또는 다액의 2분의 1까지를 가중한다는 의미이다(대판 1971.2.23, 71도1834).

㉣ 공직선거법 제18조 제3항 전단에 따르면 공직선거법 제18조 제1항 제3호에 규정된 죄와 다른 죄의 경합범에 대하여는 이를 분리 선고하여야 한다. 따라서 판결이 확정된 선거범죄와 확정되지 아니한 다른 죄는 동시에 판결할 수 없었던 경우에 해당하므로 형법 제39조 제1항에 따라 동시에 판결할 경우와의 형평을 고려하여 형을 선고하거나 그 형을 감경 또는 면제할 수 없다고 해석함이 타당하다(대판 2021.10.14, 2021도8719). 24. 9급 철도경찰 그리고 선거범과 상상적 경합관계에 있는 다른 범죄에 대하여는 여전히 형법 제40조에 의하여 그중 가장 중한 죄에 정한 형으로 처벌해야 하고, 그 처벌받는 가장 중한 죄가 선거범인지 여부를 묻지 않고 선거범과 상상적 경합관계에 있는 모든 죄는 통틀어 선거범으로 취급하여야 한다(대판 2021.7.21, 2018도16587). 22. 순경 2차, 24. 해경경장

③ 병과주의

> **제38조 【경합범과 처벌례】** ① 경합범을 동시에 판결할 때에는 다음 각 호의 구분에 따라 처벌한다.
> 3. 각 죄에 대하여 정한 형이 무기징역, 무기금고 외의 다른 종류의 형인 경우에는 병과한다.

'이종의 형'이란 유기징역(유기금고 포함)과 벌금, 벌금과 과료, 자격정지와 구류와 같이 형벌의 종류가 다른 경우를 말한다. 이때 징역과 금고는 동종의 형으로 간주하여 징역형으로 처벌한다(제38조 제2항).

(5) 사후적 경합범의 처벌

> **제39조 【판결을 받지 아니한 경합범, 수개의 판결과 경합범, 형의 집행과 경합범】** ① 경합범 중 판결을 받지 아니한 죄가 있는 때에는 그 죄와 판결이 확정된 죄를 동시에 판결할 경우와 형평을 고려하여 그 죄에 대하여 형을 선고한다. 이 경우 그 형을 감경 또는 면제할 수 있다(감경 또는 면제한다 ×). <개정 2005. 7. 29> 18. 법원직, 21. 경찰간부, 22. 9급 철도경찰, 24. 해경수사, 25. 경대편입
> ② 삭제 <2005. 7. 29>
> ③ 경합범에 의한 판결의 선고를 받은 자가 경합범 중의 어떤 죄에 대하여 사면 또는 형의 집행이 면제된 때에는 다른 죄에 대하여 다시 형을 정한다. 22. 9급 철도경찰, 24. 해경수사
> ④ 전 3항의 형의 집행에 있어서는 이미 집행한 형기를 통산한다.

① 형법 제37조 후단 경합범에 대하여 형법 제39조 제1항에 의하여 형을 감경할 때에도 법률상 감경에 관한 형법 제55조 제1항이 적용되어 유기징역을 감경할 때에는 그 형기의 2분의 1 미만으로는 감경할 수 없다(대판 2019.4.18, 2017도14609 전원합의체). 19. 경찰간부, 21. 법원행시, 22. 변호사시험, 23. 7급 검찰

② 무기징역에 처하는 판결이 확정된 죄와 형법 제37조의 후단 경합범의 관계에 있는 죄에 대하여 공소가 제기된 경우, 뒤에 공소제기된 후단 경합범에 대한 형을 필요적으로 면제하여야 하는 것은 아니고, 후단 경합범에 대한 형을 감경 또는 면제할 것인지는 원칙적으로 법원이 재량에 따라 판단할 수 있다(대판 2008.9.11, 2006도8376). 15. 변호사시험, 22. 법원행시·경력채용 형법 제39조 제1항 후문의 '감경' 또는 '면제'는 판결이 확정된 죄의 선고형에 비추어 후단 경합범에 대하여 처단형을 낮추거나 형을 추가로 선고하지 않는 것이 형평을 실현하는 것으로 인정되는 경우에만 적용할 수 있다(대판 2011.9.29, 2008도9109). 19. 법원행시

③ 제39조 제3항의 규정은 경합범에 대하여 한 개의 형이 선고되었을 때에 적용되며, "다시 형을 정한다."는 것은 그 죄에 대해 심판을 다시 한다는 의미가 아니라 형의 집행될 부분만을 다시 정한다는 의미이다. 26. 경찰승진

④ 제39조 제4항은 사후적 경합범의 경우 먼저 판결이 확정되어 이미 집행된 형기를 장차 집행할 형기에 합산한다는 의미이다.

⑤ 동일한 피고인에 대한 수 개의 범죄사실 중 일부에 대하여 먼저 공소가 제기되고 나머지 범죄사실에 대하여 별도로 공소가 제기됨으로써 이를 심리한 각 제1심법원이 공소제기된 사건별로 별개의 형을 선고하였는데, 이 중 어느 한 사건이 항소심법원에 계속되는 동안에 금고

이상의 형에 처한 다른 사건의 판결이 별개의 절차에서 확정되었다면, 항소심법원은 이를 동시에 판결할 경우와의 형평을 고려하여 형을 선고하여야 한다(대결 2020.5.18, 2020모1425). 25. 경찰승진

관련판례 1

죄수론 : 수험생들이 가장 어렵게 생각하고 있는 분야 중의 하나이다. 그러나 모든 시험에서 해마다 한 두 문제가 출제되고 있으며, 형법각론을 이해하는 데에도 매우 중요하다. 본서에서는 최근까지의 기출문제와 대법원 판례를 총망라하여 분야별로 비교·분석하여 정리하고자 한다.

1. 판단기준

① 실질적으로 일죄인가, 수죄(상상적 경합, 실체적 경합)인가는 구성요건적 평가와 보호법익의 측면에서 고찰하여 판단해야 한다(대판 2000.7.7, 2000도1899). 13. 경찰승진, 21. 해경승진, 23. 7급 검찰

② 상상적 경합과 (실체적) 경합범은 법적 평가를 떠나서 사물 자연의 상태에서 사회통념상 행위가 1개인가 수개인가에 따라 결정된다(대판 1987.2.24, 86도2731).

2. 재산범죄

(1) 절도죄와 강도죄

① 절도범이 체포를 면탈할 목적으로 체포하려는 수명의 피해자에게 같은 기회에 폭행을 가하여 그 중 1인에게만 상해를 가할 경우 ⇨ (포괄하여) 1개의 (준)강도상해죄(대판 2001.8.21, 2001도3447) 16. 경찰간부, 17. 9급 철도경찰, 19. 9급 검찰·마약수사·철도경찰

▶ **비교판례** : 강도가 한 개의 강도 범행을 하는 기회에 수명의 피해자에게 각각 폭행을 가하여 상해를 입힌 경우 ⇨ 강도상해죄의 실체적 경합(대판 1987.5.26, 87도527 ∵ 피해자별로 범죄 성립) 16. 경찰간부, 20. 변호사시험·법원직·해경승진, 21. 해경 1차, 23. 법원행시, 25. 해경경위

② 단일범의로 절취한 시간·장소가 접착되어 있고 같은 관리인의 관리하에 있는 방안에서 소유자가 다른 두 사람의 물건을 절취한 경우 ⇨ 1개의 절도죄(대판 1970.7.21, 70도1133), 특수강도의 소위가 동일한 장소에서 동일한 방법에 의하여 시간적으로 접착된 상황에서 이루어진 경우에는 피해자가 여러 사람이더라도 단순일죄가 성립한다(대판 1979.10.10, 79도2093). 08. 사시, 10. 법원직

▶ **유사판례** : 강도가 시간적으로 접착된 상황에서 수인의 가족에게 폭행·협박하여 집안의 재물을 강취한 경우(대판 1996.7.30, 96도1285 ∵ 가족의 공동점유, 소유자는 불문) ⇨ 포괄하여 1개의 강도죄 19. 법원행시

▶ **비교판례** : 한 건물 안에 있는 서로 다른 세대에서 각 재물을 절취한 경우(예 절도가 주인집의 방 안에서 재물을 절취하고 그 무렵 세 들어 사는 사람의 방 안에서 재물을 절취한 경우) ⇨ 2개의 절도죄의 경합범(대판 1989.8.8, 89도664 ∵ 범행장소와 재물의 관리자가 다름) 13. 법원직, 15. 사시, 17. 9급 철도경찰

③ 강도가 여관에서 칼로 종업원에게 상해를 가하고 여관 주인도 같은 방에 밀어넣은 후 금품을 강취한 후 종업원의 현금을 꺼내간 경우 ⇨ 강도상해죄와 특수강도죄의 상상적 경합(대판 1991.6.25, 91도643 ∵ 종업원과 주인을 폭행·협박한 행위는 법률상 1개의 행위) 13. 경찰승진, 23. 법원직

▶ **비교판례** : 강도가 서로 다른 시기에 다른 장소에서 수인의 피해자들에게 각기 폭행 또는 협박을 하여 각 그 피해자들의 재물을 강취하고, 그 피해자들 중 1인을 상해한 경우에는, 각기 별도로 강도죄와 강도상해죄가 성립하는 것이므로 실체적 경합범의 관계에 있다(대판 1991.6. 25, 91도643

예 여관 1층 안내실에서 관리인을 찔러 상해를 가해 금품을 강취한 다음 각 객실에 들어가 투숙객들로부터 금품을 강취한 경우 ⇨ 피해자별로 강도상해죄와 강도죄의 실체적 경합).

④ 강도가 재물강취에 실패하고 그 자리에서 항거불능한 상태의 피해자를 간음하려다가 미수에 그쳤으나 반항을 억압하기 위한 폭행으로 상해를 입힌 경우 ⇨ 강도강간미수죄와 강도치상죄의 상상적 경합(대판 1988.6.28, 88도820) 15. 경찰간부, 22. 해경간부, 23. 법원행시, 24. 9급 검찰·마약수사·철도경찰

(2) 사기죄와 공갈죄

〈신용카드·현금카드와 관련된 범죄〉

① 현금카드 소유자를 공갈(협박)하여 예금인출승낙과 함께 카드를 교부받은 후 현금자동지급기에서 현금(예금)을 여러 번 인출한 경우(대판 1996.9.20, 95도1728) ⇨ 포괄하여 1개의 공갈죄 13. 사시

▶ **비교판례** : 강취한 현금카드를 이용하여 현금자동지급기에서 예금을 인출한 경우(대판 2007. 5.10, 2007도1375) ⇨ 강도죄와 절도죄의 실체적 경합 18. 순경 1차, 20. 순경 2차, 21. 변호사시험

② 절취한 신용카드로 수개의 가맹점에서 매출전표에 서명·교부하고 물품을 구입한 경우(절도죄 제외) ⇨ 신용카드부정사용죄(포괄일죄 : 대판 1996.7.12, 96도1181, 사문서위조 및 동행사는 흡수됨 : 대판 1992.6.9, 92도77)와 사기죄의 경합범(대판 1996.7.12, 96도1181 예 비씨카드 1매를 절취한 후 2시간 20분 동안에 가맹점 7곳에서 물품을 구입한 후 결제한 경우) 14. 법원행시, 16. 경찰간부

▶ **유사판례** : 이미 절취한(이 부분은 논외로 함) 피해자 명의의 신용카드를 부정사용하여 현금자동인출기에서 현금서비스로 현금을 인출한 경우 ⇨ 신용카드부정사용죄와 절도죄의 실체적 경합(대판 1995.7.28, 95도997) 19. 9급 검찰·마약수사·철도경찰, 21. 해경간부

③ 강취한 신용카드로 자신이 정당한 소지인인 양 가맹점 주인을 속여서 물품(주류) 등을 제공받은 경우(강도죄 제외) ⇨ 신용카드부정사용죄와 사기죄의 경합범(대판 1997.1.21, 96도2715) 13. 9급 검찰·철도경찰

〈기 타〉

① 단일한 범의와 단일한 범행방법으로 수인의 피해자에 대하여 각 피해자별로 기망행위를 하여 각각 재물을 편취한 경우, 불특정 다수의 피해자들을 상대로 동일한 방식으로 사기분양을 하여 그들로부터 분양대금을 편취한 경우 ⇨ 포괄일죄 ×, 피해자별로 독립한 사기죄가 성립됨(대판 2003.4.8, 2003도382 ; 대판 2005.4.29, 2005도741). 20. 법원행시, 21. 경찰간부, 25. 9급 검찰·마약수사·철도경찰·법원직 다만, 피해자들이 하나의 동업체를 구성하는 등으로 피해 법익이 동일하다고 볼 수 있는 사정이 있는 경우에는 피해자가 복수이더라도 이들에 대한 사기죄를 포괄하여 일죄로 볼 수도 있다(대판 2011.4.14, 2011도769). 12. 순경 2차

- 수인의 피해자에 대하여 1개의 기망행위를 통해 각각 재물을 편취한 경우에는 범의가 단일하고 범행방법이 동일하더라도 피해자별로 독립한 사기죄가 성립하고 각 사기죄는 상상적 경합 관계에 있다(대판 1990.1.25, 89도252). 20. 법원행시, 24. 변호사시험
- 다수의 계(契)를 조직하여 수인의 계원들을 개별적으로 기망하여 계불입금을 편취한 경우 각 피해자별로 독립하여 사기죄가 성립하고 그 사기죄 상호간은 실체적 경합범 관계에 있다(대판 2010.4.29, 2010도2810).
- 도박에 참여한 수인의 피해자로부터 사기도박으로 도금을 편취한 경우 ⇨ 사기죄의 상상적 경합(대판 2011.1.13, 2010도9330 ∵ 사회관념상 1개의 행위로 평가하는 것이 타당하므로) 18. 수사경과, 24. 법원직

▶ **비교판례** : 동일한 피해자에 대하여 수회에 걸쳐 기망행위를 하여 금원을 편취한 경우
- 범의가 단일하고 계속된 범의하에 범행방법이 동일한 경우 ⇨ 사기죄의 포괄일죄(대판 2000. 2.11, 99도4862) 18. 법원직, 22. 해경간부
- 범의의 단일성·계속성이 불인정되거나 범행방법이 다른 경우 ⇨ 사기죄의 경합범(대판 2000. 2.11, 99도4862)

② 타인의 사무를 처리하는 자가 본인을 기망하여 재물을 교부받은 경우(⑩ 신용협동조합의 전무가 그 조합의 담당직원을 기망하여 예금인출금 또는 대출금 명목으로 금원을 교부받은 경우) ⇨ 법조경합 ×, 사기죄와 (업무상) 배임죄의 상상적 경합 ○(대판 2002.7.18, 2002도669 전원합의체) 19. 경찰간부·순경 1차, 20. 법원행시·7급 검찰·철도경찰, 24. 해경간부

③ 사기의 수단으로 발행한 수표가 지급거절된 경우, 구성요건적 행위에 부분적 동일성이 있거나 목적, 수단 관계에 있다고 하더라도 행위의 태양과 보호법익이 다르므로 부정수표단속법위반죄와 사기죄는 실체적 경합범의 관계에 있다(대판 2004.6.25, 2004도1751). 15. 경찰간부, 17. 순경 1차, 22. 법원행시·해경간부, 24. 법원직·해경수사

④ 예금통장을 강취(갈취)하고 예금자 명의의 예금청구서를 위조한 다음 이를 은행원에게 제출·행사하여 예금인출금을 교부받은 경우 ⇨ 강도죄(공갈죄), 사문서위조 및 동행사죄와 사기죄의 실체적 경합(대판 1991.9.10, 91도1722 ; 대판 1979.10.30, 79도489) 15. 순경 2차, 21. 법원행시, 25. 법원직

⑤ 공무원이 직무에 관하여 기망수단으로 재물을 교부받은 경우 ⇨ 사기죄와 수뢰죄의 상상적 경합(대판 1977.6.7, 77도1069) 18. 7급 검찰, 19. 7급 검찰, 22. 법원직, 23. 경찰승진

▶ **비교판례** : 공무원이 직무집행의 의사 없이 또는 직무처리와 대가적 관계없이 타인(피공갈자에게 뇌물공여죄 ×)을 공갈하여 재물을 교부하게 한 경우에는 공갈죄만이 성립하고 따로 뇌물수수죄는 성립하지 않는다(대판 1994.12.22, 94도2528). 16. 경찰승진·수사경과, 18. 순경 3차, 21. 법원직, 22. 해경간부·해경 2차

(3) 기 타

① 본인에 대한 배임행위가 본인 이외의 제3자에 대한 사기죄를 구성한다 하더라도 그로 인하여 본인에게 손해가 생긴 때에는 사기죄와 함께 배임죄가 성립하고 두 죄는 실체적 경합관계에 있다(대판 2010.11.11, 2010도10690 ⑩ 건물관리인이 건물주로부터 월세임대차계약 체결업무를 위임받고도 임차인을 속여 전세임대차계약을 체결하고 그 보증금을 편취한 경우 ⇨ 사기죄와 업무상 배임죄의 실체적 경합범) 20. 변호사시험, 21. 해경 1차·7급 검찰, 24. 해경간부·경대편입, 25. 순경 1차·해경경위

② 채권자들에 의한 복수의 강제집행이 예상되는 경우 재산을 은닉 또는 허위양도함으로써 채권자들을 해하였다면 채권자별로 각각 강제집행면탈죄가 성립하고, 상호 상상적 경합범의 관계에 있다(대판 2011.12.8, 2010도4129). 17. 법원행시, 18. 경찰간부, 19. 경찰승진, 24. 법원직

③ 甲이 A주식회사로부터 렌탈(임대차)하여 컴퓨터 본체, 모니터 등을 받아 보관하였고, B주식회사로부터 리스(임대차)하여 컴퓨터 본체, 모니터, 그래픽카드, 마우스 등을 보관하다가, 같은 날 성명불상의 업체에 한꺼번에 처분하여 횡령한 경우, 피해자들에 대한 각 횡령죄는 상상적 경합관계에 있다(대판 2013.10.31, 2013도10020 ∵ 여러 개의 위탁관계에 의하여 보관하던 여러 개의 재물을 1개의 행위에 의하여 횡령한 경우 ⇨ 횡령죄의 상상적 경합범 ○) 16. 경찰간부, 17. 경찰승진, 18. 7급 검찰, 21. 해경 2차, 23. 법원직, 25. 경력채용

④ 자기가 보관하던 타인소유의 재물을 기망수단으로 영득한 경우 ⇨ 횡령죄 ○, 사기죄 ×(대판 1980.12.9, 80도1177) 19. 법원행시, 20. 해경 3차

⑤ 대표이사가 상가 분양사업을 수행하면서 수분양자들을 기망하여 분양대금을 편취한 후, 분양대금을 사적인 용도로 임의 지출한 경우 ⇨ 사기죄와 횡령죄의 경합범(대판 2005.4.29, 2005도741) 11. 순경, 12. 7급 검찰

⑥ 회사의 대표이사가 업무상 보관하던 회사 자금을 빼돌려 횡령한 다음 그중 일부를 더 많은 장비 납품 등의 계약을 체결할 수 있도록 해달라는 취지의 묵시적 청탁과 함께 배임증재에 공여한 경우 ⇨ 횡령죄와 배임증재죄의 실체적 경합범(대판 2010.5.13, 2009도13463) 12. 9급 검찰·철도경찰

　▶ **유사판례** : 회사의 이사 등이 업무상의 임무에 위배하여 보관 중인 회사의 자금으로 뇌물을 공여한 경우, 그 이사 등은 회사에 대하여 업무상 횡령죄의 죄책을 면하지 못한다(대판 2013.4.25, 2011도9238 ∴ 뇌물공여죄와 업무상 횡령죄 성립).

⑦ 여러 사람의 권리의 목적이 된 자기의 물건을 취거, 은닉 또는 손괴함으로써 그 여러 사람의 권리행사를 방해하였다면 권리자별로 각각 권리행사방해죄가 성립하고 각 죄는 서로 상상적 경합범의 관계에 있다[대판 2022.5.12, 2021도16876 **예** 甲은 유류분권리자인 乙과 丙이 각자의 유류분반환청구권을 보전하기 위하여 甲소유 부동산에 대한 가압류결정을 받아 가압류등기가 마쳐지자 그 부동산은 취거, 은닉 또는 손괴한 경우(단, 甲은 乙과 직계혈족의 관계 ○) ⇨ 권리행사방해죄의 상상적 경합범 ○(단, 乙에 대해서는 형법 제328조 제1항을 적용하여 친고죄)]. 24. 법원직, 25. 변호사시험

3. 기타 개인적 법익

① 감금행위가 강간 또는 강도의 수단이 된 경우 ⇨ 상상적 경합(대판 1997.1.21, 96도2715 **예** 피해자가 자동차에서 내릴 수 없는 상태에 있음을 이용하여 강간하려고 결의하고, 주행 중인 자동차에서 탈출불가능하게 하여 외포케 하고 50km를 운행하여 여관 앞까지 강제연행한 후 강간하려다 미수에 그친 경우 ⇨ 감금죄와 강간미수죄의 상상적 경합) 20. 해경 1차, 23. 법원행시

　▶ **비교판례** : 감금행위가 단순히 강도상해 범행의 수단에 그치지 아니하고 강도상해의 범행이 끝난 뒤에도 계속된 경우(**예** 피해자를 강제로 승용차에 태우고 가면서 주먹으로 피해자를 때려 반항을 억압한 후 현금 35만원을 빼앗고 피해자에게 안면부 타박상을 입힌 후, 계속하여 15km 정도를 진행하다 내려준 경우) ⇨ 감금죄와 강도상해죄의 경합범(대판 2003.1.10, 2002도4380) 15. 사시·9급 검찰·마약수사, 19. 순경 1차, 24. 해경간부

② 살인 후 죄적을 은폐하기 위하여 시체를 다른 장소에 운반하여 유기한 경우 ⇨ 살인죄와 사체유기죄의 경합범(대판 1997.7.25, 97도1142) 12. 변호사시험, 13. 9급 철도경찰

　▶ **비교판례**

1. 강간치상범이 자신의 범행으로 인하여 실신상태에 있는 피해자를 그대로 방치하고 도주한 경우 포괄적으로 단일의 강간치상죄만을 구성한다(대판 1980.6.24, 80도726). 13. 사시, 20. 해경 3차

2. 甲이 A를 살해함에 있어 나중에 사체의 발견이 불가능 또는 심히 곤란하게 하려는 의사로 인적이 드문 장소로 A를 유인하여 그곳에서 살해하고 사체를 그대로 방치한 채 도주한 경우 ⇨ 살인죄 ○, 사체은닉죄 ×(대판 1986.6.24, 86도891) 12. 법원행시, 19. 변호사시험

3. 살해의 목적으로 동일인에게 일시 장소를 달리하고 수차에 걸쳐 공격을 가하였으나 미수에 그치다가 드디어 그 목적을 달성한 경우에 그 공격행위가 동일한 의사발동에서 나왔고 그 사이에 범의의 갱신이 없는 한 각 행위가 다른 장소에서 행하여졌거나 그 방법이 동일하지 않더라

도 한 개의 살인기수죄로 처단할 것이지 살인미수죄와 동 기수죄의 경합죄로 처단할 수 없다(대판 1965.9.28, 65도695). 13. 순경 1차, 25. 9급 철도경찰

③ 피해자를 2회 강간하여 질입구파열창을 입힌 자가 피해자에게 용서를 구하였으나 불응하면서 강간사실을 부모에게 알리겠다고 하자 피해자의 목을 졸라 질식 사망케 한 경우 ⇨ 강간치상죄와 살인죄의 경합범(대판 1987.1.20, 86도2360) 17. 법원직

④ 비방의 목적으로 18회에 걸쳐서 출판물에 의하여 공연히 허위의 사실을 적시 · 유포함으로써 한국소비자보호원의 명예를 훼손하고 업무를 방해한 경우 ⇨ 출판물에 의한 명예훼손죄와 업무방해죄의 상상적 경합(대판 1993.4.13, 92도3035) 09. 9급 검찰, 21. 경력채용

▶ **유사판례** : 甲이 치료받은 다음 날 오전 병원 앞에서 허위사실이 기재된 현수막을 설치하고 허위사실을 기재한 유인물을 불특정 다수에게 배포한 경우 ⇨ 허위사실 유포에 의한 업무방해죄와 허위사실적시에 의한 명예훼손죄의 상상적 경합(대판 2007.11.15, 2007도7140) 18. 경찰승진

⑤ 피해자의 방 안에 침입하여 식칼로 위협하여 반항을 억압한 다음 피해자를 강간하여 상해를 입힌 경우 ⇨ 포괄하여 특수강간치상죄(성폭력특례법) ○, 주거침입죄 ×(대판 1999.4.23, 99도354) 13. 법원행시

⑥ 슈퍼마켓 사무실에서 식칼을 들고 피해자를 협박하고 매장을 돌아다니며 손님을 내쫓은 경우 ⇨ 협박죄와 업무방해죄의 실체적 경합(대판 1991.1.29, 90도2445) 07. 7급 검찰

⑦ 강도강간죄는 강도가 강간하는 것을 그 요건으로 하므로 부녀를 강간한 자가 강간행위 후에 강도의 범의를 일으켜 재물을 강취하는 경우에는 강간죄와 강도죄의 경합범이 성립될 수 있을 뿐이다(대판 1977.9.28, 77도1350).

⑧ 주거침입강간죄는 사람의 주거 등을 침입한 자가 피해자를 강간한 경우에 성립하는 것으로서 주거침입죄를 범한 후에 사람을 강간하여야 하는 일종의 신분범이고, 선후가 바뀌어 강간죄를 범한 자가 그 피해자의 주거에 침입한 경우에는 강간죄와 주거침입죄의 실체적 경합범이 된다(대판 2021.8.12, 2020도17796). 22. 순경 2차, 24. 해경경장

4. 사회적 법익

① 위조된 통화(유가증권 · 문서)를 행사하여 재물이나 재산상의 이익을 편취한 경우 ⇨ 위조통화(유가증권 · 문서)행사죄와 사기죄의 경합범(대판 1979.7.10, 79도840 ; 대판 1981.7.28, 81도529) 15. 순경 2차, 18. 경찰간부, 20. 7급 검찰 · 순경 1차, 22. 해경간부

② 공무원인 의사가 공무소의 명의로 허위진단서를 작성한 경우 ⇨ 허위공문서작성죄 ○, 허위진단서작성죄 ×(대판 2004.4.9, 2003도7762 ∵ 허위진단서작성죄의 대상은 공무원이 아닌 의사가 사문서로서 진단서를 작성한 경우에 한정됨) 18. 법원행시, 20. 법원직 · 7급 검찰, 22. 해경간부

③ 연결효과에 의한 상상적 경합 : 공무원이 수뢰 후 행한 부정행위(수뢰 후 부정처사죄 : A)가 허위공문서작성죄(B) 및 동행사죄(C) 또는 공도화변조죄(B) 및 동행사죄(C)와 각각(A · B, A · C) 상상적 경합관계에 있는 경우(이때 B · C는 실체적 경합) ⇨ A · B · C의 상상적 경합의 예에 따라 처벌(경합가중 × : 대판 1983.7.26, 83도1378 ; 대판 2001.2.9, 2000도1216) 17. 9급 검찰 · 마약수사 · 철도경찰, 22. 법원행시, 23. 순경 1차, 24. 해경승진, 25. 7급 검찰

④ 피해자들의 재물 강취 후 그들을 살해할 목적으로 현주건조물에 방화하여 사망하게 한 경우 ⇨ 강도살인죄와 현주건조물방화치사죄의 상상적 경합(대판 1998.12.8, 98도3416) 19. 변호사시험, 21. 해경간부, 23. 순경 2차

⑤ 공무원이 위법사실을 발견하고도 위법사실을 적극적으로 은폐할 목적으로 허위공문서를 작성·행사한 경우 ⇨ 허위공문서작성 및 동행사죄 ○, 직무유기죄 ×〔예 예비군중대장이 대원의 훈련불참 사실을 은폐하기 위해 훈련에 참석하는 양 허위내용의 학급구성명부를 작성·행사(대판 1982. 12.28, 82도2210), 경찰관이 도박범행사실을 적발하고도 발견하지 못한 것처럼 근무일지를 허위로 작성하고 소장에게 허위보고한 경우(대판 1999.11.26, 99도1904)〕 13. 사시, 15. 9급 검찰·마약수사

▶ **비교판례** : 공무원이 직무를 유기한 후 다른 목적을 위하여 허위공문서를 작성·행사한 경우 ⇨ 직무유기죄와 허위공문서작성 및 동행사죄의 실체적 경합(대판 1993.12.24, 92도3334 예 농지 일시전용허가를 내주기 위해 현장출장복명서와 심사의견서를 허위로 작성하여 제출한 경우) 19. 경찰간부, 24. 경찰승진

⑥ 행사의 목적으로 타인의 인장을 위조하고 그 위조한 인장을 사용하여 타인의 사문서를 위조한 경우 ⇨ 사문서위조죄(인장위조·동행사죄 × : 대판 1978.9.26, 78도1787 ∵ 인장위조죄는 사문서위조죄에 흡수됨) 14. 법원행시, 24. 법원직, 26. 변호사시험

⑦ 법원을 기망하여 승소판결을 받고 그 확정판결에 의하여 소유권이전등기를 경료한 경우 ⇨ 사기죄와 공정증서원본부실기재죄의 실체적 경합(대판 1983.4.26, 83도188) 13. 사시, 17. 법원직

⑧ 1개의 문서에 2인 이상의 연명으로 된 문서를 위조한 경우(예 금전소비대차계약서의 주채무자와 연대보증인의 명의를 연명으로 위조한 경우) ⇨ 문서위조죄의 상상적 경합(대판 1987.7.21, 87도564 ∵ 하나의 행위이고 작성명의인의 수를 기준으로 죄수 결정) 23. 법원행시, 26. 변호사시험

▶ **비교판례** : 피해자 명의의 약속어음 2매를 위조한 경우 ⇨ 유가증권위조죄의 경합범(대판 1983. 4.12, 82도2938 ∵ 위조된 유가증권의 매수를 기준으로 죄수 결정)

⑨ 회사 명의의 합의서를 임의로 작성·교부한 행위에 대하여 약식명령이 확정된 사문서위조 및 그 행사죄의 범죄사실과 그로 인하여 회사에 재산상 손해를 가하였다는 업무상 배임의 공소사실은 그 객관적 사실관계가 하나의 행위이므로 1개의 행위가 수개의 죄에 해당하는 경우로서 형법 제40조에 정해진 상상적(실체적 ×) 경합관계에 있다(대판 2009.4.9, 2008도5634). 24. 변호사시험

⑩ 업무상 과실로 교량을 손괴하여 자동차의 교통을 방해하고 자동차를 추락시킨 경우 ⇨ 업무상 과실일반교통방해죄와 업무상 과실자동차추락의 상상적 경합(대판 1997.11.28, 97도1740)

5. 국가적 법익

① 절도범이 체포를 면하려고 경찰관에게 폭행을 가한 경우 ⇨ 준강도죄와 공무집행방해죄의 상상적 경합(대판 1992.7.28, 92도917), 강도범이 체포를 면하려고 경찰관에게 폭행을 가한 경우 ⇨ 강도죄와 공무집행방해죄의 실체적 경합(대판 1992.7.28, 92도917) 18. 순경 3차, 19. 경찰간부, 21. 경찰승진·해경간부, 23. 해경승진·순경 2차, 25. 7급 검찰·해경경사

② 동일한 공무를 집행하는 여럿의 공무원에 대하여 폭행·협박 행위가 이루어진 경우에는 공무를 집행하는 공무원의 수에 따라 여럿의 공무집행방해죄가 성립하고, 폭행·협박 행위가 동일한 장소에서 동일한 기회에 이루어진 것으로서 사회관념상 1개의 행위로 평가되는 경우에는 여럿의 공무집행방해죄는 상상적 경합의 관계에 있다(대판 2009.6.25, 2009도3505 예 피해신고를 받고 출동한 경찰관 甲을 폭행하고, 곧이어 이를 제지하는 경찰관 乙을 폭행한 경우). 15. 순경 2차, 17. 9급 철도경찰, 18. 경찰간부, 20. 법원직, 21. 해경간부, 24. 경찰승진, 25. 변호사시험

③ 공무원이 직무관련자에게 제3자와 계약을 체결하도록 요구하여 계약 체결을 하게 한 행위가 제3자뇌물수수죄의 구성요건과 직권남용권리행사방해죄의 구성요건에 모두 해당하는 경우에는, 제3자뇌물수수죄와 직권남용권리행사방해죄가 각각 성립하되, 이는 사회 관념상 하나의 행위가 수개의 죄에 해당하는 경우이므로 두 죄는 형법 제40조의 상상적(실체적 ×) 경합관계에 있다(대판 2017.3.15, 2016도19659). 19. 9급 검찰 · 마약수사 · 철도경찰, 20. 해경 1차, 21. 법원행시 · 7급 검찰 · 순경 2차, 22. 경찰간부, 23. 순경 1차, 24. 해경승진, 25. 변호사시험

④ 甲이 직무를 집행하는 공무원에 대하여 위험한 물건을 휴대하여 고의로 상해한 경우 특수공무집행방해치상죄와 별도로 폭력행위 등 처벌에 관한 법률 위반(집단 · 흉기 등 상해)죄는 성립하지 않는다(대판 2008.11.27, 2008도7311). 15. 9급 검찰 · 마약수사, 16. 순경 1차, 19. 법원행시, 20. 법원직

⑤ 형사가 검사로부터 범인을 검거하라는 지시를 받고서도 그 직무상의 의무에 따른 적절한 조치를 취하지 않고 오히려 범인에게 전화로 도피하라고 권유하여 그를 도피케 한 경우, 직무위배의 위법상태가 범인도피행위 속에 포함되어 있는 것으로 보아야 할 것이므로, 작위범인 범인도피죄만이 성립하고 부작위범인 직무유기죄는 따로 성립하지 아니한다(대판 1996.5.10, 96도51). 17. 순경 1차, 21. 경찰간부, 22. 법원행시, 24. 경대편입

  ▶ 유사판례 : 경찰공무원이 지명수배 중인 범인을 발견하고도 직무상 의무에 따른 적절한 조치를 취하지 아니하고 오히려 범인을 도피하게 한 경우 ⇨ 범인도피죄 ○, 직무유기죄 ×(대판 2017.3.15, 2015도1456) 18. 7급 검찰 · 순경 3차, 19. 변호사시험, 23. 해경승진

⑥ 경찰관이 압수물을 범죄 혐의의 입증에 사용하도록 하는 등의 적절한 조치를 취하지 않은 채 피압수자에게 돌려준 경우 증거인멸죄만 성립하고 별도로 직무유기죄는 성립하지 않는다(대판 2006.10.19, 2005도3909). 19. 경찰승진, 20. 7급 검찰

⑦ 공무원이 어떠한 위법사실을 발견하고도 직무상 의무에 따른 적절한 조치를 취하지 아니하고 위법사실을 적극적으로 은폐할 목적으로 허위공문서를 작성 · 행사한 경우에는 직무위배의 위법상태는 허위공문서작성 당시부터 그 속에 포함되는 것으로 작위범인 허위공문서작성죄, 동행사죄만이 성립하고 부작위범인 직무유기죄는 따로 성립하지 아니하나, 공문서를 허위로 작성한 것이 직접적으로 위법사실을 은폐하기 위하여 한 것이 아니라면 허위공문서작성죄, 동행사죄와 직무유기죄는 실체적 경합범의 관계에 있다(대판 1993.12.24, 92도3334). 19. 경찰간부, 24. 경찰승진, 25. 7급 검찰

⑧ 시험을 관리하는 공무원이 타인으로부터 돈을 받고 직무상 지득한 시험 문제를 타인에게 알려준 경우 공무상 비밀누설죄와 수뢰 후 부정처사죄는 상상적 경합의 관계에 있다(대판 1970.6.30, 70도562). 18. 경찰간부, 20. 7급 검찰, 21. 해경승진

⑨ 공무를 집행하고 있는 공무원을 폭행하여 상해를 가한 경우(폭행의사로) ⇨ 공무집행방해죄와 폭행치상죄의 상상적 경합(대판 1984.2.28) 13. 경찰간부

6. 특별법

(1) 자동차운전과 관련된 판례 총정리

① 특정범죄 가중처벌 등에 관한 법률 위반(위험운전치사상)죄와 도로교통법 위반(음주운전)죄는 입법취지와 보호법익 및 적용영역을 달리하는 별개의 범죄로서 양 죄가 모두 성립하는 경우 두 죄는 실체적 경합관계에 있는 것으로 보아야 한다(대판 2008.11.13, 2008도7143). 20. 법원직 · 순경 2차, 22. 경찰간부 · 변호사시험, 24. 7급 검찰, 25. 경찰승진 · 경위공채

▶ **비교판례** : 음주로 인한 특정범죄 가중처벌 등에 관한 법률 위반(위험운전치사상)죄가 성립하는 때에는 차의 운전자가 형법 제268조의 죄를 범한 것을 내용으로 하는 교통사고처리특례법 위반죄는 그 죄에 흡수되어 별죄를 구성하지 아니한다(대판 2008.12.11, 2008도9182). 12. 7급 검찰, 23. 변호사시험

② 음주 또는 약물의 영향으로 정상적인 운전이 곤란한 상태에서 자동차를 운전하여 사람을 상해에 이르게 함과 동시에 다른 사람의 재물을 손괴한 때에는 특정범죄 가중처벌 등에 관한 법률 위반(위험운전치사상)죄 외에 업무상 과실 재물손괴로 인한 도로교통법 위반죄가 성립하고, 위 두 죄는 1개의 운전행위로 인한 것으로서 상상적 경합관계에 있다(대판 2010.1.14, 2009도10845). 19. 경찰간부, 22. 법원행시, 25. 경찰승진 · 9급 검찰 · 마약수사 · 철도경찰

③ 무면허운전과 교통사고처리특례법위반죄(업무상 과실치사죄) ⇨ 실체적 경합범(대판 1972.10.31, 72도2001 : 운전면허 없이 운전을 하다가 두 사람을 한꺼번에 치어 사상케 한 경우에 이 업무상 과실치사상죄의 소위는 상상적 경합관계에 해당하고, 이와 무면허운전에 대한 도로교통법 위반죄와는 실체적 경합관계에 있다.) 07. 순경, 21. 법원행시, 25. 변호사시험

④ 무면허운전과 음주운전죄 ⇨ 상상적 경합(대판 1987.2.24, 86도2731) 16. 사시, 17. 변호사시험, 23. 법원행시

⑤ 甲이 사고 후 도로교통법 제54조 제1항의 조치를 취하지 아니하고 도주하여 특정범죄 가중처벌 등에 관한 법률위반(도주치상)죄와 도로교통법위반(사고 후 미조치)죄가 성립하는 경우, 위 두 죄는 상상적(실체적 ×) 경합관계에 있다(대판 2016.11.24, 2016도12407). 21. 변호사시험

⑥ 주취운전과 음주측정 거부의 각 도로교통법 위반죄 ⇨ 실체적 경합(대판 2004.11.12, 2004도5257) 09. 법원행시, 25. 변호사시험

⑦ 운행정지명령위반으로 인한 자동차관리법 위반죄와 의무보험미가입자동차운행으로 인한 자동차손해배상보장법 위반죄는 자동차의 운행이라는 행위가 일부 중첩되기는 하나 법률상 1개의 행위로 평가되는 경우에 해당한다고 보기 어렵고, 또 구성요건을 달리하는 별개의 범죄로서 보호법익을 달리하고 있으므로 상상적 경합관계로 볼 것이 아니라 실체적 경합관계로 보는 것이 타당하다(대판 2023.4.27, 2020도17883). 25. 해경경사

⑵ **상상적 경합이 인정되는 경우**

① 공무원이 취급하는 사건에 관하여 청탁 또는 알선을 할 의사와 능력이 없음에도 청탁 또는 알선을 한다고 기망하고 금품을 교부받은 경우⇨ 사기죄와 변호사법 위반죄의 상상적 경합(대판 2006.1.27, 2005도8704) 21. 변호사시험 · 해경 1차, 22. 법원직, 23. 경찰승진, 24. 법원행시, 25. 해경경위 · 경대편입

② 금융회사 등의 임직원의 직무에 속하는 사항에 관하여 알선할 의사와 능력이 없음에도 알선을 한다고 기망하고 금품 등을 수수하였다면, 사기죄와 특정경제범죄 가중처벌 등에 관한 법률 제7조 위반죄의 상상적 경합의 관계에 있다(대판 2012.6.28, 2012도3927). 17. 법원행시, 22. 경찰간부

③ 국회의원 선거에서 정당의 공천을 받게 하여 줄 의사나 능력이 없음에도 이를 해 줄 수 있는 것처럼 기망하여 공천과 관련하여 금품을 받은 경우, 공직선거법상 공천관련금품수수죄와 사기죄가 모두 성립하고 양자는 상상적 경합의 관계에 있다(대판 2009.4.23, 2009도834). 22. 법원행시

④ 형법 제307조의 명예훼손죄와 공직선거 및 선거부정방지법 제251조의 후보자비방죄는 상상적 경합의 관계에 있다(대판 1998.3.24, 97도2956). 14. 법원행시

⑤ 부정수표단속법 위반죄(당좌수표를 조합 이사장 명의로 발행하여 그 소지인이 지급제시기간 내에 지급제시하였으나 거래정지처분의 사유로 지급되지 아니한 경우)와 업무상 배임죄(동일한 수표를 발행하여 조합에 대하여 재산상 손해를 가한 경우)는 상상적 경합관계에 있다(대판 2004.5.13, 2004 도1299). 11. 사시

⑥ 동일인 대출한도 초과대출 행위로 인하여 상호저축은행에 손해를 가함으로써 상호저축은행법 위반죄와 업무상 배임죄가 모두 성립한 경우, 위 두 죄는 형법 제40조 소정의 상상적 경합관계에 있다(대판 2012.6.28, 2012도2087).

⑦ 무허가 카지노영업으로 인한 관광진흥법 위반죄와 도박개장죄는 상상적 경합범 관계에 있다(대판 2009.12.10, 2009도11151). 11. 경찰승진

⑧ 공직선거기부행위제한기간 중 정당 내의 공직후보경선에서 당선될 목적으로 선거권을 가진 당원들에게 금품을 제공한 경우 ⇨ 정당법 위반죄(금품제공)와 공직선거 및 선거부정방지법(현 공직선거법) 위반죄(기부행위)의 상상적 경합(대판 2003.4.8, 2002도6033)

⑨ 수개의 접근매체를 한꺼번에 양도한 행위는 하나의 행위로 수개의 전자금융거래법 위반죄를 범한 경우에 해당하여 각 죄는 상상적 경합관계에 있다(대판 2010.3.25, 2009도1530). 22. 법원직

⑩ 피해견인 로트와일러가 묶여 있던 자신의 진돗개를 공격하자, 진돗개 주인이 피해견을 쫓아버리기 위해 엔진톱으로 위협하다가 피해견의 등 쪽을 절단하여 죽게 한 행위는 구 동물보호법 위반죄(잔인한 방법으로 죽이는 행위)와 재물손괴죄가 성립하고, 양자는 상상적 경합의 관계에 있다(대판 2016.1.28, 2014도2477). 22. 순경 2차, 24. 해경경장

⑪ 甲주식회사의 대표이사로서 경영책임자이자 안전보건총괄책임자인 피고인 乙이, 산업재해 예방에 필요한 주의의무를 게을리하고 안전조치를 하지 아니함과 동시에, 재해예방을 위한 안전보건관리체계의 구축 및 그 이행에 관한 조치를 하지 아니하여 사업장의 종사자 丁이 사망하는 중대산업재해에 이른 경우, 중대재해 처벌 등에 관한 법률 위반(산업재해치사)죄와 근로자 사망으로 인한 산업안전보건법 위반죄 및 업무상 과실치사죄는 상호간 사회관념상 1개의 행위가 수개의 죄에 해당하는 경우로서 상상적 경합관계에 있다(대판 2023.12.28, 2023도12316).

⑫ 피고인이 피해자에게 접근하거나 전화를 건 행위가 스토킹범죄를 구성하는 스토킹행위에 해당하고 구 스토킹범죄의 처벌 등에 관한 법률의 잠정조치를 위반한 행위에도 해당하는 경우, '스토킹범죄로 인한 구 스토킹처벌법 위반죄'와 '잠정조치 불이행으로 인한 구 스토킹처벌법 위반죄'는 사회관념상 1개의 행위로 성립하는 수개의 죄에 해당하므로 형법 제40조의 상상적 경합관계에 있다(대판 2024.9.27, 2024도7832). 25. 9급 철도경찰·순경 2차

(3) **실체적 경합이 인정되는 경우**

① 사기의 수단으로 발행한 수표가 지급거절된 경우(**메** 甲은 A에게 수표금액을 지급할 의사나 능력이 없는 상태에서 부도가 예상되는 당좌수표를 발행하여 주고 A로부터 금원을 차용하였으며, 그 당좌수표가 지급기일에 부도처리된 경우) ⇨ 부정수표단속법 위반죄와 사기죄의 실체적 경합범 (대판 2004.6.25, 2004도1751) 16. 사시, 22. 경찰간부, 24. 법원직

② 甲은 미성년자인 A를 약취한 후 강간을 목적으로 A에게 상해를 가하고 나아가 A에 대한 강간 및 살인미수를 범한 경우, 상해의 결과가 A에 대한 강간 및 살인미수행위 과정에서 발생한 것이라 하더라도 甲에게는 A에 대한 상해 등으로 인한 특정범죄 가중처벌 등에 관한 법률 위반죄 및

A에 대한 강간 및 살인미수행위로 인한 성폭력범죄의 처벌 등에 관한 특례법 위반죄가 각 성립하고 두 죄는 실체적 경합관계가 있다(대판 2014.2.27, 2013도12301). 16. 경찰간부, 22. 순경 2차

③ 유사수신행위 금지규정에 위반한 유사수신행위가 별도로 사기죄의 구성요건도 충족하는 경우 유사수신행위의 규제에 관한 법률 위반죄와 사기죄는 별개의 범죄로 성립하고, 양 죄는 실체적 경합관계에 있다(대판 2001.3.27, 2000도5318). 20. 법원행시, 22. 경찰간부

④ 초병이 그 수소를 이탈한 후 별도로 군무를 기피할 목적을 일으켜 그 직무를 이탈한 경우 ⇨ 초병의 수소이탈죄와 군무이탈죄의 실체적 경합범(대판 1981.10.13, 81도2397) 12. 법원행시, 15. 경찰간부

⑤ 경찰서 생활질서계에 근무하는 피고인 甲이 피고인 乙로부터 뇌물을 수수하면서, 피고인 乙의 자녀 명의 은행 계좌에 관한 현금카드를 받은 뒤 피고인 乙이 위 계좌에 돈을 입금하면 피고인 甲이 현금카드로 돈을 인출하는 방법으로 범죄수익의 취득에 관한 사실을 가장한 경우, 범죄수익 은닉의 규제 및 처벌 등에 관한 법률 위반죄와 특정범죄 가중처벌 등에 관한 법률 위반(뇌물)죄가 성립하고 두 죄가 실체적 경합범 관계에 있다(대판 2012.9.27, 2012도6079). 17. 경찰승진

⑥ 2개의 인터넷 파일공유 웹스토리지 사이트를 운영하는 피고인들이 이를 통해 저작재산권 대상인 디지털 콘텐츠가 불법 유통되고 있음을 알면서도 다수의 회원들로 하여금 수만 건에 이르는 불법 디지털 콘텐츠를 업로드하게 한 후 이를 수십만 회에 걸쳐 다운로드하게 함으로써 저작재산권 침해를 방조한 피고인들의 각 방조행위는 원칙적으로 서로 경합범 관계에 있다(대판 2012.5.10, 2011도12131). 13. 순경 1차

⑦ 형법상의 사기죄와 무허가 의약품제조행위를 처벌하는 보건범죄단속에 관한 특별조치법 위반죄의 관계 ⇨ 실체적 경합(대판 2004.1.15, 2001도1429)

⑧ 허위 또는 과장된 사실을 알리는 등 소비자를 유인하는 방법으로 기망하여 돈을 편취한 경우 사기죄와 방문판매업법 위반죄 ⇨ 실체적 경합관계 ○, 법조경합 ×, 상상적 경합 ×(대판 2010.2.11, 2009도12627) 22. 법원직

⑨ 무역업자가 수차례에 걸쳐 물품을 수입할 때마다 허위신고를 하여 관세를 포탈한 경우 ⇨ 관세법상의 관세포탈죄의 경합범(대판 2000.11.10, 99도782 ∵ 각각의 허위수입신고시마다 1개의 죄가 성립됨) ▶ 조세포탈범의 죄수는 과세기간마다 일죄가 성립하는 것이 원칙이나 조세종류를 불문하고 연간포탈세액이 특정범죄 가중처벌 등에 관한 법률 제8조 제1항의 금액 이상인 때에는 1년 단위로 일죄 구성(대판 2000.4.20, 99도3822) 16.7급 검찰, 19. 경찰간부

　▶ 유사판례

1. 관세법상 무신고수입죄에 있어서 서로 다른 시기에 수회에 걸쳐 이루어진 무신고수입행위 ⇨ 경합범(대판 2000.5.26, 2000도1338)

2. 서로 다른 시기에 수회에 걸쳐 이루어진 관세부정환급행위는 원칙상 별도로 각각 1개의 관세부정환급죄를 구성한다(∵ 포괄일죄 ×, 실체적 경합 ○ : 대판 2007.7.23, 2000도1094).

⑩ 상호신용금고가 실질적으로 동일한 채무자에게 동일인 대출 한도를 초과하여 대출한 경우 ⇨ 대출시마다 같은 죄가 성립한다 할 것이므로, 각 초과대출행위는 실질적인 경합범에 해당한다(대판 2004.4.28, 2004도927).

⑪ 음반·비디오물 및 게임물에 관한 법률위반죄와 도박개장죄는 실체적 경합관계로 봄이 상당하다(대판 2007.4.27, 2007도2094).

⑫ 법인별로 다단계판매업 등록을 하지 아니한 채 각 법인 명의로 다단계판매조직을 개설·관리 또는 운영하는 행위를 한 경우에는 법인별로 방문판매 등에 관한 법 제51조 제1항 제1호, 제13조 제1항 위반의 죄가 성립하며 이는 서로 실체적 경합관계에 있다(대판 2013.7.26, 2011도1264).

⑬ 수표금액의 지급 또는 거래정지처분을 면할 목적으로 금융기관에 거짓 신고를 한 자를 처벌하도록 규정하는 부정수표단속법위반죄와 타인으로 하여금 형사처분 또는 징계처분을 받게 할 목적으로 공무소 또는 공무원에 대하여 허위의 사실을 신고하는 때에 성립하는 무고죄는 서로 보호법익이 다르고, 사회관념상 행위가 사물자연의 상태로서 1개로 평가되는 것으로 보기도 어려워 상상적 경합관계에 있다고 볼 수 없다(대판 2014.1.23, 2013도12064 ∴ 실체적 경합관계 ○). 23. 법원행시

⑭ 운행정지명령 위반으로 인한 자동차관리법 위반죄와 의무보험미가입자동차운행으로 인한 자동차손해배상 보장법 위반죄는 상상적 경합관계로 볼 것이 아니라 실체적 경합관계로 보는 것이 타당하다(대판 2023.4.27, 2020도17883). 25. 해경경사

⑮ 등록을 하지 아니하고 다단계판매조직을 개설·관리·운영한 자를 처벌하는 방문판매 등에 관한 법률 제13조 제1항 위반죄와 무등록 다단계판매업 영업행위를 통하여 금전을 수입한 유사수신행위를 처벌하는 유사수신행위의 규제에 관한 법률 제3조, 제2조 각 호의 위반죄는 실체적(상상적 ×) 경합관계에 있다(대판 2001.12.24, 2001도205 ∴ 구성요건과 보호법익을 달리하므로 법률상 1개의 행위로 평가되는 경우에 해당 ×). 24. 법원행시

1　A와 B가 체포하려고 하자 절도범이 체포를 면탈할 목적으로 A의 얼굴을 팔꿈치로 폭행하고, 발로 B의 정강이를 걷어 차 약 2주간 치료가 필요한 상해를 입힌 경우 포괄하여 하나의 강도상해죄만 성립한다. (　)
16. 경찰간부, 17. 9급 철도경찰, 19. 9급 검찰 · 마약수사 · 철도경찰

2　강도가 한 개의 강도범행을 하는 기회에 수명의 피해자에게 각 폭행을 가하여 각 상해를 입힌 경우에는 각 피해자별로 수개의 강도상해죄가 성립하며 이들은 상상적 경합범의 관계에 있다. (　)
16. 경찰간부, 20. 변호사시험 · 법원직 · 해경승진, 21. 해경 1차, 23. 법원행시, 25. 해경경위

3　절도가 주인집의 방 안에서 재물을 절취하고 그 무렵 세 들어 사는 사람의 방 안에서 재물을 절취한 경우 단순일죄(1개의 절도죄)가 성립한다. (　)
13. 법원직, 15. 사시, 17. 9급 철도경찰

4　강도가 재물을 강취하려 하였으나 재물의 부재로 미수에 그치고 그 자리에서 항거불능 상태에 빠진 피해자를 간음할 것을 결의하고 실행에 착수했으나 미수에 그친 경우 반항을 억압하기 위한 폭행으로 피해자에게 상해를 입혔다면 강도강간미수죄와 강도치상죄의 상상적 경합범에 해당한다. (　)
15. 경찰간부, 22. 해경간부, 23. 법원행시, 24. 9급 검찰 · 마약수사 · 철도경찰

5　사기의 수단으로 발행한 수표가 지급거절된 경우 부정수표단속법 위반죄와 사기죄는 그 행위의 태양과 보호법익을 달리하므로 실체적 경합범의 관계에 있다. (　)
15. 경찰간부, 17. 순경 1차, 22. 법원행시 · 해경간부, 24. 법원직 · 해경수사

6　공무원 甲이 직무집행의 의사 없이 또는 직무처리와 대가적 관계 없이 乙을 공갈하자 乙이 외포심을 느껴 재물을 교부한 경우 甲에게는 공갈죄가 성립하지만 乙에게는 뇌물공여죄가 성립할 수 없다. (　)
15. 경찰간부 · 9급 검찰 · 마약수사, 16. 경찰승진, 18. 순경 3차, 22. 해경간부 · 해경 2차

7　채권자들에 의한 복수의 강제집행이 예상되는 경우 재산을 허위 양도함으로써 채권자들을 해하였다면 채권자별로 각각 강제집행면탈죄가 성립하고 상호 상상적 경합관계에 있다. (　)
17. 법원행시, 18. 경찰간부, 19. 경찰승진, 24. 법원직

8　甲이 A주식회사로부터 렌탈(임대차)하여 컴퓨터 본체, 모니터 등을 받아 보관하였고, B주식회사로부터 리스(임대차)하여 컴퓨터 본체, 모니터, 그래픽카드, 마우스 등을 보관하다가, 같은 날 성명불상의 업체에 한꺼번에 처분하여 횡령한 경우, 피해자들에 대한 각 횡령죄는 상상적 경합관계에 있다. (　)
16. 경찰간부, 17. 경찰승진, 18. 7급 검찰, 21. 해경 2차, 23. 법원직, 25. 경력채용

9　피해자를 강제로 승용차에 태우고 가면서 주먹으로 피해자를 때려 반항을 억압한 후 현금 35만원을 빼앗고 피해자에게 안면부 타박상을 입힌 후, 계속하여 15km 정도를 진행하다가 내려준 경우 감금죄와 강도상해죄에 해당하는 경우로서 상상적 경합관계에 있다. (　)
15. 사시 · 9급 검찰 · 마약수사, 19. 순경 1차, 24. 해경간부

Answer ▸　1. ○　2. ×　3. ×　4. ○　5. ○　6. ○　7. ○　8. ○　9. ×

10 위조통화를 행사하여 재물을 불법영득한 경우에는 위조통화행사죄와 사기죄의 실체적 경합이다.
( )
15. 순경 2차, 18. 경찰간부, 20. 7급 검찰 · 순경 1차, 22. 해경간부

11 형법 제131조 제1항의 수뢰 후 부정처사에 있어서 공무원이 수뢰 후 행한 부정행위가 공도화변조 및 동행사죄의 구성요건을 충족하는 경우, 수뢰 후 부정처사죄 외에 별도로 공도화변조 및 동행사죄가 성립하고 이들 죄와 수뢰 후 부정처사죄는 각각 상상적 경합관계에 있다. ( )
17. 9급 검찰 · 마약수사 · 철도경찰, 22. 법원행시, 23. 순경 1차, 24. 해경승진, 25. 7급 검찰

12 공무원인 의사가 공무소의 명의로 허위진단서를 작성한 경우 허위공문서작성죄와 허위진단서작성죄는 상상적 경합이 아니다. ( )
18. 법원행시, 20. 법원직 · 7급 검찰, 22. 해경간부

13 강도범인이 체포를 면탈할 목적으로 경찰관에게 폭행을 가한 때에는 강도죄와 공무집행방해죄가 성립하고 양 죄는 실체적 경합관계에 있다. ( )
18. 순경 3차, 19. 경찰간부, 21. 경찰승진 · 법원행시, 23. 해경승진 · 순경 2차, 25. 7급 검찰 · 해경경사

14 피고인이 피해신고를 받고 출동한 경찰관 甲을 폭행하고, 곧이어 이를 제지하는 경찰관 乙을 폭행한 경우 각 경찰관에 대하여 공무집행방해죄가 성립하고, 위 두 죄는 실체적 경합관계에 있다. ( )
17. 9급 철도경찰, 18. 경찰간부, 20. 법원직, 21. 해경승진, 24. 경찰승진, 25. 변호사시험

15 경찰관이 검사로부터 범인을 검거하라는 지시를 받고서도 그 직무상의 의무에 따른 적절한 조치를 취하지 아니하고 오히려 범인에게 전화로 도피하라고 권유하여 그를 도피케 한 경우, 범인도피죄와 직무유기죄의 상상적 경합이다. ( )
18. 7급 검찰 · 순경 3차, 21. 경찰간부, 22. 법원행시, 24. 경대편입

16 차의 운전자가 음주의 영향으로 정상적인 운전이 곤란한 상태에서의 운전 중 교통사고로 사람에게 상해를 입게 하여 특정범죄 가중처벌 등에 관한 법률 위반(위험운전치사상)죄와 도로교통법 위반(음주운전)죄가 성립한 경우, 양 죄는 실체적 경합관계에 있다. ( )
20. 법원직 · 순경 2차, 22. 해경간부 · 변호사시험, 24. 7급 검찰, 25. 경찰승진 · 경위공채

17 도로교통법이 정한 기준을 초과하여 술에 취한 상태에서 운전면허 없이 자동차를 운전한 경우 도로교통법 위반(무면허운전)죄와 도로교통법 위반(음주운전)죄가 성립하고 양 죄는 상상적 경합관계에 있다. ( )
16. 사시, 17. 변호사시험, 23. 법원행시

18 甲이 음주의 영향으로 정상적인 운전이 곤란한 상태에서 자동차를 운전하여 사람을 상해에 이르게 함과 동시에 다른 사람의 재물을 손괴한 경우 특정범죄 가중처벌 등에 관한 법률 위반(위험운전치사상)죄 외에 업무상 과실재물손괴로 인한 도로교통법위반죄가 성립하고, 양죄는 실체적 경합관계에 있다. ( )
19. 경찰간부, 22. 법원행시, 23. 경찰승진, 25. 9급 검찰 · 마약수사 · 철도경찰

19 甲이 공무원이 취급하는 사건에 관하여 청탁 또는 알선을 할 의사와 능력이 없음에도 청탁 또는 알선을 한다고 A를 기망하여 금품을 교부받은 경우 사기죄와 변호사법위반죄는 상상적 경합범의 관계에 있다. ( )
20. 변호사시험, 21. 해경 1차, 22. 법원직, 23. 경찰승진, 25. 해경경위 · 경대편입

Answer ▸ 10. ○   11. ○   12. ○   13. ○   14. ×   15. ×   16. ○   17. ○   18. ×   19. ○

01 죄수에 관한 설명으로 옳은 것은 모두 몇 개인가?(다툼이 있는 경우 판례에 의함)   23. 순경 2차

㉠ 강도범인이 체포를 면탈할 목적으로 경찰관에게 폭행을 가한 때에는 강도죄와 공무집행방해죄는 상상적 경합관계에 있다.

㉡ 피고인들이 피해자들의 재물을 강취한 후 그들을 살해할 목적으로 현주건조물에 방화하여 사망에 이르게 한 경우 피고인들의 행위는 강도살인죄와 현주건조물방화치사죄에 모두 해당하고 그 두 죄는 실체적 경합관계에 있다.

㉢ 폭력행위 등 처벌에 관한 법률 제4조 제1항은 그 법에 규정된 범죄행위를 목적으로 하는 단체를 구성하거나 이에 가입하는 행위(범죄단체구성 가입죄) 또는 구성원으로 활동하는 행위(범죄단체 활동죄)를 처벌하도록 정하고 있는데 범죄단체를 구성하거나 이에 가입한 자가 더 나아가 구성원으로 활동하는 경우, 각 행위는 실체적 경합관계에 있다.

㉣ 범죄단체 등에 소속된 조직원이 저지른 폭력행위 등 처벌에 관한 법률 위반(단체 등의 공동강요)죄 등의 개별적 범행과 동법 위반(단체 등의 활동)죄는 범행의 목적이나 행위 등 측면에서 일부 중첩되는 부분이 있고, 이에 특별한 사정이 없는 한 법률상 1개의 행위로 평가되어 실체적 경합이 아닌 상상적 경합관계에 있다고 보아야 한다.

① 0개   ② 1개   ③ 2개   ④ 3개

해설   ㉠ × : ~ 실체적(상상적 ×) 경합관계에 있다(대판 1992.7.28, 92도917).
㉡ × : ~ 상상적(실체적 ×) 경합관계에 있다(대판 1998.12.8, 98도3416).
㉢ × : ~ (4줄) 활동하는 경우, 이는 포괄일죄(실체적 경합 ×)의 관계에 있다(대판 2015.9.10, 2015도7081).
㉣ × : ~ (3줄) 일부 중첩되는 부분이 있더라도, 일반적으로 구성요건을 달리하는 별개의 범죄로서 범행의 상대방, 범행 수단 내지 방법, 결과 등이 다를 뿐만 아니라 그 보호법익이 일치한다고 볼 수 없다. 또한 폭력행위처벌법 위반(단체 등의 구성·활동)죄와 위 개별적 범행은 특별한 사정이 없는 한 법률상 1개의 행위로 평가되는 경우로 보기 어려워 상상적 경합이 아닌 실체적 경합관계에 있다고 보아야 한다(대판 2022.9.7, 2022도6993).

02 죄수에 대한 설명으로 옳은 것은?(다툼이 있는 경우 판례에 의함)   21. 7급 검찰

① 공동상속인 중 1인인 甲이 상속재산인 임야를 보관 중 다른 상속인들로부터 매도 후 분배 또는 소유권이전등기를 요구받고도 그 반환을 거부한 경우 횡령죄가 성립하고, 그 후 그 임야에 관하여 다시 제3자 앞으로 근저당권설정등기를 경료해 주었다면 별도의 횡령죄를 구성한다.

② 공무원 甲이 직무관련 있는 A에게 제3자와 계약을 체결하도록 요구하여 계약 체결을 하게 한 행위가 제3자뇌물수수죄의 구성요건과 직권남용권리행사방해죄의 구성요건에 모두 해당하는 경우, 甲에게 제3자뇌물수수죄와 직권남용권리행사방해죄가 각각 성립하고 양 죄는 실체적 경합관계이다.

Answer   **01.** ①   **02.** ④

③ 건물관리인 甲이 건물주로부터 월세임대차계약 체결업무를 위임받고도 임차인들을 속여 전세임대차계약을 체결하고 그 보증금을 편취한 경우, 甲에게 사기죄와 별도로 업무상 배임죄가 성립하고 양 죄는 상상적 경합관계이다.

④ 甲에게 폭행 범행을 반복하여 저지르는 습벽이 있고 이러한 습벽에 의하여 A를 단순폭행하고, 甲의 어머니 B를 존속폭행한 경우, 각 죄별로 상습성을 판단할 것이 아니라 포괄하여 甲에게 상습존속폭행죄만 성립한다.

> **해설** ① × : 별도의 횡령죄 ×(대판 2010.2.25, 2010도93 ∵ 횡령물을 처분하는 것은 불가벌적 사후행위 ○)
> ② × : 상상적 경합관계 ○, 실체적 경합관계 ×(대판 2017.3.15, 2016도19659)
> ③ × : 실체적 경합관계 ○, 상상적 경합관계 ×(대판 2010.11.11, 2010도10690)
> ④ ○ : 대판 2018.4.24, 2017도10956

03 다음 〈보기 1〉의 ( ) 속에 들어갈 죄수관계에 부합하는 사례를 〈보기 2〉에서 모두 고른 것은?(다툼이 있는 경우 판례에 의함)

21. 해경간부

〈보기 1〉
강도범인이 체포를 면탈할 목적으로 경찰관에게 폭행을 가한 때에는 강도죄와 공무집행방해죄가 성립하고 두 죄는 (   )의 관계에 있다.

〈보기 2〉
㉠ 이미 절취한(이 부분은 논외로 함) 피해자 명의의 신용카드를 부정사용하여 현금자동인출기에서 현금을 인출하고 그 현금을 취득까지 한 경우
㉡ 비의료인이 의료기관을 개설하여 운영하는 도중 개설자 명의를 다른 의료인 등으로 변경한 경우
㉢ 강도가 재물을 강취한 후 현주건조물에 방화하여 피해자들을 사망에 이르게 한 경우
㉣ 범죄피해신고를 받고 출동한 두 명의 경찰관에게 욕설을 하면서 순차로 폭행하여 신고처리 및 수사업무에 관한 정당한 직무집행을 방해한 경우, 두 경찰관에 대한 공무집행방해죄

① ㉠, ㉡   ② ㉡, ㉢
③ ㉢, ㉣   ④ ㉡, ㉣

> **해설** 〈보기 1〉은 실체적 경합범 관계임(대판 1992.7.28, 92도917).
> ㉠ 신용카드부정사용죄와 절도죄의 실체적 경합(대판 1995.7.28, 95도997)
> ㉡ 의료법위반죄의 실체적 경합(대판 2018.11.29, 2018도10779)
> ㉢ 강도살인죄와 현주건조물방화치사죄의 상상적 경합(대판 1998.12.8, 98도3416)
> ㉣ 공무집행방해죄의 상상적 경합(대판 2009.6.25, 2009도3505)

Answer 03. ①

04 죄수에 대한 설명으로 가장 적절한 것은?(다툼이 있는 경우 판례에 의함) 　22. 경찰간부

① 공무원인 의사가 공무소의 명의로 허위진단서를 작성한 경우, 허위진단서작성죄와 허위공문서작성죄의 상상적 경합에 해당한다.

② 금융회사 등의 임직원의 직무에 속하는 사항에 관하여 알선할 의사와 능력이 없음에도 알선을 한다고 기망하고 이에 속은 피해자로부터 알선을 한다는 명목으로 금품 등을 수수한 경우, 사기죄와 특정경제범죄 가중처벌 등에 관한 법률위반죄에 각 해당하고 두 죄는 실체적 경합의 관계에 있다.

③ 공무원이 직무관련자에게 제3자와 계약을 체결하도록 요구하여 계약 체결을 하게 한 행위가 제3자뇌물수수죄의 구성요건과 직권남용권리행사방해죄의 구성요건에 모두 해당하는 경우, 제3자뇌물수수죄와 직권남용권리행사방해죄가 각각 성립하고 양 죄는 상상적 경합관계에 있다.

④ 유사수신행위의 규제에 관한 법률 제3조에서 금지하고 있는 유사수신행위가 별도로 사기죄의 구성요건도 충족하는 경우 유사수신행위의 규제에 관한 법률 위반죄와 사기죄가 각각 성립하고 양 죄는 상상적 경합관계에 있다.

> 해설　① × : 허위공문서작성죄 ○, 허위진단서작성죄 ×(대판 2004.4.9, 2003도7762)
> ② × : 상상적 경합 ○, 실체적 경합 ×(대판 2012.6.28, 2012도3927)
> ③ ○ : 대판 2017.3.15, 2016도19659
> ④ × : 실체적 경합 ○, 상상적 경합 ×(대판 2001.3.27, 2000도5318)

05 甲은 음주운전 전력으로 자동차 운전면허가 취소된 상태에서, 혈중알코올농도 0.15%의 술에 취하여 정상적인 운전이 곤란한 상태에서 자신의 승용차를 운전하여 가던 중, 전방에 신호대기로 정차하고 있던 A가 운전하는 화물차의 뒷부분을 들이받아 그 충격으로 A에게 약 2주간의 치료를 요하는 상해를 입게 하고, 위 화물차의 수리비가 150만원이 들도록 손괴하였다. 이에 관한 설명 중 옳지 않은 것을 모두 고른 것은?(다툼이 있는 경우 판례에 의함)　21. 변호사시험

> ㉠ 甲이 범한 도로교통법위반(음주운전)죄와 도로교통법위반(무면허운전)죄는 상상적 경합관계에 있다.
> ㉡ 甲이 정상적인 운전이 곤란한 상태가 아니었다면, 甲이 범한 도로교통법위반(무면허운전)죄와 교통사고처리특례법위반(치상)죄는 상상적 경합관계에 있다.
> ㉢ 甲의 행위에 대하여 특정범죄 가중처벌 등에 관한 법률위반(위험운전치상)죄가 성립되는 경우, 교통사고처리특례법위반(치상)죄는 그 죄에 흡수되어 별죄를 구성하지 아니한다.
> ㉣ 甲이 사고 후 도로교통법 제54조 제1항의 조치를 취하지 아니하고 도주하여 특정범죄 가중처벌 등에 관한 법률위반(도주치상)죄와 도로교통법위반(사고 후 미조치)죄가 성립하는 경우, 위 두 죄는 실체적 경합관계에 있다.

① ㉠, ㉡　　　　② ㉠, ㉢　　　　③ ㉡, ㉢

④ ㉡, ㉣　　　　⑤ ㉢, ㉣

Answer　**04.** ③　**05.** ④

해설 ㉠ ○ : 대판 1987.2.24, 86도2731
㉡ × : ~ 실체적(상상적 ×) 경합관계에 있다(대판 1972.10.31, 72도2001).
㉢ ○ : 대판 2008.12.11, 2008도9182
㉣ × : ~ 상상적(실체적 ×) 경합관계에 있다(대판 2016.11.24, 2016도12407).

06 죄수에 관한 설명으로 옳은 것을 모두 고른 것은?(다툼이 있는 경우 판례에 의함) 25. 경찰승진

> ㉠ 음주로 인한 특정범죄가중처벌 등에 관한 법률 위반(위험운전치사상)죄와 도로교통법 위반(음주운전)죄 양 죄가 모두 성립하는 경우 두 죄는 상상적 경합관계에 있다.
> ㉡ 음주 또는 약물의 영향으로 정상적인 운전이 곤란한 상태에서 자동차를 운전하여 사람을 상해에 이르게 함과 동시에 다른 사람의 재물을 손괴한 때에는 특정범죄가중처벌 등에 관한 법률 위반(위험운전치사상)죄 외에 업무상 과실 재물 손괴로 인한 도로교통법 위반죄가 성립하고, 두 죄는 1개의 운전행위로 인한 것으로서 상상적 경합관계에 있다.
> ㉢ 무면허운전으로 인한 도로교통법 위반죄에 관해서는 어느 날에 운전을 시작하여 다음 날까지 동일한 기회에 일련의 과정에서 계속 운전을 한 경우라도 사회통념상 운전한 날을 기준으로 운전한 날마다 1개의 운전행위가 있다고 보는 것이 상당하다.
> ㉣ 같은 날 무면허 운전행위를 여러 차례 반복한 경우 그 범의의 단일성 내지 계속성이 인정되지 않거나 범행방법 등이 동일하지 않은 경우 각 무면허운전 범행은 실체적 경합관계에 있다고 볼 수 있다.

① ㉠, ㉡   ② ㉠, ㉢   ③ ㉡, ㉢   ④ ㉡, ㉣

해설 ㉠ × : ~ 두 죄는 실체적 경합관계에 있다(대판 2008.11.13, 2008도7143).
㉡ ○ : 대판 2010.1.14, 2009도10845
㉢ × : ~ (2줄) 계속 운전을 한 경우 등 특별한 경우를 제외하고는 사회통념상 운전한 날을 기준으로 운전한 날마다 1개의 운전행위가 있다고 보는 것이 상당하다(대판 2022.10.27, 2022도8806).
㉣ ○ : 대판 2022.10.27, 2022도8806

07 죄수론에 대한 설명 중 옳지 않은 것을 모두 고른 것은?(다툼이 있는 경우 판례에 의함) 23. 경찰승진

> ㉠ 공무원 甲이 A를 기망하여 그로부터 뇌물을 수수한 경우 수뢰죄와 사기죄는 구성요건을 달리하는 별개의 범죄로서 서로 보호법익을 달리하고 있으므로 양죄는 실체적 경합범의 관계에 있다.
> ㉡ 甲이 공무원이 취급하는 사건에 관하여 청탁 또는 알선을 할 의사와 능력이 없음에도 청탁 또는 알선을 한다고 A를 기망하여 금품을 교부받은 경우 사기죄와 변호사법위반죄는 상상적 경합범의 관계에 있다.
> ㉢ 甲이 A로부터 수수한 메스암페타민을 장소를 이동하여 투약하고서 잔량을 은닉하는 방법으로 소지한 행위는 그 소지의 경위나 태양에 비추어 볼 때 당초의 수수행위에 수반되는 필연적 결과로 볼 수 있으므로 향정신성의약품수수죄만 성립하고 별도로 그 소지죄는 성립하지 않는다.

Answer 06. ④ 07. ②

ㄹ 甲이 음주의 영향으로 정상적인 운전이 곤란한 상태에서 자동차를 운전하여 사람을 상해에 이르게 함과 동시에 다른 사람의 재물을 손괴한 경우 특정범죄 가중처벌 등에 관한 법률 위반 (위험운전치사상)죄 외에 업무상 과실재물손괴로 인한 도로교통법위반죄가 성립하고, 양죄는 실체적 경합관계에 있다.

ㅁ 甲이 음주상태로 자동차를 운전하다가 제1차 사고를 내고 그대로 진행하여 제2차 사고를 낸 경우 제1차 사고 당시의 음주운전으로 인한 도로교통법위반(음주운전)죄와 제2차 사고 당시 의 음주운전으로 인한 도로교통법위반(음주운전)죄는 포괄일죄의 관계에 있다.

① ㄱ, ㄴ, ㄹ
② ㄱ, ㄷ, ㄹ
③ ㄱ, ㄷ, ㅁ
④ ㄴ, ㄷ, ㄹ, ㅁ

해설 ㄱ × : ~ (1줄) 수뢰죄와 사기죄는 형법상 1개의 행위가 뇌물죄와 사기죄의 각 구성요건에 해당될 수 있으므로 양죄는 상상적 경합범의 관계에 있다(대판 1977.6.7, 77도1069).
ㄴ ○ : 대판 2006.1.27, 2005도8704
ㄷ × : ~ (3줄) 향정신성의약품수수죄 외에 별도로 그 소지죄가 성립한다(대판 1999.8.20, 99도1744).
ㄹ × : ~ (3줄) 성립하고, 양죄는 1개의 운전행위로 인한 것으로서 상상적 경합관계에 있다(대판 2010.1.14, 2009도10845).
ㅁ ○ : 대판 2007.7.26, 2007도4404

08 **죄수에 관한 설명 중 가장 적절하지 않은 것은?**(다툼이 있는 경우 판례에 의함)　　　23. 순경 1차

① 공무원이 직무관련자에게 제3자와 계약을 체결하도록 요구하여 계약 체결을 하게 한 행위가 제3자뇌물수수죄의 구성요건과 직권남용권리행사방해죄의 구성요건에 모두 해당하는 경우, 제3자뇌물수수죄와 직권남용권리행사방해죄가 각각 성립하고 양죄는 상상적 경합관계에 있다.

② 허위공문서작성죄와 동행사죄가 수뢰 후 부정처사죄와 각각 상상적 경합관계에 있는 경우, 허위공문서작성죄와 동행사죄 상호간은 실체적 경합범관계에 있다고 할지라도 상상적 경합 범관계에 있는 수뢰 후 부정처사죄와 대비하여 가장 중한 죄에 정한 형으로 처단하면 족하다.

③ 수개의 행위가 여러 개의 구성요건을 충족하는 경우에도 포괄일죄가 될 수 있으므로 횡령, 배임의 행위와 사기의 행위 사이에는 포괄일죄를 구성할 수 있다.

④ 형법 제40조가 규정하는 한 개의 행위가 여러 개의 죄에 해당하는 경우에 "가장 무거운 죄에 정한 형으로 처벌한다."란, 여러 개의 죄명 중 가장 무거운 형을 규정한 법조에 의하여 처단한 다는 취지와 함께 다른 법조의 최하한의 형보다 가볍게 처단할 수 없다는 취지, 즉 각 법조의 상한과 하한을 모두 중한 형의 범위 내에서 처단한다는 것을 포함한다.

해설 ① 대판 2017.3.15, 2016도19659 ② 대판 1983.7.26, 83도1378
③ × : 포괄일죄라 함은 각기 따로 존재하는 수개의 행위가 한개의 구성요건을 한번 충족하는 경우를 말하므로 구성요건을 달리하고 있는 횡령, 배임 등의 행위와 사기의 행위는 포괄1죄를 구성할 수 없다(대판 1988.2.9, 87도58).
④ 대판 2006.1.27, 2005도8704

Answer　08. ③

09 **죄수에 관한 다음 설명 중 가장 옳지 않은 것은?**(다툼이 있는 경우 판례에 의함)　　23. 법원행시

① 강도가 재물강취의 뜻을 재물의 부재로 이루지 못한 채 미수에 그쳤으나 그 자리에서 항거불능의 상태에 빠진 피해자를 간음할 것을 결의하고 실행에 착수했으나 역시 미수에 그쳤더라도 반항을 억압하기 위한 폭행으로 피해자에게 상해를 입힌 경우에는 강도강간미수죄와 강간치상죄가 성립되고 이들은 상상적 경합관계에 있다.

② 상습절도 등의 범행을 한 자가 추가로 자동차등불법사용의 범행을 한 경우에 그것이 절도습벽의 발현이라고 보이는 이상, 상습절도 등의 죄만 성립하고 이와 별개로 자동차 등 불법사용죄는 성립하지 않는다.

③ 강도가 한 개의 강도범행을 하는 기회에 수명의 피해자에게 각 폭행을 가하여 각 상해를 입힌 경우에는 각 피해자별로 수개의 강도상해죄가 성립하며 이들은 실체적 경합범의 관계에 있다.

④ 무면허운전으로 인한 도로교통법 위반죄는 운전한 날마다 무면허운전으로 인한 도로교통법 위반의 1죄가 성립한다고 할 것이지만, 같은 날 무면허운전 행위를 여러 차례 반복한 경우라도 그 범의의 단일성 내지 계속성이 인정되지 않거나 범행 방법 등이 동일하지 않은 경우 각 무면허운전 범행은 실체적 경합관계에 있다고 볼 수 있다.

⑤ 감금행위가 강간미수죄의 수단이 되었다 하여 감금행위는 강간미수죄에 흡수되어 범죄를 구성하지 않는다고 할 수는 없다.

> 해설　① × : 강도강간미수죄와 강도(강간 ×)치상죄의 상상적 경합관계(대판 1988.6.28, 88도820)
> ② 대판 2002.4.26, 2002도429　③ 대판 1987.5.26, 87도527
> ④ 대판 2022.10.27, 2022도8806　⑤ 대판 1983.4.26, 83도323

10 **죄수론에 관한 설명으로 옳지 않은 것을 모두 고른 것은?**(다툼이 있는 경우 판례에 의함) 24. 경찰승진

> ㉠ 피해자에 대한 폭행행위가 동일한 피해자에 대한 업무방해죄의 수단이 되었다고 하더라도 그러한 폭행행위가 이른바 '불가벌적 수반행위'에 해당하여 업무방해죄에 대하여 흡수관계에 있다고 볼 수는 없다.
>
> ㉡ 형법 제37조 후단, 제39조 제1항의 문언과 입법 취지 등에 비추어 보면, 아직 판결을 받지 않은 죄가 이미 판결이 확정된 죄와 동시에 판결할 수 없었던 경우라 하더라도 형법 제39조 제1항에 따라 동시에 판결할 경우와 형평을 고려하여 형을 선고하거나 그 형을 감경 또는 면제할 수 있다고 해석함이 타당하다.
>
> ㉢ 피해신고를 받고 출동한 두 명의 경찰관에게 욕설을 하면서 순차로 폭행을 하여 경찰관의 정당한 직무집행을 방해한 경우 포괄하여 하나의 공무집행방해죄가 성립한다.
>
> ㉣ 상습사기죄에 있어서의 사기행위의 습벽은 행위자의 사기 습벽의 발현으로 인정되는 한, 동종의 수법에 의한 사기범행의 습벽만을 의미하는 것이 아니라 이종의 수법에 의한 사기 범행을 포괄하는 사기의 습벽도 포함한다.

① ㉠, ㉡　　　　② ㉡, ㉢　　　　③ ㉢, ㉣　　　　④ ㉡, ㉢, ㉣

Answer　09. ①　10. ②

해설 ㉠ ○ : 대판 2012.10.11, 2012도1895
㉡ × : ~ (2줄) 동시에 판결할 수 없었던 경우, 형법 제39조 제1항에 따라 동시에 판결할 경우와 형평을 고려하여 형을 선고하거나 그 형을 감경 또는 면제할 수 없다(대판 2012.9.27, 2012도9295).
㉢ × : 공무집행방해죄의 상상적 경합 ○, 포괄일죄 ×(대판 2009.6.25, 2009도3505)
㉣ ○ : 대판 1999.11.26, 99도3929

11 **죄수에 관한 설명 중 가장 적절하지 않은 것은?**(다툼이 있는 경우 판례에 의함)

22. 순경 2차, 24. 해경경장

① 주거침입강간죄는 사람의 주거 등을 침입한 자가 피해자를 강간한 경우에 성립하는 것으로서 주거침입죄를 범한 후에 사람을 강간하여야 하는 일종의 신분범이고, 선후가 바뀌어 강간죄를 범한 자가 그 피해자의 주거에 침입한 경우에는 강간죄와 주거침입죄의 실체적 경합범이 된다.

② 피해견인 로트와일러가 묶여 있던 자신의 진돗개를 공격하자, 진돗개 주인이 피해견을 쫓아버리기 위해 엔진톱으로 위협하다가 피해견의 등 쪽을 절단하여 죽게 한 행위는 구 동물보호법 위반죄(잔인한 방법으로 죽이는 행위)와 재물손괴죄가 성립하고, 양자는 상상적 경합의 관계에 있다.

③ 공직선거법 제18조 제3항(형법 제38조에도 불구하고 제1항 제3호에 규정된 죄와 다른 죄의 경합범에 대하여는 이를 분리선고하여야 한다)은 선거범이 아닌 다른 죄가 선거범의 양형에 영향을 미치는 것을 최소화하기 위하여 형법상 경합범 처벌례에 관한 조항의 적용을 배제하고 분리하여 형을 따로 선고하여야 한다는 취지이기에, 선거범과 상상적 경합관계에 있는 모든 죄는 통틀어 선거범으로 취급하여서는 아니 된다.

④ 수개의 등록상표에 대하여 상표법 제230조의 상표권 침해행위가 계속하여 이루어진 경우에는 등록상표마다 포괄하여 1개의 범죄가 성립하나, 하나의 유사상표 사용행위로 수개의 등록상표를 동시에 침해하였다면 각각의 상표법 위반죄는 상상적 경합의 관계에 있다.

해설 ① 대판 2021.8.12, 2020도17796
② 대판 2016.1.28, 2014도2477
③ × : ~ (4줄) 한다는 취지이다. 그리고 선거범과 상상적 경합관계에 있는 다른 범죄에 대하여는 여전히 형법 제40조에 의하여 그중 가장 중한 죄에 정한 형으로 처벌해야 하고, 그 처벌받는 가장 중한 죄가 선거범인지 여부를 묻지 않고 선거범과 상상적 경합관계에 있는 모든 죄는 통틀어 선거범으로 취급하여야 한다(대판 2021.7.21, 2018도16587).
④ 대판 2020.11.12, 2019도11688

 **11. ③**

12 죄수에 관한 설명 중 옳은 것(○)과 옳지 않은 것(×)을 올바르게 조합한 것은?(다툼이 있는 경우 판례에 의함)

24. 변호사시험

> ㉠ 수인의 피해자에 대하여 1개의 기망행위를 통해 각각 재물을 편취한 경우에는 범의가 단일하고 범행방법이 동일하더라도 피해자별로 독립한 사기죄가 성립하고 각 사기죄는 상상적 경합관계에 있다.
> ㉡ 절도범인으로부터 장물보관 의뢰를 받은 자가 그 정을 알면서 이를 인도받아 보관하고 있다가 임의처분한 경우, 이러한 횡령행위는 장물죄의 불가벌적 사후행위에 불과하여 별도의 횡령죄가 성립하지 않는다.
> ㉢ 회사 명의의 합의서를 임의로 작성·교부한 행위에 의해 회사에 재산상 손해를 가하였다면, 사문서위조죄 및 그 행사죄와 업무상 배임죄는 실체적 경합관계에 있다.
> ㉣ 2인 이상의 작성명의인이 연명으로 서명·날인한 문서를 하나의 행위로 위조한 때에는 작성명의인의 수에 해당하는 문서위조죄의 상상적 경합범에 해당한다.
> ㉤ 유죄의 확정판결을 받은 사람이 그 후 별개의 후행범죄를 저질렀는데 유죄의 확정판결에 대하여 재심이 개시된 경우, 후행범죄와 재심판결이 확정된 선행범죄 사이에는 형법 제37조 후단에서 정한 경합범이 성립한다.

① ㉠(○), ㉡(×), ㉢(×), ㉣(○), ㉤(○)
② ㉠(○), ㉡(○), ㉢(○), ㉣(×), ㉤(×)
③ ㉠(○), ㉡(○), ㉢(×), ㉣(○), ㉤(×)
④ ㉠(×), ㉡(○), ㉢(○), ㉣(○), ㉤(○)
⑤ ㉠(×), ㉡(×), ㉢(×), ㉣(×), ㉤(○)

해설 ㉠ ○ : 대판 1990.1.25, 89도252
㉡ ○ : 대판 2004.4.9, 2003도8219
㉢ × : 회사 명의의 합의서를 임의로 작성·교부한 행위에 대하여 약식명령이 확정된 사문서위조 및 그 행사죄의 범죄사실과 그로 인하여 회사에 재산상 손해를 가하였다는 업무상 배임의 공소사실은 그 객관적 사실관계가 하나의 행위이므로 1개의 행위가 수개의 죄에 해당하는 경우로서 형법 제40조에 정해진 상상적 경합관계에 있다(대판 2009.4.9, 2008도5634).
㉣ ○ : 대판 1987.7.21, 87도564
㉤ × : ~ 경합범이 성립하지 않는다(대판 2019.6.20, 2018도20698 전원합의체).

13 죄수에 관한 설명으로 가장 적절하지 않은 것은?(다툼이 있는 경우 판례에 의함)

24. 순경 1차

① 하나의 사건에 관하여 한 번 선서한 증인이 같은 기일에 여러 가지 사실에 관하여 기억에 반하는 허위의 진술을 한 경우, 1개의 위증죄만이 성립한다.
② 한 개의 행위가 서로 다른 둘 이상의 구성요건을 실현하는 경우에는 상상적 경합이 성립하나, 한 개의 행위가 동일한 구성요건을 2회 이상 실현하는 경우에는 상상적 경합이 성립하지 않는다.

③ 주식회사의 대표이사가 타인을 기망하여 그 회사가 발행하는 신주를 인수하게 한 후 그로부터 납입받은 신주인수대금을 보관하던 중 횡령한 경우, 신주인수대금을 횡령한 행위는 사기죄의 불가벌적 사후행위에 해당하지 않는다.

④ 같은 날 무면허운전 행위를 여러 차례 반복한 경우, 그 범의의 단일성 내지 계속성이 인정되지 않거나 범행방법 등이 동일하지 않다면 각 무면허운전 범행은 실체적 경합관계에 있다.

[해설] ① 대판 1998.4.14, 97도3340

② × : 상상적 경합이란 1개의 행위가 수개의 죄에 해당하는 경우로 수개의 죄는 이종일 수도 있지만(이종의 상상적 경합 : 서로 다른 둘 이상의 구성요건을 실현) 동종의 죄일 수도 있다(동종의 상상적 경합 : 동일한 구성요건을 2회 이상 실현)(대판 1987.7.21, 87도564 : 문서에 2인 이상의 작성명의인이 있을 때에는 각 명의자마다 1개의 문서가 성립되므로 2인 이상의 연명으로 된 문서를 위조한 때에는 작성명의인의 수대로 수개의 문서위조죄가 성립하고 또 그 연명문서를 위조하는 행위는 자연적 관찰이나 사회통념상 하나의 행위라 할 것이어서 위 수개의 문서위조죄는 형법 제40조가 규정하는 상상적 경합범에 해당한다).

③ 대판 2006.10.27, 2004도6503

④ 대판 2022.10.27, 2022도8806

14 죄수에 관한 다음 설명 중 가장 옳지 않은 것은?(다툼이 있는 경우 판례에 의함)　　24. 법원직

① 여러 사람의 권리의 목적이 된 자기의 물건을 취거, 은닉 또는 손괴함으로써 그 여러 사람의 권리행사를 방해하였다면 권리자별로 각각 권리행사방해죄가 성립하고 각 죄는 서로 상상적 경합범의 관계에 있다.

② 사기의 수단으로 발행한 수표가 지급거절된 경우, 구성요건적 행위에 부분적 동일성이 있거나 목적, 수단 관계에 있다고 하더라도 행위의 태양과 보호법익이 다르므로 부정수표단속법위반죄와 사기죄는 실체적 경합범의 관계에 있다.

③ 사기도박에 있어 1개의 기망행위에 의하여 여러 피해자로부터 각각 재물을 편취한 경우에는 피해자별로 수개의 사기죄가 성립하고, 그 사이에는 상상적 경합의 관계에 있다.

④ 채권자들에 의한 복수의 강제집행이 예상되는 경우 재산을 은닉 또는 허위양도함으로써 채권자들을 해하였다면 채권자별로 각각 강제집행면탈죄가 성립하는 것이 아니라 포괄하여 1개의 강제집행면탈죄가 성립한다.

[해설] ① 대판 2022.5.12, 2021도16876

② 대판 2004.6.25, 2004도1751

③ 대판 2011.1.13, 2010도9330

④ × : ~ (2줄) 각각 강제집행면탈죄가 성립하고 상호 상상적 경합범의 관계에 있다(대판 2011.12.8, 2010도4129).

Answer 　14. ④

15 죄수에 관한 설명으로 가장 적절한 것은?(다툼이 있는 경우 판례에 의함) 24. 순경 2차

① 甲이 피해자의 주거에 침입하여 강간하려다 미수에 그침과 동시에 자기의 형사사건의 수사 또는 재판과 관련하여 수사 단서를 제공하고 진술한 것에 대한 보복 목적으로 그를 폭행한 경우, 특정범죄 가중처벌 등에 관한 법률위반(보복범죄 등)죄 및 성폭력범죄의 처벌 등에 관한 특례법위반(주거침입강간 등)죄가 각 성립하고 두 죄가 상상적 경합관계에 있다.

② 절도 범인으로부터 장물보관을 의뢰받은 甲이 그 정을 알면서 이를 인도받아 보관하고 있다가 A로부터 금원을 차용하면서 보관 중이던 장물을 담보로 제공한 경우, 장물보관죄와 횡령죄가 각 성립하고 두 죄는 실체적 경합관계에 있다.

③ 甲이 보이스피싱 사기 범죄단체에 가입한 후 사기범죄의 피해자들로부터 돈을 편취하는 등 그 구성원으로서 활동한 경우, 범죄단체 가입행위 또는 범죄단체 구성원으로서 활동하는 행위와 사기행위는 법조경합 중 흡수관계에 있으므로 목적된 범죄인 사기죄만 성립한다.

④ 甲이 2010. 11. 15. X회사 사무실에서 부부인 피해자 A와 B에게 '토지를 매수하여 분필한 후 이를 분양해서 원금 및 수익금을 지급하겠다.'면서 기망한 후 공동재산인 건물을 매도하여 돈을 마련한 피해자들로부터 A의 예금계좌에서 1억원, B의 예금계좌에서 4억원을 송금받아 편취한 경우, 각 피해자의 피해법익의 동일성에 대하여 예금계좌에 예치된 금전에 관한 권리 등 민사상 권리 귀속관계 등을 고려하여 판단할 때 이를 포괄일죄로 볼 수 없다.

> **해설** ① ○ : 대판 2012.3.15, 2012도544
> ② × : 장물보관죄 ○, 횡령죄 ×(대판 2004.4.9, 2003도8219 ∵ 불가벌적 사후행위 ○)
> ③ × : ~ (3줄) 사기행위는 각각 별개의 범죄구성요건을 충족하는 독립된 행위이고 서로 보호법익도 달라 법조경합 관계로 목적된 범죄인 사기죄만 성립하는 것은 아니다(대판 2017.10.26, 2017도8600).
> ④ × : ~ (4줄) 편취한 경우, 피해자들에 대한 사기죄의 피해법익이 동일하다고 평가될 수 있어 이들에 대한 사기죄가 포괄일죄를 구성한다(대판 2023.12.21, 2023도13514).

16 죄수 관계에 관한 설명 중 옳지 않은 것은 모두 몇 개인가?(다툼이 있는 경우 판례에 의함) 24. 법원행시

> ㉠ 저작권법은 제140조 단서 제1호에서 영리를 목적으로 또는 상습적으로 저작재산권 침해 범행을 한 경우에는 고소가 없어도 공소를 제기할 수 있다고 규정하고 있으므로, 피고인들이 저작재산권 침해 방조행위를 하였고 피고인들에게 영리 목적 또는 상습성이 인정된다면 다수 저작권자의 다수 저작물 전체에 대한 피고인들의 범행 전체에 대하여 하나의 포괄일죄가 성립한다.
>
> ㉡ 등록을 하지 아니하고 다단계판매조직을 개설·관리·운영한 자를 처벌하는 방문판매 등에 관한 법률 제13조 제1항 위반죄와 무등록 다단계판매업 영업행위를 통하여 금전을 수입한 유사수신행위를 처벌하는 유사수신행위의 규제에 관한 법률 제3조, 제2조 각 호의 위반죄는 상상적 경합관계에 있다.
>
> ㉢ 단순배임죄와 사기죄는 그 구성요건을 달리하는 별개의 범죄이고 형법상으로도 각각 별개의 장에 규정되어 있으므로, 1개의 행위에 관하여 사기죄와 단순배임죄의 각 구성요건이 모두 구비된 때에는 양 죄를 상상적 경합관계로 보아야 한다.

Answer　15. ①　16. ④

> ㉣ 공무원이 취급하는 사건에 관하여 청탁 또는 알선을 할 의사와 능력이 없는데도 청탁 또는 알선을 한다고 기망하고 금품을 교부받은 경우 사기죄와 변호사법위반죄가 성립하는데, 양 죄는 구성요건과 보호법익을 달리하여 법률상 1개의 행위로 평가되는 경우에 해당하지 않으므로, 양 죄를 상상적 경합관계로 볼 것이 아니라 실체적 경합관계로 보아야 한다.
> ㉤ 타인의 사무를 처리하는 자가 여러 사람으로부터 각각 부정한 청탁을 받고 그들로부터 각각 금품을 수수한 경우 만일 그 청탁이 동종의 것이라고 한다면 이는 단일하고 계속된 범의 아래 이루어진 범행에 해당하므로 그 전체를 포괄일죄로 보아야 한다.

① 1개   ② 2개   ③ 3개
④ 4개   ⑤ 5개

해설 ㉠ × : 포괄일죄 ×, (실체적) 경합범 ○(대판 2012.5.10, 2011도12131 ∵ 상습범 가중처벌하는 별도의 규정 ×)
㉡ × : 상상적 경합관계 ×, 실체적 경합관계 ○(대판 2001.12.24, 2001도205 ∵ 구성요건과 보호법익을 달리하므로 법률상 1개의 행위로 평가되는 경우에 해당 ×)
㉢ ○ : 대판 2002.7.18, 2002도669 전원합의체
㉣ × : 상상적 경합관계 ○, 실체적 경합관계 ×(대판 2006.1.27, 2005도8704 ∵ 법률상 1개의 행위로 평가되는 경우에 해당 ○)
㉤ × : 타인의 사무를 처리하는 자가 여러 사람으로부터 각각 부정한 청탁을 받고 그들로부터 각각 금품을 수수한 경우에는 비록 그 청탁이 동종의 것이라고 하더라도 단일하고 계속된 범의 아래 이루어진 범행으로 보기 어려워 그 전체를 포괄일죄로 볼 수 없다(대판 2008.12.11, 2008도6987).

17 죄수관계에 관한 설명 중 옳지 않은 것을 모두 고른 것은?(다툼이 있는 경우 판례에 의함)

25. 변호사시험

> ㉠ 여러 사람의 권리의 목적이 된 자기의 물건을 취거, 은닉 또는 손괴함으로써 그 여러 사람의 권리행사를 방해하였다면 권리자별로 각각 권리행사방해죄가 성립하고, 각 죄는 실체적 경합의 관계에 있다.
> ㉡ 타인의 부동산을 보관 중인 자가 불법영득의사를 가지고 그 부동산에 근저당권설정등기를 경료한 후 같은 부동산에 별개의 근저당권을 설정한 행위는 특별한 사정이 없는 한 횡령죄의 불가벌적 사후행위에 해당한다.
> ㉢ 범죄 피해 신고를 받고 출동한 두 명의 경찰관에게 같은 장소에서 욕설을 하면서 한 명의 경찰관을 먼저 폭행하고 곧이어 이를 제지하는 다른 경찰관을 폭행하여 수사 업무에 관한 정당한 직무집행을 방해한 때에는 2개의 공무집행방해죄가 성립하고, 두 공무집행방해죄는 상상적 경합의 관계에 있다.
> ㉣ 피해자에 대한 폭행행위가 동일한 피해자에 대한 업무방해죄의 수단이 된 경우 그러한 폭행행위는 불가벌적 수반행위에 해당하여 업무방해죄에 대하여 흡수관계에 있다.

① ㉠, ㉡   ② ㉠, ㉢   ③ ㉡, ㉣
④ ㉠, ㉡, ㉢   ⑤ ㉠, ㉡, ㉣

Answer 17. ⑤

해설 ㉠ × : ~ (2줄) 각 죄는 서로 상상적(실체적 ×) 경합의 관계에 있다(대판 2022.5.12, 2021도16876).
㉡ × : ~ (2줄) 특별한 사정이 없는 한 불가벌적 사후행위로 볼 수 없고, 별도로 횡령죄를 구성한다(대판 2013.2.21, 2010도10500 전원합의체).
㉢ ○ : 대판 2009.6.25, 2009도3505
㉣ × : 피해자에 대한 폭행행위가 동일한 피해자에 대한 업무방해죄의 수단이 되었다고 하더라도 그러한 폭행행위가 이른바 '불가벌적 수반행위'에 해당하여 업무방해죄에 대하여 흡수관계에 있다고 볼 수는 없다 (대판 2012.10.11, 2012도1895).

18 다음 중 죄수에 대한 설명으로 가장 옳지 않은 것은?(다툼이 있으면 판례에 의함)　　　25. 해경경사
① 1개의 행위에 관하여 사기죄와 업무상 배임죄의 각 구성요건이 모두 구비된 경우 양 죄는 상상적 경합관계에 있다.
② 강도범이 체포를 면탈할 목적으로 경찰관에게 폭행을 가한 경우 강도죄와 공무집행방해죄는 실체적 경합관계에 있다.
③ 수수한 메스암페타민을 장소를 이동하여 투약하고서 잔량을 은닉하는 방법으로 소지한 경우 구 향정신성의약품관리법의 향정신성의약품수수죄 외에 별도로 그 소지죄가 성립한다.
④ 운행정지명령위반으로 인한 자동차관리법 위반죄와 의무보험미가입자동차운행으로 인한 자동 차손해배상 보장법 위반죄는 자동차의 운행이라는 행위로 중첩되므로 상상적 경합관계에 있다.

해설 ① 대판 2002.7.18, 2002도669 전원합의체
② 대판 1992.7.28, 92도917 ③ 대판 1999.8.20, 99도1744
④ × : ~ (2줄) 자동차의 운행이라는 행위가 일부 중첩되기는 하나 법률상 1개의 행위로 평가되는 경우에 해당한다고 보기 어렵고, 또 구성요건을 달리하는 별개의 범죄로서 보호법익을 달리하고 있으므로 상상적 경합관계로 볼 것이 아니라 실체적 경합관계로 보는 것이 타당하다(대판 2023.4.27, 2020도17883).

19 죄수에 대한 설명으로 옳은 것만을 모두 고르면?(다툼이 있는 경우 판례에 의함)　　　25. 7급 검찰

㉠ 공무원이 어떠한 위법사실을 발견하고도 직무상 의무에 따른 적절한 조치를 취하지 아니하고 위법사실을 적극적으로 은폐할 목적으로 허위공문서를 작성·행사한 경우에는 허위공문서작 성죄, 동행사죄와 직무유기죄가 모두 성립하여 실체적 경합범의 관계에 있으나, 공문서를 허 위로 작성한 것이 직접적으로 위법사실을 은폐하기 위하여 한 것이 아니라면 작위범인 허위 공문서작성죄, 동행사죄만이 성립하고 부작위범인 직무유기죄는 따로 성립하지 아니한다.
㉡ 형법 제37조 후단의 경합범에 있어서 '금고 이상의 형에 처한 판결이 확정된 죄'라 함은 수개 의 독립된 죄 중의 어느 죄에 대하여 확정판결이 있었던 사실 자체를 의미하고 일반사면으로 형의 선고의 효력이 상실된 여부는 묻지 않는다.
㉢ 공도화변조죄와 동행사죄가 수뢰 후 부정처사죄와 각각 상상적 경합범 관계에 있을 때에는 공도화변조죄와 동행사죄 상호간은 실체적 경합범 관계에 있다고 할지라도 상상적 경합범 관 계에 있는 수뢰 후 부정처사죄와 대비하여 가장 중한 죄에 정한 형으로 처단하면 족한 것이고 따로이 경합범 가중을 할 필요가 없다.

Answer　18. ④　19. ③

㉣ 절도범인이 체포를 면탈할 목적으로 경찰관에게 폭행·협박을 가한 때에는 준강도죄와 공무집행방해죄를 구성하고 양죄는 실체적 경합관계에 있으나, 강도범인이 체포를 면탈할 목적으로 경찰관에게 폭행을 가한 때에는 강도죄와 공무집행방해죄는 상상적 경합관계에 있다.

① ㉠, ㉡　　　　② ㉠, ㉣　　　　③ ㉡, ㉢　　　　④ ㉢, ㉣

해설　㉠ × : ~ (2줄) 작성·행사한 경우에는 직무위배의 위법상태는 허위공문서작성 당시부터 그 속에 포함되는 것으로 작위범인 허위공문서작성죄, 동행사죄만이 성립하고 부작위범인 직무유기죄는 따로 성립하지 아니하나, 공문서를 허위로 작성한 것이 직접적으로 위법사실을 은폐하기 위하여 한 것이 아니라면 허위공문서작성죄, 동행사죄와 직무유기죄논 실체적 경합범의 관계에 있다(대판 1993.12.24, 92도3334).
㉡ ○ : 대판 1996.3.8, 95도2114
㉢ ○ : 대판 2001.2.9, 2000도1216
㉣ × : ~ (2줄) 양죄는 상상적 경합관계에 있으나, 강도범인이 체포를 면탈할 목적으로 경찰관에게 폭행을 가한 때에는 강도죄와 공무집행방해죄는 실체적 경합관계에 있다(대판 1992.7.28, 92도917).

20 형법 제37조 후단 경합범에 관한 설명 중 옳지 않은 것은?(다툼이 있는 경우 판례에 의함)
22. 변호사시험

① 후단 경합범이란 금고 이상의 형에 처한 판결이 확정된 죄와 그 판결확정 전에 범한 죄를 가리키는데, 여기서 말하는 판결에는 집행유예 판결도 포함된다.
② 확정판결이 있는 죄에 대하여 일반사면이 있는 경우는 형의 선고효력이 상실되지만 그 죄에 대한 확정판결이 있었던 사실 자체는 인정되므로 그 확정판결 이전에 범한 죄와의 관계에서 후단 경합범이 성립한다.
③ 포괄일죄로 되는 개개의 범죄행위가 다른 종류의 죄의 확정판결 전후에 걸쳐서 행하여진 경우에는 그 죄는 2죄로 분리되지 않고 확정판결 후인 최종의 범죄행위시에 완성되므로 후단 경합범에 해당하지 않는다.
④ 판결을 받지 아니한 수개의 죄가 판결확정을 전후하여 저질러진 경우 판결확정 전에 범한 죄를 이미 판결이 확정된 죄와 동시에 판결할 수 없었던 경우라면, 판결확정을 전후한 각각의 범죄는 형법 제37조 후단 경합범이 아니라 전단 경합범에 해당하여 하나의 형을 선고하여야 한다.
⑤ 후단 경합범에 대하여 형법 제39조 제1항에 의하여 형을 감경할 때에도 법률상 감경에 관한 형법 제55조 제1항이 적용되어 유기징역을 감경할 때에는 그 형기의 2분의 1 미만으로는 감경할 수 없다.

해설　① 대판 1992.11.24, 92도1417
② 대판 1996.3.8, 95도2114
③ 대판 2003.8.22, 2002도5341
④ × : ~ (3줄) 후단 경합범(사후적 경합범)이나 전단 경합범(동시적 경합범)에 해당하지 아니하여 판결확정을 전후한 각각의 범죄에 대하여 별도로 형을 선고할 수밖에 없다(대판 2014.3.27, 2014도469).
⑤ 대판 2019.4.18, 2017도14609 전원합의체

Answer　**20. ④**

21 **경합범에 대한 설명으로 옳은 것은?**(다툼이 있는 경우 판례에 의함)　　　　22. 9급 철도경찰

① 경합범 중 판결을 받지 않은 죄가 있는 때에는 그 죄와 판결이 확정된 죄를 동시에 판결할 경우와 형평을 고려하여 그 죄에 대하여 형을 선고하되 그 형을 면제할 수는 없다.

② 경합범에 의한 판결의 선고를 받은 자가 경합범 중의 어떤 죄에 대하여 사면을 받거나 형의 집행이 면제된 때에는 다른 죄에 대하여 다시 형을 정한다.

③ 형법 제37조 전단은 '판결이 확정되지 아니한 수개의 죄'를 경합범으로 규정하고 있으므로, 한 개의 행위가 수개의 죄에 해당하는 경우도 형법 제37조 전단의 경합범이 될 수 있다.

④ 형법 제37조 후단은 '금고 이상의 형에 처한 판결이 확정된 죄와 그 판결확정 전에 범한 죄'를 경합범으로 규정하고 있으므로, 약식명령이 확정된 죄도 형법 제37조 후단의 경합범이 될 수 있다.

> 해설　① × : ~ 형을 감경 또는 면제할 수 있다(제39조 제1항).
> ② ○ : 제39조 제3항
> ③ × : 한 개의 행위가 수개의 죄에 해당하는 경우 ⇨ 상상적 경합관계(제40조)
> ④ × : 형법 제37조 후단에서 '금고 이상의 형에 처한 판결이 확정된 죄와 그 판결확정 전에 범한 죄'를 경합범으로 규정하고 있으므로, 벌금형을 선고한 판결이나 약식명령이 확정된 죄는 형법 제37조 후단의 경합범이 될 수 없다(대판 2017.7.11, 2017도7287).

22 **죄수에 대한 설명으로 옳은 것은?**(다툼이 있는 경우 판례에 의함)　　　　23. 경찰간부

① 징역형만 규정된 A죄와 징역형과 벌금형의 임의적 병과규정이 있는 B죄가 상상적 경합관계에 있는 경우, A죄에 정해진 징역형의 상한이 B죄에 정해진 징역형의 상한보다 높다면 A죄에서 정한 징역형으로 처벌해야 하고 벌금형은 병과할 수 없다.

② 甲이 상습절도죄(A죄)로 X법원으로부터 징역형을 선고받고 확정된 후 동일한 습벽이 있는 별개의 B죄를 저질러 Y법원에서 심리 중이었는데 확정된 A죄에 대한 X법원의 적법한 재심 심판절차에서 징역형이 선고되어 확정된 경우, 별개로 기소된 B죄를 심판하는 Y법원은 B죄에 대하여 형법 제39조 제1항에 의한 형의 감경 또는 면제를 할 수 없다.

③ 甲이 A를 살해할 목적으로 흉기를 구입하여 A의 집 앞에서 A를 기다렸으나 만나지 못하였고 다음날 A의 맥주잔에 독약으로 오인한 제초제를 몰래 넣었으나 복통만 일으키게 하다가 며칠 뒤 A를 자동차로 치어 사망하게 한 경우, 甲에게는 살인예비 내지 미수죄와 동 기수죄의 경합죄가 성립한다.

④ 운전면허시험에 계속 불합격하였으나 운전을 잘하던 甲이 영업을 하기 위해 자동차를 구입하여 일주일 동안 매일 매일 운전 해오다가 적발된 경우, 甲에게는 포괄하여 도로교통법위반(무면허운전)의 일죄가 성립한다.

> 해설　① × : ~ (3줄) 징역형으로 처벌하기로 하면서 벌금형을 병과할 수 있다(대판 2008.12.24, 2008도9169).

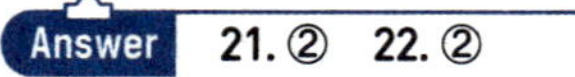

② ○ : 유죄의 확정판결을 받은 사람이 그 후 별개의 후행범죄를 저질렀는데 유죄의 확정판결에 대하여 재심이 개시된 경우, 후행범죄가 그 재심대상판결에 대한 재심판결 확정 전에 범하여졌다 하더라도 아직 판결을 받지 아니한 후행범죄는 재심심판절차에서 재심대상이 된 선행범죄와 함께 심리하여 동시에 판결할 수 없었으므로 후행범죄와 재심판결이 확정된 선행범죄 사이에는 형법 제37조 후단 경합범이 성립하지 않고, 동시에 판결할 경우와 형평을 고려하여 그 형을 감경 또는 면제할 수 없다(대판 2019.6.20, 2018도20698 전원합의체).

③ × : ~ (3줄) 사망하게 한 경우, 포괄하여 1개의 살인기수죄가 성립한다(대판 1965.9.28, 65도695).

④ × : 계속적으로 무면허운전을 할 의사를 가지고 여러 날에 걸쳐 무면허운전행위를 반복하였다면 운전한 날마다 무면허운전으로 인한 도로교통법 위반의 1죄가 성립한다고 보아야 한다(대판 2002.7.23, 2001도6281).

23 경합범에 대한 설명으로 옳은 것은?(다툼이 있는 경우 판례에 의함) 24. 7급 검찰

① 피고인이 A, B, C의 죄를 순차적으로 범하고 이 중 A죄에 대하여 벌금형에 처한 판결이 확정된 후, 그 판결확정 전에 범한 B죄와 판결확정 후에 범한 C죄가 같은 법원에 기소된 경우 법원은 B죄와 C죄를 동시적 경합범으로 처벌할 수 없다.

② 포괄일죄의 중간에 다른 종류의 범죄에 대하여 금고 이상의 형에 처한 확정판결이 끼어 있는 경우 그 포괄일죄는 확정판결 후의 범죄로 다루어야 하므로 판결이 확정된 죄와 사후적 경합범이 되지 않는다.

③ 아직 판결을 받지 아니한 수개의 죄가 징역형의 판결확정을 전후하여 저질러지고 판결확정 전에 범한 죄를 이미 판결이 확정된 죄와 동시에 판결할 수 없었던 경우, 그 수개의 죄 사이에는 형법 제37조 전단의 경합범 관계가 인정된다.

④ 형법 제37조 후단의 경합범 관계가 성립할 수 없어 아직 판결을 받지 아니한 죄에 대하여 형을 선고할 때는 그 죄와 판결이 확정된 죄를 동시에 판결할 경우와 형평을 고려하도록 한 형법 제39조 제1항을 적용하여야 한다.

`해설` ① × : ~ 처벌할 수 있다(대판 2017.7.11, 2017도7287 ∵ 벌금형에 처한 판결이 확정된 경우 제37조 후단의 경합범이 될 수 없음).
② ○ : 대판 2003.8.22, 2002도5341
③ × : ~ 경합범 관계가 인정되지 않는다(대판 2014.3.27, 2014도469).
④ × : ~ 제1항을 적용할 수 없다(대판 2012.9.27, 2012도9295).

24 경합범에 관한 설명으로 가장 적절하지 않은 것은?(다툼이 있는 경우 판례에 의함) 25. 경찰승진

① 경합범으로 처단할 시 가장 중한 죄 아닌 죄에 정한 형의 단기가 가장 중한 죄에 정한 형의 단기보다 중한 경우에는 형법 제38조 제1항 제2호 본문의 규정 취지에 비추어 그 중한 단기를 하한으로 한다고 새겨야 한다.

② 형법 제37조 후단의 경합범규정의 "판결확정 전"의 의미는 판결이 상소 등 통상의 불복방법에 의하여 다툴 수 없게 된 상태가 되기 전을 말한다.

Answer 23. ② 24. ③

③ 유죄의 확정판결을 받은 사람이 그 후 별개의 후행범죄를 저질렀는데 유죄의 확정판결에 대하여 재심이 개시된 경우 후행범죄가 재심대상판결에 대한 재심판결 확정 전에 범하여졌다면 아직 판결을 받지 아니한 후행범죄와 재심판결이 확정된 선행범죄 사이에 형법 제37조 후단에서 정한 경합범 관계가 성립한다.

④ 동일한 피고인에 대한 수 개의 범죄사실 중 일부에 대하여 먼저 공소가 제기되고 나머지 범죄사실에 대하여 별도로 공소가 제기됨으로써 이를 심리한 각 제1심법원이 공소제기된 사건별로 별개의 형을 선고하였는데, 이 중 어느 한 사건이 항소심법원에 계속되는 동안에 금고 이상의 형에 처한 다른 사건의 판결이 별개의 절차에서 확정되었다면, 항소심법원은 이를 동시에 판결할 경우와의 형평을 고려하여 형을 선고하여야 한다.

해설 ① 대판 1985.4.23, 84도2890 ② 대판 1974.10.8, 74도1301
③ × : ~ 경합범 관계가 성립하지 않는다(대판 2019.6.20, 2018도20698 전원합의체).
④ 대결 2020.5.18, 2020모1425

25 죄수론에 관한 설명으로 가장 적절하지 않은 것은?(다툼이 있는 경우 판례에 의함)　26. 경찰승진

① 상상적 경합은 1개의 행위가 실질적으로 수개의 구성요건을 충족하는 경우를 말하고, 법조경합은 1개의 행위가 외관상 수개의 죄의 구성요건에 해당하는 것처럼 보이나 실질적으로 1죄만을 구성하는 경우를 말하며, 실질적으로 1죄인가 또는 수죄인가는 구성요건적 평가와 보호법익의 측면에서 고찰하여 판단하여야 한다.

② 법조경합의 한 형태인 특별관계란 어느 구성요건이 다른 구성요건의 모든 요소를 포함하는 외에 다른 요소를 구비하여야 성립하는 경우로서 특별관계에 있어서는 특별법의 구성요건을 충족하는 행위는 일반법의 구성요건을 충족하지만 반대로 일반법의 구성요건을 충족하는 행위는 특별법의 구성요건을 충족하지 못한다.

③ 경합범에 의한 판결의 선고를 받은 자가 경합범 중의 어떤 죄에 대하여 사면 또는 형의 집행이 면제된 때에는 다른 죄에 대하여 다시 형을 정한다는 형법 제39조 제3항의 규정은 경합범에 대하여 한 개의 형이 선고되었을 때에 적용되며, "다시 형을 정한다"라는 것은 그 죄에 대한 심판을 다시 한다는 의미이다.

④ 포괄일죄라는 것은 일반적으로 각기 따로 존재하는 수개의 행위가 당해 구성요건을 한번 충족하여 본래적으로 일죄라는 것으로 이 수개의 행위가 혹은 흡수되고 혹은 사후행위가 되고 혹은 위법상태가 상당 정도 시간적으로 경과하는 등으로 본래적으로 일죄의 관계가 이루어지는 것이므로 별개의 죄가 따로 성립하지 않음은 물론 과형상의 일죄와도 이 점에서 그 개념 등을 달리하는 것이다.

해설 ① 대판 2011.11.24, 2010도8568 ② 대판 2025.5.15, 2024도16239
③ × : ~ (4줄) 그 죄에 대해 심판을 다시 한다는 의미가 아니라 형의 집행될 부분만을 다시 정한다는 의미이다. ④ 대판 1982.11.23, 82도2201

Answer　25. ③

제1절 형벌의 일반이론

1 형벌의 의의

형벌이란 국가가 형벌권의 주체가 되어(公形罰) 범죄에 대한 법률상의 효과로서 범죄자에게 과하는 법익의 박탈을 말한다.

2 형벌의 종류

> **제41조【형의 종류】** 형의 종류는 다음과 같다.
> 1. 사형　　　　　2. 징역　　　　　3. 금고　　　　　4. 자격상실　　　　5. 자격정지
> 6. 벌금　　　　　7. 구류　　　　　8. 과료　　　　　9. 몰수

(1) 사형 : 생명형

① 사형은 교도소(형무소) 내에서 교수(絞首)하여 집행하며(제66조), 군형법은 총살형을 인정하고 있다(동법 제3조).

② **절대적 법정형으로 사형만이 규정된 범죄** : 여적죄(제93조)뿐이다. 16. 변호사시험

🔔 여적죄도 작량감경(제53조)의 여지는 남겨져 있으므로 반드시 사형에 처해야 하는 것은 아니다.

③ 사형이 법정형으로 규정된 결과적 가중범 중 현주건조물 등 방화치사죄와 해상강도치사죄 이외에는 개정형법(1995)에서 사형이 모두 삭제되었다. 19. 순경 1차

④ 사형은 인간의 생명을 박탈하는 냉엄한 궁극의 형벌로서 사법제도가 상정할 수 있는 극히 예외적인 형벌이라는 점을 감안할 때, 사형의 선고는 범행에 대한 책임의 정도와 형벌의 목적에 비추어 누구라도 그것이 정당하다고 인정할 수 있는 특별한 사정이 있는 경우에만 허용된다(대판 2023.7.13, 2023도2043). 26. 경찰승진

(2) 자유형

자유형이란 수형자의 신체적 자유를 박탈하는 것을 내용으로 하는 형벌로서, 현행형법은 징역, 금고 및 구류라는 세 가지 종류의 자유형을 인정하고 있다.

> **제42조【징역 또는 금고의 기간】** 징역 또는 금고는 무기 또는 유기로 하고, 유기는 1개월 이상 30년(15년 ×) 이하로 한다. 단, 유기징역 또는 유기금고에 대하여 형을 가중하는 때에는 50년(25년 ×)까지로 한다. 14. 법원직, 16. 법원행시

> **제46조【구류】** 구류는 1일 이상 30일 미만(이하 ×)으로 한다. 20. 법원행시, 22. 해경 2차
> **제67조【징역】** 징역은 교정시설에 수용하여 집행하며, 정해진 노역에 복무하게 한다. 22. 해경 2차
> **제68조【금고와 구류】** 금고와 구류는 교정시설에 수용하여 집행한다.

(3) 재산형

재산형이란 범죄인으로부터 일정한 재산을 박탈하는 것을 내용으로 하는 형벌이다. 형법은 재산형으로 벌금, 과료 및 몰수 세 가지를 인정하고 있다.

① 벌금과 과료

> **제45조【벌금】** 벌금은 5만원 이상으로 한다. 다만, 감경하는 경우에는 5만원 미만으로 할 수 있다.
> **제47조【과료】** 과료는 2천원(5천원 ×) 이상 5만원 미만으로 한다. 22. 해경 2차, 26. 경찰승진
> **제69조【벌금과 과료】** ① 벌금과 과료는 판결확정일로부터 30일(60일 ×) 내에 납입하여야 한다. 단, 벌금을 선고할 때에는 동시에 그 금액을 완납할 때까지 노역장에 유치할 것을 명할 수 있다. 12. 법원직·7급 검찰, 21. 해경승진, 26. 경찰승진
> ② 벌금을 납입하지 아니한 자는 1일(1개월 ×) 이상 3년 이하, 과료를 납입하지 아니한 자는 1일 이상 30일 미만의 기간 노역장에 유치하여 작업에 복무하게 한다. 18. 9급 검찰·마약수사, 24. 순경 2차
> **제70조【노역장 유치】** ① 벌금이나 과료를 선고할 때에는 이를 납입하지 아니하는 경우의 노역장 유치기간을 정하여 동시에 선고하여야 한다. 12. 7급 검찰, 18. 9급 검찰·마약수사·철도경찰
> ② 선고하는 벌금이 1억원 이상 5억원 미만인 경우에는 300일 이상, 5억원 이상 50억원 미만인 경우에는 500일 이상, 50억원 이상인 경우에는 1천일 이상의 노역장 유치기간을 정하여야 한다. 18. 법원행시·9급 검찰·마약수사·9급 철도경찰, 22. 7급 검찰
> **제71조【유치일수의 공제】** 벌금이나 과료의 선고를 받은 사람이 그 금액의 일부를 납입한 경우에는 벌금 또는 과료액과 노역장 유치기간의 일수에 비례하여 납입금액에 해당하는 일수를 뺀다. 26. 경찰승진

🔔 벌금형을 선고할 경우에 선고유예는 가능하고(제59조 제1항), 500만원 이하의 벌금형을 선고할 경우에 집행유예도 가능하다(제62조 제1항). 19. 법원행시

🔔 제70조 제2항의 개정규정은 이 법 시행 후 최초로 저지른 범죄부터 적용한다(부칙 제2조 : 2020.10.20. 공포·시행).

관련판례

1. 징역형과 벌금형 가운데서 벌금형을 선택하여 선고하면서 환산한 노역장유치기간이 선택형인 징역형의 장기보다 더 길더라도 위법이 아니다(대판 2000.11.24, 2000도3945). 18. 9급 검찰, 24. 법원행시, 25. 경대편입

2. 법정형에 징역형과 벌금형을 병과할 수 있도록 규정되어 있는 경우, 법원은 공소장에 기재된 적용법조나 검사의 구형과 관계없이 심리·확정한 사실에 대하여 재량으로 벌금형의 병과 여부를 정할 수 있다(대판 2011.2.24, 2010도7404). 25. 경대편입

② 몰 수

> **제48조【몰수의 대상과 추징】** ① 범인 외의 자의 소유에 속하지 아니하거나 범죄 후 범인 외의 자가 사정을 알면서 취득한 다음 각 호의 물건은 전부 또는 일부를 몰수할 수 있다.
> 1. 범죄행위에 제공하였거나 제공하려고 한 물건
> 2. 범죄행위로 인하여 생겼거나 취득한 물건
> 3. 제1호 또는 제2호의 대가로 취득한 물건
> ② 제1항 각 호의 물건을 몰수할 수 없을 때에는 그 가액을 추징한다.
> ③ 문서, 도화, 전자기록 등 특수매체기록 또는 유가증권의 일부가 몰수의 대상이 된 경우에는 그 부분을 폐기한다.
> **제49조【몰수의 부가성】** 몰수는 타형에 부가하여 과한다. 단, 행위자에게 유죄의 재판을 아니할 때에도 몰수의 요건이 있는 때에는 몰수만을 선고할 수 있다.

㉠ **몰수의 부가성** : 몰수는 원칙적으로 타형에 부가하여 과하는 부가형이지만(제49조 본문), 행위자에게 유죄의 재판을 하지 아니할 때에도 몰수의 요건이 있는 때에는 예외적으로 몰수만을 선고할 수 있다(제49조 단서). 18. 법원직·순경 3차, 21. 7급 검찰, 23. 경찰승진, 24. 해경승진 몰수와 추징은 부가형이므로 주형 등에 부가하여 한번에 선고되고, 이와 일체를 이루어 동시에 확정되어야 하며 본안에 관한 주형 등과 분리되어 이심되어서는 안 된다(대판 2008. 11.20, 2008도5596 전원합의체). 25. 해경경위공채

㉡ **임의적 몰수와 필요적 몰수** : 몰수의 여부는 원칙적으로 법관의 자유재량에 의한다(제48조 제1항, 제49조 단서). 즉, 몰수는 원칙적으로 임의적 몰수이다. 그러나 형법 각칙과 특별법에 필요적 몰수로 하는 경우가 있다.

> **🔔 Key Point** **형법상의 필요적 몰수** 15. 경찰승진·순경 3차
>
> 1. 범인 또는 정을 아는 제3자가 받은 뇌물 또는 뇌물에 공할 금품은 몰수한다(제134조).
> 2. 아편에 관한 죄에 제공한 아편, 몰핀이나 그 화합물 또는 아편흡식기는 몰수한다(제206조).
> 3. 배임수재죄에 의하여 범인이 취득한 재물은 몰수한다(제357조 제3항).
> ▶ **주의** : 배임증재죄의 경우는 필요적 몰수가 아니다.

㉢ **몰수의 법적 성질** : 몰수는 형식적으로는 형벌이나 실질적으로는 범죄반복의 위험성을 예방하고 범인이 범죄로부터 부당한 이득을 취하지 못하도록 하는 것을 목적으로 하는 대물적 보안처분의 성질을 가진다(다수설).

㉣ 특별법에서 해당 법률의 입법 목적과 취지 등을 고려하여 몰수·추징의 성격이나 그 범위 등에 관하여 형법과 달리 정한 경우에는 특별법 우선의 원칙상 특별법 규정이 적용되는 한도에서 형법 제48조의 적용이 배제된다. 그러나 특별법에 따른 몰수·추징 요건이 구비되지 않고 형법 제48조의 요건만 충족되는 경우에는 이에 따른 몰수·추징이 가능하다(대판 1974.6.11, 74도352). 23. 법원행시

관련판례

1. 피고인이 신고 없이 외국환을 해외 계좌로 송금한 사실로 체포될 당시에 미처 송금하지 못하고 소지하고 있던 자기앞수표나 현금은 장차 실행하려고 한 외국환거래법 위반의 범행에 제공하려는 물건일 뿐, 그 이전에 범해진 외국환거래법 위반의 '범죄행위에 제공하려고 한 물건'으로는 볼 수 없으므로 몰수할 수 없다(대판 2008.2.14, 2007도10034 ∵ 어떠한 물건을 '범죄행위에 제공하려고 한 물건'으로서 몰수하기 위하여는 그 물건이 유죄로 인정되는 당해 범죄행위에 제공하려고 한 물건임이 인정되어야 하므로 장차 실행하려고 한 범행에 제공하려고 한 물건은 몰수할 수 없음). 19. 경력채용, 22. 법원직 · 해경간부 · 해경 2차, 23. 해경승진, 25. 경찰승진 · 해경경위공채

▶ **유사판례**

① '물품에 대한 수입신고를 함에 있어 주요사항을 허위로 신고'하여 구 관세법을 위반한 경우, 허위신고의 대상물 ⇨ 몰수 ×(대판 1974.6.11, 74도352 ∵ 위 물건은 신고의 대상물에 지나지 않아 신고로서 이루어지는 허위신고죄의 범죄행위 자체에 제공한 물건 ×) 21. 법원행시

② 부동산의 소유권을 이전받을 것을 내용으로 하는 계약(1차 계약)을 체결한 자가 그 부동산에 대하여 다시 제3자와 소유권이전을 내용으로 하는 계약(전매계약)을 체결한 것이 부동산등기 특별조치법 제8조 제1호 위반행위에 해당하는 경우, 전매계약에 의하여 제3자로부터 받은 대금 ⇨ 몰수 ×(대판 2007.12.14, 2007도7353 ∵ 전매계약에 의하여 제3자로부터 받은 대금은 같은 법 제8조 제1호가 처벌대상으로 삼고 있는 1차 계약에 따른 소유권이전등기를 하지 않은 행위로 인하여 취득한 것이라고 볼 수 없으므로 형법 제48조 제1항 제2호, 제2항에 의하여 이를 몰수하거나 추징할 수 없다.) 21. 법원행시

2. 형법 제48조 제1항의 '범인'에는 공범자도 포함되므로 피고인의 소유물은 물론 공범자의 소유물도 그 공범자의 소추 여부를 불문하고 몰수할 수 있는 것이고 여기에서의 공범자에는 공동정범, 교사범, 방조범에 해당하는 자는 물론 필요적 공범관계에 있는 자도 포함된다. 이 경우에 형법 제48조 제1항의 '범인'에 해당하는 공범자는 반드시 유죄의 죄책을 지는 자에 국한된다(국한된다 ×)고 볼 수 없고, 공범에 해당하는 행위를 한 자이면 족하다(대판 2006.11.23, 2006도5586). 22. 변호사시험, 23. 9급 검찰 · 마약수사 · 철도경찰, 24. 순경 1차, 25. 경위공채 · 법원직 · 해경경위 그리고 형벌은 공범자 전원에 대하여 각기 별도로 선고하여야 할 것이므로 공범자 중 1인 소유에 속하는 물건에 대한 부가형인 몰수에 관하여도 개별적으로 선고하여야 한다(대판 2013.5.23, 2012도11586).

3. 형법 제48조 제1항 제1호의 "범죄행위에 제공한 물건"은, 가령 살인행위에 사용한 칼 등 범죄의 실행행위 자체에 사용한 물건에만 한정되는 것이 아니며, 실행행위의 착수 전의 행위 또는 실행행위의 종료 후의 행위에 사용한 물건이더라도 그것이 범죄행위의 수행에 실질적으로 기여하였다고 인정되는 한 위 법조 소정의 제공한 물건에 포함된다(대판 2006.9.14, 2006도4075 **예** 상품을 절취하여 자신의 승용차에 싣고 간 경우, 그 승용차가 단순한 교통수단을 넘어 장물의 운반에 사용한 것이라고 인정된다면 이를 범죄행위에 제공한 물건으로 보아 몰수할 수 있다). 23. 경찰승진, 24. 해경간부 · 변호사시험 · 순경 1차 · 7급 검찰, 25. 경위공채 · 9급 검찰 · 마약수사 · 철도경찰

4. 甲이 A로 하여금 사기도박에 참여하도록 유인하기 위하여 고액의 수표를 제시해 보였다면 그 수표를 직접적으로 도박자금으로 사용하지 않았더라도 몰수할 수 있다(없다 ×)(대판 2002.9.24, 2002도3589). 16. 경찰간부, 17. 9급 검찰 · 마약수사 · 철도경찰, 22. 변호사시험 · 법원직, 23. 경찰승진

5. 형법 제48조 제1항 제1호, 제2항에 의한 몰수 및 추징은 임의적인 것이므로 그 추징의 요건에 해당되는 물건이라도 이를 추징할 것인지의 여부는 법원의 재량에 맡겨져 있다(대판 2002.9.4, 2000도515). 14. 경찰간부, 16. 법원행시, 25. 법원직

6. 공무원이 그 권한에 의하여 허위로 작성한 공문서(군 PX에서 공무원인 군인이 허위작성한 월간 판매실적보고서)는 몰수할 수 없다(대판 1983.6.14, 83도808 ∵ 공무소인 소관 육군부대의 소유임). 21. 해경간부

7. 사행성 게임기는 기판과 본체가 서로 물리적으로 결합되어야만 비로소 그 기능을 발휘할 수 있는 기계로서, 당국으로부터 적법하게 등급심사를 받은 것이라고 하더라도 본체를 포함한 그 전부가 범죄행위에 제공된 물건으로서 몰수의 대상이 된다(대판 2006.12.8, 2006도6400). 19. 경력채용, 22. 7급 검찰

8. 장물매각대금은 장물죄 피해자에게 환부되어야 할 물건으로서 범인의 소유가 아니므로 몰수할 수 없다(대판 1969.1.21, 68도1672). 12. 사시, 14. 경찰간부

9. 몰수를 선고한 판결의 효력은 원칙적으로 몰수의 원인이 된 사실에 관하여 유죄의 판결을 받은 피고인에 대한 관계에서 그 물건을 소지하지 못하게 하는 데 그치고, 그 사건에서 재판을 받지 아니한 제3자의 소유권에 어떤 영향을 미치는 것은 아니다(대결 2017.9.29, 2017모236). 예금통장이 몰수되었다고 하여 예금반환채권까지 몰수된 것으로 볼 수 없다(대판 1997.11.14, 97다34235). 15. 법원행시, 25. 경대편입

10. 몰수하여야 할 압수물이 멸실, 파손 또는 부패의 염려가 있거나 보관하기에 불편하여 형사소송법 제132조의 규정에 따라 매각하여 그 대가를 보관하는 경우에는 그 대가보관금을 몰수할 수 있다(대판 1996.11.11, 96도2477). 22. 법원행시, 23. 해경승진

11. 형법 제48조가 규정하는 몰수 · 추징의 대상은 범인이 범죄행위로 인하여 취득한 물건을 뜻하고, 여기서 '취득'이란 해당 범죄행위로 인하여 결과적으로 이를 취득한 때를 말한다고 제한적으로 해석함이 타당하다(대판 2021.7.21, 2020도10970).

12. 오락실업자, 상품권업자 및 환전소 운영자가 공모하여 사행성 전자식 유기기구에서 경품으로 배출된 상품권을 현금으로 환전하면서 그 수수료를 일정한 비율로 나누어 가지는 방식으로 영업을 한 경우 환전소 운영자가 환전소에 보관하던 현금 전부를 몰수할 수 있다(대판 2006.10.13, 2006도3302). 10. 법원직, 22. 법원행시

13. 휴대전화의 동영상 촬영기능을 이용하여 피해자를 촬영한 행위 자체가 범죄에 해당하는 경우, 휴대전화는 '범죄행위에 제공된 물건', 촬영되어 저장된 동영상은 휴대전화에 저장된 전자기록으로서 '범죄행위로 인하여 생긴 물건'에 각각 해당하고 이러한 경우 법원이 휴대전화를 몰수하지 않고 동영상만을 몰수하는 것도 가능하다(대판 2024.1.4, 2021도5723). 23. 변호사시험, 24. 경위공채, 25. 경찰승진 · 순경 1차 · 해경경사

---

⑩ **추징 · 폐기** : 몰수의 대상인 물건을 몰수하기 불능한 때에는 그 가액을 추징하고(제48조 제2항), 문서 · 도화 · 전자기록 등 특수매체기록 또는 유가증권의 일부가 몰수에 해당하면 그 부분을 폐기한다(제48조 제3항). 11. 법원행시

ⓐ 추징은 형법상의 형벌이 아니지만 실질적으로 부가형으로서의 성질을 가진다(대판 1989.2.14, 88도2211). 추징은 일종의 형으로서 검사가 공소를 제기함에 있어 관련 추징규정의

적용을 빠뜨렸다 하더라도 법원은 직권으로 이를 적용하여야 하는 것이다(대판 2007.1.25, 2006도8663). 16. 경찰간부, 24. 해경승진

ⓑ 수인이 공동하여 뇌물을 수수한 경우에는 각자가 실제로 분배받은 금품을 몰수하거나 그 가액을 추징하여야 하며, 수수한 뇌물을 공동으로 소비하였거나 분배액이 불명한 경우에는 평등하게 추징하여야 한다(대판 1975.4.22, 73도1963). 25. 9급 검찰·마약수사·철도경찰

ⓒ 추징가액을 산정하는 기준은 재판선고시의 가격(몰수불능시의 가격 ×, 취득가액 ×, 반환시의 가격 ×)을 기준으로 정한다(대판 1991.5.28, 91도352). 17. 9급 검찰, 21. 경찰간부, 23. 7급 검찰, 24. 해경간부, 25. 경위공채·순경 1차 따라서 추징가액은 범인이 그 물건을 보유하고 있다가 몰수의 선고를 받았더라면 잃게 될 이득상당액을 의미하므로, 추징하여야 할 가액이 몰수의 선고를 받았더라면 잃게 될 이득상당액을 초과하여서는 아니 된다(대판 2017.9.21, 2017도8611). 22. 경찰간부, 23. 9급 검찰·마약수사·철도경찰, 25. 법원직·해경경위

관련판례

1. 주형을 선고유예하는 경우에 몰수·추징을 선고유예할 수 있으며(대판 1979.4.10, 78도3098) 몰수(추징)만을 선고할 수도 있으나(대판 1990.4.27, 89도2291), 주형에 대해 선고유예를 하지 않으면서 이에 부가할 몰수·추징에 대해서만 선고유예를 할 수는 없다(대판 1988.6.21, 88도551). 18. 법원직, 21. 해경간부·해경승진, 23. 7급 검찰

2. 몰수나 추징을 선고하기 위하여는 공소가 제기된 공소사실과 관련되어 있어야 하나 그 공소사실에 관하여 이미 공소시효가 완성되어 유죄의 선고를 할 수 없는 경우에는 몰수나 추징도 할 수 없다(대판 1992.7.28, 92도700). 15. 순경 3차, 24. 해경간부, 25. 9급 검찰·마약수사·철도경찰

▶ 유사판례

① 몰수나 추징을 선고하기 위하여서는 몰수나 추징의 요건이 공소가 제기된 공소사실과 관련이 있어야 하고, 공소가 제기되지 아니한 별개의 범죄사실을 법원이 인정하여 그에 관하여 몰수나 추징을 선고하는 것은 불고불리의 원칙에 위반되어 허용되지 아니한다(대판 2010.5.13, 2009도11732). 23. 법원행시·9급 검찰·마약수사·철도경찰, 24. 변호사시험, 25. 법원직

② 우리 법제상 공소제기 없이 몰수만을 선고할 수 있는 제도가 마련되어 있지 아니하므로 실체판단에 들어가 공소사실을 인정하는 경우가 아닌 면소의 경우에는 원칙적으로 몰수도 할 수 없다(대판 2007.7.26, 2007도4556). 15. 9급 검찰·마약수사, 24. 순경 2차

③ 마약류 관리에 관한 법률 제67조의 몰수나 추징을 선고하기 위하여는 몰수나 추징의 요건이 공소가 제기된 범죄사실과 관련되어 있어야 하므로, 법원으로서는 범죄사실에서 인정되지 아니한 사실에 관하여는 몰수나 추징을 선고할 수 없다(대판 2016.12.15, 2016도16170 예 범죄사실에서 필로폰 양을 특정할 수 없는 경우 ⇨ 추징 ×). 18. 법원행시·순경 3차

3. 몰수대상은 반드시 압수되어 있는 물건에 제한되지 않으므로 몰수대상물건의 압수 여부 및 적법절차에 의한 압수 여부는 몰수의 요건이 아니다(대판 2003.5.30, 2003도705 ∴ 효력을 상실한 압수·수색영장에 기하여 다시 압수를 실시하여 압수해 온 물건을 몰수할 수 있다). 따라서 판결선고 전 검찰에 의해 압수된 후 피고인에게 환부된 물건도 몰수할 수 있다(대판 1977.5.24, 76도4001). 19. 경찰승진, 21. 경찰간부, 22. 해경 2차·7급 검찰, 23. 법원직·9급 검찰·마약수사, 24. 해경간부 25. 해경경위

4. 징역형의 집행유예와 추징의 선고를 받은 자에 대하여 징역형의 선고의 효력을 상실케 하는 동시에 복권하는 특별사면이 있는 경우에 추징에 대하여도 형선고의 효력이 상실된다고 볼 수 없다(대결 1996.5.14, 96모14). 12. 경찰승진, 14. 7급 검찰

5. 범인이 직접 또는 간접적으로 점유하던 밀수출 대상 물품을 압수한 경우에는 그 물품이 제3자의 소유에 속하더라도 관세법상 밀수출범죄의 필요적 몰수 대상이 된다(대결 2017.9.29, 2017모236). 21. 해경승진

- **몰수·추징의 목적** : 범죄행위로 인한 이득을 박탈하여 부정한 이익을 보유하지 못하게 한 경우 ⇨ 몰수·추징의 범위는 피고인이 실질적으로 취득하거나 그에게 귀속된 이익에 한정된다.

1. 형법상의 몰수·추징 : 공무원의 직무에 속한 사항의 알선에 관하여 금품을 받은 범인이 그 금품 중의 일부를 받은 취지에 따라 청탁과 관련하여 관계공무원에게 뇌물로 공여한 경우에는 그 부분의 이익은 실질적으로 그 범인에게 귀속된 것이 아니어서 그 범인으로부터는 이를 제외한 나머지 금품만을 몰수하거나 그 가액을 추징하여야 한다(대판 2002.6.14, 2002도1283). 24. 변호사시험·법원직

2. 변호사법상의 몰수·추징 : 수인이 공동하여 공무원이 취급하는 사건 또는 사무에 관하여 청탁을 한다는 명목으로 받은 금품을 분배한 경우에는 각자로부터 실제로 분배받은 금품만을 개별적으로 몰수하거나 그 가액을 추징하여야 한다(대판 1996.11.29, 96도2490). 12. 법원행시·순경 2차

3. 성매매알선 등 행위를 한 주범이 공범인 직원에게 급여를 지급한 경우, 주범이 이를 범죄수익 분배의 일환으로 지급한 것이 아니라 단순히 범죄수익을 얻기 위하여 비용 지출의 일환으로 공범인 직원에게 급여를 지급한 것에 불과하다면 공범인 직원에 대하여 성매매알선 등 행위의 처벌에 관한 법률 제25조 후단에 의한 추징은 허용될 수 없다(대판 2024.9.27, 2024도8707 ∵ 위 추징은 부정한 이익을 박탈하여 이를 보유하지 못하게 함에 그 목적이 있는 것이라 할 것이므로, 수인이 공동으로 성매매알선 등 행위를 하여 이익을 얻은 경우에는 각자에게 실질적으로 귀속된 이익금을 개별적으로 추징하여야 한다. 한편 범죄수익을 얻기 위해 범인이 지출한 비용은 그것이 범죄수익으로부터 지출되었다 하더라도 범죄수익을 소비하는 방법에 지나지 않으므로 추징할 범죄수익에서 공제할 것은 아니다).

4. 부패방지법 제86조 제3항의 규정에 의한 필요적 몰수 또는 추징의 경우 범인 또는 그 정을 아는 제3자가 재물을 취득하면서 그 대가를 지급하였다고 하더라도 범죄행위로 취득한 재물 자체를 몰수하고, 몰수가 불가능하다면 그 가액 상당을 추징하는 것이며, 재물을 취득하기 위한 대가로 지급한 금원 등을 뺀 나머지를 추징해야 하는 것은 아니고, 그 결과 추징액이 실제 범인이 재물의 취득으로 받은 이익을 초과한다고 하더라도 헌법상의 재산권 보장, 과잉금지의 원칙 등에 위배된다고 할 수는 없다(대판 2015.11.12, 2015도9123).

5. 공공단체 등 위탁선거에 관한 법률 제60조에 의한 필요적 몰수 또는 추징 : 축산업협동조합장 선거에 출마한 피고인이 선거운동을 목적으로 선거인 甲 또는 선거인의 가족 乙에게 제공한 금전을 그대로 돌려받았다면 제공자인 피고인으로부터 이를 몰수하거나 그 가액을 추징하여야 한다(대판 2017.5.17, 2016도11941).

- **몰수·추징의 취지** : 범죄행위로 인한 이득박탈이 목적이 아니라 범죄사실에 대한 징벌적 제재의 성격을 갖는 경우 ⇨ 이득을 취득하지 않은 경우에도 추징을 명하고 각 범칙자 전원에 대하여 그 가액 전부의 추징을 명해야 한다.

1. 마약류관리에 관한 법률 제67조에 의한 몰수나 추징은 범죄행위로 인한 이득의 박탈을 목적으로 하는 것이 아니라 징벌적 성질의 처분이므로, 그 범행으로 인하여 이득을 취득한 바 없다 하더라도 법원은 그 가액의 추징을 명하여야 한다〔대판 2000.9.8, 2000도546 : 이때 수수한 의약품(히로뽕) 가액 전액을 추징하면 되지 직접 투약한 부분에 대한 가액의 별도 추징 불가능〕. 19. 경찰승진, 22. 법원행시, 23. 법원직, 24. 순경 2차, 25. 경위공채

2. 관세법상 추징은 일반 형사법에서의 추징과는 달리 징벌적 성격을 띠고 있어 여러 사람이 공모하여 관세를 포탈하거나 관세장물을 알선, 운반, 취득한 경우에는 그 물품의 범칙 당시의 국내도매가격 상당의 가액 전액을 그 물품의 소유 또는 점유사실의 유무를 불문하고 범칙자 전원으로부터 각각 추징할 수 있다(대판 2007.12.28, 2007도8401). 16. 법원행시 외국환관리법상 몰수·추징(대판 1998.5.21, 95도2002), 19. 법원행시 밀항단속법상의 몰수와 추징은 여러 사람이 공모하여 죄를 범하고도 몰수대상인 수수 또는 약속한 보수를 몰수할 수 없을 때에는 공범자 전원에 대하여 그 보수액 전부의 추징을 명하여야 한다(대판 2008.10.9, 2008도7034). 15. 법원직

3. 특정경제범죄가중처벌 등에 관한 법률 제10조 제3항, 제1항에 의한 몰수·추징은 징벌적 성격의 처분이라고 보는 것이 상당하므로 그 도피재산이 피고인들이 아닌 회사의 소유라거나 피고인들이 이를 점유하고 그로 인하여 이득을 취한 바가 없다고 하더라도 피고인들 모두에 대하여 그 도피재산의 가액 전부의 추징을 명하여야 한다(대판 2005.4.29, 2002도7262). 16. 사시

- **추징관련 판례**

1. 뇌물에 공할 금품이 특정되지 않았던 것은 몰수할 수 없고 그 가액을 추징할 수도 없다(대판 1996.5.8, 96도221 예 甲이 공무원 A에게 승용차 대금 명목으로 1,400만원을 뇌물로 제공하기로 약속한 경우, 뇌물로 약속된 승용차대금 명목의 금품은 특정되지 않아 이를 몰수할 수 없었으므로 그 가액을 추징할 수 없다. ∵ 추징은 몰수할 수 있었음을 전제로 하는 것임). 추징의 대상이 되는지 여부는 엄격한 증명을 필요로 하는 것은 아니나, 그 대상이 되는 범죄수익을 특정할 수 없는 경우에는 추징할 수 없다(대판 2007.6.14, 2007도2451). 17. 경찰간부·9급 검찰, 18. 순경 3차, 24. 해경승진

2. 범죄행위로 인하여 물건을 취득하면서 그 대가를 지급하였다고 하더라도 범죄행위로 취득한 것은 물건 자체이고, 이는 몰수되어야 할 것이나 이미 처분되어 없다면 그 가액 상당을 추징할 것이고, 그 가액에서 이를 취득하기 위한 대가로 지급한 금원(예 범죄행위로 취득한 주식의 취득대가)을 뺀 나머지를 추징해야 하는 것은 아니다(대판 2005.7.15, 2003도4293). 15. 9급 검찰·마약수사, 17. 경찰간부, 22. 해경간부, 24. 해경승진

3. 금품의 무상대여를 통하여 위법한 재산상 이익을 취득한 경우 범인이 받은 부정한 이익은 그로 인한 금융이익 상당액이므로 추징의 대상이 되는 것은 무상으로 대여받은 금품 그 자체가 아니라 위 금융이익 상당액이다(대판 2008.9.25, 2008도2590). 17. 경찰간부, 19. 경찰승진, 20. 해경승진, 22. 경찰간부

4. 공무원이 뇌물취득을 위하여 상대방에게 뇌물액에 상당하는 금원의 일부를 비용명목으로 출연하거나 경제적 이익을 제공한 경우 ⇨ 그 받은 뇌물 자체를 몰수·추징한다(대판 1999.10.8, 99도1638 ∵ 뇌물을 받는 데 지출한 부수적 비용에 불과). 19. 변호사시험·법원행시, 22. 경찰간부

▶ **유사판례** : 공무원이 뇌물을 받는 데에 **필요한 경비를 지출한** 경우 그 경비는 뇌물수수의 **부수적 비용에 불과**하여 뇌물의 가액과 추징액에서 **공제할 항목에 해당하지 않는다.** 뇌물을 받는 주체가 아닌 자가 수고비로 받은 부분이나 뇌물을 받기 위하여 **형식적으로 체결된 용역계약에 따른 비용으로** 사용된 부분은 **뇌물수수의 부수적 비용**에 지나지 않는다(대판 2017.3.22, 2016도21536). 17. 7급 검찰·마약수사·철도경찰·법원행시, 18. 경찰간부, 24. 법원직

5. 甲주식회사 대표이사인 피고인이 금융기관에 청탁하여 乙주식회사가 대출을 받을 수 있도록 알선행위를 하고 그 대가로 용역대금 명목의 수수료를 甲회사 계좌를 통해 송금받아, 위 **수수료에 대한 권리가 甲회사에 귀속**된다 하더라도 행위자인 피고인으로부터 **수수료로 받은 금품을 몰수 또는 그 가액을 추징**할 수 있으므로, 피고인이 **개인적으로 실제 사용한 금품이 없더라도** 마찬가지라고 볼 것이다(대판 2015.1.15, 2012도7571). 19. 변호사시험, 21. 경찰간부, 22. 해경 2차, 23. 해경승진, 25. 해경경위

6. 변호사법 위반의 범행으로 금품을 취득한 경우 그 범행과정에서 **지출한 비용**이 있더라도 추징할 금원을 산정할 때 그 금품의 가액에서 위 지출 비용을 공제할 수는 없다(대판 2008.10.9, 2008도6944). 14. 순경 1차, 19. 경찰승진

   예 변호사가 형사사건 피고인으로부터 담당판사에 대한 교제 명목으로 받은 돈의 일부를 **공동변호** **명목으로 다른 변호사에게 지급한 경우,** 이는 변호사법 위반으로 취득한 재물의 소비방법에 불과하므로 위 돈을 추징에서 **제외할 수 없다**(대판 2006.11.23, 2005도3255). 09. 법원행시

7. 뇌물을 수수한 자가 뇌물의 공동수수자가 아닌 교사범 또는 종범에게 뇌물 중 일부를 **사례금 명목으로 교부**하였다 하더라도, **뇌물수수자에게서 수뢰액 전부를 추징**하여야 한다(대판 2011.11.24, 2011도9585). 15. 법원직, 18. 변호사시험·순경 3차, 21. 법원행시·7급 검찰

   ▶ **비교판례** : 마약류 불법거래 방지에 관한 특례법 제6조를 위반하여 마약류를 수출입·제조·매매하는 행위 등을 업으로 하는 범죄행위의 정범이 그 범죄행위로 얻은 수익은 몰수·추징의 대상이 된다. 그러나 **정범으로부터 대가를 받고 판매할 마약을 공급하는 방법으로 범행을 용이하게 한 방조범**은 정범의 범죄행위로 인한 수익을 정범과 공동으로 취득하였다고 평가할 수 없다면 정범과 같이 추징할 수는 없고, 그 **방조범으로부터는 방조행위로 얻은 재산** 등에 한하여 **몰수·추징**할 수 있다고 보아야 한다(대판 2021.4.29, 2020도16369). 21. 법원행시

8. 알선의뢰인이 알선수재자에게 공무원이나 금융기관 임직원의 직무에 속한 사항에 관한 알선의 대가를 형식적으로 체결한 고용계약에 터잡아 **급여의 형식으로 지급한 경우**에, 알선수재자가 수수한 알선수재액은 **명목상 급여액이 아니라** 원천징수된 근로소득세 등을 제외하고 알선수재자가 **실제 지급받은 금액**으로 보아야 하고, 또한 위 금액만을 몰수·추징하여야 한다(대판 2012.6.14, 2012도534). 18. 법원행시

9. **금원이나 자기앞수표**를 뇌물로 받아 이를 **소비**하거나 뇌물인 수표를 **예금**한 후 동액 상당의 **현금**을 증뢰자에게 **반환**한 경우 ⇨ **수뢰자로부터** 그 가액 추징(대판 1999.1.29, 98도3584 ∵ 뇌물 그 자체의 **반환** ×) 23. 법원직, 24. 변호사시험·순경 1차, 25. 경대편입

10. 수뢰자가 뇌물을 그대로 보관하였다가 증뢰자에게 반환한 경우 ⇨ 증뢰자로부터 몰수·추징(대판 1984.2.28, 83도2783) 16. 9급 검찰·마약수사, 23. 법원직, 25. 순경 1차·해경경위공채

   ▶ **유사판례** : 수재자가 증재자로부터 받은 재물을 그대로 가지고 있다가 증재자에게 반환하였다면 **증재자로부터 이를 몰수하거나 그 가액을 추징**하여야 한다(대판 2017.4.7, 2016도18104). 18. 법원행시·순경 3차, 23. 경찰승진, 26. 변호사시험

11. 뇌물로 받은 돈을 그 후 다른 사람에게 다시 뇌물로 공여한 경우 수뢰액 전부를 (제1)수뢰자로부터 추징하여야 한다(대판 1986.11.25, 86도1951). 13. 7급 검찰, 24. 법원직

12. 상상적 경합관계에 있는 사기죄와 변호사법 위반죄에 대하여 형이 더 무거운 사기죄로 처벌하면서도, 필요적 몰수·추징에 관한 구 변호사법 제116조, 제111조에 의하여 청탁 명목으로 받은 금품 상당액을 추징한 것은 정당하다(대판 2006.1.27, 2005도8704). 21. 변호사시험, 22. 법원행시

13. 공무원의 직무에 속한 사항의 알선에 관하여 금품을 받음에 있어 타인의 동의하에 그 타인 명의의 예금계좌로 입금받는 방식을 취하였다고 하더라도 이는 범인이 받은 금품을 관리하는 방법의 하나에 지나지 아니하므로, 그 가액 역시 범인으로부터 추징하지 않으면 안 된다고 할 것이다(대판 2006. 10.27, 2006도4659). 14. 사시

14. 수뢰자가 금품의 무상차용을 통하여 위법한 재산상 이익을 취득한 경우, 추징의 대상이 되는 금융이익 상당액은 금융기관으로부터 대출받는 등 통상적인 방법으로 자금을 차용하였을 경우 부담하게 될 대출이율을 기준으로 하거나, 그 대출이율을 알 수 없는 경우에는 금품을 제공받은 피고인의 지위에 따라 민법 또는 상법에서 규정하고 있는 법정이율을 기준으로 하여 금융이익의 수액을 산정한 뒤 추징한다(대판 2014.5.16, 2014도1547). 15. 법원직

15. 범죄수익은닉의 규제 및 처벌 등에 관한 법률에 정한 중대범죄에 해당하는 범죄행위에 의하여 취득한 것으로 재산적 가치가 인정되는 무형재산도 몰수할 수 있다〔대판 2018.5.30, 2018도3619 **예** 피고인이 음란물유포 인터넷사이트를 운영하면서 정보통신망 이용촉진 및 정보보호 등에 관한 법률 위반(음란물유포)죄와 도박개장방조죄에 의하여 비트코인(Bitcoin)을 취득한 경우, 비트코인은 재산적 가치가 있는 무형의 재산이라고 보아야 하고, 몰수의 대상인 비트코인이 특정되어 있으므로, 피고인이 취득한 비트코인을 몰수할 수 있다〕. 22. 법원행시·해경간부, 23. 해경승진, 24. 경위공채

▶ **비교판례** : 형법 제48조는 몰수의 대상을 '물건'으로 한정하고 있다. 이는 범죄행위에 의하여 생긴 재산 및 범죄행위의 보수로 얻은 재산을 범죄수익으로 몰수할 수 있도록 한 범죄수익은닉의 규제 및 처벌 등에 관한 법률이나 범죄행위로 취득한 재산상 이익의 가액을 추징할 수 있도록 한 형법 제357조(배임수재죄) 등의 규정과는 구별된다(대판 2021.10.14, 2021도7168).

예 ① 정보통신망을 통하여 음란한 화상 또는 영상을 배포하고 도박 사이트를 홍보한 경우, 그 범죄행위에 이용된 웹사이트를 매각하여 취득한 대가는 형법 제48조 제1항 제2호, 제2항이 규정한 추징의 대상에 해당하지 않는다〔대판 2021.10.14, 2021도7168 ∵ 위 웹사이트는 범죄행위에 제공된 무형의 재산에 해당할 뿐 형법 제48조 제1항 제2호에서 정한 '범죄행위로 인하여 생(生)하였거나 이로 인하여 취득한 물건'에 해당하지 않으므로〕. 23. 변호사시험·법원행시·7급 검찰, 24. 경위공채, 25. 경찰승진·순경 1차·9급 검찰·마약수사·철도경찰

② 피고인이 운영하는 인터넷 사이트 등을 이용하여 도박사이트를 홍보하면서 위 도박사이트 운영자로부터 피고인 명의 은행 계좌로 송금받는 방법으로 범행의 보수를 받는 경우 범행의 보수를 받는 경우 피고인은 은행에 대한 예금채권을 취득할 뿐이어서 이를 형법 제48조 제1항 각호의 '물건'에 해당한다고 보기는 어렵다. 따라서 피고인이 계좌송금을 통해 취득한 범행의 보수는 형법 제48조 제1항 제2호, 제2항이 규정한 추징의 대상에 해당하지 아니한다(대판 2023.1.12, 2020도2154). 24. 경위공채

③ 피고인들이 공모하여 외국인 개인정보 유통 브로커로부터 매입한 외국인등록증 이미지 파일로 '선불 이동전화 가입신청서'를 위조·행사하여 선불 이동전화를 개통하고, 개통한 회선

명의자의 정보를 이용하여 개설한 인터넷 사이트 계정을 판매하며, 휴대전화 개통수수료 및 인터넷 계정 판매수익을 은행 계좌로 송금·이체 받은 경우, 위 수익금은 형법 제48조 제1항의 '물건'이라고 보기 어려워 형법상 추징 대상에 해당하지 않는다(대판 2025.7.16, 2025 도4876). 26. 경찰승진

16. 피고인이 뇌물로 받은 주식이 압수되어 있지 않고 주주명부상 피고인의 배우자 명의로 등재되어 있으며, 위 배우자는 몰수의 선고를 받은 자가 아니어서 그에 대해서는 몰수물의 제출을 명할 수도 없고, 몰수를 선고한 판결의 효력도 미치지 않으므로 몰수하는 대신 그 가액을 추징할 수 있다(대판 2005.10.28, 2005도5822).

17. 수인이 공모하여 도박개장을 하여 이익을 얻은 경우에도 실질적으로 귀속된 이익이 없는 피고인에 대하여는 추징을 할 수 없다(대판 2007.10.12, 2007도4695).

18. 피고인들이 보이스피싱 사기 범죄단체의 구성원으로 활동하면서 그 범죄수익이 사기죄의 피해자로부터 취득한 재산에 해당하여도 범죄수익은닉의 규제 및 처벌 등에 관한 법률에 의하여 추징의 대상이 된다(대판 2017.10.26, 2017도8600).

19. 안마사 자격이 없는 종업원들을 고용한 안마시술업소에서 행한 마사지와 유사성교행위로 인한 손님 으로부터 지급받는 서비스대금은 그 전부가 마사지 대가이면서 동시에 유사성교행위의 대가라고 보아 유사성교행위가 포함된 서비스대금 전액을 추징한다(대판 2018.2.8, 2014도10051).

20. 피고인이 총책인 甲 등이 불법 인터넷 도박 사이트를 개설하여 운영하는 데 이용될 대포통장을 제공 함으로써, 피고인이 대포통장 제공의 대가로 얻은 수익은 도박 사이트 운영자들이 범행을 위해 지출한 비용이자 피고인이 전자금융거래법 위반 행위로 얻은 이익으로 봄이 타당하고, 피고인이 도박 사이트 운영자들과 공동으로 국민체육진흥법 위반(도박개장 등) 범행을 저지른 뒤 이익을 분배받은 것으로 보기는 어려우므로, 피고인으로부터 국민체육진흥법에 따른 추징은 허용되지 않는다(대판 2020.5.28, 2020도2074). 21. 법원행시

21. 부패재산의 몰수 및 회복에 관한 특례법 제6조 제1항, 제3조 제1항, 제2조 제3호에서 정한 몰수·추징의 원인이 되는 범죄사실은 공소제기된 범죄사실에 한정되고, '범죄피해재산'은 그 공소제기된 범죄사실 피해자로부터 취득한 재산 또는 그 재산의 보유·처분에 의하여 얻은 재산에 한정되며, 그 피해자의 피해회복이 심히 곤란하다고 인정되는 경우(범죄피해자가 그 재산에 관하여 범인에 대한 재산반환청구권 또는 손해배상청구권 등을 행사할 수 없는 등)에만 몰수·추징이 허용된다(대판 2022.11.17, 2022도8662). 23. 법원행시

22. 도박공간을 개설한 자가 도박에 참가하여 얻은 수익은 도박공간개설을 통하여 간접적으로 얻은 이익에 당연히 포함된다고 보기 어려우므로, 전체 범죄수익 중 피고인이 직접 도박에 참가하여 얻은 수익은 도박공간개설의 범죄로 인한 추징 대상에서 제외하고 그 차액만을 추징하여야 한다(대판 2022.12.29, 2022도8592). 24. 법원행시, 25. 경찰승진·순경 1차

23. 뇌물수수나 알선수재에 이용된 공급계약이 실제 공급이 없는 형식적 계약에 불과하여 부가가치세 과세대상이 아니라면 그에 관한 납세의무가 없으므로, 설령 부가가치세 명목의 금전을 포함한 대가를 받았다고 하더라도 그 일부를 부가가치세로 거래 징수하였다고 할 수 없어 수수한 금액 전부가 범죄로 얻은 이익에 해당하여 추징대상이 되며, 그 후에 이를 부가가치세로 신고·납부하였다고 하더라도 달리 볼 수 없다(대판 2015.1.15, 2012도7571). 24. 법원행시

24. 성매매알선 행위자인 피고인들이 자신의 성매매알선영업에 필요한 장소인 오피스텔 각 호실을 임차하기 위해 보증금을 임대인에게 지급한 행위가 '성매매에 제공되는 사실을 알면서 자금을 제공하는 행위'에 해당하므로, 위 오피스텔 각 호실에 관한 임대차보증금반환채권은 범죄수익은닉의 규제 및 처벌 등에 관한 법률에 따른 몰수의 대상이 된다(대판 2020.10.15, 2020도960). 24. 법원행시

25. 마약류 관리에 관한 법률상의 추징은 징벌적 성질을 가진 처분이므로 마약류의 소유자나 최종 소지인뿐만 아니라 동일한 마약류를 취급한 자들에 대하여도 그 취급한 범위 내에서 가액 전부의 추징을 명하여야 하지만, 그 소유자나 최종 소지인으로부터 마약류의 전부 또는 일부를 몰수하였다면 다른 취급자들과의 관계에 있어서도 실질상 이를 몰수한 것과 마찬가지이므로 그 몰수된 마약류의 가액 부분은 이를 추징할 수 없다(대판 2009.6.11, 2009도2819). 24. 법원행시, 25. 경대편입

26. 공무원이 증뢰자와 함께 향응을 하고 증뢰자가 소요금원을 지출한 경우(대판 2001.10.12, 99도5294)
   - 각자에 요한 비용액이 불명인 때 ⇨ 평등하게 분할한 액이 수뢰액이다.
   - 전체 소요금원 − 증뢰자의 소비비용액 = 수뢰자의 수뢰액(피고인의 접대에 요한 비용임)
   - 향응을 제공받는 자리에 피고인(수뢰자) 스스로 제3자를 초대해서 함께 접대를 받은 경우 ⇨ 제3자의 접대에 요한 비용도 피고인의 접대에 요한 비용에 포함시킨다(단, 제3자가 피고인과는 별도의 지위에서 접대를 받는 공무원이라는 특별한 사정이 있는 경우는 제외). 16. 경찰간부, 26. 변호사시험

(4) 명예형

① 자격상실

> **제43조【형의 선고와 자격상실, 자격정지】** ① 사형, 무기징역 또는 무기금고의 판결을 받은 자는 다음에 기재한 자격을 상실한다.
> 1. 공무원이 되는 자격
> 2. 공법상의 선거권과 피선거권
> 3. 법률로 요건을 정한 공법상의 업무에 관한 자격
> 4. 법인의 이사, 감사 또는 지배인 기타 법인의 업무에 관한 검사역이나 재산관리인이 되는 자격

🔔 사형·무기징역·무기금고의 판결을 받은 경우 그 형의 효력으로 일정한 자격이 당연히 상실된다.

② 자격정지 : 일정기간 동안 일정한 자격의 전부 또는 일부를 정지시키는 것을 말한다. 형법은 자격정지를 선택형 또는 병과형으로 규정하고 있으며, 당연정지와 선고정지가 있다.

㉠ 당연정지

> **제43조【형의 선고와 자격상실, 자격정지】** ② 유기징역 또는 유기금고의 판결을 받은 자는 그 형의 집행이 종료하거나 면제될 때까지 전항 제1호 내지 제3호에 기재된 자격이 정지된다. 12. 7급 검찰 다만, 다른 법률에 특별한 규정이 있는 경우에는 그 법률에 따른다. 20. 법원행시, 21. 해경승진, 22. 순경 2차

ⓒ 선고정지

> **제44조【자격정지】** ① 전조에 기재한 자격의 전부 또는 일부에 대한 정지는 1년(1개월 ×) 이상 15년
> 이하로 한다. 17. 법원직, 20. 법원행시
> ② 유기징역 또는 유기금고에 자격정지를 병과한 때에는 징역 또는 금고의 집행을 종료하거나 면제
> 된 날로부터 정지기간을 기산한다. 12. 7급 검찰, 14. 법원행시

🔑 Key Point 형벌의 범위 총정리

징역 · 금고	무 기	종신(단, 20년이 경과한 후에는 가석방이 가능)
	유 기	1개월 이상 30년 이하(단, 가중시는 50년 이하)
	구 류	1일 이상 30일 미만
자격정지	당연정지(제43조 제2항)	형 집행의 종료 또는 면제시까지
	선고에 의한 정지(제44조)	1년 이상 15년 이하
	벌 금	5만원 이상
	과 료	2,000원 이상 5만원 미만

3 형의 경중

> **제50조【형의 경중】** ① 형의 경중은 제41조 각 호의 순서에 따른다. 다만, 무기금고와 유기징역은 무기
> 금고를 무거운 것으로 하고 유기금고의 장기가 유기징역의 장기를 초과하는 때에는 유기금고를 무거운
> 것으로 한다. 20. 법원행시
> ② 같은 종류의 형은 장기가 긴 것과 다액이 많은 것을 무거운 것으로 하고 장기 또는 다액이 같은 경우
> 에는 단기가 긴 것과 소액이 많은 것을 무거운 것으로 한다.
> ③ 제1항 및 제2항을 제외하고는 죄질과 범정을 고려하여 경중을 정한다.

① 형의 경중은 제41조 기재의 순서에 의한다(제50조 제1항 본문). 즉, 사형 > 징역 > 금고 > 자격상
   실 > 자격정지 > 벌금 > 구류 > 과료 > 몰수의 순이다. 10. 경찰승진, 20. 법원직
② **동종의 형** : 장기의 긴 것과 다액의 많은 것이 더 중하고, 장기 또는 다액이 동일한 때에는
   단기의 긴 것과 소액의 많은 것이 더 중하다(제50조 제2항).

1 몰수는 원칙적으로 타형에 부가하여 과하는 부가형이므로, 몰수의 요건이 있는 경우라도 행위자에게 유죄의 재판을 하지 아니할 때에는 몰수만을 선고할 수 없다. (   )
18. 법원직·순경 2차, 21. 7급 검찰, 23. 경찰승진, 24. 해경승진

2 체포될 당시에 미처 송금하지 못하고 소지하고 있던 자기앞수표나 현금은 장차 실행하려고 한 외국환거래법 위반의 범행에 제공하려는 물건으로서 몰수할 수 있다. (   )
19. 경력채용, 22. 해경간부·법원직, 23. 해경승진, 25. 경찰승진·해경경위공채

3 형법 제48조 제1항의 '범인'에는 공범자도 포함되므로 피고인의 소유물은 물론 공범자의 소유물도 그 공범자의 소추 여부를 불문하고 몰수할 수 있고, 여기에서의 공범자에는 공동정범, 교사범, 방조범에 해당하는 자는 물론 필요적 공범관계에 있는 자도 포함된다. (   )
22. 변호사시험, 23. 9급 검찰·마약수사·철도경찰, 24. 순경 1차, 25. 경위공채·법원직·해경경위

4 피해자로 하여금 사기도박에 참여하도록 유인하기 위하여 고액의 수표를 제시해 보이기만 한 경우 그 수표가 직접적으로 도박자금으로 사용되지 아니한 이상 몰수할 수 없다. (   )
17. 9급 검찰·마약수사·철도경찰, 19. 법원행시, 22. 변호사시험·법원직, 23. 경찰승진

5 범죄실행행위의 착수 전의 행위 또는 실행행위의 종료 후에 사용한 물건이더라도 그것이 범죄행위의 수행에 실질적으로 기여하였다고 인정되는 한, 몰수의 대상인 범죄행위에 제공한 물건에 포함된다. (   )
23. 경찰승진·7급 검찰, 24. 해경간부·순경 1차, 25. 9급 검찰·마약수사·철도경찰·경위공채

6 휴대전화의 동영상 촬영기능을 이용하여 피해자를 촬영한 행위 자체가 범죄에 해당하는 경우, 휴대전화는 '범죄행위에 제공된 물건'이지만, 촬영되어 저장된 동영상은 휴대전화에 저장된 전자기록으로서 '범죄행위로 인하여 생긴 물건'이 아니므로 법원이 휴대전화를 몰수하지 않고 동영상만을 몰수할 수는 없다. (   )
23. 변호사시험, 24. 경위공채, 25. 경찰승진·순경 1차·해경경사

7 몰수하기 불능한 때에 추징하여야 할 가액은 범인이 그 물건을 보유하고 있다가 몰수의 선고를 받았더라면 잃었을 이득상당액을 의미한다고 보아야 할 것이므로 그 가액산정은 판결선고시의 가격을 기준으로 하여야 한다. (   )
21. 경찰간부, 23. 7급 검찰, 24. 해경간부, 25. 순경 1차·경위공채

8 주형인 징역형의 선고를 유예할 경우에도 추징을 선고할 수 있다. (   )
18. 법원직, 21. 해경간부, 23. 7급 검찰

9 공소가 제기되지 않은 별개의 범죄사실을 법원이 인정하여 그에 관하여 몰수나 추징을 선고할 수 있다. (   )
23. 9급 검찰·마약수사·철도경찰, 24. 변호사시험, 25. 법원직

10 몰수대상 물건이 적법한 절차를 거치지 않고 압수된 경우에는 이를 몰수할 수 없다. (   )
19. 경찰승진, 21. 경찰간부, 22. 해경간부, 23. 법원직·9급 검찰·마약수사·7급 검찰, 25. 해경경위

Answer ▸ 1. × 2. × 3. ○ 4. × 5. ○ 6. × 7. ○ 8. ○ 9. × 10. ×

11 자기앞수표를 뇌물로 받아 모두 소비한 후 액면 상당의 현금을 반환한 경우에도 수뢰자로부터 그 가액을 추징하여야 한다. ( )
12. 법원행시 · 변호사시험, 23. 법원직

12 수뢰자가 뇌물을 그대로 보관하였다가 증뢰자에게 반환한 때에도 수뢰자에게 그 가액을 추징하여야 한다. ( )
17. 9급 검찰 · 마약수사 · 철도경찰, 23. 법원직, 24. 변호사시험 · 순경 1차, 25. 경대편입

13 몰수는 특정된 물건에 대한 것이므로 뇌물에 공할 금품이 특정되지 않았던 것은 몰수할 수 없지만 그 가액을 추징할 수는 있다. ( )
17. 경찰간부, 18. 순경 3차, 24. 해경승진

14 범죄행위로 인하여 주식을 취득하면서 그 대가를 지급하였더라도 그 주식 자체가 몰수되어야 하지만, 주식이 이미 처분되고 없어 그 가액상당을 추징할 때에도 대가로 지급한 금원을 뺀 나머지를 추징하여야 하는 것은 아니다. ( )
15. 9급 검찰 · 마약수사, 17. 경찰간부, 22. 해경간부, 24. 해경승진

15 금품의 무상차용을 통하여 위법한 재산상 이익을 취득한 경우 범인이 받은 부정한 이익은 무상으로 대여받은 금품 그 자체이므로 추징의 대상은 금품 그 자체다. ( )
17. 경찰간부, 19. 경찰승진, 20. 해경승진, 22. 해경간부

16 향정신성의약품을 수수하여 그중 일부를 직접 투약한 경우에는 수수한 향정신성의약품의 가액뿐만 아니라 직접 투약한 부분에 대한 가액을 별도로 추징하여야 한다. ( )
19. 경찰승진, 21. 법원행시, 23. 법원직, 24. 순경 2차, 25. 경위공채

17 뇌물을 수수한 자가 뇌물의 공동수수자가 아닌 교사범 또는 종범에게 뇌물 중 일부를 사례금 명목으로 교부하였다 하더라도, 뇌물수수자에게서 수뢰액 전부를 추징하여야 한다. ( )
15. 법원직, 18. 변호사시험 · 순경 3차, 21. 법원행시 · 7급 검찰

18 甲주식회사 대표이사가 금융기관에 청탁하여 乙주식회사의 대출을 알선하고 그 대가로 용역대금 명목의 수수료를 받아 특정경제범죄 가중처벌 등에 관한 법률 위반죄를 범한 경우, 수수료에 대한 권리는 甲회사에 귀속되기 때문에 수수료로 받은 금품을 몰수 또는 그 가액을 추징할 수 없다. ( )
19. 변호사시험, 21. 경찰간부, 22. 법원행시 · 해경 2차, 23. 해경승진, 24. 해경경위

19 피고인이 정보통신망법 위반(음란물유포)죄와 도박개장방조죄의 대가로 취득한 비트코인은 비록 특정되어 있더라도, 재산적 가치가 인정되지 않는 무형재산이므로 몰수할 수 없다. ( )
22. 법원행시 · 해경간부 · 해경 2차, 23. 해경승진, 24. 경위공채

20 음란물 유포 인터넷 사이트를 운영하면서 음란물유포죄에 의하여 취득한 비트코인(Bitcoin)은 형법뿐만 아니라 범죄수익은닉의 규제 및 처벌 등에 관한 법률에 의해서도 몰수할 수 없다. ( )
23. 변호사시험 · 7급 검찰, 24. 경위공채, 25. 경찰승진 · 순경 1차 · 9급 검찰 · 마약수사 · 철도경찰

21 형법 제247조의 도박장소 등 개설죄로 유죄를 선고받은 자가 도박에 직접 참가하여 얻은 수익은 도박공간개설을 통하여 간접적으로 얻은 이익에 포함되므로 도박공간개설로 얻은 범죄수익으로 몰수하거나 추징할 수 있다. ( )
24. 법원행시, 25. 경찰승진 · 순경 1차

Answer ► 11. ○ 12. × 13. × 14. ○ 15. × 16. × 17. ○ 18. × 19. × 20. × 21. ×

01 다음 중 형의 종류와 경중에 대한 설명으로 가장 옳지 않은 것은?(다툼이 있는 경우 판례에 의함)

21. 해경승진

① 징역은 금고보다 무거운 형이지만, 유기금고의 장기가 유기징역의 장기를 초과하는 때에는 금고를 중한 것으로 한다.

② 유기징역 또는 유기금고의 판결을 받은 자는 그 형의 집행이 종료하거나 면제될 때까지 공무원이 되는 자격이 정지된다. 다만 다른 법률에 특별한 규정이 있는 경우에는 그 법률에 따른다.

③ 징역형의 집행유예와 벌금형이 병과된 신청인에 대하여 징역형의 집행유예의 효력을 상실케 하는 내용의 특별사면이 있다면, 그 벌금형의 선고의 효력을 상실케 한다.

④ 벌금은 5만원 이상으로 하며, 판결확정일로부터 30일 이내에 납입하여야 한다.

> 해설 ① 제50조 제1항
> ② 제43조
> ③ × : ~ 특별사면이 있는 경우, 그 특별사면의 효력이 병과된 나머지 형에까지 미치는 것은 아니므로 그 벌금형의 선고의 효력까지 상실케 하는 것은 아니다(대결 1997.10.13, 96모33).
> ④ 제69조 제1항

02 벌금형에 대한 설명으로 옳지 않은 것은?(다툼이 있는 경우 판례에 의함)

18. 9급 검찰·마약수사·철도경찰

① 법정형에 징역형과 벌금형이 선택형으로 규정되어 있는 범죄에서 벌금형을 선택하여 처벌하는 경우에 노역장 유치기간은 법정형에서 정한 징역형의 상한을 초과하여 정할 수 없다.

② 벌금을 선고할 때에는 납입하지 아니하는 경우의 유치기간을 정하여 동시에 선고하여야 한다.

③ 벌금을 납입하지 아니하는 자에 대한 노역장 유치기간은 벌금액수가 아무리 많더라도 3년을 초과할 수 없다.

④ 선고하는 벌금이 5억원 이상 50억원 미만인 경우에는 500일 이상의 유치기간을 정하여야 한다.

> 해설 ① × : 징역형과 벌금형 가운데서 벌금형을 선택하여 선고하면서 환산한 노역장유치기간이 선택형인 징역형의 장기보다 더 길더라도 위법이 아니다(대판 2000.11.24, 2000도3945).
> ② 제70조 제1항
> ③ 제69조 제2항(1일 이상 3년 이하)
> ④ 제70조 제2항

Answer 01. ③ 02. ①

03 **몰수에 대한 설명으로 옳은 것은?**(다툼이 있는 경우 판례에 의함)　　20. 9급 검찰·마약수사·철도경찰

① 상품을 절취하여 자신의 승용차에 싣고 간 경우, 그 승용차가 단순한 교통수단을 넘어 장물의 운반에 사용한 것이라고 인정된다면 이를 범죄행위에 제공한 물건으로 보아 몰수할 수 있다.

② 몰수나 추징이 공소사실과 관련이 있는 경우 그 공소사실에 관하여 이미 공소시효가 완성된 경우에도 몰수나 추징을 할 수 있다.

③ 피고인의 소유물은 물론 공범자의 소유물도 몰수할 수 있으나, 공범자의 소유물은 공범자가 소추된 경우에 한하여 몰수할 수 있다.

④ 집행을 종료함으로써 효력을 상실한 압수·수색영장에 기하여 다시 압수·수색을 실시하면서 몰수대상물건을 압수한 경우, 압수 자체가 위법하므로 그러한 압수물의 몰수 역시 효력이 없다.

> [해설] ① ○ : 대판 2006.9.14, 2006도4075
> ② × : ~ 수 없다(대판 1992.7.28, 92도700).
> ③ × : ~ 소유물은 그 공범자의 소추 여부를 불문하고 몰수할 수 있다(대판 2006.11.23, 2006도5586).
> ④ × : ~ 효력은 인정된다(대판 2003.5.30, 2003도705).

04 **몰수와 추징에 대한 설명으로 옳은 것은?**(다툼이 있는 경우 판례에 의함)　　21. 경찰간부, 25. 해경경위

① 甲주식회사 대표이사가 금융기관에 청탁하여 乙주식회사의 대출을 알선하고 그 대가로 용역대금 명목의 수수료를 받아 특정경제범죄 가중처벌 등에 관한 법률 위반죄를 범한 경우, 수수료에 대한 권리는 甲회사에 귀속되기 때문에 수수료로 받은 금품을 몰수 또는 그 가액을 추징할 수 없다.

② 몰수는 범죄에 의한 이득을 박탈하는데 그 취지가 있고 추징도 이러한 몰수의 취지를 관철하기 위한 것이라는 점에서 추징 가액의 산정은 재판선고시의 가격이 기준이 된다.

③ 형법 제48조 제1항의 '범인'에 해당하는 공범자는 유죄의 죄책을 지는 자에 국한되므로, 유죄의 죄책을 지지 않는 공범자의 물건은 몰수할 수 없다.

④ 효력을 상실한 압수·수색영장에 기하여 다시 압수를 실시하여 압수해 온 물건을 몰수하였다면, 해당 몰수는 위법한 것으로 효력이 없다.

> [해설] ① × : ~ 추징할 수 있다(대판 2015.1.15, 2012도7571).
> ② ○ : 대판 1991.5.28, 91도352
> ③ × : ~ (1줄) 국한되지 않으므로, 유죄의 죄책을 지지 않는 공범자의 물건은 몰수할 수 있다(대판 2006.11.23, 2006도5586).
> ④ × : 지문의 경우 압수 자체가 위법하더라도 위 물건에 대한 몰수의 효력은 인정된다(대판 2003.5.30, 2003도705).

Answer　　**03.** ①　**04.** ②

05 몰수와 추징에 대한 설명이다. 아래 설명 중 옳고 그름의 표시(○, ×)가 바르게 된 것은?(다툼이 있는 경우 판례에 의함)

> ㉠ 공무원이 뇌물을 받으면서 그 취득을 위하여 상대방에게 뇌물의 가액에 상당하는 금원의 일부를 비용의 명목으로 출연하거나 그 밖에 경제적 이익을 제공한 경우, 공무원이 받은 뇌물은 그 뇌물의 가액에서 위와 같은 지출액을 공제한 나머지 가액에 상당한 이익에 한정되고 이를 몰수·추징해야 하는 것이지 받은 뇌물 자체를 몰수·추징해야 하는 것은 아니다.
> ㉡ 추징의 가액산정은 재판선고시의 가격을 기준으로 하므로, 경우에 따라 추징하여야 할 가액이 몰수의 선고를 받았더라면 잃게 될 이득상당액을 초과하는 것도 가능하다.
> ㉢ 금품의 무상대여를 통하여 위법한 재산상 이익을 취득한 경우, 범인이 받은 부정한 이익은 그로 인한 금융이익 상당액이라 할 것이므로 추징의 대상이 되는 것은 무상으로 대여받은 금품 그 자체가 아니라 위 금융이익 상당액이라 보아야 한다.
> ㉣ 대형할인매장에서 상당한 부피의 상품을 수회 절취하여 승용차로 운반한 경우 그 승용차는 실행행위의 종료 이후 사용한 물건이므로 형법 제48조 제1항 제1호의 "범죄행위에 제공한 물건"으로 볼 수 없어 몰수의 대상이 되지 않는다.
> ㉤ 마약류관리에 관한 법률 제67조에 의한 몰수나 추징은 범죄행위로 인한 이득의 박탈을 목적으로 하는 것이 아니라 징벌적 성질의 처분이므로, 그 범행으로 인하여 이득을 취득한 바 없다 하더라도 법원은 그 가액의 추징을 명하여야 하고, 그 추징의 범위에 관하여는 죄를 범한 자가 여러 사람일 때에는 각자에 대하여 그가 취급한 범위 내에서 의약품 가액 전액의 추징을 명하여야 한다.

① ㉠(○), ㉡(×), ㉢(○), ㉣(×), ㉤(○)
② ㉠(×), ㉡(○), ㉢(○), ㉣(○), ㉤(×)
③ ㉠(○), ㉡(×), ㉢(×), ㉣(○), ㉤(×)
④ ㉠(×), ㉡(×), ㉢(○), ㉣(×), ㉤(○)

해설 ㉠ × : ~ (3줄) 뇌물의 가액에서 지출액을 공제한 나머지 가액에 상당한 이익에 한정되는 것이 아니고 그 받은 뇌물 자체를 몰수·추징해야 한다(대판 1999.10.8, 99도1638).
㉡ × : ~ 초과하여서는 아니된다(대판 2017.9.21, 2017도8611).
㉢ ○ : 대판 2008.9.25, 2008도2590
㉣ × : ~ (2줄) 실행행위의 종료 이후 사용한 물건이더라도 형법 제48조 제1항 제1호의 "범죄행위에 제공한 물건"으로 볼 수 있어 몰수의 대상이 된다(대판 2006.9.14, 2006도4075).
㉤ ○ : 대판 2000.9.8, 2000도546

Answer 05. ④

06 다음 중 몰수 또는 추징할 수 없는 것은 모두 몇 개인가?(다툼이 있는 경우 판례에 의함)

22. 법원행시 · 해경간부 · 해경 2차, 23. 해경승진

> ㉠ 피고인이 음란물유포 인터넷사이트를 운영하면서 정보통신망 이용촉진 및 정보보호 등에 관한 법률위반(음란물유포)죄와 도박개장방조죄에 의하여 비트코인(Bitcoin)을 취득한 사안에서 비트코인
> ㉡ 甲주식회사 대표이사인 피고인이 금융기관에 청탁하여 乙주식회사가 대출을 받을 수 있도록 알선행위를 하고 그 대가로 용역대금 명목의 수수료를 甲회사 계좌를 통해 송금받아 특정경제범죄 가중처벌 등에 관한 법률위반(알선수재)죄가 인정된 사안에서 甲회사 계좌를 통해 받은 수수료
> ㉢ 압수한 밀수품이 멸실, 파손 또는 부패의 염려가 있어 형사소송법 제132조에 따라 이를 매각하고 취득한 대가
> ㉣ 피고인이 신고 없이 외국환을 해외 계좌로 송금한 사실로 체포될 당시 미처 송금하지 못하고 소지하고 있던 각 자기앞수표 또는 현금
> ㉤ 오락실업자, 상품권업자 및 환전소 운영자가 공모하여 사행성 전자식 유기기구에서 경품으로 배출된 상품권을 현금으로 환전하면서 그 수수료를 일정한 비율로 나누어 가지는 방식으로 영업을 한 경우 환전소 운영자가 환전소에 보관하던 현금 전부
> ㉥ 범죄행위로 인하여 취득한 물건이기는 하나, 판결선고 전 검찰에 의하여 압수된 후 피고인에게 환부된 것

① 1개   ② 2개   ③ 3개   ④ 4개   ⑤ 5개

해설 • **몰수 ○** : ㉠ 대판 2018.5.30, 2018도3619(∵ 비트코인은 재산적 가치가 있는 무형의 재산이고, 몰수의 대상인 비트코인이 특정되어 있음), ㉢ 대가보관금(대판 1996.11.11, 96도2477), ㉤ 대판 2006.10.13, 2006도3302, ㉥ 대판 1977.5.24, 76도4001
  • **추징 ○** : ㉡ 대판 2015.1.15, 2012도7571
  • **몰수 ×** : ㉣ 대판 2008.2.14, 2007도10034(∵ 어떠한 물건을 '범죄행위에 제공하려고 한 물건'으로서 몰수하기 위하여는 그 물건이 유죄로 인정되는 당해 범죄행위에 제공하려고 한 물건임이 인정되어야 하므로 장차 실행하려고 한 범행에 제공하려고 한 물건은 몰수할 수 없음)

07 몰수 · 추징에 대한 설명 중 가장 적절한 것은?(다툼이 있는 경우 판례에 의함)

23. 경찰승진

① 몰수는 원칙적으로 타형에 부가하여 과하는 부가형이므로, 몰수의 요건이 있는 경우라도 행위자에게 유죄의 재판을 하지 아니할 때에는 몰수만을 선고할 수 없다.
② 형법 제357조 배임수증재죄에서 수재자가 증재자로부터 받은 재물을 그대로 가지고 있다가 증재자에게 반환한 경우 증재자로부터 이를 몰수하거나 그 가액을 추징할 수 없다.
③ 살인행위에 사용한 칼 등 범죄의 실행행위 자체에 사용한 물건뿐만 아니라 실행행위의 착수 전의 행위에 사용한 물건도 몰수할 수 있지만, 실행행위의 종료 후의 행위에 사용한 물건은 그것이 범죄행위의 수행에 실질적으로 기여하였다고 인정되더라도 몰수할 수 없다.

Answer   06. ①   07. ④

④ 피해자로 하여금 사기도박에 참여하도록 유인하기 위하여 수표를 제시해 보인 경우 수표가 직접적으로 도박자금에 사용되지 아니하였다 할지라도, 피해자로 하여금 사기도박에 참여하도록 만들기 위한 수단으로 사용되었다면 몰수할 수 있다.

해설 ① × : ~ (1줄) 과하는 부가형이지만(제49조 본문), 행위자에게 유죄의 재판을 하지 아니할 때에도 몰수의 요건이 있는 때에는 선고할 수 있다(제49조 단서).
② × : ~ 그 가액을 추징하여야 한다(대판 2017.4.7, 2016도18104).
③ × : ~ 기여하였다고 인정되는 한 몰수할 수 있다(대판 2006.9.14, 2006도4075).
④ ○ : 대판 2002.9.24, 2002도3589

08 다음 설명 중 가장 옳은 것은?(다툼이 있는 경우 판례에 의함) 23. 법원직

① 압수되어 있는 물건만을 몰수할 수 있는 것은 아니나, 압수되어 있는 물건을 몰수하기 위하여는 그 압수가 적법한 절차에 의하여 이루어졌을 것이 요구된다.
② 피고인이 필로폰을 수수하여 그중 일부를 직접 투약한 경우, 필로폰 수수죄와 필로폰 투약죄가 별도로 성립하므로 피고인이 수수한 필로폰의 가액에 피고인이 투약한 필로폰의 가액을 더하여 추징하여야 한다.
③ 수뢰자가 뇌물로 받은 돈을 입금시켜 두었다가 뇌물공여자에게 같은 금액의 돈을 반환한 경우라면, 수뢰자가 뇌물을 그대로 보관하여 두었다가 뇌물공여자에게 반환한 것과 달리 볼 이유가 없으므로, 뇌물공여자로부터 그 가액을 추징하여야 한다.
④ 우리 법제상 공소제기 없이 별도로 몰수·추징만을 선고할 수 있는 제도가 마련되어 있지 아니하므로, 몰수·추징을 선고하려면 몰수·추징의 요건이 공소가 제기된 공소사실과 관련되어 있어야 하고, 공소가 제기되지 아니한 별개의 범죄사실을 법원이 인정하여 그에 관하여 몰수·추징을 선고하는 것은 불고불리의 원칙에 위배되어 허용되지 않는다.

해설 ① × : 몰수대상은 반드시 압수되어 있는 물건에 제한되지 않으므로 몰수대상물건의 압수 여부 및 적법절차에 의한 압수 여부는 몰수의 요건이 아니다(대판 2003.5.30, 2003도705).
② × : 수수한 필로폰의 가액만을 추징할 수 있고, 직접 투약한 필로폰의 가액을 별도로 추징할 수 없다(대판 2000.9.8, 2000도546). ③ × : ~ (2줄) 경우에는, 수뢰자가 뇌물을 그대로 보관하여 두었다가 뇌물공여자에게 반환한 것과 달리 수뢰자로부터 그 가액을 추징하여야 한다(대판 1999.1.29, 98도3584).
④ ○ : 대판 2010.5.13, 2009도11732

09 몰수와 추징에 관한 설명 중 옳지 않은 것은?(다툼이 있는 경우 판례에 의함) 24. 변호사시험

① 공소사실이 인정되지 않는 경우에 이와 관련되지 않은 범죄사실을 법원이 인정하여 몰수·추징을 선고하는 것은 불고불리의 원칙에 위반된다.
② 수뢰자가 자기앞수표를 뇌물로 받아 이를 소비한 후 자기앞수표 상당액을 증뢰자에게 반환하였다 하더라도 뇌물 그 자체를 반환한 것은 아니므로 이를 몰수할 수 없고 수뢰자로부터 그 가액을 추징하여야 한다.

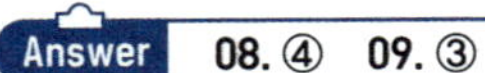

③ 범죄행위의 수행에 실질적으로 기여한 것으로 인정된다고 하더라도, 실행행위의 착수 전 또는 실행행위 종료 후의 행위에 사용되었을 뿐 범죄의 실행행위 자체에 사용되지 않은 물건은 몰수·추징의 대상인 '범죄행위에 제공한 물건'에 포함될 수 없다.

④ 몰수·추징이 공소사실과 관련이 있다 하더라도 그 공소사실에 관하여 이미 공소시효가 완성된 경우에는 몰수·추징을 할 수 없다.

⑤ 甲이 공무원 직무에 속한 사항의 알선에 관하여 1억원을 받았으나 그중 3,000만원을 받은 취지에 따라 청탁과 관련하여 관계 공무원에게 뇌물로 공여한 경우라면, 甲으로부터는 이를 제외한 나머지 7,000만원만 몰수·추징할 수 있다.

> 해설 ① 대판 2010.5.13, 2009도11732 ② 대판 1999.1.29, 98도3584
> ③ × : 범죄행위의 수행에 실질적으로 기여한 것으로 인정된다면, 실행행위의 착수 전 또는 실행행위 종료 후의 행위에 사용되었을 뿐 범죄의 실행행위 자체에 사용되지 않은 물건은 몰수·추징의 대상인 '범죄행위에 제공한 물건'에 포함될 수 있다(대판 2006.9.14, 2006도4075).
> ④ 대판 1992.7.28, 92도700 ⑤ 대판 2002.6.14, 2002도1283

10 추징에 관한 설명 중 가장 옳지 않은 것은?(다툼이 있는 경우 판례에 의함)　24. 법원직

① 수뢰자가 자기앞수표를 뇌물로 받아 이를 소비한 후 자기앞수표 상당액을 증뢰자에게 반환하였다 하더라도 수뢰자로부터 그 가액을 추징하여야 한다.

② 수뢰자들이 각 뇌물로 받은 돈을 그 후 다른 사람에게 다시 뇌물로 공여하였더라도 수뢰자들로부터 그 수뢰액 전부를 각 추징하여야 한다.

③ 수인이 공동하여 공무원이 취급하는 사건 또는 사무에 관하여 청탁을 한다는 명목으로 받은 금품을 분배한 경우에는 각자로부터 실제로 분배받은 금품만을 개별적으로 몰수하거나 그 가액을 추징할 것이 아니라 공동수수자들로부터 수뢰액 전부를 각 추징하여야 한다.

④ 공무원이 뇌물을 받는 데에 필요한 경비를 지출한 경우 그 경비는 뇌물수수의 부수적 비용에 불과하여 뇌물의 가액과 추징액에서 공제할 항목에 해당하지 않는다.

> 해설 ① 대판 1999.1.29, 98도3584 ② 대판 1986.11.25, 86도1951
> ③ × : ~ (2줄) 개별적으로 몰수하거나 그 가액을 추징하여야 한다(대판 1996.11.29, 96도2490).
> ④ 대판 2017.3.22, 2016도21536

11 몰수와 추징에 관한 설명으로 옳은 것은?(다툼이 있는 경우 판례에 의함)　24. 경위공채

> 甲은 모텔 등에서 투숙객을 대상으로 휴대전화로 동영상을 불법촬영한 후, 음란물 유포 인터넷 사이트를 운영하는 乙에게 전달하였고, 이에 대해 乙은 甲의 은행계좌로 범행의 보수를 송금하였다. 乙은 인터넷 사이트 이용자에게 비트코인(Bitcoin)을 대가로 지급 받는 방식으로 불법 촬영된 동영상을 서비스하였다. 이후 乙은 위 인터넷 사이트를 丙에게 매각하였다.

Answer　10. ③　11. ④

① 甲의 휴대전화에 저장된 불법 촬영 동영상은 저장매체에 전자방식이나 자기방식에 의하여 저장된 정보로서 '물건'이라고 할 수 없으므로 몰수할 수 없다.

② 甲이 계좌송금을 통해 취득한 범행의 보수는 형법 제48조 제1항 제2호, 제2항이 규정한 추징의 대상에 해당한다.

③ 乙이 음란물 유포 인터넷 사이트를 운영하면서 음란물유포죄에 의하여 취득한 비트코인(Bitcoin)은 형법뿐만 아니라 범죄수익은닉의 규제 및 처벌 등에 관한 법률에 의해서도 몰수할 수 없다.

④ 乙이 음란물 유포 인터넷 사이트 매각을 통해 취득한 대가는 형법 제48조 제1항 제2호, 제2항에서 규정한 추징의 대상에 해당하지 않는다.

해설 ① × : 전자기록은 일정한 저장매체에 전자방식이나 자기방식에 의하여 저장된 기록으로서 저장매체를 매개로 존재하는 물건이므로 형법 제48조 제1항에 정한 사유가 있는 때에는 이를 몰수할 수 있는바, 휴대전화의 동영상 촬영기능을 이용하여 피해자를 촬영한 행위 자체가 범죄에 해당하는 경우, 휴대전화는 '범죄행위에 제공된 물건', 촬영되어 저장된 동영상은 휴대전화에 저장된 전자기록으로서 '범죄행위로 인하여 생긴 물건'에 각각 해당하고 이러한 경우 법원이 휴대전화를 몰수하지 않고 동영상만을 몰수하는 것도 가능하다(대판 2024. 1.4, 2021도5723).
② × : ~ 추징의 대상에 해당하지 않는다(대판 2023.1.12, 2020도2154).
③ × : ~ (1줄) 비트코인(Bitcoin)은 형법에 의해서는 몰수할 수 없으나, 범죄수익은닉의 규제 및 처벌 등에 관한 법률에 의해서는 몰수할 수 있다(대판 2018.5.30, 2018도3619).
④ ○ : 대판 2021.10.14, 2021도7168

12 몰수 · 추징에 관한 설명으로 가장 적절한 것은?(다툼이 있는 경우 판례에 의함)　　　25. 경찰승진

① 체포될 당시에 미처 송금하지 못하고 소지하고 있던 자기앞수표나 현금은 장차 실행하려고 한 외국환거래법 위반의 범행에 제공하려는 물건이므로 몰수할 수 있다.

② 피고인이 범죄행위에 이용한 웹사이트 매각을 통해 취득한 대가는 형법 제48조 제1항 제2호에서 정한 '범죄행위로 인하여 생겼거나 취득한 물건'에 해당하므로 동법 제48조 제2항이 규정한 추징의 대상에 해당한다.

③ 형법 제247조의 도박장소 등 개설죄로 유죄를 선고받은 자가 도박에 직접 참가하여 얻은 수익은 도박공간개설을 통하여 간접적으로 얻은 이익에 포함되므로 도박공간개설로 얻은 범죄수익으로 몰수하거나 추징할 수 있다.

④ 휴대전화의 동영상 촬영기능을 이용하여 피해자를 촬영한 행위 자체가 범죄에 해당하는 경우 휴대전화는 '범죄행위에 제공된 물건', 촬영되어 저장된 동영상은 휴대전화에 저장된 전자기록으로서 '범죄행위로 인하여 생긴 물건'에 각각 해당하고 이러한 경우 법원이 휴대전화를 몰수하지 않고 동영상만을 몰수하는 것도 가능하다.

해설 ① × : 피고인이 신고 없이 외국환을 해외 계좌로 송금한 사실로 체포될 당시에 미처 송금하지 못하고 소지하고 있던 자기앞수표나 현금은 장차 실행하려고 한 외국환거래법 위반의 범행에 제공하려는 물건일 뿐, 그 이전에 범해진 외국환거래법 위반의 '범죄행위에 제공하려고 한 물건'으로는 볼 수 없으므로 몰수할 수 없다(대판 2008.2.14, 2007도10034).

Answer　12. ④

② × : 피고인이 범죄행위에 이용한 웹사이트 매각을 통해 취득한 대가는 형법 제48조 제1항 제2호, 제2항이 규정한 추징의 대상에 해당하지 않는다[대판 2021.10.14, 2021도7168 ∵ 위 웹사이트는 범죄행위에 제공된 무형의 재산에 해당할 뿐 형법 제48조 제1항 제2호에서 정한 '범죄행위로 인하여 생(生)하였거나 이로 인하여 취득한 물건'에 해당하지 않으므로].

③ × : 도박공간을 개설한 자가 도박에 참가하여 얻은 수익은 도박공간개설을 통하여 간접적으로 얻은 이익에 당연히 포함된다고 보기 어려우므로, 전체 범죄수익 중 피고인이 직접 도박에 참가하여 얻은 수익은 도박공간개설의 범죄로 인한 추징 대상에서 제외하고 그 차액만을 추징하여야 한다(대판 2022.12.29, 2022도8592).

④ ○ : 대판 2024.1.4, 2021도5723

13 **몰수와 추징에 관한 설명으로 가장 적절한 것은?**(다툼이 있는 경우 판례에 의함)　　25. 순경 1차

① 휴대전화의 동영상 촬영기능을 이용하여 피해자를 촬영한 행위 자체가 범죄에 해당하는 경우, 휴대전화는 '범죄행위에 제공된 물건'이지만, 촬영되어 저장된 동영상은 휴대전화에 저장된 전자기록으로서 '범죄행위로 인하여 생긴 물건'이 아니므로 법원이 휴대전화를 몰수하지 않고 동영상만을 몰수할 수는 없다.

② 도박공간을 개설한 자가 도박에 직접 참가하여 얻은 수익을 도박공간개설로 얻은 범죄수익으로 몰수하거나 추징할 수는 없다.

③ 정보통신망을 통하여 음란한 화상 또는 영상을 배포하고 도박 사이트를 홍보한 경우, 그 범죄행위에 이용된 웹사이트를 매각하여 취득한 대가는 형법 제48조 제1항 제2호, 제2항이 규정한 추징의 대상에 해당한다.

④ 수뢰자가 뇌물을 그대로 보관하다가 증뢰자에게 반환한 때에는 몰수나 추징의 상대방은 증뢰자가 되고, 몰수할 수 없는 때에 추징하여야 할 가액은 범인이 그 물건을 보유하고 있다가 몰수의 선고를 받았더라면 잃었을 이득상당액을 의미한다고 보아야 하므로, 다른 특별한 사정이 없는 한 그 가액산정은 반환시의 가격을 기준으로 하여야 한다.

해설 ① × : 휴대전화의 동영상 촬영기능을 이용하여 피해자를 촬영한 행위 자체가 범죄에 해당하는 경우, 휴대전화는 '범죄행위에 제공된 물건', 촬영되어 저장된 동영상은 휴대전화에 저장된 전자기록으로서 '범죄행위로 인하여 생긴 물건'에 각각 해당하고 이러한 경우 법원이 휴대전화를 몰수하지 않고 동영상만을 몰수하는 것도 가능하다(대판 2024.1.4, 2021도5723).

② ○ : 대판 2022.12.29, 2022도8592

③ × : ~ 추징의 대상에 해당하지 않는다(대판 2021.10.14, 2021도7168).

④ × : ~ (4줄) 그 가액산정은 재판선고시의 가격(반환시의 가격 ×, 몰수불능시의 가격 ×, 취득가액 ×)을 기준으로 하여야 한다(대판 1991.5.28, 91도352).

Answer　**13.** ②

제2절 **형의 양정(양형, 형의 적용)**

(1) 의 의

구체적인 사건에 있어서 법관이 형법에 규정된 형벌의 종류와 범위 내에서 범인에게 선고할 형을 정하는 것을 양형(형의 양정) 또는 형의 적용이라 한다.

(2) 양형의 단계

구체적인 사건을 통하여 추상적인 형벌이 다음과 같은 3단계를 거쳐 구체화된다.

법정형	처단형	선고형
개개의 범죄에 대하여 법률에 추상적으로 규정되어 있는 형벌, 즉 개개의 구성요건에 규정되어 있는 형벌을 말한다.	법정형에 법률상·재판상의 가중·감경을 한 형을 말한다.	법정형에 처단형의 범위 내에서 구체적으로 선고하는 형을 말한다.

관련판례

형의 양정은 법정형 확인, 처단형 확정, 선고형 결정 등 단계로 구분된다. 법관은 형의 양정을 할 때 법정형에서 형의 가중·감경 등을 거쳐 형성된 처단형의 범위 내에서만 양형의 조건을 참작하여 선고형을 결정하여야 하고, 이는 형법 제37조 후단 경합범의 경우에도 마찬가지이다(대판 2019.4.18, 2017도14609 전원합의체). 20. 법원행시 · 순경 2차

(3) 형의 면제와 형집행의 면제

① **형의 면제** : 범죄가 성립되어 형벌권은 발생하였으나 재판확정 전의 사유로 인하여 형만을 과하지 않는 것을 말한다. 이에는 법률상 면제(임의적 면제와 필요적 면제)에 한하며, 재판상 면제는 인정되지 않는다(▶ 구체적인 형의 면제사유는 뒤에서 도표로 총정리).

② **형집행의 면제** : 재판확정 후의 사유로 인하여 형의 집행이 면제되는 것을 말한다.

> **예** 재판확정 후 법률의 변경에 의하여 그 행위가 범죄를 구성하지 아니하는 때에는 형의 집행을 면제한다(제1조 제3항).

(4) 자수 · 자복

> **제52조【자수, 자복】** ① 죄를 지은 후 수사기관에 자수한 경우에는 형을 감경하거나 면제할 수 있다.
> ② 피해자의 의사에 반하여 처벌할 수 없는 범죄의 경우에는 피해자에게 죄를 자복하였을 때에도 형을 감경하거나 면제할 수 있다. 25. 해경경사

① **자수** : '자수'란 범인이 스스로 수사책임이 있는 관서에 자기의 범행을 자발적으로 신고하고 그 처분을 구하는 의사표시이므로, 내심적 의사만으로는 부족하고 외부로 표시되어야 이를 인정할 수 있는 것이다(대판 1982.9.28, 82도1965). 자수한 때에는 형을 감경 또는 면제할 수 있다(임의적 감면사유). 18. 법원행시

Q 주의 : 형법 제52조는 자수를 임의적 감면사유로 규정하고 있으나, 형법 제152조의 위증죄 및 모해위증죄와 형법 제156조의 무고죄에서는 '공술한 사건의 재판 또는 징계처분이 확정되기 전에 자수한 때'에는 형법 제153조 및 제157조에 의해 형을 필요적으로 감면한다. 14. 사시, 16. 경찰간부

Q 구별개념
- 고소 · 고발 : 타인의 범죄사실을 신고
- 자수 : 자기의 범죄사실을 신고
- 자백 : 수사기관의 신문을 받고 범죄사실을 인정하는 진술을 한 경우
- 자수 : 자발적으로 자기의 범죄사실을 신고한 경우

관련판례 1

1. 일단 자수가 성립한 이상 자수의 효력은 확정적으로 발생하고 그 후에 범인이 번복하여 수사기관이나 법정에서 범행을 부인한다고 하여 일단 발생한 자수의 효력이 소멸하는 것은 아니다(대판 2002.8.23, 2002도46). 24. 법원행시, 25. 7급 검찰

   ▶ **유사판례** : 피고인들이 검찰에 조사 일정을 문의한 다음 자진 출석하여 범행을 사실대로 진술하였다면 자수가 성립되었다고 할 것이고, 그 후 법정에서 범행사실을 부인한다고 하여 뉘우침이 없는 자수라거나, 이미 발생한 자수의 효력이 없어진다고 볼 수 없다(대판 2005.4.29, 2002도7262). 18. 법원행시, 23. 법원직

2. 자수서를 소지하고 수사기관에 자발적으로 출석하였으나 생각이 바뀌어 자수서를 제출하지 아니하고 범행사실도 부인하였다가, 그 후 구속이 되자 수사기관에 자수서를 제출하고 범행사실을 시인하였다면 자수에 해당한다고 할 수 없다(대판 2004.10.14, 2003도3133). 16. 법원직, 24. 경찰승진

3. 수사기관의 추궁에 의하여 범죄사실을 시인한 경우 ⇨ 자수 ×, 자백 ○(대판 1999.4.13, 98도4560)

   ▶ **유사판례**

   ① 세관 검색시 금속탐지기에 의해 대마 휴대 사실이 발각될 상황에서 세관 검색원의 추궁에 의하여 대마 수입 범행을 시인한 경우, 자발성이 결여되어 자수에 해당하지 않는다(대판 1999.4.13, 98도4560). 22. 해경간부

   ② 경찰관이 피고인의 강도상해 범행에 관하여 수사를 하던 중 증거를 토대로 피고인의 여죄를 추궁하자, 또 다른 강도강간 범행을 자백한 경우 ⇨ 자수 ×(대판 2006.9.22, 2006도4883) 22. 해경간부

   ③ 수사기관의 질문 또는 조사에 응하여 범죄사실을 진술하는 것 ⇨ 자백 ○, 자수 ×(대판 1982.9.28, 82도1965) 16. 법원직, 23. 법원행시, 24. 해경승진

4. 피고인이 수사기관에 자진 출석하여 처음 조사를 받으면서는 돈을 차용하였을 뿐이라며 범죄사실을 부인하다가 제2회 조사를 받으면서 비로소 업무와 관련하여 돈을 수수하였다고 자백한 행위를 자수라고 할 수 없고, 설령 자수하였다고 하더라도 자수한 이에 대하여는 법원이 임의로 형을 감경할 수 있음에 불과한 것으로서 원심이 자수의 착오 주장에 대하여 판단하지 아니하였다 하여 위법하다고 할 수 없다(대판 2011.12.22, 2011도12041). 22. 변호사시험, 24. 순경 2차, 25. 해경경사

5. 수개의 범죄사실 중 일부에 관하여만 자수한 때에는 그 부분 범죄사실에 대해서만 자수의 효력이 있다(대판 1994.10.14, 94도2130). 21. 법원행시

6. 수사기관에 뇌물수수의 범죄사실을 자발적으로 신고하였으나 그 수뢰액을 실제(5,000만원)보다 적게 (3,000만원) 신고함으로써 적용법조와 법정형이 달라지게 된 경우에는 자수가 성립하였다고 할 수 없고, 시인한 3,000만원에 대해서도 법률상 감경을 할 수 없다(대판 2004.6.24, 2004도2003). 16. 순경 2차, 25. 해경경사

7. 범죄사실과 범인이 누구인가가 발각된 후라 하더라도 또 수사기관에 의해 지명수배를 받은 연후라 하더라도 체포되기 전에 자발적으로 자기의 범죄사실을 수사기관에 신고한 이상 자수로 보아야 한다 (대판 1968.7.30, 68도754). 16. 순경 2차, 25. 해경경사

8. 법인에게 (양벌규정으로 법인이 처벌받는 경우) 자수감경규정을 적용하기 위해서는 법인의 이사 기타 대표자가 자수한 경우에 한하고, 위반행위를 한 직원이나 사용인이 자수한 것만으로는 형을 감경할 수 없다(대판 1995.7.25, 95도391). 16. 법원직

9. 범죄사실을 부인하거나 죄를 뉘우침이 없는 자수는 그 외형은 자수일지라도 형의 감경사유가 되는 진정한 자수가 아니다(대판 1994.10.14, 94도2130). 13. 법원행시

10. 범죄사실을 신고한 이상 범죄성립요건을 완전히 갖춘 범죄행위라고 인식할 필요는 없으며(대판 1995.6.30, 94도1017), 범죄사실의 세부에 다소차이가 있어도 무관하다(판례). 18. 법원행시, 24. 경찰승진

11. 공직선거 및 선거부정방지법(제262조)상의 '자수'를 '범행발각 전에 자수한 경우'로 한정해석하는 것은 유추해석금지원칙에 위반된다(대판 1997.3.20, 96도1167 전원합의체). 21. 법원행시, 22. 해경간부

12. 자수는 임의적 감면사유이므로 자수감경을 하지 아니하거나 자수감경주장에 대해 판단하지 않아도 위법이라고 할 수 없다(대판 2001.4.24, 2001도872). 18. 법원행시, 22. 변호사시험

13. 수사기관에의 신고가 자발적이라고 하더라도 그 신고의 내용이 자기의 범행을 명백히 부인하는 등의 내용으로 자기의 범행으로서 범죄성립요건을 갖추지 아니한 사실일 경우에는 자수는 성립하지 않고, 일단 자수가 성립하지 아니한 이상 그 이후의 수사과정이나 재판과정에서 범행을 시인하였다고 하더라도 새롭게 자수가 성립할 여지는 없다고 할 것이다(대판 2004.10.14, 2003도3133). 23. 법원직

14. 어느 죄에 관한 자수의 요건과 효과가 어떠한가 하는 문제는 논리필연적으로 도출되는 문제가 아니라 그 입법취지가 자수의 두 가지 측면, 즉 범죄를 스스로 뉘우치고 개전의 정을 표시하는 것으로 보아 비난가능성이 약하다는 점과 자수를 하면 수사를 하는 데 용이할 뿐 아니라 형벌권을 정확하게 행사할 수 있어 죄 없는 자에 대한 처벌을 방지할 수 있다는 점 중 어느 한쪽을 얼마만큼 중시하는지 또는 양자를 모두 동등하게 고려하는지에 따라 입법정책적으로 결정되는 것이다(대판 1997.3.20, 96 도1167 전원합의체). 18. 법원행시

15. 언론에 혐의사실이 보도하기 시작한 후에 수사기관에 전화를 걸어 조사를 요청한 다음 자진출석하여 혐의사실을 모두 자백한 경우 ⇨ 자수 ○(대판 1994.9.9, 94도619) 22. 해경간부

 ▶ **비교판례** : 수사기관이 아닌 자에게 자수의 의사를 전하기만 한 경우, 범죄사실을 신고하지 않고 수사권 있는 공무원을 만나거나 주소를 알린 경우, 제3자에게 전화로 자수의사를 경찰서에 전달하여 달라고 한 것만으로는 자수가 아니다(대판 1967.1.24, 66도1662).

16. 피고인이 그 기도한 범죄행위의 실행방법으로서 수사권이 있는 공무원을 만났다거나 자기의 주소를 수사권이 있는 공무원에게 알린 사실이 있다고 하더라도 이는 피고인 본인이 자기의 범죄사실을 신고한 것이 아니므로 자수라고 할 수 없다(대판 1963.10.22, 63도247).

---

② **자복** : 자복은 피해자의 명시한 의사에 반하여 처벌할 수 없는 해제조건부 범죄(반의사불벌죄)에서 범죄인이 피해자에게 자신의 범죄를 고백하는 것이다. 자복한 때에는 그 형을 감경 또는 면제할 수 있다(임의적 감면사유). 16. 순경 2차, 24. 경찰승진·해경승진, 25. 해경경사 해제조건부 범죄가 아닌 범죄(예 친고죄)에 대하여 피해자에게 찾아가서 사죄하는 것은 자복이라 할 수 없다 (대판 1968.3.5, 68도105).

형의 가중 · 감경 · 면제 사유의 총정리

19. 법원직 · 경력채용, 20. 9급 검찰 · 철도경찰, 22. 해경간부, 23. 해경승진, 24. 법원행시

형의 가중 { • 법률상의 가중 ○ { • 재판상의 가중 × { • 필요적 가중 ○ { • 임의적 가중 ×	총 칙 (일반적 가중사유)	• 특수교사 · 방조의 가중(제34조 제2항) : 교사(2분의 1까지 가중), 방조 (정범의 형) • 누범가중(제35조) : 장기(단기 ×)의 2배까지 가중 • 경합범가중(제38조) : 장기 · 다액의 2분의 1까지 가중
	각 칙 (특수적 가중사유)	• 상습범 가중(제203조, 제264조, 제279조, 제285조, 제351조 등) • 특수범죄의 가중 ┌ 특수공무방해죄(제144조) : 2분의 1까지 가중 　　　　　　　　　└ 특수체포 · 감금죄(제278조) : 2분의 1까지 가중
필요적 감경 (형을 감경한다.)	총 칙	• 농아자(제11조) • 종범(제32조 제2항)
임의적 감경 (형을 감경할 수 있다.)	총 칙	• 심신미약자(제10조 제2항) • 미수범(장애미수 : 제25조 제2항) • 작량감경(정상참작감경, 재판상의 감경 : 제53조)
	각 칙	• 범죄단체조직죄(제114조 제1항 단서) • 약취 · 유인 및 인신매매의 죄(제295조의 2), 인질강요죄 · 인질상해 · 치상죄(제324조의 6) ⇨ 피해자를 안전한 장소로 풀어준 때 ▶ 주의 : 체포 · 감금죄와 인질강도죄에는 이에 해당하는 규정이 없다.
필요적 감면 (형을 감경 또는 면제한다.)	총 칙	중지미수(제26조)
	각 칙	• 내란죄 · 외환죄 · 외국에 대한 사전죄 · 방화죄 · 통화위조죄에 있어서 실행에 이르기 전에 자수한 때(제90조 제1항 · 제2항, 제101조 제1항 · 제2항, 제120조 제1항 · 제2항, 제175조, 제213조) • 위증죄, 허위 · 감정 · 통역 · 번역죄, 무고죄에 있어서 재판 또는 징계 처분이 확정되기 전에 자백 또는 자수한 때(제153조, 제154조, 제157조)
임의적 감면 (형을 감경 또는 면제할 수 있다.)	총 칙	• 과잉방위(제21조 제2항) • 과잉피난(제22조 제3항) • 과잉자구행위(제23조 제2항) • 불능미수(제27조) • 자수 · 자복(제52조) • 사후적 경합범(제39조 제1항) • 장물죄에 있어서 장물범과 본범 간에 일정한 친족관계가 있을 때(제 365조 제2항) ▶ 외국에서 받은 형의 집행(제7조) ⇨ 임의적 감면 ×

🔔 출제빈도가 높으므로 철저한 암기를 요한다.

(5) 형의 가중 · 감경의 순서

① 형종의 선택

> **제54조【선택형과 정상참작감경】** 한 개의 죄에 정한 형이 여러 종류인 때에는 먼저 적용할 형을 정하고 그 형을 감경한다.

② 가중 · 감경하는 사유가 경합하는 경우 가중 · 감경의 순서

> **제56조【가중 · 감경의 순서】** 형을 가중 · 감경할 사유가 경합하는 경우에는 다음 각 호의 순서에 따른다. 21. 법원직, 22. 해경 2차, 23. 9급 검찰 · 마약수사 · 철도경찰, 24. 법원행시
> 1. 각칙 조문에 따른 가중　　　　2. 제34조 제2항에 따른 가중(특수한 교사 · 방조)
> 3. 누범 가중　　　　　　　　　4. 법률상 감경
> 5. 경합범 가중　　　　　　　　6. 정상참작감경
> ▶ 암기 : (각) ⇨ (특) ⇨ (누) ⇨ (법) ⇨ (경) ⇨ (정)

관련판례

① 형의 감경에는 법률상 감경과 재판상 감경인 작량감경이 있다. 작량감경 외에 법률의 여러 조항에서 정하고 있는 감경은 모두 법률상 감경이라는 하나의 틀 안에 놓여 있다. 따라서 형법 제39조 제1항 후문에서 정한 감경도 당연히 법률상 감경에 해당한다(대판 2019.4.18, 2017도14609 전원합의체). 20. 법원행시

② 처단형은 선고형의 최종적인 기준이 되므로 그 범위는 법률에 따라서 엄격하게 정하여야 하고, 별도의 명시적인 규정이 없는 이상 형법 제56조에서 열거하고 있는 가중 · 감경할 사유에 해당하지 않는 다른 성질의 감경 사유를 인정할 수는 없다(대판 2019.4.18, 2017도14609 전원합의체). 23. 법원행시, 24. 법원직

③ 형법은 형의 가중 · 감경할 사유가 경합된 때에 그 적용순서에 관하여, 각칙조문에 따른 가중, 제34조 제2항에 따른 가중, 누범 가중, 법률상 감경, 경합범 가중, 정상참작감경 순으로 규정하고 있으므로, 법관이 처단형을 결정하는 과정에서 최종 선고형을 머릿속에 그리면서 임의적 감경 여부를 결정하는 것은 법리적 · 논리적 순서에 부합한다고 볼 수 있다(대판 2021.1.21, 2018도5475 전원합의체). 22. 법원직

(6) 법률상 감경(제55조)의 정도

구 분	감경례
사 형	무기 또는 20년 이상 50년 이하의 징역 또는 금고 09. 순경
무기징역 · 무기금고	10년 이상 50년 이하의 징역 또는 금고 24. 법원행시
유기징역 · 유기금고	형기의 2분의 1
자격상실	7년 이상의 자격정지
자격정지	그 형기의 2분의 1
벌 금	그 다액의 2분의 1
구 류	그 장기의 2분의 1
과 료	그 다액의 2분의 1

① 법률상 감경할 사유가 수개 있는 때에는 거듭 감경할 수 있다(제55조 제2항).

② 벌금의 경우 '다액의 2분의 1'로 규정되어 있으나 그 상한과 함께 하한도 2분의 1로 내려간다 (대판 1978.4.25, 78도246 전원합의체). 18. 법원행시, 19. 순경 1차, 25. 해경경사

③ ㉠ 필요적 감경의 경우에는 감경사유의 존재가 인정되면 반드시 형법 제55조 제1항에 따른 법률상 감경을 하여야 함에 반해, 임의적 감경의 경우에는 감경사유의 존재가 인정되더라도 법관이 형법 제55조 제1항에 따른 법률상 감경을 할 수도 있고 하지 않을 수도 있다. ㉡ 나아가 임의적 감경사유의 존재가 인정되고 법관이 그에 따라 징역형에 대해 법률상 감경을 하는 이상 형법 제55조 제1항 제3호에 따라 상한과 하한을 모두 2분의 1로 감경한다. 따라서 유기징역형에 대한 법률상 감경을 하면서 형법 제55조 제1항 제3호에서 정한 것과 같이 장기와 단기를 모두 2분의 1로 감경하는 것이 아닌 장기 또는 단기 중 어느 하나만을 2분의 1로 감경하는 방식이나 2분의 1보다 넓은 범위의 감경을 하는 방식 등은 죄형법정주의 원칙상 허용될 수 없다(대판 2021.1.21, 2018도5475 전원합의체). 21. 순경 2차, 23. 변호사시험, 24. 법원직, 25. 7급 검찰 · 해경경사

④ 법정형에 하한이 설정된 형법 제37조 후단 경합범(사후적 경합범)에 대하여 형법 제39조 제1항에 의하여 형을 감경할 때에도 법률상 감경에 관한 형법 제55조 제1항이 적용되어 유기징역을 감경할 때에는 그 형기의 2분의 1 미만으로는 감경할 수 없다(대판 2019.4.18, 2017도14609 전원합의체). 20. 법원행시, 21. 법원직 · 순경 2차

⑤ 형법이 '형을 감경할 수 있다.'고 규정하고 있는 것은 임의적 감경사유가 인정되더라도 그에 따른 감경이 필요한 경우와 필요하지 않은 경우가 모두 있을 수 있으니 임의적 감경사유로 인한 행위불법이나 결과불법의 축소효과가 미미하거나 행위자의 책임의 경감 정도가 낮은 경우에는 감경하지 않은 무거운 처단형으로 처벌할 수 있도록 한 것이다(대판 2021.1.21, 2018도5475 전원합의체). 22. 법원직 · 7급 검찰

(7) 재판상의 감경(작량감경)의 정도

> **제53조 【정상참작감경】** 범죄의 정상에 참작할 만한 사유가 있는 경우에는 그 형을 감경할 수 있다.

현행형법은 작량감경의 정도에 관하여 직접적인 명문규정을 두고 있지 않으나, 법률상 감경례 (제55조)에 준한다(통설 · 판례).

① 법률상 감경례(제55조 제2항)와 달리 작량감경은 모든 정상을 종합적으로 관찰하여 1회에 한하여 감경할 수 있을 뿐이고 정상 하나하나에 거듭 작량감경을 할 수 있는 것은 아니다(대판 1964.4.7, 63도410). 16. 변호사시험 법률상 감경사유가 있을 때에는 작량감경보다 우선하여 하여야 하고, 작량감경은 이와 같은 법률상 감경을 다하고도 그 처단형보다 낮은 형을 선고하고자 할 때에 하는 것이 옳다(대판 1991.6.11, 91도985). 20. 순경 2차, 24. 법원직, 25. 7급 검찰

② 하나의 죄에 대해 징역형과 벌금형을 병과할 경우에 특별한 규정이 없는 한 징역형에만 작량감경을 하고 벌금형에는 작량감경을 하지 않는 것은 위법하다(대판 2009.2.12, 2008도6551). 19. 9급 검찰 · 마약수사 · 철도경찰, 21. 법원행시 그러나 형법 제38조 제1항 제3호(이종의 형)에 의하여 징역형

과 벌금형을 병과하는 경우, 징역형에만 작량감경을 하고 벌금형에는 작량감경을 하지 아니하였다고 하여 이를 위법하다고 할 수는 없다(대판 2006.3.23, 2006도1076). 21. 순경 2차, 22. 변호사시험 또한 양벌규정에 의해 자연인과 법인이 함께 처벌받을 경우 자연인에 대해서는 작량감경을 하고 법인에 대해서는 작량감경을 하지 않아도 무방하다(대판 1995.12.12, 95도1893).

관련판례

1. 법정형 중에서 무기징역을 선택한 후 작량감경한 결과 유기징역을 선고하게 되었을 경우에 미성년자라 하더라도 부정기형을 선고할 수 없다(대판 1991.4.9, 91도357).
2. 무기징역형을 선택한 이상 무기징역형으로만 처벌하고 따로이 경합범가중을 하거나 가장 중한 죄가 누범이라 하여 누범가중을 할 수 없음은 더 말할 나위도 없고, 위와 같이 무기징역형을 선택한 후 형법 제56조 제6호의 규정에 의하여 작량감경을 하는 경우에는 50년을 초과한 징역형을 선고할 수 없다(대판 1992.10.13, 92도1428 전원합의체). 09. 법원행시 · 법원직

(8) 양형의 조건

형법 제51조는 양형에 있어서 꼭 참작해야 할 조건으로 다음과 같이 규정하고 있다.

> **제51조【양형의 조건】** 형을 정함에 있어서는 다음 사항을 참작하여야 한다.
> 1. 범인의 연령, 성행, 지능과 환경
> 2. 피해자에 대한 관계
> 3. 범행의 동기, 수단과 결과
> 4. 범행 후의 정황

🔔 1. 범행 전의 정황, 내외국인, 남녀, 전과자 ⇨ 제51조의 양형의 조건 × 18. 경찰승진, 20. 해경승진
2. 범죄의 불법과 책임을 근거지우거나 가중 · 감경사유가 된 상황은 다시 양형의 자료가 될 수 없는데, 이를 '이중평가의 금지'라고 한다. 16. 변호사시험
3. 양형의 조건에 관하여 규정한 형법 제51조의 사항은 널리 형의 양정에 관한 법원의 재량사항에 속하고, 이는 열거적인 것이 아니라 예시적인 것이다(대판 2017.8.24, 2017도5977 전원합의체).

(9) 미결구금(판결선고 전 구금)과 판결의 공시

① **미결구금** : 판결선고 전 구금(미결구금)이란 범죄의 혐의를 받고 있는 자를 재판이 확정될 때까지 구금하는 것을 말한다. 미결구금은 형은 아니나 실질적으로 자유형의 집행과 동일한 효력을 가지므로 형법은 다음과 같이 규정하고 있다.

> **제57조【판결선고 전 구금일수의 통산】** ① 판결선고 전의 구금일수는 그 전부(일부 ×)를 유기징역, 유기금고, 벌금이나 과료에 관한 유치 또는 구류에 산입한다(산입할 수 있다 ×). 17. 법원행시, 18. 7급 검찰, 23. 9급 검찰 · 마약수사 · 철도경찰
> ② 전항의 경우에는 구금일수의 1일은 징역, 금고, 벌금이나 과료에 관한 유치 또는 구류의 기간의 1일로 계산한다.

관련판례

1. 피고인이 범행 후 미국으로 도주하였다가 '한·미간의 범죄인인도조약'에 따라 체포된 후 인도절차를 밟기 위한 절차에 해당하는 기간은 본형에 산입될 미결구금일수에 해당하지 않는다(대판 2004.4.27, 2004도482 ; 대판 2009.5.28, 2009도1446 ∵ 공소의 목적을 달성하기 위하여 어쩔 수 없이 이루어진 강제처분기간이 아님). 18. 7급 검찰, 21. 법원행시

2. 외국에서 형이 집행된 것이 아니라 단지 미결구금되었다가 무죄판결을 받은 사람의 미결구금일수를 형법 제7조의 유추적용에 의하여 그가 국내에서 같은 행위로 인하여 선고받는 형에 산입하여야 한다는 것은 허용되기 어렵다(대판 2017.8.24, 2017도5977 전원합의체). 18. 7급 검찰, 25. 해경경위

3. 형의 집행과 구속영장의 집행이 경합하고 있는 경우에는 미결구금일수를 본형에 통산하여서는 안 된다(대판 2001.10.26, 2001도4583 ∵ 형의 집행에 의한 구금만이 존재 ○, 구속에 의한 자유박탈 ×). 18. 7급 검찰

4. 판결 선고 당일에 집행유예, 선고유예, 벌금형 등의 선고나 보석, 구속취소 등으로 인하여 그날 중으로 석방된 피고인이 바로 당일에 상소를 제기한 경우에는 그 선고 당일(석방된 당일)의 구금일수 1일은 상소심의 통산의 대상이 된다(대판 2006.2.10, 2005도6246). 18. 7급 검찰

5. 판결선고 전 미결구금일수는 그 전부가 법률상 당연히 본형에 산입하게 되었으므로(헌재결 2009.6.25, 2007헌바25), 판결에서 별도로 미결구금일수 산입에 관한 사항을 판단할 필요가 없다(대판 2009.12.10, 2009도11448). 12. 7급 검찰

② 판결의 공시

> **제58조【판결의 공시】** ① 피해자(피고인 ×)의 이익을 위하여 필요하다고 인정할 때에는 피해자(피고인 ×)의 청구가 있는 경우에 한하여 피고인(피해인 ×)의 부담으로 판결공시의 취지를 선고할 수 있다.
> ② 피고사건에 대하여 무죄의 판결을 선고하는 경우에는 무죄판결공시의 취지를 선고하여야 한다(필요적). 다만, 무죄판결을 받은 피고인이 무죄판결공시 취지의 선고에 동의하지 아니하거나 피고인의 동의를 받을 수 없는 경우에는 그러하지 아니하다. 16. 사시, 17. 법원행시, 19. 순경 1차
> ③ 피고사건에 대하여 면소의 판결을 선고하는 경우에는 면소판결공시의 취지를 선고할 수 있다(임의적). 16. 사시·법원행시

🔔 판결의 공시는 피해자의 이익이나 피고인의 명예회복을 위해 형의 선고와 동시에 관보 또는 일간신문 등을 통하여 판결의 전부 또는 일부를 공적으로 주지시키는 제도이다.

01 형을 임의적으로 감경 또는 면제할 수 있는 경우만을 모두 고르면?　　　20. 9급 검찰

> ㉠ 자구행위가 그 정도를 초과하였지만 정황에 참작할 사유가 있는 경우
> ㉡ 실행 수단의 착오로 인하여 결과의 발생이 불가능하지만 위험성이 인정되는 경우
> ㉢ 직계혈족, 배우자, 동거친족 또는 동거가족의 재물을 절취한 경우
> ㉣ 피해자의 의사에 반하여 처벌할 수 없는 죄에 있어서 피해자에게 자복(自服)한 경우
> ㉤ 범인이 자의로 실행에 착수한 행위를 중지하거나 그 행위로 인한 결과의 발생을 방지한 경우

① ㉠, ㉢　　　　② ㉡, ㉤　　　　③ ㉠, ㉡, ㉣　　　　④ ㉡, ㉣, ㉤

해설　• 임의적 감경 또는 면제 : ㉠ 과잉자구행위(제23조 제2항) ㉡ 불능미수(제27조) ㉣ 자수·자복(제52조)
　• 필요적 감경 또는 면제 : ㉤ 중지미수(제26조)
　• 친고죄 : ㉢ 친족상도례(제328조 제1항)

02 다음 〈사례〉와 형의 가중·감경·면제사유가 동일한 것은 모두 몇 개인가?(다툼이 있는 경우 판례에 의함)　　　20. 해경승진

> 〈사례〉 강간하려고 피해자를 폭행하였으나 피해자가 다음에 친해지면 응해주겠다고 설득하여 그 만둔 경우

> ㉠ 통화위조죄에 있어서 실행에 이르기 전에 자수한 때
> ㉡ 경합범 중 판결을 받지 아니한 죄에 대하여 형을 선고할 때
> ㉢ 타인을 무고한 사람이 그 무고한 사건의 재판이 확정되기 전에 수사기관에 자수한 때
> ㉣ 장물취득죄를 범한 자가 본범과 동거친족인 때

① 1개　　　　② 2개　　　　③ 3개　　　　④ 4개

해설　사례는 중지미수(대판 1993.10.12, 93도1851)에 해당되어 필요적 감면사유임(제26조).
　• 필요적 감면사유 : ㉠ 제213조 ㉢ 제157조
　• 임의적 감면사유 : ㉡ 제39조 제1항 ㉣ 제365조 제2항

03 다음 중 형의 필요적 감경 또는 면제사유에 해당하는 것을 모두 몇 개인가?　　　24. 법원행시

> ㉠ 무고죄의 재판 확정 전 자백　　　㉡ 살인죄의 실행 착수 후 중지미수
> ㉢ 강도죄의 심신미약　　　　　　　㉣ 장물취득죄에서 본범이 아들인 경우
> ㉤ 폭행죄에서 과잉방위

Answer　01. ③　02. ②　03. ②

① 1개   ② 2개   ③ 3개   ④ 4개   ⑤ 5개

[해설] • 필요적 감경 또는 면제 : ㉠ 제157조 ㉣ 제26조
　　　• 임의적 감경 : ㉢ 제10조 제2항
　　　• 임의적 감경 또는 면제 : ㉣ 제365조 제2항 ㉤ 제21조 제2항

04 다음 사례 중 형의 임의적 감경·면제사유에 해당하는 것을 모두 고른 것은?   21. 경찰간부

> ㉠ 죄를 범한 후 수사책임이 있는 관서에 자수한 경우
> ㉡ 심신장애로 인하여 사물변별능력 또는 의사결정능력이 미약한 경우
> ㉢ 실행의 수단 또는 대상의 착오로 인하여 결과의 발생이 불가능하더라도 위험성이 있는 경우
> ㉣ 미성년자약취죄를 범한 사람이 약취된 미성년자를 안전한 장소로 풀어준 경우
> ㉤ 범죄에 의하여 외국에서 형의 전부 또는 일부의 집행을 받은 경우

① ㉠, ㉢   ② ㉠, ㉡, ㉢   ③ ㉠, ㉢, ㉤   ④ ㉡, ㉣, ㉤

[해설] • 임의적 감경·면제사유 : ㉠ 자수(제52조) ㉢ 불능미수(제27조)
　　　• 임의적 감경사유 : ㉡ 심신미약자(제10조 제2항) ㉣ 약취·유인 및 인신매매의 죄(제295조의 2)
　　　• 외국에서 받은 형의 집행(제7조) : 임의적 감경·면제사유 ×(㉤)

05 다음 설명 중 옳지 않은 것은 모두 몇 개인가?(다툼이 있는 경우 판례에 의함)   20. 법원행시

> ㉠ 형의 양정은 법정형 확인, 처단형 확정, 선고형 결정 등 단계로 구분된다. 법관은 형의 양정을
>   할 때 법정형에서 형의 가중·감경 등을 거쳐 형성된 처단형의 범위 내에서만 양형의 조건을
>   참작하여 선고형을 결정하여야 하고, 이는 형법 제37조 후단 경합범의 경우에도 마찬가지이다.
> ㉡ 형법 제56조는 형을 가중·감경할 사유가 경합된 경우 가중·감경의 순서를 '1. 각칙 본조에
>   의한 가중, 2. 제34조 제2항의 가중, 3. 누범가중, 4. 법률상 감경, 5. 경합범가중, 6. 작량감경(정상
>   참작감경)' 순으로 하도록 정하고 있다.
> ㉢ 형의 감경에는 법률상 감경과 재판상 감경인 작량감경(정상참작감경)이 있다. 작량감경(정상
>   참작감경) 외에 법률의 여러 조항에서 정하고 있는 감경은 모두 법률상 감경이라는 하나의
>   틀 안에 놓여 있다. 따라서 형법 제39조 제1항 후문에서 정한 감경도 당연히 법률상 감경에
>   해당한다.
> ㉣ 형법 제37조 후단 경합범에 대하여 형법 제39조 제1항에 의하여 형을 감경할 때에도 법률상
>   감경에 관한 형법 제55조 제1항이 적용되어 유기징역을 감경할 때에는 그 형기의 2분의 1 미만
>   으로는 감경할 수 없다.
> ㉤ 어떠한 행위가 위법성조각사유로서 정당행위나 정당방위가 되는지 여부는 구체적인 경우에
>   따라 합목적적·합리적으로 가려야 하고, 또 행위의 적법 여부는 국가질서를 벗어나서 이를
>   가릴 수 없는 것이다.

① 1개   ② 2개   ③ 3개   ④ 4개   ⑤ 없 음

Answer   04. ①   05. ⑤

해설 ㉠ ○ : 대판 2019.4.18, 2017도14609 전원합의체
㉡ ○ : 제56조 ㉢ ○ : 대판 2019.4.18, 2017도14609 전원합의체
㉣ ○ : 대판 2019.4.18, 2017도14609 전원합의체 ㉤ ○ : 대판 2018.12.27, 2017도15226

06 형의 양정에 관한 다음 설명 중 가장 옳지 않은 것은?(다툼이 있는 경우 판례에 의함) 22. 법원직

① 필요적 감경의 경우에는 감경사유의 존재가 인정되면 반드시 형법 제55조 제1항에 따른 법률상 감경을 하여야 함에 반해, 임의적 감경의 경우에는 감경사유의 존재가 인정되더라도 법관이 형법 제55조 제1항에 따른 법률상 감경을 할 수도 있고 하지 않을 수도 있다.

② 형법은 형의 가중·감경할 사유가 경합된 때에 그 적용순서에 관하여, 각칙조문에 따른 가중, 제34조 제2항에 따른 가중, 누범 가중, 법률상 감경, 경합범 가중, 정상참작감경 순으로 규정하고 있으므로, 법관이 처단형을 결정하는 과정에서 최종 선고형을 머릿속에 그리면서 임의적 감경 여부를 결정하는 것은 법리적·논리적 순서에 부합한다고 볼 수 없다.

③ 유기징역형에 대한 법률상 감경을 하면서 형법 제55조 제1항 제3호에서 정한 것과 같이 장기와 단기를 모두 2분의 1로 감경하는 것이 아닌 장기 또는 단기 중 어느 하나만을 2분의 1로 감경하는 방식이나 2분의 1보다 넓은 범위의 감경을 하는 방식 등은 죄형법정주의 원칙상 허용될 수 없다.

④ 형법이 '형을 감경할 수 있다.'고 규정하고 있는 것은 임의적 감경사유가 인정되더라도 그에 따른 감경이 필요한 경우와 필요하지 않은 경우가 모두 있을 수 있으니 임의적 감경사유로 인한 행위불법이나 결과불법의 축소효과가 미미하거나 행위자의 책임의 경감 정도가 낮은 경우에는 감경하지 않은 무거운 처단형으로 처벌할 수 있도록 한 것이다.

해설 ①③④ 대판 2021.1.21, 2018도5475 전원합의체
② × : ~ 부합한다고 볼 수 있다(대판 2021.1.21, 2018도5475 전원합의체).

07 다음 설명 중 가장 옳지 않은 것은?(다툼이 있는 경우 판례에 의함) 24. 법원직

① 유기징역형에 대한 법률상 감경을 하면서 형법 제55조 제1항 제3호에서 정한 것과 같이 장기와 단기를 모두 2분의 1로 감경하는 것이 아닌 장기 또는 단기 중 어느 하나만을 2분의 1로 감경하는 방식이나 2분의 1보다 넓은 범위의 감경을 하는 방식은 위 규정에 의한 법률상 감경이 임의적인 경우에는 허용될 수 있다.

② 심신장애로 인하여 사물을 변별할 능력이나 의사를 결정할 능력이 미약하다고 하더라도, 이미 범행을 예견하고도 자의로 위와 같은 심신장애를 야기한 경우라면 형법 제10조 제3항에 의하여 심신장애로 인한 감경 등을 할 수 없다.

③ 형법 제56조는 형을 가중·감경할 사유가 경합된 경우 가중·감경의 순서를 정하고 있고, 이에 따르면 법률상 감경을 먼저 하고 마지막으로 작량감경을 하게 되어 있으므로, 법률상 감경사유가 있을 때에는 작량감경보다 우선하여야 한다.

④ 처단형은 선고형의 최종적인 기준이 되므로 그 범위는 법률에 따라서 엄격하게 정하여야 하고, 별도의 명시적인 규정이 없는 이상 형법 제56조에서 열거하고 있는 가중·감경할 사유에 해당하지 않는 다른 성질의 감경사유를 인정할 수는 없다.

해설 ① × : ~ (4줄) 임의적인 경우라도 죄형법정주의 원칙상 허용될 수 없다(대판 2021.1.21, 2018도5475 전원합의체).
② 대판 1996.6.11, 96도857 ③ 대판 1991.6.11, 91도985 ④ 대판 2019.4.18, 2017도14609 전원합의체

08 자수에 관한 설명으로 가장 적절한 것은?(다툼이 있는 경우 판례에 의함) 24. 경찰승진

① 반의사불벌죄를 저지른 자가 피해자에게 죄를 자복하였을 경우와 달리 죄를 지은 후 수사기관에 자수한 경우에는 형을 감경하거나 면제할 수 있다.
② 법률상의 형의 감경사유가 되는 자수를 위하여는 법적으로 요건을 완전히 갖춘 범죄행위라고 적극적으로 인식하고 있을 필요가 있다.
③ 형법 제52조 제1항에서 말하는 '자수'란 범행이 발각된 후에 수사기관에 자진 출석하여 범죄사실을 자백한 경우도 포함하나, 그 후에 범인이 번복하여 수사기관이나 법정에서 범행을 부인하는 경우라면 일단 발생한 자수의 효력은 소멸한다.
④ 자수서를 소지하고 수사기관에 출석하였으나 조사를 받으면서 자수서를 제출하지 아니하고 범행사실을 부인하였다면 자수가 성립한다고 볼 수 없고, 그 이후 구속까지 된 상태에서 자수서를 제출하고 제4회 피의자신문 당시 범행사실을 시인한 것은 자수에 해당하지 않는다.

해설 ① × : ~ 자복하였을 경우와 동일하게(달리 ×) 죄를 지은 후 수사기관에 자수한 경우에는 형을 감경하거나 면제할 수 있다(제52조 제2항과 제1항).
② × : ~ 있을 필요가 없다(대판 1995.6.30, 94도1017).
③ × : ~ (3줄) 범행을 부인하는 경우라도 일단 발생한 자수의 효력이 소멸하는 것은 아니다(대판 1999.7.9, 99도1695).
④ ○ : 대판 2004.10.14, 2003도3133

09 자수에 관한 설명 중 옳은 것은 모두 몇 개인가?(다툼이 있는 경우 판례에 의함) 22. 해경간부

㉠ 신문지상에 혐의사실이 보도되기 시작한 후 담당 검사에게 전화를 걸어 조사를 받게 해 달라고 요청한 다음 자진출석하여 혐의사실을 모두 인정하는 내용의 진술서를 작성하고 검찰 수사과정에서 혐의사실을 모두 자백한 경우 자수에 해당한다.
㉡ 경찰관이 피고인의 강도상해 범행에 관하여 수사를 하던 중 증거를 토대로 피고인의 여죄를 추궁하자, 또 다른 강도강간 범행을 자백한 경우 자수에 해당한다.
㉢ 수사기관의 질문 또는 조사에 응하여 범죄사실을 진술하는 것은 자백일 뿐 자수는 아니다.
㉣ 세관 검색시 금속탐지기에 의해 대마 휴대 사실이 발각될 상황에서 세관 검색원의 추궁에 의하여 대마 수입 범행을 시인한 경우, 자수에 해당하지 않는다.

Answer 08. ④ 09. ③

> ㉤ 공직선거법 제262조는 자수가 범죄발견에 유용하다는 측면에서 형의 필요적 면제를 규정한 것이므로 범행이 발각되고 피고인에 대한 구속영장까지 발부된 이후에 수사기관에 자진출두 하여도 공직선거법상의 자수에 해당하지 아니한다고 보는 것이 대법원의 태도이다.

① 1개   ② 2개   ③ 3개   ④ 4개

[해설] ㉠ ○ : 대판 1994.9.9, 94도619
㉡ × : 자수 ×(대판 2006.9.22, 2006도4883)
㉢ ○ : 대판 1982.9.28, 82도1965
㉣ ○ : 대판 1999.4.13, 98도4560
㉤ × : 공직선거법 제262조의 '자수'를 '범행발각 전에 자수한 경우'로 한정하는 풀이는 단순한 목적론적 축소해석에 그치는 것이 아니라, 형면제 사유에 대한 제한적 유추를 통하여 처벌범위를 실정법 이상으로 확대한 것으로서 죄형법정주의의 파생원칙인 유추해석금지의 원칙에 위반된다(대판 1997.3.20, 96도1167 전원합의체).

10 다음 중 자수에 대한 설명으로 가장 옳지 않은 것은?(다툼이 있는 경우 판례에 의함)   25. 해경경사

① 수사기관에 뇌물수수의 범죄사실을 자발적으로 신고하였으나 그 수뢰액을 실제보다 적게 신고함으로써 적용법조와 법정형이 달라지게 된 경우 자수가 성립하지 않는다.

② 범죄사실과 범인이 누구인가가 발각된 후라 하더라도 범인이 자발적으로 자기의 범죄사실을 수사기관에 신고한 경우에는 이를 자수로 보아야 한다.

③ 형법상 피해자의 의사에 반하여 처벌할 수 없는 죄에 있어서 피해자에게 자복한 경우에는 필요적 감면사유이다.

④ 피고인이 수사기관에 자진 출석하여 처음 조사를 받으면서는 돈을 차용하였을 뿐이라며 범죄사실을 부인하다가 제2회 조사를 받으면서 비로소 업무와 관련하여 돈을 수수하였다고 자백한 행위를 자수라고 할 수 없다.

[해설] ① 대판 2004.6.24, 2004도2003 ② 대판 1968.7.30, 68도754
③ × : ~ 임의적 감면사유이다(제52조 제2항). ④ 대판 2011.12.22, 2011도12041

11 다음 설명 중 가장 적절하지 않은 것은?(다툼이 있는 경우 판례에 의함)   20. 순경 2차

① 형사사건으로 외국 법원에 기소되었다가 무죄판결을 받은 사람은, 설령 그가 무죄판결을 받기까지 상당 기간 미결구금되었더라도 이를 유죄판결에 의하여 형이 실제로 집행된 것으로 볼 수는 없으므로, '외국에서 형의 전부 또는 일부가 집행된 사람'에 해당한다고 볼 수 없고, 그 미결구금 기간은 형법 제7조에 의한 산입의 대상이 될 수 없다.

② 피고인이 수사기관에 자진 출석하여 처음 조사를 받으면서는 돈을 차용하였을 뿐이라며 범죄사실을 부인하다가 제2회 조사를 받으면서 비로소 업무와 관련하여 돈을 수수하였다고 자백한 행위를 자수라고 할 수 없다.

Answer   10. ③   11. ④

③ 법관은 양형을 함에 있어 법정형에서 형의 가중·감면 등을 거쳐 형성된 처단형의 범위 내에서 양형의 조건을 참작하여 선고형을 정하여야 한다.

④ 작량감경이란 법률상 특별한 감경사유가 없는 경우에도 피고인에게 정상참작의 여지가 있을 때 법원이 재량으로 하는 형의 감경이고, 법률상 감경사유가 있을 때에는 항상 작량감경이 우선해야 한다.

해설 ① 대판 2017.8.24, 2017도5977 전원합의체

② 대판 2011.12.22, 2011도12041

③ 대판 2019.4.18, 2017도14609 전원합의체

④ × : 법률상 감경사유가 있을 때에는 작량감경보다 우선하여 하여야 하고, 작량감경은 이와 같은 법률상 감경을 다하고도 그 처단형보다 낮은 형을 선고하고자 할 때에 하는 것이 옳다(대판 1991.6.11, 91도985).

12 형법상 형의 가중, 감경 또는 면제에 관한 다음 설명 중 옳지 않은 것은 모두 몇 개인가?(다툼이 있는 경우 판례에 의함) 24. 법원행시

⊙ 형을 가중·감경할 사유가 경합하는 경우에는 '각칙 조문에 따른 가중, 누범 가중, 제34조 제2항에 따른 가중, 법률상 감경, 경합범 가중, 정상참작감경'의 순서에 따른다.

© 직계혈족, 배우자, 동거친족, 동거가족 또는 그 배우자 간의 제323조(권리행사방해)의 죄는 그 형을 감경 또는 면제한다.

© 형법 제52조 제1항 소정의 자수란 범인이 자발적으로 자신의 범죄사실을 수사기관에 신고하여 그 소추를 구하는 의사표시를 함으로써 성립하는 것이므로, 일단 자수가 성립한 이상 자수의 효력은 확정적으로 발생하고 그 후에 범인이 번복하여 수사기관이나 법정에서 범행을 부인한다고 하더라도 일단 발생한 자수의 효력이 소멸하는 것은 아니다.

② 무기징역 또는 무기금고를 감경할 때에는 10년 이상 50년 이하의 징역 또는 금고로 한다.

⑩ 형법 제152조(위증, 모해위증)의 죄를 범한 자가 그 공술한 사건의 재판 또는 징계처분이 확정되기 전에 자백 또는 자수한 때에는 그 형을 감경 또는 면제하고, 제324조의 2(인질강요) 또는 제324조의 3(인질상해·치상)의 죄를 범한 자 및 그 죄의 미수범이 인질을 안전한 장소로 풀어준 때에는 그 형을 감경할 수 있다.

① 없 음   ② 1개   ③ 2개   ④ 3개   ⑤ 4개

해설 ⊙ × : ~ '각칙 조문에 따른 가중, 제34조 제2항에 따른 가중, 누범 가중, 법률상 감경, 경합범 가중, 정상참작감경'의 순서에 따른다(제56조).

© × : 직계혈족, 배우자, 동거친족, 동거가족 또는 그 배우자 간의 제323조(권리행사방해)의 죄는 고소가 있어야 공소를 제기할 수 있다(제328조 제1항).

© ○ : 대판 2004.10.14, 2003도3133

② ○ : 제55조 제1항 제2호

⑩ ○ : 제153조, 제324조의 6

Answer 12. ③

제3절 　누 범

> **제35조【누범】** ① 금고 이상의 형을 선고받아 그 집행이 종료되거나 면제된 후 3년 내에 금고 이상에 해당하는 죄를 지은 사람은 누범으로 처벌한다. 21. 해경승진
> ② 누범의 형은 그 죄에 대하여 정한 형의 장기(단기 ×, 형기 ×)의 2배까지 가중한다.

1 누범과 상습범

누범은 범죄를 누적적·반복적으로 범한다는 의미에서 상습범과 밀접한 관계가 있으나, 누범이 반복된 처벌을 의미함에 반하여 상습범은 반복된 범죄에 징표된 범죄경향을 말한다는 점에서 개념상 구별된다. 즉, 누범은 범죄의 수를 기준으로 전과를 요건으로 하지만, 상습범은 행위자의 습벽(상습성)을 기초로 결정되므로 전과가 요건이 아니다.

예 절도범행이 단 1회라 할지라도 그것이 상습성의 발현이라고 볼 수 있으면 상습절도가 되지만, 절도 전과사실만으로 당연히 상습성이 인정되는 것은 아니다.

구 분	누 범	상습범
판단기준	범죄의 수	상습적 습벽
요 건	전과를 요건으로 함	전과가 요건이 아님 동일죄명 또는 동일죄질의 범죄 반복요구
처벌의 근거	행위책임	행위자책임(상습범) 11. 법원행시
형법규정	총칙에서 규정(제35조, 제36조)	각칙에서 상습범규정(예 제246조 제2항, 제332조 등)
양자의 관계	상습범에 대한 누범가중 가능(대판 1982.5.25, 82도600 ∴ 상습범가중과 누범가중사유가 경합하는 경우에는 양자를 병과하여 적용할 수 있다.) 12. 법원행시, 18. 법원직	

Key Point 　**형법 각칙에서 상습범을 가중처벌하는 범죄**

1. 국가적 법익 : 해당범죄 ×(예 무고죄 ⇨ 상습범가중처벌규정 ×)
2. 사회적 법익 : 아편에 관한 죄(제203조), 도박죄(제246조 제2항)(▶ 주의 : 상습도박개장죄 ×)뿐임 15. 법원행시
3. 개인적 법익
   • 상해죄와 폭행죄(존속상해·폭행죄, 중상해·존속중상해죄, 특수상해·폭행죄 : 제264조)
   • 체포·감금죄(존속체포·감금, 중체포·감금, 존속중체포·감금)
   • 협박죄(존속협박죄 : 제285조)
   • 절도죄(제332조), 강도죄(제341조), 사기·공갈죄(제351조), 장물죄(제363조)
   • 강간과 추행의 죄(제305조의 2) : 2010. 4. 15. 개정·시행
   ▶ 재산범죄 중 횡령·배임죄, 손괴죄, 권리행사방해죄 ⇨ ×
4. 처벌 : 상습범 중 도박죄, 강도죄, 장물죄는 별도의 법정형이 규정되어 있고 나머지는 모두 그 죄에 정한 형의 2분의 1을 가중 처벌함. 15. 법원행시, 21. 해경승진

관련판례 1

1. 상습범과 누범은 서로 다른 개념으로서 누범에 해당한다고 하여 반드시 상습범이 되는 것이 아니며, 반대로 상습범에 해당한다고 하여 반드시 누범이 되는 것도 아니다. 또한, 행위자책임(행위책임 ×)에 형벌가중의 본질이 있는 상습범과 행위책임(행위자책임 ×)에 형벌가중의 본질이 있는 누범을 단지 평면적으로 비교하여 그 경중을 가릴 수는 없고, 사안에 따라서는 누범의 책임이 상습범의 경우보다 오히려 더 무거운 경우도 얼마든지 있을 수 있다(대판 2007.8.23, 2007도4913). 15. 법원행시, 19. 7급 검찰, 21. 해경승진

2. 헌법재판소는 누범을 가중처벌하는 것은 전범에 대한 형벌의 경고적 기능을 무시하고 다시 범죄를 저질렀다는 점에서 비난가능성이 많고, 누범이 증가하고 있다는 현실에서 사회방위, 범죄의 특별예방 및 일반예방이라는 형벌목적에 비추어 보아, 헌법상의 평등의 원칙에 위배되지 아니한다고 보았다(헌재결 1995.2.23, 93헌바43). 21. 법원행시

3. 상습범은 같은 유형의 범행을 반복누행하는 습벽을 말하는 것인바, 절도와 강도는 유형을 달리하는 범행이므로 각 별로 상습성의 유무를 가려야 하며, 절도와 강도를 형법 각칙의 같은 장에 규정된 죄로서 동종 또는 유사한 죄로 규정하고 있다고 하여 상습성 인정의 기초가 되는 같은 유형의 범죄라고 말할 수 없다(대판 1990.4.10, 90감도8). 15. 법원행시

4. 상습성을 인정하는 자료에는 아무런 제한이 없으므로 피고인이 과거에 소년법에 의한 보호처분을 받은 사실도 상습성 인정의 자료로 삼을 수 있다(대판 1990.6.26, 90도887). 15. 법원행시

5. 특수상해죄(형법 제258조의 2 제1항)를 상습으로 범한 자에 대해서는 상습범 가중 규정(형법 제264조)에 따라 그 법정형의 단기와 장기를 모두 2분의 1까지 가중한다(대판 2017.6.29, 2016도18194). 22. 7급 검찰

6. 상습범이 아닌 형법 제329조부터 제331조까지의 죄나 그 미수죄 등 기본 구성요건의 범죄로 처벌받은 데 그친 경우에는 그 범죄가 상습성의 발현에 의한 것이었다고 해도 특정범죄가중법 제5조의 4 제6항이 적용되지 않는다(대판 2025.3.27, 2024도20290).

2 누범가중의 요건

(1) 전범은 금고 이상의 형을 선고받았을 것

① 금고 이상의 형은 선고형(법정형 ×)을 의미하며, 금고 · 징역 · 사형이 이에 해당된다. 14. 사시

관련판례 1

1. 누범가중사유가 되는 전과에 관한 사실은 엄격한 의미에서의 범죄사실과는 구별되는 것으로서 피고인의 자백만으로서도 이를 인정할 수 있다(대판 1979.8.21, 79도1528). 19. 법원행시

2. 누범가중사유가 되는 전과사실은 범죄사실이 아니므로 공소장에 기재된 바 없다하더라도 이를 심리 · 처단할 수 있다 할 것이다(대판 1971.12.21, 71도2004). 19. 법원행시

② **전범은 금고 이상의 형을 선고받아야 하므로 형의 선고는 유효해야 한다.**

  ㉠ 일반사면이나 형의 실효 등에 관한 법률에 따라 형이 실효된 경우(대판 2016.6.23, 2016도5032), 선고유예·집행유예기간의 경과로 전범의 형의 선고가 효력을 상실하면 누범이 될 수 없다(대판 1970.9.22, 70도1627). 17. 법원직, 21. 법원행시, 25. 해경경장

  ㉡ 유죄의 확정판결에 대하여 재심개시결정이 확정되어 법원이 그 사건에 대하여 다시 심판을 한 후 재심의 판결을 선고하고 그 재심판결이 확정된 때에는 종전의 확정판결은 당연히 효력을 상실하므로, 누범전과가 될 수 없다(대판 2019.4.11, 2018도17909 ∴ 재심이 가능하다는 이유만으로는 누범전과가 될 수 있음). 19. 법원행시·7급 검찰, 20. 경찰간부

  ㉢ 특별사면을 받아 형의 집행을 면제받거나(단, 특별사면으로 형의 선고의 효력이 상실된 예외적인 경우 ⇨ 누범 ×), 복권이 된 때에도 형의 선고의 효력은 상실되지 않으므로 특별사면으로 출소 후 3년 이내에 다시 죄를 범한 경우 누범에 해당한다(대판 1986.11.11, 86도2004). 15. 사시, 17. 법원직, 23. 법원행시

  ㉣ 폭력행위 등 처벌에 관한 법률 제2조 제3항은 2회 이상 징역형을 받은 사람에 대해서 누범으로 가중 처벌하도록 하고 있는데, 집행유예의 선고를 받은 후 그 선고가 실효 또는 취소됨이 없이 유예기간을 경과하여 형의 선고가 효력을 잃은 경우는 위 조항의 '징역형을 받은 경우'에 해당하지 않는다(대판 2016.6.23, 2016도5032). 23. 변호사시험

(2) 후범이 금고 이상에 해당하는 죄일 것

누범으로서 판결의 대상이 되는 범죄(후범)도 금고 이상의 형에 해당하는 죄이어야 한다.

① 여기서 '금고 이상에 해당하는 죄'란 법정형을 의미하는 것이 아니라 선고형을 의미한다(통설·판례).

  예 형법 제35조 제1항에 규정된 '금고 이상에 해당하는 죄'라 함은 유기금고형이나 유기징역형으로 처단할 경우에 해당하는 죄를 가리키는 것으로서, 징역형과 벌금형이 선택형으로 규정되어 있는 경우에 징역형을 선택하여 처벌하는 때에만 누범이 될 뿐, 벌금형을 선택한 때에는 누범가중을 할 수 없다(대판 1982.9.14, 82도1702). 21. 해경승진, 22. 7급 검찰·철도경찰, 25. 해경경사 또한 법정형에서 무기징역을 선택한 경우에도 누범가중을 할 수 없다. 15. 경찰간부

② 후범은 전범과 같은 죄명이나 죄질을 같이 하는 범죄일 것을 요하지 않으며 후범이 고의범인가 과실범인가도 불문한다. 19. 법원행시

관련판례

누범가중을 하기 위해서는 반드시 누범에 해당하는 전과사실과 새로이 범한 범죄 사이에 일정한 상관관계가 있어야 하는 것은 아니다(대판 2008.12.24, 2006도1427). 16. 7급 검찰·철도경찰, 17. 법원행시, 25. 해경경장

(3) 전범의 형집행종료 또는 면제받은 후 3년 이내에 후범이 있을 것

후범은 전범의 집행을 종료·면제받은 후 3년 내에 행해져야 한다. 이때 3년을 누범시효라고 한다. 따라서 형집행종료 후 3년이 경과된 후에 다시 죄를 범한 경우는 누범이 아니다. 20. 해경 1차

🏅 Key Point 누범이 되지 않는 경우

1. 전범에 대한 형의 집행 전 또는 집행 중에 범한 후범 ⇨ 예 교도소 안에서 범한 죄
2. 집행유예기간 중에 범한 후범(대판 1983.8.23, 83도1600), 18. 법원직, 19. 법원행시, 21. 해경승진, 25. 해경경장
   선고유예기간 중에 범한 범죄
3. 집행정지 중에 재범한 경우 ⇨ 예 복역 중 도주하여 범한 죄
4. 가석방기간 중에 재범한 경우(대판 1976.9.14, 76도2071) 19. 법원행시, 24. 법원직 · 해경경위

관련판례 1

1. 포괄일죄의 일부 범행이 누범기간 내에 이루어진 이상 나머지 범행이 누범기간 경과 후에 이루어졌더
   라도 그 범행 전부가 누범에 해당한다고 보아야 한다(대판 2012.3.29, 2011도14135 예 상습사기 중
   일부 행위가 누범기간 내에 이루어졌다면 나머지 행위가 누범기간 경과 후에 행해졌더라도 행위 전부는
   누범관계에 있고, 이 경우 상습범가중 후 누범가중도 하여야 한다). 19. 7급 검찰찰, 22. 법원행시, 24. 법원직,
   25. 변호사시험 · 9급 철도경찰 · 해경경장
2. 누범이 되려면 3년의 기간 내에 실행의 착수에 있으면 족하고, 그 기간 내에 기수에까지 이르러야
   되는 것은 아니다(대판 2006.4.7, 2005도9858 전원합의체). 22. 법원행시, 23. 9급 철도경찰 · 법원직, 25. 7급
   검찰
3. 폭력행위 등 처벌에 관한 법률 제3조 제4항의 누범에 대하여 다시 형법 제35조의 누범가중 규정을
   적용한다고 하더라도 그것이 동일한 행위에 대한 이중처벌로서 헌법상의 인간의 존엄과 가치, 행복추
   구권을 침해하는 것이라고는 볼 수 없다(대판 2007.8.23, 2007도4913). 15. 사시
   ▶ **유사판례** : 반복된 음주운전행위에 대해 도로교통법(2011. 6. 8. 법률 제10790호로 개정) 제148조의
      2 제1항 제1호를 적용하고 다시 형법 제35조에 의한 누범가중을 하는 것은 헌법상 일사부재리나
      이중처벌금지에 반하지 아니한다(대판 2014.7.10, 2014도5868). 21. 법원행시 · 순경 2차
4. 피고인이 폭력행위 등 처벌에 관한 법률 위반(집단 · 흉기 등 재물손괴 등)죄 등으로 징역 8월을
   선고받아 판결이 확정되어 그 집행을 종료한 후 3년 내에 상해죄를 범하였는데, 상해죄 범행 이후
   진행된 재심심판절차에서 징역 8월을 선고한 재심판결이 확정됨으로써 종전의 확정판결은 당연히
   효력을 상실하였으므로, 더 이상 상해죄 등 범행이 확정판결에 의한 형의 집행이 끝난 후 3년 내에
   이루어진 것이 아니다(대판 2017.9.21, 2017도4019 ∴ 누범으로 가중처벌 ×).
5. 특정범죄가중법 제5조의 4 제5항 제1호나 제2호 중 '이들 죄를 범하여 누범으로 처벌하는 경우' 부분에
   서 '이들 죄'란, 앞의 범행과 동일한 범죄일 필요는 없으나, 특정범죄가중법 제5조의 4 제5항 각호에
   열거된 모든 죄가 아니라 앞의 범죄와 동종의 범죄, 즉 형법 제329조(절도) 내지 제331조(특수절도)의
   죄나 형법 제333조 내지 제336조의 죄(강도, 특수강도, 준강도, 인질강도) 및 제340조 제1항의 죄(해상
   강도) 또는 그 미수죄를 의미한다(대판 2020.2.27, 2019도18891 ; 대판 2023.12.21, 2023도12852).
   ▶ **유사판례** : 특정범죄 가중처벌 등에 관한 법률 제5조의 4 제5항은 "형법 제329조부터 제331조까지,
      제333조부터 제336조까지 및 제340조 · 제362조의 죄 또는 그 미수죄로 세 번 이상 징역형을 받은
      사람이 다시 이들 죄를 범하여 누범으로 처벌하는 경우에는 다음 각 호의 구분에 따라 가중처벌한
      다."라고 규정하면서, 같은 항 제1호는 '형법 제329조부터 제331조까지의 죄(미수범을 포함한다)를
      범한 경우에는 2년 이상 20년 이하의 징역에 처한다'고 규정하고 있다. 위 처벌 규정은 형법 제35조

(누범) 규정과는 별개이므로, 처벌 규정에 정한 형에 다시 형법 제35조의 누범가중한 형기 범위 내에서 처단형을 정하여야 한다(대판 2020.5.14, 2019도18947). 22. 법원행시, 24. 법원직

6. 형법 제35조 제1항은 "금고 이상의 형을 받아 그 집행을 종료하거나 면제를 받은 후 3년 내에 금고 이상에 해당하는 죄를 범한 자는 누범으로 처벌한다."고 규정하고 있다. 여기서 '형집행 종료 후'라 함은 '형집행 종료일 후'를 의미한다고 해석되므로, 형집행 종료일에 출소하여 같은 날 다시 죄를 범하였다고 하더라도 위 조항의 누범으로 볼 수 없고, 누범기간의 기산점도 형집행 종료일의 다음 날이라고 봄이 타당하다(대판 2021.2.25, 2020도8728). 22. 법원행시

7. 집행유예가 실효되는 등의 사유로 인하여 두 개 이상의 금고형 내지 징역형을 선고받아 각 형을 연이어 집행받음에 있어 하나의 형의 집행을 마치고 또 다른 형의 집행을 받던 중 먼저 집행된 형의 집행종료일로부터 3년 내에 금고 이상에 해당하는 죄를 저지른 경우에, 집행 중인 형(징역 1년형)에 대한 관계에 있어서는 누범에 해당하지 않지만 앞서 집행을 마친 형(징역 3년형)에 대한 관계에 있어서는 누범에 해당한다. 이는 형법 제37조 후단 경합범에 해당하여 두 개 이상의 금고형 내지 징역형을 선고받아 각 형을 연이어 집행받은 경우에도 마찬가지이다(대판 2021.9.16, 2021도8764). 22. 법원행시, 23. 법원직

8. 징역형의 집행유예를 선고한 판결이 확정된 후 선고의 실효 또는 취소 없이 유예기간을 경과함에 따라 형 선고의 효력이 소멸되어 그 확정판결이 특정범죄가중법 제5조의 4 제5항(절도·강도·장물죄 또는 그 미수죄로 세 번 이상 징역형을 받은 사람이 다시 이들 죄를 범하여 누범으로 처벌하는 경우 가중처벌한다.)에서 정한 "징역형"에 해당하지 않음에도, 위 확정판결에 적용된 형벌 규정에 대한 위헌결정 취지에 따른 재심판결에서 다시 징역형의 집행유예가 선고·확정된 후 유예기간이 경과되지 않은 경우라면, 특정범죄가중법 제5조의 4 제5항의 입법 취지에 비추어 위 재심판결은 위 조항에서 정한 "징역형"에 포함되지 아니한다(대판 2022.7.28, 2020도13705).

3 누범의 효과

누범의 형은 그 죄에 정한 형의 장기(형기 ×, 단기 ×)의 2배까지 가중한다(제35조 제2항). 다만, 제42조 단서에 의해 장기는 50년(30년 ×)을 초과할 수 없다. 누범은 장기만 가중되므로 단기는 당해 범죄의 형이 그대로 적용된다. 15. 경찰간부, 18. 법원행시, 20. 해경 1차, 24. 법원직

예 법정형이 3년 이상의 유기징역으로 되어 있는 범죄가 누범일 경우 처단형은?

⇨ 3년 이상의 유기징역의 단기는 3년, 장기는 30년이므로 장기의 2배를 가중하면 60년이 되나 제42조 단서에 의해 50년으로 제한된다. ⇨ ∴ 처단형은 3년 이상 50년 이하의 징역

관련판례 1

절도죄, 강도죄, 장물죄로 세 번 이상 징역형을 받은 사람이 다시 이들 죄를 범하여 누범으로 가중처벌되는 특정범죄 가중처벌 등에 관한 법률 제5조의 4 제5항에서 정한 형(2년 이상 20년 이하의 징역)에 다시 형법 제35조의 누범가중한 형기 범위 내에서 처단형(2년 이상 40년 이하의 징역)을 정하여야 한다(대판 2020.5.14, 2019도18947). 21. 순경 1차

① 누범으로 인하여 가중되는 형은 법정형을 의미하며 선고형을 뜻하는 것은 아니므로, 누범가중의 경우라고 하여 반드시 그 죄의 법정형을 초과하여 선고하여야 하는 것은 아니고, 법원은 단기까지의 범위에서 선고형을 정할 수 있다. 14. 사시

② 누범에 대해 법률상·재판상 감경이 가능하다.

④ 판결선고 후의 누범 발각

> **제36조【판결선고 후의 누범 발각】** 판결선고 후 누범인 것이 발각된 때에는 그 선고한 형을 통산하여 다시 형을 정할 수 있다(~ 형을 정한다 ×). 단, 선고한 형의 집행을 종료하거나 그 집행이 면제된 후에는 예외로 한다. 21. 해경승진·9급 검찰·마약수사

🔔 여기서 "다시 형을 정한다."고 함은 다시 재판한다는 의미가 아니라 집행 중인 형에 누범으로 인하여 가중되는 형만을 추가한다는 의미이다.

01 다음 설명 중 옳지 않은 것은 모두 몇 개인가?(다툼이 있는 경우 판례에 의함) 18. 법원행시

> ㉠ 누범이 경합범인 경우에는 먼저 경합범 가중을 한 후에 누범가중을 해야 한다.
> ㉡ 집행유예의 선고를 받은 후 그 선고의 실효 또는 취소됨이 없이 유예기간을 경과한 경우 그 전과사실은 누범가중의 사유가 되지 않는다.
> ㉢ 형면제 판결을 선고받은 전과 및 일반사면된 전과는 누범전과가 될 수 없으나, 특별사면된 전과 및 복권된 전과는 예외 없이 누범전과에 해당한다.
> ㉣ 잔형기 경과 전인 가석방기간 중에 범한 죄에 대하여는 형 집행 종료 후에 죄를 범한 경우에 해당한다고 볼 수 없으므로 누범가중을 할 수 없다.
> ㉤ 형법상 누범의 형은 그 죄에 정한 형의 장기의 2배까지 가중하므로, 징역 50년은 초과할 수 있으나 단기는 가중하지 않는다.

① 0개   ② 1개   ③ 2개   ④ 3개   ⑤ 4개

해설 ㉠ × : 누범가중(제56조 제3호) ⇨ 경합범 가중(제56조 제5호) 순서
㉡ ○ : 대판 1970.9.22, 70도1627
㉢ × : 형면제 판결을 선고받은 전과 및 일반사면된 전과(대판 1965.11.30, 65도910) ⇨ 누범전과 ×, 특별사면으로 형의 집행을 면제받아 잔형기가 면제된 전과(대판 1986.11.11, 86도2004) ⇨ 누범전과 ○, 특별사면으로 형의 언도의 효력이 상실된 전과(예외적인 특별사면 ; 사면법 제5조 제2호 단서) ⇨ 누범전과 ×, 복권된 전과(대판 1981.4.14, 81도543) ⇨ 누범전과 ○
㉣ ○ : 대판 1976.9.14, 76도2071
㉤ × : 제42조 단서에 의해 장기는 50년을 초과할 수 없다.

02 누범에 대한 설명으로 옳은 것은?(다툼이 있는 경우 판례에 의함) 19. 7급 검찰

① 행위책임에 형벌가중의 본질이 있는 상습범과 행위자책임에 형벌가중의 본질이 있는 누범을 단지 평면적으로 비교하여 그 경중을 가릴 수는 없다.
② 포괄일죄의 일부 범행이 누범기간 내에 이루어졌다고 하더라도 나머지 범행이 누범기간 경과 후에 이루어졌다면 선행 범죄만이 누범에 해당한다고 보아야 한다.
③ 누범을 가중 처벌하는 이유는 전범에 대하여 처벌을 받았음에도 다시 범행을 하는 경우에 전범도 후범과 일괄하여 다시 처벌한다는 것이다.
④ 누범가중의 사유가 되는 전과에 적용된 법률조항에 대하여 위헌결정이 있어 재심이 가능하다는 이유만으로 그 전과의 누범가중사유로서의 법률적 효력에 영향이 있다고 할 수는 없다.

해설 ① × : 행위자(행위 ×)책임에 형벌가중의 본질이 있는 상습범과 행위(행위자 ×)책임에 형벌가중의 본질이 있는 누범을 단지 평면적으로 비교하여 그 경중을 가릴 수는 없다(대판 2007.8.23, 2007도4913).

Answer 01. ④ 02. ④

② × : 그 범행 전부가 누범에 해당한다(대판 2012.3.29, 2011도14135).
③ × : ~ 경우에 후범에 대하여 그 죄에 정한 형의 장기의 2배까지 가중처벌한다는 것이다(제35조 제2항).
④ ○ : 대판 2019.4.11, 2018도17909(∵ 재심판결이 확정된 때 ⇨ 종전의 확정판결은 당연히 효력상실 ⇨ 누범전과 ×)

03 누범에 관한 설명 중 옳지 않은 것은 모두 몇 개인가?(다툼이 있는 경우 판례에 의함) 21. 법원행시

> ㉠ 형법상 누범의 형은 그 죄에 정한 형의 단기 및 장기의 2배까지 가중한다.
> ㉡ 헌법재판소는 누범을 가중처벌하는 것은 전범에 대한 형벌의 경고적 기능을 무시하고 다시 범죄를 저질렀다는 점에서 비난가능성이 많고, 누범이 증가하고 있다는 현실에서 사회방위, 범죄의 특별예방 및 일반예방이라는 형벌목적에 비추어 보아, 헌법상의 평등의 원칙에 위배되지 아니한다고 보았다.
> ㉢ 특별사면으로 출소한 후 3년 이내에 다시 범죄를 저지른 경우에는 누범으로 처벌되지 않는다.
> ㉣ 형법 제35조 제1항에 규정된 '금고 이상에 해당하는 죄'라 함은 법정형이 유기금고형이나 유기징역형에 해당하는 죄를 가리키는 것이다.
> ㉤ 형법 제35조 제1항에서 말하는 '형집행 종료 후'라 함은 '형집행 종료일 후'를 의미한다고 해석되므로, 형집행 종료일에 출소하여 같은 날 다시 죄를 범하였다고 하더라도 위 조항의 누범으로 볼 수 없고, 누범기간의 기산점도 형집행 종료일의 다음날이다.

① 1개   ② 2개   ③ 3개
④ 4개   ⑤ 5개

해설 ㉠ × : ~ 형의 장기(단기 ×)의 2배까지 가중한다(제35조 제2항).
㉡ ○ : 헌재결 1995.2.23, 93헌바43
㉢ × : ~ 처벌된다(대판 1986.11.11, 86도2004).
㉣ × : ~ (1줄) 함은 선고형(법정형 ×)이 유기금고형이나 유기징역형에 해당하는 죄를 가리키는 것이다(대판 1982.9.14, 82도1702).
㉤ ○ : 대판 2021.2.25, 2020도8728

04 다음 중 누범에 대한 설명으로 가장 옳은 것은?(다툼이 있는 경우 판례에 의함) 25. 해경경장

① 누범이 성립하기 위해서는 누범에 해당하는 전과사실과 새로이 범한 범죄 사이에 일정한 상관관계가 있을 것이 요구된다.
② 상습범 중 일부 행위가 누범기간 내에 있고 나머지 행위가 누범기간 경과 후에 행하여진 경우 그 행위 전부에 대하여 누범가중을 하는 것은 위법하다.
③ 금고 이상의 형을 받고 그 형의 집행유예기간 중에 금고 이상에 해당하는 죄를 범한 경우 이는 누범에 해당한다.
④ 집행유예 선고가 실효 또는 취소되지 않고 유예기간을 경과하였다면 그 전과는 폭력행위 등 처벌에 관한 법률 제2조 제3항에서 말하는 '징역형을 받은 경우'에 해당하지 않는다.

Answer 03. ③   04. ④

해설 ① × : ~ (1줄) 일정한 상관관계가 있어야 하는 것은 아니다(대판 2008.12.24, 2006도1427).
② × : ~ (2줄) 하는 것은 위법하지 않다(대판 2012.3.29, 2011도14135).
③ × : ~ (2줄) 이는 누범에 해당하지 않는다(대판 1983.8.23, 83도1600).
④ ○ : 대판 1970.9.22, 70도1627

05 형의 가중 · 감경에 대한 설명으로 옳지 않은 것은 모두 몇 개인가?(다툼이 있는 경우 판례에 의함)

21. 순경 2차

> ㉠ 임의적 감경사유의 존재가 인정되고 법관이 그에 따라 징역형에 대해 법률상 감경을 하는 경우에는 법정형의 하한만 2분의 1로 감경한다.
> ㉡ 경합범에 대하여 형법 제38조 제1항 제3호에 의하여 징역형과 벌금형을 병과하는 경우 징역형에만 작량감경을 하고 벌금형에는 작량감경을 하지 아니하는 것은 위법하다.
> ㉢ 법정형에 하한이 설정된 형법 제37조 후단 경합범에 대하여 형법 제39조 제1항 후문에 따라 형을 감경할 때에는 형법 제55조 제1항이 적용되지 아니하여 유기징역의 경우에는 그 형기의 2분의 1 미만으로도 감경할 수 있다.
> ㉣ 절도죄로 3차례에 걸쳐 징역형을 선고받고 그 형의 집행을 종료한 후, 누범기간 내에 수회의 절도 범행을 저지른 경우에는 반복적으로 범행을 저지르는 절도 사범에 관한 법정형을 강화한 특정범죄 가중처벌 등에 관한 법률(2016. 1. 6. 법률 제13717호로 개정 · 시행) 제5조의 4 제5항 제1호가 적용되므로 별도로 형법 제35조의 누범가중한 형기 범위 내에서 처단형을 정할 필요는 없다.
> ㉤ 반복된 음주운전행위에 대해 도로교통법(2011. 6. 8. 법률 제10790호로 개정) 제148조의 2 제1항 제1호를 적용하고 다시 형법 제35조에 의한 누범가중을 하는 것은 헌법상 일사부재리나 이중처벌금지에 반하지 아니한다.

① 1개　　　② 2개　　　③ 3개　　　④ 4개

해설 ㉠ × : ~ 법정형의 상한과 하한을 모두 2분의 1로 감경한다(대판 2021.1.21, 2018도5475 전원합의체).
㉡ × : ~ 위법하다고 할 수는 없다(대판 2006.3.23, 2006도1076).
㉢ × : ~ 2분의 1 미만으로는 감경할 수 없다(대판 2019.4.18, 2017도14609 전원합의체).
㉣ × : ~ 처단형을 정하여야 한다[대판 2020.5.14, 2019도18947 ∴ 상습절도죄도 특가법 제5조의 4 제5항 제1호(누범가중처벌)가 적용되나, 다시 형법 제35조의 누범가중 규정을 적용함].
㉤ ○ : 대판 2014.7.10, 2014도5868

06 형벌에 대한 설명으로 옳지 않은 것은?(다툼이 있는 경우 판례에 의함)　　　22. 7급 검찰
① 임의적 감경의 사유가 존재하고 법관이 그에 따라 징역형에 대해 법률상 감경을 하는 이상 형법 제55조 제1항 제3호에 따라 상한과 하한을 모두 2분의 1로 감경한다.
② 특수상해죄(형법 제258조의 2 제1항)를 상습으로 범한 자에 대해서는 상습범 가중 규정(형법 제264조)에 따라 그 법정형의 단기와 장기를 모두 2분의 1까지 가중한다.

Answer　05. ④　06. ④

③ 형법은 경합범을 동시에 판결할 때, 각 죄에 대하여 정한 형이 사형, 무기징역, 무기금고 외의 같은 종류의 형인 경우에 가중주의를 채택하고 있는데, 과료와 과료는 병과(倂科)할 수 있다.

④ 도로교통법위반죄에 대하여 당해 법조가 정하고 있는 징역형과 벌금형 가운데에서 벌금형을 선택한 경우, 피고인이 금고(禁錮) 이상의 형을 선고받아 그 집행이 종료된 후 3년이 경과하기 전이라면 누범가중을 할 수 있다.

[해설] ① 대판 2021.1.21, 2018도5475 전원합의체
② 대판 2017.6.29, 2016도18194 ③ 제38조 제1항 제2호 단서
④ × : 형법 제35조 제1항에 규정된 '금고 이상에 해당하는 죄'라 함은 유기금고형이나 유기징역형으로 처단할 경우에 해당하는 죄를 가리키는 것으로서, 징역형과 벌금형이 선택형으로 규정되어 있는 경우에 징역형을 선택하여 처벌하는 때에만 누범이 될 뿐, 벌금형을 선택한 때에는 누범가중을 할 수 없다(대판 1982.9.14, 82도1702).

07 다음 설명 중 가장 옳은 것은?(다툼이 있는 경우 판례에 의함) 23. 법원직

① 자수가 성립하였다고 하더라도 그 후에 범인이 이를 번복하여 수사기관이나 법정에서 범행을 부인하면 자수의 효력이 소멸하여 형법 제52조 제1항의 자수감경을 할 수 없다.

② 수사기관에의 신고가 자발적인 이상 그 신고의 내용이 자기의 범행을 명백히 부인하는 등의 내용으로 자기의 범행으로서 범죄성립요건을 갖추지 아니한 사실이라고 하더라도 자수는 성립한다.

③ 형법 제35조 소정의 누범이 되려면 금고 이상의 형을 받아 그 집행을 종료하거나 면제를 받은 후 3년 내에 다시 금고 이상에 해당하는 죄를 범하여야 하는데, 이 경우 다시 금고 이상에 해당하는 죄를 범하였는지 여부는 그 범죄가 기수에 이르렀는지 여부를 기준으로 결정하여야 하므로, 3년의 기간 내에 기수에 이르러야 누범 가중이 가능하다.

④ 집행유예가 실효되는 등의 사유로 인하여 두 개 이상의 금고형 내지 징역형을 선고받아 각 형을 연이어 집행받음에 있어 하나의 형의 집행을 마치고 또 다른 형의 집행을 받던 중 먼저 집행된 형의 집행종료일로부터 3년 내에 금고 이상에 해당하는 죄를 저지른 경우에, 집행 중인 형에 대한 관계에 있어서는 누범에 해당하지 않지만 앞서 집행을 마친 형에 대한 관계에 있어서는 누범에 해당한다.

[해설] ① × : 자수가 성립 ⇨ 수사기관이나 법정에서 범행 부인 ⇨ 이미 발생한 자수의 효력에 영향 ×(대판 2005.4.29, 2002도7262 ∴ 자수감경을 할 수 있다.)
② × : 수사기관에의 신고가 자발적이라고 하더라도 그 신고의 내용이 자기의 범행을 명백히 부인하는 등의 내용으로 자기의 범행으로서 범죄성립요건을 갖추지 아니한 사실일 경우에는 자수는 성립하지 않고, 일단 자수가 성립하지 아니한 이상 그 이후의 수사과정이나 재판과정에서 범행을 시인하였다고 하더라도 새롭게 자수가 성립할 여지는 없다고 할 것이다(대판 2004.10.14, 2003도3133).
③ × : ~ (3줄) 죄를 범하였는지 여부는 그 범죄의 실행행위를 하였는지 여부를 기준으로 결정하여야 하므로, 3년의 기간 내에 실행의 착수가 있으면 족하고, 그 기간 내에 기수에까지 이르러야 되는 것은 아니다(대판 2006.4.7, 2005도9858 전원합의체).
④ ○ : 대판 2021.9.16, 2021도8764

Answer 07. ④

제4절 **선고유예 · 집행유예 · 가석방**

1 선고유예

(1) 선고유예의 의의와 법적 성질

① 선고유예란 범정(犯情)이 경미한 범죄에 대하여 일정기간 동안 형의 선고를 유예하고 그 유예기간(2년)을 실효됨이 없이 경과하면 면소된 것으로 간주하는 제도를 말한다(제59조~제61조).

② 선고유예는 형의 선고 자체를 유예한다는 점에서 형을 선고하되 그 집행만을 유예하는 집행유예와는 다르다.

(2) 선고유예의 요건

> **제59조【선고유예의 요건】** ① 1년 이하의 징역이나 금고, 자격정지 또는 벌금의 형을 선고할 경우에 제51조의 사항을 고려하여 뉘우치는 정상이 뚜렷할 때에는 그 형의 선고를 유예할 수 있다. 다만, 자격정지 이상의 형을 받은 전과가 있는 사람에 대해서는 예외로 한다. 24. 경대편입
> ② 형을 병과할 경우에도 형의 전부 또는 일부에 대하여 선고를 유예할 수 있다.

① **1년 이하의 징역이나 금고, 자격정지 또는 벌금의 형을 선고할 경우**

  ㉠ 여기서의 형은 처단형 내지 선고형을 의미하지 법정형을 의미하는 것은 아니며, 징역 · 금고 · 자격정지는 1년 이하의 경우이고 벌금은 금액을 불문한다. 19. 경찰간부, 24. 경찰승진 · 순경 1차

> 🔑 **Key Point**
>
> 구류나 과료의 형을 선고할 경우 ⇨ 선고유예 × 14. 법원직, 23. 순경 1차

  ㉡ 선고유예를 할 수 있는 형이란 주형과 부가형을 포함한 처단형 전체를 의미하므로(대판 1972.10.31, 72도2049) 주형을 선고유예하는 경우에 부가형(몰수나 추징)도 선고유예를 할 수 있으나(대판 1980.3.11, 77도2027 ; 필수적 몰수의 경우에도 동일함 : 대판 1978.4.25, 76도2262), 주형에 대하여 선고를 유예하지 않으면서 이에 부가한 몰수나 추징에 대해서만 선고를 유예할 수는 없다(대판 1988.6.21, 88도551). 18. 경찰승진 · 순경 1차, 22. 법원직, 24. 해경승진, 25. 해경경사

  형의 선고유예를 하는 경우에도 몰수의 요건이 있는 때에는 몰수형만의 선고를 할 수 있다(대판 1973.12.11, 73도1133 전원합의체).

  ㉢ 형을 병과할 경우에도 형의 전부 또는 일부에 대하여 선고를 유예할 수 있다(제59조 제2항). 21. 법원직, 23. 9급 검찰 · 마약수사 · 철도경찰

  📋 징역형과 벌금형을 병과하면서 어느 한 쪽에 대해서만 선고유예를 할 수도 있고 혹은 징역형은 집행유예를 하고 벌금형은 선고유예를 할 수도 있다(대판 1976.6.8, 74도1266). 21. 법원행시

ㄹ 선고유예도 조건부 유죄판결의 일종이므로 선고유예의 판결을 하는 경우에 선고형(형의 종류와 양)을 정해 놓아야 하고 벌금형일 경우에는 벌금액과 환형유치처분까지 해두어야 한다(대판 1993.6.11, 92도3437). 17. 사시 · 법원직, 19. 경찰승진, 21. 경찰간부 · 법원행시

② **뉘우치는 정상이 뚜렷할 것** : 뉘우치는 정상이 뚜렷할 것이라 함은 행위자에게 형을 선고하지 않아도 재범의 위험성이 없다고 인정되는 경우를 말한다. 그 판단기준은 제51조의 양형조건이며 판단의 기준시기는 판결선고시이다.

관련판례

종래 판례는 '뉘우치는 정상이 뚜렷할 것'이란 죄를 깊이 뉘우치는 것을 의미하므로 범죄를 부인하는 경우에는 선고유예를 할 수 없다(대판 1999.11.12, 99도3140)고 하였으나, '뉘우치는 정상이 뚜렷할 것'을 반드시 피고인이 죄를 깊이 뉘우치는 경우만을 뜻하는 것으로 제한하여 해석하거나, 피고인이 범죄사실을 자백하지 않고 부인할 경우에는 언제나 선고유예를 할 수 없다고 해석할 것은 아니다라고 판례를 변경하였다(대판 2003.2.20, 2001도6138 전원합의체). 14. 변호사시험, 16. 9급 검찰 · 마약수사 · 철도경찰, 18. 법원행시 · 순경 1차

③ **자격정지 이상의 형을 받은 전과가 없을 것** : 선고유예는 형법상 가장 경한 유죄판결로서 재범의 위험성이 가장 적은 초범에 대하여만 인정될 수 있다는 의미이다.

관련판례

1. '자격정지 이상의 형을 받은 전과'라 함은 자격정지 이상의 형을 받은 범죄경력 자체를 의미하므로 그 형의 효력상실 여부는 불문한다. 따라서 집행유예 선고를 받아 형선고가 효력을 잃게 된 경우에도 '자격정지 이상의 형을 받은 전과가 있는 자'에 해당한다(대판 2003.12.26, 2003도3768 ∴ 집행유예를 받았던 자에 대하여 선고유예 ×). 20. 경찰간부, 22. 해경간부 · 해경 2차, 24. 법원행시, 25. 7급 검찰 그러나 징역형의 선고유예를 받았던 자에 대하여는 선고유예를 할 수 있다(∵ 선고유예는 '형을 선고받은 범죄경력 자체'가 없음). 06. 사시

2. 형법 제39조 제1항에 의하여 형법 제37조 후단 경합범 중 판결을 받지 아니한 죄에 대하여 형을 선고하는 경우에 있어서 형법 제37조 후단(사후적 경합범)에 규정된 금고 이상의 형에 처한 판결이 확정된 죄의 형도 형법 제59조 제1항 단서에서 정한 '자격정지 이상의 형을 받은 전과'에 포함된다(대판 2010.7.8, 2010도931 ∴ 판결을 받지 아니한 죄에 대해 선고유예 ×). 14. 경찰간부 · 변호사시험, 17. 경찰승진, 24. 법원행시

(3) **선고유예와 보호관찰**

제59조의 2 【보호관찰】 ① 형의 선고를 유예하는 경우에 재범방지를 위하여 지도 및 원호가 필요한 때에는 보호관찰을 받을 것을 명할 수 있다(임의적○, 필요적 ×). 20. 경찰승진, 23. 9급 검찰 · 철도경찰
② 제1항의 규정에 의한 보호관찰의 기간은 1년으로 한다. 17. 법원직, 18. 경찰승진, 21. 경찰간부, 24. 경대편입

Q 주의 : 선고유예에는 집행유예와 달리 사회봉사명령이나 수강명령제도가 없다. 19. 경찰간부, 22. 법원직, 24. 경찰승진

(4) 선고유예의 효과

> **제60조【선고유예의 효과】** 형의 선고유예를 받은 날로부터 2년을 경과한 때에는 면소된 것으로 간주한다.

① 선고유예의 판결 여부는 법원의 재량에 속하나〔"… 그 선고를 유예할 수 있다"(제59조)〕, 선고유예기간은 법원의 재량이 아니라 언제나 2년이다(제60조). 18. 순경 1차, 20. 해경 1차, 24. 해경승진

② 형의 선고유예를 받은 날로부터 선고유예의 실효(제61조) 없이 2년(1년 ×)을 경과하면 면소된 것으로 간주한다. 16. 9급 검찰 · 마약수사 · 철도경찰, 20. 경찰승진, 22. 해경간부 · 법원직, 24. 경대편입

(5) 선고유예의 실효

> **제61조【선고유예의 실효】** ① 형의 선고유예를 받은 자가 유예기간 중 자격정지 이상의 형에 처한 판결이 확정되거나 자격정지 이상의 형에 처한 전과가 발견된 때에는 유예한 형을 선고한다. 25. 순경 2차
> ② 제59조의 2의 규정에 의하여 보호관찰을 명한 선고유예를 받은 자가 보호관찰기간 중에 준수사항을 위반하고 그 정도가 무거운 때(가벼운 때 ×)에는 유예한 형을 선고할 수 있다.

- 제61조 제1항의 경우 ⇨ 필요적임('유예한 형을 선고한다.') 24. 법원행시 · 9급 검찰 · 마약수사 · 철도경찰
- 제61조 제2항의 경우 ⇨ 임의적임. 즉, 법원의 재량('유예한 형을 선고할 수 있다.') 24. 9급 검찰 · 마약수사 · 철도경찰

관련판례

1. 형법 제61조 제1항에서 말하는 '형의 선고유예를 받은 자가 자격정지 이상의 형에 처한 전과가 발견된 때'란 형의 선고유예의 판결이 확정된 후에 비로소 위와 같은 전과가 발견된 경우를 말하고, 그 판결확정 전에 이러한 전과가 발견된 경우에는 이를 취소할 수 없으며, 이때 판결확정 전에 발견되었다고 함은 검사가 명확하게 그 결격사유를 안 경우만을 말하는 것이 아니라 당연히 그 결격사유를 알 수 있는 객관적 상황이 존재함에도 부주의로 알지 못한 경우도 포함한다(대결 2008.2.14, 2007모845). 15. 법원행시, 16. 9급 검찰 · 마약수사 · 철도경찰, 18. 순경 1차

2. 형의 선고유예 판결이 확정된 후 2년을 경과한 때에는 면소된 것으로 간주하고, 그 뒤에는 실효의 대상이 되는 선고유예의 판결이 존재하지 않으므로 선고유예 실효의 결정을 할 수 없다(대결 2007.6.28, 2007모348). 21. 법원행시, 24. 경대편입, 25. 7급 검찰

---

2 집행유예

(1) 의의와 법적 성질

형의 집행유예란 일단 유죄를 인정하여 형을 선고하되 일정한 요건 아래 일정한 기간 동안 그 형의 집행을 유예하고 그것이 취소 또는 실효됨이 없이 유예기간을 경과하면 형의 선고의 효력을 상실하게 하는 제도이다(조건부 유죄판결제도).

(2) 집행유예의 요건

> **제62조【집행유예의 요건】** ① 3년 이하의 징역이나 금고 또는 500만원 이하의 벌금의 형을 선고할 경우에 제51조의 사항을 참작하여 그 정상에 참작할만한 사유가 있는 때에는 1년 이상 5년 이하의 기간 형의 집행을 유예할 수 있다. 다만, 금고 이상의 형을 선고한 판결이 확정된 때부터 그 집행을 종료하거나 면제된 후 3년까지의 기간에 범한 죄에 대하여 형을 선고하는 경우에는 그러하지 아니하다.
> ② 형을 병과할 경우에는 그 형의 일부에 대하여 집행을 유예할 수 있다. 16. 법원행시, 17. 법원직

① 3년 이하의 징역 또는 금고의 형을 선고할 경우

㉠ 3년 이하의 징역 또는 금고의 형을 선고할 때에 집행유예를 할 수 있다. 여기서 3년 이하의 형은 선고형을 의미하지 법정형을 의미하는 것은 아니다. 14. 9급 철도경찰

🔑 Key Point

자격정지·구류·과료의 형을 선고할 경우 ⇨ 집행유예 × 12. 순경 1차

㉡ 하나의 형의 일부에 대한 집행유예는 허용되지 않으나(예 하나의 자유형 중 일부에 대해서는 실형을, 나머지에 대해서는 집행유예를 선고 ⇨ 허용 × : 대판 2007.2.22, 2006도8555), 17. 법원행시, 19. 경찰승진, 21. 경찰간부, 22. 해경간부, 24. 해경승진 형을 병과할 경우에는 그 형의 일부에 대하여 집행유예를 할 수 있다(제62조 제2항).

관련판례

1. 제37조 후단의 경합범 관계(사후적 경합범)에 있는 죄에 대하여 제39조 제1항에 의하여 1개의 판결로 2개의 징역형을 선고하는 경우 각각 집행유예를 선고할 수도 있고, 1개는 실형을 선고하면서 다른 하나는 집행유예를 선고할 수도 있다(대판 2002.2.26, 2000도4637 ∵ 그 두 개의 징역형은 각각 별개의 형이므로). 19. 법원행시, 20. 법원직, 22. 해경간부, 24. 경찰승진·7급 검찰, 25. 해경경사
2. 형법 제57조에 의하여 산입된 미결구금기간이 징역 또는 금고의 본형기간을 초과한다고 하여도 형법 제62조의 규정에 따라 그 본형의 '집행'을 유예하는 데에는 아무런 지장이 없다(대판 2008.2.29, 2007도9137).

㉢ 소년범에 대하여 부정기형을 과하는 경우에는 집행유예를 선고할 수 없다.

② **500만원 이하의 벌금의 형을 선고할 경우** : 종래에는 벌금형을 선고할 경우에 집행유예를 선고할 수 없었으나, 이제는 500만원 이하의 벌금형을 선고할 경우에도 집행유예를 선고할 수 있다. 22. 9급 검찰·마약수사·철도경찰, 23. 해경승진·법원직, 24. 경찰승진·순경 1차·경대편입

③ **정상에 참작할 만한 사유가 있을 것** : 제51조의 양형에 관한 조건을 종합·판단하여 참작하여야 하며, 판단의 기준시기는 판결선고시이다.

④ 금고 이상의 형을 선고한 판결이 확정된 때부터 그 집행을 종료하거나 면제된 후 **3년까지의 기간에 범한 죄**에 대하여 형을 선고한 경우가 아닐 것 17. 법원행시, 22. 법원직

관련판례

집행유예기간 중에 범한 범죄(집행유예 선고 ×)라고 할지라도 집행유예가 실효 취소됨이 없이 그 유예기간이 경과한 경우에는 이에 대해 다시 집행유예의 선고가 가능하다(대판 2007.2.8, 2006도6196). 22. 변호사시험·해경간부·해경 2차, 23. 해경승진·법원직, 24. 법원행시·7급 검찰

⑤ **집행유예의 기간** : 1년 이상 5년 이하 ▷ 선고유예의 경우와는 달리(2년으로 함) 집행유예기간의 결정은 1년 이상 5년 이하의 범위 내에서 법원의 재량에 맡겨져 있다.

관련판례

형법이 집행유예기간의 시기에 관하여 명문의 규정을 두고 있지는 않지만 집행유예를 함에 있어 그 집행유예기간의 시기는 집행유예를 선고한 판결확정일로 하여야 하고 법원이 판결확정일 이후의 시점을 임의로 선택할 수는 없다(대판 2002.2.26, 2000도4637 ∴ 형법 제37조 후단의 경합범 관계에 있는 죄에 대하여 두 개의 징역형을 선고하면서 하나의 징역형에 대하여만 집행유예를 선고하고 그 집행유예기간의 시기를 다른 하나의 징역형의 집행종료일로 한 것은 위법하다). 20. 경찰승진, 24. 법원행시·경력채용, 25. 7급 검찰

(3) 집행유예와 보호관찰, 사회봉사명령 및 수강명령

제62조의 2 【보호관찰, 사회봉사, 수강명령】 ① 형의 집행을 유예하는 경우에는 보호관찰을 받을 것을 명하거나 사회봉사 또는 수강을 명할 수 있다. 13. 경찰간부, 20. 해경승진
② 제1항의 규정에 의한 보호관찰의 기간은 집행을 유예한 기간으로 한다. 다만, 법원은 유예기간의 범위 내에서 보호관찰기간을 정할 수 있다. 23. 법원직, 24. 경대편입
③ 사회봉사명령 또는 수강명령은 집행유예기간 내에 이를 집행한다. 17. 경찰승진, 22. 9급 검찰·철도경찰

① 집행유예를 선고할 경우에는 보호관찰과 사회봉사 또는 수강을 동시에 명할 수 있다(대판 1998.4.24, 98도98). 18. 경찰간부, 22. 법원직·9급 검찰·철도경찰, 23. 변호사시험, 24. 7급 검찰

② 보호관찰은 형벌이 아니라 보안처분의 성격을 갖는 것이다(대판 1997.6.13, 97도703).

③ 사회봉사명령과 수강명령은 선고유예나 가석방에는 할 수 없고 집행유예를 하는 경우에만 할 수 있다. 15. 법원직

관련판례

1. 법원이 형의 집행을 유예하는 경우 명할 수 있는 사회봉사는 자유형의 집행을 대체하기 위한 것으로서 500시간 내에서 시간 단위로 부과될 수 있는 일 또는 근로활동을 의미하는 것으로 해석되므로, 법원이 ① 집행유예를 선고하면서 사회봉사명령으로서 일정액의 금전출연을 주된 내용으로 하는 사회공헌계획의 성실한 이행을 명하는 것이나, ② 유죄로 인정된 범죄행위를 뉘우치거나 그 범죄행위를 공개하는 취지의 말이나 글을 발표하도록 하거나, ③ 준법경영을 주제로 하는 강연과 기고를 명하는 것은 허용될 수 없다(대판 2008.4.11, 2007도8373). 19. 경찰승진, 23. 해경승진, 24. 7급 검찰, 25. 해경경사

2. 현역 군인인 성폭력범죄 피고인에게 집행유예를 선고하는 경우 보호관찰 등에 관한 법률이 정한 군법 적용 대상자에 대한 특례 규정상 보호관찰을 명할 수 없어 보호관찰의 부과를 전제로 한 위치추적 전자장치의 부착명령 역시 명할 수 없다(대판 2012.2.23, 2011도8124). 14. 경찰간부

(4) 집행유예의 효과

> **제65조【집행유예의 효과】** 집행유예의 선고를 받은 후 그 선고의 실효 또는 취소됨이 없이 유예기간을 경과한 때에는 형의 선고는 효력을 잃는다. 18. 경찰승진, 22. 9급 검찰·철도경찰, 23. 해경승진

① 형의 선고가 효력을 잃는다는 것은 형의 선고의 법률적 효과가 없어진다는 것이지 선고가 있었다는 기왕의 사실까지 없어지는 것은 아니다(대판 2003.12.26, 2003도3768). 14. 변호사시험, 20·21. 경찰간부 따라서 선고에 의하여 이미 발생한 법률효과에는 영향을 미치지 않는다. 17. 법원직

② 여기서 '형의 선고가 효력을 잃는다'는 의미는 형의 실효와 마찬가지로 형의 선고에 의한 법적 효과가 장래를 향하여 소멸한다는 취지이다. 따라서 형법 제65조에 따라 형의 선고가 효력을 잃는 경우에도 그 전과는 폭력행위 등 처벌에 관한 법률 제2조 제3항에서 말하는 '징역형을 받은 경우'라고 할 수 없다(대판 2016.6.23, 2016도5032). 21. 법원행시

③ 징역형의 집행유예와 벌금형이 병과된 신청인에 대하여 징역형의 집행유예의 효력을 상실케 하는 내용의 특별사면이 있는 경우, 그 특별사면의 효력이 병과된 나머지 형에까지 미치는 것은 아니므로 그 벌금형의 선고의 효력까지 상실케 하는 것은 아니다(대결 1997.10.13, 96모33). 21. 해경승진, 24. 법원행시

(5) 집행유예의 실효

> **제63조【집행유예의 실효】** 집행유예의 선고를 받은 자가 유예기간 중 고의(과실 ×)로 범한 죄로 금고 이상의 실형(집행유예 ×)을 선고받아 그 판결이 확정된 때에는 집행유예의 선고는 효력을 잃는다. 〈개정 2005. 7. 29〉 20. 경찰승진, 24. 해경승진·경력채용·9급 검찰·마약수사·철도경찰, 25. 순경 2차

① 과실범의 경우와 집행유예의 선고를 받는 경우 앞의 집행유예의 선고는 실효되지 않는다.

② 또한 집행유예기간 이전에 범한 범죄일 경우에는 그에 대하여 집행유예기간 중에 금고 이상의 실형이 확정되더라도 먼저 확정되었던 집행유예의 선고는 실효되지 않는다. 11. 사시

③ 집행유예가 실효되면 유예된 형이 집행된다.

(6) 집행유예의 취소

> **제64조【집행유예의 취소】** ① 집행유예의 선고를 받은 후 제62조 단서의 사유가 발각된 때에는 집행유예의 선고를 취소한다.
> ② 제61조의 2의 규정에 의하여 보호관찰이나 사회봉사 또는 수강을 명한 집행유예를 받은 자가 준수사항이나 명령을 위반하고 그 정도가 무거운(가벼운 ×) 때에는 집행유예의 선고를 취소할 수 있다(~ 취소한다 ×). 15. 법원직, 22. 경찰간부·9급 검찰·마약수사·철도경찰

① 제62조 단서의 취소는 **필요적이다.** 04. 행시

② 제64조 제2항의 취소는 **임의적이다.** 형법 제64조 제2항에 의한 위반사실이 동시에 범죄행위로 되더라도 그 형사절차와는 별도로 집행유예를 취소할 수 있다(대결 1999.3.10, 99모33). 23. 순경 1차

③ 집행유예가 취소되면 유예된 형을 집행하게 된다.

④ 그러나 집행유예의 선고를 받은 후 실효 또는 취소됨이 없이 **유예기간이 경과한 때**(형선고의 효력 잃음)에는 제62조 단서의 사유가 발각되거나 형법 제64조 제2항에서 정한 사유로 **취소할 수 없다**(대판 1999.1.12, 98모151 ; 대판 2022.8.31, 2022모1466). 18. 9급 철도경찰, 23. 법원직·순경 1차

관련판례 1

1. 제62조 단서의 사유가 발각된 때라 함은 집행유예 선고의 판결이 확정된 후에 발각된 경우를 말하므로 판결확정 전에 발각된 경우에는 취소할 수 없다. 그리고 집행유예 선고의 판결확정 전에 이미 수사단계에서 검사가 집행유예 결격사유가 되는 전과의 존재를 당연히 알 수 있는 객관적 상황이 존재하였음에도 부주의로 알지 못한 경우에도 집행유예의 선고를 취소할 수 없다(대결 2001.6.27, 2001모135). 17. 7급 검찰

2. 사회봉사·수강명령대상자에 대한 특별준수사항은 보호관찰대상자에 대한 것과 같을 수 없고, 따라서 보호관찰 등에 관한 법률에서 정한 보호관찰대상자에 대한 특별준수사항(ⓔ '범죄행위로 인한 손해를 회복하기 위하여 노력할 것' 등)을 사회봉사·수강명령대상자에게 그대로 부과할 수 없다(대판 2020.11.5, 2017도18291). 12. 순경 1차, 21. 법원행시

3. 법원이 사회봉사명령의 특별준수사항으로 피고인에게 범행에 대한 원상회복을 명하는 것은 법률이 허용하지 아니하는 피고인의 권리와 법익에 대한 제한과 침해에 해당하므로 죄형법정주의 또는 보안처분 법률주의에 위배된다. 따라서 피고인의 범행에 대한 원상회복을 명하는 것은 현행법에 의한 사회봉사명령의 특별준수사항으로 허용될 수 없다(대판 2020.11.5, 2017도18291).

4. 근로기준법을 위반한 버스회사 노동조합 지부장인 피고인에 대하여 노조지부장 선거에 '개입하지 말 것'이라는 내용의 특별준수사항을 부과한 것은 정당하다(대판 2010.9.30, 2010도6403). 21. 법원행시

---

3 가석방

(1) 가석방의 의의와 법적 성질

① 가석방이란 자유형의 집행을 받고 있는 자가 수형생활을 통해 뉘우치는 정상이 뚜렷할 것이라고 인정되는 때에 형기만료 전에 조건부로 수형자를 석방하고, 그것이 취소 또는 실효됨이 없이 일정한 기간을 경과한 때에는 형의 집행이 종료한 것으로 간주하는 제도이다.

② • **가석방** : 법원의 판결이 아닌 법무부장관의 행정처분에 의하여 이루어진다.
   • **집행유예와 선고유예** : 법원의 판결로 이루어진다.

(2) 가석방의 요건

> **제72조【가석방의 요건】** ① 징역이나 금고의 집행 중에 있는 사람이 행상이 양호하여 뉘우침이 뚜렷한 때에는 무기형은 20(15 ×)년, 유기형은 형기의 3(2 ×)분의 1이 지난 후 행정처분으로 가석방을 할 수 있다. 21. 법원직·7급 검찰, 22. 해경간부·해경 2차, 23. 순경 1차, 24. 경력채용, 26. 경찰승진
> ② 제1항의 경우에 벌금이나 과료가 병과되어 있는 때에는 그 금액을 완납하여야 한다.
> **제73조【판결선고 전 구금과 가석방】** ① 형기에 산입된 판결선고 전 구금일수는 가석방을 하는 경우 집행한 기간에 산입한다.
> ② 제72조 제2항의 경우에 벌금이나 과료에 관한 노역장 유치기간에 산입된 판결선고 전 구금일수는 그에 해당하는 금액이 납입된 것으로 본다. 23. 순경 1차

🔔 사형이 무기징역으로 특별감형된 경우 사형집행대기기간을 처음부터 무기징역을 받은 경우와 동일하게 가석방 요건 중의 하나인 형의 집행기간에 다시 산입할 수는 없다(대결 1991.3.4, 90모59). 16. 사시, 24. 해경경위

(3) 가석방의 기간 및 보호관찰

> **제73조의 2【가석방의 기간 및 보호관찰】** ① 가석방의 기간은 무기형에 있어서는 10년으로 하고, 유기형에 있어서는 남은 형기로 하되, 그 기간은 10년을 초과할 수 없다. 20. 해경 1차, 21. 7급 검찰
> ② 가석방된 자는 가석방기간 중 보호관찰을 받는다. 다만, 가석방을 허가한 행정관청이 필요가 없다고 인정한 때에는 그러하지 아니한다. 25. 순경 2차

(4) 가석방의 효과

> **제76조【가석방의 효과】** 가석방의 처분을 받은 후 그 처분이 실효 또는 취소되지 아니하고 가석방기간을 경과한 때에는 형의 집행을 종료한 것으로 본다.

① 가석방의 요건이 구비된 경우 가석방심사위원회의 신청에 의하여 법무부장관이 행정처분으로 가석방을 할 수 있다(제72조, 형의 집행 및 수용자의 처우에 관한 법률 제122조).
② "형의 집행을 종료한 것으로 본다." : 국가의 형벌집행권이 소멸할 뿐 형의 선고 또는 유죄판결의 효력이 없어지는 것은 아니다.

(5) 가석방의 실효·취소

> **제74조【가석방의 실효】** 가석방 기간 중 고의(과실 ×)로 지은 죄로 금고 이상의 형을 선고받아 그 판결이 확정된 경우에 가석방 처분은 효력을 잃는다. 22. 9급 검찰·마약수사·철도경찰 25. 순경 2차·7급 검찰
> **제75조【가석방의 취소】** 가석방의 처분을 받은 자가 감시에 관한 규칙을 위배하거나, 보호관찰의 준수 사항을 위반하고 그 정도가 무거운 때(가벼운 때 ×)에는 가석방처분을 취소할 수 있다.
> **제76조【가석방의 효과】** ② 전 2조의 경우에는 가석방 중의 일수는 형기에 산입하지 아니한다.

🔔 가석방이 실효 또는 취소되면 가석방 당시의 잔형기의 형을 집행한다. 이때 가석방 중의 형기에 산입하지 아니한다.

선고유예 · 집행유예 · 가석방의 총정리

구 분	선고유예	집행유예	가석방
요 건	• 1년 이하 징역, 금고, 자격정지 또는 벌금의 형을 선고할 경우 • 뉘우치는 정상이 뚜렷할 것 • 자격정지 이상의 전과가 없을 것	• 3년 이하 징역이나 금고 또는 500만원 이하 벌금의 형을 선고할 경우 • 정상에 참작할만한 사유가 있는 때 • 금고 이상의 형을 선고한 판결이 확정된 때부터 그 집행을 종료하거나 면제된 후 3년까지의 기간에 범한 죄에 대하여 형을 선고한 경우가 아닐 것	• 징역 또는 금고의 집행 중에 있는 자가 무기의 경우 20년, 유기의 경우 형기의 3분의 1이 경과한 후일 것 • 행상이 양호하여 뉘우치는 정상이 뚜렷할 것 • 벌금 또는 과료의 병과가 있는 때에는 그 금액을 완납할 것
기 간	2년	1년 이상 5년 이하	무기는 10년, 유기는 잔형기
결 정	법원의 재량	법원의 재량	행정처분
효 과	면소된 것으로 간주 (전과가 남지 않음)	형선고의 효력상실 (전과가 남지 않음)	형집행이 종료된 것으로 간주(유죄판결 자체에 아무런 영향을 못 미침)
보호 관찰	〈보호관찰〉 • 임의적 • 기간 : 1년으로 함	〈보호관찰, 사회봉사 · 수강명령〉 • 임의적 • 기 간 　– 보호관찰 : 집행유예기간 　　(단, 법원의 재량이 인정됨) 　– 사회봉사 · 수강명령 : 집행유예기간 내에 집행	〈보호관찰〉 • 필요적임. 단, 가석방을 허가한 행정관청이 필요 없다고 인정한 때에는 제외 • 기간 : 가석방기간 중
실 효	• 유예기간 중 자격정지 이상의 형에 대한 판결이 확정된 경우나 자격정지 이상의 형에 대한 전과가 발견된 경우 ⇨ 필요적(유예한 형을 선고함) • 보호관찰기간 중에 준수사항을 위반하고 그 정도가 무거운 때 ⇨ 임의적(선고할 수 있음)	유예기간 중 고의로 범한 죄로 금고 이상의 실형을 선고받아 그 판결이 확정된 때	가석방 중에 금고 이상의 형을 선고받아 그 판결이 확정된 때 (단, 과실범은 예외)
취 소	없 음	• 위의 요건 세번째(제62조 단서)가 결여된 것이 발견된 때 '필요적 취소' • 보호관찰, 사회봉사 · 수강명령을 받은 집행유예자가 준수사항이나 명령을 위반하고 그 정도가 무거운 때 '임의적 취소'	감시에 관한 규칙에 위배한 때, 보호관찰의 준수사항을 위반하고 그 정도가 무거운 때 '임의적 취소'

1 주형과 부가형이 있는 경우 주형을 선고유예하면서 부가형도 선고유예할 수 있지만, 주형을 선고유예하지 않으면서 부가형만을 선고유예할 수는 없다. ( )

18. 경찰승진 · 순경 1차, 21. 법원행시, 22. 법원직, 23. 해경승진, 25. 해경경사

2 징역형과 벌금형을 병과하면서 징역형에 대하여는 집행을 유예하고 벌금형에 대하여는 선고를 유예하는 것은 허용되지 않는다. ( )

13. 7급 검찰, 21. 법원행시

3 선고유예 판결에서도 그 판결 이유에서는 형의 종류와 양, 즉 선고형을 정해 놓아야 하고 그 선고를 유예하는 형이 벌금형일 경우에는 그 벌금액뿐만 아니라 환형유치처분까지 해 두어야 한다. ( )

16. 9급 검찰 · 마약수사 · 철도경찰, 17. 법원직, 19. 경찰승진, 21. 경찰간부 · 법원행시

4 '뉘우치는 정상이 뚜렷할 것'이란 죄를 깊이 뉘우치는 것을 의미하므로 범죄를 부인하는 경우에는 선고유예를 할 수 없다. ( )

14. 변호사시험, 16. 9급 검찰, 18. 법원행시 · 순경 1차

5 집행유예선고를 받은 자가 제65조에 의해 형의 선고가 효력을 잃은 때에는 선고유예결격사유인 '자격정지 이상의 형을 받은 전과가 있는 자'에 해당하지 않는다. ( )

14. 변호사시험, 20. 경찰간부, 22. 해경간부 · 해경 2차, 24. 법원행시, 25. 7급 검찰

6 선고유예의 조건으로 사회봉사명령, 수강명령을 부과할 수 없다. ( )

19. 경찰간부, 22. 법원직, 24. 경찰승진

7 형법 제39조 제1항에 의하여 형법 제37조 후단 경합범 중 판결을 받지 아니한 죄에 대하여 형을 선고하는 경우에, 형법 제37조 후단에 규정된 '금고 이상의 형에 처한 판결이 확정된 죄'의 형은 선고유예의 결격사유인 '자격정지 이상의 형을 받은 전과'에 포함되지 않는다. ( )

14. 변호사시험 · 경찰간부, 17. 경찰승진, 24. 법원행시

8 형의 선고를 유예하는 경우 재범방지를 위하여 필요한 때에는 보호관찰을 받을 것을 명할 수 있고 그 기간은 법원이 형법 제51조의 사항을 참작하여 재량으로 정한다. ( )

20. 경찰승진, 21. 경찰간부, 23. 9급 검찰 · 철도경찰, 24. 경대편입

9 형의 선고유예를 받은 날로부터 1년을 경과한 때에는 면소된 것으로 간주한다. ( )

16. 9급 검찰 · 마약수사 · 철도경찰, 20. 경찰승진, 22. 해경간부 · 법원직, 24. 경대편입

10 선고유예는 집행유예와 마찬가지로 법원이 유예기간을 정하여야 한다. ( )

18. 순경 1차, 20. 해경 1차, 24. 해경승진

11 선고유예의 실효사유인 '형의 선고유예를 받은 자가 자격정지 이상의 형에 처한 전과가 발견된 때'란 형의 선고유예의 판결이 확정된 후에 전과가 발견된 경우를 말한다. ( )

15. 법원행시, 16. 9급 검찰 · 마약수사 · 철도경찰, 18. 순경 1차

Answer ▶ 1. ○ 2. × 3. ○ 4. × 5. × 6. ○ 7. × 8. × 9. × 10. × 11. ○

12 하나의 자유형 중 일부에 대해서는 실형을, 나머지에 대해서는 집행유예를 선고하는 것도 가능하다. (　　)
17. 법원행시, 19. 경찰승진, 21. 경찰간부, 22. 해경간부, 24. 해경승진

13 형법 제37조 후단의 경합범 관계에 있는 죄에 대하여 하나의 판결로 두 개의 자유형을 선고하는 경우에 하나의 자유형에 대하여는 실형을, 다른 하나의 자유형에 대하여는 집행유예를 선고하는 것은 허용되지 않는다. (　　)
19. 법원행시, 20. 법원직, 22. 해경간부, 24. 경찰승진 · 7급 검찰

14 500만원의 벌금형을 선고할 경우 그 집행을 유예할 수 있다. (　　)
19. 경찰간부, 22. 9급 검찰 · 마약수사, 23. 법원직, 24. 경찰승진 · 순경 1차 · 경대편입

15 집행유예기간 중에 고의로 범한 범죄라도 집행유예가 실효 또는 취소됨이 없이 그 유예기간이 경과한 경우에는 이에 대해 다시 집행유예의 선고를 할 수 있다. (　　)
18. 경찰간부, 22. 변호사시험 · 해경간부, 23. 해경승진 · 법원직, 24. 법원행시 · 7급 검찰

16 집행유예기간의 시기(始期)에 관하여 형법에 명문의 규정을 두고 있지 않으므로 법원은 그 시기를 판결확정일 이후의 시점으로 임의로 선택할 수 있다. (　　)
16. 법원직, 20. 경찰승진, 24. 법원행시 · 경력채용, 25. 7급 검찰

17 집행유예를 선고하면서 재범방지를 위한 지도 및 원호가 필요하여 보호관찰을 명하는 경우에는 그 보호관찰의 기간이 집행유예기간을 초과할 수 있다. (　　)
23. 법원직, 25. 경대편입

18 형의 집행을 유예하는 경우에는 보호관찰을 받을 것을 명하거나 사회봉사 또는 수강을 명할 수 있으나, 보호관찰과 사회봉사명령 또는 수강명령을 동시에 부과할 수는 없다. (　　)
19. 경찰간부, 22. 9급 검찰 · 철도경찰 · 법원직, 23. 변호사시험, 24. 7급 검찰

19 집행유예를 선고하면서 피고인에게 유죄로 인정된 범죄행위를 뉘우치거나 그 범죄행위를 공개하는 취지의 말이나 글을 발표하도록 하는 내용의 사회봉사를 명하는 것은 허용될 수 있다. (　　)
19. 경찰승진, 23. 해경승진, 24. 7급 검찰, 25. 해경경사

20 집행유예를 선고할 경우 법원이 명하는 사회봉사 명령으로서 일정한 금전출연은 명할 수 있으나 준법 경영을 주제로 하는 강연 또는 기고를 명하는 것은 허용되지 않는다. (　　)
14. 변호사시험, 18. 9급 철도경찰, 21. 법원행시

21 집행유예의 선고를 받은 후 그 선고의 실효 또는 취소됨이 없이 유예기간을 경과한 때에는 형의 집행이 면제된다. (　　)
18. 경찰승진, 22. 9급 검찰 · 철도경찰, 23. 해경승진

22 집행유예 선고를 받은 자가 유예기간 중 고의로 범한 죄로 금고 이상의 실형을 선고받아 그 판결이 확정된 때에는 집행유예의 선고를 취소할 수 있다. (　　)
18. 경찰간부, 20. 경찰승진, 24. 해경승진 · 9급 검찰 · 마약수사 · 철도경찰, 25. 순경 2차

23 가석방 기간 중 과실로 인한 죄로 금고 이상의 형의 선고를 받아 그 판결이 확정된 때에도 가석방처분은 효력을 잃는다. (　　)
22. 9급 검찰 · 마약수사 · 철도경찰, 25. 순경 2차 · 7급 검찰

Answer ▸　12. ×　13. ×　14. ○　15. ○　16. ×　17. ×　18. ×　19. ×　20. ×　21. ×　22. ×　23. ×

01 선고유예와 집행유예에 대한 다음 설명으로 가장 적절한 것은?(다툼이 있는 경우 판례에 의함)

18. 경찰승진, 23. 해경승진

① 형의 선고를 유예하는 경우 재범방지를 위하여 필요한 때에는 보호관찰을 받을 것을 명할 수 있고 그 기간은 법원이 형법 제51조의 사항을 참작하여 재량으로 한다.

② 집행유예의 선고를 받은 후 그 선고의 실효 또는 취소됨이 없이 유예기간을 경과한 때에는 형의 선고는 효력을 잃는다.

③ 집행유예의 선고를 받은 자가 유예기간 중 고의 또는 과실로 범한 죄로 금고 이상의 실형을 선고받아 그 판결이 확정된 때에는 집행유예의 선고는 효력을 잃는다.

④ 주형에 대해 선고유예하지 않으면서 부가형에 대하여만 선고유예 할 수 있다.

> 해설 ① × : 법원의 재량이 아니라 1년으로 법정되어 있다(제59조의 2 제2항).
> ② ○ : 제65조
> ③ × : ~ (1줄) 고의(과실 ×)로 범한 죄로 금고 이상의 실형을 선고받아 그 판결이 확정된 때에는 집행유예의 선고는 효력을 잃는다(제63조).
> ④ × : ~ 선고유예를 할 수 없다(대판 1988.6.21, 88도551).

02 선고유예와 집행유예에 대한 설명으로 옳은 것은?(다툼이 있는 경우 판례에 의함)   21. 경찰간부

① 형의 선고를 유예하는 경우 보호관찰을 명할 수 있고, 보호관찰의 기간은 법원이 형법 제51조의 사항을 참작하여 정할 수 있다.

② 형의 선고를 유예하는 판결을 할 경우에도 선고가 유예된 형에 대한 판단을 해야 하기 때문에 그 선고형을 정해 놓아야 하고, 벌금의 경우에는 벌금액을 정해야 하지만 환형유치처분까지 할 필요는 없다.

③ 형법 제62조 제1항은 '형'의 집행을 유예할 수 있다고 규정하고 있는데 이는 하나의 형의 전부에 대한 집행유예에 관한 규정으로 해석하여야 하고, 따라서 하나의 형의 일부에 대한 집행유예는 불가능하다.

④ 형의 집행유예를 선고받은 자가 유예기간을 무사히 경과하여 형의 선고가 효력을 잃게 되는 경우, 형의 선고가 있었다는 사실 자체까지 없어지므로 선고유예 결격사유인 '자격정지 이상의 형을 받은 전과가 있는 자'에 해당되지 않는다.

> 해설 ① × : 보호관찰 기간은 법원의 재량이 아니라 언제나 1년이다(제59조의 2 제2항).
> ② × : ~ 벌금액과 환형유치처분까지 해두어야 한다(대판 1993.6.11, 92도3437).
> ③ ○ : 대판 2007.2.22, 2006도8555
> ④ × : ~ (2줄) 사실 자체가 없어지는 것은 아니므로 선고유예 결격사유인 '자격정지 이상의 형을 받은 전과가 있는 자'에 해당된다(대판 2003.12.26, 2003도3768).

Answer   **01. ②   02. ③**

03 집행유예와 선고유예에 대한 설명이다. 아래 설명 중 옳지 않은 것은 모두 몇 개인가?(다툼이 있는
경우 판례에 의함)　　　　　　　　　　　　　　　　　　　　　　　　　　　22. 경찰간부

> ㉠ 선고유예의 요건 중 '뉘우치는 정상이 뚜렷할 것'이라 함은 피고인이 죄를 깊이 뉘우치는 것을
> 의미하기 때문에 범죄사실을 자백하지 않고 부인하는 경우에는 선고유예를 할 수 없다.
> ㉡ 집행유예의 선고가 실효 또는 취소됨 없이 정해진 유예기간을 무사히 경과하여 형의 선고가
> 효력을 잃게 된 경우, 형법 제59조 제1항 단서에서 정한 선고유예 결격사유인 "자격정지 이상
> 의 형을 받은 전과가 있는 자"에 해당하지 않는다.
> ㉢ 법원이 사회봉사명령으로서 일정액의 금전출연을 주된 내용으로 하는 사회공헌계획의 성실
> 한 이행을 명하는 것은 허용될 수 없으나, 유죄로 인정된 범죄행위를 뉘우치거나 그 범죄행위
> 를 공개하는 취지의 말이나 글을 발표하도록 하고 이를 위반하는 경우 집행유예의 선고를 취
> 소할 수 있도록 하여 그 이행을 강제하는 것은 허용된다.
> ㉣ 형법 제62조의 2의 규정에 의하여 보호관찰이나 사회봉사 또는 수강을 명한 집행유예를 받은
> 자가 준수사항이나 명령을 위반하고 그 정도가 무거운 때에는 집행유예의 선고를 취소해야
> 한다.

① 1개　　　　　　② 2개　　　　　　③ 3개　　　　　　④ 4개

해설 ㉠ × : '뉘우치는 정상이 뚜렷할 것'이란 다시 범행을 저지르지 않으리라는 사정이 현저하게 기대되
는 경우를 가리키는 것이지 반드시 죄를 깊이 뉘우치고 있는 경우만을 뜻하거나, 범죄사실을 자백하지 않고
부인하는 경우 언제나 선고유예를 할 수 없다고 해석할 것은 아니다(대판 2003.2.20, 2001도6138 전원합
의체).
㉡ × : ~ 해당한다(대판 2003.12.26, 2003도3768).
㉢ × : ~ (2줄) 허용될 수 없고, 유죄로 인정된 범죄행위를 뉘우치거나 그 범죄행위를 공개하는 취지의 말
이나 글을 발표하도록 하고 이를 위반하는 경우 집행유예의 선고를 취소할 수 있도록 하여 그 이행을 강제
하는 것도 허용될 수 없다(대판 2008.4.11, 2007도8373).
㉣ × : ~ 선고를 취소할 수 있다(제64조 제2항).

04 집행유예 및 선고유예에 관한 설명으로 가장 적절한 것은?(다툼이 있는 경우 판례에 의함)
　　　　　　　　　　　　　　　　　　　　　　　　　　　　　　　　　　24. 경찰승진

① 3년 이하의 징역이나 금고의 형을 선고할 경우에 형법 제51조의 사항을 참작하여 그 정상에
　참작할 만한 사유가 있는 때에는 1년 이상 5년 이하의 기간 형의 집행을 유예할 수 있지만,
　500만원 이하의 벌금형을 선고할 경우에는 집행유예를 선고할 수 없다.
② 형법 제37조 후단의 경합범 관계에 있는 두 개의 범죄에 대하여 하나의 판결로 두 개의 자유
　형을 선고하는 경우에 형법 제62조 제1항에 정한 집행유예의 요건에 해당하더라도 그 두 개
　의 징역형 중 하나의 징역형에 대하여는 실형을 선고하면서 다른 징역형에 대하여 집행유예
　를 선고하는 것은 허용되지 아니한다.

Answer　03. ④　04. ③

③ 1천만원의 벌금형을 선고할 경우에 형법 제51조의 사항을 고려하여 뉘우치는 정상이 뚜렷하고 자격정지 이상의 형을 받은 전과가 없다면 그 형의 선고를 유예할 수 있다.

④ 법원이 집행유예 또는 선고유예를 하는 경우에 보호관찰을 받을 것을 명하거나, 사회봉사 또는 는 수강을 명할 수 있다.

[해설] ① × : 3년 이하의 징역이나 금고 또는 500만원 이하의 벌금의 형을 선고할 경우에 제51조의 사항을 참작하여 그 정상에 참작할 만한 사유가 있는 때에는 1년 이상 5년 이하의 기간 형의 집행을 유예할 수 있다 (제62조 제1항).

② × : 제37조 후단의 경합범 관계(사후적 경합범)에 있는 죄에 대하여 제39조 제1항에 의하여 1개의 판결로 2개의 징역형을 선고하는 경우 각각 집행유예를 선고할 수도 있고, 1개는 실형을 선고하면서 다른 하나는 집행유예를 선고할 수도 있다(대판 2002.2.26, 2000도4637).

③ ○ : 집행유예(500만원 이하의 벌금)와 달리 선고유예는 벌금의 금액을 불문하므로 옳다(제59조 제1항).

④ × : 집행유예 ⇨ 보호관찰 ○, 사회봉사 또는 수강명령 ○
　　　　선고유예 ⇨ 보호관찰 ○, 사회봉사 또는 수강명령 ×

05 집행유예와 선고유예에 대한 설명으로 옳은 것은?(다툼이 있는 경우 판례에 의함)

24. 9급 검찰 · 마약수사 · 철도경찰

① 집행유예의 선고를 받은 자가 유예기간 중 고의 또는 과실로 범한 죄로 금고 이상의 실형을 선고받아 그 판결이 확정된 때에는 집행유예의 선고는 효력을 잃는다.

② 실형을 선고받고 집행종료나 집행면제 후 3년이 지나지 않은 시점에서 범한 죄에 대하여 형을 선고하는 경우뿐만 아니라, 집행유예 기간 중에 범한 죄에 대하여 형을 선고할 때 이미 집행유예가 실효 또는 취소된 경우도 형법 제62조 제1항 단서의 집행유예 결격사유에 해당한다.

③ 형의 선고를 유예하는 경우에 재범방지를 위하여 지도 및 원호가 필요한 때에는 보호관찰을 받을 것을 명하여야 하며, 보호관찰을 명한 선고유예를 받은 자가 보호관찰기간 중에 준수사항을 위반하고 그 정도가 무거운 때에는 유예한 형을 선고하여야 한다.

④ 형의 선고유예를 받은 자에 대해 유예기간 중 자격정지 이상의 형에 처한 전과가 발견된 경우 유예한 형을 선고할 수 없다.

[해설] ① × : 집행유예의 선고를 받은 자가 유예기간 중 고의(과실 ×)로 범한 죄로 금고 이상의 실형(집행유예 ×)을 선고받아 그 판결이 확정된 때에는 집행유예의 선고는 효력을 잃는다(제63조).

② ○ : ~ (3줄) 실효 또는 취소된 경우와 그 선고 시점에 미처 유예기간이 경과하지 아니하여 형 선고의 효력이 실효되지 아니한 채로 남아 있는 경우에도 형법 제62조 제1항 단서의 집행유예 결격사유에 해당한다 (대판 2007.2.8, 2006도6196).

③ × : ~ (2줄) 받을 것을 명할 수 있으며(명하여야 하며 ×)(제59조의 2 제1항), 보호관찰을 명한 선고유예를 받은 자가 보호관찰기간 중에 준수사항을 위반하고 그 정도가 무거운 때에는 유예한 형을 선고할 수 있다 (선고하여야 한다 ×)(제61조 제2항).

④ × : ~ 유예한 형을 선고한다(제61조 제1항).

Answer　05. ②

06 형법상 집행유예, 선고유예, 가석방에 관한 설명으로 가장 적절한 것은?(다툼이 있는 경우 판례에 의함)

24. 경력채용

① 형법 제37조 후단의 경합범 관계에 있는 죄에 대하여 두 개의 징역형을 선고하면서 하나의 징역형에 대하여만 집행유예를 선고하고 그 집행유예기간의 시기를 다른 하나의 징역형의 집행 종료일로 한 것은 위법하다.

② 형의 선고를 유예하는 경우에 재범방지를 위하여 지도 및 원호가 필요한 때에는 보호관찰을 받을 것을 명하거나 사회봉사 또는 수강을 명할 수 있다.

③ 집행유예의 선고를 받은 자가 유예기간 중 고의 또는 과실로 범한 죄로 금고 이상의 실형을 선고받아 그 판결이 확정된 때에는 집행유예의 선고는 효력을 잃는다.

④ 징역이나 금고의 집행 중에 있는 사람이 행상이 양호하여 뉘우침이 뚜렷한 때에는 무기형은 20년, 유기형은 형기의 2분의 1이 지난 후부터 행정처분으로 가석방을 할 수 있다.

해설 ① ○ : 대판 2002.2.26, 2000도4637

② × : ~ 보호관찰을 받을 것을 명할 수 있으나(제59조의 2 제1항), 사회봉사 또는 수강을 명할 수 없다.

③ × : ~ 유예기간 중 고의(과실 ×)로 범한 죄로 금고 이상의 실형을 선고받아 그 판결이 확정된 때에는 집행유예의 선고는 효력을 잃는다(제63조).

④ × : ~ (2줄) 유기형은 형기의 3(2 ×)분의 1이 지난 후부터 행정처분으로 가석방을 할 수 있다(제72조 제1항).

07 다음 설명 중 옳지 않은 것은?(다툼이 있는 경우 판례에 의함)

25.7급 검찰

① 형의 집행유예를 함에 있어 그 집행유예기간의 시기(始期)는 집행유예를 선고한 판결 확정일로 하여야 하고 법원이 판결 확정일 이후의 시점을 임의로 선택할 수는 없다.

② 형의 집행유예를 선고받은 사람이 그 선고가 실효 또는 취소됨이 없이 유예기간을 경과하여 형의 선고가 효력을 상실한 경우, 형법 제59조 제1항 단서에서 정한 선고유예 결격사유인 '자격정지 이상의 형을 받은 전과가 있는 사람'에 해당하지 않는다.

③ 형의 선고유예 판결이 확정된 후 2년을 경과한 때에는 면소된 것으로 간주하고, 그 뒤에는 실효의 대상이 되는 선고유예의 판결이 존재하지 않으므로 선고유예 실효의 결정을 할 수 없다.

④ 가석방 기간 중 고의로 지은 죄로 금고 이상의 형을 선고받아 그 판결이 확정된 경우에 가석방 처분은 효력을 잃는다.

해설 ① 대판 2002.2.26, 2000도4637

② × : ~ 해당한다(대판 2003.12.26, 2003도3768).

③ 대결 2007.6.28, 2007모348

④ 제74조

Answer **06.** ① **07.** ②

08 선고유예·집행유예·가석방에 관한 설명으로 가장 적절한 것은?　　　25. 순경 2차

① 가석방된 자는 가석방기간 중 보호관찰을 받지만 가석방을 허가한 행정관청이 필요 없다고 인정한 때에는 그러하지 아니하다.

② 가석방 기간 중 고의로 지은 죄로 자격상실 이상의 형을 선고받아 그 판결이 확정된 경우에 가석방 처분은 효력을 잃는다.

③ 형의 선고유예를 받은 자가 유예기간 중 벌금 이상의 형에 처한 판결이 확정되거나 자격정지 이상의 형에 처한 전과가 발견된 때에는 유예한 형을 선고한다.

④ 집행유예의 선고를 받은 자가 유예기간 중 고의로 범한 죄로 자격정지 이상의 실형을 선고받아 그 판결이 확정된 때에는 집행유예의 선고는 효력을 잃는다.

> 해설 　① ○ : 제73조의 2 제2항
> ② × : 가석방 기간 중 고의(과실 ×)로 지은 죄로 금고(자격상실 ×) 이상의 형을 선고받아 그 판결이 확정된 경우에 가석방 처분은 효력을 잃는다(제74조).
> ③ × : 형의 선고유예를 받은 자가 유예기간 중 자격정지(벌금 ×) 이상의 형에 처한 판결이 확정되거나 자격정지 이상의 형에 처한 전과가 발견된 때에는 유예한 형을 선고한다(제61조 제1항).
> ④ × : 집행유예의 선고를 받은 자가 유예기간 중 고의(과실 ×)로 범한 죄로 금고(자격정지 ×) 이상의 실형(집행유예 ×)을 선고받아 그 판결이 확정된 때에는 집행유예의 선고는 효력을 잃는다(제63조).

Answer　**08. ①**

 제5절 **형의 시효 · 소멸 · 기간**

1 형의 시효

(1) 의 의

형의 시효란 형의 선고를 받은 자가 재판이 확정된 후 그 형의 집행을 받지 않고 법률이 정한 일정한 기간을 경과하면 그 형의 집행이 면제되는 것을 말한다. 형의 시효는 형의 소멸원인의 하나이다.

Q 형사시효
1. 형의 시효(형법 제78조) : 이미 확정된 형벌의 집행권을 소멸시키는 제도이다.
2. 공소시효(형사소송법 제249조) : 미확정의 형벌권인 공소권을 소멸시키는 제도이다.

(2) 시효기간

> **제78조【형의 시효의 기간】** 시효는 형을 선고하는 재판이 확정된 후 그 집행을 받지 아니하고 다음 각 호의 구분에 따른 기간이 지나면 완성된다. 22. 해경간부, 24. 경찰간부
> 1. 삭제⟨2023. 8. 8⟩(▶ 사형 : 30년 ⇨ 삭제)
> 2. 무기의 징역 또는 금고 : 20년
> 3. 10년 이상의 징역 또는 금고 : 15년
> 4. 3년 이상의 징역이나 금고 또는 10년 이상의 자격정지 : 10년
> 5. 3년 미만의 징역이나 금고 또는 5년 이상의 자격정지 : 7년(5년 ×)
> 6. 5년 미만의 자격정지, 벌금, 몰수 또는 추징 : 5년(3년 ×)
> 7. 구류 또는 과료 : 1년

🔔 형의 시효기간은 판결이 확정된 날로부터 진행되며, 초일은 시간을 계산함이 없이 1일로 산정한다(제85조). 01. 법원직

(3) 시효의 효과

> **제77조【형의 시효의 효과】** 형을 선고받은 사람에 대해서는 시효가 완성되면 그 집행이 면제된다.

🔔 시효의 완성으로 형의 집형이 면제될 뿐이지 형의 선고 자체가 실효되는 것은 아니다. 05. 법원행시

(4) 시효의 정지와 중단

① 시효의 정지

> **제79조【형의 시효의 정지】** ① 시효는 형의 집행의 유예나 정지 또는 가석방 기타 집행할 수 없는 기간은 진행되지 아니한다. 13. 법원행시, 24. 경찰간부
> ② 시효는 형이 확정된 후 그 형의 집행을 받지 아니한 사람이 형의 집행을 면할 목적으로 국외에 있는 기간 동안은 진행되지 아니한다. 22. 순경 2차, 24. 경찰간부

🔔 시효의 정지는 시효의 진행이 일시 멈추는 것이므로 정지사유가 소멸한 때로부터 잔여시효기간이 계속 진행된다는 점에서 아래의 시효의 중단과 구별된다.

② 시효의 중단

> **제80조【형의 시효의 중단】** 시효는 사형, 징역, 금고와 구류에 있어서는 수형자를 체포한 때, 벌금, 과료, 몰수 및 추징의 경우에는 강제처분을 개시한 때에 중단된다. 13. 법원직, 17. 순경 2차

관련판례

1. 수형자가 벌금의 일부를 납부한 경우에는 이로써 집행행위가 개시된 것으로 보아 그 벌금형의 시효가 중단된다고 봄이 상당하고, 이 경우 벌금의 일부 납부란 수형자 본인이 스스로 벌금을 일부 납부한 경우, 즉 벌금의 일부를 수형자 본인 또는 그 대리인이나 사자가 수형자 본인의 의사에 따라 이를 납부한 경우를 말하는 것이고, 수형자 본인의 의사와는 무관하게 제3자가 이를 납부한 경우는 포함되지 아니한다(대결 2001.8.23, 2001모91). 12. 사시, 14. 법원행시

2. ① 추징형의 집행을 채권에 대한 강제집행의 방법으로 하는 경우에는 검사가 집행명령서에 기하여 법원에 채권압류명령을 신청하는 때에 강제처분인 집행행위의 개시가 있는 것이므로 특별한 사정이 없는 한 그때 시효중단의 효력이 발생한다. ② 시효중단의 효력이 발생하기 위하여 집행행위가 종료하거나 성공할 필요는 없으므로 수형자의 재산이라고 추정되는 채권에 대하여 압류신청을 한 이상 피압류채권이 존재하지 않거나 압류채권을 환가하여도 집행비용 외에 잉여가 없다는 이유로 집행불능이 되었다고 하더라도 이미 발생한 시효중단의 효력이 소멸하지 않는다. 또한 채권압류가 집행된 후 해당 채권에 대한 압류가 취소되더라도 이미 발생한 시효중단의 효력이 소멸하지 않는다(대결 2023.2.23, 2021모3227).

---

2 형의 소멸, 형의 실효와 복권 · 사면

(1) 형의 소멸

① **의의** : 형의 소멸이란 유죄판결의 확정에 의하여 발생한 형의 집행권을 소멸시키는 것을 말한다.

② **형의 소멸의 원인** : ㉠ 형집행의 종료, ㉡ 형집행의 면제, ㉢ 가석방기간의 만료, ㉣ 형의 시효의 완성, ㉤ 범인의 사망, ㉥ 특별사면(원칙)

③ **형의 소멸의 효과** : 형이 소멸되어도 전과사실은 그대로 남아 형선고의 법률상 효과는 소멸되지 않는다.

(2) 형의 실효 및 복권

형이 소멸되더라도 형선고의 법률상 효과가 소멸하는 것이 아니어서 전과사실은 그대로 남게 되어 여러 가지 자격의 제한이나 사회생활상의 불이익이 발생할 수 있으므로, 전과사실을 말소시켜서 그 자격을 회복시키고 사회복귀를 용이하게 하기 위한 형사정책적 목적에서 둔 제도로 형의 실효 및 복권이 있다.

① 형의 실효

> **제81조【형의 실효】** 징역 또는 금고의 집행을 종료하거나 집행이 면제된 자가 피해자의 손해를 보상하고 자격정지 이상(벌금 이상 ×)의 형을 받음이 없이 7년을 경과한 때에는 본인 또는 검사의 신청에 의하여 그 재판의 실효를 선고할 수 있다. 17. 순경 2차, 21. 법원직·7급·9급 검찰, 24. 해경경위

🔔 '자격정지 이상의 형을 받음이 없이 7년을 경과'해야 하므로 형의 집행종료 후 7년 이내에 집행유예의 선고를 받고 유예기간이 경과되어도 형의 실효를 선고할 수 없다(대결 1983.4.2, 83모8). 21. 법원행시

Q 형의 실효의 효과

재판상의 실효에 있어서 실효의 재판이 확정되거나 당연실효에 있어서 형이 실효되면 형의 선고에 의한 법적 효과, 즉 전과사실은 장래에 향하여 소멸된다.

② 복 권

> **제82조【복권】** 자격정지의 선고를 받은 자가 피해자의 손해를 보상하고 자격정지 이상의 형을 받음이 없이 정지기간의 2분의 1을 경과한 때에는 본인 또는 검사의 신청에 의하여 자격의 회복을 선고할 수 있다. 14. 법원행시, 17. 순경 2차

Q 복권의 효과

복권은 형의 선고에 의하여 상실되거나 정지된 자격을 회복시킬 뿐 형선고의 효력 자체를 상실시키는 것이 아니므로 그 전과사실은 누범가중사유에 해당된다(대판 1981.4.14, 81도543). 13. 법원행시

3 형의 기간 12. 법원직

> **제83조【기간의 계산】** 연 또는 월로 정한 기간은 연 또는 월 단위로 계산한다.

🔔 "역수(曆數)에 따라 계산한다."라 함은 중간의 일·시·분·초를 정산하지 않고 연·월·일 단위로 계산한다는 것이다.

> **제84조【형기의 기산】** ① 형기는 판결이 확정된 날로부터 기산한다.
> ② 징역, 금고, 구류와 유치에 있어서는 구속되지 아니한 일수는 형기에 산입하지 아니한다.
> **제85조【형의 집행과 시효기간의 초일】** 형의 집행과 시효기간의 초일은 시간을 계산함이 없이 1일로 산정한다.
> **제44조【자격정지】** 유기징역 또는 유기금고에 자격정지를 병과한 때에는 징역 또는 금고의 집행을 종료하거나 면제된 날로부터 정지기간의 초일은 시간을 계산함이 없이 1일로 산정한다.
> **제86조【석방일】** 석방은 형기종료일에 하여야 한다.

01 형법상 형의 시효·소멸에 대한 설명으로 가장 적절하지 않은 것은?　　17. 순경 2차

① 징역 또는 금고의 집행을 종료하거나 집행이 면제된 자가 피해자의 손해를 보상하고 자격정지 이상의 형을 받음이 없이 5년을 경과한 때에는 본인 또는 검사의 신청에 의하여 그 재판의 실효를 선고할 수 있다.

② 자격정지의 선고를 받은 자가 피해자의 손해를 보상하고 자격정지 이상의 형을 받음이 없이 정지기간의 2분의 1을 경과한 때에는 본인 또는 검사의 신청에 의하여 자격의 회복을 선고할 수 있다.

③ 시효는 형이 확정된 후 그 형의 집행을 받지 아니한 자가 형의 집행을 면할 목적으로 국외에 있는 기간 동안은 진행되지 아니한다.

④ 시효는 징역, 금고와 구류에 있어서는 수형자를 체포함으로, 벌금, 과료, 몰수와 추징에 있어서는 강제처분을 개시함으로 인하여 중단된다.

해설 ① × : ~ (2줄) 7년(5년 ×)을 경과한 때에는 본인 또는 검사의 신청에 의하여 그 재판의 실효를 선고할 수 있다(제81조).
② 제82조 ③ 제79조 제2항 ④ 제80조

02 형의 시효·소멸에 관한 설명으로 가장 적절하지 않은 것은?(다툼이 있는 경우 판례에 의함)
　　24. 경찰간부

① 3년 미만의 징역이나 금고 또는 5년 이상의 자격정지의 형을 선고하는 재판이 확정된 후 그 집행을 받지 아니하고 7년의 기간이 지나면 형의 시효는 완성된다.

② 징역형의 집행유예와 벌금형의 병과를 선고받은 자에 대하여 징역형의 집행유예의 효력을 상실케 하는 특별사면이 있었다면 그 벌금형 역시 선고의 효력이 상실된다.

③ 형의 시효는 형의 집행의 유예나 정지 또는 가석방 기타 집행할 수 없는 기간은 진행되지 아니한다.

④ 형의 시효는 형이 확정된 후 그 형의 집행을 받지 아니한 자가 형의 집행을 면할 목적으로 국외에 있는 기간 동안은 진행되지 아니한다.

해설 ① 제78조 제5호
② × : 징역형의 집행유예와 벌금형이 병과된 신청인에 대하여 징역형의 집행유예의 효력을 상실케 하는 내용의 특별사면이 있는 경우, 그 특별사면의 효력이 병과된 나머지 형에까지 미치는 것은 아니므로 그 벌금형의 선고의 효력까지 상실케 하는 것은 아니다(대결 1997.10.13, 96모33).
③ 제79조 제1항 ④ 제79조 제2항

Answer　01. ①　02. ②

03 사면, 복권에 관한 다음 설명 중 옳지 않은 것은 모두 몇 개인가?(다툼이 있는 경우 판례에 의함)

23. 법원행시

> ㉠ 여러 개의 형이 병과된 사람에 대하여 그 병과형 중 일부의 집행을 면제하거나 그에 대한 형
> 의 선고의 효력을 상실케 하는 특별사면이 있은 경우, 그 특별사면의 효력이 병과된 나머지
> 형에까지 미치는 것은 아니다.
> ㉡ 형의 선고를 받은 자가 특별사면을 받아 형의 집행을 면제받고, 또 후에 복권이 되었다 하더라
> 도 형의 선고의 효력이 상실되는 것은 아니지만, 복권이 된 이상 누범의 기초가 되는 전과에는
> 포함되지 아니한다.
> ㉢ 확정판결의 죄에 대하여 일반사면이 있다 하더라도 일사부재리의 효력 등은 여전히 계속 존
> 속하는 것이고, 확정판결이 있었던 사실에 의하여 그 전의 죄와 후의 죄 등이 형법 제37조
> 후단의 경합범 관계에 있었다고 하는 효과에도 영향이 있다고 할 수 없다.
> ㉣ 일반사면은 죄의 종류를 정하여 행해지는 것으로, 대통령령의 방식으로 실시하며, 형 선고의
> 효력이 상실되고, 형을 선고받지 아니한 자에 대하여는 공소권(公訴權)이 상실된다.

① 없 음　　　② 1개　　　③ 2개　　　④ 3개　　　⑤ 4개

해설 ㉠ ○ : 대결 1997.10.13, 96모33
㉡ × : ~ (2줄) 선고의 효력은 상실되지 않으므로, 누범의 기초가 되는 전과에 포함된다(대판 1986.11.11, 86도
2004).
㉢ ○ : 대판 1995.12.22, 95도2446
㉣ ○ : 사면법 제8조, 사면법 제5조 제1항 제1호

04 다음 설명 중 옳은 것은 모두 몇 개인가?

16. 법원행시

> ㉠ 3년 이하의 징역 또는 금고의 형을 선고할 경우에 형법 제51조의 사항을 참작하여 그 정상에
> 참작할 만한 사유가 있는 때에는 1년 이상 7년 이하의 기간 형의 집행을 유예할 수 있음이
> 원칙이다.
> ㉡ 죄를 범한 후 수사책임이 있는 관서에 자수한 때에는 그 형을 감경 또는 면제하여야 한다.
> ㉢ 우리 형법은 무죄판결의 공시제도는 있으나, 면소판결의 공시제도는 없다.
> ㉣ 징역 또는 금고는 무기 또는 유기로 하되, 유기는 1개월 이상 30년 이하로 한다. 단, 유기징역
> 또는 유기금고에 대하여 형을 가중하는 때에는 50년까지로 한다.
> ㉤ 행위자에게 유죄의 재판을 아니할 때에도 몰수의 요건이 있는 때에는 몰수만을 선고할 수 있다.

① 1개　　　② 2개　　　③ 3개
④ 4개　　　⑤ 없 음

해설 ㉠ × : ~ (2줄) 1년 이상 5년(7년 ×) 이하의 기간 형의 집행을 유예할 수 있음이 원칙이다(제62조 제
1항). ㉡ × : 필요적 감면 ×, 임의적 감면 ○(제52조 제1항)
㉢ × : 무죄판결의 공시제도 ○(제58조 제2항), 면소판결의 공시제도 ○(제58조 제3항)
㉣ ○ : 제42조　㉤ ○ : 제49조 단서

Answer　**03.** ②　**04.** ②

05 형법상 형(刑)에 대한 설명으로 옳은 것은?　　　21. 9급 검찰·마약수사·철도경찰

① 판결선고 후 누범인 것이 발각된 때에는 그 선고한 형을 통산하여 다시 형을 정하여야 한다. 단, 선고한 형의 집행을 종료하거나 그 집행이 면제된 후에는 예외로 한다.

② 집행유예의 선고를 받은 자가 유예기간 중 벌금 이상의 형을 선고받아 그 판결이 확정된 때에는 집행유예의 선고는 효력을 잃는다.

③ 가석방의 처분을 받은 자가 감시에 관한 규칙을 위배하거나 보호관찰의 준수사항을 위반한 때에는 가석방처분을 취소한다.

④ 징역 또는 금고의 집행을 종료하거나 집행이 면제된 자가 피해자의 손해를 보상하고 자격정지 이상의 형을 받음이 없이 7년을 경과한 때에는 본인 또는 검사의 신청에 의하여 그 재판의 실효를 선고할 수 있다.

> **해설** ① × : ~ (1줄) 다시 형을 정할 수 있다(~ 정하여야 한다. ×). 단, 선고한 형의 집행을 종료하거나 그 집행이 면제된 후에는 예외로 한다(제36조).
> ② × : 집행유예의 선고를 받은 자가 유예기간 중 고의로 범한 죄로 금고 이상의 실형을 선고 받아 그 판결이 확정된 때에는 집행유예의 선고는 효력을 잃는다(제63조).
> ③ × : 가석방의 처분을 받은 자가 감시에 관한 규칙을 위배하거나, 보호관찰의 준수사항을 위반하고 그 정도가 무거운 때(가벼운 때 ×)에는 가석방처분을 취소할 수 있다(제75조).
> ④ ○ : 제81조

06 다음 설명 중 가장 옳지 않은 것은?(다툼이 있는 경우 판례에 의함)　　　21. 법원직

① 형을 가중·감경할 사유가 경합된 경우에는 형법 각칙 본조에 의한 가중 → 형법 제34조 제2항의 가중 → 누범가중 → 경합범 가중 → 법률상 감경 → 정상참작감경의 순서에 의하여야 한다.

② 형을 병과할 경우에도 형법 제59조에 따라 형의 전부 또는 일부에 대하여 선고를 유예할 수 있다.

③ 징역이나 금고의 집행 중에 있는 사람이 행상이 양호하여 뉘우침이 뚜렷한 때에는 무기형은 20년, 유기형은 형기의 3분의 1이 지난 후 행정처분으로 가석방을 할 수 있다.

④ 징역 또는 금고의 집행을 종료하거나 집행이 면제된 자가 피해자의 손해를 보상하고 자격정지 이상의 형을 받음이 없이 7년을 경과한 때에는 본인 또는 검사의 신청에 의하여 그 재판의 실효를 선고할 수 있다.

> **해설** ① × : ~ (2줄) 누범가중 → 법률상 감경 → 경합범 가중 → 정상참작감경의 순서에 의하여야 한다(제56조).
> ② 제59조 제2항
> ③ 제72조 제1항
> ④ 제81조

07 형벌에 관한 설명 중 옳은 것(○)과 옳지 않은 것(×)을 올바르게 조합한 것은?(다툼이 있는 경우 판례에 의함)

22. 변호사시험

> ㉠ 경합범의 처벌에 관한 형법 제38조 제1항 제3호에 의하여 징역형과 벌금형을 병과하는 경우에 징역형에만 작량감경을 하고 벌금형에는 작량감경을 하지 않는 것은 위법하다.
>
> ㉡ 2020. 7. 1. 무고죄로 징역 1년에 집행유예 2년을 선고받고 그 판결이 같은 달 9. 확정된 甲이 2021. 6. 1. 상습도박죄를 범하여 같은 해 11. 1. 유죄판결을 선고받는 경우, 법원은 甲에게 상습도박죄에 대한 집행유예는 선고할 수 없다.
>
> ㉢ 몰수에 관한 형법 제48조 제1항의 '범인'에는 공범자도 포함되므로 피고인의 소유물은 물론 공범자의 소유물도 그 공범자의 소추 여부를 불문하고 몰수할 수 있다.
>
> ㉣ 사기도박에 참여하도록 유인하기 위하여 고액의 수표를 제시해 보인 경우라도 그 수표가 직접적으로 도박자금으로 사용되지 않았다면 몰수할 수 없다.
>
> ㉤ 강도상해의 범행에 대하여 자수한 사안에서 법원이 자수감경을 하지 않았거나 자수감경 주장에 대한 판단을 하지 않았다고 해도 위법하다고 할 수 없다.

① ㉠(○), ㉡(○), ㉢(×), ㉣(×), ㉤(○)
② ㉠(×), ㉡(×), ㉢(○), ㉣(○), ㉤(×)
③ ㉠(○), ㉡(○), ㉢(×), ㉣(×), ㉤(×)
④ ㉠(×), ㉡(○), ㉢(○), ㉣(×), ㉤(○)
⑤ ㉠(×), ㉡(×), ㉢(○), ㉣(○), ㉤(○)

해설 ㉠ × : ~ 것은 위법하다고 할 수는 없다(대판 2006.3.23, 2006도1076).
㉡ ○ : 대판 2007.2.8, 2006도6196
㉢ ○ : 대판 2006.11.23, 2006도5586
㉣ × : ~ 않았더라도 몰수할 수 있다(대판 2002.9.24, 2002도3589).
㉤ ○ : 대판 2001.4.24, 2001도872

08 형법의 규정과 상응하는 것만을 모두 고르면?

22. 9급 검찰 · 마약수사

> ㉠ 벌금형의 경우에 선고유예는 물론이고 그 액수에 상관없이 집행유예를 할 수 있다.
>
> ㉡ 과료를 납입하지 아니한 자는 1일 이상 30일 미만의 기간 노역장에 유치하여 작업에 복무하게 한다.
>
> ㉢ 형을 선고받은 사람에 대해서는 시효가 완성되면 그 집행이 면제된다.
>
> ㉣ 가석방 기간 중 고의 또는 과실로 지은 죄로 금고 이상의 형의 선고를 받아 그 판결이 확정된 때에는 가석방 처분은 효력을 잃는다.
>
> ㉤ 집행유예의 선고를 받은 후 그 선고의 실효 또는 취소됨이 없이 유예기간을 경과한 때에는 형의 집행을 종료한 것으로 본다.

① ㉠, ㉣　　　② ㉡, ㉢　　　③ ㉡, ㉢, ㉤　　　④ ㉢, ㉣, ㉤

 **Answer** 07. ④ 08. ②

해설 ㉠ × : 벌금형의 경우에 그 액수에 상관없이 선고유예를 할 수 있으나(제59조 제1항), 500만원 이하의 벌금형을 선고할 경우에 집행유예를 할 수 있다(제62조 제1항).
㉡ ○ : 제69조 제2항 ㉢ ○ : 제77조
㉣ × : 가석방 기간 중 고의(과실 ×)로 지은 죄로 금고 이상의 형의 선고를 받아 그 판결이 확정된 때에는 가석방 처분은 효력을 잃는다(제74조).
㉤ × : ~ 때에는 형의 선고는 효력을 잃는다(제65조).

09 다음 설명 중 옳지 않은 것을 모두 고른 것은?

22. 법원행시

> ㉠ 문서, 도화, 전자기록 등 특수매체기록 또는 유가증권의 일부가 몰수의 대상이 된 경우에는 그 부분을 폐기할 수 있다.
> ㉡ 집행유예의 선고를 받은 후 형법 제62조 단행의 사유가 발각된 때에는 집행유예의 선고를 취소할 수 있다.
> ㉢ 사형은 교정시설 안에서 교수하여 집행할 수 있다.
> ㉣ 징역이나 금고의 집행 중에 있는 사람이 행상이 양호하여 뉘우침이 뚜렷한 때에는 무기형은 20년, 유기형은 형기의 4분의 1이 지난 후 행정처분으로 가석방을 할 수 있다.
> ㉤ 가석방 기간 중 고의로 지은 죄로 금고 이상의 형을 선고받아 그 판결이 확정된 경우에 가석방 처분은 효력을 잃는다.

① ㉠, ㉡, ㉢, ㉣   ② ㉠, ㉡, ㉢, ㉣, ㉤   ③ ㉠, ㉡, ㉢
④ ㉠, ㉡   ⑤ ㉣, ㉤

해설 ㉠ × : ~ 폐기한다(제48조 제3항).
㉡ × : ~ 취소한다(제64조 제1항).
㉢ × : ~ 집행한다(제66조).
㉣ × : ~ 형기의 3분의 1이 지난 후 행정처분으로 가석방을 할 수 있다(제72조 제1항).
㉤ ○ : 제74조

10 형벌에 관한 설명 중 가장 적절하지 않은 것은?

22. 순경 2차

① 징역 10년 형을 선고받은 甲은 그 형의 집행이 종료하거나 면제될 때까지 다른 법률에 특별한 규정이 있는 경우를 제외하고는 공무원이 되는 자격, 공법상의 선거권과 피선거권, 법률로 요건을 정한 공법상의 업무에 관한 자격이 정지된다.
② 甲에게 징역 12년 형이 확정된 후 그 집행을 받지 아니하고 15년이 경과했다면, 그 기간 내에 형의 집행을 면할 목적으로 국외에 3년 동안 나가 있던 것이 확인된 경우라도 형의 시효는 완성된다.
③ 법원이 중상해죄(1년 이상 10년 이하의 징역)로 유죄가 인정된 甲에게 형의 가중감경사유 중 형법 제10조 제2항(심신미약)과 제35조(누범)만을 적용하여 형을 선고할 경우, 甲에게 선고할 수 있는 형의 최하한은 징역 6월이다.

Answer 09. ① 10. ②

④ 법원이 피고인 甲에게 30억원의 벌금을 선고하는 경우, 이를 납입하지 아니하는 것을 대비하여 500일 이상의 노역장 유치기간을 정하여 동시에 선고하여야 한다.

> **해설** ① 제43조 제2항
> ② ×: 甲에게 징역 12년 형이 확정된 후 그 집행을 받지 아니하고 15년이 경과(제78조 제3호)했더라도, 그 기간 내에 형의 집행을 면할 목적으로 국외에 3년 동안 나가 있던 것이 확인된 경우 형의 시효는 완성되지 아니한다〔∵ 시효는 형이 확정된 후 그 형의 집행을 받지 아니한 자가 형의 집행을 면할 목적으로 국외에 있는 기간 동안은 진행되지 아니한다(제79조 제2항)〕.
> ③ 가중·감경의 순서(제56조) : 누범가중(제3호) ⇨ 법률감경(제4호) ∴ 누범가중〔장기의 2배 가중(제35조 제2항) : 1년 이상 20년 이하의 징역〕 ⇨ 법률상 감경〔심신미약 : 그 형기의 2분의 1 감경(제55조 제1항 제3호) : 6월 이상 10년 이하의 징역이므로 형의 최하한은 징역 6월이다.〕
> ④ 노역장 유치기간(제70조 제2항 : 벌금 1억원 이상 5억원 미만 ⇨ 300일 이상, 5억원 이상 50억원 미만 ⇨ 500일 이상, 50억원 이상 ⇨ 1천일 이상)

11 형벌에 관한 설명으로 가장 적절한 것은?(다툼이 있는 경우 판례에 의함)　　24. 순경 1차

① 형법 제48조 제1항의 '범인'에는 공범자도 포함되므로 피고인의 소유물은 물론 공범자의 소유물도 그 공범자의 소추 여부를 불문하고 몰수할 수 있고, 여기에서의 공범자에는 공동정범, 교사범, 방조범에 해당하는 자는 포함되나 필요적 공범관계에 있는 자는 포함되지 않는다.

② 형법 제48조 제1항 제1호의 '범죄행위에 제공하려고 한 물건'은 범죄행위에 사용하려고 준비하였으나 실제 사용하지 못한 물건을 의미하며, 어떠한 물건을 '범죄행위에 제공하려고 한 물건'으로서 몰수하기 위해서는 그 물건이 유죄로 인정되는 당해 범죄행위에 제공하려고 한 물건임이 인정되어야 한다.

③ 형법은 벌금형의 집행유예는 인정하나, 벌금형의 선고유예는 인정하지 않는다.

④ 수뢰자가 뇌물로 받은 수표를 은행에 예금한 후 그 수표금액에 상당하는 금전을 찾아 증뢰자에게 반환한 경우, 증뢰자로부터 그 가액을 추징하여야 한다.

> **해설** ① ×: ~ (3줄) 방조범에 해당하는 자는 물론 필요적 공범관계에 있는 자도 포함된다(대판 2006.11.23, 2006도5586).
> ② ○: 대판 2008.2.14, 2007도10034
> ③ ×: 벌금형의 선고유예 ○(제59조 제1항), 500만원 이하의 벌금형의 집행유예 ○(제62조 제1항)
> ④ ×: ~ (2줄) 반환한 경우, 수뢰자(증뢰자 ×)로부터 그 가액을 추징하여야 한다(대판 1999.1.9, 98도3584).

12 형벌론에 관한 설명으로 가장 적절하지 않은 것은?(다툼이 있는 경우 판례에 의함)　　24. 순경 2차

① 과료는 판결확정일로부터 30일 내에 납입하여야 하며, 과료를 납입하지 아니한 자는 1일 이상 30일 미만의 기간 노역장에 유치하여 작업에 복무하게 한다.

② 행위자에게 유죄의 재판을 아니할 때에도 몰수의 요건이 있는 때에는 몰수만을 선고할 수 있지만, 우리 법제상 공소의 제기 없이 별도로 몰수만을 선고할 수 있는 제도는 마련되어 있지 않다.

③ 마약류 관리에 관한 법률 제67조에 의한 몰수나 추징은 범죄행위로 인한 이득의 박탈을 목적으로 하는 것이므로, 그 범행으로 인하여 이득을 취득한 바 없다면 법원은 그 가액의 추징을 명할 수 없다.

④ 甲이 수사기관에 자진 출석하여 처음 조사를 받으면서는 돈을 차용하였을 뿐이라며 범죄사실을 부인하다가 제2회 조사를 받으면서 비로소 업무와 관련하여 돈을 수수하였다고 자백한 행위에 대하여 자수감경을 할 수 없다.

해설 ① 제69조

② 대판 2007.7.26, 2007도4556

③ × : 마약류관리에 관한 법률 제67조에 의한 몰수나 추징은 범죄행위로 인한 이득의 박탈을 목적으로 하는 것이 아니라 징벌적 성질의 처분이므로, 그 범행으로 인하여 이득을 취득한 바 없다 하더라도 법원은 그 가액의 추징을 명하여야 한다(대판 2000.9.8, 2000도546).

④ 대판 2011.12.22, 2011도12041

13 다음 중 형벌에 대한 설명으로 가장 옳지 않은 것은?(다툼이 있는 경우 판례에 의함)　　25. 해경경사

① 휴대전화로 촬영한 동영상은 일정한 저장매체에 전자방식이나 자기방식에 의하여 저장된 기록으로서 저장매체를 매개로 존재하는 물건이므로 몰수의 사유가 있는 때에는 그 전자기록을 몰수할 수 있다.

② 유기징역형에 대한 법률상 감경을 하면서 형법 제55조 제1항 제3호에서 정한 것과 같이 장기와 단기를 모두 2분의 1로 감경하는 것이 아닌 장기 또는 단기 중 어느 하나만을 2분의 1로 감경하는 방식이나 2분의 1보다 넓은 범위의 감경을 하는 방식 등은 죄형법정주의 원칙상 허용될 수 없다.

③ 형법 제55조 제1항 제6호에서 벌금을 감경할 때의 다액의 2분의 1이라는 문구는 그 상한과 함께 하한도 2분의 1로 내려가는 것으로 해석하여야 한다.

④ 도로교통법 위반죄에 대하여 당해 법조가 정하고 있는 징역형과 벌금형 가운데에 벌금형을 선택한 경우 피고인이 금고 이상의 형을 선고받아 그 집행이 종료된 후 3년이 경과하기 전이라면 누범가중을 할 수 있다.

해설 ① 대판 2024.1.4, 2021도5723

② 대판 2021.1.21, 2018도5475 전원합의체

③ 대판 1978.4.25, 78도246 전원합의체

④ × : ~ (3줄) 경과하기 전이라도 누범가중을 할 수 없다(대판 1982.9.14, 82도1702 ∵ 징역형을 선택한 경우에만 누범이 될 뿐, 벌금형을 선택한 때에는 누범가중을 할 수 없다).

Answer　13. ④

14 형벌에 관한 설명으로 옳은 것은 모두 몇 개인가?(다툼이 있는 경우 판례에 의함)　26. 경찰승진

> ㉠ 징역은 수형자를 교정시설에 수용하여 집행하며 정해진 노역에 복무하게 하는 것을 내용으로 하는 형벌로서 징역의 집행 중에 있는 사람이 행상이 양호하여 뉘우침이 뚜렷한 때에는 무기형은 15년, 유기형은 형기의 3분의 1이 지난 후 행정처분으로 가석방을 할 수 있다.
>
> ㉡ 피고인들이 공모하여 외국인 개인정보 유통 브로커로부터 매입한 외국인등록증 이미지 파일로 '선불 이동전화 가입신청서'를 위조·행사하여 선불 이동전화를 개통하고, 개통한 회선 명의자의 정보를 이용하여 개설한 인터넷 사이트 계정을 판매하며, 휴대전화 개통수수료 및 인터넷 계정 판매수익을 은행 계좌로 송금·이체 받은 경우, 위 수익금은 형법 제48조 제1항의 '물건'이라고 보기 어려워 형법상 추징 대상에 해당하지 않는다.
>
> ㉢ 벌금은 5만원 이상이지만 감경하는 경우에는 5만원 미만으로 할 수 있으며, 판결확정일로부터 15일 내에 납입하여야 한다. 단, 벌금을 선고할 때에는 동시에 그 금액을 완납할 때까지 노역장에 유치할 것을 명할 수 있다.
>
> ㉣ 벌금이나 과료의 선고를 받은 사람이 그 금액의 일부를 납입한 경우에는 벌금 또는 과료액과 노역장 유치기간의 일수(日數)에 비례하여 납입금액에 해당하는 일수를 뺀다.
>
> ㉤ 사형의 선고는 범행에 대한 책임의 정도와 형벌의 목적에 비추어 누구라도 그것이 정당하다고 인정할 수 있는 특별한 사정이 있는 경우에만 허용된다.

① 2개　　　　② 3개　　　　③ 4개　　　　④ 5개

해설　㉠ × : ~ (2줄) 뚜렷한 때에는 무기형은 20년(15년 ×), 유기형은 형기의 3분의 1이 지난 후 행정처분으로 가석방을 할 수 있다(제72조 제1항).

㉡ ○ : 대판 2025.7.16, 2025도4876

㉢ × : ~ (1줄) 5만원 미만으로 할 수 있으며(제45조), 판결확정일로부터 30일(15일 ×) 내에 납입하여야 한다. 단, 벌금을 선고할 때에는 동시에 그 금액을 완납할 때까지 노역장에 유치할 것을 명할 수 있다(제69조 제1항).

㉣ ○ : 제71조

㉤ ○ : 대판 2023.7.13, 2023도2043

Answer　**14.** ②

공편저자 약력·저서

조충환

- •중앙대학교 법학박사(형사법전공)
- 現 •교재집필 및 연구
- 前 •박문각 경찰승진 형사소송법 대표교수
  - •중앙대·울산대 출강
  - •노량진 남부경찰학원 대표강사
  - •노량진 남부행정고시학원 대표강사
  - •노량진 한교경찰학원 대표강사
  - •노량진 베리타스경찰학원 대표강사
  - •법무부 출간 교정지 출제위원
  - •경찰청 인터넷방송 초빙교수

주요저서

- •SPA 형법
- •SPA 형사소송법
- •객관식 테마 형법
- •객관식 테마 형사소송법
- •ALL THAT 올댓 형사법 형법 총론
- •ALL THAT 올댓 형사법 형법 각론
- •ALL THAT 올댓 형사법 수사·증거
- •수사경과 대비 형사법능력평가
- •COPSPA 경찰 형법
- •COPSPA 경찰 형사소송법
- •3+3 형법
- •3+3 형사소송법
- •논문 다수

상 훈

- •중앙대 강의평가 우수강사 총장 표창(3회)
- •모범강사 전국학원연합회 회장표창

양 건

- 現 •박문각 경찰승진 형법 대표교수
  - •공무원저널 형사법 판례교실 집필위원
  - •법률저널 경찰·교정직 집필위원
- 前 •조이에듀경찰학원 형법 대표강사
  - •신림동 태학관 법정연구회 강의
  - •종로행정고시학원 경찰승진 형법 대표강사
  - •중앙경찰고시학원 형법 대표강사
  - •경찰승진특강
  - •노량진 한교경찰학원 대표강사(형법)
  - •노량진 베리타스경찰학원 대표강사(형법)

주요저서

- •SPA 형법
- •SPA 형사소송법
- •객관식 테마 형법
- •객관식 테마 형사소송법
- •ALL THAT 올댓 형사법 형법 총론
- •ALL THAT 올댓 형사법 형법 각론
- •ALL THAT 올댓 형사법 수사·증거
- •수사경과 대비 형사법능력평가
- •COPSPA 경찰 형법
- •COPSPA 경찰 형사소송법
- •3+3 형법
- •3+3 형사소송법

초판인쇄 : 2026년 3월 5일
초판발행 : 2026년 3월 10일
편　　저 : 조충환·양건
발 행 인 : 박 용
발 행 처 : (주)박문각출판
등　　록 : 2015. 4. 29. 제2019-000137호
주　　소 : 06654 서울시 서초구 효령로 283 서경 B/D
전　　화 : (02) 6466-7202
팩　　스 : (02) 584-2927

저자와의
협의하에
인지생략

정가 40,000원
ISBN 979-11-7519-750-3
ISBN 979-11-7519-748-0(총론세트)